여러분의 ▓▓▓▓▓▓ 는

해커스공무원의 특별 혜택

FREE 공무원 헌법 **특강**

해커스공무원(gosi.Hackers.com) 접속 후 로그인 ▶ 상단의 [무료강좌] 클릭 ▶
[교재 무료특강] 클릭 후 이용

 해커스공무원 온라인 단과강의 **20% 할인쿠폰**

2EDD26975F99DAV3

해커스공무원(gosi.Hackers.com) 접속 후 로그인 ▶ 상단의 [나의 강의실] 클릭 ▶
좌측의 [쿠폰등록] 클릭 ▶ 위 쿠폰번호 입력 후 이용

* 등록 후 7일간 사용 가능(ID당 1회에 한해 등록 가능)

합격예측 **온라인 모의고사 응시권 + 해설강의 수강권**

488A586EEEC8F352

해커스공무원(gosi.Hackers.com) 접속 후 로그인 ▶ 상단의 [나의 강의실] 클릭 ▶
좌측의 [쿠폰등록] 클릭 ▶ 위 쿠폰번호 입력 후 이용

* ID당 1회에 한해 등록 가능

쿠폰 이용 관련 문의 **1588-4055**

단기 합격을 위한
해커스공무원 커리큘럼

입문

▼

기본+심화

▼

기출+예상 문제풀이

▼

동형문제풀이

▼

최종 마무리

탄탄한 기본기와 핵심 개념 완성!

누구나 이해하기 쉬운 개념 설명과 풍부한 예시로 부담없이 쌩기초 다지기

TIP 베이스가 있다면 **기본 단계**부터!

필수 개념 학습으로 이론 완성!

반드시 알아야 할 기본 개념과 문제풀이 전략을 학습하고
심화 개념 학습으로 고득점을 위한 응용력 다지기

문제풀이로 집중 학습하고 실력 업그레이드!

기출문제의 유형과 출제 의도를 이해하고 최신 출제 경향을 반영한
예상문제를 풀어보며 본인의 취약영역을 파악 및 보완하기

동형모의고사로 실전력 강화!

실제 시험과 같은 형태의 실전모의고사를 풀어보며 실전감각 극대화

시험 직전 실전 시뮬레이션!

각 과목별 시험에 출제되는 내용들을 최종 점검하며 실전 완성

PASS

**단계별 교재 확인 및
수강신청은 여기서!**

gosi.Hackers.com

* 커리큘럼 및 세부 일정은 상이할 수 있으며,
자세한 사항은 해커스공무원 사이트에서 확인하세요.

해커스공무원

신동욱
헌법

기본서 | 2권 통치구조론·헌법재판론

해커스

신동욱

약력

현 | 해커스공무원 헌법, 행정법 강의
전 | 서울시 교육청 헌법 특강
전 | 2017 EBS 특강
전 | 2013, 2014 경찰청 헌법 특강
전 | 교육부 평생교육진흥원 학점은행 교수
전 | 금강대 초빙교수
전 | 강남 박문각행정고시학원 헌법 강의

저서

해커스공무원 처음 헌법 만화판례집
해커스공무원 신동욱 헌법 기본서
해커스공무원 신동욱 헌법 조문해설집
해커스공무원 神헌법 핵심요약집
해커스공무원 神헌법 단원별 기출문제집
해커스공무원 神헌법 핵심 기출 OX
해커스공무원 神헌법 실전동형모의고사
해커스공무원 처음 행정법 만화판례집
해커스공무원 신동욱 행정법총론 기본서
해커스공무원 신동욱 행정법총론 조문해설집
해커스공무원 神행정법총론 핵심요약집
해커스공무원 신동욱 행정법총론 단원별 기출문제집
해커스공무원 神행정법총론 핵심 기출 OX
해커스공무원 神행정법총론 사례형 기출 + 실전문제집
해커스공무원 神행정법총론 실전동형모의고사 1·2

공무원 시험 합격을 위한 필수 기본서!

공무원 공부, 어떻게 시작해야 할까?

많은 수험생 여러분들이 헌법 과목의 방대한 양에 막연한 두려움을 느끼곤 합니다. 하지만 우리에게 중요한 것은 오랜 기간 축적되어 온 학문으로서의 헌법이 아닌, '시험에 합격할 수 있는' 헌법일 것입니다.

이에 『해커스공무원 신동욱 헌법 기본서』는 수험생 여러분들이 '시험에 나오는' 헌법만을 효율적으로 학습할 수 있도록 다음과 같은 특징을 가지고 있습니다.

첫째, 헌법의 체계를 이해할 수 있도록 짜임새 있게 구성하였습니다.
상세한 기본 이론을 토대로 학습에 도움이 되는 다양한 학습 장치를 수록하여 헌법 전반에 대한 이해를 높일 수 있도록 하였습니다. 이를 통해 헌법의 주요 체계 및 핵심 내용을 한눈에 확인하여 방대한 헌법의 체계를 쉽고 빠르게 파악할 수 있습니다.

둘째, 최신 판례 및 개정 법령을 전면 반영하여 효과적인 학습이 가능하도록 구성하였습니다.
최신 판례 및 최근 제·개정된 법령을 교재 내 관련 이론에 전면 반영하였습니다. 이를 통해 수험생 여러분들은 이론을 학습하면서 가장 최신의 판례와 제·개정된 법령까지 효과적으로 함께 학습할 수 있습니다.

더불어, 공무원 시험 전문 사이트 해커스공무원(gosi.Hackers.com)에서 교재 학습 중 궁금한 점을 나누고 다양한 무료 학습 자료를 함께 이용하여 학습 효과를 극대화할 수 있습니다.

부디 『해커스공무원 신동욱 헌법 기본서』와 함께 공무원 헌법 시험 고득점을 달성하고 합격을 향해 한걸음 더 나아가시기를 바랍니다.

『해커스공무원 신동욱 헌법 기본서』가 공무원 합격을 꿈꾸는 모든 수험생 여러분에게 훌륭한 길잡이가 되기를 바랍니다.

신동욱, 해커스 공무원시험연구소

목차

1권 헌법총론 · 기본권론

이 책의 구성   6

제1편 헌법총론

제1장 헌법과 헌법학
제1절 헌법의 의의   10
제2절 합헌적 법률해석   20
제3절 헌법의 제정·개정 및 변천   25
제4절 헌법의 수호   35

제2장 대한민국헌법총설
제1절 대한민국헌정사   45
제2절 대한민국의 국가형태와 구성요소   54
제3절 한국헌법의 기본원리   79
제4절 한국헌법의 기본질서   100
제5절 한국헌법의 기본제도   118
단원 마무리   121

제2편 기본권론

제1장 기본권총론
제1절 기본권의 의의   124
제2절 기본권의 성격   126
제3절 기본권의 주체   132
제4절 기본권의 효력   142
제5절 기본권의 한계와 제한   154
제6절 기본권의 침해와 구제   162
단원 마무리   173

제2장 인간의 존엄과 가치, 행복추구권, 법 앞의 평등
제1절 인간의 존엄과 가치   174
제2절 행복추구권   187
제3절 법 앞의 평등   215
단원 마무리   290

제3장 자유권적 기본권
제1절 인신의 자유권   296
제2절 사생활의 자유권   376
제3절 정신적 자유권   426
단원 마무리   526

제4장 경제적 기본권
제1절 재산권   540
제2절 직업선택의 자유   590
제3절 소비자의 권리   646
단원 마무리   652

제5장 정치적 기본권
제1절 개설   660
제2절 참정권   660
단원 마무리   683

제6장 청구권적 기본권
제1절 개설   686
제2절 청원권   687
제3절 재판청구권   695
제4절 국가배상청구권   734
제5절 국가보상청구권   746
제6절 범죄피해자구조청구권   755
단원 마무리   759

제7장 사회적 기본권
제1절 구조와 체계   762
제2절 인간다운 생활권   764
제3절 교육을 받을 권리   776
제4절 근로의 권리   790
제5절 근로3권   801
제6절 환경권   823
제7절 보건권과 모성을 보호받을 권리   832
단원 마무리   834

제8장 국민의 기본적 의무
제1절 고전적 의무   836
제2절 현대적 의무   840
단원 마무리   842

2권 통치구조론 · 헌법재판론

제3편 통치구조론

제1장 통치구조의 구성원리

제1절 대의제　　　　　　　　　　　872
제2절 권력분립의 원리　　　　　　876
제3절 정부형태　　　　　　　　　882
제4절 정당제도(복수정당제)　　　888
제5절 선거제도　　　　　　　　　905
제6절 공무원제도　　　　　　　　947
제7절 지방자치제도　　　　　　　955
제8절 교육제도　　　　　　　　　987
제9절 가족제도　　　　　　　　　992
단원 마무리　　　　　　　　　　　1001

제2장 통치작용

제1절 입법작용　　　　　　　　　1004
제2절 집행작용　　　　　　　　　1013
제3절 사법작용　　　　　　　　　1015
단원 마무리　　　　　　　　　　　1023

제3장 국회

제1절 의회주의　　　　　　　　　1024
제2절 국회의 헌법상 지위　　　　1027
제3절 국회의 구성과 조직　　　　1029
제4절 국회의 운영과 의사절차　　1047
제5절 국회의 권한　　　　　　　1058
제6절 국회의원　　　　　　　　1102
단원 마무리　　　　　　　　　　　1118

제4장 대통령

제1절 대통령의 헌법상 지위　　　1119
제2절 대통령의 선거　　　　　　1121
제3절 대통령의 신분과 직무　　　1124
제4절 대통령의 권한　　　　　　1129
단원 마무리　　　　　　　　　　　1168

제5장 정부

제1절 국무총리　　　　　　　　1169
제2절 국무위원　　　　　　　　1177
제3절 국무회의　　　　　　　　1178
제4절 대통령의 자문기관　　　　1182
제5절 행정각부　　　　　　　　1184
제6절 감사원　　　　　　　　　1186
단원 마무리　　　　　　　　　　　1191

제6장 선거관리위원회　　　　　1193

단원 마무리　　　　　　　　　　　1198

제7장 법원

제1절 헌법상 지위　　　　　　　1199
제2절 사법권의 독립　　　　　　1200
제3절 구성과 조직　　　　　　　1209
제4절 사법의 절차와 운영　　　　1219
제5절 권한　　　　　　　　　　1223
단원 마무리　　　　　　　　　　　1232

제4편 헌법재판론

제1장 헌법재판 일반론

제1절 헌법재판제도　　　　　　1236
제2절 헌법상 지위　　　　　　　1240
제3절 구성과 조직　　　　　　　1247
제4절 심판절차　　　　　　　　1251
단원 마무리　　　　　　　　　　　1264

제2장 위헌법률심판　　　　　　1265

단원 마무리　　　　　　　　　　　1288

제3장 탄핵심판　　　　　　　　1289

단원 마무리　　　　　　　　　　　1310

제4장 정당해산심판　　　　　　1311

단원 마무리　　　　　　　　　　　1319

제5장 권한쟁의심판　　　　　　1320

단원 마무리　　　　　　　　　　　1334

제6장 헌법소원심판　　　　　　1335

단원 마무리　　　　　　　　　　　1400

해커스공무원 학원·인강
gosi.Hackers.com

제3편

통치구조론

제1장 통치구조의 구성원리

제2장 통치작용

제3장 국회

제4장 대통령

제5장 정부

제6장 선거관리위원회

제7장 법원

제1절 대의제

1 의의

1. 개념

대의제란 주권자인 국민이 직접 국가의사를 결정하지 않고 대표자를 선출하여 그 대표자를 통해서 간접적으로 국가정책 등을 결정하게 하는 의사결정의 원리를 말한다. 즉, 대의제는 국민 개개인의 개별적 이해관계에 따라 현실적으로 존재하는 '경험적 의사'가 국가의 의사가 되는 것이 아니라, 국민 전체의 이익에 부합한다고 객관적으로 추정되는 '추정적 의사'가 국가의 의사가 될 수 있도록 이를 대표할 대표자를 선출하고 그 대표자로 하여금 국가의사나 국가정책을 결정하게 하는 통치원리이다. 05. 국회직

2. 본질

(1) 치자와 피치자의 구별

대의제는 국민에 의하여 선출된 국민의 대표자인 통치자와 이를 선출하는 주권적 국민(피통치자)의 구별을 전제로 한다.

(2) 국가기관구성권과 국가의사결정권의 분리

대의제에 있어서 주권자인 국민에게는 통치자를 선출하는 국가기관구성권만 있을 뿐이고, 국가의사와 국가정책의 결정권은 국민에 의하여 선출된 대표자에게 있다. 05. 사시

(3) 선거를 통한 대표자의 선출

대의제에 있어서 통치기구의 구성에 민주적 정당성이 요구되기 때문에 국민이 선거를 통하여 직접 대표자를 선출하여야 한다.

(4) 국민 전체의 대표자

대의제에 있어 통치자는 자신을 선출한 선거구민만의 대표자가 아니라 국민 전체의 대표자이다.

(5) 자유위임

대의제에 있어서 통치자는 직무수행에 있어 자신을 선출한 주권적 국민의 지시나 명령에 구속되지 않고 오로지 양심에 따라 독립하여 행동한다는 점에서 명령적 위임이 아니라 자유위임의 원리가 지배한다. 다만, 이때에도 국민의 의사를 존중하여야 하는데, 이때의 의사는 현실적·경험적 의사가 아닌 **이념적·가상적 의사**이다.

(6) 전체 이익이 우선

대의제에 있어서 부분 이익이나 개별 의사보다 전체 이익이 우선하여야 한다.

📱 핵심기출 OX

01 대의제란 국민 전체의 이익에 부합되는 현실적으로 존재하는 경험적 의사가 국가의사가 될 수 있도록 이를 대표할 대표자를 선출하는 통치원리이다. 05. 국회직 (O, X)

📖 X 대의제란 국민 개개인의 개별적 이해관계에 따라 현실적으로 존재하는 '경험적 의사'가 국가의 의사가 되는 것이 아니라 국민 전체의 이익에 부합한다고 객관적으로 추정되는 '추정적 의사'가 국가의사가 될 수 있도록 이를 대표할 대표자를 선출하고 그 대표자로 국가의사나 국가정책을 결정하게 하는 통치원리이다.

02 자유위임의 원리가 정당국가의 원리보다 우선된다고 볼 때에는, 위헌정당해산결정으로 해산정당 소속 의원은 의원의 신분을 상실하게 된다. 13. 서울시 (O, X)

📖 X 자유위임의 원리가 정당국가의 원리보다 우선된다고 볼 때에는, 위헌정당해산결정으로 해산정당 소속 의원은 의원의 신분을 상실하지 않고 무소속으로 의원직을 유지한다고 본다.

(7) 국민에 대한 정치적 책임

대표자가 국민에 대하여 지는 책임은 법적 책임이 아니라 정치적 책임이므로 이 책임에 대한 평가는 차기 선거에서 하게 된다. 대의기관의 국가의사결정이 그때 그때 여론에 나타나는 국민의 의사에 반한다 하더라도, 대의기관은 그로 인하여 법적 책임을 추궁당하지 않는다. 05. 사시

개념PLUS+ 대의제와 직접민주주의 비교

대의제	직접민주주의
추정적 의사 우선	경험적 의사 우선
경험적 의사와 추정적 의사는 대립할 수 있음 (치자 ≠ 피치자)	경험적 의사와 추정적 의사는 항상 일치함 (치자 = 피치자)
국가기관은 국민과 다른 독자적 의사를 가질 수 있음	국가기관은 국민과 다른 독자적 의사를 가질 수 없음
국민의 의사는 대표될 수 있음	국민의 의사는 대표될 수 없음
자유·무기속위임(면책)	명령·기속위임, 국민소환
국가기관구성원과 정책결정권 분리, 이분법적 사고	국가기관구성원과 정책결정권 분리 반대

판례

1 전국구의원(비례대표의원)이 소속 정당을 탈당한 경우에 의원직을 상실하는지 여부: 소극

헌법 제7조 제1항의 "공무원은 국민 전체에 대한 봉사자이며, 국민에 대하여 책임을 진다."라는 규정, 제45조의 "국회의원은 국회에서 직무상 행한 발언과 표결에 관하여 국회 외에서 책임을 지지 아니한다."라는 규정 및 제46조 제2항의 "국회의원은 국가이익을 우선하여 양심에 따라 직무를 행한다."라는 규정들을 종합하여 볼 때 헌법은 국회의원을 자유위임의 원칙하에 두었다고 할 것이다. 또 헌법 제8조 제3항의 "정당은 법률이 정하는 바에 의하여 국가의 보호를 받으며 … "라는 규정이나 제41조 제3항의 "비례대표제 기타 선거에 관한 사항은 법률로 정한다."라는 규정도 전국구의원이 그를 공천한 정당을 탈당할 때 의원직을 상실하게 하는 내용은 아니다. 따라서 **별도의 법률규정이 있는 경우는 별론으로 하고, 전국구의원이 그를 공천한 소속 정당을 탈당하였다 하여 의원직을 상실하지는 않는다고 할 것이다**(헌재 1994.4.28. 92헌마153). 06. 입시, 08. 선관위

2 국회 내 정당간의 의석분포를 결정할 권리 내지 국회구성권이 헌법소원으로 다툴 수 있는 국민의 기본권인지 여부: 소극

헌법의 기본원리인 대의제민주주의하에서 국회의원선거권이란 것은 국회의원을 보통·평등·직접·비밀선거에 의하여 국민의 대표자인 국회의원을 선출하는 권리에 그치고, 개별 유권자 혹은 집단으로서의 국민의 의사를 선출된 국회의원이 그대로 대리하여 줄 것을 요구할 수 있는 권리까지 포함하는 것은 아니다. 또한 대의제도에 있어서 국민과 국회의원은 명령적 위임관계에 있는 것이 아니라 자유위임관계에 있기 때문에 일단 선출된 후에는 국회의원은 국민의 의사와 관계없이 독자적인 양식과 판단에 따라 정책결정에 임할 수 있다. 그런데 청구인들 주장의 '국회구성권'이란 유권자가 설정한 국회

🏛️ **핵심기출 OX**

01 전국구의원이 그를 공천한 정당을 탈당한 경우에는, 별도의 법률규정을 두고 있는지 여부에 관계없이, 당연히 국회의원직을 상실한다. 08. 선관위

(O, ✕)

🗝 ✕ 전국구의원이 그를 공천한 정당을 탈당하였다고 하여도 별도의 법률규정이 있는 경우는 별론으로 하고 당연히 국회의원직을 상실하지는 않는다.

02 당적이탈·변경시 비례대표의원의 의원직을 상실케 하는 공직선거법 규정과, 의원은 국민의 대표로서 소속 정당에 기속되지 아니하고 양심에 따라 투표한다고 한 국회법 규정은 헌법상 국회의원의 국민대표성과 자유위임의 원칙을 구현한 것이다. 05. 사시

(O, ✕)

🗝 ✕ 당적이탈·변경시 비례대표의원의 의원직을 상실하게 하는 공직선거법 규정은 정당대표성을 강조한 입법이라 할 수 있다.

03 국회의원 선거는 국회의원의 선출과 동시에 국회의 세력분포를 결정하는 의미를 갖기 때문에 당선 당시의 당적을 이탈·변경하는 경우 국회의원의 신분을 상실시키는 것이 대의제 원리에 부합한다. 06. 입시 (O, ✕)

🗝 ✕ 대의제는 자유위임을 본질로 하므로 당선 당시의 당적을 이탈·변경하는 경우 국회의원의 신분을 상실시키는 것이 대의제 원리에 부합한다고 보기 어렵다.

의석분포에 국회의원들을 기속시키고자 하는 것이고, 이러한 내용의 '**국회구성권**'이라는 것은 오늘날 이해되고 있는 대의제도의 본질에 반하는 것이므로 헌법상 인정될 여지가 **없다**(헌재 1998.10.29. 96헌마186). 05. 행시, 05 · 12. 사시

2 기능

1. 대의기능

국민에 의하여 선출된 대표자가 국민을 대신하여 국가의사를 결정하는 기능으로서 이 기능은 선거를 필수적 제도로 하므로 민주적인 선거제도의 발전과 책임정치구현에 기여한다.

2. 합의기능

대표자는 합의의 과정을 거쳐 국가의사를 결정한다는 기능으로서 이 기능은 합의과정의 민주화를 요구하므로 공개정치의 실현에 기여하고, 이성적 토론이 전제된 다수결원리를 존중하는 정치문화의 신장에 기여한다.

3 대표관계의 법적 성질

1. 학설

(1) 대표관계부인설(루소)

국민의사인 주권이 대표될 수는 없으며, 국회의원은 국민의 대리인이라고 하여 국민과 의원간의 대표관계를 부인하는 견해이다.

(2) 대표관계긍정설

① 법적 대표관계긍정설

㉠ 법정대표설(옐리네크)

ⓐ 옐리네크는 국민을 제1차 국가기관으로 보고 의회를 제2차 국가기관으로 보아, 국민은 국가작용의 일부분을 스스로 행사하고 의회는 국민의 법정대표기관(법정대리인)으로서 국가작용의 나머지 부분을 행사한다고 보는 견해이다.

ⓑ 제2차 기관인 의회의 의사는 제1차 기관인 국민의 의사로 간주되는 법적 효과를 낳는다고 하여 법적 효과설이라고도 불린다.

㉡ 헌법적 대표설: 대표기관의 권한은 국민의 위임행위에 근거하는 것이 아니라 헌법에 직접 근거한 것이라고 보는 견해이다(김철수).

② 법적 대표관계부정설

㉠ 정치적 대표설(다수설): 대표기관은 국민 전체의 이익을 위하여 공정하고 성실하게 직무를 수행하여야 할 정치적 · 도의적 의무를 지는 것에 불과하므로, 그 대표관계는 정치적(사회적 · 사실적) 대표관계로 보아야 한다는 견해이다(권영성).

㉡ 정당대표설(라이프홀츠): 의회가 아니라 정당이 국민의 대표기관이라고 보는 견해이다.

2. 검토

대의제에 있어서 국민과 의원간에는 명령적 위임관계가 아니라 자유위임관계라는 점과 대표기관은 국민 전체의 이익을 위하여 직무를 수행하여야 할 정치적·도의적 책임을 지는 것에 불과하다는 점에서 그 대표관계는 정치적 대표관계로 보는 것이 타당하다.

4 대의제의 위기 원인과 대책

오늘날 대의제의 위기가 발생하게 된 원인으로는 ① 엘리트정치의 타락으로 인한 대표기관의 대표성 약화, ② 공동체 의식의 파괴로 인한 대중사회화 현상, ③ 정당에의 예속과 이익단체의 정치자금으로 인한 무기속위임의 원칙에 대한 위협, ④ 정당정치의 발달, ⑤ 이익집단·압력단체들의 등장 등을 들 수 있다. 또한 오늘날에는 대의제의 결함이 드러남에 따라 대의제를 원칙으로 하면서도 국민이 직접 정치과정에 개입하여 여야간의 정치적 대립을 조정하는 직접민주제적 요소(국민표결, 국민발안, 국민소환)를 가미할 것이 요청된다. 13. 서울시

5 우리나라의 대의제

1. 원칙 – 대의제

우리 헌법은 헌법 제40조, 헌법 제41조, 헌법 제66조 제4항, 헌법 제67조 등에서 의회주의를 핵심으로 하는 간접민주제적 대의제를 통치구조의 기본으로 규정하고 있다.

2. 예외 – 직접민주제

(1) 헌정사

① 국민표결제 채택

　㉠ 제2차 개정헌법에서 최초로 도입(국가의 중대사항에 대한 국민투표)

> **제2차 개정헌법 제7조의2** 대한민국의 주권의 제약 또는 영토의 변경을 가져올 국가안위에 관한 중대사항은 국회의 가결을 거친 후에 국민투표에 부하여 민의원의원선거권자 3분지 2 이상의 투표와 유효투표 3분지 2 이상의 찬성을 얻어야 한다. 전 항의 국민투표의 발의는 국회의 가결이 있은 후 1개월 이내에 민의원의원선거권자 50만인 이상의 찬성으로써 한다. 18. 서울시

　㉡ 제5차 개정헌법에서 헌법개정안에 대한 국민투표제 도입

> **제5차 개정헌법 제121조** ① 헌법개정안은 국회가 의결한 후 60일 이내에 국민투표에 부쳐 국회의원선거권자 과반수의 투표와 투표자 과반수의 찬성을 얻어야 한다.
> ② 헌법개정안이 전 항의 찬성을 얻은 때에는 헌법개정은 확정되며 대통령은 즉시 이를 공포하여야 한다.

🏛 핵심기출 OX

현대 대의제의 위기를 극복하는 방안의 하나로 국민의 직접입법제를 전면적으로 도입하는 것은 허용되지 아니한다. 13. 서울시　　(○, ×)

🔖 ○

② 국민발안제 채택(제2차 개정헌법, 제5차 개정헌법)

> **제2차 개정헌법 제98조** ① 헌법개정의 제안은 대통령, 민의원 또는 참의원의 재적의원 3분지 1 이상 또는 민의원의원선거권자 50만인 이상의 찬성으로써 한다.
>
> **제5차 개정헌법 제119조** ① 헌법개정의 제안은 국회의 재적의원 3분의 1 이상 또는 국회의원선거권자 50만인 이상의 찬성으로써 한다.

(2) 현행헌법

> **헌법 제72조** 대통령은 필요하다고 인정할 때에는 외교·국방·통일 기타 국가안위에 관한 중요정책을 국민투표에 붙일 수 있다.
>
> **제130조** ② 헌법개정안은 국회가 의결한 후 30일 이내에 국민투표에 붙여 국회의원선거권자 과반수의 투표와 투표자 과반수의 찬성을 얻어야 한다.
> ③ 헌법개정안이 제2항의 찬성을 얻은 때에는 헌법개정은 확정되며, 대통령은 즉시 이를 공포하여야 한다.

① 현행헌법도 헌법개정안에 대한 국민투표제(헌법 제130조)와 대통령이 부의한 국가안위에 관한 중요정책에 대한 국민투표제(헌법 제72조) 등 예외적으로 직접민주제를 채택하고 있다. 13.법행 다만, 국민발안제와 국민소환제는 채택하고 있지 않다.

② 직접민주제는 국가기관 상호간의 충돌로 말미암아 국가의사의 결정이 지연될 경우 국민이 개입하여 이를 신속히 해결할 수 있다는 장점이 있지만, ㉠ 과다한 경비가 소요된다는 점, ㉡ 선전과 여론의 조작 등으로 독재정치를 합리화하는 수단으로 악용될 수 있다는 점, ㉢ 유권자의 정치적 무관심으로 기권율이 높을 경우에는 투표결과를 가지고 전체 의사를 추정하는 것은 위험하다는 점, ㉣ 국민투표의 경우 설문의 표현 여하에 따라 투표결과가 조작될 가능성이 있다는 점 등의 여러 문제점이 있다. 05.입시

제2절 권력분립의 원리

1 의의

1. 개념

권력분립의 원리란 국가권력을 입법·행정·사법으로 분할하여 각각 독립된 별개의 국가기관들에 권력을 분산시킴으로써 국가권력의 남용을 방지하고 기본권을 보장하기 위한 통치구조의 구성원리를 말한다. 권력분립의 원리는 인간에 대한 비관주의와 제도에 대한 낙관주의를 이론적 배경으로 한다.

2. 본질

(1) 자유주의적 원리

개인의 자유와 권리를 보장하기 위한 제도적 장치로서 자유주의적 통치구조의 구성원리를 의미한다.

(2) 소극적 원리

국가권력의 남용을 방지하기 위한 소극적 원리이다.

☑ **주의** 국정운영의 능률을 증진시키기 위한 적극적 원리 ×

(3) 중립적 원리

국가권력의 절대성을 부정한다는 의미의 중립적 원리를 의미한다.

(4) 권력균형의 원리

정치세력 사이에 균형을 유지하기 위한 권력균형의 원리를 의미한다.

2 고전적 권력분립론의 전개

1. 로크의 권력분립론

로크는 근대적 통치구조의 구성원리로서 권력분립론을 최초로 주장하였다.

(1) 일반론

'시민정부이론'에서 "국가의 최고권력(주권)은 국민에게 있다고 전제하면서, 그 최고권력 아래에 입법권이 있으며, 입법권 아래에 집행권과 연합권(동맹권)이 있어야 한다."라고 하였다.

(2) 입법권의 우월성

입법권은 국민으로부터 위임받은 최고의 권력이므로 입법권은 집행권보다 우월하며, 집행권과 연합권(동맹권)은 입법권에 종속한다고 하였다.

(3) 입법부와 집행부의 분리 – 2권분립론

입법권과 집행권을 한 사람이 장악하게 되면 스스로 제정한 법률을 자신이 자의적으로 집행할 우려가 있으므로 입법부와 집행부의 분리를 주장하였다. 한편 집행권과 연합권(동맹권)은 이론적으로는 구별되지만, 실제로는 서로 분리될 수 없으며 다른 사람들의 수중에 둘 수도 없는 것이라고 하였다. 즉, 로크는 입법권과 집행권은 구분하지만, 집행권과 연합권(동맹권)은 동일인의 수중에 두어야 한다고 강조하였다.

☑ **주의** 2권분립론과 4권분립론 비교
- **2권분립론**: 국가권력을 입법권과 집행권으로 구분
- **4권분립론**: 국가권력을 입법권, 집행권, 외교권(동맹권·연합권), 대권으로 구분

(4) 사법권의 미독립

로크는 사법권은 당연히 집행권에 포함된다고 보고 사법권의 독립을 주장하지 않았다.

(5) 영국의 의원내각제에 영향

로크의 입법부 우위적 2권분립론은 영국의 헌정에 영향을 미쳐 의원내각제 이론으로 발전하였다.

📖 **핵심기출 OX**

고전적 권력분립의 목적은 견제와 균형의 원리를 통한 국민의 기본권 보장에 있다. 05. 국가직 (O, ×)

답 O

2. 몽테스키외(Montesquieu)의 권력분립론

몽테스키외는 로크의 이론을 프랑스의 정치상황에 적용하여 3권분립론으로 체계화하였다.

(1) 일반론

'법의 정신'에서 개인의 자유를 보장하기 위한 수단적 원리로서의 권력분립론을 전개하면서 자유보장을 위해서는 권력남용의 방지를 위하여 '권력으로써 권력을 견제하는' 장치를 마련하여야 하는데, 이 장치가 권력분립제라 하였다.

(2) 입법권 · 행정권 · 사법권

① 입법권은 국민을 대표하는 의회가 행사하여야 한다.
② 집행사항은 신속하게 처리되어야 하므로 행정권을 한 사람(군주)에게 부여하는 것이 합리적이다.
③ 사법권은 비상설의 법정에서 국민에 의하여 선발된 자가 행사하는 것이 바람직하다.

(3) 3권의 분리(균형과 견제)

"동일한 인간이나 집단이 두 권력 또는 세 권력을 장악하게 되면 압제자가 될 것이므로, 시민의 생명과 자유의 확보를 위해서는 이들 권력이 서로 분리되어야만 한다."라고 하면서 권력 상호간의 억제와 균형을 이상적인 것으로 생각하였다.

(4) 사법권의 소극적 독립

억제와 균형이 특히 문제되는 것은 입법부와 행정부간이고, 사법권에 관하여는 소극적 독립성을 강조하였다.

(5) 미국의 대통령제에 영향

몽테스키외의 엄격한 3권분립론은 미국의 헌법제정에 영향을 미쳐 훗날 대통령제이론으로 발전하였다.

3 위기원인과 극복방안

1. 위기원인

(1) 현대 국가에서 고전적 권력분립제(엄격한 권력분립 또는 형식적 권력분립)는 위기를 맞고 있다.

(2) 그 원인으로는 ① 비상사태의 만성화에 의한 방위기구의 확대 · 강화, ② 군사독재 · 개발독재 등 현대적 독재제, ③ 사회국가이념을 실현하기 위한 행정부 우위의 권력구조, ④ 행정입법의 증대, ⑤ 처분적 법률의 증가, ⑥ 정당정치의 발달로 인한 권력의 통합, ⑦ 헌법재판제도의 강화로 인한 사법국가화 경향 등을 들 수 있다.

(3) 이로 인하여 엄격한 권력분립이 변질되어 권력분립이 완화되는 현상이 나타나고 있다. 05. 국가직

2. 극복방안

오늘날 권력분립제의 위기에도 불구하고 여전히 권력분립제는 제도적 의의를 가지고 있다. 위기의 극복방안은 권력분립을 전면적으로 폐지하는 것이 아니라 권력의 집중과 통합을 어느 정도 인정하며 합리성을 갖춘 기능적 권력분립론으로 재구성하는 것이다.

4 현행헌법의 권력분립제

1. 권력의 분할

(1) 수평적 분할

① 원칙
  ㉠ 입법권은 국회에(헌법 제40조), 행정권은 대통령을 수반으로 하는 정부에(헌법 제66조 제4항), 사법권은 법관으로 구성된 법원에(헌법 제101조 제1항) 속한다고 하는 헌법 규정
  ㉡ 국회의원과 대통령의 겸직을 금지하고 있는 헌법 규정(헌법 제43조, 헌법 제83조)

② 예외
  ㉠ 법률안제출권, 국가안위에 대한 중요정책의 국민투표부의권, 대통령의 긴급명령권과 긴급재정경제명령발포권❶
  ㉡ 국회의장의 법률공포권, 국회의 국무총리·국무위원 해임건의권

(2) 수직적 분할

① **구조적 측면**: 지방자치제 채택
② **시간적 측면**: 국회의원의 임기는 4년으로, 대통령의 임기는 5년으로, 대법원장·헌법재판소장·대법관과 헌법재판소의 재판관 및 선거관리위원회 위원의 임기는 6년으로 한다는 헌법 규정

2. 권력 상호간의 억제와 균형

(1) 기관구성 측면

① 헌법기관(대법원장, 헌법재판소장, 대법관, 국무총리, 감사원장)의 임명에 국회의 동의를 요한다.
② 중앙선거관리위원회와 헌법재판소의 구성을 대통령·국회·대법원장의 합동행위에 의한다.
③ 조직법률(정부조직법, 법원조직법, 헌법재판소법)을 국회가 제정한다.

(2) 기능 측면

① 국회의 국무총리 등에 대한 국회에의 출석·답변요구권, 국회에 의한 정부·법원의 예산심의제도
② 대통령의 임시국회소집요구권, 법률공포권, 국회예산안의 편성제출권, 대통령·국무총리 등의 국회에서의 의견표시권, 정부의 행정입법권, 대통령의 사면·감형·복권에 관한 권한

❶ 발포권
법령을 세상에 널리 알릴 권리, 즉 공포(公布)할 권리를 말한다.

(3) 제도 측면
① 복수정당제도
② 선거공영제도
③ 직업공무원제도
④ 지방자치제도
⑤ 국군의 정치적 중립성
⑥ 대학자치제도
⑦ 헌법재판제도
⑧ 헌법개정시의 국민투표제도

3. 권력 상호간의 공화와 협조

(1) 행정부·입법부간
① 대법원장·헌법재판소장·국무총리·감사원장은 국회의 사전동의를 얻어 대통령이 임명한다.
② 대통령이 선전포고나 조약 체결 등 외교행위를 할 경우 국회의 동의를 얻도록 한다.
③ 대통령이 사면, 감형, 복권 등 일반사면권을 행사할 경우 국회의 동의를 얻도록 한다.
④ 예산안이나 그 밖의 재정행위를 할 경우 정부가 편성하고 국회가 심의·확정하거나 또는 동의하게 한다.
⑤ 법률제정에 있어서 심의·의결은 국회가 하고 공포는 대통령이 한다.

(2) 행정부·헌법재판소간
위헌정당을 해산시킬 경우 정부가 제소하고 헌법재판소가 심판한다.

(3) 입법부·행정부·사법부간
① 헌법재판소와 중앙선거관리위원회의 재판관과 위원들은 대통령이 임명한 3인, 국회가 선출한 3인, 대법원장이 지명한 3인으로 한다.
② 대법관의 경우에는 대법원장의 제청으로 국회의 동의를 얻어 대통령이 임명한다.

(4) 법원·헌법재판소간
법률의 위헌 여부가 문제될 경우 법원의 제청에 따라 헌법재판소가 위헌 여부를 판단한다.

4. 권력의 통제

(1) 국회의 대통령·정부 통제
① 국무총리·국무위원 해임건의
② 대통령 기타 고위직 공무원에 대한 탄핵소추
③ 국정감사, 국정조사
④ 대통령령, 총리령, 부령 등 행정입법이 법률의 취지나 내용에 합치되지 아니하다고 판단되는 경우 내용을 소관 중앙행정기관장에게 통보
⑤ 선전포고 등 외교행위에 대한 동의
⑥ 긴급명령과 긴급재정경제처분·명령에 대한 승인

⑦ 계엄해제요구

⑧ 대통령이 제안한 헌법개정안의 의결

⑨ 대통령의 일반사면에 대한 동의

(2) 대통령의 국회 통제

① 법률안의 거부

② 국가안위에 대한 중요정책의 국민투표 회부

(3) 법원의 국회·정부·헌법재판소 통제

명령·규칙·처분의 위헌·위법심사

(4) 헌법재판소의 국회·대통령·정부·법원 통제

① 위헌법률심판

② 권한쟁의심판

③ 탄핵심판

④ 정당해산심판

⑤ 헌법소원심판

⚖️ 판례

1 법관으로 하여금 사실판단도 하지 말고 검사의 의견만 듣고 형을 선고하라는 것이 권력분립의 원리에 위반되는지 여부: 적극 – 반국가행위자의 처벌에 관한 특별조치법사건 [위헌]

사법(司法)의 본질은 법 또는 권리에 관한 다툼이 있거나 법이 침해된 경우에 독립적인 법원이 원칙적으로 직접 조사한 증거를 통한 객관적 사실인정을 바탕으로 법을 해석·적용하여 유권적인 판단을 내리는 작용이라 할 것이다. 그런데 특별조치법 제7조 제7항이 특정 사안에 있어 법관으로 하여금 증거조사에 의한 사실판단도 하지 말고, 최초의 공판기일에 공소사실과 검사의 의견만을 듣고 결심하여 형을 선고하라는 것은 입법에 의해서 사법의 본질적인 중요 부분을 대체시켜버리는 것에 다름 아니어서 우리 헌법상의 권력분립원칙에 어긋나는 것이다(헌재 1996.1.25. 95헌가5). 19. 지방직

2 대법원장에게 특별검사후보자를 추천하도록 한 특검법이 권력분립의 원칙에 위배되는지 여부: 소극 – 대통령후보 이명박 특검법 사건

헌법상 권력분립의 원칙이란 국가권력의 기계적 분립과 엄격한 절연을 의미하는 것이 아니라 권력 상호간의 견제와 균형을 통한 국가권력의 통제를 의미하는 것이다. 따라서 특정한 국가기관을 구성함에 있어 입법부·행정부·사법부가 그 권한을 나누어 가지거나 기능적인 분담을 하는 것은 권력분립의 원칙에 반하는 것이 아니라 권력분립의 원칙을 실현하는 것으로 볼 수 있다. 14. 법원직 이러한 원리에 따라 우리 헌법은 대통령이 국무총리·대법원장·헌법재판소장을 임명할 때에 국회의 동의를 얻도록 하고 있고(제86조 제1항, 제104조 제1항, 제111조 제4항), 헌법재판소와 중앙선거관리위원회의 구성에 대통령·국회 및 대법원장이 공동으로 관여하도록 하고 있는 것이다(제111조 제3항, 제114조 제2항).

특별검사제도는 검찰의 기소독점주의 및 기소편의주의에 대한 제도적 견제장치로서 권력형 부정사건 및 정치적 성격이 강한 사건에서 대통령이나 정치권력으로부터 독립된 특별검사에 의하여 수사 및 공소제기·공소유지가 되게 함으로써 법의 공정성 및 사법적 정의를 확보하기 위한 것이다. 이처럼 본질적으로 권력통제의 기능을 가진 특별검사제도의 취지와 기능에 비추어 볼 때 특별검사제도의 도입 여부를 입법부가 독자적으로 결정

📖 **핵심기출 OX**

01 권한쟁의심판제도는 국가기관 사이, 국가기관과 지방자치단체 사이 또는 지방자치단체 사이에 권한의 존부 또는 범위에 관하여 다툼이 발생한 경우에, 헌법재판소가 이를 유권적으로 심판함으로써 각 기관에게 주어진 권한을 보호함과 동시에 객관적 권한질서의 유지를 통해서 국가기능의 수행을 원활히 하고, 수평적·수직적 권력 상호간의 견제와 균형을 유지하려는 데 그 제도적 의의가 있다.

19. 법원직 9급   (○, ×)

답 ○

02 특정한 국가기관을 구성함에 있어 입법부·행정부·사법부가 그 권한을 나누어 가지거나 기능적인 분담을 하는 것은 권력분립의 원칙에 반한다.

14. 법원직   (○, ×)

답 × 특정한 국가기관을 구성함에 있어 입법부·행정부·사법부가 그 권한을 나누어 가지거나 기능적인 분담을 하는 것은 권력분립의 원칙에 반하는 것이 아니라 권력분립의 원칙을 실현하는 것으로 볼 수 있다(헌재 2008.1.10. 2007헌마1468).

하고, 특별검사 임명에 관한 권한을 헌법기관간에 분산시키는 것이 권력분립의 원칙에 반한다고 볼 수 없다. 한편 정치적 중립성을 엄격하게 지켜야 할 대법원장의 지위에 비추어 볼 때 정치적 사건을 담당하게 될 특별검사의 임명에 대법원장을 관여시키는 것이 과연 바람직한 것인지에 대하여 논란이 있을 수 있으나, 그렇다고 국회의 이러한 정치적·정책적 판단이 헌법상 권력분립의 원칙에 어긋난다거나 입법재량의 범위에 속하지 않는다고는 할 수 없다(헌재 2008.1.10. 2007헌마1468). 12. 사시, 15. 국가직

5 책임정치의 원리

1. 개념

책임정치란 공권력의 담당자가 위헌·위법행위를 한 경우에 책임을 지고 그 직에서 사임하게 하는 정치방식을 말한다.

2. 의원내각제와 책임정치

책임정치가 가장 이상적으로 실현되는 정부형태는 의회의 내각불신임권과 내각의 의회해산권이 인정되는 의원내각제이다.

3. 현행헌법의 책임정치확보수단

현행헌법은 대통령제를 근간으로 하므로 의원내각제보다 책임정치의 실효성을 기대하기는 어렵다. 그러나 현행헌법에서도 ① 국무총리·국무위원 등의 국회출석·답변요구, ② 국무총리·국무위원에 대한 국회의 해임건의, ③ 대통령·국무총리 등에 대한 국회의 탄핵소추 등 책임정치를 확보하기 위한 최소한의 수단을 규정하고 있다.

제3절 정부형태

1 정부형태의 의의

정부형태란 국가권력구조에 있어서 권력분립의 원리가 어떻게 적용·실현되고 있는지에 대한 권력분립주의의 구조적·조직적 실현형태를 말한다. 다양한 정부형태 가운데 어떠한 정부형태를 선택할 것인지는 최종적으로 주권자인 국민이 결정할 문제이다.

2 의원내각제

1. 의의

(1) 개념

일반적으로 의원내각제란 행정부가 대통령과 내각의 두 기구로 구성되고, 내각이 의회에 의하여 선출될 뿐만 아니라 의회에 대하여 정치적 책임을 지며, 내각불신임권과 의회해산권이 상호 견제수단이 되어 입법부와 행정부간에 권력적 균형이 유지되고, 양부간에 밀접한 공화·협조관계가 형성되는 정부형태를 말한다.

(2) 기원

① 대통령제가 이론적 산물이라면 의원내각제는 17세기부터 18세기에 걸쳐 영국에서 생성·발전하여 19세기 말경에 제도적으로 확립된 역사적 산물이다.

② 영국에서 1688년 명예혁명을 계기로 의회는 정치권력의 주도권을 장악하였으나, 스스로 통치하기에는 그 대상이 방대하여 의회의 통제에 따르면서 의회를 대신하여 행정권을 행사할 기관이 필요하게 되었다. 이를 위하여 추밀원 자문관들 중에서 선발하여 내각을 구성하고 국무를 담당하게 한 것이 의원내각제의 기원이다.

2. 특징 02. 법무사

(1) 행정부의 이원적 구조

① 의원내각제의 행정부는 대통령(또는 군주)과 내각의 두 기구로 구성된다. 다만, 의원내각제에 있어서 대통령(또는 군주)은 명목상의 국가원수에 불과하며, 행정에 관한 실질적 권한은 원칙적으로 내각이 행사한다.

② 엄밀히 말하자면 행정부의 구조가 ㉠ 대통령제는 형식적·실질적으로 일원적이고, ㉡ 이원정부제는 형식적·실질적으로 이원적인 반면에 ㉢ 의원내각제는 형식적으로는 이원적이지만 실질적으로는 일원적이다(허영).

(2) 내각의 성립과 존속의 의회 의존

성립면에서 내각의 수반이 의회에 의하여 선출된다는 점, 존속면에서 내각이 의회에 연대하여 정치적 책임을 지므로 내각이 의회의 신임을 상실하면 총사퇴하여야 한다는 점에서 내각은 의회에 의존한다.

(3) 내각불신임권과 의회해산권에 의한 권력적 균형

의원내각제에 있어서는 의회의 내각불신임제와 내각의 의회해산제를 통하여 입법부·행정부 상호간에 권력적 균형을 유지하는 것이 특징이다. 20. 국가직

(4) 입법부·행정부간의 공화와 협조

① 의원내각제의 경우 입법부와 행정부가 법적으로는 분리·독립되어 있지만, 정치적으로는 밀접한 공화·협조관계를 유지한다.

② 즉, ㉠ 행정부가 의원들로 구성되기 때문에 각료와 의원의 겸직이 가능하고, ㉡ 행정부도 법률안제출권을 가지며, ㉢ 행정부의 각료가 의회에 출석하여 발언할 수 있는 것이다.

3. 장·단점

(1) 장점

① **민주주의적 요청 만족**: 내각의 존속과 진퇴가 국민의 대표기관인 의회의 의사에 의존하기 때문이다.

② **책임정치의 구현**: 내각이 의회에 대하여 연대책임을 지므로 책임정치의 구현이 가능하다.

③ **정치적 대립의 신속한 해결**: 의회와 내각이 대립하는 경우 내각불신임결의와 의회해산을 통하여 정치적 대립을 신속히 해결할 수 있다.

④ **유능한 정치적 인재 등용**: 의회의 신임을 획득하고 유지하기 위하여 유능한 정치적 인재를 등용할 수 있다.

(2) 단점

① **정국의 불안정 초래**: 군소정당이 난립하거나 정치인들이 타협하지 않는 경우에는 연립정권의 수립과 내각에 대한 빈번한 불신임결의로 정국이 불안정해질 우려가 있다.

② **의회가 정쟁의 장소로 전락**: 의회가 정권획득을 위한 정쟁의 장소가 될 우려가 있다.

③ **강력한 정치추진 불가**: 내각이 연명을 위하여 의회의 눈치를 보게 되어 강력한 정치를 추진할 수 없다.

④ **다수의 횡포**: 내각의 원내 다수당과 제휴하여 다수의 횡포를 자행할 가능성이 있다.

3 대통령제

1. 의의

(1) 개념

대통령제란 일원적 구조의 행정부가 입법부 및 사법부와 엄격하게 분리·독립됨으로써 국가기관 상호간에 권력적 균형이 유지되고, 국민에 의하여 선출되는 대통령의 행정부가 안정을 유지할 수 있는 정부형태를 말한다(권영성). 대통령제의 특징은 대통령과 의회가 국민에 의하여 구성되는 **이원적·민주적 정당성** 구조를 가진다는 점이다(의원내각제는 국민에 의하여 구성되는 것이 의회뿐이고, 내각은 의회에 의하여 조직되므로 일원적·민주적 정당성 구조이다).

(2) 기원

1787년의 필라델피아 헌법제정회의에 참석한 55명의 대표들은 영토의 광활함과 각 주의 강한 독립성으로 인하여 주권파와 연방파의 대립이 심화되자 세계 최초로 연방국가를 탄생시키고, 입헌적 권력분립과 전국적 통일정부라는 두 가지 요청을 동시에 충족시켜주는 대통령제를 고안하였다.

2. 특징 06. 국가직

(1) 행정부의 일원적 구조

대통령제는 대통령이 국가원수와 행정부 수반의 지위를 겸하며, 행정부의 구조가 일원화되어 있다는 것이 특징이다. 부통령은 대통령의 사고나 궐위 시 지위를 승계할 뿐이고, 각료회의는 대통령의 보좌기관 내지 자문기관에 불과하다.

(2) 대통령과 의회의 상호 독립성

대통령제는 대통령을 수반으로 하는 행정부의 성립과 존속이 의회로부터 완전히 독립되어 있다는 점에서 의원내각제와는 구별된다. 06. 국가직 행정부의 수반인 대통령은 국민에 의하여 선출되고, 행정부를 조직한다. 대통령은 의회해산권이 없으며, 임기 동안 의회에 대하여 정치적 책임을 지지 않는다. 또한, 의원내각제와는 달리 행정부 구성원과 의회의원의 겸직이 허용되지 않으며, 행정부 구성원의 의회출석·발언권이나 정부의 법률안제출권도 인정되지 않는다.

(3) 대통령의 직선제와 임기제

대통령제는 국민에 의하여 직선된 대통령이 그 임기 동안 재직하고, 정치적 책임을 지지 않는 것을 특징으로 한다.

(4) 입법부·행정부간의 상호 억제와 균형

대통령은 의회에 대한 정치적 무책임성, 법률안거부권 등을 통하여 의회를 견제한다. 의회는 입법권의 독점, 행정부 고위공무원 임명에 대한 동의, 국정감사·조사, 행정부 구성원에 대한 탄핵소추 등에 의하여 행정부를 견제한다.

개념PLUS+ 대통령제의 본질적 요소와 본질적 요소가 아닌 것

대통령제의 본질적 요소	대통령제의 본질적 요소가 아닌 것
• 행정부의 일원적 구조 • 입법권과 행정권의 상호 독립 • 대통령의 법률안거부권 • 대통령의 국회에 대한 정치적 무책임성 • 민주적 정당성의 이원성 20. 국가직 • 국회의원과 국무위원간 겸직금지	• 국회의 양원제 • 권력의 공화관계 • 법률안제출권 • 대통령의 국회해산권 • 부서제도 • 국회의원과 국무위원의 겸직

🏛 **핵심기출 OX**

01 대통령제하에서는 대통령을 수반으로 하는 집행부의 성립과 존속이 의회로부터 독립되어 있다. 06. 국가직
(O, ×)

답 O

02 대통령제에서는 국민이 대통령과 의회의 의원을 각각 선출하므로, 국가권력에게 민주적 정당성을 부여하는 방식이 이원화되어 있다. 20. 국가직
(O, ×)

답 O

3. 장·단점

(1) 장점

① 대통령이 의회의 신임 여부와 무관하게 재직하므로 행정부의 안정과 권위가 유지된다.

② 대통령이 법률안거부권을 행사함으로써 의회다수파의 횡포를 견제할 수 있다.

(2) 단점

① 대통령이 의회의 신임 여부와 무관하게 재직하고 의회에 대하여 책임을 지지 않음으로 인하여 오히려 대통령의 독재화가 가능하다.

② 행정부와 의회가 대립하는 경우 의회가 입법이나 예산을 의결하지 아니하면 행정부의 기능이 정지되거나 쿠데타가 유발될 수도 있으므로 오히려 정국의 불안이 조성될 우려가 있다.

③ 의원내각제에 비하여 국민이 정치적 훈련을 축적할 기회가 적다.

개념PLUS+ 의원내각제와 대통령제의 비교

1. 차이점과 공통점

구분		의원내각제	대통령제
차이점	권력분립	완화	엄격
	행정부의 구조	이원적 구조	일원적 구조
	책임 추궁	용이	곤란
	내각불신임과 의회해산	가능	불가능
공통점	• 역사적 배경: 입헌주의의 완성단계 • 이론적 기반: 자유주의와 시민적 민주주의 • 헌법적 조건: 의회주의와 법치주의 • 제도적 전제: 권력분립제와 대의제 • 자본주의국가에서만 채택가능		

2. 정부형태의 비교

구분	의원내각제	대통령제
대통령 선출	간선	직선
행정부의 구조	이원적(형식적)	일원적
민주적 정당성	일원적(의회)	이원적 (대통령, 의회)
행정부와 의회의 관계	의존적	독립적
국회의 행정부에 대한 법적 책임 추궁	○	○
국회의 행정부에 대한 정치적 책임 추궁 (내각불신임)	○	×
의회해산제도	○	×
각료와 의원 겸임	○	×

핵심기출 OX

01 대통령의 임기 동안 집행부가 안정되어 국가정책의 계속성이 확보되나 의회의 다수파로부터 소수자의 이익을 보호할 수 없다는 단점이 있다.

06. 국가직 　　　　　　(O, ×)

답 × 대통령제의 장점은 소수파의 권익을 보호할 수 있으며 정국안정, 국가정책의 계속성 등을 구현할 수 있으나 책임정치 구현이 곤란하고 대통령의 독재화, 국회와 정부의 대립시 조정결여 등을 들 수 있다.

02 대통령제는 대통령의 임기를 보장하기 때문에 행정부의 안정성을 유지할 수 있는 장점이 있지만, 대통령과 국회가 충돌할 때 이를 조정할 수 있는 제도적 장치의 구비가 상대적으로 미흡하다. 20. 국가직 　　(O, ×)

답 ○

4 한국헌법과 정부형태

1. 정부형태의 변천

건국헌법	변형된 대통령제
1960년 헌법	의원내각제
1962년 헌법	변형된 대통령제
1972년 헌법	권위주의적 대통령제
1980년 헌법	반대통령제 또는 신대통령제
1987년 헌법	변형된 대통령제(한국형 대통령제)

2. 한국헌법의 정부형태

(1) 대통령제의 요소

① 대통령은 국가원수인 동시에 행정부 수반의 지위와 권한을 보유한다(헌법 제66조).

② 대통령은 국민에 의하여 직접 선출된다(헌법 제67조 제1항).

③ 국회는 대통령에 대한 불신임결의권이 없고(대통령은 5년의 임기 동안 국회에 대하여 정치적 책임을 지지 아니함), 대통령은 국회해산권이 없다. 04. 법무사

④ 법률안거부권(헌법 제53조)

(2) 의원내각제의 요소 03·05. 법행, 05. 법무사

① 국무회의(외형상 의원내각제의 내각과 유사) 설치(헌법 제88조)

② 국무총리제도 및 국무총리 임명에 국회동의요구(헌법 제86조)

③ 국회의원과 국무위원의 겸직허용

④ 국회의 국무총리와 국무위원에 대한 해임건의권(헌법 제63조)

⑤ 부서제도(헌법 제82조)

⑥ 국무총리·국무위원·정부위원의 국회 및 그 위원회의 출석·발언권(헌법 제62조 제1항)과 국회와 그 위원회의 국무총리·국무위원·정부위원의 출석·답변요구권(헌법 제62조 제2항)

⑦ 정부의 법률안제출권(헌법 제52조)

(3) 위기정부적 요소

① 대통령의 국가긴급권(헌법 제76조, 제77조)

② 대통령의 중요정책의 국민투표부의권(헌법 제72조)

(4) 결론

현행헌법의 정부형태는 기본적으로 대통령제 정부형태의 범주에 속하는 것이라 할 수 있다. 비록 제도적 기능을 발휘할 수 없는 것이기는 하나 의원내각제적 요소를 가미하고 있고, 부통령제를 설치하고 있지 않을 뿐 아니라 대통령이 긴급명령권 등을 보유하고 있다는 점에서 변형된 대통령제의 일종으로서 한국적 정치문화에 특유한 **한국형 대통령제**라 할 수 있을 것이다(권영성).

제4절 정당제도(복수정당제)

1 정당제 민주주의

1. 정당의 기능

현대 민주국가에 있어서의 정당은 분산된 국민의 정치적 의사를 일정한 방향으로 유도·결집하여 상향적으로 국가의사결정에 반영하는 중개자역할을 담당한다.

2. 정당의 헌법상 지위의 변천 – 트리펠(H. Triepel)의 정당에 대한 법제 구분

적대시의 단계	루소, 미국의 헌법기초자
무관심의 단계	19세기 전반, 의회제도 발달 초기
합법화의 단계	1919년 바이마르헌법(비례대표제 도입, 정당에 대한 규정은 두지 않음)
헌법에의 편입단계	제2차 세계대전 이후 각국 헌법

⊘ 주의
• 제3차 개정헌법에서 정당조항을 처음 신설(헌법에 편입) 06. 법행
• 건국헌법에는 정당조항이 없음(국회법 차원에서는 규정이 있었으므로 트리펠의 구분에 의하면 합법화의 단계로 볼 수 있음)

2 현행헌법과 정당제도

1. 헌법 규정

헌법 제8조 ① 정당의 설립은 자유이며, 복수정당제는 보장된다. 18. 입시
　② 정당은 그 목적·조직과 활동이 민주적이어야 하며, 국민의 정치적 의사형성에 참여하는 데 필요한 조직을 가져야 한다.
　③ 정당은 법률이 정하는 바에 의하여 국가의 보호를 받으며, 국가는 법률이 정하는 바에 의하여 **정당운영에 필요한 자금**을 보조할 수 있다. 11. 국가직
　④ 정당의 **목적이나 활동**이 민주적 기본질서에 위배될 때에는 **정부**는 헌법재판소에 그 해산을 제소할 수 있고, 정당은 헌법재판소의 심판에 의하여 해산된다. 02·11. 법무사, 14. 서울시

2. 정당의 개념

정당이란 국민의 이익을 위하여 책임 있는 정치적 주장이나 정책을 추진하고 공직선거의 후보자를 추천 또는 지지함으로써 국민의 정치적 의사형성에 참여함을 목적으로 하는 국민의 자발적 조직을 말한다(정당법 제2조 ; 헌재 1991.3.11. 91헌마21).

(1) 정당의 개념적 요소(헌법 제8조와 정당법의 적용대상)
① 국가와 자유민주주의를 긍정할 것(헌법 제8조 제4항)
② 공익의 실현에 조력할 것
③ 선거에 참여할 것
④ 정강이나 정책을 가질 것
⑤ 국민의 정치적 의사형성에 참여할 것
⑥ 계속적이고 공고한 조직을 구비할 것
⑦ 구성원들이 당원이 될 수 있는 자격을 구비할 것 등

(2) 당원의 자격

정당법 제22조 【발기인 및 당원의 자격】 ① 16세 이상의 국민은 공무원 그 밖에 그 신분을 이유로 정당가입이나 정치활동을 금지하는 다른 법령의 규정에 불구하고 누구든지 정당의 발기인 및 당원이 될 수 있다. 다만, 다음 각 호의 어느 하나에 해당하는 자는 그러하지 아니하다. 18. 법원직
　1. 국가공무원법 제2조(공무원의 구분) 또는 지방공무원법 제2조(공무원의 구분)에 규정된 공무원. 다만, 대통령, 국무총리, 국무위원, 국회의원, 지방의회의원, 선거에 의하여 취임하는 지방자치단체의 장, 국회 부의장의 수석비서관·비서관·비서·행정보조요원, 국회 상임위원회·예산결산특별위원회·윤리특별위원회 위원장의 행정보조요원, 국회의원의 보좌관·비서관·비서, 국회 교섭단체대표의원의 행정비서관, 국회 교섭단체의 정책연구위원·행정보조요원과 고등교육법 제14조(교직원의 구분) 제1항·제2항에 따른 교원은 제외한다.
　2. 고등교육법 제14조 제1항·제2항에 따른 교원을 제외한 **사립학교의 교원**
　3. 법령의 규정에 의하여 공무원의 신분을 가진 자
　② 대한민국국민이 아닌 자는 당원이 될 수 없다. 16. 지방직

3. 정당의 헌법상 지위

(1) 학설

① **헌법기관설[라이프홀츠(G. Leibholz)]**: 정당을 직접 헌법 규정에 의거하여 구성되는 기관으로 보아, 그 기관의 의사가 곧 국가의사로서 효력을 발생하는 헌법기관으로 보는 견해이다.

② **국가기관설**: 정당을 헌법기관은 아니나 법률에 의하여 설립되는 국가적 기관으로 보는 견해이다.

③ **매개체설(중개체설)**: 정당을 국가조직의 일부로 보지 않으면서도 정당이 담당하는 공적 기능 및 그에 따른 특수한 지위를 인정하는 입장으로, 정당을 국민의 의사와 국가의 의사를 연결시켜주는 기구로 본다(통설).

(2) 헌법재판소

헌법재판소는 "정당은 자발적 조직이기는 하지만 다른 집단과는 달리 그 자유로운 지도력을 통하여 무정형적이고 무질서적인 개개인의 정치적 의사를 집약하여 정리하고 구체적인 진로와 방향을 제시하며 국정을 책임지는 공권력으로까지 매개하는 중요한 공적 기능을 수행하기 때문에 헌법도 정당의 기능에 상응하는 지위와 권한을 보장함과 동시에 그 헌법질서를 존중해 줄 것을 요구하고 있는 것이다."라고 하여 **매개체설**의 입장에 있다(헌재 1991.3.11. 91헌마21). 12. 국회직

4. 정당의 법적 형태

(1) 학설

정당의 법적 형태에 관하여 ① 법인격 없는 사단설(다수설), ② 사적 정치결사설, ③ 헌법제도와 결사의 혼성체설(김철수) 등의 견해가 있다.

(2) 헌법재판소

헌법재판소는 "정당이나 그 지구당은 적어도 그 소유재산의 귀속관계에 있어서는 **법인격 없는 사단**으로 보아야 하므로 …"라고 판시하여 법인격 없는 사단설의 입장에 있다(헌재 1993.7.29. 92헌마262). 09. 법무사, 15. 법원직 또한 헌법재판소는 "헌법 제8조 제1항은 정당설립의 자유, 정당조직의 자유, 정당활동의 자유 등을 포괄하는 정당의 자유를 보장하고 있다. 이러한 정당의 자유는 국민이 개인적으로 가지는 기본권일 뿐만 아니라, 단체로서의 정당이 가지는 기본권이기도 하다."라고 판시하여 **정당이 기본권주체이기도 하다**는 것을 분명히 하고 있다(헌재 2004.12.16. 2004헌마456). 06. 법행, 09·12. 법무사, 12. 국회직, 13. 서울시

5. 정당의 조직

> **정당법 제3조 【구성】** 정당은 수도에 소재하는 중앙당과 특별시·광역시·도에 각각 소재하는 시·도당(이하 "시·도당"이라 한다)으로 구성한다. 04. 국회직, 05. 입시
>
> **제4조 【성립】** ① 정당은 중앙당이 중앙선거관리위원회에 **등록함으로써 성립**한다. 04. 국회직, 05. 입시, 10. 법무사
> ② 제1항의 등록에는 제17조(법정시·도당수) 및 제18조(시·도당의 법정당원수)의 요건을 구비하여야 한다.

제6조 【발기인】 창당준비위원회는 중앙당의 경우에는 200명 이상의, 시·도당의 경우에는 100명 이상의 발기인으로 구성한다. 19. 국가직

제15조 【등록신청의 심사】 등록신청을 받은 관할 선거관리위원회는 **형식적 요건을 구비하는 한 이를 거부하지 못한다.** 05. 사시·법행 다만, 형식적 요건을 구비하지 못한 때에는 상당한 기간을 정하여 그 보완을 명하고, 2회 이상 보완을 명하여도 응하지 아니할 때에는 그 신청을 각하할 수 있다.

제17조 【법정시·도당수】 정당은 5 이상의 시·도당을 가져야 한다. 13. 법원직

제18조 【시·도당의 법정당원수】 ① 시·도당은 1천인 이상의 당원을 가져야 한다. 08. 법무사
② 제1항의 규정에 의한 법정당원수에 해당하는 수의 당원은 당해 시·도당의 관할구역 안에 주소를 두어야 한다.

제19조 【합당】 ① 정당이 새로운 당명으로 합당(이하 "신설합당"이라 한다)하거나 다른 정당에 합당(이하 "흡수합당"이라 한다)될 때에는 합당을 하는 정당들의 대의기관이나 그 수임기관의 합동회의의 결의로써 합당할 수 있다. 20. 지방직
⑤ 합당으로 신설 또는 존속하는 정당은 합당 전 정당의 권리·의무를 승계한다.

제23조 【입당】 ① 당원이 되고자 하는 자는 다음 각 호의 어느 하나에 해당하는 방법으로 시·도당 또는 그 창당준비위원회에 입당신청을 하여야 한다.
1. 자신이 서명 또는 날인한 입당원서를 제출하는 방법
2. 전자서명법 제2조 제2호에 따른 전자서명(서명자의 실지명의를 확인할 수 있는 것을 말한다. 이하 같다)이 있는 전자문서로 입당원서를 제출하는 방법
3. 정당의 당헌·당규로 정하는 바에 따라 정보통신망을 이용하는 방법. 이 경우 정보통신망 이용촉진 및 정보보호 등에 관한 법률 등 관계 법령에 따라 본인확인을 거쳐야 한다.

제25조 【탈당】 ① 당원이 탈당하고자 할 때에는 다음 각 호의 어느 하나에 해당하는 방법으로 소속 시·도당에 탈당신고를 하여야 하며, 소속 시·도당에 탈당신고를 할 수 없을 때에는 그 중앙당에 탈당신고를 할 수 있다.
1. 자신이 서명 또는 날인한 탈당신고서를 제출하는 방법
2. 전자서명법 제2조 제2호에 따른 전자서명이 있는 전자문서로 탈당신고서를 제출하는 방법
3. 정당의 당헌·당규로 정하는 바에 따라 정보통신망을 이용하는 방법. 이 경우 정보통신망 이용촉진 및 정보보호 등에 관한 법률 등 관계 법령에 따라 본인확인을 거쳐야 한다.

제28조 【강령 등의 공개 및 당헌의 기재사항】 ① 정당은 그 강령(또는 기본정책)과 당헌을 공개하여야 한다. 01. 법무사
② 제1항의 당헌에는 다음 각 호의 사항을 규정하여야 한다.
4. 당원의 입당·탈당·제명과 권리 및 의무에 관한 사항

제29조 【정당의 기구】 ① 정당은 민주적인 내부질서를 유지하기 위하여 당원의 총의를 반영할 수 있는 대의기관 및 집행기관과 소속 국회의원이 있는 경우에는 **의원총회를** 가져야 한다.
② 중앙당은 정당의 예산과 결산 및 그 내역에 관한 회계검사 등 정당의 재정에 관한 사항을 확인·검사하기 위하여 **예산결산위원회를 두어야 한다.**
③ 제1항 및 제2항의 기관의 조직·권한 그 밖의 사항에 관하여는 당헌으로 이를 정하여야 한다.

제31조 【당비】 ① 정당은 당원의 정예화와 정당의 재정자립을 도모하기 위하여 당비납부 제도를 설정·운영하여야 한다.

🏛 **핵심기출 OX**

01 정당의 창당준비위원회는 중앙당의 경우에는 200명 이상의, 시·도당의 경우에는 100명 이상의 발기인으로 구성한다. 19. 국가직 (O, ×)

답 O

02 등록신청을 받은 관할 선거관리위원회는 형식적 요건을 구비하는 한 이를 거부하지 못한다. 다만, 형식적 요건을 구비하지 못한 때에는 상당한 기간을 정하여 그 보완을 명하고, 2회 이상 보완을 명하여도 응하지 아니할 때에는 그 신청을 각하할 수 있다. 23. 국회직 8급 (O, ×)

답 O

03 정당은 수도에 소재하는 중앙당과 특별시·광역시·도에 각각 소재하는 시·도당으로 구성하는데 정당은 5 이상의 시·도당을 가져야 하고 시·도당은 2천인 이상의 당원을 가져야 한다. 13. 법원직 (O, ×)

답 × 정당은 수도에 소재하는 중앙당과 특별시·광역시·도에 각각 소재하는 시·도당으로 구성하는데, 정당은 5 이상의 시·도당을 가져야 하며 시·도당은 1천인 이상의 당원을 가져야 한다 (정당법 제17조 및 제18조 참조).

04 정당이 새로운 당명으로 합당하거나 다른 정당에 합당될 때에는 합당을 하는 정당들의 대의기관이나 그 수임기관의 합동회의의 결의로써 합당할 수 있다. 20. 지방직 (O, ×)

답 O

01 헌법 제8조 제1항이 명시하는 정당의 자유에는 정당설립의 자유, 정당조직의 자유, 정당활동의 자유 등이 포함된다. 18. 입시 (○, ×)

답 ○

02 정당법에서 정당설립의 요건으로 5 이상의 시·도당과 각 시·도당에 1천인 이상의 당원이라는 조직기준을 설정하는 것은 합헌이다.
08. 법행·사시, 11. 국가직 (○, ×)

답 ○

03 정당의 등록요건으로서 5개 이상의 시·도당 및 각 시·도당마다 1,000명 이상의 당원을 갖출 것을 요구하는 것은 정당설립의 자유를 침해하기 때문에 위헌이다. 15. 법원직 (○, ×)

답 × 전국 정당으로서의 기능 및 위상을 충실히 하기 위해서 5개의 시·도당을 구성하는 것이 필요하다고 본 입법자의 판단이 자의적이라고 볼 수 없고, 각 시·도당 내에 1,000명 이상의 당원을 요구하는 것도 우리나라 전체 및 각 시·도의 인구를 고려해 볼 때, 청구인과 같은 군소정당 또는 신생정당이라 하더라도 과도한 부담이라고 할 수 없다(헌재 2006.3.30. 2004헌마246).

04 지방의회의원 및 지방자치단체의 장 선거에서 초·중등학교 교사들이 정당의 당원이 되어 선거운동을 하는 것을 금지하고 일반 공무원의 정당가입과 선거운동을 금지하는 선거법 관련 규정은 그 제한의 범위가 광범위하고 과잉적이어서 비례의 원칙에 위반된다. 06. 법행 (○, ×)

답 × 감수성과 모방성 그리고 수용성이 왕성한 초·중등학교 학생들에게 교원이 미치는 영향은 매우 크고, 교원의 활동은 근무시간 내외를 불문하고 학생들의 인격 및 기본생활습관 형성 등에 중요한 영향을 끼치는 잠재적 교육과정의 일부분인 점을 고려하고, 교원의 정치활동은 교육수혜자인 학생의 입장에서는 수업권의 침해로 받아들여질 수 있다는 점에서 현 시점에서는 국민의 교육기본권을 더욱 보장함으로써 얻을 수 있는 공익을 우선시해야 할 것이라는 점 등을 종합적으로 감안할 때, 초·중등학교 교육공무원의 정당가입 및 선거운동의 자유를 제한하는 것은 헌법적으로 정당화될 수 있다(헌재 2004.3.25. 2001헌마710).

② 정당의 당원은 같은 정당의 타인의 당비를 부담할 수 없으며, 타인의 당비를 부담한 자와 타인으로 하여금 자신의 당비를 부담하게 한 자는 당비를 낸 것이 확인된 날부터 1년간 당해 정당의 당원자격이 정지된다. 03. 법무사, 18. 지방직

제32조【서면결의의 금지】 ① 대의기관의 결의와 소속 국회의원의 제명에 관한 결의는 서면이나 대리인에 의하여 의결할 수 없다.

② 대의기관의 결의는 전자서명법 제2조 제2호에 따른 전자서명을 통하여도 의결할 수 있으며, 그 구체적인 방법은 당헌으로 정한다.

판례

1 정당의 등록요건으로 '5 이상의 시·도당과 각 시·도당 1,000명 이상의 당원'을 요구하는 것이 정당설립의 자유를 침해하여 위헌인지 여부: 소극 [기각]

[1] 헌법 제8조 제1항 전단의 정당설립의 자유는 정당설립의 자유만이 아니라 누구나 국가의 간섭을 받지 아니하고 자유롭게 정당에 가입하고 정당으로부터 탈퇴할 수 있는 자유를 함께 보장한다. 구체적으로 정당의 자유는 개개인의 자유로운 정당설립 및 정당가입의 자유, 조직형식 내지 법형식 선택의 자유를 포함한다. 18. 입시 또한 정당설립의 자유는 설립에 대응하는 정당해산의 자유, 합당의 자유, 분당의 자유도 포함한다. 뿐만 아니라 정당설립의 자유는 개인이 정당 일반 또는 특정 정당에 가입하지 아니할 자유, 가입하였던 정당으로부터 탈퇴할 자유 등 소극적 자유도 포함한다.

[2] 이 사건 법률조항 중 제25조의 규정은 이른바 '지역정당'을 배제하려는 취지로 볼 수 있고, 제27조의 규정은 이른바 '군소정당'을 배제하려는 취지로 볼 수 있다. … 이 사건 법률조항은 헌법 제8조 제2항이 규정하고 있는 '국민의 정치적 의사형성에 참여하는 데 필요한 조직'요건을 구체화함에 있어서 5개 이상의 시·도당 및 각 시·도당마다 1,000명 이상의 당원을 갖추도록 규정하고 있는바, 이와 같이 전국 정당으로서의 기능 및 위상을 충실히 하기 위해서 5개 이상의 시·도당을 구성하는 것이 필요하다고 본 입법자의 판단이 자의적이라고 볼 수 없고, 각 시·도당 내에 1,000명 이상의 당원을 요구하는 것도 우리나라 전체 및 각 시·도의 인구를 고려해 볼 때, 청구인과 같은 군소정당 또는 신생정당이라 하더라도 과도한 부담이라고 할 수 없다(헌재 2006. 3.30. 2004헌마246). 08. 법행·사시, 10. 법무사, 11. 국가직, 15. 법원직

2 초·중등교원의 정치활동과 선거운동을 일체 금지하는 것이 정당가입 및 선거운동의 자유를 침해하는지 여부: 소극 [기각]

헌법 제7조 제2항은 공무원의 정치적 중립성은 법률이 정하는 바에 의하여 보장된다고 명시하고 있다. 그리고 헌법 제31조 제4항은 "교육의 … 정치적 중립성 … 은 법률이 정하는 바에 의하여 보장된다."라고 선언하고 있다. … 감수성과 모방성 그리고 수용성이 왕성한 초·중등학교 학생들에게 교원이 미치는 영향은 매우 크고, 교원의 활동은 근무시간 내외를 불문하고 학생들의 인격 및 기본생활습관형성 등에 중요한 영향을 끼치는 잠재적 교육과정의 일부분인 점을 고려할 때, 초·중등학교 교육공무원의 정당가입 및 선거운동의 자유를 제한하는 것은 헌법적으로 정당화될 수 있다고 할 것이다(헌재 2004. 3.25. 2001헌마710). 06. 행시·법행, 08. 법원직, 10. 법무사

3 지구당 및 당연락소의 폐지가 위헌인지 여부: 소극 [기각]

한국 정당정치의 현실을 볼 때 고비용 저효율의 병폐는 지구당이라는 정당조직에 너무나 뿌리 깊게 고착되어 양자를 분리할 수 없을 정도의 구조적인 문제로 되어버렸기 때문에 지구당을 폐지하지 않고서는 이러한 문제점을 해결할 수 없다는 것이 이 사건 법률조항들을 입법한 입법자의 진단이고, 이러한 진단은 그 타당성을 인정할 수 있다. 그렇다면 이 사건 법률조항들은 비례원칙에 반하지 아니하고 달리 헌법에 위반되는 사유를 발견할 수 없다(헌재 2004.12.16. 2004헌마456). 13. 국가직

4 경찰청장 퇴임 후 2년간 정당의 발기인이 되거나 당원이 될 수 없도록 한 것이 정당설립 및 가입의 자유를 침해하는지 여부: 적극 [위헌]

본질적으로 경찰청장의 정치적 중립성은 그 직무의 정치적 중립을 존중하려는 집권세력이나 정치권의 노력이 선행되지 않고서는 결코 실현될 수 없다는 사실 등에 비추어 볼 때, 경찰청장이 퇴임 후 공직선거에 입후보하는 경우 당적취득금지의 형태로써 정당의 추천을 배제하고자 하는 이 사건 법률조항이 어느 정도로 입법목적인 '경찰청장 직무의 정치적 중립성'을 확보할 수 있을지 그 실효성이 의문시된다. 따라서 이 사건 법률조항은 정당의 자유를 제한함에 있어서 갖추어야 할 적합성의 엄격한 요건을 충족시키지 못한 것으로 판단되므로 이 사건 법률조항은 정당설립 및 가입의 자유를 침해하는 조항이다 (헌재 1999.12.23. 99헌마135). 13. 서울시, 19. 국가직

5 정당의 당원협의회 사무소 설치를 금지하고 위반시 처벌하는 내용의 정당법 제37조 제3항 단서 및 제59조 제1항 3호가 헌법에 위반되는지 여부: 소극 [합헌]

입법자는 과거 지구당 제도의 폐해가 재현되는 것을 막기 위하여 당원협의회 등의 사무소 설치를 금지하기로 결정하였고, 지구당 및 당연락소를 폐지하는 내용의 정당법 조항에 대하여 헌법재판소는 2004년 정당의 자유를 침해하지 않는다는 합헌결정을 내린 바 있다(헌재 2004.12.16. 2004헌마456). 위 결정 이후에 현재도 불법 정치자금 수수·부패가 근절되었다고 보기 어렵고, 과거 지구당제도와 다름없는 당원협의회 사무소 설치를 허용할 만큼 국민의 의식수준이나 정치환경이 변화하였다고 보기 어렵다. 또한 현행 당원협의회는 정당의 임의기구로서 법정조직이 아니기 때문에 중앙선거관리위원회의 감독대상이 아니므로 사무소 설치를 허용한다면 과거 지구당제도때보다 더 큰 폐해가 발생할 우려가 있다. 위와 같은 점을 고려할 때 사무소 운영과 관련된 고비용의 문제와 불법 정치자금 등의 문제는 결국 사무소 설치를 전면적으로 금지하는 것 외에 다른 효과적인 대체수단을 발견하기 어렵다(헌재 2016.3.31. 2013헌가22).

6 누구든지 2 이상의 정당의 당원이 되지 못하도록 한 정당법이 정당가입·활동의 자유를 침해하는지 여부: 소극 [기각]

심판대상조항은 예외 없이 복수 당적 보유를 금지하고 있으나, 정당법상 당원의 입당, 탈당 또는 재입당이 제한되지 아니하는 점, 복수 당적 보유를 허용하면서도 예상되는 부작용을 실효적으로 방지할 수 있는 대안을 상정하기 어려운 점, 어느 정당의 당원이라 하더라도 일반에 개방되는 다른 정당의 경선에 참여하는 등 다양한 방법으로 정치적 의사를 표현할 수 있다는 점 등을 고려하면, 심판대상조항이 침해의 최소성에 반한다고 보기 어렵다. 나아가, 당원인 청구인들로 하여금 다른 정당의 당원이 될 수 없도록 하는 정당 가입·활동 자유 제한의 정도가 정당정치를 보호·육성하고자 하는 공익에 비하여 중하다고 볼 수 없다. 따라서 심판대상조항이 정당의 당원인 나머지 청구인들의 정당 가입·활동의 자유를 침해한다고 할 수 없다(헌재 2022.3.31. 2020헌마729).

7 정당의 시·도당은 1천인 이상의 당원을 가져야 한다고 규정한 정당법 제18조 제1항이 정당의 자유를 침해하는지 여부: 소극 [기각]

법정당원수 조항은 헌법 제8조 제2항 후단에 따라 정당의 조직인 시·도당이 지속적이고 공고한 조직의 최소한을 갖추도록 함으로써 헌법상 정당에게 부여된 과제와 기능인 '국민의 정치적 의사형성에의 참여'를 실현하고자 하는 것으로서 그 입법목적이 정당하고, 그 조직의 규모와 관련하여 시·도당 내에 일정 수 이상의 당원이 활동할 것을 요구하는 것은 이러한 입법목적을 달성하기 위한 적합한 수단이다. 우리나라에 현존하는 정당의 수, 각 시·도의 인구 및 유권자수, 인구수 또는 선거인수 대비 당원의 비율, 당원의 자격 등을 종합하여 보면, 시·도당은 1,000명 이상의 당원을 가져야 한다고 규정한 법정당원수 조항이 신생정당의 창당이나 기성정당의 추가적인 시·도당 창당을 현저히 어렵게 하여 시·도당창당준비위원회의 대표자들에게 지나치게 과도한 부담을 지운 것이라고 보기 어렵다. 나아가 당원수가 시·도당을 창당하기에 부족한 경우에는 기초자치단체나 국회의원지역구에서 기초조직인 당원협의회를 통해 국민의 정치적 의사형성에 참여하는 활동을 하는 것도 가능하다. 그밖에 홈페이지, 블로그, 사회관계망 서비스(SNS) 등을 활용하여 얼마든지 국민들과 활발하게 소통하고 그들의 정치적 의사형성에 참여할 수 있으므로, 시·도당 창당의 지연으로 인한 정당활동의 위축을 최소화할 방법도 널리 열려 있으므로, 법정당원수 조항은 침해의 최소성에 반한다고 할 수 없다. 따라서 법정당원수 조항은 과잉금지원칙을 위반하여 각 시·도당창당준비위원회의 대표자인 나머지 청구인들의 정당조직의 자유와 정당활동의 자유를 포함한 정당의 자유를 침해하지 아니한다(헌재 2022.11.24. 2019헌마445).

8 대체복무요원의 정당가입을 금지하는 구 대체역법 제24조 제2항 본문 제2호 중 '정당에 가입하는 행위'에 관한 부분(이하 '정당가입금지조항'이라 한다)이 청구인의 정당가입의 자유를 침해하는지 여부: 소극

정당가입금지조항은 대체복무요원의 정당가입을 금지함으로써 대체복무요원의 정치적 중립성을 유지하며 업무전념성을 보장하고자 하는 것이다. 정당은 개인적 정치활동과 달리 국민의 정치적 의사형성에 미치는 영향력이 크고, 정당 관련 표현행위는 직무 내외를 구분하기 어려우므로 '직무와 관련된 표현행위만을 규제'하는 등 기본권을 최소한도로 제한하는 대안을 상정하기 어렵다. 따라서 정당가입금지조항은 과잉금지원칙에 위배되어 청구인의 정당가입의 자유를 침해하지 아니한다(헌재 2024.5.30. 2022헌마1146).

6. 정당의 특권과 의무

(1) 특권

① 설립·활동 및 존립상의 특권
   ㉠ 정당은 결성과 등록에 있어서 특권을 누린다(정당법 제4조 제1항, 제16조).
   ㉡ 정당은 헌법과 법률에 의해서 활동의 자유를 가진다(헌법 제8조 제1항, 정당법 제37조 제1항).
   ㉢ 정당은 헌법재판소의 심판에 의하여 해산되는 경우를 제외하고는 강제해산을 당하지 아니한다(헌법 제8조 제4항).

② 정치상의 특권
   ㉠ 정당은 국민의 정치적 의사형성에 참여할 권리(헌법 제8조 제2항)를 헌법에 의하여 보장받는다.

ⓛ 정당은 공직선거에 참여하여 공직선거에 후보자를 추천하고 그들의 당선을 위한 선거운동에 관한 특권을 가지며, 균등한 경쟁기회(헌법 제116조 제1항)를 보장받는다.

ⓒ 또한 각급 선거관리위원회위원 추천권·선거참관인 지명권 등의 특권을 누린다.

③ 재정·경제상의 특권
ⓞ 정당은 법률이 정하는 바에 의하여 그 운영에 필요한 자금을 국가로부터 보조받을 수 있다(헌법 제8조 제3항 후단). 11. 국가직
ⓛ 정당은 선거공영제에 따라 선거에 관한 경비를 원칙적으로 부담하지 아니할 권리를 가진다(헌법 제116조 제2항).
ⓒ 정당이 수령하는 기부나 찬조 기타 재산상의 출연에 대한 면세특혜를 받는다(정치자금법 제59조).

(2) 의무
① 국가긍정의 의무
② 자유민주적 기본질서의 존중의무(헌법 제8조 제4항)
③ 당내 민주화의 의무(헌법 제8조 제2항 전단)
④ 재원의 공개의무(정치자금법 제2조 제2항)

(3) 등록취소

> **정당법 제44조【등록의 취소】** ① 정당이 다음 각 호의 어느 하나에 해당하는 때에는 당해 선거관리위원회는 그 등록을 취소한다.
> 1. 제17조(법정시·도당수) 및 제18조(시·도당의 법정당원수)의 요건을 구비하지 못하게 된 때. 다만, 요건의 흠결이 공직선거의 선거일 전 3월 이내에 생긴 때에는 선거일 후 3월까지, 그 외의 경우에는 요건흠결시부터 3월까지 그 취소를 유예한다.
> 2. 최근 4년간 임기만료에 의한 국회의원선거 또는 임기만료에 의한 지방자치단체의 장선거나 시·도의회의원선거에 참여하지 아니한 때
> 3. 임기만료에 의한 국회의원선거에 참여하여 의석을 얻지 못하고 유효투표총수의 100분의 2 이상을 득표하지 못한 때 03. 법행, 04·12. 국회직, 05. 입시, 08·09. 법무사
>
> **제45조【자진해산】** ① 정당은 그 대의기관의 결의로써 해산할 수 있다. 05. 입시
> ② 제1항의 규정에 의하여 정당이 해산한 때에는 그 대표자는 지체 없이 그 뜻을 관할 선거관리위원회에 신고하여야 한다. 18. 지방직, 19. 국가직
>
> **제48조【해산된 경우 등의 잔여재산 처분】** ① 정당이 제44조(등록의 취소) 제1항의 규정에 의하여 등록이 취소되거나 제45조(자진해산)의 규정에 의하여 자진해산한 때에는 그 잔여재산은 **당헌**이 정하는 바에 따라 처분한다. 05. 입시, 05·09. 법무사, 13. 서울시, 23. 국회직 8급
> ② 제1항의 규정에 의하여 처분되지 아니한 정당의 잔여재산 및 헌법재판소의 해산결정에 의하여 해산된 정당의 잔여재산은 **국고**에 귀속한다. 01. 법무사, 07·12. 국회직
>
> **제33조【정당소속 국회의원의 제명】** 정당이 그 소속 국회의원을 제명하기 위해서는 당헌이 정하는 절차를 거치는 외에 그 소속 국회의원 전원의 2분의 1 이상의 찬성이 있어야 한다. 08. 법행, 12. 국회직, 18. 행시
>
> ⊘ **주의**
> • 자진해산, 등록취소시 잔여재산 처분: 당헌에 따름
> • 헌법재판의 해산결정(강제해산)시 잔여재산: 국고에 귀속
> ▶ 정당법 제44조 제1항 제3호는 위헌결정되었음을 주의(2012헌마431 등 참조)

1 정당이 등록취소된 경우에도 헌법소원능력이 있는지 여부: 적극 [기각]

청구인(사회당)은 등록이 취소된 이후에도 취소 전 사회당의 명칭을 사용하면서 대외적인 정치활동을 계속하고 있고, 대내외 조직구성과 선거에 참여할 것을 전제로 하는 당헌과 대내적 최고의사결정기구로서 당대회, 대표단 및 중앙위원회, 지역조직으로 시·도위원회를 두는 등 계속적인 조직을 구비하고 있는 사실 등에 비추어 보면, 청구인은 등록이 취소된 이후에도 '등록정당'에 준하는 '권리능력 없는 사단'으로서의 실질을 유지하고 있다고 볼 수 있으므로 이 사건 헌법소원의 청구인능력을 인정할 수 있다. 또한 정당설립의 자유는 그 성질상 등록된 정당에만 인정되는 기본권이 아니라 청구인과 같이 등록정당은 아니지만 권리능력 없는 사단의 실체를 가지고 있는 정당에도 인정되는 기본권이라고 할 수 있고, 청구인이 등록정당으로서의 지위를 갖추지 못한 것은 결국 이 사건 법률조항 및 같은 내용의 현행 정당법(제17조, 제18조)의 정당등록요건규정 때문이고, 장래에도 이 사건 법률조항과 같은 내용의 현행 정당법규정에 따라 기본권제한이 반복될 위험이 있으므로, 심판청구의 이익을 인정할 수 있다(헌재 2006.3.30. 2004헌마246).
08·12. 사시, 14. 국회직 8급

2 국회의원선거에 참여하여 의석을 얻지 못하고 유효투표총수의 100분의 2 이상을 득표하지 못한 정당에 대하여 그 등록을 취소하도록 한 정당법 제44조 제1항 제3호가 위헌인지 여부: 적극 [위헌]

정당법에서 법정의 등록요건을 갖추지 못하게 된 정당이나 일정 기간 국회의원선거 등에 참여하지 아니한 정당의 등록을 취소하도록 하는 등 입법목적을 실현할 수 있는 다른 법적 장치도 마련되어 있으므로, 정당등록취소조항은 침해의 최소성요건을 갖추지 못하였다. 나아가 위 조항은 어느 정당이 대통령선거나 지방자치선거에서 아무리 좋은 성과를 올리더라도 국회의원선거에서 일정 수준의 지지를 얻는 데 실패하면 등록이 취소될 수밖에 없어 불합리하고, 신생·군소정당으로 하여금 국회의원선거에의 참여 자체를 포기하게 할 우려도 있어 법익의 균형성요건도 갖추지 못하였다. 따라서 정당등록취소조항은 과잉금지원칙에 위반되어 청구인들의 정당설립의 자유를 침해한다. 정당명칭사용금지조항은 정당등록취소조항을 전제로 하고 있으므로, 같은 이유에서 정당설립의 자유를 침해한다고 할 것이다(헌재 2014.1.28. 2012헌마431 등). 14·15. 사시, 18·19. 지방직

7. 위헌정당의 해산(정당의 강제해산)

(1) 헌법 제8조 제4항의 의의

정당의 강제해산을 규정한 헌법 제8조 제4항은 정당존립의 특권을 보장한 것이면서 정당활동의 자유에 한계를 설정한 조항이다(통설).

(2) 실질적 요건

① **정당**: 강제해산의 대상이 되는 정당은 정당으로서 등록을 필한 기성정당을 말한다(정당법 제4조 제1항). 정당의 방계조직, 위장조직, 대체조직 등은 여기서의 정당이 아닌 헌법 제21조의 일반 결사에 해당한다.

② **목적이나 활동**: 정당은 그 목적이나 활동이 자유민주적 기본질서에 위배될 때에 한하여 해산된다. 정당의 목적을 인식할 수 있는 자료는 정당의 강령이나 기본정책 또는 당헌, 당수와 당간부의 연설, 당기관지, 출판물, 선전자료 등이다. 정당의 활동에는 당수와 당간부의 활동은 물론 평당원의 활동도 포함된다.

---

01 헌법 제8조 제4항이 규정하는 정당의 목적이나 활동이 민주적 기본질서에 '위배'될 때란, 민주적 기본질서에 대한 단순한 위반이나 저촉을 의미하는 것이 아니라, 민주사회의 불가결한 요소인 정당의 존립을 제약해야 할 만큼 그 정당의 목적이나 활동이 우리 사회의 민주적 기본질서에 대하여 실질적인 해악을 끼칠 수 있는 구체적 위험성을 초래하는 경우를 가리킨다.
17. 국가직 (O, ×)

답 O

02 정당의 목적이나 조직이 민주적 기본질서에 위배될 때에는 정부는 헌법재판소에 그 해산을 제소할 수 있고, 정당은 헌법재판소의 심판에 의하여 해산된다. 14. 서울시, 17. 경정승진 (O, ×)

답 × 정당의 목적이나 '활동'이 민주적 기본질서에 위배될 때에는 정부는 헌법재판소에 그 해산을 제소할 수 있고, 정당은 헌법재판소의 심판에 의하여 해산된다(헌법 제8조 제4항).

03 정당의 목적이나 활동이 민주적 기본질서에 위배될 때에는 정부 또는 국회는 헌법재판소에 그 해산을 제소할 수 있고, 정당은 헌법재판소의 심판에 의하여 해산된다. 04. 법행 (O, ×)

답 × 헌법 제8조 제4항에 의하면 위헌 정당해산의 제소권자는 정부만이고 국회는 해당하지 않는다.

③ **민주적 기본질서:** 헌법재판소는 경찰청장사건에서 정당이 자유민주적 기본 질서를 부정할 때 헌법재판소가 그 위헌성을 확인하는 경우, 정치생활영역에서 축출될 수 있다고 하여 헌법 제8조 제4항의 민주적 기본질서를 자유민주적 기본질서로 본다(헌재 1999.12.23. 99헌마135). 19. 국가직 또한 반국가단체에 대한 찬양·고무죄사건에서 "'자유민주적 기본질서에 위해를 준다'라 함은 모든 폭력적 지배와 자의적 지배, 즉 반국가단체의 1인 독재 내지 1당 독재를 배제하고 다수의 의사에 의한 국민의 자치·자유·평등의 기본원칙에 바탕한 법치국가적 통치질서의 유지를 어렵게 만드는 것이고, 이를 보다 구체적으로 말하면 기본적 인권의 존중, 권력분립, 의회제도, 복수정당제도, 선거제도, 사유재산제도와 시장경제를 골간으로 하는 경제질서 및 사법권의 독립 등 우리나라의 내부적 체계를 파괴·변혁시키는 것으로 풀이할 수 있다."라고 판시한 바 있다(헌재 1990.4.2. 89헌가113).

⚖ 판례

헌법 제8조 제4항 '민주적 기본질서'의 의미

헌법 제8조 제4항이 의미하는 '민주적 기본질서'는 개인의 자율적 이성을 신뢰하고 모든 정치적 견해들이 각각 상대적 진리성과 합리성을 지닌다고 전제하는 다원적 세계관에 입각한 것으로서, 모든 폭력적·자의적 지배를 배제하고, 다수를 존중하면서도 소수를 배려하는 민주적 의사결정과 자유·평등을 기본원리로 하여 구성되고 운영되는 정치적 질서를 말하며, 구체적으로는 국민주권의 원리, 기본적 인권의 존중, 권력분립제도, 복수정당제도 등이 현행헌법상 주요한 요소라고 볼 수 있다(헌재 2014.12.19. 2013헌다1).

(3) 절차적 요건

① 정부의 제소

> **헌법재판소법 제55조【정당해산심판의 청구】** 정당의 목적이나 활동이 민주적 기본질서에 위배될 때에는 정부는 국무회의의 심의를 거쳐 헌법재판소에 정당해산심판을 청구할 수 있다. 03·11. 법행, 11. 법무사
>
> **제57조【가처분】** 헌법재판소는 정당해산심판의 청구를 받은 때에는 직권 또는 청구인의 신청에 의하여 종국결정의 선고시까지 피청구인의 활동을 정지하는 결정을 할 수 있다.

개념PLUS+ 정부

1. 정부의 의의
정부란 입법부·사법부와 대등한 지위에 있는 행정부의 개념으로 사용된다. 그리고 법무부장관이 정부의 대표자로서 소송을 수행한다.

2. 정부의 제소의 성격
① 견해의 대립
- 헌법 제8조 제4항의 문언형식(… 을 청구할 수 있다)과 강제해산보다는 민주적인 공개경쟁을 통하여 정당의 지지층을 붕괴시키는 것이 민주주의 보호에 효과적이라는 점을 논거로 정부의 제소 여부는 재량으로 보아야 한다는 견해(재량설, 다수설)
- 정부의 권한이자 의무라고 보는 견해(권영성)

② 헌법재판소가 정당의 위헌 여부를 심리한 결과, 위헌이 아니라고 결정한 경우에는 동일한 정당에 대하여 동일한 사유로 다시 제소할 수 없다(일사부재리의 원칙).

정당해산심판에서 가처분을 허용하는 조항 등이 정당활동의 자유를 침해하여 위헌인지 여부: 소극 [기각]

가처분제도를 두지 않으면 종국결정이 선고되더라도 그 실효성이 없어 회복하기 어려운 불이익을 주게 되고, 정당해산심판이 가지는 헌법보호라는 측면에 비추어 헌법질서의 유지·수호를 위하여 일정한 요건 아래에서는 정당의 활동을 임시로 정지할 필요성이 있으므로, 가처분조항은 입법목적의 정당성 및 수단의 적정성이 인정된다. … 가처분조항에 의하여 달성될 수 있는 정당해산심판의 실효성 확보 및 헌법질서의 유지 및 수호라는 공익은 정당해산심판의 종국결정시까지 잠정적으로 제한되는 정당활동의 자유에 비하여 결코 작다고 볼 수 없으므로 법익균형성도 충족하였다. 따라서 가처분조항은 과잉금지원칙에 위배하여 정당활동의 자유를 침해한다고 볼 수 없다(헌재 2014.2.27. 2014헌마7).

② 헌법재판소의 해산결정

> 헌법 제113조 ① 헌법재판소에서 법률의 위헌결정, 탄핵의 결정, 정당해산의 결정 또는 헌법소원에 관한 인용결정을 할 때에는 재판관 6인 이상의 찬성이 있어야 한다.

③ 해산결정의 집행

> 헌법재판소법 제58조【청구 등의 통지】② 정당해산을 명하는 결정서는 피청구인 외에 국회, 정부 및 중앙선거관리위원회에도 송달하여야 한다.
>
> 제60조【결정의 집행】정당의 해산을 명하는 헌법재판소의 결정은 중앙선거관리위원회가 정당법에 따라 집행한다. 12. 법행

④ 강제해산의 효과

ⓐ 정당의 자동해산

> 헌법재판소법 제59조【결정의 효력】정당의 해산을 명하는 결정이 선고된 때에는 그 정당은 해산된다.
>
> 정당법 제47조【해산공고 등】제45조(자진해산)의 신고가 있거나 헌법재판소의 해산결정의 통지나 중앙당 또는 그 창당준비위원회의 시·도당 창당승인의 취소통지가 있는 때에는 당해 선거관리위원회는 그 정당의 등록을 말소하고 지체 없이 그 뜻을 공고하여야 한다.

ⓑ 잔여재산의 국고귀속

> 정당법 제48조【해산된 경우 등의 잔여재산처분】② … 헌법재판소의 해산결정에 의하여 해산된 정당의 잔여재산은 국고에 귀속한다. 07·12. 국회직 8급, 13. 국가직

ⓒ 대체정당의 창당금지

> 정당법 제40조【대체정당의 금지】정당이 헌법재판소의 결정으로 해산된 때에는 해산된 정당의 강령(또는 기본정책)과 동일하거나 **유사한 것**으로 정당을 창당하지 못한다. 03. 법행, 15. 사시

ⓔ 명칭사용금지

> 정당법 제41조【유사명칭 등의 사용금지】① 이 법에 의하여 등록된 정당이 아니면 그 명칭에 정당임을 표시하는 문자를 사용하지 못한다.
> ② 헌법재판소의 결정에 의하여 해산된 정당의 명칭과 **같은 명칭**은 정당의 명칭으로 다시 사용하지 못한다. 03. 법행, 13. 국가직, 15. 사시·변호사
> ④ 제44조(등록의 취소) 제1항의 규정에 의하여 등록취소된 정당의 명칭과 같은 명칭은 등록취소된 날부터 최초로 실시하는 임기만료에 의한 국회의원선거의 선거일까지 정당의 명칭으로 사용할 수 없다. 05. 법무사, 13. 서울시

ⓜ 해산된 정당의 목적을 달성하기 위한 집회 또는 시위금지

> 집회 및 시위에 관한 법률 제5조【집회 및 시위의 금지】① 누구든지 다음 각 호의 어느 하나에 해당하는 집회나 시위를 주최하여서는 아니 된다.
> 1. 헌법재판소의 결정에 따라 해산된 정당의 목적을 달성하기 위한 집회 또는 시위
> ② 누구든지 제1항의 규정에 따라 금지된 집회 또는 시위를 할 것을 선전하거나 선동하여서는 아니 된다.

(4) 소속 국회의원의 의원직상실 여부

① 문제점: 우리나라 제3공화국 헌법(1962년 헌법)은 소속 정당이 해산된 때 소속 국회의원의 자격상실규정❶을 두고 있었으나, 현행법에서는 이러한 규정을 두고 있지 아니하여 학설이 대립하고 있다.

② 학설

ⓐ 소속 의원의 국회의원 자격은 유지된다는 견해: 대의제 민주주의에서 국회의원은 자유위임이고 정당과는 별도로 정당성을 가진다는 것을 이유로 한다.

ⓑ 소속 의원의 국회의원 자격이 상실된다는 견해(다수설): 오늘날의 정당제 민주주의에서 유권자는 선거에서 후보자 개인보다는 정당을 투표의 기준으로 하는 것이 일반적이라는 점과 위헌정당으로 해산된 정당의 소속 국회의원의 의원직을 계속 보유하게 한다면 정당제 민주주의 및 방어적 민주주의의 원리에 위배되고 위헌결정 자체가 무의미하게 된다는 점을 이유로 한다.

③ 헌법재판소 판례

> ### ⚖️ 판례
>
> **정당해산결정이 선고되는 경우 그 정당 소속 국회의원이 의원직을 상실하는지 여부:** 적극
>
> 헌법재판소의 해산결정으로 정당이 해산되는 경우에 그 정당 소속 국회의원이 의원직을 상실하는지에 대하여 명문의 규정은 없으나, 정당해산심판제도의 본질은 민주적 기본질서에 위배되는 정당을 정치적 의사형성과정에서 배제함으로써 국민을 보호하는 데에 있는데 해산정당 소속 국회의원의 의원직을 상실시키지 않는 경우 정당해산결정의 실효성을 확보할 수 없게 되므로, 이러한 정당해산제도의 취지 등에 비추어 볼 때 헌법재판소의 정당해산결정이 있는 경우 그 정당 소속 국회의원의 의원직은 당선 방식을 불문하고 모두 상실되어야 한다(헌재 2014.12.19. 2013헌다1). 15. 국회직 9급, 19. 지방직

❶ 정당이 해산된 때 소속 국회의원의 자격상실규정

국회의원은 임기 중 당적을 이탈하거나 변경한 때 또는 소속 정당이 해산된 때에는 그 자격이 상실된다. 다만, 합당 또는 제명으로 소속이 달라지는 경우에는 예외로 한다[제3공화국 헌법(1962년 헌법) 제38조].

📖 핵심기출 OX

01 위헌정당해산이 결정되면 위헌정당에 소속하고 있는 의원 중 비례대표 국회의원은 당연히 그 직을 상실하지만 지역구국회의원은 별도의 심사를 거쳐서 그 의원직을 상실한다
15. 국회직 9급   (O, X)
🔑 X 별도의 심사 없이 상실된다고 보았다.

02 정당 소속 국회의원의 활동 중에서도 국민의 대표자의 지위가 아니라 그 정당에 속한 유력한 정치인의 지위에서 행한 활동으로서 정당과 밀접하게 관련되어 있는 행위들은 정당의 활동이 될 수 있다. 18. 행시 (O, X)
🔑 O

개념PLUS+ 등록취소와 강제해산 비교

구분	중앙선거관리위원회에 의하여 등록취소된 정당	헌법재판소에 의하여 강제해산된 정당
헌법상 근거	헌법 제8조 제2항	헌법 제8조 제4항
사유	• 형식적 요건을 구비하지 못한 때 • 정당이 국민의사 형성에 참여하고 있지 아니한 때	정당의 목적이나 활동이 민주적 기본질서에 위배될 때
기존정당의 명칭사용	사용가능, 다만 등록취소된 날부터 다음 총선거일까지는 사용불가 (정당법 제41조 제4항)	사용 불가능
기존정당의 목적과 유사한 정당 설립	가능	대체정당 설립불가
잔여재산	1차는 당헌에 따라, 나머지는 국고귀속	국고귀속
소속 의원	무소속으로 자격 유지	자격 상실(다수설·판례)
법원제소	제소가능	제소 불허용

③ 정당과 정치자금

1. 정치자금의 의의

정치자금법 제2조 【기본원칙】 ① 누구든지 이 법에 의하지 아니하고는 정치자금을 기부하거나 받을 수 없다.

② 정치자금은 국민의 의혹을 사는 일이 없도록 공명정대하게 운용되어야 하고, 그 회계는 공개되어야 한다.

③ 정치자금은 정치활동을 위하여 소요되는 경비로만 지출하여야 하며, 사적 경비로 지출하거나 부정한 용도로 지출하여서는 아니 된다. 05. 입시

⑤ 누구든지 타인의 명의나 가명으로 정치자금을 기부할 수 없다.

제3조 【정의】 이 법에서 사용하는 용어의 정의는 다음과 같다.

1. 정치자금의 종류는 다음 각 목과 같다.
   가. 당비
   나. 후원금
   다. 기탁금
   라. 보조금
   마. 정당의 당헌·당규 등에서 정한 부대수입
   바. 정치활동을 위하여 정당(중앙당창당준비위원회를 포함한다), 공직선거법에 따른 후보자가 되려는 사람, 후보자 또는 당선된 사람, 후원회·정당의 간부 또는 유급 사무직원, 그 밖에 정치활동을 하는 사람에게 제공되는 금전이나 유가증권 또는 그 밖의 물건 20. 국회직 9급
   사. 바목에 열거된 사람(정당 및 중앙당창당준비위원회를 포함한다)의 정치활동에 소요되는 비용

3. "당비"라 함은 **명목 여하에 불구하고** 정당의 당헌·당규 등에 의하여 정당의 당원이 부담하는 금전이나 유가증권 그 밖의 물건을 말한다.

🏛️ **핵심기출 OX**

당비는 정당의 당헌·당규 등에 의하여 정당의 당원이 부담하는 금전으로서 유가증권이나 그 밖의 물건을 제외한다.
20. 국회직 9급   (○, ×)

📖 × 정치자금법 제3조 제1호 바목에 따르면 유가증권을 포함한다.

> **제4조【당비】** ① 정당은 소속 당원으로부터 당비를 받을 수 있다.
>
> ② 정당의 회계책임자는 **타인의 명의나 가명으로 납부된 당비**는 국고에 귀속시켜야 한다.
>
> ③ 제2항의 규정에 의하여 국고에 귀속되는 당비는 관할 선거관리위원회가 이를 납부받아 국가에 납입하되, 납부기한까지 납부하지 아니한 때에는 관할 세무서장에게 위탁하여 관할 세무서장이 국세체납처분의 예에 따라 이를 징수한다.
>
> **제5조【당비영수증】** ① 정당의 회계책임자는 당비를 납부받은 때에는 당비를 납부받은 날부터 30일까지 **당비영수증을 당원에게 교부**하고 그 원부를 보관하여야 한다. 다만, 당비를 납부한 당원이 그 당비영수증의 수령을 원하지 아니하는 경우에는 교부하지 아니하고 발행하여 원부와 함께 보관할 수 있다.

'정치자금'이란 당비, 후원금, 기탁금, 보조금, 정당의 당헌·당규 등에서 정한 부대수입, 그 밖에 정치활동을 위하여 정당(중앙당창당준비위원회를 포함), 공직선거법에 따른 후보자가 되려는 사람, 후보자 또는 당선된 사람, 후원회·정당의 간부 또는 유급사무직원, 그 밖에 정치활동을 하는 사람에게 제공되는 금전이나 유가증권 그 밖의 물건과 그 사람의 정치활동에 소요되는 비용을 말한다(정치자금법 제3조 제1호).

2. 현행법상 정치자금원

(1) 당비

'당비'란 명목 여하에 불구하고 정당의 당헌·당규 등에 의하여 정당의 당원이 부담하는 금전이나 유가증권, 그 밖의 물건을 말한다(정치자금법 제3조 제3호).

(2) 정당후원회의 후원금

① 후원회 및 후원금의 개념

ㄱ **후원회:** '후원회'는 정치자금법의 규정에 의하여 정치자금의 기부를 목적으로 설립·운영되는 단체로서 관할 선거관리위원회에 등록된 단체를 말한다(정치자금법 제3조 제7호).

ㄴ **후원금:** '후원금'은 정치자금법의 규정에 의하여 후원회에 기부하는 금전이나 유가증권 그 밖의 물건을 말한다(정치자금법 제3조 제4호).

② 후원회의 설치

> **정치자금법 제6조【후원회지정권자】** 다음 각 호에 해당하는 자(이하 "후원회지정권자"라 한다)는 각각 하나의 후원회를 지정하여 둘 수 있다.
> 1. 중앙당(중앙당창당준비위원회를 포함한다)
> 2. 국회의원(국회의원선거의 당선인을 포함한다)
> 2의2. 대통령선거의 후보자 및 예비후보자(이하 "대통령후보자 등"이라 한다)
> 3. 정당의 대통령선거후보자 선출을 위한 당내 경선후보자(이하 "대통령선거경선후보자"라 한다)
> 4. 지역선거구(이하 "지역구"라 한다)국회의원선거의 후보자 및 예비후보자(이하 "국회의원후보자 등"이라 한다). 다만, 후원회를 둔 국회의원의 경우에는 그러하지 아니하다.

🏛 **핵심기출 OX**

타인의 명의나 가명으로 납부된 당비는 국고에 귀속되며, 국고에 귀속되는 당비는 중앙선거관리위원회가 이를 납부받아 국가에 납입한다.

22. 국가직　　　　　(○, ✕)

답 ✕

5. 중앙당 대표자 및 중앙당 최고 집행기관(그 조직형태와 관계없이 당헌으로 정하는 중앙당 최고 집행기관을 말한다)의 구성원을 선출하기 위한 당내경선후보자
6. 지역구지방의회의원선거의 후보자 및 예비후보자(이하 "지방의회의원후보자 등"이라 한다)
7. 지방자치단체의 장선거의 후보자 및 예비후보자(이하 "지방자치단체장후보자 등"이라 한다)

🔍 판례

1 국회의원은 후원회를 구성할 수 있도록 하면서 시·도의원에 대해서는 후원회 구성을 금지한 것이 평등의 원칙에 위반되는지 여부: 소극 [기각]

국회의원이 국민의 대표로서 그 활동범위가 국정 전반에 걸치고 정치를 전업으로 하는 데 반하여 시·도의원은 그 활동범위가 해당 시·도의 지역사무에 국한되고 무보수 명예직으로서 정치는 비전업의 부업에 지나지 않는다. 같은 정치활동이라 하더라도 그 질과 양에서 근본적인 차이가 있고 그에 수반하여 정치자금을 필요로 하는 정도나 소요자금의 양에서도 현격한 차이가 있으므로 국회의원에 대해서는 개인후원회를 허용하면서 시·도의원에게는 이를 금지하였다 하여 평등의 원칙에 위반된다고 할 수 없다(헌재 2000.6.1. 99헌마576). 13. 국회직 8급

2 정당후원회를 금지한 정치자금법 제6조가 정당의 정당활동의 자유와 국민의 정치적 표현의 자유를 침해하는지 여부: 적극 [헌법불합치]

정당제 민주주의하에서 정당에 대한 재정적 후원이 전면적으로 금지됨으로써 정당이 스스로 재정을 충당하고자 하는 정당활동의 자유와 국민의 정치적 표현의 자유에 대한 제한이 매우 크다고 할 것이므로, 이 사건 법률조항은 정당의 정당활동의 자유와 국민의 정치적 표현의 자유를 침해한다(헌재 2015.12.23. 2013헌바168). 18. 법원직, 16·19. 지방직, 20. 국회직 9급

3 기초자치단체장선거의 예비후보자는 후원회를 통한 정치자금의 모금을 할 수 없도록 하고, 이를 위반하면 형사처벌하는 것이 평등권을 침해하는지 여부: 소극 [합헌]

기초자치단체장선거의 예비후보자를 대통령선거 및 지역구국회의원선거의 예비후보자와 달리 취급하는 것에는 합리적인 이유가 있으므로, 심판대상조항들은 청구인의 평등권을 침해하지 아니한다(헌재 2016.9.29. 2015헌바228).

4 특별시장·광역시장·특별자치시장·도지사·특별자치도지사(이하 '광역자치단체장'이라 한다) 선거의 예비후보자를 후원회지정권자에서 제외하고 있는 정치자금법 제6조 제6호 부분이 평등권을 침해하는지 여부: 적극

광역자치단체장선거의 경우 국회의원선거보다 지출하는 선거비용의 규모가 크고, 후원회를 통해 선거자금을 마련할 필요성 역시 매우 크다. 그럼에도 광역자치단체장선거의 경우 후보자가 후원금을 모금할 수 있는 기간이 불과 20일 미만으로 제한되고 있다. 또한 군소정당이나 신생정당, 무소속 예비후보자의 경우에는 선거비용의 보전을 받기 어려운 경우가 많은 현실을 고려할 때 후원회 제도를 활용하여 선거자금을 마련할 필요성이 더욱 절실하고, 이들이 후원회 제도를 활용하는 것을 제한하는 것은 다양한 신진 정치세력의 진입을 막고 자유로운 경쟁을 통한 정치 발전을 가로막을 우려가 있다. … 국회의원선거의 예비후보자 및 그 예비후보자에게 후원금을 기부하고자 하는 자와 광역자치단체장선거의 예비후보자 및 이들 예비후보자에게 후원금을 기부하고자 하는 자를 계속하여

달리 취급하는 것은, 불합리한 차별에 해당하고 입법재량을 현저히 남용하거나 한계를 일탈한 것이다. 따라서 심판대상조항 중 광역자치단체장선거의 예비후보자에 관한 부분은 청구인들 중 광역자치단체장선거의 예비후보자 및 이들 예비후보자에게 후원금을 기부하고자 하는 자의 평등권을 침해한다(헌재 2019.12.27. 2018헌마301). 20. 입시

5 자치구의 지역구의회의원(이하 '자치구의회의원'이라 한다) 선거의 예비후보자를 후원회지정권자에서 제외하고 있는 정치자금법 제6조 제6호 부분이 평등권을 침해하는지 여부: 소극

자치구의회의원은 대통령, 국회의원과는 그 지위나 성격, 기능, 활동범위, 정치적 역할 등에서 본질적으로 다르다. 자치구의회의원의 활동범위는 해당 자치구의 지역 사무에 국한되고, 그에 수반하여 정치자금을 필요로 하는 정도나 소요자금의 양에서도 현격한 차이가 있을 수밖에 없다. 자치구의회의원의 경우 선거비용 이외에 정치자금의 필요성이 크지 않으며 선거비용 측면에서도 대통령선거나 국회의원선거에 비하여 선거운동기간이 비교적 단기여서 상대적으로 선거비용이 적게 드는 점 등에 비추어 보면, 국회의원선거의 예비후보자와 달리 자치구의회의원선거의 예비후보자에게 후원회를 통한 정치자금의 조달을 불허하는 것에는 합리적인 이유가 있다. 따라서 심판대상조항 중 자치구의회의원선거의 예비후보자에 관한 부분은 청구인들 중 자치구의회의원선거의 예비후보자 및 이들 예비후보자에게 후원금을 기부하고자 하는 자의 평등권을 침해한다고 볼 수 없다(헌재 2019.12.27. 2018헌마301).

(3) 기탁금

① **개념**: '기탁금'이란 정치자금을 정당에 기부하고자 하는 개인이 이 법의 규정에 의하여 선거관리위원회에 기탁하는 금전이나 유가증권 그 밖의 물건을 말한다(정치자금법 제3조 제5호). 정당에 정치자금을 기부하고자 하는 자는 기명으로 선거관리위원회에 직접 기탁하여야 한다. 05. 입시, 06. 사시

② **선거관리위원회에 기탁**

> **정치자금법 제22조【기탁금의 기탁】** ① 기탁금을 기탁하고자 하는 개인(당원이 될 수 없는 공무원과 사립학교 교원을 포함한다)은 각급 선거관리위원회(읍·면·동선거관리위원회를 제외한다)에 기탁하여야 한다.
> ② 1인이 기탁할 수 있는 기탁금은 1회 1만원 또는 그에 상당하는 가액 이상, 연간 1억원 또는 전년도 소득의 100분의 5 중 다액 이하로 한다.
> ③ 누구든지 타인의 명의나 가명 또는 그 성명 등 인적사항을 밝히지 아니하고 기탁금을 기탁할 수 없다. 10. 국회직 8급 이 경우 기탁자의 성명 등 인적사항을 공개하지 아니할 것을 조건으로 기탁할 수 있다.

③ **기탁금 기부제한자**

> **정치자금법 제31조【기부의 제한】** ① 외국인, 국내·외의 법인 또는 단체는 정치자금을 기부할 수 없다. 05. 입시, 06. 사시, 20. 국회직 9급
> ② 누구든지 국내·외의 법인 또는 단체와 관련된 자금으로 정치자금을 기부할 수 없다.

🏛 **핵심기출 OX**

01 대통령선거 및 지역구국회의원선거의 예비후보자들과 달리 광역자치단체장선거의 예비후보자를 후원회지정권자에서 제외하고 있는 것은 광역자치단체장선거 예비후보자의 평등권을 침해하지 않는다. 20. 입시 (○, ×)

🔁 × 광역자치단체장선거의 예비후보자 및 이들 예비후보자에게 후원금을 기부하고자 하는 자의 평등권을 침해한다.

02 정당에 정치자금을 기부하고자 하는 자는 무기명으로 선거관리위원회에 기탁금을 기탁할 수 있다. 10. 국회직 8급 (○, ×)

🔁 × 무기명으로는 기탁할 수 없다 (정치자금법 제22조 제3항).

03 법인 또는 단체는 정치자금을 기부할 수 있다. 20. 국회직 9급 (○, ×)

🔁 × 외국인, 법인, 단체는 정치자금을 기부할 수 없다(정치자금법 제31조 제1항).

④ 기탁금 분배

> 정치자금법 제23조【기탁금의 배분과 지급】① 중앙선거관리위원회는 기탁금의 모금에 직접 소요된 경비를 공제하고 지급 당시 제27조(보조금의 배분)의 규정에 의한 국고보조금 배분율에 따라 기탁금을 배분·지급한다.

(4) 보조금
① 의의
ⓐ 개념
ⓐ '보조금'이란 정당의 보호·육성을 위하여 국가가 정당에 지급하는 금전이나 유가증권을 말한다(정치자금법 제3조 제6호).
ⓑ 국고보조금제도는 정당의 역할을 수행하는 데 소요되는 정치자금을 마련함에 있어 정치자금의 기부자인 각종 이익집단으로부터 부당한 영향력을 배제하여 정치부패를 방지하고 정당간 자금조달의 격차를 줄여 공평한 경쟁을 유도하는 데 입법목적이 있다(헌재 2006.7.27. 2004헌마655). 12. 법무사, 19. 지방직
ⓛ 종류: 정당의 일반 활동을 지원하는 경상보조금(매년 지급됨)과 선거활동을 지원하는 선거보조금(선거시 지급되는 보조금으로 선거에 참여하지 않는 정당에는 지급되지 아니함) 그리고 여성추천보조금(정치자금법 제26조)이 있다.
② 보조금의 배분(정치자금법 제27조)

전체의 100분의 50	동일 정당의 소속 의원으로 교섭단체를 구성한 정당에 대하여 정당별로 균등하게 분할하여 배분 ☑ **주의** 동일 정당 소속의원들로 구성되지 않아도 일단 교섭단체를 구성한 정당에 대하여는 그 100분의 50을 정당별로 균등하게 분할하여 배분·지급한다. (×) ⇨ 동일 정당의 소속의원으로 교섭단체를 구성한 정당에 대하여 그 100분의 50을 정당별로 균등하게 분할하여 배분·지급한다.
100분의 5	교섭단체를 구성하지 못한 정당으로서 5석 이상의 의석을 가진 정당 17. 국회직 8급
100분의 2	㉠ 최근에 실시된 임기만료에 의한 국회의원선거에 참여한 정당의 경우에는 국회의원선거의 득표수 비율이 100분의 2 이상인 정당 ㉡ 최근에 실시된 임기만료에 의한 국회의원선거에 참여한 정당 중 ㉠에 해당하지 아니하는 정당으로서 의석을 가진 정당의 경우에는 최근에 전국적으로 실시된 후보추천이 허용되는 비례대표시·도의회의원선거, 지역구시·도의회의원선거, 시·도지사선거 또는 자치구·시·군의 장선거에서 당해 정당이 득표한 득표수 비율이 100분의 0.5 이상인 정당 ㉢ 최근에 실시된 임기만료에 의한 국회의원선거에 참여하지 아니한 정당의 경우에는 최근에 전국적으로 실시된 후보추천이 허용되는 비례대표시·도의회의원선거, 지역구시·도의회의원선거, 시·도지사선거 또는 자치구·시·군의 장선거에서 당해 정당이 득표한 득표수 비율이 100분의 2 이상인 정당

잔여분 중 100분의 50	지급 당시 국회의석을 가진 정당에 그 의석수의 비율에 따라 배분
그 잔여분 (나머지 100분의 50)	최근에 실시된 국회의원총선거에서 득표한 정당의 득표수비율에 따라 배분

🔨 판례

1 정당에 대한 보조금 지급규정이 교섭단체를 구성한 정당과 이를 구성하지 못한 정당을 차별하여 평등권을 침해하는지 여부: 소극 [기각]

이 사건 법률조항에 의한 현행의 보조금 배분비율과 의석수비율 또는 득표수비율(비례대표 전국선거구 및 지역구에서 당해 정당이 득표한 득표수비율의 평균)을 비교하면 현행의 보조금 배분비율은 의석수비율보다는 오히려 소수 정당에 유리하고, 득표수비율과는 큰 차이가 나지 않아 결과적으로 교섭단체구성 여부에 따른 차이가 크게 나타나지 않고 있다. 위와 같은 사정들을 종합해 볼 때 교섭단체의 구성 여부에 따라 보조금의 배분규모에 차이가 있더라도 그러한 차등 정도는 각 정당간의 경쟁상태를 현저하게 변경시킬 정도로 합리성을 결여한 차별이라고 보기 어렵다(헌재 2006.7.27. 2004헌마655). 08. 법원직·법행, 19. 지방직

2 정치인에게 직접 정치자금을 무상대여한 경우 처벌하는 정치자금법 제45조 제1항 등이 정치활동의 자유 등을 침해하는지 여부: 소극 [합헌]

정치인에게 직접 정치자금을 무상대여 하는 경우, 유상대여와 달리 이자 지급 약정이나 이자 지급 사실이 존재하지 않으므로 외관상 기부와 구별하기 어렵고, 후원회에 대한 무상대여와 달리 대여원금을 정치인이 직접 사용할 수 있으므로, 후원금에 대한 각종 법적 규제를 우회·잠탈할 여지가 크다. 따라서 이를 금지하는 것보다 덜 침해적인 수단을 찾기 어렵다. … 따라서 위 조항들은 청구인의 정치활동 내지 정치적 의사표현의 자유를 침해하지 않는다(헌재 2017.8.31. 2016헌바45).

제5절 선거제도

1 선거의 의의

선거는 국민적 합의에 바탕한 대의제 민주정치를 구현하기 위하여 주권자인 국민이 그들을 대표할 국가기관(대의기관)을 선임하는 행위를 말한다.

2 선거인과 대표기관과의 관계

대의제 민주주의에 있어서 선거인과 대표자의 관계는 무기속위임을 원칙으로 하기 때문에 양자의 관계는 법적 대표관계가 아닌 대표자에게 선거인의 의사를 존중하여야 할 정치적 책임을 지우는 정치적 대표관계로 보아야 할 것이다. 12. 국회직 8급

3 선거제도의 기본원칙

1. 보통선거의 원칙

보통선거는 제한선거에 대응하는 개념으로, 원칙적으로 일정한 연령에 달한 모든 국민에게 선거권을 인정하는 선거원칙을 말한다. 08. 법행 기탁금제도 자체는 무분별한 후보난립을 방지하기 위한 제재금 예납의 의미와 함께 공직선거법 위반행위에 대한 과태료 및 불법시설물 등에 대한 대집행비용과 부분적으로 선전벽보 등의 작성비용에 대한 예납의 의미도 가지고 있으므로 그 기탁금액이 지나치게 많지 않는 한 이를 위헌이라고 할 수는 없다. 그러나 선거법상 요구되는 기탁금이 지나치게 고액이면, 헌법상 보통선거의 원칙에 반하여 위헌(실질적으로 선거가 재력을 요건으로 하게 되는 결과를 가져와 선거참여의 기회를 박탈하게 되므로)이다(헌재 1989.9.8. 88헌가6). 05. 법행

⚖ 판례

1 국회의원선거법 제33조, 제34조의 위헌심판 [헌법불합치]

국회의원기탁금 2,000만원은 지나치게 고액이어서 보통선거의 원칙에 반한다(헌재 1989. 9.8. 88헌가6).
▶ 현행 1,500만원

2 지방의회의원선거법 제36조 제1항에 대한 헌법소원 [헌법불합치]

광역의원기탁금 700만원은 너무 과다하여 평등권을 침해한다(헌재 1991.3.11. 91헌마21).
▶ 현행 300만원

3 지방의회의원선거법 제36조 제1항에 대한 헌법소원

기초의원기탁금 200만원은 공영비용을 담보하고 불성실한 후보자에 대한 제재목적을 달성하기 위한 금액으로서 과다하다고 할 수는 없다(헌재 1995.5.25. 91헌마44).
▶ 현행 200만원 동일

4 대통령선거법 제26조 제1항 등 위헌확인

대통령기탁금 3억원은 입법재량의 범위를 일탈한 과다한 금액이라고 할 수 없다(헌재 1995.5.25. 92헌마269).
▶ 5억원 ⇨ 헌법불합치, 현행 3억원

5 공직선거법 제15조 위헌확인

선거권 연령을 20세로 규정한 것은 입법부의 합리적 재량을 벗어난 것이 아니다(헌재 1997.6.26. 96헌마89).
▶ 현행 18세

6 비례대표국회의원 기탁금 사건

비례대표 기탁금조항(기탁금액이 1,500만원)은 과잉금지원칙을 위반하여 정당활동의 자유 등을 침해한다(헌재 2016.12.29. 2015헌마509 등).

---

2. 평등선거의 원칙

(1) 의의

① 평등선거는 차등선거에 대응하는 개념으로, 모든 선거인이 1표씩 가지는 1인 1표제와 더불어 모든 선거인의 투표가치가 평등하게 되는 1표 1가제를 원칙으로 한 선거제도를 말한다.

② 평등선거의 원칙은 평등의 원칙이 선거제도에 적용된 것으로 첫째로 **투표의 수적 평등**(복수투표제를 부인하고 모든 선거인에게 1인 1표씩을 인정함을 의미)을, 둘째로 **투표의 성과가치의 평등**(1표의 가치가 대표자 선정에 기여한 정도 면에서 평등하여야 함을 의미)을, 셋째로 **선거참여자의 평등**(특히 피선거권의 측면에서 무소속 입후보자나 정당 이외의 단체를 정당과 차별해서는 안 됨)을 요구한다.

(2) 선거구 인구의 불평등

불합리한 선거구획정 등으로 선거구간에 인구비례라든가 의원수배분에 불균형이 초래되는 경우 투표가치의 불평등문제가 발생하게 된다.

① 미국의 경우(연방대법원)

    ㉠ 1946년 Colegrove v. Green 사건: 선거구획정은 정치적 문제이므로 사법적 심사대상에서 제외된다.

    ㉡ 1962년 Baker v. Carr 사건: 지나치게 불평등한 인구비례의 선거구획정은 평등조항에 위배되고 사법심사의 대상이 된다.

    ㉢ 1964년 Wesberry v. Sanders 사건: 선거구간 인구비율이 3 : 1 이상이면 위헌이다.

② 우리나라의 경우(헌법재판소)

    ㉠ **1995년 결정**: 국회의원지역선거구간 인구편차가 4 : 1(평균인구수기준 상하 60% 편차)을 초과할 경우 위헌이라고 결정하였다(헌재 1995.12.27. 95헌마224 등).

    ㉡ **2001년 결정**: 국회의원지역선거구간 인구편차가 3 : 1(평균인구수기준 상하 50% 편차)을 초과할 경우 위헌이라고 하여 헌법불합치결정을 하였다(헌재 2001.10.25. 2000헌마92).

    ㉢ **2014년 결정**: 국회의원지역선거구간 인구편차 2 : 1(평균인구수기준 상하 33⅓% 편차)을 초과할 경우 위헌이라고 하여 헌법불합치결정을 하였다(헌재 2014.10.30. 2012헌마190).

🔍 판례

1 '국회의원'지역선거구 구역표의 인구편차 허용한계 [3 : 1]

인구편차의 허용한계에 관한 다양한 견해 중 현시점에서 선택가능한 방안으로 상하 33⅓% 편차(이 경우 상한인구수와 하한인구수의 비율은 2 : 1)를 기준으로 하는 방안 또는 상하 50% 편차(이 경우 상한인구수와 하한인구수의 비율은 3 : 1)를 기준으로 하는 방안이 고려될 수 있는데, 이 중 상하 33⅓% 편차기준에 의할 때 행정구역 및 국회의원정수를 비롯한 인구비례의 원칙 이외의 요소를 고려함에 있어 적지 않은 난점이 예상되므로, 우리 재판소가 선거구획정에 따른 선거구간의 인구편차의 문제를 다루기 시작한지 겨우 5년여가 지난 현재의 시점에서 너무 이상에 치우친 나머지 현실적인 문제를 전적으로 도외시하기는 어렵다고 할 것이어서, 이번에는 **평균인구수기준 상하 50%의 편차**를

01 국회의원지역선거구 구역표 중 인구편차 상하 33⅓%의 기준을 넘어서는 선거구에 관한 부분은 지나친 투표가치의 불평등을 야기하여 위 선거구가 속한 지역에 주민등록을 마친 청구인들의 선거권과 평등권을 침해한다. 16. 국회직 8급 (O, ×)

답 ○

02 헌법재판소는 지역구 지방의회의원 선거에서 지역대표성이 엄격히 비례를 이루어야 하기 때문에 최대선거구와 최소선거구의 인구수 비율이 2 : 1을 넘으면 위헌으로 판단하고 있다. 13. 서울시 (O, ×)

답 × 인구편차 상하 60%의 기준에서 곧바로 인구편차 상하 33⅓%의 기준을 채택하는 경우 시·도의원지역구를 조정함에 있어 예기치 않은 어려움에 봉착할 가능성이 매우 크므로, 현시점에서는 시·도의원지역구 획정에서 허용되는 인구편차 기준을 인구편차 상하 50%(인구비례 3 : 1)로 변경하는 것이 타당하다(헌재 2018.6.28. 2014헌마189).

03 자치구·시·군의회의원 선거구 획정에서 헌법상 허용되는 인구편차의 기준을 상하 50%(인구비례 3 : 1)에서 상하 33⅓%의 기준으로 변경하였다. 19. 국가직 (O, ×)

답 × 인구편차 상하 60%의 기준에서 곧바로 인구편차 상하 33⅓%의 기준을 채택하는 경우 선거구를 조정하는 과정에서 예기치 않은 어려움에 봉착할 가능성이 크므로, 현재의 시점에서 자치구·시·군의원 선거구 획정과 관련하여 헌법이 허용하는 인구편차의 기준을 인구편차 상하 50%(인구비례 3 : 1)로 변경하는 것이 타당하다(헌재 2018.6.28. 2014헌마166).

04 헌법재판소는 지방의회의원 선거구 획정에서도 국회의원과 마찬가지의 기준을 적용하고 있다. 11. 국회직 9급 (O, ×)

답 × 헌법재판소는 지방의회의원(시·도의원, 시·군·구의원) 선거구 획정은 선거구 평균인구수 기준 상하 50%(3 : 1)를 기준으로 위헌성심사를 한다(헌재 2018.6.28. 2014헌마189). 그러나 국회의원 선거구 획정 사건에서는 상하 33⅓%(2 : 1)를 기준으로 심사를 하고 있다(헌재 2014.10.30. 2012헌마190).

기준으로 위헌 여부를 판단하기로 한다. 그러나 앞으로 상당한 기간이 지난 후에는 인구편차가 상하 33⅓% 또는 그 미만의 기준에 따라 위헌 여부를 판단하여야 할 것이다 (헌재 2001.10.25. 2000헌마92 등). 05. 사시, 08. 법원직, 08·09. 법무사, 12. 변호사, 13. 서울시

2 국회의원선거구사건 [헌법불합치]

인구편차 상하 33⅓%를 넘어 인구편차를 완화하는 것은 지나친 투표가치의 불평등을 야기하는 것으로 이는 대의민주주의의 관점에서 바람직하지 아니하고, 국회를 구성함에 있어 국회의원의 지역대표성이 고려되어야 한다고 할지라도 이것이 국민주권주의의 출발점인 투표가치의 평등보다 우선시 될 수는 없다. … 현재의 시점에서 헌법이 허용하는 인구편차의 기준을 인구편차 상하 33⅓%를 넘어서지 않는 것으로 봄이 타당하다. 따라서 심판대상 선거구 구역표 중 **인구편차 상하 33⅓%의 기준을 넘어서는 선거구에 관한 부분은 선거구가 속한 지역에 주민등록을 마친 청구인들의 선거권 및 평등권을 침해한다.** 16. 국회직 8급 … 이 사건 선거구 구역표 전체에 기한 국회의원선거가 실시된 상황에서 단순위헌의 결정을 하게 되면, 추후 재선거 또는 보궐선거가 실시될 경우 국회의원지역선거구 구역표가 존재하지 아니하게 되는 법의 공백이 생기게 될 우려가 큰 점 등을 고려하여 2015.12.31.을 시한으로 입법자가 개정할 때까지 이 사건 선거구 구역표 전체의 잠정적 적용을 명하는 헌법불합치결정을 하기로 한다(헌재 2014.10.30. 2012헌마190 등). 15. 법원직·사시

▶ 변경된 판례

3 시·도의회의원 선거구 획정기준 – 인구편차 상하 50% [3 : 1]

인구편차의 허용기준을 엄격히 하면 행정구역을 분할하거나 기존에 존재하던 선거구를 다른 선거구와 통합하거나 시·도의원의 총 정수를 증가시키는 등의 방법으로 시·도의원지역구를 조정하여야 하는데, 이를 위해서는 조정안이 여러 분야에 미치게 될 영향에 대하여 면밀히 검토한 후 부정적인 영향에 대한 대책을 마련하고, 어떠한 조정안을 선택할 것인지에 관하여 사회적 합의를 형성할 필요가 있으므로, 인구편차 상하 60%의 기준에서 곧바로 인구편차 상하 33⅓%의 기준을 채택하는 경우 예기치 않은 어려움에 봉착할 가능성이 매우 큰 점도 고려되어야 한다.
그렇다면 현재의 시점에서 시·도의원지역구 획정과 관련하여 헌법이 허용하는 인구편차의 기준을 인구편차 상하 50%(인구비례 3 : 1)로 변경하는 것이 타당하다(헌재 2018.6.28. 2014헌마189). 13·19. 서울시

4 자치구·시·군의원 선거구 획정기준 – 인구편차 상하 50% [3 : 1]

현재의 시점에서 자치구·시·군의원 선거구 획정과 관련하여 헌법이 허용하는 인구편차의 기준을 인구편차 상하 50%(인구비례 3 : 1)로 변경하는 것이 타당하다(헌재 2018.6.28. 2014헌마166). 19. 국가직

3. 직접선거의 원칙

(1) 직접선거는 간접선거에 대응하는 개념으로, 일반 선거인이 대표자를 직접 선출하는 제도를 말한다. 반면에 간접선거는 일반 선거인이 중간선거인을 선거하고 중간선거인이 대표자를 선출하는 방식이다.

(2) 직접선거의 원칙은 선거결과가 선거권자의 투표에 의하여 직접 결정될 것을 요구하는 원칙이다. 국회의원선거와 관련하여 보면, 국회의원의 선출이나 정당의 의석획득이 중간선거인이나 정당 등에 의하여 이루어지지 않고 선거권자의 의사에 따라 직접 이루어져야 함을 의미한다(헌재 2001.7.19. 2000헌마91).

4. 비밀선거의 원칙

비밀선거는 공개선거에 대응하는 개념으로, 선거인이 누구에게 투표하였는지를 제3자가 알지 못하게 하는 선거제도이다. 비밀선거의 전형은 무기명투표와 투표내용에 관한 진술거부제이다.

5. 자유선거의 원칙

(1) 자유선거는 강제선거에 대응하는 개념으로, 이 원칙은 선거권을 법적 공의무로 보지 않는 것을 전제로 한다. 자유선거의 원칙은 '선거의 내용'뿐만 아니라 '선거의 가부'까지도 선거인의 자유로운 결정에 맡겨질 것을 요구한다.

(2) 우리 헌법은 자유선거를 직접 규정하고 있지는 아니하지만 선거권을 법적 공의무로 보지 않는 이상 동 원칙은 당연히 인정되는 것이다.

(3) 강제선거는 정당한 이유 없이 기권하는 자에 대하여 일정한 제재를 가함으로써 선거권의 행사를 공적 의무가 되게 하는 제도이다.

4 대표제와 선거구제

1. 대표제
(1) 의의
대표제란 대표결정방식 또는 의원정수배분방식을 말한다.

(2) 유형
① 다수대표제
　㉠ 의의
　　ⓐ 다수대표제란 대표의 선출을 선거구에 거주하는 다수자의 의사에 따르게 하는 것으로, 다수자만이 대표자를 낼 수 있고 소수자는 대표를 내는 것이 불가능한 대표제를 말한다.
　　ⓑ 다수대표제에는 일정한 득표수를 요건으로 하는 절대다수대표제(예 프랑스)와 상대적 다수를 요하는 상대다수대표제(예 영국·미국)가 있다.
　　ⓒ 다수대표제는 소선거구제와 연결되어 다수당에 유리하다.
　㉡ 장·단점

장점	• 양대정당제 확립으로 안정된 정치상황 확보 • 선거인과 대표자간의 거리감 감소 • 선거인의 대표선택 용이
단점	• 당선인 이외의 자가 획득한 표가 사표가 됨 • 정당의 득표율과 의석배분의 불균형 • 지방적 소인물(小人物)이 당선될 가능성이 커서 의원의 질 저하 우려 • 매수 기타 부정에 의한 부패가능성이 큼 • 표에서는 이기고 의석에서는 지는 Bias현상이 발생할 가능성이 큼

② **소수대표제**
  ㉠ **의의:** 소수대표제란 한 선거구에서 2인 이상의 대표를 선출하는 제도를 말하며, 중선거구제·대선거구제와 연결되어 소수당도 대표자를 낼 수 있는 대표제이다. 03. 법무사
  ㉡ **장·단점**

장점	• 사표방지가 용이 • 인물선택의 범위가 넓어 국민대표에 적합한 후보자 선택 가능 • 선거간섭이 적어 선거공정이 기대됨 • 정당의 강령이나 정책대결로 후보자나 유권자의 수준 향상
단점	• 군소정당의 난립으로 정국불안 초래 • 선거비용의 과다지출 • 유권자가 후보자의 인격이나 식견을 자세히 알기 어려워 양자간 거리감 증가 • 보궐선거나 재투표 실시가 곤란

③ **비례대표제**
  ㉠ **의의:** 비례대표제란 각 정당에 득표수에 비례하여 의석을 배분하는 대표제를 말하는데, 정당명부식 비례대표제가 그 전형이다. 이 제도에서는 선거인이 각 정당의 합동명부에 대하여 투표하고 득표수비율에 따라 당선자를 결정한다.
  ㉡ **장·단점**

장점	• 선거인의 의사를 정확하게 반영한 대표 선출 • 민주정치의 요체인 정당정치에 적합 • 소수당에도 의석을 배분하여 다수횡포방지에 용이
단점	• 군소정당의 난립으로 정국불안 초래 • 기술적 곤란성과 절차적 복합성 수반 • 선거인과 의원 사이가 소원해짐

  ㉢ **투표방식**
    ⓐ **고정명부식:** 명부상의 후보자와 순위가 정당에 의하여 미리 고정적으로 결정되어 있는 방식으로, 선거인은 한 표를 가지고 각 정당이 제시하는 명부 중 한 정당의 명부만을 그 전체로서 선택하는 방식이다.
    ⓑ **가변명부식:** 선거권자가 명부상의 후보자에 대하여 그 순위를 변경할 수 있는 방식이며, 두 개 이상의 표가 주어져 하나는 명부의 선택에, 하나는 명부 내의 후보자 선택에 사용한다.
    ⓒ **자유명부식:** 선거권자가 여러 명부 중에서 자유롭게 후보자를 선택하여 자신의 독자적인 명부를 작성할 수 있는 방법이다.

2. 선거구제

(1) 의의

선거구제란 선거인단을 지역단위로 분할하는 방식을 말한다.

(2) 유형

① **소선거구제**: 1선거구에서 1명의 대표자를 선출하는 제도를 말한다. 투표는 단기(후보자 1명에게 투표하는 것)를 원칙으로 하고 결정은 다수결에 의한다. 다수결에는 절대다수결주의와 상대다수결주의가 있다.

② **중선거구제❶**: 한 선거구에서 2 ~ 4인의 대표자를 선출하는 제도를 말한다.

③ **대선거구제**: 한 선거구에서 5인 이상의 대표자를 선출하는 제도를 말한다.

❶ **현행법상 중선거구제**

지역구 자치구·시·군의원선거에서 시행되고 있다(공직선거법 제26조).

5 우리나라의 선거제도

1. 선거제도의 기본원칙

(1) 헌법은 제1조 제2항에서 국민주권의 원리를 선언하고 있으며, 국민의 선거권(헌법 제24조)과 피선거권(헌법 제25조)을 규정하고 있다. 이러한 기초 위에 선거의 기본원칙으로 보통·평등·직접·비밀선거제(헌법 제41조 제1항, 헌법 제67조 제1항)를 규정하고 있다. 자유선거에 관하여는 규정이 없지만 헌법재판소는 자유선거원칙도 선거의 기본원칙으로 인정하고 있다. 05. 법행

(2) 즉, 헌법재판소는 "자유선거의 원칙은 민주국가의 선거제도에 내재하는 법원리로서 국민주권의 원리, 대의민주주의의 원리 및 참정권에 관한 헌법의 규정들에 근거를 두고 있는 것이다. 이러한 자유선거의 원칙은 선거권자의 의사형성의 자유와 의사실현의 자유를 말하고 구체적으로는 투표의 자유, 입후보의 자유 나아가 선거운동의 자유를 뜻한다."라고 판시하고 있다(헌재 1999.6.24. 98헌마153).

2. 공직선거법의 제정

> **공직선거법 제2조 【적용범위】** 이 법은 대통령선거·국회의원선거·지방의회의원 및 지방자치단체의 장의 선거에 적용한다.

종래 별개의 선거법체제로 유지되어 온 대통령선거법, 국회의원선거법, 지방의회선거법, 지방자치단체장선거법 등을 단일법률로 통합한 공직선거 및 선거부정방지법이 1994년에 제정되었다. 그리고 2005년 8월 공직선거법으로 법명을 변경하였다.

3. 선거공영제

> **헌법 제116조 ①** 선거운동은 각급 선거관리위원회의 관리하에 법률이 정하는 범위 안에서 하되, 균등한 기회가 보장되어야 한다.
> ② 선거에 관한 경비는 법률이 정하는 경우를 제외하고는 **정당 또는 후보자에게 부담시킬 수 없다.** 19. 국가직, 20. 국회직 9급

🎓 **핵심기출 OX**

헌법 제41조 제1항 및 제67조 제1항은 국회의원 및 대통령 선거에 관한 헌법상 일반원칙으로 보통·평등·직접·비밀·자유선거원칙을 직접 규정하고 있다. 23. 국회직 8급 (○, ×)

답 ×

01 헌법은 "선거에 관한 경비는 법률이 정하는 경우를 제외하고는 정당 또는 후보자에게 부담시킬 수 없다."라고 규정함으로써 선거공영제를 채택하고 있다. 20. 국회직 9급 (○, ×)

답 ○

02 국회의원지역구의 공정한 획정을 위하여 중앙선거관리위원회에 선거구획정위원회를 둔다. 12. 국회직 8급 변형 (○, ×)

답 ○

03 입법자는 국회의원선거에 관한 법률을 규정함에 있어 폭넓은 입법형성의 자유를 가지므로 선거구에 관한 입법을 할 것인지 여부에 대해서도 입법형성의 자유가 존재한다. 17. 국회직 9급 (○, ×)

답 × 입법자가 국회의원선거에 관한 사항을 법률로 규정함에 있어서 폭넓은 입법형성의 자유를 가진다고 하여도, 선거구에 관한 입법을 할 것인지 여부에 대해서는 입법자에게 어떤 형성의 자유가 존재한다고 할 수 없으므로, 피청구인에게는 국회의원의 선거구를 입법할 명시적인 헌법상 입법의무가 존재한다 할 것이다(헌재 2016.4.28. 2015헌마1177 등).

04 비례대표국회의원선거에서 유효투표총수의 100분의 5 이상을 득표하였거나 지역구국회의원총선거에서 3석 이상의 의석을 차지한 정당에 대해서만 비례대표국회의원선거에서 얻은 득표율에 따라 비례대표국회의원 의석을 배분한다. 10. 사시 (○, ×)

답 × 중앙선거관리위원회는 임기만료에 따른 비례대표국회의원선거에서 전국 유효투표총수의 100분의 3 이상을 득표하였거나 임기만료에 따른 지역구국회의원선거에서 5 이상의 의석을 차지한 각 정당에 대하여 비례대표국회의원의석을 배분한다(공직선거법 제189조 제1항).

05 비례대표지방의회의원선거에 있어서는 당해 선거구선거관리위원회가 유효투표총수의 100분의 3 이상을 득표한 각 정당을 의석할당정당으로 확정한다. 19. 국가직 (○, ×)

답 × 비례대표지방의회의원선거에 있어서는 당해 선거구선거관리위원회가 유효투표총수의 100분의 5 이상을 득표한 각 정당을 의석할당정당으로 확정한다(공직선거법 제190조의2 제1항).

4. 선거제도의 기본내용

(1) 선거구와 의원정수

① 선거구획정위원회

> **공직선거법 제24조【국회의원선거구획정위원회】** ① 국회의원지역구의 공정한 획정을 위하여 임기만료에 따른 국회의원선거의 **선거일 전 18개월**부터 해당 국회의원선거에 적용되는 국회의원지역구의 명칭과 그 구역이 확정되어 효력을 발생하는 날까지 국회의원선거구획정위원회를 설치·운영한다. 12. 국회직 8급
> ② 국회의원선거구획정위원회는 **중앙선거관리위원회**에 두되, 직무에 관하여 독립의 지위를 가진다.
> ③ 국회의원선거구획정위원회는 중앙선거관리위원회 위원장이 위촉하는 9명의 위원으로 구성하되, 위원장은 위원 중에서 호선한다.
>
> **제24조의2【국회의원지역구 확정】** ① 국회는 국회의원지역구를 선거일 전 1년까지 확정하여야 한다.

② 국회의원정수

> **헌법 제41조** ① 국회는 국민의 보통·평등·직접·비밀선거에 의하여 선출된 국회의원으로 구성한다.
> ② 국회의원의 수는 법률로 정하되, 200인 이상으로 한다.
>
> **공직선거법 제21조【국회의 의원정수】** ① 국회의 의원정수는 지역구국회의원 254명과 비례대표국회의원 46명을 합하여 300명으로 한다.
> ② 하나의 국회의원지역선거구(이하 "국회의원지역구"라 한다)에서 선출할 국회의원의 정수는 1인으로 한다.

③ 비례대표국회의원 의석배분

> **공직선거법 제189조【비례대표국회의원 의석의 배분과 당선인의 결정·공고·통지】** ① 중앙선거관리위원회는 다음 각 호의 어느 하나에 해당하는 정당(이하 이 조에서 "의석할당정당"이라 한다)에 대하여 비례대표국회의원 의석을 배분한다. 10. 사시, 12. 법무사
> 1. 임기만료에 따른 비례대표국회의원선거에서 전국 유효투표총수의 100분의 3 이상을 득표한 정당
> 2. 임기만료에 따른 지역구국회의원선거에서 5 이상의 의석을 차지한 정당
>
> **제190조의2【비례대표지방의회의원당선인의 결정·공고·통지】** ① 비례대표지방의회의원선거에 있어서는 당해 선거구선거관리위원회가 유효투표총수의 100분의 5 이상을 득표한 각 정당(이하 이 조에서 "의석할당정당"이라 한다)에 대하여 ….

(2) 선거기간과 선거일

> **공직선거법 제33조【선거기간】** ① 선거별 선거기간은 다음 각 호와 같다. 11. 법원직
> 1. 대통령선거는 23일 14. 경정승진
> 2. 국회의원선거와 지방자치단체의 의회의원 및 장의 선거는 14일 14. 경정승진
> ③ "선거기간"이란 다음 각 호의 기간을 말한다.
> 1. 대통령선거: 후보자등록마감일의 다음 날부터 선거일까지 14. 경정승진
> 2. 국회의원선거와 지방자치단체의 의회의원 및 장의 선거: 후보자등록마감일 후 6일부터 선거일까지

제34조【선거일】 ① 임기만료에 의한 선거의 선거일은 다음 각 호와 같다.

1. 대통령선거는 그 임기만료일 전 70일 이후 첫 번째 수요일 _{11. 법원직 9급}

2. 국회의원선거는 그 임기만료일 전 50일 이후 첫 번째 수요일

3. 지방의회의원 및 지방자치단체의 장의 선거는 그 임기만료일 전 30일 이후 첫 번째 수요일

② 제1항의 규정에 의한 선거일이 국민생활과 밀접한 관련이 있는 민속절 또는 공휴일인 때와 선거일 전일이나 그 다음 날이 공휴일인 때에는 그 다음 주의 수요일로 한다.

제35조【보궐선거 등의 선거일】 ① 대통령의 궐위로 인한 선거 또는 재선거(제3항의 규정에 의한 재선거를 제외한다. 이하 제2항에서 같다)는 그 선거의 실시사유가 확정된 때부터 60일 이내에 실시하되, 선거일은 늦어도 선거일 전 50일까지 대통령 또는 대통령권한대행자가 공고하여야 한다.

② 보궐선거·재선거·증원선거와 지방자치단체의 설치·폐지·분할 또는 합병에 의한 지방자치단체의 장선거의 선거일은 다음 각 호와 같다.

1. 국회의원·지방의회의원의 보궐선거·재선거 및 지방의회의원의 증원선거는 매년 1회 실시하고, **지방자치단체의 장의 보궐선거·재선거는 매년 2회** 실시하되, 다음 각 목에 따라 실시한다. 이 경우 각 목에 따른 선거일에 관하여는 제34조 제2항을 준용한다.

   가. 국회의원·지방의회의원의 보궐선거·재선거 및 지방의회의원의 증원선거는 4월 첫 번째 수요일에 실시한다. 다만, 3월 1일 이후 실시사유가 확정된 선거는 그 다음 연도의 4월 첫 번째 수요일에 실시한다.

   나. 지방자치단체의 장의 보궐선거·재선거 중 전년도 9월 1일부터 2월 말일까지 실시사유가 확정된 선거는 4월 첫 번째 수요일에 실시한다.

   다. 지방자치단체의 장의 보궐선거·재선거 중 3월 1일부터 8월 31일까지 실시사유가 확정된 선거는 10월 첫 번째 수요일에 실시한다.

2. 지방자치단체의 설치·폐지·분할 또는 합병에 따른 지방자치단체의 장선거는 그 선거의 실시사유가 확정된 때부터 60일 이내의 기간 중 관할선거구선거관리위원회 위원장이 해당 지방자치단체의 장(직무대행자를 포함한다)과 협의하여 정하는 날. 이 경우 관할선거구선거관리위원회 위원장은 선거일 전 30일까지 그 선거일을 공고하여야 한다.

제200조【보궐선거】 ① 지역구국회의원·지역구지방의회의원 및 지방자치단체의 장에 궐원 또는 궐위가 생긴 때에는 보궐선거를 실시한다.

② 비례대표국회의원 및 비례대표지방의회의원에 궐원이 생긴 때에는 선거구선거관리위원회는 궐원통지를 받은 후 10일 이내에 그 궐원된 의원이 그 선거 당시에 소속한 정당의 비례대표국회의원후보자명부 및 비례대표지방의회의원후보자명부에 기재된 순위에 따라 궐원된 국회의원 및 지방의회의원의 의석을 승계할 자를 결정하여야 한다.

③ 제2항에도 불구하고 의석을 승계할 후보자를 추천한 정당이 해산되거나 임기만료일 전 120일 이내에 궐원이 생긴 때에는 의석을 승계할 사람을 결정하지 아니한다.

총선거	국회의원의 임기만료로 전체 국회의원을 새롭게 선출하는 선거
재선거	• 당해 선거구에 후보자가 없는 경우 • 당선인이 없거나 지방의원선거에서 당선인이 당해 선거구에서 선거할 지방의회 의원정수에 달하지 아니한 경우 • 선거의 전부무효의 판결 또는 결정이 있는 때 • 당선인이 임기개시 전에 사퇴하거나 사망한 때 19. 국회직 9급 • 당선인이 임기개시 전에 피선거권상실 등으로 인한 당선 무효로 된 때 • 선거비용의 초과지출, 당선인·선거사무장 등의 선거범죄 등으로 인한 당선 무효로 된 때 03. 법무사
보궐선거	임기 중 사망·사퇴 등의 사유로 궐원 또는 궐위가 발생하여 실시하는 선거

⚖ 판례

1 공직선거법 제200조 제2항 단서 중 '비례대표국회의원당선인이 제264조의 규정에 의하여 당선이 무효로 된 때' 부분이 대의제 민주주의원리 내지 자기책임원리에 위배되어 궐원된 의원이 속한 정당의 비례대표국회의원후보자명부상의 차순위후보자의 공무담임권을 침해하는지 여부: 적극 [위헌]

심판대상조항은 비례대표국회의원후보자명부상의 차순위후보자의 승계까지 부인함으로써 선거를 통하여 표출된 선거권자들의 정치적 의사표명을 무시·왜곡하는 결과를 초래하고, 선거범죄에 관하여 귀책사유도 없는 정당이나 차순위후보자에게 불이익을 주는 것은 필요 이상의 지나친 제재를 규정한 것이라고 보지 않을 수 없으므로, 과잉금지원칙에 위배하여 청구인들의 공무담임권을 침해한 것이다(헌재 2009.10.29. 2009헌마350). 12. 법무사

✅ **주의** 비례대표지방의원에 대한 부분도 같은 이유로 위헌결정되었다(헌재 2009.6.25. 2007헌마40).

2 공직선거법 제200조 제2항 단서 중 '임기만료일 전 180일 이내에 비례대표국회의원에 궐원이 생긴 때' 부분이 대의제 민주주의원리에 위배되어 궐원된 의원이 속한 정당의 비례대표국회의원후보자명부상의 차순위후보자의 공무담임권을 침해하는지 여부: 적극 [헌법불합치]

심판대상조항은 정치문화의 선진화라는 입법목적달성에 기여하는 것이라기보다는 합리적 이유 없이 선거권자들의 정치적 의사표명을 무시·왜곡하는 결과를 초래할 뿐이고 180일이라는 잔여임기는 비례대표국회의원으로서의 국정수행에 결코 짧지 않은 기간이라 할 수 있으므로, 심판대상조항은 과잉금지원칙에 위배하여 청구인의 공무담임권을 침해한 것이다(헌재 2009.6.25. 2008헌마413). 10. 국회직 8급

(3) 후보자

① 후보자의 추천

> **공직선거법 제47조 【정당의 후보자 추천】** ① 정당은 선거에 있어 선거구별로 선거할 정수범위 안에서 그 소속 당원을 후보자(이하 "정당추천후보자"라 한다)로 추천할 수 있다. 다만, 비례대표자치구·시·군의원의 경우에는 그 정수범위를 초과하여 추천할 수 있다.
> ② 정당이 제1항에 따라 후보자를 추천하는 때에는 민주적인 절차에 따라야 한다.
> ③ 정당이 비례대표국회의원선거 및 비례대표지방의회의원선거에 후보자를 추천하는 때에는 그 후보자 중 100분의 50 이상을 여성으로 추천하되, 그 후보자명부 순위의 매 홀수에는 여성을 추천하여야 한다. 01. 법무사, 04. 국회직, 08·12. 법행, 10. 사시

📖 **핵심기출 OX**

01 당선인이 임기개시 전에 사퇴하거나 사망한 때에는 재선거를 실시한다. 19. 국회직 9급 (O, ×)

📖 O

02 비례대표국회의원에 당선된 자가 선거범죄로 인하여 당선무효되어 궐원이 발생한 경우 의석의 승계를 금지하는 것은 대의민주주의원리와 자기책임원리에 반하고, 차순위후보자의 공무담임권을 침해하여 위헌이다. 12. 법무사 (O, ×)

📖 O

03 선거범죄로 인하여 당선이 무효로 된 때를 비례대표지방의회의원의 의석승계제한사유로 규정하는 것은 대의제 민주주의원리에 위배되지만, 임기만료일 전 180일 이내에 비례대표국회의원에 궐원이 생긴 때를 비례대표국회의원 의석승계제한사유로 규정하는 것은 대의제 민주주의원리에 위배되지 아니한다. 10. 국회직 8급 (O, ×)

📖 × 임기만료일 전 180일 이내에 비례대표국회의원에 궐원이 생긴 때를 비례대표국회의원 의석승계제한사유로 규정한 공직선거법 제200조 제2항 단서 중 '임기만료일 전 180일 이내에 비례대표국회의원에 궐원이 생긴 때' 부분은 선거권자의 의사를 무시하고 왜곡하는 결과를 낳을 수 있고, 의회의 정상적인 기능 수행에 장애가 될 수 있다는 점에서 헌법의 기본원리인 대의제 민주주의원리에 부합되지 않는다고 할 것이다(헌재 2009.6.25. 2008헌마413).

④ 정당이 임기만료에 따른 지역구국회의원선거 및 지역구지방의회의원선거에 후보자를 추천하는 때에는 각각 전국 지역구총수의 **100분의 30 이상**을 여성으로 추천하도록 노력하여야 한다. 13. 국회직 8급

⑤ 정당이 임기만료에 따른 지역구지방의회의원선거에 후보자를 추천하는 때에는 지역구시·도의원선거 또는 지역구자치구·시·군의원선거 중 어느 하나의 선거에 국회의원지역구(군지역을 제외하며, 자치구의 일부지역이 다른 자치구 또는 군지역과 합하여 하나의 국회의원지역구로 된 경우에는 그 자치구의 일부지역도 제외한다)마다 1명 이상을 여성으로 추천하여야 한다.

② 기탁금

공직선거법 제56조【기탁금】 ① 후보자등록을 신청하는 자는 등록신청시에 후보자 1명마다 다음 각 호의 기탁금(후보자등록을 신청하는 사람이 장애인복지법 제32조에 따라 **등록한 장애인이거나 선거일 현재 29세 이하인 경우에는** 다음 각 호에 따른 기탁금의 **100분의 50**에 해당하는 금액을 말하고, **30세 이상 39세 이하인 경우에는** 다음 각 호에 따른 기탁금의 **100분의 70**에 해당하는 금액을 말한다)을 중앙선거관리위원회규칙으로 정하는 바에 따라 관할선거구선거관리위원회에 납부하여야 한다. 이 경우 예비후보자가 해당 선거의 같은 선거구에 후보자등록을 신청하는 때에는 제60조의2 제2항에 따라 납부한 기탁금을 제외한 나머지 금액을 납부하여야 한다.

1. 대통령선거는 3억원
2. 지역구국회의원선거는 1천500만원
2의2. 비례대표국회의원선거는 500만원
3. 시·도의회의원선거는 300만원
4. 시·도지사선거는 5천만원
5. 자치구·시·군의 장선거는 1천만원
6. 자치구·시·군의원선거는 200만원

② 제1항의 기탁금은 체납처분이나 강제집행의 대상이 되지 아니한다.

제57조【기탁금의 반환 등】 ① 관할선거구선거관리위원회는 다음 각 호의 구분에 따른 금액을 선거일 후 30일 이내에 기탁자에게 반환한다. 이 경우 반환하지 아니하는 기탁금은 국가 또는 지방자치단체에 귀속한다.

1. 대통령선거, 지역구국회의원선거, 지역구지방의회의원선거 및 지방자치단체의 장선거

　가. 후보자가 당선되거나 사망한 경우와 유효투표총수의 100분의 15 이상(후보자가 장애인복지법 제32조에 따라 등록한 장애인이거나 선거일 현재 39세 이하인 경우에는 유효투표총수의 100분의 10 이상을 말한다)을 득표한 경우에는 기탁금 전액

　나. 후보자가 유효투표총수의 100분의 10 이상 100분의 15 미만(후보자가 장애인복지법 제32조에 따라 등록한 장애인이거나 선거일 현재 39세 이하인 경우에는 유효투표총수의 100분의 5 이상 100분의 10 미만을 말한다)을 득표한 경우에는 기탁금의 100분의 50에 해당하는 금액 13. 법원직 9급

　다. 예비후보자가 사망하거나, 당헌·당규에 따라 소속 정당에 후보자로 추천하여 줄 것을 신청하였으나 해당 정당의 추천을 받지 못하여 후보자로 등록하지 않은 경우에는 제60조의2 제2항에 따라 납부한 기탁금 전액

2. 비례대표국회의원선거 및 비례대표지방의회의원선거

　당해 후보자명부에 올라 있는 후보자 중 당선인이 있는 때에는 기탁금 전액. 다만, 제189조 및 제190조의2에 따른 당선인의 결정 전에 사퇴하거나 등록이 무효로 된 후보자의 기탁금은 제외한다.

2. 비례대표국회의원선거 및 비례대표지방의회의원선거
당해 후보자명부에 올라 있는 후보자 중 당선인이 있는 때에는 기탁금 전액.
다만, 제189조 및 제190조의2에 따른 당선인의 결정 전에 사퇴하거나 등록이
무효로 된 후보자의 기탁금은 제외한다.

⚖ 판례

1 지역구지방의회의원선거에서도 대통령선거나 지역구국회의원선거와 마찬가지로 유효투표총수의 100분의 15 이상의 득표를 기탁금 및 선거비용 전액의 반환 또는 보전의 기준으로, 유효투표총수의 100분의 10 이상 100분의 15 미만의 득표를 기탁금 및 선거비용 반액의 반환 또는 보전의 기준으로 규정한 것이 헌법에 위반되는지 여부: 소극 [기각]

[1] 이 사건 기탁금반환조항

현재 기초의회의원선거의 기탁금은 실질임금을 고려할 때 평균적인 일반 국민의 경제력으로 피선거권의 행사를 위하여 감수할 수 있는 정도이고, 다른 선거에 비하여 낮은 금액이므로 상대적으로 기탁금반환의 기준이 완화되었다고 할 수 있다.
따라서 이 사건 기탁금반환조항을 두고 필요한 범위를 넘어 자의적으로 과도한 내용을 정한 것이라고 보기 어렵다. 또한 득표율 10% 내지 15%라는 기탁금의 반환기준은 '난립하는 후보자'라는 평가의 측면에서 보면 지나치게 높다고 볼 수 있으나, 오히려 그 반환기준을 엄격히 한다는 것 자체로 후보자가 난립하는 것을 억제하며, 이를 통하여 입후보자의 수를 적정한 범위로 제한하고자 하는 목적달성이 가능하므로, 엄격한 기준일수록 목적달성에 기여하는 바가 더 크다.

[2] 이 사건 선거비용보전조항

헌법 제116조 제2항은 선거공영제에 관하여 입법자에게 입법형성권을 인정하고 있으므로, 입법형성권에 따라 마련된 선거비용보전의 기준은 원칙적으로 존중되어야 한다. 한편 기초의회의원선거의 선거비용이 계속적으로 증가하는 추세에 있어 선거비용의 보전을 일정한 범위로 제한하는 것이 불가피한데, 그 보전기준을 어느 정도로 정할 때 국가예산을 합리적으로 조정하고 나아가 무분별한 후보난립을 방지할 수 있을 것인지를 두고 입법자로서 10% 혹은 15%의 득표율이란 기준을 정하였다 하여 이를 두고 지나치게 과도한 것이라고 단정할 수 없다(헌재 2011.6.30. 2010헌마542).

2 대통령선거에서 5억원의 기탁금 납부를 규정한 공직선거법 제56조 제1항 제1호가 후보예정자의 공무담임권을 침해하는지 여부: 적극 [헌법불합치]

이 사건 조항이 설정한 5억원의 기탁금은 대통령선거에서 후보자난립을 방지하기 위한 입법목적의 달성수단으로서는 개인에게 현저하게 과도한 부담을 초래하며, 이는 고액 재산의 다과에 의하여 공무담임권행사기회를 비합리적으로 차별하므로, 입법자에게 허용된 재량의 범위를 넘어선 것이다(헌재 2008.11.27. 2007헌마1024). 11. 법행, 12. 국가직, 13. 서울시

③ 후보자의 공직사퇴 시한

공직선거법 제53조 【공무원 등의 입후보】 ① 다음 각 호의 어느 하나에 해당하는 사람으로서 후보자가 되려는 사람은 **선거일 전 90일까지** 그 직을 그만두어야 한다. 다만, 대통령선거와 국회의원선거에 있어서 국회의원이 그 직을 가지고 입후보하는 경우와 지방의회의원선거와 지방자치단체의 장의 선거에 있어서 당해 지방자치단체의 의회의원이나 장이 그 직을 가지고 입후보하는 경우에는 그러하지 아니하다. 12. 지방직

🔍 한 눈에 쏙

대통령선거에서 기탁금의 변화

| 3억원 | 합헌 |

▼

5억원으로 개정되었으나 헌법불합치결정

▼

현행 3억원

📖 핵심기출 OX

01 대통령선거에서 후보자등록 요건으로 5억원의 기탁금 납부를 규정한 것은 합헌이다. 12. 국가직 (○, ×)
📝 × 이 사건 조항이 설정한 5억원의 기탁금은 대통령선거에서 후보자난립을 방지하기 위한 입법목적의 달성수단으로서는 개인에게 현저하게 과도한 부담을 초래하며, 이는 고액 재산의 다과에 의하여 공무담임권 행사기회를 비합리적으로 차별하므로, 입법자에게 허용된 재량의 범위를 넘어선 것이다(헌재 2008.11.27. 2007헌마1024).

02 대통령후보가 되려는 공무원과 국회의원은 선거일 전 60일까지 그 직에서 사임하여야 한다. 12. 지방직 (○, ×)
📝 × 공무원이 공직선거의 후보자가 되려는 경우에 선거일 전 90일까지 그 직을 그만두어야 한다. 국회의원이 국회의원선거나 대통령선거에 출마하고자 할 때에는 그 직을 그만두지 않아도 된다(공직선거법 제53조 참조).

1. 국가공무원법 제2조(공무원의 구분)에 규정된 국가공무원과 지방공무원법 제2조(공무원의 구분)에 규정된 지방공무원. 다만, 정당법 제22조(발기인 및 당원의 자격) 제1항 제1호 단서의 규정에 의하여 정당의 당원이 될 수 있는 공무원(정무직 공무원을 제외한다)은 그러하지 아니하다.
2. 각급 선거관리위원회위원 또는 교육위원회의 교육위원
3. 다른 법령의 규정에 의하여 공무원의 신분을 가진 자
4. 공공기관의 운영에 관한 법률 제4조 제1항 제3호에 해당하는 기관 중 정부가 100분의 50 이상의 지분을 가지고 있는 기관(한국은행을 포함한다)의 상근 임원
5. 농업협동조합법·수산업협동조합법·산림조합법·엽연초생산협동조합법에 의하여 설립된 조합의 상근 임원과 이들 조합의 중앙회장
6. 지방공기업법 제2조(적용범위)에 규정된 지방공사와 지방공단의 상근 임원
7. 정당법 제22조 제1항 제2호의 규정에 의하여 정당의 당원이 될 수 없는 사립학교교원
8. 신문 등의 진흥에 관한 법률 제2조에 따른 신문 및 인터넷신문, 잡지 등 정기간행물의 진흥에 관한 법률 제2조에 따른 정기간행물, 방송법 제2조에 따른 방송사업을 발행·경영하는 자와 이에 상시 고용되어 편집·제작·취재·집필·보도의 업무에 종사하는 자로서 중앙선거관리위원회규칙으로 정하는 언론인
9. 특별법에 의하여 설립된 국민운동단체로서 국가 또는 지방자치단체의 출연 또는 보조를 받는 단체(바르게살기운동협의회·새마을운동협의회·한국자유총연맹을 말하며, 시·도조직 및 구·시·군조직을 포함한다)의 대표자

② 제1항 본문에도 불구하고 다음 각 호의 어느 하나에 해당하는 경우에는 **선거일 전 30일까지** 그 직을 그만두어야 한다.
1. 비례대표국회의원선거나 비례대표지방의회의원선거에 입후보하는 경우
2. 보궐선거 등에 입후보하는 경우
3. 국회의원이 지방자치단체의 장의 선거에 입후보하는 경우
4. 지방의회의원이 다른 지방자치단체의 의회의원이나 장의 선거에 입후보하는 경우

③ 제1항 단서에도 불구하고 비례대표국회의원이 지역구국회의원 보궐선거 등에 입후보하는 경우 및 비례대표지방의회의원이 해당 지방자치단체의 지역구 지방의회의원 보궐선거 등에 입후보하는 경우에는 후보자등록신청 전까지 그 직을 그만두어야 한다.

④ 제1항부터 제3항까지의 규정을 적용하는 경우 그 소속 기관의 장 또는 소속 위원회에 사직원이 접수된 때에 그 직을 그만둔 것으로 본다.

⑤ 제1항 및 제2항에도 불구하고, 지방자치단체의 장은 선거구역이 당해 지방자치단체의 관할구역과 같거나 겹치는 지역구국회의원선거에 입후보하고자 하는 때에는 당해 선거의 **선거일 전 120일까지** 그 직을 그만두어야 한다.

개념PLUS+ 입후보 전 공직사퇴 시한

구분	대통령선거	국회의원선거	자치단체장선거	지방의원선거
국회의원	직을 가지고 입후보	직을 가지고 입후보	30일 전	90일 전
지방자치단체장	90일 전	90일 전 (단, 같은 관할구역 120일 전)	• 당해 지방: 직을 가지고 입후보 • 다른 지방: 90일 전	• 당해 지방: 직을 가지고 입후보 • 다른 지방: 90일 전
지방의회의원	90일 전	90일 전	• 당해 지방: 직을 가지고 입후보 • 다른 지방: 30일 전	• 당해 지방: 직을 가지고 입후보 • 다른 지방: 30일 전

1 지방자치단체의 장으로 하여금 당해 지방자치단체의 관할구역과 같거나 겹치는 선거구역에서 실시되는 지역구국회의원선거에 입후보하고자 하는 경우 당해 선거의 선거일 전 180일까지 그 직을 사퇴하도록 규정하고 있는 공직선거법 제53조 제3항이 평등의 원칙에 위배되는지 여부: 적극 [위헌]

이 사건 규정을 통하여 지방자치단체의 장의 사퇴 시한을 다른 공무원에 비하여 훨씬 앞당겨야 할 합리적인 이유를 발견하기 어려우므로, 이 사건 조항은 지방자치단체의 장을 합리적 이유 없이 차별하는 것으로서 평등의 원칙에 위배된다(헌재 2003.9.25. 2003헌마106). 04. 법무사

2 개정법인 선거일 전 120일까지 그 직을 사퇴하도록 규정하고 있는 공직선거법 제53조 제3항이 평등의 원칙에 위배되는지 여부: 소극

통상 단체장이 지방자치단체의 관할구역과 같거나 겹치는 지역구국회의원선거에 입후보하고자 하는 경우, 일반 공무원보다 그 직위를 이용한 선심·편파행정의 가능성 및 이로 인한 선거의 공정성의 저해가능성은 더 크다고 볼 것이다. 왜냐하면 단체장은 지방자치단체의 제반 행정기능을 총괄하는 지위에 있고, 소속 직원의 인사권과 주민의 복리에 관한 각종 사업의 기획·시행, 예산의 집행 등 지방자치단체의 운영에 있어서 막중한 지위와 권한을 가지므로, 자신의 관할구역 국회의원선거에 입후보할 것에 대비하여 전시성 사업으로 예산을 낭비하거나 불공정한 선심행정을 행할 개연성은 다른 공무원에 비하여 상대적으로 더 높기 때문이다. 그렇다면 이 사건 조항이 단체장을 일반 공무원보다 '60일' 먼저 사퇴하도록 한 것은 그러한 단체장의 지위와 권한의 특수성을 감안할 때 합리성을 벗어난 것이라 보기 어렵다(헌재 2006.7.27. 2005헌마72).

5. 선거운동

(1) 개념

공직선거법 제58조 【정의 등】① 이 법에서 "선거운동"이라 함은 당선되거나 되게 하거나 되지 못하게 하기 위한 행위를 말한다. 다만, 다음 각 호의 어느 하나에 해당하는 행위는 선거운동으로 보지 아니한다.
1. 선거에 관한 단순한 의견개진 및 의사표시
2. 입후보와 선거운동을 위한 준비행위
3. 정당의 후보자 추천에 관한 단순한 지지·반대의 의견개진 및 의사표시
4. 통상적인 정당활동
5. 삭제
6. 설날·추석 등 명절 및 석가탄신일·기독탄신일 등에 하는 의례적인 인사말을 문자메시지(그림말·음성·화상·동영상 등을 포함한다. 이하 같다)로 전송하는 행위
② 누구든지 자유롭게 선거운동을 할 수 있다. 그러나 이 법 또는 다른 법률의 규정에 의하여 금지 또는 제한되는 경우에는 그러하지 아니하다.

제58조의2 【투표참여 권유활동】 누구든지 투표참여를 권유하는 행위를 할 수 있다. 다만, 다음 각 호의 어느 하나에 해당하는 행위의 경우에는 그러하지 아니하다.
1. 호별로 방문하여 하는 경우
2. 사전투표소 또는 투표소로부터 100미터 안에서 하는 경우
3. 특정 정당 또는 후보자(후보자가 되려는 사람을 포함한다. 이하 이 조에서 같다)를 지지·추천하거나 반대하는 내용을 포함하여 하는 경우

4. 현수막 등 시설물, 인쇄물, 확성장치·녹음기·녹화기(비디오 및 오디오 기기를 포함한다), 어깨띠, 표찰 그 밖의 표시물을 사용하여 하는 경우(정당의 명칭이나 후보자의 성명·사진 또는 그 명칭·성명을 유추할 수 있는 내용을 나타내어 하는 경우에 한정한다)

(2) 기회균등의 원칙

> 헌법 제116조 ① 선거운동은 각급 선거관리위원회의 관리하에 법률이 정하는 범위 안에서 하되, 균등한 기회가 보장되어야 한다.

(3) 선거운동의 제한

① 시간상 제한

> 공직선거법 제59조 【선거운동기간】 선거운동은 선거기간개시일부터 선거일 전일까지에 한하여 할 수 있다. 다만, 다음 각 호의 어느 하나에 해당하는 경우에는 그러하지 아니하다.
> 1. 제60조의3(예비후보자 등의 선거운동) 제1항 및 제2항의 규정에 따라 예비후보자 등이 선거운동을 하는 경우
> 2. 문자메시지를 전송하는 방법으로 선거운동을 하는 경우. 이 경우 자동 동보통신의 방법(동시 수신대상자가 20명을 초과하거나 그 대상자가 20명 이하인 경우에도 프로그램을 이용하여 수신자를 자동으로 선택하여 전송하는 방식을 말한다. 이하 같다)으로 전송할 수 있는 자는 후보자와 예비후보자에 한하되, 그 횟수는 8회(후보자의 경우 예비후보자로서 전송한 횟수를 포함한다)를 넘을 수 없으며, 중앙선거관리위원회규칙에 따라 신고한 1개의 전화번호만을 사용하여야 한다.
> 3. 인터넷 홈페이지 또는 그 게시판·대화방 등에 글이나 동영상 등을 게시하거나 전자우편(컴퓨터 이용자끼리 네트워크를 통하여 문자·음성·화상 또는 동영상 등의 정보를 주고받는 통신시스템을 말한다. 이하 같다)을 전송하는 방법으로 선거운동을 하는 경우. 이 경우 전자우편 전송대행업체에 위탁하여 전자우편을 전송할 수 있는 사람은 후보자와 예비후보자에 한한다.
> 4. 선거일이 아닌 때에 전화(송·수화자간 직접 통화하는 방식에 한정하며, 컴퓨터를 이용한 자동 송신장치를 설치한 전화는 제외한다)를 이용하거나 말(확성장치를 사용하거나 옥외집회에서 다중을 대상으로 하는 경우를 제외한다)로 선거운동을 하는 경우
> 5. 후보자가 되려는 사람이 선거일 전 180일(대통령선거의 경우 선거일 전 240일을 말한다)부터 해당 선거의 예비후보자등록신청 전까지 제60조의3 제1항제2호의 방법(같은 호 단서를 포함한다)으로 자신의 명함을 직접 주는 경우

② 인적 제한

> 공직선거법 제9조 【공무원의 중립의무 등】 ① 공무원 기타 정치적 중립을 지켜야 하는 자(기관·단체를 포함한다)는 선거에 대한 부당한 영향력의 행사 기타 선거결과에 영향을 미치는 행위를 하여서는 아니 된다.
>
> 제60조 【선거운동을 할 수 없는 자】 ① 다음 각 호의 어느 하나에 해당하는 사람은 선거운동을 할 수 없다. 다만, 제1호에 해당하는 사람이 예비후보자·후보자의 배우자인 경우와 제4호부터 제8호까지의 규정에 해당하는 사람이 예비후보자·후보자의 배우자이거나 후보자의 직계존비속인 경우에는 그러하지 아니하다.

통치구조론

제3편

해커스공무원 신동욱 헌법 기본서

기자회견에서 대통령이 여당 지지 발언

▼

중앙선거관리위원회가 대통령에게
선거중립의무 준수 요청

▼

야당의 탄핵의결로 대통령 권한정지

▼

헌법재판소의 판결 | 기각

▼

대통령직 복귀 후 대통령이
공직선거법 제9조에 대한 | 기각
헌법소원

핵심기출 OX

01 공직선거법 제9조에서 규정하고 있는 '공무원의 선거중립의무'에서의 공무원의 범위는 원칙적으로 국가와 지방자치단체의 모든 공무원, 즉 좁은 의미의 직업공무원은 물론이고 적극적인 정치활동을 통하여 국가에 봉사하는 정치적 공무원, 예컨대 대통령, 국무총리, 국무위원, 도지사·시장·군수·구청장 등 지방자치단체의 장, 국회의원과 지방의회의원까지 포함한다. 10. 국회직 8급 (O, X)

답 X 정당의 대표자이자 선거운동의 주체로서의 지위로 말미암아, 선거에서의 정치적 중립성이 요구될 수 없는 국회의원과 지방의회의원은 공직선거법 제9조의 '공무원'에 해당하지 않는다 (헌재 2004.5.14. 2004헌나1).

02 대통령은 국민의 선거에 의하여 취임하는 공무원이므로 선거운동을 허용할 수밖에 없다. 따라서 공직선거법 제9조 제1항이 규정하는 '공무원 기타 정치적 중립을 지켜야 하는 자'에 대통령이 포함되지 아니하는 것으로 해석해야 한다. 12. 변호사 (O, X)

답 X 대통령은 행정부의 수반으로서 공정한 선거가 실시될 수 있도록 총괄·감독해야 할 의무가 있으므로, 당연히 선거에서의 중립의무를 지는 공직자에 해당하는 것이고, 이로써 공직선거법 제9조의 '공무원'에 포함된다(헌재 2004.5.14. 2004헌나1).

1. 대한민국국민이 아닌 자. 다만, 제15조 제2항 제3호에 따른 외국인이 해당 선거에서 선거운동을 하는 경우에는 그러하지 아니하다.
2. 미성년자(18세 미만의 자를 말한다. 이하 같다) 11. 법원직
3. 제18조(선거권이 없는 자) 제1항의 규정에 의하여 선거권이 없는 자
4. 국가공무원법 제2조(공무원의 구분)에 규정된 국가공무원과 지방공무원법 제2조(공무원의 구분)에 규정된 지방공무원. 다만, 정당법 제22조(발기인 및 당원의 자격) 제1항 제1호 단서의 규정에 의하여 정당의 당원이 될 수 있는 공무원(국회의원과 지방의회의원외의 정무직공무원을 제외한다)은 그러하지 아니하다.
5. 제53조(공무원 등의 입후보) 제1항 제2호 내지 제7호에 해당하는 자(제5호 및 제6호의 경우에는 그 상근직원을 포함한다)
6. 예비군 중대장급 이상의 간부
7. 통·리·반의 장 및 읍·면·동주민자치센터(그 명칭에 관계없이 읍·면·동사무소 기능전환의 일환으로 조례에 의하여 설치된 각종 문화·복지·편익시설을 총칭한다. 이하 같다)에 설치된 주민자치위원회(주민자치센터의 운영을 위하여 조례에 의하여 읍·면·동사무소의 관할구역별로 두는 위원회를 말한다. 이하 같다)위원
8. 특별법에 의하여 설립된 국민운동단체로서 국가 또는 지방자치단체의 출연 또는 보조를 받는 단체(바르게살기운동협의회·새마을운동협의회·한국자유총연맹을 말한다)의 상근 임·직원 및 이들 단체 등(시·도조직 및 구·시·군조직을 포함한다)의 대표자
9. 선상투표신고를 한 선원이 승선하고 있는 선박의 선장

🔨 판례

1 공직선거법(이하 '공선법'이라 한다) 제9조의 공무원에 대통령이 포함되는지 여부: 적극

공선법 제9조는 '선거에서 공무원의 중립의무'를 구체화하고 실현하는 법규정이다. 따라서 여기서의 공무원이란 원칙적으로 국가와 지방자치단체의 모든 공무원, 즉 좁은 의미의 직업공무원은 물론이고, 적극적인 정치활동을 통하여 국가에 봉사하는 정치적 공무원(예컨대 대통령, 국무총리, 국무위원, 도지사·시장·군수·구청장 등 지방자치단체의 장)을 포함한다. 12. 법무사·국가직·변호사 더욱이 대통령은 행정부의 수반으로서 공정한 선거가 실시될 수 있도록 총괄·감독하여야 할 의무가 있으므로, 당연히 선거에서의 중립의무를 지는 공직자에 해당하는 것이고, 이로써 공선법 제9조의 '공무원'에 포함된다. 다만, 정당의 대표자이자 선거운동의 주체로서의 지위로 말미암아, 선거에서의 정치적 중립성이 요구될 수 없는 국회의원과 지방의회의원은 공선법 제9조의 '공무원'에 해당하지 않는다. 10. 국회직 8급 … 공정한 선거관리의 궁극적 책임을 지는 대통령이 기자회견에서 전 국민을 상대로 대통령직의 정치적 비중과 영향력을 이용하여 특정 정당을 지지하는 발언을 한 것은 대통령의 지위를 이용하여 선거에 대한 부당한 영향력을 행사하고 이로써 선거의 결과에 영향을 미치는 행위를 한 것이므로, 선거에서의 중립의무를 위반하였다(헌재 2004.5.14. 2004헌나1).

✓ **주의** 노무현 대통령 탄핵사건에서 대통령의 선거중립의무 위헌 여부
• 선거에서 중립의무 위반 ○
• 파면할 정도의 중대한 법 위반 ✕

2 공직선거법 제9조가 위헌인지 여부: 소극 [기각] 12. 법무사

[1] 대통령의 정치인으로서 지위와 선거중립의무의 관계

선거활동에 관하여 대통령의 정치활동의 자유와 선거중립의무가 충돌하는 경우에는 후자가 강조되고 우선되어야 한다. 09. 국회직 8급

[2] 이 사건 법률조항이 청구인의 정치적 표현의 자유를 침해하는지 여부: 소극

민주주의국가에서 공무원 특히 대통령의 선거중립으로 인하여 얻게 될 '선거의 공정성'은 매우 크고 중요한 반면, 대통령이 감수하여야 할 '표현의 자유제한'은 상당히 한정적이므로 위 법률조항은 법익의 균형성도 갖추었다 할 것이고, 결국 이 사건 법률조항이 과잉금지원칙에 위배되어 청구인의 정치적 표현의 자유를 침해하는 것으로 볼 수 없다.

[3] 이 사건 법률조항이 평등의 원칙에 위배되는지 여부: 소극

국회의원이나 지방의회의원은 공무원의 선거관리에 영향을 미칠 가능성이 높지 않고, 국회의원은 국회의 구성원임과 동시에 정당 소속원으로서 선거에 직접 참여하는 당사자가 될 수도 있고, 복수정당제나 자유선거의 원칙을 실현하기 위하여 정책홍보 등 광범위한 선거운동의 주체가 될 필요도 있으므로 선거에서의 중립성을 요구하는 것이 적절하지 않다. 결국 국회의원과 지방의회의원이 대통령과 달리 이 사건 법률조항의 적용을 받지 않는 것은 합리적인 차별이라고 할 것이므로, 위 법률조항은 평등의 원칙에 반하지 아니한다(헌재 2008.1.17. 2007헌마700).

3 선거일 전 180일부터 선거일까지 '인터넷상 정치적 표현 내지 선거운동'(트위터·페이스북 등 SNS를 이용한 선거운동)을 금지하는 것이 선거운동의 자유 내지 정치적 표현의 자유를 침해하는지 여부: 적극 [한정위헌]

일반 유권자는 이 사건 법률조항에 의하여 선거일 전 180일부터 선거일까지(선거운동 기간 제외) 후보자나 정당에 대한 정치적 표현 내지 선거운동 일체를 제한받고 있는바, 대통령선거, 국회의원선거, 지방선거가 순차적으로 맞물려 돌아가는 현실에 비추어 보면 기본권제한의 기간이 지나치게 길다. … 이 사건 법률조항이 인터넷상 정치적 표현 내지 사전선거운동을 금지함으로써 얻어지는 선거의 공정성은 명백하거나 구체적이지 못한 반면, 인터넷을 이용한 의사소통이 보편화되고 각종 선거가 빈번한 현실에서 이 사건 법률조항이 선거일 전 180일부터 선거일까지 장기간 동안 인터넷상 정치적 표현의 자유 내지 선거운동의 자유를 전면적으로 제한함으로써 생기는 불이익 내지 피해는 매우 크다 할 것이므로, 이 사건 법률조항은 법익균형성의 요건을 갖추지 못하였다고 할 것이다. 따라서 이 사건 법률조항 중 '기타 이와 유사한 것'에 '정보통신망을 이용하여 인터넷홈페이지 또는 그 게시판·대화방 등에 글이나 동영상 등 정보를 게시하거나 전자우편을 전송하는 방법'이 포함되는 것으로 해석하여 이를 금지하고 처벌하는 것은 과잉금지원칙에 위배하여 청구인들의 선거운동의 자유 내지 정치적 표현의 자유를 침해한다(헌재 2011.12.29. 2007헌마1001).

4 유권자가 금품수수시에 부과할 과태료의 액수를 감액의 여지없이 일률적으로 '제공받은 금액 또는 음식물·물품 가액의 50배에 상당하는 금액'으로 정하고 있는 공직선거법이 위헌인지 여부: 적극 [헌법불합치]

이 사건 조항은 의무 위반자에 대하여 부과할 과태료의 액수를 감액의 여지없이 일률적으로 '제공받은 금액 또는 음식물·물품 가액의 50배에 상당하는 금액'으로 정하고 있는데, 이 사건 심판대상조항이 적용되는 '기부행위금지규정에 위반하여 물품·음식물·서적·관광 기타 교통편의를 제공받은 행위'의 경우에는 그 위반의 동기 및 태양, 기부행위가

이루어진 경위와 방식, 기부행위자와 위반자의 관계, 사후의 정황 등에 따라 위법성 정도에 큰 차이가 있을 수밖에 없음에도 이와 같은 구체적·개별적 사정을 고려하지 않고 오로지 기부받은 물품 등의 가액만을 기준으로 하여 일률적으로 정해진 액수의 과태료를 부과한다는 것은 구체적 위반행위의 책임 정도에 상응한 제재가 되기 어렵다(헌재 2009.3.26. 2007헌가22).

5 한국철도공사 상근직원에 대하여 선거운동을 금지하고 이를 처벌하는 것이 헌법에 위반되는지 여부: 적극 [위헌]

공직선거법 제53조 제1항 제4호에 의하여 그 직을 유지한 채 공직선거에 입후보할 수 없는 상근임원과 달리, 한국철도공사의 상근직원은 그 직을 유지한 채 공직선거에 입후보하여 자신을 위한 선거운동을 할 수 있다. 선거의 공정성과 형평성의 확보라는 입법목적에 비추어 볼 때, 자신을 위한 선거운동이 허용됨에도 타인을 위한 선거운동이 전면적으로 금지되는 것은 과도한 제한이다. 따라서 심판대상조항은 선거운동의 자유를 지나치게 제한하는 것으로서 헌법에 위반된다(헌재 2018.2.22. 2015헌바124). 18. 국가직

6 사법인적인 성격을 지니는 농협·축협의 조합장선거에서 조합장을 선출하거나 선거운동을 하는 것은 헌법에 의하여 보호되는 선거권의 범위에 포함되는지 여부: 소극

사법인적인 성격을 지니는 농협의 조합장선거에서 조합장을 선출하거나 조합장으로 선출될 권리, 조합장선거에서 선거운동을 하는 것은 헌법에 의하여 보호되는 선거권의 범위에 포함되지 않는다(헌재 2012.2.23. 2011헌바154). 16. 변호사, 19. 국가직

③ 방법상의 제한

공직선거법 제47조【정당의 후보자 추천】 ① 정당은 선거에 있어 선거구별로 선거할 정수범위 안에서 그 소속 당원을 후보자(이하 "정당추천후보자"라 한다)로 추천할 수 있다. 다만, 비례대표자치구·시·군의원의 경우에는 그 정수범위를 초과하여 추천할 수 있다.

제84조【무소속후보자의 정당표방제한】 무소속후보자는 특정 정당으로부터의 지지 또는 추천받음을 표방할 수 없다. 다만, 다음 각 호의 어느 하나에 해당하는 행위는 그러하지 아니하다.
1. 정당의 당원경력을 표시하는 행위
2. 해당 선거구에 후보자를 추천하지 아니한 정당이 무소속후보자를 지지하거나 지원하는 경우 그 사실을 표방하는 행위

✍ 판례

1 기초의원선거의 후보자만 정당표방을 금지하는 것이 위헌인지 여부: 적극 [위헌]

[1] 공직선거법 제84조 중 '자치구·시·군의회의원선거의 후보자' 부분이 정치적 표현의 자유를 침해하는지 여부: 적극

정당표방을 금지함으로써 얻는 공익적 성과와 그로부터 초래되는 부정적인 효과 사이에 합리적인 비례관계를 인정하기 어려워 **법익의 균형성을 현저히 잃고 있다**고 판단된다. 법 제84조는 불확실한 입법목적을 실현하기 위하여 그다지 실효성도 없고 불분명한 방법으로 과잉금지원칙에 위배하여 후보자의 정치적 표현의 자유를 과도하게 침해하고 있다고 할 것이다.

[2] 다른 지방선거후보자와는 달리 기초의회의원선거의 후보자에 대해서만 정당표방을 금지한 것이 평등원칙에 위배되는지 여부: 적극

법 제84조의 의미와 목적이 정당의 영향을 배제하고 인물 본위의 선거가 이루어지도록 하여 지방분권 및 지방의 자율성을 확립시키겠다는 것이라면, 이는 기초의회의원선거뿐만 아니라 광역의회의원선거, 광역자치단체장선거 및 기초자치단체장선거에서도 함께 통용될 수 있다. 그러나 기초의회의원선거를 그 외의 지방선거와 다르게 취급을 할 만한 본질적인 차이점이 있는가를 볼 때 그러한 차별성을 발견할 수 없다. 그렇다면 위 조항은 아무런 합리적 이유 없이 유독 기초의회의원후보자만을 다른 지방선거의 후보자에 비하여 불리하게 차별하고 있으므로 평등원칙에 위배된다(헌재 2003.1.30. 2001헌가4).

2 대통령선거·지역구국회의원선거 및 지방자치단체의 장선거에서, 점자형 선거공보를 책자형 선거공보의 면수 이내에서 의무적으로 작성하도록 하면서 책자형 선거공보에 내용이 음성으로 출력되는 전자적 표시가 있는 경우에는 점자형 선거공보의 작성을 생략할 수 있도록 규정한 공직선거법 제65조 제4항 중 '대통령선거·지역구국회의원선거 및 지방자치단체의 장선거' 부분이 청구인들의 선거권 및 평등권을 침해하는지 여부: 소극 [기각]

[1] 심판대상조항은 점자형 선거공보의 작성을 후보자의 재량사항으로 규정함으로써 점자형 선거공보를 제작하는 후보자나 정당이 적어 시각장애선거인들이 선거정보를 파악하기 어려웠다는 점을 감안하여, 후보자가 의무적으로 점자형 선거공보를 작성·제출하도록 개정된 조항이다. 입법자는 그와 같은 입법 개선의 과정에서 발생할 수 있는 인쇄기술상·비용상의 어려움 등을 고려하여 선거정보 접근권을 보장하기 위한 조화롭고 다양한 방법을 모색할 수 있는 입법형성의 자유를 가진다. 현행 공직선거법상 선거공보 외에 시각장애선거인이 선거정보를 습득할 수 있는 다른 다양한 수단들도 존재하므로, 심판대상조항이 입법재량의 한계를 벗어나 시각장애선거인의 선거권을 침해한다고 보기 어렵다.

[2] 현행 공직선거법상 책자형 선거공보의 작성은 여전히 임의사항이므로 심판대상조항이 청구인들의 평등권을 직접적으로 제한하고 있다고 볼 수 없고, 점자형 선거공보와 책자형 선거공보가 함께 작성·제출되는 경우에 비시각장애선거인과의 차별이 발생할 수는 있으나, 심판대상조항의 입법목적 등을 고려할 때 자의적으로 시각장애선거인의 평등권을 침해한다고 보기 어렵다(헌재 2016.12.29. 2016헌마548). 15. 국회직 9급

④ **비용상의 제한**

> **공직선거법 제122조 【선거비용제한액의 공고】** 선거구선거관리위원회는 선거별로 제121조(선거비용제한액의 산정)의 규정에 의하여 산정한 선거비용제한액을 중앙선거관리위원회규칙이 정하는 바에 따라 공고하여야 한다.

⑤ **여론·출구조사 등의 제한**

> **공직선거법 제108조 【여론조사의 결과공표금지 등】** ① 누구든지 선거일 전 6일부터 선거일의 투표마감시각까지 선거에 관하여 정당에 대한 지지도나 당선인을 예상하게 하는 여론조사(모의투표나 인기투표에 의한 경우를 포함한다. 이하 이 조에서 같다)의 경위와 그 결과를 공표하거나 인용하여 보도할 수 없다.

01 대통령선거의 중요성에 비추어 선거의 공정을 위하여 선거일을 앞두고 어느 정도의 기간 동안 선거에 관한 여론조사결과의 공표를 금지하는 것 자체는 그 금지기간이 지나치게 길지 않는 한 위헌이라고 할 수 없다. 08. 법무사
(O, X)

답 O

02 공직선거후보자 중 일부인 소위 주요 후보만을 초청하여 3회에 걸쳐 방송토론회를 개최하겠다고 결정·공표한 것은 국민의 알 권리와 후보자 선택의 자유를 침해하는 것이다. 13. 법무사
(O, X)

답 X 방송토론회에 참석할 후보자를 당선가능성이 있는 적당한 범위 내의 후보자로 제한하여 토론의 기능을 활성화시키는 것이 모든 후보자들을 참석케 하는 것보다 오히려 유권자들로 하여금 유력한 후보자들을 적절히 비교하여 선택하게 할 수 있는 실질적이면서도 유용한 정보를 제공하는 길이 되므로 국민의 알 권리와 후보자 선택의 자유를 침해하였다는 청구인들의 주장 역시 이유 없다 할 것이다(헌재 1998.8.27. 97헌마372 등).

03 도지사의 선거에 관한 선거소송은 대법원의 전속관할로 하고 있다. 06. 법행
(O, X)

답 O

04 시·도지사선거의 선거소송은 고등법원에서 제1심을 관할한다.
06. 국회직 8급 (O, X)

답 X 대법원의 관할이다(공직선거법 제222조 제2항).

05 선거일의 투표마감시각 후 당선인 결정 전까지 지역구국회의원후보자가 사퇴·사망하거나 등록이 무효로 된 경우에는 개표결과 유효투표의 다수를 얻은 자를 당선인으로 결정하되, 사퇴·사망하거나 등록이 무효로 된 자가 유효투표의 다수를 얻은 때에는 차순위 득표자가 당선인이 된다. 16. 지방직
(O, X)

답 X 선거일의 투표마감시각 후 당선인결정 전까지 지역구국회의원후보자가 사퇴·사망하거나 등록이 무효로 된 경우에는 개표결과 유효투표의 다수를 얻은 자를 당선인으로 결정하되, 사퇴·사망하거나 등록이 무효로 된 자가 유효투표의 다수를 얻은 때에는 그 국회의원지역구는 당선인이 없는 것으로 한다(공직선거법 제188조 제4항).

제167조 【투표의 비밀보장】 ① 투표의 비밀은 보장되어야 한다.
② 선거인은 투표한 후보자의 성명이나 정당명을 누구에게도 또한 어떠한 경우에도 진술할 의무가 없으며, 누구든지 선거일의 투표마감시각까지 이를 질문하거나 그 진술을 요구할 수 없다. 다만, 텔레비전방송국·라디오방송국, 신문 등의 진흥에 관한 법률 제2조 제1호 가목 및 나목에 따른 일간신문사가 선거의 결과를 예상하기 위하여 선거일에 투표소로부터 50미터 밖에서 투표의 비밀이 침해되지 않는 방법으로 질문하는 경우에는 그러하지 아니하며 이 경우 투표마감시각까지 그 경위와 결과를 공표할 수 없다.
③ 선거인은 자신이 기표한 투표지를 공개할 수 없으며, 공개된 투표지는 무효로 한다.

⚖️ **판례**

선거기간 중 여론조사결과의 공표를 금지하는 공직선거법 제108조 제1항이 국민의 알 권리와 참정권 및 언론·표현의 자유를 침해하는지 여부: 소극 [합헌]

우리나라에서의 여론조사에 관한 여건이나 기타의 상황 등을 고려하면 대통령선거의 공정성을 확보하기 위하여 선거일 공고일부터 선거일까지의 선거기간 중 선거에 관한 여론조사결과 등의 공표를 금지하는 것은 필요하고도 합리적인 범위 내에서의 제한이므로, 이 규정이 과잉금지의 원칙에 위배하여 언론·출판의 자유와 알 권리 및 선거권을 침해하였다고 할 수 없다(헌재 1999.1.28. 98헌바64). 08. 법무사

6. 선거에 관한 이의와 쟁송

(1) 선거소청

지방의회의원 및 지방자치단체의 장의 선거에 있어서 선거의 효력이나 당선의 효력에 관하여 이의가 있는 경우 선거관리위원회에 소청할 수 있다(공직선거법 제219조). 대통령선거와 국회의원선거에서는 선거소청을 할 수 없으며, 곧바로 선거소송이나 당선소송을 제기하면 된다는 것을 주의하여야 한다.

✅ **주의 선거소청의 적용**
- 국회의원선거, 대통령선거에서 적용 ×
- 지방의원, 지방자치단체의 장선거에서 적용 ○

(2) 선거소송

공직선거법 제222조 【선거소송】 ① 대통령선거 및 국회의원선거에 있어서 선거의 효력에 관하여 이의가 있는 선거인·정당(후보자를 추천한 정당에 한한다) 또는 후보자는 선거일부터 30일 이내에 당해 선거구선거관리위원회 위원장을 피고로 하여 대법원에 소를 제기할 수 있다. 12. 법무사·지방직
② 지방의회의원 및 지방자치단체의 장의 선거에 있어서 선거의 효력에 관한 제220조의 결정에 불복이 있는 소청인(당선인을 포함한다)은 해당 소청에 대하여 기각 또는 각하결정이 있는 경우(제220조 제1항의 기간 내에 결정하지 아니한 때를 포함한다)에는 해당 선거구선거관리위원회 위원장을, 인용결정이 있는 경우에는 그 인용결정을 한 선거관리위원회 위원장을 피고로 하여 그 결정서를 받은 날(제220조 제1항의 기간 내에 결정하지 아니한 때에는 그 기간이 종료된 날)부터 10일 이내에 비례대표시·도의원선거 및 시·도지사선거에 있어서는 대법원에, 지역구시·도의원선거, 자치구·시·군의원선거 및 자치구·시·군의 장 선거에 있어서는 그 선거구를 관할하는 고등법원에 소를 제기할 수 있다. 06. 국회직 8급·법행

(3) 당선소송

공직선거법 제223조【당선소송】① 대통령선거 및 국회의원선거에 있어서 당선의 효력에 이의가 있는 **정당(후보자를 추천한 정당에 한한다) 또는 후보자**는 당선인 결정일부터 30일 이내에 제52조 제1항·제3항 또는 제192조 제1항부터 제3항까지의 사유에 해당함을 이유로 하는 때에는 당선인을, 제187조(대통령당선인의 결정·공고·통지) 제1항·제2항, 제188조(지역구국회의원당선인의 결정·공고·통지) 제1항 내지 제4항, 제189조(비례대표국회의원 의석의 배분과 당선인의 결정·공고·통지) 또는 제194조(당선인의 재결정과 비례대표국회의원 의석 및 비례대표지방의회의원 의석의 재배분) 제4항의 규정에 의한 결정의 위법을 이유로 하는 때에는 대통령선거에 있어서는 그 당선인을 결정한 중앙선거관리위원회 위원장 또는 국회의장을, 국회의원선거에 있어서는 당해 선거구선거관리위원회 위원장을 각각 피고로 하여 대법원에 소를 제기할 수 있다.

② 지방의회의원 및 지방자치단체의 장의 선거에 있어서 당선의 효력에 관한 제220조의 결정에 불복이 있는 소청인 또는 당선인인 피소청인(제219조 제2항 후단에 따라 선거구선거관리위원회 위원장이 피소청인인 경우에는 당선인을 포함한다)은 해당 소청에 대하여 기각 또는 각하결정이 있는 경우(제220조 제1항의 기간 내에 결정하지 아니한 때를 포함한다)에는 당선인(제219조 제2항 후단을 이유로 하는 때에는 관할 선거구선거관리위원회 위원장을 말한다)을, 인용결정이 있는 경우에는 그 인용결정을 한 선거관리위원회 위원장을 피고로 하여 그 결정서를 받은 날(제220조 제1항의 기간 내에 결정하지 아니한 때에는 그 기간이 종료된 날)부터 10일 이내에 비례대표시·도의원선거 및 시·도지사선거에 있어서는 대법원에, 지역구시·도의원선거, 자치구·시·군의원선거 및 자치구·시·군의 장선거에 있어서는 그 선거구를 관할하는 고등법원에 소를 제기할 수 있다.

④ 제1항 및 제2항의 규정에 의하여 피고로 될 당선인이 사퇴·사망하거나 제192조 제2항의 규정에 의하여 당선의 효력이 상실되거나 같은 조 제3항의 규정에 의하여 당선이 무효로 된 때에는 대통령선거에 있어서는 법무부장관을, 국회의원선거·지방의회의원 및 지방자치단체의 장의 선거에 있어서는 관할 고등검찰청검사장을 피고로 한다.

⚖ 판례

당선소송과 선거소송의 의의

국회의원선거법 제146조의 당선소송은 선거가 유효임을 전제로 하여 개개인의 당선인결정에 위법이 있음을 이유로 그 효력을 다투는 소송이고, 국회의원선거법 제145조의 선거소송은 선거의 관리와 집행이 선거에 관한 규정에 위반하였다는 이유로 선거의 효력을 다투는 소송인바, 선거운동과정에서 **개별적인 선거사범에 해당하는 사유**가 있다는 문제는 관계자가 선거법 위반으로서 처벌대상이 될 뿐이고 그 처벌로 인하여 **당선이 무효로 되는 수는 있을망정 이로써 선거무효의 원인은 될 수 없다**(대판 1989.1.18. 88수177).

개념PLUS+ 선거소송과 당선소송의 비교

1. 제소권자 - 선거소송과 당선소송의 원고

구분	선거소송	당선소송
선거인	○	×
후보자	○	○
정당	○	○

2. 선거소송과 당선소송의 제기

구분	선거소송		당선소송	
	대통령·국회의원선거	지방선거	대통령·국회의원선거	지방선거
제소권자	선거인, 정당, 후보자	선거무효소청의 결정에 불복이 있는 소청인, 당선인	정당, 후보자 08. 국회직	당선무효소청의 결정에 불복이 있는 소청인, 당선인
제소기간	선거일로부터 30일	소청결정서를 받은 날로부터 10일	당선인 결정일로부터 30일	소청결정서를 받은 날로부터 10일
관할법원	대법원	비례대표 시·도의원선거 및 시·도지사선거는 대법원, 나머지 지방선거는 고등법원	대법원	비례대표 시·도의원선거 및 시·도지사선거는 대법원, 나머지 지방선거는 고등법원

⚖️ **판례**

1 공직선거법 제15조 제2항 제1호, 제37조 제1항의 주민등록을 요건으로 재외국민의 선거권을 제한하는 것이 재외국민의 선거권을 침해하는지 여부: 적극 [헌법불합치]

단지 주민등록이 되어 있는지 여부에 따라 선거인명부에 오를 자격을 결정하여 그에 따라 선거권행사 여부가 결정되도록 함으로써 엄연히 대한민국의 국민임에도 불구하고 주민등록법상 주민등록을 할 수 없는 재외국민의 선거권행사를 전면적으로 부정하고 있는 법 제37조 제1항은 어떠한 정당한 목적도 찾기 어려우므로 헌법 제37조 제2항에 위반하여 재외국민의 선거권과 평등권을 침해하고 보통선거원칙에도 위반된다(헌재 2007.6.28. 2004헌마644 등). 07. 국가직, 07·11. 법행, 11. 국회직 9급

2 주민등록을 요건으로 재외국민의 지방선거권을 제한하는 것이 재외국민의 지방의회의원선거권을 침해하는지 여부: 적극 [헌법불합치]

국내거주 재외국민은 주민등록을 할 수 없을 뿐이지 '국민인 주민'이라는 점에서는 '주민등록이 되어 있는 국민인 주민'과 실질적으로 동일하므로 지방선거의 선거권 부여에 있어 양자에 대한 차별을 정당화할 어떠한 사유도 존재하지 않으며 … 공직선거법 제15조 제2항 제1호, 제37조 제1항은 국내거주 재외국민의 평등권과 지방의회의원선거권을 침해한다(헌재 2007.6.28. 2004헌마644 등). 11. 법행, 12. 법원직 9급, 19. 서울시

🏛️ **핵심기출 OX**

01 헌법재판소는 해외거주자들에 대하여 부재자투표권을 인정하지 아니하는 것은 합리적인 이유가 있는 차별이고, 이로 인하여 해외거주자들의 선거권 자체가 침해되었다고 할 수 없다고 본다. 07. 국가직·법행 (○, ×)

📝 × 선거인명부에 오를 자격이 있는 국내거주자에 대해서만 부재자신고를 허용함으로써 재외국민과 단기해외체류자 등 국외거주자 전부의 국정선거권을 부인하고 있는 공직선거법 제38조 제1항은 정당한 입법목적을 갖추지 못한 것으로 헌법 제37조 제2항에 위반하여 국외거주자의 선거권과 평등권을 침해하고 보통선거원칙에도 위반된다(헌재 2007.6.28. 2004헌마644 등).

02 부재자투표는 선거인명부에 오를 자격이 있는 국내거주자에게만 인정되고, 재외국민이나 단기해외체류자 등 국외거주자에게는 선거기술상의 이유로 인정되기가 어렵다. 11. 국회직 9급 (○, ×)

📝 × 선거인명부에 오를 자격이 있는 국내거주자에 대해서만 부재자신고를 허용함으로써 재외국민과 단기해외체류자 등 국외거주자 전부의 국정선거권을 부인하는 것은 정당한 입법목적을 갖추지 못한 것으로 헌법 제37조 제2항에 위반하여 국외거주자의 선거권과 평등권을 침해하고 보통선거원칙에도 위반된다(헌재 2007.6.28. 2004헌마644).

03 주민등록만을 기준으로 주민투표권을 인정하여 국내거주 재외국민이 주민투표를 할 수 없도록 하는 법률조항은 평등권을 침해한다. 12. 법원직 9급 (○, ×)

📝 ○

3 지방자치단체장선거에서의 '60일 이상' 거주기간 요건을 두는 것이 공무담임 권침해인지 여부: 소극 [기각]

주민자치를 기본원리로 하는 지방자치에 있어서 지방자치단체의 장이 애향심을 가지고 그 지역주민과 일체감을 이루어 이른바 주민접촉도를 높여 가장 기본적인 단위의 민주 주의를 구현한다는 점에서 볼 때 60일간의 거주 요건은 다른 구역에서 이주하여 온 사 람에게 당해 지방자치단체의 제반사정을 이해하고 주민과 연대감 내지 일체감을 형성 할 수 있는 최소한의 기간이라 할 수 있다(헌재 2004.12.16. 2004헌마376). 11. 법행

4 공무원이 공직선거후보자가 되고자 하는 경우 선거일 전 60일까지 그 직을 사퇴하게 하는 공직선거법 제53조 제1항 제1호가 공무담임권을 침해하는지 여부: 소극 [기각]

이 사건 조항은 선거의 공정성과 직무전념성을 추구하는 효과가 있으므로 입법목적의 정당성과 수단의 적합성이 인정된다. 그리고 공무원이 그 직을 유지한 채 공직후보자로 서 선거에 참가할 수 있다면 부적절하게 지위와 권한을 행사하거나 선거구민들에게 유 리한 편파적인 행정이나 법집행을 행할 소지가 있다. 입법자가 선거일 전 60일부터는 공직선거에 입후보하고자 하는 공무원을 현직에서 배제시킨 것이 과도한 공무담임권제 한이라고 볼 수 없다(헌재 2008.10.30. 2006헌마547).

5 지방선거에서 '관할구역 안의 주민등록'만을 기준으로 피선거권을 제한하는 것 이 위헌인지 여부: 적극 [헌법불합치]

'외국의 영주권을 취득한 재외국민'과 같이 주민등록을 하는 것이 법령의 규정상 아예 불가능한 자들이라도 지방자치단체의 주민으로서 오랜 기간 생활해 오면서 그 지방자 치단체의 사무와 얼마든지 밀접한 이해관계를 형성할 수 있고, 주민등록이 아니더라도 그와 같은 거주 사실을 공적으로 확인할 수 있는 방법은 존재한다는 점, 나아가 공직선 거법 제16조 제2항이 국회의원선거에 있어서는 주민등록 여부와 관계없이 25세 이상의 국민이라면 누구든지 피선거권을 가지는 것으로 규정함으로써 국내 거주 여부를 불문 하고 재외국민도 국회의원선거의 피선거권을 가진다는 사실에 비추어 주민등록만을 기 준으로 함으로써 주민등록이 불가능한 재외국민인 주민의 지방선거 피선거권을 부인하 는 공직선거법 제16조 제3항은 헌법 제37조 제2항에 위반하여 국내 거주 재외국민의 공무담임권을 침해한다(헌재 2007.6.28. 2004헌마644 등).

6 수형자의 선거권제한 부분: [헌법불합치], 집행유예자의 선거권제한 부분: [위헌]

공직선거법(2005.8.4. 법률 제7681호로 개정된 것) 제18조 【선거권이 없는 자】① 선거일 현재 다음 각 호의 어느 하나에 해당하는 자는 선거권이 없다.
  2. 금고 이상의 형의 선고를 받고 그 집행이 종료되지 아니하거나 그 집행을 받지 아니 하기로 확정되지 아니한 자
현행 공직선거법 제18조 【선거권이 없는 자】① 선거일 현재 다음 각 호의 어느 하나에 해당하는 사람은 선거권이 없다.
  1. 금치산선고를 받은 자
  2. 1년 이상의 징역 또는 금고의 형의 선고를 받고 그 집행이 종료되지 아니하거나 그 집행을 받지 아니하기로 확정되지 아니한 사람. 다만, 그 형의 집행유예를 선고받 고 유예기간 중에 있는 사람은 제외한다.

[1] 이유의 요지

범죄자의 선거권을 제한할 필요가 있다 하더라도 그가 저지른 범죄의 경중을 전혀 고려하지 않고 수형자와 집행유예자 모두의 선거권을 제한하는 것은 침해의 최소성원칙에 어긋난다. 특히 집행유예자는 집행유예선고가 실효되거나 취소되지 않는 한 교정시설에 구금되지 않고 일반인과 동일한 사회생활을 하고 있으므로, 그들의 선거권을 제한하여야 할 필요성이 크지 않다. 그러므로 심판대상조항은 헌법 제37조 제2항에 위반하여 청구인들의 선거권을 침해하고, 헌법 제41조 제1항 및 제67조 제1항이 규정한 보통선거원칙에 위반하여 집행유예자와 수형자를 차별취급하는 것이므로 평등의 원칙에도 어긋난다. 11. 사시, 11·16. 국회직 8급, 15. 국가직

[2] 일부에 대한 헌법불합치결정과 잠정 적용명령

심판대상조항 중 집행유예자에 관한 부분은 위헌선언을 통하여 선거권에 대한 침해를 제거함으로써 합헌성이 회복될 수 있으므로, 단순위헌결정을 선언한다. 하지만 심판대상조항 중 수형자에 관한 부분의 위헌성은 지나치게 전면적·획일적으로 수형자의 선거권을 제한한다는 데 있다. 그런데 그 위헌성을 제거하고 수형자에게 헌법합치적으로 선거권을 부여하는 것은 입법자의 형성재량에 속한다. … 심판대상조항 중 수형자에 관한 부분에 대하여 헌법불합치결정을 선고하되, 다만 입법자의 개선입법이 있을 때까지 계속 적용을 명하기로 한다(헌재 2014.1.28. 2012헌마409).

7 정당추천후보자와 무소속후보자간에 기탁금을 차별하는 것이 위헌인지 여부: 적극 [헌법불합치]

국회의원선거법 제33조의 기탁금은 너무 과다하여 국민주권주의와 자유민주주의의 기본원칙과 관련하여 헌법 제11조의 평등보호원칙, 제24조 참정권, 제25조의 공무담임권을 침해할 뿐만 아니라 정당추천후보자와 무소속후보자의 기탁금에 1천만원과 2천만원의 차등을 둔 것은 정당인과 비정당인을 불합리하게 차별하는 것으로 헌법 제41조의 선거원칙에 반하고 헌법 제11조의 평등보호규정에 위배된다(헌재 1989.9.8. 88헌가6).

8 선거에서 기탁금제도 자체가 위헌인지 여부: 소극 [기각]

대의민주주의에서 선거의 기능과 기탁금제도의 목적 및 성격 그리고 우리의 정치문화와 선거풍토에 있어서 현실적인 필요성 등을 감안할 때, 입후보요건으로 후보자에게 기탁금의 납부를 요구하는 것은 필요불가결하다(헌재 2003.8.21. 2001헌마687 등). 13. 서울시

9 자치구·시·군의원선거의 후보자의 정당표방금지규정이 위헌인지 여부: 적극 [위헌]

공직선거 및 선거부정방지법 제84조는 4대 지방선거 중 유독 기초의회의원선거의 경우에만 그 후보자에 대하여 정당표방을 못하게 하고 있다. 그런데 위 조항의 의미와 목적이 정당의 영향을 배제하고 인물 본위의 선거가 이루어지도록 하여 지방분권 및 지방의 자율성을 확립시키겠다는 것이라면, 이는 기초의회의원선거뿐만 아니라 광역의회의원선거, 광역자치단체장선거 및 기초자치단체장선거에서도 함께 통용될 수 있다. 그러므로 위 조항은 아무런 합리적 이유 없이 유독 기초의회의원후보자만을 다른 지방선거의 후보자에 비하여 불리하게 차별하고 있으므로 평등원칙에 위배된다(헌재 2003.1.30. 2001헌가4). 10. 사시

10 선거권조항 및 재외선거인 등록신청조항이 재외선거인에게 임기만료지역구국회의원의 선거권을 인정하지 않은 것이 위헌인지 여부: 소극 [기각]

지역구국회의원은 국민의 대표임과 동시에 소속 지역구의 이해관계를 대변하는 역할을 하고 있다. 전국을 단위로 선거를 실시하는 대통령선거와 비례대표국회의원선거에 투표하기 위해서는 국민이라는 자격만으로 충분한 데 반하여, 특정한 지역구의 국회의원선거에 투표하기 위해서는 '해당 지역과의 관련성'이 인정되어야 한다. 주민등록의 거주지 또는 국내거소신고의 국내거소에 따라 지역구국회의원의 선거구를 인정할 수 있는 바, 주민등록과 국내거소신고를 기준으로 지역구국회의원선거권을 인정하는 것은 해당 국민의 지역적 관련성을 확인하는 합리적인 방법이다. 따라서 선거권조항과 재외선거인 등록신청조항이 재외선거인의 임기만료지역구국회의원선거권을 인정하지 않은 것이 나머지 청구인들의 선거권을 침해하거나 보통선거원칙에 위배된다고 볼 수 없다(헌재 2014.7.24. 2009헌마256). 17. 변호사

11 재외선거인 등록신청조항이 국회의원 재·보궐선거의 선거권을 인정하지 않은 것이 위헌인지 여부: 소극 [기각]

입법자는 재외선거제도를 형성하면서 잦은 재·보궐선거는 재외국민으로 하여금 상시적인 선거체제에 직면하게 하는 점, 재외 재·보궐선거의 투표율이 높지 않을 것으로 예상되는 점, 재·보궐선거사유가 확정될 때마다 전 세계 해외 공관을 가동하여야 하는 등 많은 비용과 시간이 소요된다는 점을 종합적으로 고려하여 재외선거인에게 국회의원의 재·보궐선거권을 부여하지 않았다고 할 것이고, 이와 같은 선거제도의 형성이 현저히 불합리하거나 불공정하다고 볼 수 없다. 따라서 재외선거인 등록신청조항이 재외선거인에게 국회의원재·보궐선거의 선거권을 인정하지 않은 것이 나머지 청구인들의 선거권을 침해하거나 보통선거원칙에 위배된다고 볼 수 없다(헌재 2014.7.24. 2009헌마256). 20. 국회직 8급

12 재외선거 투표절차조항이 공관방문투표를 채택한 것이 위헌인지 여부: 소극 [기각]

재외선거에 있어서 투표방법으로는 대체로 우편투표, 인터넷투표, 공관방문투표 등을 상정해 볼 수 있다. 입법자가 선거 공정성 확보의 측면, 투표용지 배송 등 선거기술적인 측면, 비용 대비 효율성의 측면을 종합적으로 고려하여 인터넷투표방법이나 우편투표방법을 채택하지 아니하고 원칙적으로 공관에 설치된 재외투표소에 직접 방문하여 투표하는 방법을 채택한 것이 현저히 불공정하고 불합리하다고 볼 수는 없으므로, 재외선거 투표절차조항은 나머지 청구인들의 선거권을 침해하지 아니한다(헌재 2014.7.24. 2009헌마256). 18. 국회직 9급

13 탈법방법에 의한 광고의 배부를 금지하고 이를 위반한 경우 처벌하는 공직선거법 제93조 제1항 본문 중 '광고의 배부 금지'에 관한 부분 및 제255조 제2항 제5호 중 위 해당부분이 유권자인 청구인의 선거운동의 자유 내지 정치적 표현의 자유를 침해하는지 여부: 소극 [합헌]

광고는 일방적으로 배부되고 불특정 다수의 사람들이 그들의 의도와 상관없이 광고에 노출된다는 점에서는 문서, 인쇄물 등 다른 방식과 마찬가지이지만, 대중매체를 이용할 경우 광범위한 표현의 상대방을 두기 때문에 그 파급효과가 문서, 인쇄물 등 다른 방식에 비하여 훨씬 크다. 또한 광고는 표현 방법을 금전적으로 구매하는 것이기 때문에 문서, 인쇄물 등 다른 방식에 비하여 후보자 본인의 특별한 노력은 필요로 하지 않으면서 비용은 많이 드는 매체이므로, 경제력에 따라 그 이용 가능성에 큰 차이가 있을 수 있다. 이와 같은 사정 등을 종합하여 볼 때, 광고는 문서, 인쇄물 등 다른 방식에 비하여

선거의 공정성을 훼손할 우려가 더 크다고 할 것이므로, 탈법방법에 의한 광고의 배부를 금지하는 것은 과잉금지원칙에 위배되어 선거운동의 자유 및 정치적 표현의 자유를 침해한다고 볼 수 없다(헌재 2016.3.31. 2013헌바26).

14 지역구국회의원선거에 있어서 선거구선거관리위원회가 당해 국회의원지역구에서 유효투표의 다수를 얻은 자를 당선인으로 결정하도록 한 공직선거법 제188조 제1항이 선거권을 침해하는지 여부: 소극 [합헌]

소선거구 다수대표제는 다수의 사표를 발생시킬 수 있는 문제점이 제기됨에도 불구하고 정치의 책임성과 안정성을 강화하고 인물 검증을 통하여 당선자를 선출하는 등 장점을 가지며, 선거의 대표성이나 평등선거의 원칙 측면에서도 대체가능한 다른 선거제도와 비교하여 반드시 열등하다고 단정할 수 없다. 또한 비례대표선거제도를 통하여 정당에 대한 국민의사의 비례적 반영이 이루어질 수 있도록 하여 소선거구 다수대표제를 채택함에 따라 발생하는 정당의 득표비율과 의석비율간의 차이를 보완하고 있다.
그리고 유권자들의 후보들에 대한 각기 다른 지지는 자연스러운 것이고, 선거제도상 모든 후보자들을 당선시키는 것은 불가능한 것이므로 사표의 발생은 불가피한 측면이 있다. 그러므로 심판대상조항이 소선거구 다수대표제를 규정하여 다수의 사표가 발생한다 하더라도 그 이유만으로 헌법상 요구된 선거의 대표성의 본질이나 국민주권원리를 침해하고 있다고 할 수 없고, 청구인의 평등권과 선거권을 침해한다고 할 수 없다(헌재 2016.5.26. 2012헌마374).

15 언론인의 선거운동을 금지하고 그 위반시 처벌하는 공직선거법 제60조 제1항 등이 선거운동의 자유를 침해하는지 여부: 적극 [위헌]

[1] 금지조항은 '대통령령으로 정하는 언론인'이라고만 하여 '언론인'이라는 단어 외에 대통령령에서 정할 내용의 한계를 설정하지 않았다. 관련 조항들을 종합하여 보아도 방송, 신문, 뉴스통신 등과 같이 다양한 언론매체 중에서 어느 범위로 한정될지, 어떤 업무에 어느 정도 관여하는 자까지 언론인에 포함될 것인지 등을 예측하기 어렵다. 그러므로 금지조항은 포괄위임금지원칙을 위반한다.

[2] 그런데 인터넷신문을 포함한 언론매체가 대폭 증가하고, 시민이 언론에 적극 참여하는 것이 보편화된 오늘날 심판대상조항들에 해당하는 언론인의 범위는 지나치게 광범위하다. 또한, 구 공직선거법은 언론기관에 대하여 공정보도의무를 부과하고, 언론매체를 통한 활동의 측면에서 선거의 공정성을 해할 수 있는 행위에 대하여는 언론매체를 이용한 보도 · 논평, 언론 내부 구성원에 대한 행위, 외부의 특정후보자에 대한 행위 등 다양한 관점에서 이미 충분히 규제하고 있다. 따라서 심판대상조항들은 선거운동의 자유를 침해한다(헌재 2016.6.30. 2013헌가1). 16. 지방직, 18. 법무사

16 사회복무요원이 선거운동을 할 경우 경고처분 및 연장복무를 하게 하는 병역법 제33조 제2항 제2호 중 공직선거법 제58조 제1항 등이 사회복무요원의 선거운동의 자유를 침해하는지 여부: 소극 [기각]

사회복무요원은 공무원은 아니지만 병역의무를 이행하고 공무를 수행하는 사람으로서 공무원에 준하는 공적 지위를 가지므로, 그 지위 및 직무의 성질상 정치적 중립성이 보장되어야 한다. … 선거의 공정성 · 형평성 확보, 사회복무요원의 정치적 중립성 유지 및 업무전념성 보장이라는 공익은 정치적 중립성의 준수가 요청되는 사회복무요원이 선거운동을 금지당함에 따라 제한받는 사익보다 훨씬 중요하다. 따라서 심판대상조항은 법익의 균형성원칙에 위배되지 아니한다. 따라서 심판대상조항은 과잉금지원칙에 위배되어 청구인의 선거운동의 자유를 침해하지 아니한다(헌재 2016.10.27. 2016헌마252).

17 비례대표국회의원선거 기탁금 등 사건 [헌법불합치, 기각]

[1] 비례대표 기탁금조항 [헌법불합치]

비례대표제는 거대정당에게 일방적으로 유리하고 다양해진 국민의 목소리를 제대로 대표하지 못하여 사표를 양산하는 다수대표제의 단점을 보완하기 위하여 도입된 것으로, 고액의 기탁금액은 기탁금 반환 요건과 결합하여 사실상 기탁금 전액을 반환받을 가능성이 큰 정당에게는 아무런 제약으로도 작용하지 않는 반면, 기탁금을 반환받지 못할 가능성이 큰 신생정당이나 소수정당에게는 선거에의 참여, 나아가 정당의 후보자 추천을 함에 있어 상당한 부담감으로 작용하게 된다. 따라서 후보자 1명마다 1천 500만원이라는 기탁금액은 상대적으로 당비나 국고보조금을 지원받기 어렵고 재정상태가 열악한 신생정당이나 소수정당에게 선거에의 참여 자체를 위축시킬 수 있는 지나치게 과다한 금액에 해당한다. 이상을 종합하면, 비례대표 기탁금조항은 침해의 최소성원칙에 위반된다. 17. 국회직 8급. 18. 국가직

비례대표 기탁금조항을 통하여 달성하고자 하는, 정당의 후보자 추천에 있어서의 진지성, 선거과정에서 발생한 불법행위에 대한 과태료 및 행정대집행비용의 사전 확보 등의 공익에 비하여 비례대표 기탁금조항으로 인하여 비례대표국회의원후보자나 이를 추천하는 정당이 받게 되는 공무담임권 및 정당활동의 자유에 대한 제한의 불이익이 매우 크므로, 비례대표 기탁금조항은 법익의 균형성원칙에도 위반된다. 따라서 비례대표 기탁금조항은 과잉금지원칙을 위반하여 청구인들의 공무담임권 등을 침해한다.

[2] 지역구 기탁금조항 및 지역구 기탁금반환조항

위 조항들은 선거의 신뢰성 및 후보자의 진지성을 담보하고, 선거과정에서 발생한 불법행위에 대한 과태료 등을 사전 확보하기 위한 것으로서, 그 입법목적의 정당성 및 수단의 적합성이 인정된다. 대의민주주의에서 선거의 기능과 기탁금제도의 목적, 우리의 정치문화와 선거풍토에서의 현실적 필요성, 선거구당 후보자 수의 변동 추이, 근로자 월평균 소득 등에 비추어 보면 기탁금제도보다 덜 침해적인 수단을 상정하기 어렵고, 그 금액이 지나치게 과다하다고 할 수 없으며, 그 반환요건 또한 불가피한 수단으로서 최소한의 제한에 해당한다. 따라서 위 조항들은 공무담임권을 침해하지 아니한다(헌재 2016.12.29. 2015헌마509·1160). 18. 지방직

18 지방자치단체의 장선거권이 헌법에 보장되는 기본권인지 여부: 적극

지방자치단체의 장에 대해서는 헌법 제118조 제2항에서 " … 지방자치단체의 장의 '선임방법' … 에 관한 사항은 법률로 정한다."라고만 규정하여 지방의회의원의 '선거'와는 문언상 구별하고 있으므로, 지방자치단체의 장 선거권이 헌법상 보장되는 기본권인지 여부가 문제된다.

주민자치제를 본질로 하는 민주적 지방자치제도가 안정적으로 뿌리내린 현 시점에서 지방자치단체의 장선거권을 지방의회의원선거권, 더 나아가 국회의원선거권 및 대통령선거권과 구별하여 하나는 법률상의 권리로, 나머지는 헌법상의 권리로 이원화하는 것은 무의미한 것으로 보인다. 그러므로 지방자치단체의 장선거권 역시 다른 선거권과 마찬가지로 헌법 제24조에 의하여 보호되는 헌법상의 권리로 인정하여야 할 것이다(헌재 2016.10.27. 2014헌마797). 17. 국가직

19 지방자치단체의 장선거에서 후보자등록 마감시간까지 후보자 1인만이 등록한 경우 투표를 실시하지 않고 그 후보자를 당선인으로 결정하도록 하는 공직선거법 조항이 선거권을 침해하는지 여부: 소극 [기각]

후보자가 1인인 경우에는 투표를 실시하더라도 결국 해당 후보가 당선되리라는 것은 명백하므로 심판대상조항이 이러한 현실을 고려하여 1인 후보자라는 제한적인 상황에서만 무투표 당선을 규정한 것은 기본권 제한의 정도가 비교적 크지 않다고 볼 수 있는 반면, 당선자가 확정적인 상황에서 투표에 소요되는 절차를 간소화하여 행정적 편의를 돕고 선거비용을 절감하여 선거제도의 효율성을 높이며 지방자치단체의 장 업무의 공백 가능성을 방지하려는 공익의 중요성은 충분히 인정될 수 있으므로, 심판대상조항의 선거권 제한은 법익의 균형성도 갖추었다고 할 것이다(헌재 2016.10.27. 2014헌마797). 19. 지방직

20 시·도지사후보자에게 5천만원의 기탁금 조항 및 선거방송토론위원회 주관 대담·토론회의 초청요건을 정한 공직선거법 조항이 평등권을 침해하는지 여부: 소극 [기각]

이 사건 기탁금조항은 공무담임권을 영구히 박탈하는 것이 아니라 단지 후보자의 성실성 등을 담보하기 위하여 금전적 부담을 지우는 것일 뿐이고, 시·도지사 후보자는 자신이 선거에서 얻은 유효투표총수에 따라 기탁금액을 전액 또는 일부 반환받을 수 있으므로, 이 사건 기탁금조항으로 제한되는 사익의 정도가 이 사건 기탁금조항이 달성하고자 하는 공익의 정도보다 더 크다고 보기 어렵다. 이 사건 기탁금조항은 법익의 균형성원칙에도 위배되지 않는다. 그렇다면 이 사건 기탁금조항은 과잉금지원칙에 위배되어 공무담임권을 침해하지 않는다(헌재 2019.9.26. 2018헌마128).

21 1인 1표제하의 비례대표국회의원선거방식이 직접선거원칙 등에 위반하여 위헌인지 여부: 적극 [위헌] 03. 법행, 06. 입시

[1] 국회의원후보자 등록시 2천만원의 기탁금을 납부하도록 한 공직선거 및 선거부정방지법(이하 '공선법'이라 한다) 제56조 제1항 제2호의 위헌 여부: 적극

국회의원후보자 등록을 신청하는 후보자로 하여금 2천만원을 기탁금으로 납부하도록 하고 있는데, 이 금액은 평균적인 일반 국민의 경제력으로는 피선거권행사를 위하여 손쉽게 조달할 수 있는 금액이라고 할 수 없으며, 이와 같이 과도한 기탁금은 기탁금을 마련할 자력이 없으면 아무리 훌륭한 자질을 지니고 있다 할지라도 국회의원 입후보를 사실상 봉쇄당하게 하며, 그로 말미암아 서민층과 젊은 세대를 대표할 자가 국민의 대표기관인 국회에 진출하지 못하게 하는 반면, 재력이 풍부하여 그 정도의 돈을 쉽게 조달·활용할 수 있는 사람들에게는 아무런 입후보 난립방지의 효과를 가지지 못하여 결국 후보자의 난립방지라는 목적을 공평하고 적절히 달성하지도 못하면서, 진실된 입후보의 의사를 가진 많은 국민들로 하여금 입후보 등록을 포기하지 않을 수 없게 하고 있으므로 이들의 평등권과 피선거권, 이들을 뽑으려는 유권자들의 선택의 자유를 침해하는 것이다.

[2] 위 기탁금의 반환 및 국고귀속의 기준을 정한 공선법 제57조 제1항·제2항의 위헌 여부: 적극

지역구국회의원선거에 있어 후보자의 득표수가 유효투표총수를 후보자수로 나눈 수 이상이거나 유효투표총수의 100분의 20 이상인 때에 해당하지 않으면 기탁금을 반환하지 아니하고 국고에 귀속시키도록 하고 있는데, 이러한 기준은 과도하게 높아 진지한 입후보희망자의 입후보를 가로막고 있으며, 또한 일단 입후보한 자로서 진지하게 당선을 위한 노력을 다한 입후보자에게 선거결과에 따라 부당한 제재를 가하는 것이 되고, 특히 2·3개의 거대정당이 존재하는 경우 군소정당이나

핵심기출 OX

지방자치단체의 장선거에서 후보자등록 마감시간까지 후보자 1인만이 등록한 경우 투표를 실시하지 않고 그 후보자를 당선인으로 결정하도록 하는 공직선거법상 조항은 그 지방자치단체에 거주하는 주민의 선거권을 침해한다.
19. 지방직 (O, ×)

× 선거권을 침해하지 않는다.

신생정당후보자로서는 위 기준을 충족하기가 힘들게 될 것이므로 결국 이들의 정치참여 기회를 제약하는 효과를 낳게 된다 할 것이므로 위 조항은 국민의 피선거권을 침해하는 것이다.

[3] 비례대표국회의원의석의 배분방식 및 1인 1표제의 위헌 여부: 적극 19. 서울시

① 공선법은 이른바 1인 1표제를 채택하여(제146조 제2항) 유권자에게 별도의 정당투표를 인정하지 않고 있으며, **지역구선거에서 표출된 유권자의 의사를 그대로 정당에 대한 지지의사로 의제하여 비례대표의석을 배분하도록 하고 있는바**(제189조 제1항), 이러한 비례대표제방식에 의하면 유권자가 지역구후보자나 그가 속한 정당 중 어느 일방만을 지지할 경우 지역구후보자 개인을 기준으로 투표하든 정당을 기준으로 투표하든 어느 경우에나 자신의 진정한 의사는 반영시킬 수 없으며, 후보자이든 정당이든 절반의 선택권을 박탈당할 수밖에 없을 뿐만 아니라, 신생정당에 대한 국민의 지지도를 제대로 반영할 수 없어 기존의 세력정당에 대한 국민의 실제 지지도를 초과하여 그 세력정당에 의석을 배분하여 주게 되는바, 이는 선거에 있어 국민의 의사를 제대로 반영하고, 국민의 자유로운 선택권을 보장할 것 등을 요구하는 민주주의원리에 부합하지 않는다.

② 비례대표제를 채택하는 경우 직접선거의 원칙은 의원의 선출뿐만 아니라 **정당의 비례적인 의석확보도 선거권자의 투표에 의하여 직접 결정될 것을 요구하는바**, 비례대표의원의 선거는 지역구의원의 선거와는 별도의 선거이므로 이에 관한 유권자의 별도의 의사표시, 즉 정당명부에 대한 별도의 투표가 있어야 함에도 현행제도는 **정당명부에 대한 투표가 따로 없으므로** 결국 비례대표의원의 선출에 있어서는 정당의 명부작성행위가 최종적·결정적인 의의를 지니게 되고, 선거권자들의 투표행위로써 비례대표의원의 선출을 직접·결정적으로 좌우할 수 없으므로 직접선거의 원칙에 위배된다.

③ 현행 1인 1표제하에서의 비례대표의석배분방식에서 지역구후보자에 대한 투표는 지역구의원의 선출에 기여함과 아울러 그가 속한 정당의 비례대표의원의 선출에도 기여하는 2중의 가치를 지니게 되는 데 반하여, **무소속후보자에 대한 투표는 그 무소속후보자의 선출에만 기여할 뿐 비례대표의원의 선출에는 전혀 기여하지 못하므로 투표가치의 불평등이 발생하는바**, 자신이 지지하는 정당이 자신의 지역구에 후보자를 추천하지 않아 어쩔 수 없이 무소속후보자에게 투표하는 유권자들로서는 자신의 의사에 반하여 투표가치의 불평등을 강요당하게 되는바, 이는 합리적 이유 없이 무소속후보자에게 투표하는 유권자를 차별하는 것이라 할 것이므로 **평등선거의 원칙에 위배된다.** 08. 법원직

④ 공선법 제189조 제1항은 위와 같은 이유로 헌법에 위반되며, 공선법 제146조 제2항 중 "1인 1표로 한다." 부분은 국회의원선거에 있어 지역구국회의원선거와 병행하여 정당명부식 비례대표제를 실시하면서도 **별도의 정당투표를 허용하지 않는 범위에서 헌법에 위반**된다 할 것인바, 그로 인하여 유권자인 국민들의 비례대표국회의원에 대한 선거권, 무소속후보자에 대하여 투표하는 유권자들의 평등권 등의 기본권이 침해된다(헌재 2001.7.19. 2000헌마91 등).

22 교사들이 선거에 입후보하거나 선거운동을 하기 위해서는 선거일 전 90일까지 교원직을 그만 두도록 하는 공선법 제53조 등이 교원의 공무담임권과 평등권을 침해하는지 여부: 소극 [기각]

[1] 교원의 직을 그만두어야 하는 사익제한의 정도는 교원의 직무전념성 확보라는 공익에 비하여 현저히 크다고 볼 수 없으므로 법익의 균형성도 갖추었으므로 과잉금지원칙에 위배하여 공무담임권을 침해한다고 볼 수 없다.

[2] 또한, 선거직의 특수성, 직업정치인과 교원의 업무내용상 차이, 직무내용이나 직급에 따른 구별가능성 등에 비추어, 국회의원, 지방자치단체 의회의원이나 장, 정부투자기관의 직원 등과 비교하여 교원이 불합리하게 차별받는다고 볼 수 없으며, 수업내용 및 학생에 미치는 영향력 등을 고려할 때 대학 교원과의 사이에서도 불합리한 차별이 발생한다고 보기 어렵다. 현직 교육감의 경우 교육감선거 입후보시 그 직을 그만두도록 하면 임기가 사실상 줄어들게 되어, 업무의 연속성과 효율성이 저해될 우려가 크다는 점 등을 고려할 때, 현직 교육감과 비교하더라도 교원인 청구인들의 평등권이 침해된다고 볼 수 없다(헌재 2019.11.28. 2018헌마222).

23 인터넷언론사에 대해 선거일 전 90일부터 선거일까지 후보자 명의의 칼럼 등을 게재하는 보도를 제한하는 '인터넷선거보도 심의기준 등에 관한 규정' 조항이 과잉금지원칙에 위배되어 표현의 자유를 침해하는지 여부: 적극 [위헌]

[1] 이 사건 시기제한조항은 공직선거법 제8조의5 제6항·제9항, '인터넷선거보도심의위원회의 구성 및 운영에 관한 규칙' 제17조 등의 위임에 따라 제정된 것으로서 법률에 근거를 두고 있다. 이 사건 시기제한조항의 효과와 인터넷선거보도 심의 제도의 취지, 이 사건 심의위원회의 성격 등에 비추어 보면, 모법에서 이 사건 시기제한조항을 포함한 이 사건 심의기준 규정에 포함될 내용에 대해 어느 정도 포괄적으로 위임할 필요성이 인정되므로, 이 사건 심의위원회가 어느 시기부터 인터넷언론사에 후보자 명의의 칼럼 등을 게재하는 것을 제한할 것인지를 공직선거법의 취지와 내용을 고려하여 정한 것이라면, 이를 모법의 위임범위를 벗어난 것이라고 볼 수 없다. 공직선거법은 선거일 전 90일을 기준으로 다양한 규제를 부과하고 있는데, 이 사건 심의위원회도 이러한 입법자의 판단을 존중하여 이 사건 시기제한조항에도 선거일 전 90일을 기준으로 설정하였다. 따라서 이 사건 시기제한조항이 모법의 위임범위를 벗어났다고 볼 수 없으므로 **법률유보원칙에 반하여 청구인의 표현의 자유를 침해하지 않는다.**

[2] 이 사건 시기제한조항은 선거일 전 90일부터 선거일까지 후보자 명의의 칼럼 등을 게재하는 인터넷선거보도가 불공정하다고 볼 수 있는지에 대해 구체적으로 판단하지 않고 이를 불공정한 선거보도로 간주하여 선거의 공정성을 해치지 않는 보도까지 광범위하게 제한한다. 공직선거법상 인터넷선거보도 심의의 대상이 되는 인터넷언론사의 개념은 매우 광범위한데, 이 사건 시기제한조항이 정하고 있는 일률적인 규제와 결합될 경우 이로 인해 발생할 수 있는 표현의 자유 제한이 작다고 할 수 없다. 인터넷언론의 특성과 그에 따른 언론시장에서의 영향력 확대에 비추어 볼 때, 인터넷언론에 대하여는 자율성을 최대한 보장하고 언론의 자유에 대한 제한을 최소화하는 것이 바람직하고, 계속 변화하는 이 분야에서 규제 수단 또한 헌법의 틀 안에서 다채롭고 새롭게 강구되어야 한다. 이 사건 시기제한조항의 입법목적을 달성할 수 있는 덜 제약적인 다른 방법들이 이 사건 심의기준 규정과 공직선거법에 이미 충분히 존재한다. 따라서 이 사건 시기제한조항은 **과잉금지원칙에 반하여 청구인의 표현의 자유를 침해한다**(헌재 2019.11.28. 2016헌마90). 20. 국회직 8급

24 선거운동에 이용할 목적으로 기관·단체·시설에 금전·물품 등 재산상의 이익을 제공하거나 제공의 의사표시, 약속한 자를 처벌하는 공직선거법 제230조 제1항 제2호(이해유도죄 조항)의 '선거운동에 이용할 목적', '재산상 이익'이 죄형법정주의의 명확성원칙을 위반하는지 여부: 소극 [합헌]

'재산상의 이익'이란 재산상태의 증가를 가져오는 일체의 이익을 의미하고, 지방의회의원이 심의·확정권을 가진 지방자치단체의 예산의 지원 역시 재산상의 이익에 해당한다. 지방의회의원이 어느 공공기관·사회단체 등의 기관·단체·시설에 예산을 지원하겠다는 의사표시가 선거운동에 이용할 목적의 일환이었는지, 아니면 의정활동 등 직무상의

통상적인 권한 행사였는지 등은 개별 사안에서 법관의 법률조항에 대한 보충적 해석·적용을 통해 가려질 수 있다.

따라서 이해유도죄 조항은 죄형법정주의의 명확성원칙을 위반하지 아니한다. 이해유도죄 조항에 따라 금지되는 행위는 '선거운동에 이용할 목적'의 금전·물품 등 재산상 이익제공 등 행위이다. 위와 같은 목적이 없이 지방의회의원의 직무상의 권한이자 책무인 예산의 심의·확정의 일환으로 공공기관이나 기타 단체에게 재산상 이익을 제공하거나 이를 약속하는 행위는 당연히 위 조항의 금지대상이 아니므로, 지방의회의원의 정당한 직무상 권한 행사나, 정당원으로서의 통상적인 활동까지 제한되는 것은 아니다. 금권선거로 인한 폐해를 방지하고 공정한 선거를 실현하는 것은 이해유도죄 조항에 의해 달성되는 중요한 공익이다. 따라서 이해유도죄 조항은 과잉금지원칙을 위반하여 청구인의 정치적 표현의 자유를 침해하지 아니한다(헌재 2020.3.26. 2018헌바3).

25 정치활동이 가능한 지방의원에 대해 공무원의 지위를 이용한 선거운동을 금지하고 이를 처벌하는 공직선거법 규정이 정치적 표현의 자유를 침해하는지 여부: 소극 [합헌]

지방의회의원에게는 선거에 있어서는 정무직공무원의 지위와, 부여받은 공적 권한을 주민 전체의 복리추구라는 공익실현을 위하여 사용하여야 하는 국민에 대한 봉사자로서의 지위간의 균형이 요구되고, 선거의 공정성을 준수하여야 할 의무가 있다. 그런데 지방의회의원이 선거운동을 함에 있어 지방의회의원의 지위를 이용하면, 이는 주민 전체의 복리를 위해 행사하도록 부여된 자원과 권한을 일방적으로 특정 정당과 개인을 위하여 남용하는 것이고, 그로 인해 선거의 공정성을 해칠 우려뿐 아니라 공직에 대한 국민의 신뢰 실추라는 폐해도 발생한다. 공무원 지위이용 선거운동을 포괄적으로 금지하는 방식 대신 금지되는 특정 방법이나 태양을 구체적으로 나열하는 방법으로는 입법목적을 달성하기 어렵다. 지방의회의원이 공무원 지위이용 선거운동죄로 금고 이상의 형을 선고받으면 지방의회의원직을 상실하게 되는 불이익이 있으나, 이는 위 조항이 아니라 피선거권의 제한요건을 규율한 공직선거법 제19조 제2호라는 다른 관련 규정에 근거하여 발생하는 것이다. 따라서 공무원 지위이용 선거운동죄 조항은 과잉금지원칙을 위반하여 청구인의 정치적 표현의 자유를 침해하지 아니한다(헌재 2020.3.26. 2018헌바3).

26 지방자치단체의 장의 선거운동을 금지하는 공직선거법이 선거운동의 자유를 침해하는지 여부: 소극 [합헌]

[1] 심판대상조항은, 지방자치단체의 장의 업무전념성, 지방자치단체의 장과 해당 지방자치단체 소속 공무원의 정치적 중립성, 선거의 공정성을 확보하기 위한 것으로 정당한 목적달성을 위한 적합한 수단에 해당한다. 지방자치단체의 장은 지방자치단체의 대표로서 그 사무를 총괄하고, 공직선거법상 일정한 선거사무를 맡고 있으며, 지역 내 광범위한 권한행사와 관련하여 사인으로서의 활동과 직무상 활동이 구분되기 어려운 점 등을 고려할 때 심판대상조항이 입법목적 달성을 위하여 필요한 범위를 벗어난 제한이라 보기 어렵고, 심판대상조항에 의하여 보호되는 선거의 공정성 등 공익과 제한되는 사익 사이에 불균형이 있다고 보기도 어렵다. 따라서 심판대상조항은 과잉금지원칙에 위배하여 선거운동의 자유를 침해한다고 볼 수 없다.

[2] 국회의원이나 지방의회의원은 그 지휘·감독을 받는 공무원 조직이 없어 공무원의 선거관리에 영향을 미칠 가능성이 높지 않으므로 국회의원과 지방의회의원이 지방자치단체의 장과 달리 심판대상조항의 적용을 받지 않는 것은 합리적인 차별이라고 할 것이어서, 심판대상조항은 평등원칙에 반하지 않는다(헌재 2020.3.26. 2018헌바90).

27 신체에 장애가 있는 선거인에 대해 투표보조인이 가족이 아닌 경우 반드시 2 인을 동반하도록 한 공직선거법 제157조 제6항이 과잉금지원칙에 반하여 청구인의 선거권을 침해하는지 여부: 소극 [기각]

심판대상조항은 선거인이 투표보조 제도를 쉽게 활용하면서 투표의 비밀이 보다 유지되도록 투표보조인을 상호 견제가 가능한 최소한의 인원인 2인으로 한정하고 있다. 중앙선거관리위원회는 실무상 선거인이 투표보조인 2인을 동반하지 않은 경우 투표사무원 중에 추가로 투표보조인으로 선정하여 투표를 보조할 수 있도록 함으로써 선거권 행사를 지원하고 있다. 또한 공직선거법의 처벌규정을 통해 투표보조인이 비밀유지의무를 준수하도록 강제하고 있다. 중증장애인의 실질적인 선거권 보장과 선거의 공정성 확보는 매우 중요한 공익인 반면, 심판대상조항으로 인한 불이익은 투표보조인이 1인인 경우에 비하여 투표의 비밀이 더 유지되기 어렵고, 투표보조인을 추가로 섭외해야 한다는 불편에 불과한데, 앞에서 살펴본 것처럼 심판대상조항과 공직선거법 관련 규정 및 실무상 운영은 이를 최소화하고 있다. 따라서 심판대상조항은 법익의 균형성원칙에 반하지 않는다. 그러므로 심판대상조항은 과잉금지원칙에 반하여 청구인의 선거권을 침해하지 않는다(헌재 2020.5.27. 2017헌마867).

28 선거일에 선거운동을 한 자를 처벌하는 공직선거법 제254조 제1항이 정치적 표현의 자유를 침해하는지 여부: 소극 [합헌]

선거일 선거운동은 유권자의 선택에 직접적으로 영향을 미칠 가능성이 크다. 이때 무분별한 문자메시지 등으로 경쟁 후보자에 대한 비판이나 비난 등이 이어질 경우 유권자가 선거일 당일에 평온과 냉정을 유지하는 데에 어려움을 겪으면서 자유롭고 합리적인 의사결정에 악영향을 받을 수 있으므로, 규제의 필요성이 인정된다.

우리의 선거문화를 고려하더라도 선거운동기간 제한을 폐지하고 언제든지 자유롭게 선거운동을 할 수 있도록 허용한다면 후보자간의 경쟁이 과열될 가능성은 여전하고, 이러한 경쟁의 장기화는 사회경제적으로 많은 손실을 발생시킬 수 있다. 선거운동방법이 점차 다양화되어 이를 일일이 규율하는 것이 어려운 상황에서 포괄적인 규제조항을 두는 것은 불가피한 측면도 있다. 따라서 이 사건 처벌조항은 침해의 최소성을 갖추었다. 선거운동이 금지되는 기간은 선거일 0시부터 투표마감시각 전까지로 하루도 채 되지 않고 선거일 전일까지 선거운동기간 동안 선거운동이 보장되며 선거기간 개시일 이전에도 일정한 선거운동이 허용된다. 이를 고려하면 이 사건 처벌조항에 의하여 제한되는 정치적 표현의 자유가 공익보다 더 크다고 보기 어렵다. 따라서 이 사건 처벌조항은 법익의 균형성도 갖추었다.

이상과 같은 이유로 선거일 당일 선거운동을 한 자를 처벌하는 이 사건 처벌조항이 과잉금지원칙을 위반하여 선거운동 등 정치적 표현의 자유를 침해하는 것이라고 할 수 없다(헌재 2021.12.23. 2018헌바52).

29 재외투표기간 개시일 이후에 귀국한 재외선거인 등이 국내에서 선거일에 투표할 수 있도록 하는 절차를 마련하지 아니한 공직선거법 제218조의16 제3항 중 '재외투표기간 개시일 전에 귀국한 재외선거인 등'에 관한 부분이 선거권을 침해하는지 여부: 적극 [헌법불합치]

재외투표기간은 선거일 전 14일부터 선거일 전 9일까지의 기간 중 6일 이내의 기간이므로(공직선거법 제218조의17 제1항 전문), 재외투표기간이 종료된 후 선거일이 도래하기 전까지 적어도 8일의 기간이 있는바, 이 기간 내에 재외투표관리관이 재외선거인등 중 실제로 재외투표를 한 사람들의 명단을 중앙선거관리위원회에 보내거나 중앙선거관리위원회를 경유하여 관할 구·시·군선거관리위원회에 보내어 선거일 전까지 투표 여부에 관한 정보를 확인하는 방법을 상정할 수 있으며, 현재의 기술 수준으로도 이와 같은 방법이 충분히 실현가능한 것으로 보인다. 재외투표기간 개시일에 임박하여 또는 재외투표기간 중에 재외선거사무 중지결정이 있었고 그에 대한 재개결정이 없었던 예외적인 경우 재외투표기간 개시일 이후에 귀국한 재외선거인등의 귀국투표를 허용하여 재외선거인등의 선거권을 보장하면서도 중복투표를 차단하여 선거의 공정성을 훼손하지 않을 수 있는 대안이 존재하므로, 심판대상조항은 침해의 최소성 원칙에 위배된다. 심판대상조항을 통해 달성하고자 하는 선거의 공정성은 매우 중요한 가치이다. 그러나 선거의 공정성도 결국에는 선거인의 선거권이 실질적으로 보장될 때 비로소 의미를 가진다. 심판대상조항의 불충분·불완전한 입법으로 인한 청구인의 선거권 제한을 결코 가볍다고 볼 수 없으며, 이는 심판대상조항으로 인해 달성되는 공익에 비해 작지 않다. 따라서 심판대상조항은 법익의 균형성 원칙에 위배된다. 따라서 심판대상조항이 재외투표기간 개시일에 임박하여 또는 재외투표기간 중에 재외선거사무 중지결정이 있었고 그에 대한 재개결정이 없었던 예외적인 상황에서 재외투표기간 개시일 이후에 귀국한 재외선거인등이 국내에서 선거일에 투표할 수 있도록 하는 절차를 마련하지 아니한 것은 과잉금지원칙을 위반하여 청구인의 선거권을 침해한다(헌재 2022.1.27. 2020헌마895).

30 지방공단 상근직원이 당내경선에서 경선운동을 할 수 없도록 금지·처벌하는 공직선거법이 위헌인지 여부: 적극 [위헌]

심판대상조항이 당원이 아닌 자에게도 투표권을 부여하여 실시하는 당내경선에서 이 사건 공단의 상근직원에 대하여 경선운동을 금지하는 것은 당내경선의 형평성과 공정성을 확보하기 위한 것으로서 목적의 정당성 및 수단의 적합성이 인정된다.
공직선거법은 이미 당원이 아닌 자에게도 투표권을 부여하여 실시하는 당내경선에서 허용되는 경선운동방법을 한정하고 있고(공직선거법 제57조의3, 제255조 제2항 제3호), 업무·고용 그 밖의 관계로 인하여 자기의 보호·지휘·감독을 받는 자에게 특정 경선후보자를 지지·추천하거나 반대하도록 강요한 자는 형사처벌하는 등(공직선거법 제237조 제5항 제3호) 이 사건 공단의 상근직원이 당내경선에 직·간접적으로 영향력을 행사하는 행위들을 금지·처벌하는 규정들을 마련하고 있다. 위와 같은 공직선거법 규정들만으로 당내경선의 형평성과 공정성을 확보하기 부족하더라도, 이 사건 공단의 상근직원이 그 지위를 이용하여 경선운동을 하는 행위를 금지·처벌하는 규정을 두는 것은 별론으로 하고, 이 사건 공단의 상근직원의 경선운동을 일률적으로 금지·처벌하는 것은 정치적 표현의 자유를 과도하게 제한하는 것이다. 그러므로 심판대상조항은 침해의 최소성 원칙에 위배된다.
심판대상조항이 당원이 아닌 자에게도 투표권을 부여하여 실시하는 당내경선에서 이 사건 공단의 상근직원 모두에 대하여 일률적으로 경선운동을 금지하는 것은 정치적 표현의 자유를 중대하게 제한하는 것인 반면, 이 사건 공단의 상근직원이 당내경선에서 공무원에 준하는 영향력이 있다고 볼 수 없는 점 등을 고려하면 심판대상조항이 당내경선의 형평성과 공정성의 확보라는 공익에 기여하는 바가 크다고 보기 어렵다. 따라서 심판대상조항은 법익의 균형성을 충족하지 못하였다. 심판대상조항은 과잉금지원칙에 반하여 정치적 표현의 자유를 침해하므로 헌법에 위반된다(헌재 2021.4.29. 2019헌가11).

31 선거운동기간을 제한하고 이를 위반한 사전선거운동을 형사처벌하도록 규정한 구 공직선거법 제59조 중 선거운동기간 전에 개별적으로 대면하여 말로 하는 선거운동에 관한 부분 등이 정치적 표현의 자유를 침해하는지 여부: 적극 [위헌]

이 사건 선거운동기간조항은 그 입법목적을 달성하는데 지장이 없는 선거운동방법, 즉 돈이 들지 않는 방법으로서 후보자간 경제력 차이에 따른 불균형 문제나 사회·경제적 손실을 초래할 위험성이 낮은 개별적으로 대면하여 말로 지지를 호소하는 선거운동까지 포괄적으로 금지함으로써 선거운동 등 정치적 표현의 자유를 과도하게 제한하고 있고,

기본권 제한과 공익목적 달성 사이에 법익의 균형성도 갖추지 못하였다. 결국 이 사건 선거운동기간조항 중 각 선거운동기간 전에 개별적으로 대면하여 말로 하는 선거운동에 관한 부분은 과잉금지원칙에 반하여 선거운동 등 정치적 표현의 자유를 침해한다.

개별적으로 대면하여 말로 하는 선거운동을 한 자는 이 사건 선거운동기간조항에서 규정하지 않은 '그 밖의 방법'으로 선거운동을 한 경우에 해당하여 처벌될 것인데, 앞서 살펴본 바와 같이 개별적으로 대면하여 말로 하는 선거운동을 예외적으로 허용하지 않은 것이 선거운동 등 정치적 표현의 자유를 침해하므로, 이 사건 처벌조항 중 '그 밖의 방법'에 관한 부분 가운데 개별적으로 대면하여 말로 하는 선거운동을 한 자에 관한 부분 또한 선거운동 등 정치적 표현의 자유를 침해한다(헌재 2022.2.24. 2018헌바146).

32 서울교통공사의 상근직원이 당원이 아닌 자에게도 투표권을 부여하는 당내경선에서 경선운동을 할 수 없도록 하고 위반행위를 처벌하는, 공직선거법이 정치적 표현의 자유를 침해하는지 여부: 적극 [위헌]

심판대상조항이 서울교통공사 상근임원의 경선운동을 금지하는 데 더하여 상근직원에게까지 경선운동을 금지하는 것은 당내경선의 형평성과 공정성을 확보한다는 입법목적에 비추어 보았을 때 과도한 제한이라고 볼 수 있다.

당원이 아닌 자에게도 투표권을 부여하여 실시하는 당내경선에서 서울교통공사 상근직원의 경선운동을 일률적으로 금지·처벌하는 것은 정치적 표현의 자유를 과도하게 제한하는 것이다. 따라서 심판대상조항은 침해의 최소성에 위반된다.

이처럼 심판대상조항이 정치적 표현의 자유를 중대하게 제한하는 반면, 당내경선의 형평성과 공정성의 확보라는 공익에 기여하는 바가 크다고 보기 어렵다. 따라서 심판대상조항은 법익의 균형성을 충족하지 못하였다. 심판대상조항은 과잉금지원칙을 위반하여 정치적 표현의 자유를 침해한다(헌재 2021.9.6. 2021헌가24).

33 국가공무원법상 정당가입 권유금지조항, 공직선거법상 경선운동금지조항, 기부행위금지조항 등이 선거운동의 자유를 침해하는지 여부: 소극 [합헌]

정당가입권유금지조항은 수범자를 공무원에 한정한 것은 헌법이 정하고 있는 공무원의 정치적 중립성을 보장하기 위한 것으로 합리적 이유가 있어 평등원칙에 위반되지 아니하고, 관련규정의 행위태양과 죄질을 고려할 때 정당가입권유금지조항의 법정형은 형벌체계의 균형을 상실하지 아니하여 평등원칙에 위반되지 아니한다.

경선운동금지조항과 경선운동방법조항에서의 '경선운동'이란 정당이 공직선거에 추천할 후보자를 선출하기 위해 실시하는 선거에서 특정인을 당선되게 하거나 되지 못하게 하기 위해 힘쓰는 일로 해석되므로, 명확성원칙에 위반되지 아니한다.

기부행위금지조항의 '후보자가 되고자 하는 자'는 당사자의 주관에 의해서만 판단하는 것이 아니라 후보자 의사를 인정할 수 있는 객관적 징표 등을 고려하여 그 해당 여부를 판단하고 있으며, 문제되는 당해 선거를 기준으로 하여 기부 당시 후보자가 되려는 의사를 인정할 수 있는 객관적 징표를 고려하여 판단하면 되므로, 기부행위금지조항은 명확성원칙에 위반되지 아니한다. 기부행위가 금지되는 시기와 대상자는 한정되어 있고, 관련규정에 따라 기부행위가 허용되는 예외도 인정되고 있으며, 그러한 예외에 해당되지 않더라도 사회상규에 위배되지 않는 경우 법원에서 위법성이 조각될 수 있으므로, 기부행위금지조항은 과잉금지원칙에 반하여 선거운동의 자유를 침해하지 아니한다(헌재 2021.8.31. 2018헌바149).

34 착신전환 등을 통한 중복 응답 등 범죄로 100만원 이상의 벌금형의 선고를 받고 형이 확정된 후 5년이 경과하지 아니한 경우에 선거권을 제한하는 것이 선거권을 침해하는지 여부: 소극 [기각]

선거권제한조항은 착신전환 등을 통한 중복 응답 등 범죄로 100만원 이상의 벌금형의 선고를 받고 형이 확정된 후 5년이 경과하지 아니한 경우에 선거권을 제한하여 그 대상과 기간이 제한적이다. 법원이 벌금 100만원 이상의 형을 선고한다면, 여기에는 피고인의 행위가 선거의 공정을 침해할 우려가 높다는 판단과 함께 피고인의 선거권을 일정 기간 박탈하겠다는 판단이 포함되어 있다고 보아야 한다. 선거권 제한을 통하여 달성하려는 선거의 공정성 확보라는 공익이 선거권을 행사하지 못함으로써 침해되는 개인의 사익보다 크다. 따라서 선거권제한조항은 선거권을 침해하지 아니한다(헌재 2022.3.31. 2019헌마986).

35 누구든지 일정 기간 동안 선거에 영향을 미치게 하기 위한 광고물 설치·진열·게시, 표시물 착용을 할 수 없도록 하고, 이에 위반한 경우 처벌하도록 한 공직선거법이 위헌인지 여부: 적극 [헌법불합치]

선거가 순차적으로 맞물려 돌아가는 현실에 비추어 보면, 선거일 전 180일부터 선거일까지 장기간 동안 선거에 영향을 미치게 하기 위한 광고물의 설치·진열·게시 및 표시물의 착용을 금지·처벌하는 심판대상조항은 당초의 입법취지에서 벗어나 선거와 관련한 국민의 자유로운 목소리를 상시적으로 억압하는 결과를 초래할 수 있다. 선거비용 제한·보전제도 및 일반 유권자가 과도한 비용을 들여 물건을 설치·진열·게시하거나 착용하는 행위를 제한하는 수단을 통해서 선거에서의 기회 균등이라는 심판대상조항의 입법목적은 충분히 달성할 수 있다. 또한 공직선거법상 후보자 비방 금지나 허위사실공표 금지규정 등이 이미 존재함에 비추어 보면, 심판대상조항이 선거의 과열로 인한 무분별한 흑색선전, 허위사실유포나 비방 등을 방지하기 위한 불가피한 수단에 해당한다고 보기도 어렵다. 이를 종합하면, 심판대상조항은 목적 달성에 필요한 범위를 넘어 광고물의 설치·진열·게시 및 표시물의 착용을 통한 정치적 표현을 장기간 동안 포괄적으로 금지·처벌하는 것으로서 침해의 최소성을 충족하지 못한다.

심판대상조항으로 인하여 일반 유권자나 후보자가 받게 되는 정치적 표현의 자유에 대한 제약은 매우 크다. 한편, 심판대상조항은 선거의 공정성을 해치는 것이 명백하다고 볼 수 없는 정치적 표현까지 금지·처벌하고 있고, 이러한 범위 내에서 심판대상조항으로 인하여 달성되는 공익이 그보다 중대하다고 볼 수 없다. 따라서 심판대상조항은 법익의 균형성에도 위배된다. 그렇다면 심판대상조항은 과잉금지원칙에 반하여 정치적 표현의 자유를 침해하므로 헌법에 위반된다(헌재 2022.7.21. 2017헌가1).

36 선거기간 중 선거에 영향을 미치게 하기 위한 집회나 모임을 금지하는 것이 집회의 자유, 정치적 표현의 자유를 침해하는지 여부: 적극 [위헌]

심판대상조항은 선거의 공정이나 평온에 대한 구체적인 위험이 없는 경우에까지도 특정한 사실이나 견해를 표명하는 것을 금지하고 억압하여, 규제가 불필요하거나 또는 예외적으로 허용하는 것이 가능한 경우에도, 선거기간 중의 선거에 영향을 미치게 하기 위한 일반 유권자의 집회나 모임을 일률적·전면적으로 금지하고 있으므로 침해의 최소성에 반한다.

심판대상조항은 선거에서의 기회 균등 및 선거의 공정성을 해치는 것이 명백하다고 볼 수 없는 집회나 모임의 개최, 정치적 표현까지 금지·처벌하고 있고, 이러한 범위 내에서 심판대상조항으로 인하여 달성할 수 있는 공익의 정도가 중대하다고 볼 수 없다. 나아가 후보자 및 그 관계자는 지금도 공개장소에서의 연설·대담 등을 통하여 사실상 집회나 모임의 방법으로 선거운동을 할 수 있는 상황에서, 심판대상조항이 달성하려는 공익은 더욱 불분명하다.

반면 심판대상조항이 구체적인 집회나 모임의 상황을 고려하여 상충하는 법익 사이의 조화를 이루려는 노력을 전혀 기울이지 않고서, 일반 유권자가 선거에 영향을 미치게 하기 위한 집회나 모임을 개최하는 것을 전면적으로 금지함에 따라, 사실상 선거와 관련된 집단적 의견표명 일체가 불가능하게 됨으로써 일반 유권자가 받게 되는 집회의 자유, 정치적 표현의 자유에 대한 제한 정도는 매우 중대하다. 따라서 심판대상조항은 법익의 균형성에도 위배된다. 심판대상조항은 과잉금지원칙에 반하여 집회의 자유, 정치적 표현의 자유를 침해한다.

종전에 헌법재판소가 이 결정과 견해를 달리해, '누구든지 선거기간 중 선거에 영향을 미치게 하기 위하여 단합대회 또는 야유회 기타의 집회를 개최할 수 없고 그에 위반하여 각종집회등을 개최하거나 하게 한 자를 처벌하던' 구 '공직선거 및 선거부정방지법' (2000.2.16. 법률 제6265호로 개정되고, 2004.3.12. 법률 제7189호로 개정되기 전의 것) 제256조 제2항 제1호 카목 중 제103조 제2항 부분이 헌법에 위반되지 아니한다고 판시한 헌재 2001.12.20. 2000헌바96등 결정은, 이 결정과 저촉되는 '기타의 집회'에 관한 범위 내에서 변경한다(헌재 2022.7.21. 2018헌바164).

37 안성시시설관리공단의 상급직원이 당내경선에서 경선운동을 할 수 없도록 하고 이를 위반할 경우 처벌하는 공직선거법이 정치적 표현의 자유를 침해하는지 여부: 적극 [위헌]

심판대상조항이 당원이 아닌 자에게도 투표권을 부여하여 실시하는 당내경선에서 이 사건 공단의 상근직원에 대하여 경선운동을 금지하고 그 위반행위를 처벌하는 것은 당내경선의 형평성과 공정성을 확보하기 위한 것으로 정당한 목적 달성을 위한 적합한 수단이다. … 그럼에도 불구하고 심판대상조항이 안성시시설관리공단 상근임원의 경선운동을 금지하는 데 더하여 상근직원에게까지 경선운동을 금지하는 것은 당내경선의 형평성과 공정성을 확보한다는 입법목적에 비추어 보았을 때 과도한 제한으로 판단된다. … 설령 위와 같은 공직선거법 규정들만으로 당내경선의 형평성과 공정성을 확보하기 부족하더라도, 안성시시설관리동간의 상근직원이 그 지위를 이용하여 경선운동을 하는 행위를 금지·처벌하는 규정을 두는 것은 별론으로 하고, 당원이 아닌 자에게도 투표권을 부여하여 실시하는 당내경선에서 안성시시설관리공단 상근직원의 경선운동을 일률적으로 금지·처벌하는 것은 정치적 표현의 자유를 과도하게 제한하는 것이다. 따라서 심판대상조항은 침해의 최소성에 위반된다. 이처럼 심판대상조항이 정치적 표현의 자유를 중대하게 제한하는 반면, 당내경선의 형평성과 공정성의 확보라는 공익에 기여하는 바가 크다고 보기 어렵다. 따라서 심판대상조항은 법익의 균형성을 충족하지 못하였다. 심판대상조항은 과잉금지원칙에 반하여 정치적 표현의 자유를 침해한다(헌재 2022.12.22. 2021헌가36).

38 공무원이 선거에서 특정정당 또는 특정인을 지지하기 위하여 타인에게 정당에 가입하도록 권유 운동을 한 경우 형사처벌하는 국가공무원법 제65조 제2항 제5호 중 정당 가입 권유에 관한 부분, 제84조 제1항 중 제65조 제2항 제5호의 정당 가입 권유에 관한 부분이 정치적 표현의 자유를 침해하는지 여부: 소극

정당가입권유금지조항은 선거에서 특정정당·특정인을 지지하기 위하여 정당가입을 권유하는 적극적·능동적 의사에 따른 행위만을 금지함으로써 공무원의 정치적 표현의 자유를 최소화하고 있고, 이러한 행위는 단순한 의견개진의 수준을 넘어 선거운동에 해당하므로 입법자는 헌법 제7조 제2항이 정한 공무원의 정치적 중립성 보장을 위해 이를 제한할 수 있다. 그러므로 정당가입권유금지조항은 과잉금지원칙에 반하여 정치적 표현의 자유를 침해하지 아니한다(헌재 2021.8.31. 2018헌바149).

39 주민등록 여부만을 기준으로 하여, 주민등록을 할 수 없는 재외국민의 국민투표권 행사를 전면적으로 배제하고 있는 국민투표법 조항이 헌법 제37조 제2항의 과잉금지원칙에 위반되어 국민투표권을 침해하는지 여부: 적극

헌법 제72조의 중요정책 국민투표와 헌법 제130조의 헌법개정안 국민투표는 대의기관인 국회와 대통령의 의사결정에 대한 국민의 승인절차에 해당한다. 대의기관의 선출주체가 곧 대의기관의 의사결정에 대한 승인주체가 되는 것은 당연한 논리적 귀결이다. 재외선거인은 대의기관을 선출할 권리가 있는 국민으로서 대의기관의 의사결정에 대해 승인할 권리가 있으므로, 국민투표권자에는 재외선거인이 포함된다고 보아야 한다. 또한, 국민투표는 선거와 달리 국민이 직접 국가의 정치에 참여하는 절차이므로, 국민투표권은 대한민국 국민의 자격이 있는 사람에게 반드시 인정되어야 하는 권리이다. 이처럼 국민의 본질적 지위에서 도출되는 국민투표권을 추상적 위험 내지 선거기술상의 사유로 배제하는 것은 헌법이 부여한 참정권을 사실상 박탈한 것과 다름없다. 따라서 국민투표법조항은 재외선거인의 국민투표권을 침해한다(헌재 2014.7.24. 2009헌마256 등).

40 비례대표의석을 지역구의석과 연동하여 배분하는 준연동형 비례대표제를 채택하기로 한 공직선거법이 위헌인지 여부: 소극 [기각]

[1] 선거제도와 입법형성권의 한계

입법자가 국회의원 선거제도를 형성함에 있어 헌법 제41조 제1항에 명시된 보통·평등·직접·비밀선거의 원칙과 자유선거 등 국민의 선거권이 부당하게 제한되지 않는 한 헌법에 위반된다고 할 수 없다.

[2] 직접선거원칙 위배 여부: 소극

이 사건 의석배분조항은 선거권자의 정당투표결과가 비례대표의원의 의석으로 전환되는 방법을 확정하고 있고, 선거권자의 투표 이후에 의석배분방법을 변경하는 것과 같은 사후개입을 허용하고 있지 않다. 따라서 이 사건 의석배분조항은 직접선거원칙에 위배되지 않는다.

[3] 평등선거원칙 위배 여부: 소극

대의제민주주의에 있어서 선거제도는 정치적 안정의 요청이나 나라마다의 정치적·사회적·역사적 상황 등을 고려하여 각기 그 나라의 실정에 맞도록 결정되는 것이고 거기에 논리 필연적으로 요청되는 일정한 형태가 있는 것은 아니다. 소선거구 다수대표제나 비례대표제 등 어느 특정한 선거제도가 다른 선거제도와 비교하여 반드시 우월하거나 열등하다고 단정할 수 없다. 의석배분조항이 투표가치를 왜곡하거나 선거의 대표성의 본질을 침해할 정도로 현저히 비합리적인 입법이라고 보기는 어렵다. 따라서 이 사건 의석배분조항은 평등선거원칙에 위배되지 않는다(헌재 2023.7.20. 2019헌마443).

🏛 **핵심기출 OX**

국민투표는 국가의 중요정책이나 헌법개정안에 대해 주권자로서의 국민이 그 승인 여부를 결정하는 절차인데, 주권자인 국민의 지위에 아무런 영향을 미칠 수 없는 주민등록 여부만을 기준으로 하여, 주민등록을 할 수 없는 재외국민의 국민투표권 행사를 전면적으로 배제하고 있는 국민투표법 조항은 헌법 제37조 제2항의 과잉금지원칙에 위반되어 국민투표권을 침해한다.
23. 국회직 8급　　　(○, ×)
답 ○

41 인천광역시 서구 청라동을 분리하여 서로 다른 선거구에 편입시킨 공직선거법 제25조 제3항 별표 1 중 '인천광역시 서구갑선거구' 및 '인천광역시 서구을선거구' 부분(이하 '이 사건 선거구구역표'라 한다)이 자의적인 선거구획정으로 청구인들의 선거권과 평등권을 침해하는지 여부: 소극 [기각]

이 사건 선거구획정 경위와 청라동과 다른 지역들과의 인접성, 생활환경이나 교통, 교육환경 등을 종합적으로 고려하면, 이 사건 선거구구역표가 선거구 간 인구편차를 줄이기 위하여 청라3동을 청라1, 2동과 다른 선거구에 편입시킨 것으로 합리적인 이유가 있고, 청라3동과 인접한 '인천광역시 서구을선거구'에 속한 다른 지역들 사이에는 생활환경이나 교통, 교육환경 등에서 큰 차이가 발견되지 않아 국회가 청라동에 거주하는 선거인들의 정치참여 기회를 박탈하거나 특정 선거인을 차별하고자 하는 의도를 가지고 있었다고 보기 어렵다. 또한 이러한 선거구획정으로 인하여 청라동에 거주하는 선거인들에 대한 실질적인 차별효과가 명백하게 드러났다고 볼 만한 사정도 발견되지 않는다. 따라서 이 사건 선거구구역표가 자의적인 선거구획정으로 청구인들의 선거권과 평등권을 침해한다고 보기 어렵다(헌재 2023.6.29. 2020헌마356).

42 누구든지 선거일 전 180일전부터 화환 설치를 금지하는 공직선거법 조항이 정치적 표현의 자유를 침해하는지 여부: 적극 [헌법불합치]

심판대상조항은 선거일 전 180일부터 선거일까지라는 장기간 동안 선거와 관련한 정치적 표현의 자유를 광범위하게 제한하고 있다. 화환의 설치는 경제적 차이로 인한 선거기회 불균형을 야기할 수 있으나, 그러한 우려가 있다고 하더라도 공직선거법상 선거비용 규제 등을 통해서 해결할 수 있다. 또한 공직선거법상 후보자 비방 금지 규정 등을 통해 무분별한 흑색선전 등의 방지도 가능하다. 이러한 점들을 종합하면, 심판대상조항은 목적 달성에 필요한 범위를 넘어 장기간 동안 선거에 영향을 미치게 하기 위한 화환의 설치를 금지하는 것으로, 과잉금지원칙에 위반되어 정치적 표현의 자유를 침해한다(헌재 2023.6.29. 2023헌가12).

43 공직선거법 제104조 중 '누구든지 이 법의 규정에 의한 공개장소에서의 연설·대담장소에서 기타 어떠한 방법으로도 연설·대담장소 등의 질서를 문란하게 하거나'에 관한 부분(이하 '심판대상조항'이라 한다) 중 '기타 어떠한 방법으로도'가 죄형법정주의의 명확성원칙 및 정치적 표현의 자유를 침해하는지 여부: 소극 [합헌]

[1] 심판대상조항의 입법취지와 목적, 다른 공직선거법 규정과의 관계, 문언적 의미 등을 종합하면, '기타 어떠한 방법으로도'가 연설·대담을 방해할 정도에 이르지 않더라도 자유롭고 평온한 분위기를 깨뜨려 후보자 등과 선거인 사이에 원활한 소통을 저해하거나 사고가 발생할 우려가 있는 모든 행위태양을 의미한다는 것을 알 수 있다. 따라서 심판대상조항은 죄형법정주의의 명확성원칙에 위배되지 않는다.

[2] 공개장소에서의 연설·대담은 후보자 등이 직접 선거인들을 만나 자신의 식견이나 자질, 정견, 정책 등을 알릴 수 있는 기회이므로, 만약 연설 자체를 방해하는 정도에 이르지 않는다는 이유로 질서문란행위가 허용된다면, 원활한 연설이나 대담을 확보할 수 없을 뿐만 아니라 경우에 따라서는 선거운동을 방해하는 수단으로 악용될 우려가 있다. 심판대상조항은 질서문란행위만을 금지하고 질서를 문란하게 하지 않는 범위 내에서는 다소 소음을 유발하거나 후보자나 정당에 대한 부정적인 견해나 비판적인 의사표현도 가능하다. 따라서 심판대상조항이 과잉금지원칙에 위배되어 정치적 표현의 자유를 침해한다고 보기 어렵다(헌재 2023.5.25. 2019헌가13).

44 일정기간 동안(선거일전 180일부터 선거일) 선거에 영향을 미치게 하기 위한 벽보 게시, 인쇄물 배부·게시를 금지하는 공직선거법 제93조 제1항 본문 중 '인쇄물 살포'에 관한 부분 및 이에 위반한 경우 처벌하는 공직선거법 제255조 제2항 제5호 중 '제93조 제1항 본문의 인쇄물 살포'에 관한 부분(이하 '심판대상조항'이라 한다)이 정치적 표현의 자유를 침해하는지 여부: 적극 [헌법불합치]

심판대상조항은 선거에서의 균등한 기회를 보장하고 선거의 공정성을 확보하기 위한 것으로서 입법목적의 정당성 및 수단의 적합성이 인정된다. 그러나 인쇄물은 시설물 등과 비교하여 보더라도 투입되는 비용이 상대적으로 적어 경제력 차이로 인한 선거 기회 불균형의 문제가 크지 않고, 그러한 우려도 공직선거법상 선거비용 규제나 인쇄물의 종류 또는 금액을 제한하는 수단을 통해서 방지할 수 있다. 또한 공직선거법상 후보자 비방 금지 규정이나 허위사실공표 금지 규정 등을 통해 무분별한 흑색선전 등의 방지도 가능한 점을 종합하면, 심판대상조항은 목적 달성에 필요한 범위를 넘어 장기간 동안 인쇄물 살포를 금지·처벌하는 것으로서 침해의 최소성에 반한다. 또한 심판대상조항으로 인하여 일반 유권자나 후보자가 받는 정치적 표현의 자유에 대한 제약이 위 조항을 통하여 달성되는 공익보다 중대하므로 심판대상조항은 법익의 균형성에도 위배된다. 따라서 심판대상조항은 과잉금지원칙에 반하여 정치적 표현의 자유를 침해한다(헌재 2023.3.23. 2023헌가4).

45 종교단체 내 직무상 지위를 이용한 선거운동을 금지한 것이 정치적 표현의 자유를 침해하는지 여부: 소극 [합헌]

공통된 신앙에 기초하여 구성원 상호 간에 밀접한 관계를 형성하는 종교단체의 특성과 성직자 등 종교단체 내에서 일정한 직무를 가지는 사람이 가지는 상당한 영향력을 고려하면, 그러한 선거운동을 원칙적으로 금지하고 위반한 경우 처벌함으로써 선거의 공정성을 확보하고, 종교단체가 본연의 기능을 할 수 있도록 하며, 정치와 종교가 부당한 이해관계로 결합하는 부작용을 방지함으로써 달성되는 공익이 더 크다. 따라서 직무이용 제한조항은 법익의 균형성도 갖추었다. 따라서 직무이용 제한조항은 과잉금지원칙을 위반하여 선거운동 등 정치적 표현의 자유를 침해하지 않는다(헌재 2024.1.25. 2021헌바233).

46 지방공사 상근직원 선거운동 금지하는 것이 선거운동의 자유를 침해하는지 여부: 적극 [위헌]

심판대상조항은 지방공사 상근직원이 그 지위와 권한을 선거운동에 남용하는 것을 방지함으로써 선거의 형평성과 공정성을 확보하려는 것이므로 입법목적의 정당성이 인정된다. 지방공사 상근직원에 대하여 원칙적으로 모든 선거운동을 할 수 없도록 하고 이를 위반한 행위를 처벌하는 것은 입법목적을 달성하기 위한 적합한 수단이다. 직급에 따른 업무 내용과 수행하는 개별·구체적인 직무의 성격을 고려하여 지방공사 상근직원 중 선거운동이 제한되는 주체의 범위를 최소화하거나, 지방공사 상근직원에 대하여 '그 지위를 이용하여' 또는 '그 직무 범위 내에서' 하는 선거운동을 금지하는 방법으로도 선거의 공정성이 충분히 담보될 수 있다. 심판대상조항은 침해의 최소성을 충족하지 못하였다. 심판대상조항과 같이 지방공사 상근직원에 대하여 일체의 선거운동을 금지하는 것은, 선거운동의 자유를 중대하게 제한하는 정도에 비하여 선거의 공정성 및 형평성의 확보라는 공익에 기여하는 바가 크지 않으므로, 법익의 균형성을 충족하지 못하는 것이다. 결국 심판대상조항은 과잉금지원칙을 위반하여 지방공사 상근직원의 선거운동의 자유를 침해하므로, 헌법에 위반된다(헌재 2024.1.25. 2021헌가14).

47 공직선거법상 허위사실공표금지 조항이 정치적 표현의 자유를 침해하는지 여부: 소극 [합헌]

선거의 공정성을 보장하기 위해서는 후보자가 되고자 하는 자에 관하여 허위사실을 공표하는 것을 금지하는 것이 필요하고, 이 사건 허위사실공표금지 조항의 문언, 입법취지 등에 의해 금지되는 행위의 유형이 제한된다는 점을 고려하면, 위 조항이 필요 이상으로 정치적 표현의 자유를 제한한다고 볼 수 없고, 그 입법목적을 효과적으로 달성하면서도 예상되는 부작용을 실효적으로 방지할 수 있는 대안을 상정하기도 어려우므로, 침해의 최소성에 반한다고 보기 어렵다. 이 사건 허위사실공표금지 조항으로 인하여 후보자가 되고자 하는 자에 관하여 비판 내지 의혹을 제기하려는 자의 정치적 표현의 자유가 일부 제한된다 하더라도, 그 제한의 정도가 선거인들에게 후보자가 되고자 하는 자의 능력, 자질 등을 올바르게 판단할 수 있는 기회를 제공함으로써 선거의 공정성을 보장하고자 하는 공익에 비하여 중하다고 볼 수 없다. 따라서 이 사건 허위사실공표금지 조항은 법익의 균형성도 충족한다(헌재 2024.6.27. 2023헌바78).

48 공직선거법상 후보자비방금지 조항이 정치적 표현의 자유를 침해하는지 여부: 적극 [위헌]

'사실 적시 비방행위'를 형법상 사실 적시 명예훼손죄만으로 처벌하는 것이 충분하지 않고 공직선거법상의 특칙이 필요하다는 의견도 있을 수 있다. 그러나 이 사건 비방금지 조항의 법정형이 형법상 사실 적시 명예훼손죄보다 더 중하고, 공직선거법상 특칙이 적용되는 경우 위반자에게 더 큰 불이익이 부여되는 것인데, 이는 스스로 공론의 장에 뛰어든 사람의 명예를 일반인의 명예보다 더 두텁게 보호하는 것이다. 또한 공직선거법상 특별 규정들이 적용되지 않더라도 수사기관 및 재판기관이 선거결과와 관련이 있다는 점을 고려하여 수사와 재판을 신속하게 진행할 수도 있다. 따라서 이 사건 비방금지 조항은 침해의 최소성에 반한다. 선거의 공정이란 선거의 혼탁을 방지하는 것만을 의미하는 것이 아니라 공직 적합성에 관한 정보가 공개되고 이에 근거하여 최선의 사람을 선출할 수 있도록 하는 것을 포함하는 것이다. 따라서 후보자가 되고자 하는 자에 대한 사실을 그것이 허위인지 진실인지를 불문하고 비방이라는 이유로 지나치게 제한하게 되면, 이 사건 비방금지 조항이 추구하는 공익인 선거의 공정을 해하는 결과가 초래될 수 있다. 또한 후보자가 되고자 하는 자는 자발적으로 공론의 장에 뛰어든 사람이므로, 자신에 대한 부정적인 표현을 어느 정도 감수하여야 한다. 그러므로 이 사건 비방금지 조항은 법익의 균형성도 인정되지 않는다. 이 사건 비방금지 조항은 과잉금지원칙에 위배되어 정치적 표현의 자유를 침해하므로 헌법에 위반된다. 이 사건 허위사실공표금지 조항은 헌법에 위반되지 아니하고, 이 사건 비방금지 조항은 헌법에 위반되므로, 주문과 같이 결정한다. 아울러 종전에 헌법재판소가 이와 견해를 달리하여 이 사건 비방금지 조항이 헌법에 위반되지 아니한다고 판시한 헌재 2013.6.27. 2011헌바75 결정은 이 결정과 저촉되는 범위 내에서 변경하기로 한다(헌재 2024.6.27. 2023헌바78).

1. 각 선거의 비교

구분	대통령선거	국회의원선거	지방자치단체장선거	지방의회의원선거
선거권	18세 이상 국민		• 18세 이상 • 해당 관할구역에 주민등록 영주체류자격 취득 후 3년 경과한 외국인으로서 해당 지방자치단체의 외국인등록대장에 올라 있는 사람	
피선거권	• 40세 이상 • 5년 이상 국내 거주 • 국회의원 피선거권이 있는 자	• 18세 이상 • 거주요건 없음	• 18세 이상 • 선거일 현재 계속해서 60일 이상 주민등록이 되어 있는 주민	
선거일 (선거기간)	임기만료 전 70일 이후 첫 번째 수요일 (23일)	임기만료 전 50일 이후 첫 번째 수요일 (14일)	임기만료 전 30일 이후 첫 번째 수요일 (14일)	임기만료 전 30일 이후 첫 번째 수요일 (14일)
보궐선거	실시사유가 확정된 때로부터 60일 이내	매년 1회 (4월 첫 번째 수요일)	매년 2회 (4월·10월 첫 번째 수요일)	매년 1회 (4월 첫 번째 수요일)
기탁금	3억원	1천500만원 (비례대표는 500만원)	• 자치구·시·군: 1천만원 • 시·도: 5천만원	• 자치구·시·군: 200만원 • 시·도: 300만원
최고 득표자가 2인 이상일 경우	의회재적 과반수 출석에 다수표 득표자 당선	연장자 당선		
출마자가 1인일 경우	선거권자 총수의 3분의 1	무투표 당선		

2. 외국인과 재외국민의 선거권

구분	인정	불인정
외국인	지방자치단체장선거, 지방의회의원선거	대통령선거, 국회의원선거
재외국민 (해외)	대통령선거, 임기만료에 의한 비례대표국회의원선거, 국민투표	지방선거, 국회의원 재·보궐선거, 지역구국회의원선거

핵심기출 OX

01 국내에 3년 이상 체류하고 있는 18세 이상의 외국인은 모두 지방자치단체장의 선거에서 선거권을 행사할 수 있다. 12. 국직 8급 변형 (O, ×)

탑 × 출입국관리법 제10조에 따른 영주의 체류자격 취득일 후 3년이 경과한 외국인으로서 해당 지방자치단체의 외국인등록대장에 올라 있는 사람은 그 구역에서 선거하는 지방자치단체의 의회의원 및 장의 선거권이 있다(공직선거법 제15조 제2항 제3호).

02 출입국관리법에 따른 영주의 체류자격 취득일 후 3년이 경과한 18세 이상의 외국인에게는 지방자치단체 의회의원 및 장의 선거권이 부여되어 헌법상의 정치적 기본권이 인정된다. 13. 국회직 변형 (O, ×)

탑 × 출입국관리법 제10조에 따른 영주의 체류자격 취득일 후 3년이 경과한 외국인으로서 해당 지방자치단체의 외국인등록대장에 올라 있는 사람은 그 구역에서 선거하는 지방자치단체의 의회의원 및 장의 선거권이 있다(공직선거법 제15조 제2항 제3호). 즉, 외국인의 선거권은 '법률상의 권리'이지 '헌법상의 기본권'이 아니다.

03 25세 이상의 국민은 대통령선거와 국회의원선거에서 피선거권이 있다. 18. 행시 (O, ×)

탑 × 대통령으로 선거될 수 있는 자는 국회의원의 피선거권이 있고 선거일 현재 40세에 달하여야 한다(헌법 제67조 제4항). 18세 이상의 국민은 국회의원의 피선거권이 있다(공직선거법 제16조 제2항).

04 임기만료로 인한 국회의원선거는 그 임기만료일 전 50일 이후 첫 번째 수요일이다. 09. 국회직 9급 (O, ×)

탑 ○

1 당내 경선운동방법을 제한하는 것이 정치적 표현의 자유를 침해하는지 여부: 소극 [합헌]

확성장치를 사용한 지지호소 행위가 금지되는 것을 비롯하여 경선운동방법이 엄격하게 제한되고 있기는 하나, 허용되는 방법을 통해서도 충분히 경선후보자가 자신의 능력이나 자질, 공약 등을 알릴 수 있는 기회가 보장되어 있으므로, 경선운동방법 조항들이 과잉금지원칙을 위반하여 정치적 표현의 자유를 침해한다고 할 수 없다(헌재 2019.4.11. 2016헌바458 등).

2 '1년 이상의 징역의 형의 선고를 받고 그 집행이 종료되지 아니한 사람'은 선거권을 행사하지 못하도록 한 공직선거법 제18조 제1항 제2호가 선거권을 침해하는지 여부: 소극 [기각] 18. 국회직 8급, 19. 국가직

[1] **선거권 제한의 한계와 심사기준**

선거권을 제한하는 입법을 심사함에 있어서는 선거권 제한 여부 및 적용범위의 타당성에 관하여 보통선거원칙에 입각한 선거권 보장과 그 제한의 관점에서 헌법 제37조 제2항에 따라 엄격한 비례심사를 하여야 한다.

[2] **선거권 침해 여부:** 소극

① **입법목적의 정당성 및 수단의 적합성**
이 사건 법률조항에 의한 선거권의 박탈은 범죄자에 대하여 가해지는 형사적 제재의 연장으로서 범죄에 대한 응보적 기능을 갖는다. 나아가 수형자 자신을 포함하여 일반국민으로 하여금 시민으로서의 책임성을 함양하고 법치주의에 대한 존중의식을 제고하는 데도 기여할 수 있다. 위와 같은 입법목적은 정당하고, 1년 이상 징역의 형의 선고를 받고 그 집행이 종료되지 아니한 사람에 대하여 선거권을 제한하는 것은 이를 달성하기 위한 적합한 수단이다.

② **침해의 최소성**
공직선거법은 선고시 법관의 양형을 통하여 확정된 범죄의 중대성 및 그에 따른 선거권 제한의 필요성을 고려하여, 1년 미만의 징역의 선고를 받은 사람, 1년 이상 3년 이상의 징역의 형의 집행을 유예받은 사람은 선거권 제한의 범위에서 제외하고 있다. 한편 가석방은 형의 집행 중에 이뤄지는 재량적 행정처분이므로, 가석방을 받았다고 하여 선고시 법관에 의하여 인정된 범죄의 중대성이 감쇄되었다고 보기는 어려우므로, 이 사건 법률조항이 가석방 여부를 불문하고 선거권을 제한한다고 하여 불필요한 제한을 부과한다고 볼 수는 없다.

③ **법익의 균형성**
1년 이상의 징역의 형을 선고받은 사람의 선거권을 제한함으로써 형사적·사회적 제재를 부과하고 준법의식을 강화한다는 공익이, 형 집행기간 동안 선거권을 행사하지 못하는 수형자 개인의 불이익보다 작다고 할 수 없다. 18. 국가직

④ **소결**
이 사건 법률조항은 청구인들의 선거권을 침해하지 아니한다(헌재 2017.5.25. 2016헌마292).

📖 **핵심기출 OX**

01 보궐선거의 실시사유가 확정된 때로부터 잔여임기가 1년 미만인 경우에는 대통령 보궐선거를 실시하지 아니할 수 있다. 03. 법무사 (○, ×)

답 × 보궐선거의 실시사유가 확정된 때로부터 잔여임기가 1년 미만인 경우에는 대통령 보궐선거를 실시하지 아니할 수 있다.

02 1년 이상의 징역형을 선고받고 그 집행이 종료되지 아니한 사람의 선거권을 제한하는 공직선거법 규정은 형사적·사회적 제재를 부과하고 준법의식을 강화한다는 공익이, 형 집행기간 동안 선거권을 행사하지 못하는 수형자 개인의 불이익보다 작다고 할 수 없어 수형자의 선거권을 침해하지 아니한다. 18. 국가직 (○, ×)

답 ○

제6절 공무원제도

1 공무원의 의의

1. 개념

공무원이란 직접·간접으로 국민에 의하여 선출되거나 임용권자에 의하여 임용되어 국가나 공공단체와 공법상의 근로관계를 맺고 공공적 업무를 담당하고 있는 자를 말한다.

2. 종류❶

경력직 공무원	일반직 공무원	기술·연구 또는 행정 일반에 대한 업무를 담당하는 공무원
	특정직 공무원	법관, 검사, 외무공무원, 경찰공무원, 소방공무원, 교육공무원, 군인, 군무원, 헌법재판소 헌법연구관, 국가정보원의 직원과 특수 분야의 업무를 담당하는 공무원으로서 다른 법률에서 특정직 공무원으로 지정하는 공무원
특수경력직 공무원	정무직 공무원	• 선거로 취임하거나 임명할 때 국회의 동의가 필요한 공무원 • 고도의 정책결정업무를 담당하거나 이러한 업무를 보조하는 공무원으로서 법률이나 대통령령에서 정무직으로 지정하는 공무원
	별정직 공무원	비서관, 비서 등 보좌업무 등을 수행하거나 특정한 업무 수행을 위하여 법령에서 별정직으로 지정하는 공무원

❶ 공무원의 종류
- 경력직 공무원: 실적과 자격에 따라 임용되고 그 신분이 보장되며 평생 동안 공무원으로 근무할 것이 예정되는 공무원을 말한다.
- 특수경력직 공무원: 경력직 공무원 외의 공무원을 말한다.

2 현행헌법과 공무원제도

1. 현행헌법의 규정

> 헌법 제7조 ① 공무원은 국민 전체에 대한 봉사자이며, 국민에 대하여 책임을 진다.
> ② 공무원의 신분과 정치적 중립성은 법률이 정하는 바에 의하여 보장된다.

2. 공무원의 헌법상 지위

(1) 국민 전체에 대한 봉사자

헌법 제7조 제1항의 국민 전체는 대한민국의 국적을 가진 전체 국민을 말한다. 또 여기서의 공무원이란 공무수탁사인을 포함하는 최광의의 공무원이다 (다수설). 12. 법행

(2) 국민에 대한 책임

국민에 대한 공무원의 책임의 법적 성질에 대하여 ① 법적 책임으로 보는 견해와 ② 정치적·윤리적 책임으로 보는 견해가 있으나, ③ 국민의 공무원파면권 등이 인정되지 아니하는 현행헌법의 경우에는 기본적으로 윤리적·정치적 책임을 의미하고, 예외적으로만 법적 책임이 인정된다고 본다(다수설).

3. 직업공무원제도

(1) 의의

직업공무원제도는 공무원이 집권세력의 논공행상의 제물이 되는 엽관제도❶를 지양하고 정권교체에 따른 국가작용의 중단과 혼란을 예방하며 일관성 있는 공무수행의 독자성을 유지하기 위하여 헌법과 법률에 의하여 공무원의 신분이 보장되는 공직구조에 관한 제도이다(헌재 1989.12.18. 89헌마32·33). 16. 국가직 헌법 제7조 제2항은 "공무원의 신분과 정치적 중립성은 법률이 정하는 바에 의하여 보장된다."라고 규정하고 있는바, 이는 공무원이 정당한 이유 없이 해임되지 아니하도록 신분을 보장하여 국민 전체에 대한 봉사자로서 성실히 근무할 수 있도록 하기 위한 것임과 동시에 공무원의 신분은 무제한 보장되는 것이 아니라 공무의 특수성을 고려하여 헌법이 정한 신분보장의 원칙 아래 법률로 그 내용을 정할 수 있도록 한 것이다. 18. 서울시

(2) 기능

직업공무원제도는 ① 신분과 정치적 중립성의 보장에 의하여 공무원의 국민 전체에 대한 봉사자로서의 지위를 뒷받침하고, ② 공무원의 정치적 중립성을 통하여 국가 통치권행사의 절차적 정당성을 확보하며, ③ 기능적 권력통제 및 국정수행의 지속성을 보장하고, ④ 국민의 공무담임권을 실질적으로 보장하는 기능을 한다.

(3) 적용범위

직업공무원제도에서의 공무원은 국가 또는 공공단체와 근로관계를 맺고 이른바 공법상 특별권력관계 내지 특별행정법관계 아래 공무를 담당하는 것을 직업으로 하는 협의의 공무원을 말하며, 정치적 공무원이라든가 임시적 공무원은 포함되지 않는다(헌재 1989.12.18. 89헌마32·33 ; 통설). 07·08. 법원직, 11·16. 국가직, 12. 법행, 13. 경정승진

(4) 내용

① 정치적 중립성

ㄱ 의의: 정당제 국가에서 정치적 중립성은 집권당 영향으로부터의 독립과 정당에 대한 불간섭·불가담을 의미한다. 국가공무원법과 지방공무원법은 정치적 중립성에 대하여 규정하고 있다(국가공무원법 제65조, 제66조 및 지방공무원법 제57조, 제58조).

⊘주의
- 정당에 가입할 수 있는 공무원 ⇨ 정무직·별정직 공무원, 전임강사 이상의 교수
- 헌법이 직접 정당가입을 금지한 공무원 ⇨ 헌법재판소 재판관, 중앙선거관리위원회위원

ㄴ 필요성: 공무원의 정치적 중립성은 ⓐ 공무원은 국민 전체에 대한 봉사자이므로 중립적 위치에서 공익을 추구하도록 하고, ⓑ 행정에 대한 정치의 개입을 방지함으로써 행정의 전문성과 민주성을 제고하며, ⓒ 정권의 변동에도 불구하고 정책의 계속성과 안정성을 유지하고, ⓓ 엽관제로 인한 부패와 비능률 등의 폐해를 예방하며, ⓔ 사회·경제적 대립의 중재자 내지 조정자로서의 기능을 적극적으로 수행하기 위하여 요구된다.

ⓒ **내용**: 정치적 중립성은 공무원의 충원과 인사에 정치적 영향력이 미치지 못하도록 공무원의 신분을 보장하는 것과 필요한 한도 내에서 공무원의 정치적 활동을 제한하는 것으로 이루어진다. 국가공무원법과 지방공무원법은 직업공무원이 정당 기타 정치단체의 결성에 관여하거나 이에 가입할 수 없고 선거에서 특정 정당·특정인의 지지 또는 반대를 할 수 없도록 하며 공직선거에 입후보하거나 선출직을 겸할 수 없도록 하고 있다.

ⓔ **한계**: 정치적 중립성을 이유로 공무원이 국민의 한 사람으로서 당연히 누려야 할 정치적 기본권의 본질적 내용을 침해하거나 그 전부를 부정하여서는 아니 된다. 공무원의 정치적 중립성은 당파적 이익이나 사익이 아닌 공익우선의 행정을 하여야 한다는 목적을 가지는 것이므로 이를 위한 합리적 범위 내로 그 내용이 결정되어야 할 것이다.

② **공무원의 신분보장**

ⓐ **의의**: 공무원의 신분보장이란 공무원은 정권교체의 영향을 받지 않으며, 동일한 정권하에서도 정당한 이유 없이 해임당하지 않는 것을 말한다.

ⓑ **필요성**: 공무원의 신분이 보장되지 않는 경우에는 집권당의 논공행상에 의하여 공직을 배분하는 엽관제나 집권자와의 관계를 앞세운 정실인사로 공무원을 집권세력의 사병으로 전락시켜 국민 전체에 대한 봉사자로서의 지위를 불안정하게 하므로 이를 방지하기 위하여 그 신분보장이 필요하다.

ⓒ **내용**: 헌법 제7조 제2항에 따라 국가공무원법은 "공무원은 형의 선고, 징계처분 또는 이 법에 정하는 사유에 따르지 아니하고는 본인의 의사에 반하여 휴직·강임 또는 면직을 당하지 아니한다."라고 규정하고 있다(국가공무원법 제68조). 공무원의 신분보장은 사실상 공무원❶에게 미치지 않는다고 본다. 판례는 "임용 당시 공무원임용결격사유가 있었다면 비록 국가의 과실에 의하여 임용결격자임을 밝혀 내지 못하였다고 하더라도 그 임용행위는 당연무효로 보아야 하고, 당연무효인 임용행위에 의하여 공무원의 신분을 취득하거나 근로고용관계가 성립할 수는 없으므로, 임용결격자가 공무원으로 임용되어 사실상 근무하여 왔다고 하더라도 적법한 공무원으로서의 신분을 취득하지 못한 자로서는 공무원연금법 소정의 퇴직급여 등을 청구할 수 없으며, 임용결격사유가 소멸된 후에 계속 근무하여 왔다고 하더라도 그때부터 무효인 임용행위가 유효로 되어 적법한 공무원의 신분을 회복하고 퇴직급여 등을 청구할 수 있다고 볼 수 없다."라고 하여 부정적인 입장이다(대판 1996.7.12. 96누3333).

③ **실적주의**: 실적주의(성적주의)란 인사행정에 있어 정치적 또는 정실적 요소를 배제하고 시험성적·근무성적, 그 밖의 자격이나 능력을 기준으로 하여 공무원을 임용하거나 승진·전보하는 원칙을 말한다. 국가공무원법과 지방공무원법은 "공무원의 임용은 시험성적·근무성적, 그 밖의 능력의 실증에 의하여 행한다."라고 하여 각각 실적주의를 명시하고 있다(국가공무원법 제26조, 지방공무원법 제25조).

❶ **사실상 공무원**

임용결격사유가 있음에도 임용되어 공무원의 지위를 사실상 보유하고, 그 하자가 발견되어 퇴직할 때까지의 사람을 말한다.

📖 **핵심기출 OX**

01 직업공무원제도는 헌법이 보장하는 제도적 보장 중의 하나이므로 입법자는 직업공무원제에 관하여 '최소한 보장'의 원칙의 한계 안에서 폭넓은 입법형성의 자유를 가진다. 18. 법무사
(○, ×)

📖 ○

02 직업공무원제도는 헌법이 보장하는 제도적 보장 중의 하나임이 분명하므로 입법자는 직업공무원제도에 관하여 '최대한 보장'의 원칙에 의하여 입법을 형성할 책무가 있다.
10. 법원직, 16. 국가직 유사 (○, ×)

📖 × 기본권보장은 '최대한 보장의 원칙'이 적용됨에 반하여, 제도적 보장은 그 본질적 내용을 침해하지 아니하는 범위 안에서 입법자에게 제도의 구체적 내용과 형태의 형성권을 폭넓게 인정한다는 의미에서 '최소한 보장의 원칙'이 적용될 뿐이다(헌재 1997.4.24. 96헌바48).

03 국가공무원법상 공무원과 국가배상법의 공무원의 범위는 동일하다.
12. 법행 (○, ×)

📖 × 국가공무원법상의 공무원은 직업공무원제의 적용을 받는 공무원(협의)이라면, 국가배상법상의 공무원은 공무수탁사인을 포함하는 최광의의 공무원이다.

04 공직자선발에 관하여 능력주의에 바탕한 선발기준을 마련하지 아니하고 해당 공직이 요구하는 직무수행능력과 무관한 요소, 예컨대 성별·종교·사회적 신분·출신지역 등을 기준으로 삼는 것은 공직취임권을 침해하는 것이 되므로 헌법상 능력주의원칙에 대한 예외는 인정되지 않는다. 14. 법원직 (○, ×)

📖 × 헌법의 기본원리나 특정 조항에 비추어 능력주의원칙에 대한 예외를 인정할 수 있는 경우가 있다. 그러한 헌법규범 내지 헌법원리로는 우리 헌법의 기본원리인 사회국가원리를 들 수 있고, 헌법조항으로는 여자와 연소자의 근로의 특별보호를 규정한 헌법 제32조 제4항·제5항, 국가유공자·상이군경 및 전몰군경의 유가족에 대한 우선적 근로기회의 보장을 규정한 헌법 제32조 제6항, 여자, 노인과 청소년, 신체장애자 등에 대한 사회보장의무를 규정한 헌법 제34조 제2항 내지 제5항 등을 들 수 있다(헌재 2001.2.22. 2000헌마25).

1 후임자 임명처분에 의한 공무원직 상실규정이 위헌인지 여부: 적극 [위헌]

국가보위입법회의법 부칙 제4항 후단에서는 "그 소속 공무원은 이 법에 의한 후임자가 임명될 때까지 그 직을 가진다."라고 규정함으로써 조직의 변경과 관련이 없음은 물론 소속 공무원의 귀책사유의 유무라던가 다른 공무원과의 관계에서 형평성이나 합리적 근거 등을 제시하지 아니한 채 임명권자의 후임자 임명이라는 처분에 의하여 그 직을 상실하는 것으로 규정하였으므로, 이는 결국 임기만료되거나 정년시까지는 그 신분이 보장된다는 직업공무원제도의 본질적 내용을 침해하는 것이다(헌재 1989.12.18. 89헌마 32·33). 11. 국가직

2 공무원정년제도가 직업공무원제도에 위반되는지 여부: 소극 [합헌]

공무원정년제도는 공무원에게 정년까지 계속 근무를 보장함으로써 그 신분을 보장하는 한편 공무원에 대한 계획적인 교체를 통하여 조직의 능률을 유지·향상시킴으로써 직업공무원제를 보완하는 기능을 수행하고 있는 것이므로 공무원의 신분보장과 직업공무원제도를 규정한 헌법 제7조에 위반되지 아니한다(헌재 1997.3.27. 96헌바86). 18. 서울시

3 대학교원을 제외하고 교육공무원의 정년을 65세에서 62세로 단축한 교육공무원법 제47조 제1항이 공무담임권을 침해하는지 여부: 소극 [기각]

임용 당시 공무원법상의 정년까지 근무할 수 있다는 기대와 신뢰는 절대적인 권리로서 보호되어야만 하는 것은 아니고 행정조직, 직제의 변경 또는 예산의 감소 등 강한 공익상의 정당한 근거에 의하여 좌우될 수 있는 상대적이고 가변적인 것이라 할 것이므로 입법자에게는 제반사정을 고려하여 합리적인 범위 내에서 정년을 조정할 입법형성권이 인정된다. … 초·중등교원의 정년을 62세로 하향조정한 것이 입법형성권의 한계를 벗어난 것이라 할 수 없을 뿐만 아니라, 기존 교원들의 신뢰이익을 지나치게 침해한 것이라고도 보기 어렵다. 그렇다면 이 사건 법률조항은 헌법 제37조 제2항 또는 신뢰보호원칙에 위반하거나, 공무원의 신분보장정신에 위반하여 공무담임권을 침해하는 것이라 할 수 없다(헌재 2000.12.14. 99헌마112 등).

4 국가안전기획부직원에 대한 계급정년을 새로이 규정하면서 이를 소급적용하도록 한 것이 위헌인지 여부: 소극 [합헌]

구 국가안전기획부직원법 제22조 제1항 및 제2호 및 동법 부칙 제3항이 국가안전기획부직원에 대한 계급정년을 새로이 규정하면서 이를 소급적용하도록 하고 있다고 하더라도, 이는 정당한 공익목적을 달성하기 위한 것으로 구법질서하에서의 공무원들의 기대 내지 신뢰를 과도히 해치는 것으로 보기는 어렵다고 할 것이므로, 위 규정은 입법자의 입법형성재량범위 내에서 입법된 것이라고 할 것이고, 이를 공무원신분관계의 안정을 침해하는 입법이라거나 소급입법에 의한 기본권침해규정이라고 할 수·없다(헌재 1994.4.28. 91헌바15·19 등). 18. 서울시

5 금고 이상 형의 '집행유예'를 받은 공무원을 당연퇴직사유로 한 것이 위헌인지 여부: 소극 [기각]

공무원에게 부과되는 신분상 불이익과 보호하려는 공익이 합리적 균형을 이루는 한 법원이 범죄의 모든 정황을 고려하여 금고 이상의 형의 집행유예판결을 하였다면 그 범죄행위가 직무와 직접적 관련이 없거나 과실에 의한 것이라 하더라도 공무원의 품위를 손상하는 것으로 당해 공무원에 대한 사회적 비난가능성이 결코 적지 아니함을 의미하므로 이를 공무원의 당연퇴직사유로 규정한 것을 위헌인 법률조항이라고 볼 수 없고, 집행유예와 선고유예의 차이, 금고형과 벌금형의 경중을 고려할 때 이 사건 법률

조항이 집행유예판결을 받은 자를 합리적 이유 없이 선고유예나 벌금형의 판결을 받은 자에 비하여 차별하는 것이라고도 볼 수 없다(헌재 2003.12.18. 2003헌마409). 04. 법행, 06. 사시·행시, 08. 법원직, 12. 국가직, 13. 경정승진

6 금고 이상 형의 '선고유예'를 받은 지방공무원을 당연퇴직사유로 한 것이 위헌인지 여부: 적극 [위헌]

공무원이 금고 이상 형의 선고유예를 받은 경우에는 공무원직에서 당연히 퇴직하는 것으로 규정하고 있는 이 사건 법률조항은 금고 이상의 선고유예판결을 받은 모든 범죄를 포괄하여 규정하고 있을 뿐 아니라, 심지어 오늘날 누구에게나 위험이 상존하는 교통사고 관련 범죄 등 과실범의 경우마저 당연퇴직의 사유에서 제외하지 않고 있으므로 최소침해성의 원칙에 반한다. 오늘날 사회구조의 변화로 인하여 '모든 범죄로부터 순결한 공직자 집단'이라는 신뢰를 요구하는 것은 지나치게 공익만을 우선한 것이며, 오늘날 사회국가원리에 입각한 공직제도의 중요성이 강조되면서 개개 공무원의 공무담임권보장의 중요성이 더욱 큰 의미를 가지고 있다. 일단 공무원으로 채용된 공무원을 퇴직시키는 것은 공무원이 장기간 쌓은 지위를 박탈해 버리는 것이므로 같은 입법목적을 위한 것이라고 하여도 당연퇴직사유를 임용결격사유와 동일하게 취급하는 것은 타당하다고 할 수 없다. 결국 지방공무원법 제61조 중 제31조 제5호 부분은 헌법 제25조의 공무담임권을 침해하였다고 할 것이다(헌재 2002.8.29. 2001헌마788·2002헌마173). 12. 국가직·국회직, 18. 서울시

7 공무원이 수뢰죄를 범하여 금고 이상 형의 선고유예를 받은 경우 당연퇴직사유로 한 것이 위헌인지 여부: 소극 [합헌]

형법 제129조 제1항의 수뢰죄를 범하여 금고 이상 형의 선고유예를 받은 국가공무원을 공직에서 배제하는 것은 적절한 수단에 해당한다. 수뢰죄는 수수액의 다과에 관계없이 공무원 직무의 불가매수성과 염결성을 치명적으로 손상시키고, 직무의 공정성을 해치며 국민의 불신을 초래하므로 일반 형법상 범죄와 달리 엄격하게 취급할 필요가 있다. … 따라서 심판대상조항은 과잉금지원칙에 반하여 청구인의 공무담임권을 침해하지 아니한다(헌재 2013.7.25. 2012헌바409). 14. 경정승진

8 금고 이상의 형의 선고유예를 받고 그 기간 중에 있는 자를 임용결격사유로 삼고, 위 사유에 해당하는 자가 임용되더라도 이를 당연무효로 하는 구 국가공무원법 제33조 제1항 제5호가 공무담임권을 침해하는지 여부: 소극 [합헌]

이 사건 법률조항이 금고 이상의 형의 선고유예의 판결을 받아 그 기간 중에 있는 사람이 공무원으로 임용되는 것을 금지하고 그러한 사람이 임용되더라도 이를 당연무효로 하는 것은 공직에 대한 국민의 신뢰라는 정당한 공익을 보호하기 위하여 필요한 수단이다. 또한 청구인과 같이 임용결격사유가 있음에도 임용되어 상당 기간 사실상 공무원으로 근무한 경우에는 공무원연금법상 퇴직급여 등을 지급받지 못하는 등의 불이익이 있기는 하나, 임용결격공무원이 사실상 제공한 근로에 상응하는 금액에 대하여 부당이득반환청구가 가능한 점 등을 고려해 보면, 임용결격공무원의 사익 침해가 위와 같은 공익에 비하여 현저히 크다고 볼 수도 없다. 따라서 이 사건 법률조항은 공무담임권을 침해하지 아니한다(헌재 2016.7.28. 2014헌바437). 19. 서울시

9 형사사건으로 기소되면 '필요적으로' 직위해제처분을 하도록 한 국가공무원법 규정이 위헌인지 여부: 적극 [위헌]

형사사건으로 기소되기만 하면 국가공무원법 제33조 제1항 제3호 내지 제6호에 해당하는 유죄판결을 받을 고도의 개연성이 있는가의 여부와는 무관하게 벌금형이나 무죄가 선고될 가능성이 큰 사건인 경우에 대해서까지도 당해 공무원에게 일률적으로 직위해제처분을 하도록 한 이 사건 규정은 비례의 원칙에 위반되어 직업의 자유를 과도하게 침해하고 제27조 제4항의 무죄추정의 원칙에도 위반된다(헌재 1998.5.28. 96헌가12).

한 눈에 쏙

내용	판결
공무원이 금고 이상 형의 '집행유예'를 받은 경우 – 당연퇴직	합헌
공무원이 금고 이상 형의 '선고유예'를 받은 경우 – 당연퇴직	위헌
공무원이 '수뢰죄'를 범하여 금고 이상 형의 '선고유예'를 받은 경우 – 당연퇴직	합헌

핵심기출 OX

01 금고 이상의 형의 선고를 유예받은 경우에 공무원의 직에서 당연히 퇴직하는 것으로 규정한 것은 공무원제도의 객관적인 가치질서의 보호라는 의미에서 기본권제한의 범위 내의 제한이다. 12. 국가직 (O, ×)

답 × 오늘날 누구에게나 위험이 상존하는 교통사고 관련 범죄 등 과실범의 경우마저 당연퇴직의 사유에서 제외하지 않고 있으므로 최소침해성의 원칙에 반한다(헌재 2002.8.29. 2001헌마788·2002헌마173).

02 공무원의 범죄행위가 직무와 직접적 관련이 없고 과실에 의한 경우라도 금고 이상 형의 선고유예판결을 받은 경우라면 당연퇴직토록 한 소정의 법률조항은 직업공무원제도와 공무원의 신분보장을 규정한 헌법 제7조 제2항에 반한다는 것이 헌법재판소의 입장이다. 18. 서울시 (O, ×)

답 × '직업공무원제도와 공무원의 신분보장을 규정한 헌법 제7조 제2항'에 위배되는 것이 아니라 '공무담임권'을 침해한다.

03 공무원이 금고 이상의 선고유예판결을 받으면 과실범의 경우까지도 당연퇴직케 하는 것은 공무담임권의 침해이다. 09. 국회직 8급 (O, ×)

답 O

04 수뢰죄를 범하여 금고 이상의 형의 선고유예를 받은 국가공무원은 별도의 징계절차를 거치지 아니하고 당연퇴직하도록 규정한 국가공무원법 제69조 단서 중 '형법 제129조 제1항'에 관한 부분이 적법절차원칙에 위배되는 것은 아니다. 14. 경정승진 (O, ×)

답 O

10 형사사건으로 기소된 공무원을 '임의적으로' 직위해제할 수 있도록 규정한 구 국가공무원법 제73조의2 제1항 제4호 부분이 공무담임권을 침해하는지 여부: 소극 [합헌]

이 사건 법률조항이 임용권자로 하여금 구체적인 경우에 따라 개별성과 특수성을 판단하여 직위해제 여부를 결정하도록 한 것이지 직무와 전혀 관련이 없는 범죄나 지극히 경미한 범죄로 기소된 경우까지 임용권자의 자의적인 판단에 따라 직위해제를 할 수 있도록 허용하는 것은 아니고, 기소된 범죄의 법정형이나 범죄의 성질에 따라 그 요건을 보다 한정적·제한적으로 규정하는 방법을 찾기 어렵다는 점에서 이 사건 법률조항이 필요최소한도를 넘어 공무담임권을 제한하였다고 보기 어렵다. 그리고 이 사건 법률조항에 의한 공무담임권의 제한은 잠정적이고 그 경우에도 공무원의 신분은 유지되고 있다는 점에서 공무원에게 가해지는 신분상 불이익과 보호하려는 공익을 비교할 때 공무집행의 공정성과 그에 대한 국민의 신뢰를 유지하고자 하는 공익이 더욱 크다. 따라서 이 사건 법률조항은 공무담임권을 침해하지 않는다(헌재 2006.5.25. 2004헌바12).

11 공무원의 집단행위를 금지하고 있는 지방공무원법 제82조 중 제58조 제1항이 정치적 표현의 자유를 침해하는지 여부: 소극 [합헌]

공무원의 정치적 의사표현이 집단적으로 이루어지는 것을 금지하는 것은 다수의 집단행동은 그 행위의 속성상 개인행동보다 공공의 안녕질서나 법적 평화와 마찰을 빚을 가능성이 크고, 특히 공무원이 집단적으로 정치적 의사표현을 하는 경우에는 이것이 공무원이라는 집단의 이익을 대변하기 위한 것으로 비춰질 수 있으며, 정치적 중립성의 훼손으로 공무의 공정성과 객관성에 대한 신뢰를 저하시킬 수 있기 때문이다. … 따라서 지방공무원의 집단적인 의사표현을 제한하는 것이 지나치게 과도하다고 볼 수 없다(헌재 2014.8.28. 2011헌바50).

12 공무원은 직무의 내외를 불문하고 품위손상행위를 하여서는 아니 된다고 규정하고 직무의 내외를 불문하고 체면이나 위신을 손상하는 행위를 한 때를 공무원의 징계사유로 규정한 국가공무원법 제63조 등이 명확성의 원칙에 위배되는지 여부: 소극 [합헌]

'품위' 등 용어의 사전적 의미 및 법원의 해석 등을 종합할 때 이 사건 법률조항이 정한 공무원 징계사유로서의 품위손상행위는 주권자인 국민으로부터 수임받은 공무를 수행함에 손색이 없는 인품에 어울리지 않는 행위를 함으로써 공무원 및 공직 전반에 대한 국민의 신뢰를 떨어뜨릴 우려가 있는 경우를 일컫는 것으로 해석할 수 있고, 그 수범자인 평균적인 공무원은 이를 충분히 예측할 수 있다. 따라서 이 사건 법률조항은 명확성 원칙에 위배되지 아니한다(헌재 2016.2.25. 2013헌바435).

13 '직제와 정원의 개폐 또는 예산의 감소 등에 의하여 폐직 또는 과원이 된 때'에 직권면직시킬 수 있도록 규정한 지방공무원법 제62조 제1항 제3호가 직업공무원제도를 위반하는지 여부: 소극 [합헌]

공무원의 정치적 중립과 신분보장을 통하여 행정의 계속성과 안정성을 확보하여 국가기능의 효율성을 증대하고자 하는 직업공무원제도가 그 본래의 취지와 달리 공무원 개인에게 평생직업을 보장하는 장치로 변질되어 행정의 무능과 국가기능의 비효율을 초래해서는 아니 된다는 점과 국가경영의 경비부담 주체가 국민이고 공무원은 국민 전체에 대한 봉사자라는 점을 감안하면, 행정의 효율성 및 생산성 제고차원에서는 행정수요가 소멸하거나 조직의 비대화로 효율성이 저하되는 경우 직제를 폐지하거나 인원을 축소하는 것은 불가피한 선택에 해당할 것이다. 그렇다면 이 사건 규정이 직업공무원제도를 위반하고 있다고는 볼 수 없다(헌재 2004.11.25. 2002헌바8). 10. 법무사, 11. 국가직, 17. 법원직, 18. 경정승진

🏛 **핵심기출 OX**

01 지방자치단체의 직제폐지로 인한 지방공무원의 직권면직규정은 합리적인 면직기준을 구체적으로 정함과 동시에 그 공정성을 담보할 수 있는 절차를 마련하는 경우 직업공무원제도를 위반하고 있다고는 볼 수 없다.
10. 법무사, 11. 국가직　　　(O, ×)

답 O

02 지방자치단체의 직제가 폐지된 경우에 해당 공무원을 직권면직할 수 있도록 규정하고 있는 지방공무원법 조항은 헌법상 직업공무원제도를 위반한 것이다. 18. 경정승진　　(O, ×)

답 × 지방자치단체의 직제가 폐지된 경우에 해당 공무원을 직권면직할 수 있도록 규정하고 있는 지방공무원법 제62조 제1항 제3호는 직업공무원제도를 위반하지 않는다(헌재 2004.11.25. 2002헌바8).

14 초·중등학교의 교육공무원이 정치단체의 결성에 관여하거나 이에 가입하는 행위를 금지한 국가공무원법 제65조 제1항 중 '그 밖의 정치단체'에 관한 부분이 정치적 표현의 자유 및 결사의 자유를 침해하는지 여부: 적극

국가공무원법 조항 중 '그 밖의 정치단체'에 관한 부분은, '그 밖의 정치단체'라는 불명확한 개념을 사용하고 있어, 표현의 자유를 규제하는 법률조항, 형벌의 구성요건을 규정하는 법률조항에 대하여 헌법이 요구하는 명확성원칙의 엄격한 기준을 충족하지 못하였다. 이에 대하여는, 아래 재판관 3인의 위헌의견 중 '명확성원칙 위배 여부' 부분과 의견을 모두 같이 한다. 덧붙여, 국가공무원법 조항 중 '그 밖의 정치단체'에 관한 부분은 어떤 단체에 가입하는가에 관한 집단적 형태의 '표현의 내용'에 근거한 규제이므로, 더욱 규제되는 표현의 개념을 명확하게 규정할 것이 요구된다. 그럼에도 위 조항은 '그 밖의 정치단체'라는 불명확한 개념을 사용하여, 수범자에 대한 위축효과와 법 집행 공무원의 자의적 판단 위험을 야기하고 있다. 위 조항이 명확성원칙에 위배되어 나머지 청구인들의 정치적 표현의 자유, 결사의 자유를 침해하여 헌법에 위반되는 점이 분명한 이상, 과잉금지원칙에 위배되는지 여부에 대하여는 더 나아가 판단하지 않는다(헌재 2020.4.23. 2018헌마551).

4. 공무원의 기본권제한

(1) 이론적 근거

공무원의 기본권을 특별히 제한할 수 있는 이론적 근거에 관해서는 특별권력관계설, 국민전체봉사자설, 직무성질설 등의 대립이 있으나, 국민 전체에 대한 봉사자라는 공무원의 특수 신분과 그 직무의 성질 그리고 근무관계의 특수성 등 종합적인 이유로 일정한 기본권이 제한된다고 보아야 할 것이다(권영성).

(2) 제한유형

① 정치적 활동의 제한❶

> **국가공무원법 제65조 【정치운동의 금지】** ① 공무원은 정당이나 그 밖의 정치단체의 결성에 관여하거나 이에 가입할 수 없다.

② 근로3권의 제한

> **헌법 제33조** ② 공무원인 근로자는 법률이 정하는 자에 한하여 단결권·단체교섭권 및 단체행동권을 가진다.
> **제37조** ② 국민의 모든 자유와 권리는 국가안전보장·질서유지 또는 공공복리를 위하여 필요한 경우에 한하여 법률로써 제한할 수 있으며, 제한하는 경우에도 자유와 권리의 본질적인 내용을 침해할 수 없다.

③ **특수한 신분관계에 의한 제한**: 협의의 공무원은 국가와 공법상 특수한 신분관계를 맺고 있으므로 그 질서를 유지하고 그 신분관계를 설정한 목적을 달성하기 위하여 필요하다고 인정될 경우에는 합리적인 범위 내에서 일반 국민보다 더 많은 기본권의 제한을 받는다.

(3) 한계

공무원의 기본권이 제한된다고 하더라도 헌법 제37조 제2항의 기본권제한에 관한 일반원칙은 존중되어야 한다. 따라서 제한은 법률에 의하여야 하고 합리적인 범위 내에서 필요최소한에 그쳐야 하며 기본권의 본질적인 내용은 침해하지 못한다.

❶
국가공무원법 제65조 제1항 중 "국가공무원법 제2조 제2항 제2호의 교육공무원 가운데 초·중등교육법 제19조 제1항의 교원은 그 밖의 정치단체의 결성에 관여하거나 이에 가입할 수 없다." 부분은 헌법에 위반된다(헌재 2020.4.23. 2018헌마551). [단순위헌]

🏛 **핵심기출 OX**
초·중등학교의 교육공무원이 정치단체의 결성에 관여하거나 이에 가입하는 행위를 금지한 국가공무원법 조항 중 '그 밖의 정치단체'에 관한 부분은 정치적 표현의 자유를 침해하지 않는다.
22. 국회직 8급　　　　(○, ×)
답 ×

위헌결정	• 합리적 근거 없이 후임자의 임명처분에 의하여 공무원의 신분을 상실하게 하는 것 • 형사사건으로 기소된 공무원에 대해서 '필요적' 직위해제처분을 하는 것 06.사시 • 금고 이상 형의 '선고유예'를 받은 공무원을 당연퇴직하게 하는 것 12.국가직·국회직, 18.서울시 • 자격정지 이상 형의 '선고유예'를 받은 직업군인의 당연제적 06.사시 • 자격정지 이상 형의 '선고유예'를 받은 경찰공무원의 당연퇴직 15.법행 • 검찰총장의 퇴직 후 2년 이내에 모든 공직에의 취임금지 • 국가인권위원회위원의 퇴직 후 2년간 교육공무원을 제외한 모든 공직에의 취임금지 • 지방자치단체장이 '금고 이상의 형의 선고를 받은 경우' 부단체장의 권한대행 제도 06.사시
합헌결정	• 형사기소된 국가공무원에 대한 '임의적' 직위해제 • 금고 이상 형의 '집행유예'를 받은 공무원의 당연퇴직 04.법행, 06.사시·행시, 08.법원직, 12.국가직, 13.경정승진 • 교육경력자의 지방교육위원 우선당선조항 06.행시 • 초·중등학교 교원의 정년을 65세에서 62세로 하향조정 • 지방자치단체의 직제가 폐지된 경우 해당 공무원을 직권면직할 수 있도록 한 것 06.사시, 10.법무사, 11.국가직, 17.법원직, 18.경정승진 • 정부투자기관직원의 지방의회의원 겸직금지 • 지방공사직원의 지방의회의원 겸직금지 • 국가안전기획부직원에 대하여 임용 당시의 연령정년제를 계급정년제로 변경하는 것 • 선거기간 중 정상적인 업무 외의 출장을 한 공무원의 당연퇴직 • 지방공무원의 정년을 5급 이상은 60세, 6급 이하는 57세로 차별하는 것 • 경찰공무원의 정년을 경정 이상은 60세, 경감 이하는 57세로 차별하는 것 • 도시재개발조합임원의 수재행위를 공무원의 뇌물죄로 처벌하는 것 11.법행 • 정부관리기업체 간부직원의 수재행위를 공무원의 뇌물죄로 처벌하는 것 • 정부출연연구기관의 직원의 수재행위를 공무원의 뇌물죄로 처벌하는 것 • 주택재건축조합의 임원을 형법상의 뇌물죄의 적용에 있어서 공무원으로 의제하는 것 • 지방자치단체장이 '공소제기된 후 구금상태에 있는 경우' 부단체장의 권한대행 제도 11.법행, 12.지방직 • '수뢰죄'를 범하여 금고 이상 형의 '선고유예'를 받은 국가공무원을 당연퇴직하게 하는 것 14.경정승진

핵심기출 OX

01 순경 공개경쟁채용 선발시험의 응시연령 상한을 30세 이하로 규정한 경찰공무원임용령 규정은 헌법에 위반되지 않는다. 13.경정승진 （○, ×）

답 × 순경 공채시험, 소방사 등 채용시험, 그리고 소방간부 선발시험의 응시연령의 상한을 '30세 이하'로 규정하고 있는 것은 합리적이라고 볼 수 없으므로 침해의 최소성원칙에 위배되어 청구인들의 공무담임권을 침해한다. 그렇다고 하여, 순경 공채시험, 소방사 등 채용시험, 소방간부 선발시험에서 응시연령의 상한을 제한하는 것이 전면적으로 허용되지 않는다고 단정하기 어렵고, 경찰 또는 소방공무원의 채용 및 공무수행의 효율성을 도모하여 국민의 생명과 재산을 보호하기 위하여 필요한 최소한도의 제한은 허용되어야 할 것인바, 그 한계는 경찰 및 소방업무의 특성 및 인사제도 그리고 인력수급 등의 상황을 고려하여 입법기관이 결정할 사항이다(헌재 2012.5.31. 2010헌마278).

02 경찰공무원이 자격정지 이상의 형의 선고유예를 받은 경우 공무원직에서 당연퇴직하도록 규정하고 있는 구 경찰공무원법의 규정은 누구에게나 위험이 상존하는 교통사고 관련범죄 등 과실범의 경우마저 사유에서 제외하지 않고 있으므로 최소침해성의 원칙에 반한다. 15.법행 （○, ×）

답 ○

제7절 지방자치제도

1 의의

1. 개념

지방자치제도는 일정한 지역을 단위로 일정한 지역의 주민이 그 지방주민의 복리에 관한 사무, 재산관리에 관한 사무 기타 법령이 정하는 사무(헌법 제117조 제1항)를 그들 자신의 책임하에서 자신들이 선출한 기관을 통하여 직접 처리하게 함으로써 지방자치행정의 민주성과 능률성을 제고하고 지방의 균형 있는 발전과 아울러 국가의 민주적 발전을 도모하는 제도이다(헌재 1996.6.26. 96헌마200).

2. 이념적 배경

지방자치는 국민자치를 지방적 범위 내에서 실현하는 것이므로 지방시정에 직접적인 관심과 이해관계가 있는 지방주민으로 하여금 스스로 다스리게 한다면 자연히 민주주의가 육성·발전될 수 있다는 소위 '풀뿌리민주주의'를 그 이념적 배경으로 하고 있는 것이다(헌재 1991.3.11. 91헌마21).

> ⚖️ **판례**
>
> **지방자치제도의 헌법적 의의**
>
> 지방자치제도의 헌법적 보장은 한마디로 국민주권의 기본원리에서 출발하여 주권의 지역적 주체로서의 주민에 의한 자기통치의 실현으로 요약할 수 있고, 이러한 지방자치의 본질적 내용인 핵심영역은 어떠한 경우라도 입법 기타 중앙정부의 침해로부터 보호되어야 한다는 것을 의미한다. 다시 말하면 중앙정부의 권력과 지방자치단체의 권력간 수직적 분배는 서로 조화가 요청되고 그 조화과정에서 지방자치의 핵심영역은 침해되어서는 안 되는 것이므로, 이와 같은 권력분립적·지방분권적인 기능을 통하여 지역주민의 기본권보장에도 이바지하는 것이다(헌재 1998.4.30. 96헌바62).

2 본질

지방자치제도는 제도적 보장의 일종이며 자치단체보장·자치사무보장·자치기능보장의 세 가지를 그 본질적 내용으로 한다. 특정 지방자치단체를 통·폐합하는 것은 가능하지만 모든 지방자치단체를 폐지하는 것은 '자치단체보장'을 침해하는 것이 되므로 허용될 수 없다. 일정 지역 내의 지방자치단체인 시·군을 모두 폐지하여 지방자치단체의 중층구조를 단층화하는 것이 헌법상 지방자치제도의 보장에 위배되는 것은 아니다(헌재 2006.4.27. 2005헌마1190). 11. 지방직·법무사

🏛️ **핵심기출 OX**

지방자치제도는 예전부터 내려오던 제도를 헌법상 보장하는 것이므로, 일정 지역 내의 시·군을 모두 폐지하여 지방자치단체의 중층구조를 단층화하는 것은 입법자의 입법형성권의 범위에 속하지 않는다. 11. 지방직·법무사

(○, ×)

📖 × 일정구역에 한하여 당해 지역 내의 지방자치단체인 시·군을 모두 폐지하여 중층구조를 단층화하는 것 역시 입법자의 선택범위에 들어가는 것이다(헌재 2006.4.27. 2005헌마1190).

⚖ 판례

1 법률로 특정 지방자치단체를 폐지하여 다른 지방자치단체에 병합하는 것이 지방자치제도의 본질적 내용을 침해하는지 여부: 소극 [기각]

자치제도의 보장은 지방자치단체에 의한 자치행정을 일반적으로 보장한다는 것뿐이고 특정 지방자치단체의 존속을 보장한다는 것은 아니며 지방자치단체의 폐치·분합에 있어 지방자치권의 존중은 법정절차의 준수로 족한 것이다. 그러므로 군 및 도의회의 결의에 반하여 법률로 군을 폐지하고 타시에 병합하여 시를 설치한다 하여 주민들의 자치권을 침해하는 결과가 된다거나 헌법 제8장에서 보장하는 지방자치제도의 본질을 침해하는 것이라고 할 수 없다(헌재 1995.3.23. 94헌마175). 11. 법원직

2 주민소환제 자체가 지방자치의 본질적인 내용인지 여부: 소극 [기각]

주민소환제 자체는 지방자치의 본질적인 내용이라고 할 수 없으므로 이를 보장하지 않는 것이 위헌이라거나 어떤 특정한 내용의 주민소환제를 반드시 보장하여야 한다는 헌법적인 요구가 있다고 볼 수는 없으나, 다만 이러한 주민소환제가 지방자치에도 적용되는 원리인 대의제의 본질적인 내용을 침해하는지 여부는 문제가 된다 할 것이다.
주민이 대표자를 수시에 임의로 소환한다면 이는 곧 명령적 위임을 인정하는 결과가 될 것이나, 대표자에게 원칙적으로 자유위임에 기초한 독자성을 보장하되 극히 예외적이고 엄격한 요건을 갖춘 경우에 한하여 주민소환을 인정한다면 이는 대의제의 원리를 보장하는 범위 내에서 적절한 수단이 될 수 있을 것이다(헌재 2009.3.26. 2007헌마843). 12. 국가직

3 감사원에 의한 지방자치단체의 자치사무에 대한 합목적성 감사가 지방자치권의 본질을 침해하여 위헌인지 여부: 소극 [기각, 각하]

헌법상 제도적으로 보장된 자치권 가운데에는 소속 공무원에 대한 인사와 처우를 스스로 결정하고 자치사무의 수행에 있어 다른 행정주체(특히 국가)로부터 합목적성에 관하여 명령·지시를 받지 않는 권한도 포함된다. 위임사무나 자치사무의 구별 없이 합법성 감사뿐만 아니라 합목적성 감사도 포함한 이 사건 감사는 감사원법에 근거한 것으로서, … 헌법이 감사원을 독립된 외부감사기관으로 정하고 있는 취지, 국가기능의 총체적 극대화를 위하여 중앙정부와 지방자치단체는 서로 행정기능과 행정책임을 분담하면서 중앙행정의 효율성과 지방행정의 자주성을 조화시켜 국민과 주민의 복리증진이라는 공동목표를 추구하는 협력관계에 있다는 점에 비추어 보면 감사원에 의한 지방자치단체의 자치사무에 대한 감사를 합법성 감사에 한정하고 있지 아니한 이 사건 관련 규정은 그 목적의 정당성과 합리성을 인정할 수 있다. … 지방자치단체의 인사권이나 자치행정의 자기책임적 판단이 말살될 정도로 지방자치권의 본질이 훼손되었다고 보기는 어렵다(헌재 2008.5.29. 2005헌라3). 12. 사시·변호사·국가직

3 우리나라의 지방자치제도

1. 연혁과 현행헌법의 규정

(1) 연혁

제1공화국	• 건국헌법: 지방자치제에 관한 규정 19. 행시 • 지방자치법 제정(1949년): 도지사·서울특별시장은 임명제, 시·읍·면장은 지방의회에서 선출, 지방의회의원은 주민 직선, 지방자치단체장의 지방의회해산권과 지방의회의 지방자치단체장에 대한 불신임결의권을 규정 • 최초의 지방의회구성(1952년): 6·25 발발로 시행이 지연되다가 1952년 비로소 최초의 지방의회 구성
제2공화국	서울특별시장·도지사, 시·읍·면장, 동·이장을 임명제 방식에서 직선제 방식으로 하여 명실상부한 지방자치제 실시
제3공화국	• 지방의회를 해산하고 지방자치에 관한 임시조치법을 제정하여 지방자치법의 효력을 정지시킴 • 제3공화국 헌법 부칙에서는 이 헌법에 의한 최초의 지방의회구성시기에 관하여는 법률로 정한다고 규정하였으나, 국회가 법률을 제정하지 않음으로써 지방자치실시가 무산됨
제4공화국	제7차 개정헌법(1972년, 유신헌법): 지방의회의 구성을 조국의 통일시까지 유예한다는 부칙조항
제5공화국	제8차 개정헌법: 지방의회의 구성을 지방자치단체의 재정자립도를 감안하여 순차적으로 하되 그 구성시기는 법률로 정한다는 부칙조항
제6공화국	• 제9차 개정헌법(1987년, 현행헌법): 지방의회구성에 관한 유예규정 철폐 • 1988년 지방자치법 전면개정, 1991년 지방의회선거 실시. 단, 지방자치단체장 선거는 정부가 무기한 연기 • 1994년 공직선거 및 선거부정방지법 부칙에서 지방자치단체장선거를 1995년 6월 27까지 실시하도록 규정하고, 지방자치단체장선거를 실시

(2) 헌법 규정

> 헌법 제117조 ① 지방자치단체는 주민의 복리에 관한 사무를 처리하고 재산을 관리하며, 법령의 범위 안에서 자치에 관한 규정을 제정할 수 있다.
> ② 지방자치단체의 종류는 법률로 정한다.
>
> 제118조 ① 지방자치단체에 의회를 둔다. 13. 법행
> ② 지방의회의 조직·권한·의원선거와 지방자치단체의 장의 선임방법 기타 지방자치단체의 조직과 운영에 관한 사항은 법률로 정한다. 07. 법무사

헌법이 직접 규정한 것	• 자치사무, 재산관리권 • 자치에 관한 규정 제정권 • 지방의회의 설치 13. 법행
법률로 규정하도록 한 것	• 지방자치단체의 종류 • 지방의회의 조직·권한·의원선거 07. 법무사 • 지방자치단체장의 선임방법 07. 법무사

2. 지방자치단체의 종류

> 헌법 제117조 ② 지방자치단체의 종류는 법률로 정한다.

(1) 일반지방자치단체

> 지방자치법 제2조 【지방자치단체의 종류】 ① 지방자치단체는 다음의 두 가지 종류로 구분한다.
> 1. 특별시, 광역시, 특별자치시, 도, 특별자치도
> 2. 시, 군, 구

(2) 특별지방자치단체

> 지방자치법 제2조 【지방자치단체의 종류】 ③ 제1항의 지방자치단체 외에 특정한 목적을 수행하기 위하여 필요하면 따로 특별지방자치단체를 설치할 수 있다. 이 경우 특별지방자치단체의 설치 등에 관하여는 제12장에서 정하는 바에 따른다.

(3) 지방자치단체의 법인격과 관할 추가

> 지방자치법 제3조 【지방자치단체의 법인격과 관할】 ① 지방자치단체는 법인으로 한다.
> 14. 서울시
> ② 특별시, 광역시, 특별자치시, 도, 특별자치도(이하 "시·도"라 한다)는 정부의 직할(直轄)로 두고, 시는 도 또는 특별자치도의 관할 구역 안에, 군은 광역시·도 또는 특별자치도의 관할 구역 안에 두며, 자치구는 특별시와 광역시의 관할 구역 안에 둔다. 다만, 특별자치도의 경우에는 법률이 정하는 바에 따라 관할 구역 안에 시 또는 군을 두지 아니할 수 있다.
> ③ 특별시·광역시 및 특별자치시가 아닌 인구 50만 이상의 시에는 자치구가 아닌 구를 둘 수 있고, 군에는 읍·면을 두며, 시와 구(자치구를 포함한다)에는 동을, 읍·면에는 리를 둔다.
> 제5조 【지방자치단체의 명칭과 구역】 ① 지방자치단체의 명칭과 구역은 종전과 같이 하고, 명칭과 구역을 바꾸거나 지방자치단체를 폐지하거나 설치하거나 나누거나 합칠 때에는 법률로 정한다.
> ② 제1항에도 불구하고 지방자치단체의 구역변경 중 관할 구역 경계변경(이하 "경계변경"이라 한다)과 지방자치단체의 한자 명칭의 변경은 대통령령으로 정한다. 이 경우 경계변경의 절차는 제6조에서 정한 절차에 따른다.
> ③ 다음 각 호의 어느 하나에 해당할 때에는 관계 지방의회의 의견을 들어야 한다. 다만, 주민투표법 제8조에 따라 주민투표를 한 경우에는 그러하지 아니하다.
> 1. 지방자치단체를 폐지하거나 설치하거나 나누거나 합칠 때
> 2. 지방자치단체의 구역을 변경할 때(경계변경을 할 때는 제외한다)
> 3. 지방자치단체의 명칭을 변경할 때(한자 명칭을 변경할 때를 포함한다)

⚖ 판례

특별시·광역시가 아닌 시에 지방자치단체가 아닌 행정구를 두고 그 구청장은 시장이 임명하도록 한 지방자치법 제3조 제3항 주민의 평등권을 침해하는지 여부: 소극 [기각]

헌법은 지방자치단체의 종류와 단계를 입법자의 광범위한 형성에 맡기고 있고, 기초자치단체가 성립하는 면적이나 인구 등의 규모에 대하여 규정하고 있지 않다. 행정구의 경우 기초자치단체인 시 관할 구역 안에 있는 것을 감안하여 지방자치단체의 지위를 부여하지

않고, 현행 지방자치의 일반적인 모습인 2단계 지방자치단체의 구조를 형성한 입법자의 선택이 현저히 자의적이라고 보기 어렵다. 행정구 주민이 지방자치단체로서의 행정구 대표자를 선출할 수 없다고 하더라도, 여전히 기초자치단체인 시와 광역자치단체인 도의 대표자 선출에 참여할 수 있어, 행정구에서도 지방자치행정에 대한 주민참여가 제도적으로 동일하게 유지되고 있다. 따라서 임명조항이 주민들의 민주적 요구를 수용하는 지방자치제와 민주주의의 본질과 정당성을 훼손할 위험이 있다고 단정할 수 없다. 인구가 적거나 비슷한 다른 기초자치단체 주민에 비하여, 행정구에 거주하는 청구인이 행정구의 구청장이나 구의원을 선출하지 못하는 차이가 있지만, 이러한 차별취급이 자의적이거나 불합리하다고 보기 어려우므로, 임명조항은 행정구 주민의 평등권을 침해하지 아니한다(헌재 2019.8.29. 2018헌마129).

3. 지방자치단체의 기관

(1) 지방의회

지방의회란 지방자치단체의 의결기관으로서 주민에 의하여 선출된 의원을 구성원으로 하는 합의제 기관을 말한다.

① **구성**: 헌법상 지방의회는 필수적 기관(헌법 제118조 제1항)이고, 임기 4년의 지방의회의원들로써 구성되며(지방자치법), 지방의회의원은 반드시 의원선거에 의하여 선출되어야 한다(헌법 제118조 제2항). 지방의회의원을 명예직으로 한다는 규정은 삭제되었다.

② **운영**

> **지방자치법 제53조【정례회】** ① 지방의회는 매년 2회 정례회를 개최한다.
> ② 정례회의 집회일, 그 밖에 정례회의 운영에 관하여 필요한 사항은 대통령령으로 정하는 바에 따라 해당 지방자치단체의 조례로 정한다.
>
> **제54조【임시회】** ① 지방의회의원 총선거 후 최초로 집회되는 임시회는 지방의회 사무처장·사무국장·사무과장이 지방의회의원 임기 개시일부터 25일 이내에 소집한다.
> ③ 지방의회의 의장은 지방자치단체의 장이나 조례로 정하는 수 이상의 지방의회의원이 요구하면 15일 이내에 임시회를 소집하여야 한다. 다만, 지방의회의 의장과 부의장이 부득이한 사유로 임시회를 소집할 수 없을 때에는 **지방의회의원 중 최다선의원이, 최다선의원이 2명 이상인 경우에는 그 중 연장자의 순으로 소집할 수 있다.**
> ④ 임시회 소집은 집회일 3일 **전**에 공고하여야 한다. 다만, 긴급할 때에는 그러하지 아니하다.
>
> **제56조【개회·휴회·폐회와 회의일수】** ① 지방의회의 개회·휴회·폐회와 회기는 지방의회가 의결로 정한다.
> ② 연간 회의 총일수와 정례회 및 임시회의 회기는 해당 지방자치단체의 조례로 정한다.
>
> **제62조【의장·부의장 불신임의 의결】** ① 지방의회의 의장이나 부의장이 법령을 위반하거나 정당한 사유 없이 직무를 수행하지 아니하면 지방의회는 불신임을 의결할 수 있다. 13. 서울시, 14. 경정승진, 17. 국가직
> ② 제1항의 불신임의결은 **재적의원 4분의 1 이상의 발의와 재적의원 과반수의 찬성**으로 한다. 17. 국가직
> ③ 제2항의 불신임의결이 있으면 지방의회의 의장이나 부의장은 그 직에서 해임된다.

🔖 **핵심기출 OX**

01 의장 또는 부의장이 법령을 위반하거나 정당한 이유 없이 직무를 수행하지 아니하는 때에는 지방의회는 불신임을 의결할 수 있다. 14. 경정승진
(○, ×)

🅣 ○

02 지방의회의 의장이나 부의장이 법령을 위반하거나 정당한 사유 없이 직무를 수행하지 아니하면 지방의회는 불신임을 의결할 수 있는데, 불신임의결은 재적의원 4분의 1 이상의 발의와 재적의원 과반수의 출석과 출석의원 과반수의 찬성으로 행한다. 17. 국가직
(○, ×)

🅣 × 지방의회의 의장이나 부의장이 법령을 위반하거나 정당한 사유 없이 직무를 수행하지 아니하면 지방의회는 불신임을 의결할 수 있다. 이 경우 불신임의결은 재적의원 4분의 1 이상의 발의와 '재적의원 과반수의 찬성'으로 행한다(지방자치법 제62조 제1항·제2항).

제72조【의사정족수】① 지방의회는 재적의원 3분의 1 이상의 출석으로 개의(開議)한다.

② 회의 참석 인원이 제1항의 정족수에 미치지 못할 때에는 지방의회의 의장은 회의를 중지하거나 산회(散會)를 선포한다.

제73조【의결정족수】① 회의는 이 법에 특별히 규정된 경우 외에는 재적의원 과반수의 출석과 출석의원 과반수의 찬성으로 의결한다.

② 지방의회의 의장은 의결에서 표결권을 가지며, 찬성과 반대가 같으면 부결된 것으로 본다.

제75조【회의의 공개 등】① 지방의회의 회의는 공개한다. 다만, 지방의회의원 3명 이상이 발의하고 출석의원 3분의 2 이상이 찬성한 경우 또는 지방의회의 의장이 사회의 안녕질서유지를 위하여 필요하다고 인정하는 경우에는 공개하지 아니할 수 있다.

제76조【의안의 발의】① 지방의회에서 의결할 의안은 지방자치단체의 장이나 조례로 정하는 수 이상의 지방의회의원의 찬성으로 발의한다.

② 위원회는 그 직무에 속하는 사항에 관하여 의안을 제출할 수 있다.

③ **지방의회의 권한**

지방자치법 제49조【행정사무 감사권 및 조사권】① 지방의회는 매년 1회 그 지방자치단체의 사무에 대하여 시·도에서는 14일의 범위에서, 시·군 및 자치구에서는 9일의 범위에서 감사를 실시하고, 지방자치단체의 사무 중 특정 사안에 관하여 본회의 의결로 본회의나 위원회에서 조사하게 할 수 있다.

② 제1항의 조사를 발의할 때에는 이유를 밝힌 서면으로 하여야 하며, 재적의원 3분의 1 이상의 찬성이 있어야 한다.

③ 지방자치단체 및 그 장이 위임받아 처리하는 국가사무와 시·도의 사무에 대하여 국회와 시·도의회가 직접 감사하기로 한 사무 외에는 그 감사를 각각 해당 시·도의회와 시·군 및 자치구의회가 할 수 있다. 이 경우 국회와 시·도의회는 그 감사결과에 대하여 그 지방의회에 필요한 자료를 요구할 수 있다.

제51조【행정사무처리상황의 보고와 질의응답】② 지방자치단체의 장이나 관계공무원은 지방의회나 그 위원회가 요구하면 출석·답변하여야 한다. 다만, 특별한 이유가 있으면 지방자치단체의 장은 관계공무원에게 출석·답변하게 할 수 있다.

㉠ **의결권**: 지방의회는 자치단체의 의결기관이므로, 의결권은 그 기본적인 권한에 해당한다. 우리 지방자치법은 열기주의를 취하고 있어 지방의회는 지방자치법 기타 특별법에 의결사항으로 규정되어 있는 사항에 한하여만 의결권을 가진다고 본다.

㉡ **행정사무감사·조사권**: 행정감사와 행정조사란 지방의회가 당해 지방자치단체의 사무에 대한 조사를 실시하는 것을 말한다. 행정감사는 사무 일반에 대하여 정례적으로(매년 1회) 실시하는 것이고, 행정조사는 특정 사안에 대하여 본회의에서 별도의 의결을 거쳐 본회의 또는 위원회로 하여금 실시하게 한다.

㉢ **출석·답변 및 서류제출요구권**: 지방자치법 제51조 제2항에 따라 지방자치단체의 장 또는 관계공무원은 지방의회나 그 위원회가 요구할 때에는 출석·답변하여야 한다.

  ⓔ **승인권**: 지방자치단체의 장은 지방의회의 의결을 거쳐야 할 사항에 대하여 일정한 요건에 해당할 경우 선결처분을 할 수 있는데, 이러한 경우 지방자치단체의 장의 선결처분은 지체 없이 지방의회에 보고하여 승인을 얻어야 한다(지방자치법 제122조).

  ⓜ **각종 선출 및 선임권**: 지방의회는 의장·부의장·임시의장을 선출하고(지방자치법 제57조, 제60조), 위원회의 위원을 선임하며(지방자치법 제64조 제3항), 결산검사위원을 선임한다(지방자치법 제150조 제1항).

  ⓗ **자율권**: 지방의회는 그 조직, 의원신분, 운영 등의 사항에 대하여 스스로 결정·규제할 수 있는 권한을 가진다.

 ④ **지방의회의원의 권리·의무**

  ㉠ **지방의회의원의 권리**: ⓐ 의안제출권, ⓑ 임시회 및 위원회소집권, ⓒ 표결권, ⓓ 질문 및 질의권, ⓔ 토론권, ⓕ 청원의 소개권, ⓖ 의정활동비·여비·월정수당 청구권 등이 있다. 지방의회의원에게는 국회의원과 달리 면책특권이나 불체포특권이 인정되지 아니한다. 대법원은 지방의회 의장 선출과정에 위법한 하자가 있다며 의장선임의결 무효확인의 소를 제기한 사건에서 지방의회의장선거도 행정처분의 일종으로 행정소송의 대상이 된다고 판시하였다(대판 1995.1.12. 94누2602). 11. 법무사

  ㉡ **지방의회의원의 의무**: ⓐ 공익우선의무, ⓑ 청렴 및 품위유지의무, ⓒ 이권불개입의무, ⓓ 영업금지의무, ⓔ 회의장에서의 질서유지, 모욕적 발언금지, 발언방해금지 등 의사진행에 관한 의무, ⓕ 본회의와 위원회에 출석할 의무 등이 있다.

개념PLUS+ **지방의회와 국회의 비교**

구분	지방의회	국회
최초의 임시회	임기 개시일부터 25일 이내	임기 개시 후 7일에 집회
임시회소집요구	재적의원 3분의 1 이상	재적의원 4분의 1 이상
의사정족수	재적의원 3분의 1 이상	재적의원 5분의 1 이상
의결정족수	재적 과반수출석 + 출석 과반수찬성	재적 과반수출석 + 출석 과반수찬성
회의비공개발의	의원 3인 이상	의원 10인 이상
회기일수제한	당해 지방자치단체의 조례로 정함	정기회는 100일을, 임시회는 30일을 초과할 수 없음
연회기일수제한	당해 지방자치단체의 조례로 정함	없음

⚖ 판례

1 지방의회의장선거가 항고소송의 대상이 되는지 여부: 적극

지방의회의 의장은 의회를 대표하고 의사를 정리하며, 회의장 내의 질서를 유지하고 의회의 사무를 감독할 뿐만 아니라 위원회에 출석하여 발언할 수 있는 등의 직무권한을 가지는 것이므로, 지방의회의 의사를 결정·공표하여 그 당선자에게 이와 같은 의장으로서의 직무권한을 부여하는 지방의회의 의장선거는 행정처분의 일종으로서 항고소송의 대상이 된다(대판 1995.1.12. 94누2602).

2 지방의회의 의원징계의결에 대해서 행정소송으로 다툴 수 있는지 여부: 적극

지방자치법 제78조 내지 제81조의 규정에 의거한 지방의회의 의원징계의결은 그로 인하여 의원의 권리에 직접 법률효과를 미치는 행정처분의 일종으로서 행정소송의 대상이 되고, 그와 같은 의원징계의결의 당부를 다투는 소송의 관할법원에 관하여는 동법에 특별한 규정이 없으므로 일반법인 행정소송법의 규정에 따라 지방의회의 소재지를 관할하는 고등법원이 그 소송의 제1심 관할법원이 된다(대판 1993.11.26. 93누7341). 12. 국가직·국회직 8급

⊘ 주의
- 국회의원의 징계의결은 재판의 대상 ×
- 지방의원의 징계의결은 재판의 대상 ○

3 국회의원의 경우 지방공사 직원의 겸직이 허용되는 반면, 지방의회의원의 경우 이 사건 법률조항에 의하여 지방공사 직원의 직을 겸할 수 없는 것이 지방의회의원의 평등권 등을 침해하는지 여부: 소극 [기각]

[1] 이 사건 법률조항은 권력분립과 정치적 중립성보장의 원칙을 실현하고, 지방의회의원의 업무전념성을 담보하고자 하는 것으로 그 입법목적에 정당성이 인정되며, 지방의회의원으로 하여금 지방공사 직원을 겸직하지 못하도록 한 것은 이러한 목적을 달성하기 위한 적합한 수단이다. 또한 지방의회의원의 직을 수행하는 동안 지방공사 직원의 직을 휴직한 경우나 지방공사를 설치·운영하는 지방자치단체가 아닌 다른 지방자치단체의 의원인 경우에도 지방공사 직원과 지방의회의원으로서의 지위가 충돌하여 직무의 공정성이 훼손될 가능성은 여전히 존재하며, 지방의회의 활성화라는 취지에 비추어 볼 때 특정 의제에 대하여 지방의회의원의 토론 및 의결권을 반복적으로 제한하는 것 역시 바람직하다고 보이지 아니하므로, 겸직을 금지하는 것 이외에 덜 침익적인 수단이 존재한다고 볼 수도 없고, 이 사건 법률조항으로 인하여 제한되는 직업선택의 자유에 비하여 심판대상조항을 통하여 달성하고자 하는 공익이 결코 적다고 할 수 없으므로, 법익의 균형성도 인정된다.

[2] 지방공사와 지방자치단체, 지방의회의 관계에 비추어 볼 때, 지방공사 직원의 직을 겸할 수 없도록 함에 있어 지방의회의원과 국회의원은 본질적으로 동일한 비교집단이라고 볼 수 없으므로, 양자를 달리 취급하였다고 할지라도 이것이 지방의회의원인 청구인의 평등권을 침해한 것이라고 할 수는 없다(헌재 2012.4.24. 2010헌마605). 16. 사시

개념PLUS+ 지방의원과 국회의원의 비교

구분	지방의원	국회의원
지위	주민대표	국민대표
불체포특권·면책특권	×	○
권한쟁의능력	×	○
징계의결 제소	○	×

(2) 지방자치단체의 장❶

지방자치단체의 사무를 처리하고 지방의회의 의결사항을 집행하는 일반 집행기관이다.

> 지방자치법 제106조【지방자치단체의 장】특별시에 특별시장, 광역시에 광역시장, 특별자치시에 특별자치시장, 도와 특별자치도에 도지사를 두고, 시에 시장, 군에 군수, 자치구에 구청장을 둔다.

① 선출과 지위

> 지방자치법 제107조【지방자치단체의 장의 선거】지방자치단체의 장은 주민의 보통·평등·직접·비밀선거에 의하여 선출한다.
> 제108조【지방자치단체의 장의 임기】지방자치단체의 장의 임기는 4년으로 하며, 3기 내에서만 계속 재임할 수 있다. 13. 서울시

⚖️ 판례

지방자치단체장의 계속 재임을 3기로 제한한 지방자치법 제87조 제1항이 지방자치단체 장들의 공무담임권을 침해하여 헌법에 위반되는지 여부: 소극 [기각]

지방자치단체장의 계속 재임을 3기로 제한한 규정의 입법취지는 장기집권으로 인한 지역발전저해 방지와 유능한 인사의 자치단체장 진출확대로 대별할 수 있는바, 그 목적의 정당성, 방법의 적절성, 피해의 최소성, 법익의 균형성이 충족되므로 헌법에 위반되지 아니한다. … 그리고 연속으로 선출되지 아니하면 제한 없이 입후보할 수 있고, 연속으로 선출된 경우도 3기(12년)까지는 계속하여 재임할 수 있다. 그리고 그 후 입후보하지 않을 경우 다시 3기 계속 재임할 수 있다(헌재 2006.2.23. 2005헌마403). 08. 국가직, 12. 사시

---

② 권한

> 지방자치법 제29조【규칙】지방자치단체의 장은 **법령 또는 조례의 범위**에서 그 권한에 속하는 사무에 관하여 규칙을 제정할 수 있다.
> 제114조【지방자치단체의 통할대표권】지방자치단체의 장은 지방자치단체를 대표하고, 그 사무를 총괄한다.
> 제116조【사무의 관리 및 집행권】지방자치단체의 장은 그 지방자치단체의 사무와 법령에 따라 그 지방자치단체의 장에게 위임된 사무를 관리하고 집행한다.
> 제118조【직원에 대한 임명권 등】지방자치단체의 장은 소속 직원(지방의회의 사무직원은 제외한다)을 지휘·감독하고 법령과 조례·규칙으로 정하는 바에 따라 그 임면·교육훈련·복무·징계 등에 관한 사항을 처리한다.
> 제120조【지방의회의 의결에 대한 재의 요구와 제소】① 지방자치단체의 장은 지방의회의 의결이 월권이거나 **법령에 위반**되거나 **공익을 현저히 해친다고** 인정되면 그 의결사항을 이송받은 날부터 20일 이내에 이유를 붙여 재의를 요구할 수 있다.
> ② 제1항의 요구에 대하여 재의한 결과 **재적의원 과반수의 출석과 출석의원 3분의 2 이상의 찬성**으로 전과 같은 의결을 하면 그 의결사항은 확정된다.
> ③ 지방자치단체의 장은 제2항에 따라 재의결된 사항이 **법령에 위반**된다고 인정되면 **대법원에 소**를 제기할 수 있다. 이 경우에는 제192조 제4항❷을 준용한다. 03. 법무사, 03·05·11. 법행

---

❶ 지방자치단체장의 지위

지방자치단체의 대표기관, 국가사무의 수임처리, 국가의 지방행정기관으로서의 지위를 가진다.

❷ 지방자치법 제192조 제4항

지방자치단체의 장은 제3항에 따라 재의결된 사항이 법령에 위반된다고 판단되면 재의결된 날부터 20일 이내에 대법원에 소를 제기할 수 있다. 이 경우 필요하다고 인정되면 그 의결의 집행을 정지하게 하는 집행정지결정을 신청할 수 있다.

📖 핵심기출 OX

01 지방의회의 의결에 대하여 지방자치단체의 장이 재의요구를 하였으나, 지방의회가 전과 같은 의결을 한 경우, 지방자치단체의 장은 그 재의결사항이 법령에 위반하거나 공익을 현저히 해한다고 인정되는 때에는 대법원에 소를 제기할 수 있다. 03. 법행 (O, ×)

📝 × 지방자치단체의 장은 제2항에 따라 재의결된 사항이 법령에 위반된다고 판단되면 재의결된 날부터 20일 이내에 대법원에 소를 제기할 수 있다(지방자치법 제120조 제3항, 제192조 제4항). 즉, 공익을 현저히 해한다는 사유는 재의요구사유는 되나(지방자치법 제120조 제1항), 대법원에 제소할 수 있는 사유는 아니다.

02 지방의회의 의결에 대한 주무부장관 또는 시·도지사의 재의요구에 따른 재의 결과 지방의회 재적의원 과반수의 출석과 출석의원 3분의 2 이상의 찬성으로 전과 같은 의결을 하는 경우, 지방자치단체의 장은 재의결된 사항이 법령에 위반된다고 판단되는 때에는 헌법재판소에 소를 제기할 수 있다. 05. 법행 (O, ×)

📝 × 지방자치단체장은 재의결된 사항이 법령에 위반된다고 인정되면 '대법원'에 소를 제기할 수 있다(지방자치법 제120조 제3항).

제121조【예산상 집행불가능한 의결의 재의 요구】 ① 지방자치단체의 장은 지방의회의 의결이 예산상 집행할 수 없는 경비를 포함하고 있다고 인정되면 그 의결사항을 이송받은 날부터 20일 이내에 이유를 붙여 재의를 요구할 수 있다.

제122조【지방자치단체의 장의 선결처분】 06. 입시 ① 지방자치단체의 장은 지방의회가 **지방의회의원이 구속되는 등의 사유로 제73조에 따른 의결정족수에 미달될 때**와 지방의회의 의결사항 중 **주민의 생명과 재산 보호를 위하여 긴급하게 필요한 사항**으로서 지방의회를 소집할 시간적 여유가 없거나 지방의회에서 의결이 지체되어 의결되지 아니할 때에는 선결처분(先決處分)을 할 수 있다.
② 제1항에 따른 선결처분은 지체 없이 지방의회에 보고하여 승인을 받아야 한다.
③ 지방의회에서 제2항의 승인을 받지 못하면 그 선결처분은 **그때부터 효력을 상실**한다. 03. 법무사
④ 지방자치단체의 장은 제2항이나 제3항에 관한 사항을 지체 없이 공고하여야 한다.

권한에는 ㉠ 지방자치단체의 통할·대표권, ㉡ 자치사무의 관리·집행권, ㉢ 소속 직원의 임면❶ 및 지휘·감독권, ㉣ 규칙제정권, ㉤ 조례공포권, ㉥ 지방의회의 임시회요구권, ㉦ 지방의회에의 의안발의권, ㉧ 지방의회 의결에 대한 재의요구권, ㉨ 선결처분권, ㉩ 주민투표부의권 등이 있다.

③ **지방자치단체장의 권한대행**

지방자치법 제123조【부지사·부시장·부군수·부구청장】 ① 특별시·광역시 및 특별자치시에 부시장, 도와 특별자치도에 부지사, 시에 부시장, 군에 부군수, 자치구에 부구청장을 두며, 그 수는 다음 각 호의 구분과 같다.
1. 특별시의 부시장의 정수: **3명**을 넘지 아니하는 범위에서 대통령령으로 정한다.
2. 광역시와 특별자치시의 부시장 및 도와 특별자치도의 부지사의 수: **2명**(인구 800만 이상의 광역시나 도는 3명)을 초과하지 아니하는 범위에서 대통령령으로 정한다.
3. 시의 부시장, 군의 부군수 및 자치구의 부구청장의 수: **1명**으로 한다.

제124조【지방자치단체의 장의 권한대행 등】 ① 지방자치단체의 장이 다음 각 호의 어느 하나에 해당되면 부지사·부시장·부군수·부구청장(이하 이 조에서 "부단체장"이라 한다)이 그 권한을 대행한다. 07. 사시
1. 궐위된 경우
2. 공소제기된 후 구금상태에 있는 경우
3. 의료법에 따른 의료기관에 60일 이상 계속하여 입원한 경우 19. 지방직
② 지방자치단체의 장이 그 직을 가지고 그 지방자치단체의 장선거에 입후보하면 예비후보자 또는 후보자로 등록한 날부터 선거일까지 부단체장이 그 지방자치단체의 장의 권한을 대행한다.

❶ 임면
임명 + 해임을 의미한다.

1 지방자치단체의 장이 '금고 이상의 형을 선고받고 그 형이 확정되지 아니한 경우'에 부단체장이 그 권한을 대행하도록 하는 것이 위헌인지 여부: 적극 [헌법불합치]

선거에 의하여 주권자인 국민으로부터 직접 공무담임권을 위임받는 자치단체장의 경우, ① 그와 같이 공무담임권을 위임한 선출의 정당성이 무너지거나, ② 공무담임권 위임의 본지를 배반하는 직무상 범죄를 저질렀다면, 이러한 경우에도 계속 공무를 담당하게 하는 것은 공무담임권위임의 본지에 부합된다고 보기 어려우므로, 위 두 사유에 해당하는 범죄로 자치단체장이 금고 이상의 형을 선고받은 경우라면 그 형이 확정되기 전에 해당 자치단체장의 직무를 정지시키더라도 무죄추정의 원칙에 직접적으로 위배된다고 보기 어렵고, 과잉금지의 원칙도 위반하였다고 볼 수 없다. 하지만 위 두 가지 경우 이외에는 금고 이상의 형의 선고를 받았다는 이유로 형이 확정되기 전에 자치단체장의 직무를 정지시키는 것은 무죄추정의 원칙과 과잉금지의 원칙에 위배된다.

따라서 이 사건 법률조항에는 위헌적인 부분과 합헌적인 부분이 공존하고 있고, 이를 가려내는 일은 국회의 입법형성권에 맡기는 것이 바람직하므로, 헌법불합치결정을 할 필요성이 인정된다(헌재 2010.9.2. 2010헌마418). 06·07. 사시

2 지방자치단체의 장이 '공소제기된 후 구금상태에 있는 경우' 부단체장이 그 권한을 대행하도록 규정한 지방자치법 제111조 제1항 제2호가 공무담임권을 침해하는지 여부: 소극 [기각]

자치단체장이 '공소제기된 후 구금상태'에 있다는 것은 자치단체장직을 수행할 사람의 신병이 일반 사회로부터 격리되어 있는 '사실적·물리적 부재상태'를 의미하고, 구금상태가 향후 형사재판절차에서 언제 해소될지도 모르는 불확실한 상태를 의미한다. 이렇게 자치단체장이 자치단체행정을 이끄는 관청의 사무실에 상존하지 못할 뿐 아니라 위와 같은 물리적 부재상태를 언제 해소하고 업무에 복귀할 수 있을지 여부도 불확실한 상태에서는 자치단체행정의 계속성과 융통성은 보장될 수 없고, 주민의 복리를 위하여 최선의 결과를 가져 올 정책집행을 기대하기는 어렵다. 자치단체행정의 시의적절하고 원활한 운영과 주민의 복리에 초래될 수 있는 위험을 미연에 방지하기 위해서는 해당 자치단체장을 직무에서 배제시키는 방법 외에는 달리 의미 있는 대안을 찾을 수 없다(헌재 2011. 4.28. 2010헌마474). 11. 법행, 12. 지방직

3 지방의회 사무직원의 임용권을 지방자치단체의 장에게 부여하고 있는 구 지방자치법 제91조 제2항이 지방의회와 지방자치단체의 장 사이의 상호견제와 균형의 원리에 어긋나는지 여부: 소극 [합헌]

심판대상조항에 따른 지방의회 의장의 추천권이 적극적이고 실질적으로 발휘된다면 지방의회 사무직원의 임용권이 지방자치단체의 장에게 있다고 하더라도 그것이 곧바로 지방의회와 집행기관 사이의 상호견제와 균형의 원리를 침해할 우려로 확대된다거나 또는 지방자치제도의 본질적 내용을 침해한다고 볼 수는 없다(헌재 2014.1.28. 2012헌바216). 15. 국회직 8급, 16. 사시, 18. 서울시

4 지방자치단체장이 주민 소환에 관한 법률의 관련 규정으로 인해 자신의 공무담임권이 침해됨을 이유로 헌법소원을 청구할 수 있는 기본권주체로 볼 수 있는지 여부

국가 및 그 기관 또는 조직의 일부나 공법인은 원칙적으로는 기본권의 '수범자'로서 기본권의 주체가 되지 못하고, 다만 국민의 기본권을 보호 내지 실현하여야 할 책임과 의무를 지니는 데 그칠 뿐이므로, 공직자가 국가기관의 지위에서 순수한 직무상의 권한행사와

01 지방자치단체의 장이 금고 이상의 형의 선고를 받은 경우 그 형이 확정될 때까지 부단체장으로 하여금 그 권한을 대행하도록 한 법률조항이 무죄추정의 원칙에 저촉된다고 할 수 없다. 06. 사시 변형 (○, ×)

🔒 × 금고 이상의 형의 선고를 받았다는 이유로 형이 확정되기 전에 자치단체장의 직무를 정지시키는 것은 무죄추정의 원칙과 과잉금지의 원칙에 위배된다(헌재 2010.9.2. 2010헌마418). ⇨ 종전판례변경

02 지방자치단체의 장이 금고 이상의 형을 선고받고 그 형이 확정되지 아니한 경우 부단체장이 그 권한을 대행하도록 규정한 지방자치법 제111조 제1항 제3호는 자치단체장의 공무담임권을 침해한다. 11. 지방직·경정승진 (○, ×)

🔒 ○ (2010헌마418 헌법불합치결정에 따라 구 지방자치법 제111조 제1항은 삭제되었다)

03 지방의회의장의 추천권이 적극적이고 실질적으로 발휘되더라도 지방의회 사무직원의 임용권이 지방자치단체의 장에게 있다고 하면, 그것은 지방의회와 집행기관 사이의 상호견제와 균형의 원리를 침해하는 것이다. 15. 국회직 8급 (○, ×)

🔒 × 심판대상조항에 따른 지방의회의장의 추천권이 적극적이고 실질적으로 발휘된다면 지방의회 사무직원의 임용권이 지방자치단체의 장에게 있다고 하더라도 그것이 곧바로 지방의회와 집행기관 사이의 상호견제와 균형의 원리를 침해할 우려로 확대된다거나 또는 지방자치제도의 본질적 내용을 침해한다고 볼 수는 없다(헌재 2014.1.28. 2012헌바216).

04 지방자치단체의 장에게 지방의회 사무직원의 임용권을 부여한 것은 지방의회와 집행기관 사이의 상호견제와 균형의 원리에 어긋나므로, 지방자치제도의 본질적 내용을 침해한다. 16. 사시 (○, ×)

🔒 × 그것이 곧바로 지방의회와 집행기관 사이의 상호견제와 균형의 원리를 침해할 우려로 확대된다거나 또는 지방자치제도의 본질적 내용을 침해한다고 볼 수는 없다(헌재 2014.1.28. 2012헌바216).

관련하여 기본권침해를 주장하는 경우에는 기본권의 주체성을 인정하기 어렵다 할 것이나, 그 외의 사적인 영역에 있어서는 기본권의 주체가 될 수 있는 것이다. 청구인은 선출직 공무원인 하남시장으로서 이 사건 법률조항으로 인하여 공무담임권 등이 침해된다고 주장하여, 순수하게 직무상의 권한행사와 관련된 것이라기보다는 공직의 상실이라는 개인적인 불이익과 연관된 공무담임권을 다투고 있으므로, 이 사건에서 청구인에게는 기본권의 주체성이 인정된다 할 것이다(헌재 2009.3.26. 2007헌마843). 19. 지방직

(3) 지방교육자치단체

> **지방교육자치에 관한 법률 제18조【교육감】** ① 시·도의 교육·학예에 관한 사무의 집행기관으로 시·도에 교육감을 둔다. 11. 법행
> ② 교육감은 교육·학예에 관한 소관 사무로 인한 소송이나 재산의 등기 등에 대하여 해당 시·도를 대표한다.
>
> **제21조【교육감의 임기】** 교육감의 임기는 4년으로 하며, 교육감의 계속 재임은 3기에 한정한다.
>
> **제24조【교육감후보자의 자격】** ① 교육감후보자가 되려는 사람은 해당 시·도지사의 피선거권이 있는 사람으로서 후보자등록신청 개시일부터 과거 1년 동안 정당의 당원이 아닌 사람이어야 한다.
> ② 교육감후보자가 되려는 사람은 후보자등록신청개시일을 기준으로 다음 각 호의 어느 하나에 해당하는 경력이 3년 이상 있거나 다음 각 호의 어느 하나에 해당하는 경력을 합한 경력이 3년 이상 있는 사람이어야 한다.
> 1. 교육경력: 유아교육법 제2조 제2호에 따른 유치원, 초·중등교육법 제2조 및 고등교육법 제2조에 따른 학교(이와 동등한 학력이 인정되는 교육기관 또는 평생교육시설로서 다른 법률에 따라 설치된 교육기관 또는 평생교육시설을 포함한다)에서 교원으로 근무한 경력
> 2. 교육행정경력: 국가 또는 지방자치단체의 교육기관에서 국가공무원 또는 지방공무원으로 교육·학예에 관한 사무에 종사한 경력과 교육공무원법 제2조 제1항 제2호 또는 제3호에 따른 교육공무원으로 근무한 경력
>
> **제24조의2【교육감의 소환】** ① 주민은 교육감을 소환할 권리를 가진다.
>
> **제43조【선출】** 교육감은 주민의 보통·평등·직접·비밀선거에 따라 선출한다.
>
> ✅ **주의** 공익을 현저히 저해하거나 법령에 위반되는 교육·학예에 관한 시·도의회의 의결의 재의요구권자 및 기간
> • **재의요구권자:** 교육감 ○ / 지방자치단체의 장 ✕
> • **기간:** 20일 이내 ○ / 10일 이내 ✕

4. 지방자치단체의 권능

지방자치단체의 권능은 자치입법권·자치행정권·자치재정권으로 나눌 수 있다.

(1) 자치입법권

자치입법으로는 지방의회가 법령의 범위 안에서 그 지방의 사무에 관하여 정하는 조례와 지방자치단체의 장이 법령과 조례의 범위 안에서 그 권한에 속하는 사무에 관하여 정하는 규칙이 있다.

① 조례제정권
  ㉠ 조례제정권의 근거와 조례규정조항

> 헌법 제117조 ① 지방자치단체는 … 법령의 범위 안에서 자치에 관한 규정을 제정할 수 있다.
>
> 지방자치법 제28조 【조례】 지방자치단체는 법령의 범위에서 그 사무에 관하여 조례를 제정할 수 있다. 다만, 주민의 권리제한 또는 의무부과에 관한 사항이나 벌칙을 정할 때에는 법률의 위임이 있어야 한다.
>
> 제29조 【규칙】 지방자치단체의 장은 법령 또는 조례의 범위에서 그 권한에 속하는 사무에 관하여 규칙을 제정할 수 있다.
>
> 제30조 【조례와 규칙의 입법한계】 시·군 및 자치구의 조례나 규칙은 시·도의 조례나 규칙을 위반해서는 아니 된다.

  ⓐ **문제점**: 헌법 제117조 제1항에서 법령의 범위 안에서 조례를 제정할 수 있음을 규정하고 있음에도 하위법인 지방자치법 제28조 단서에서는 주민의 권리와 의무부과에 관한 사항을 정할 때에는 법률의 위임이 있어야 한다고 규정하고 있는바, 지방자치법 제28조 단서가 헌법에 위반되는 것은 아닌지에 대하여 견해가 대립한다.
  ⓑ **대법원 판례**: 기본권제한에 대하여 법률유보원칙을 선언한 헌법 제37조 제2항의 취지에 부합한다 할 것이므로 조례제정에 있어서 위와 같은 경우에 법률의 위임근거를 요구하는 것이 위헌성이 있다고 할 수 없다(대판 1995.5.12. 94추28).
  ㉡ 법률의 위임의 요부 및 정도
  ⓐ **원칙**: 조례제정권은 헌법이 직접 보장하는 지방자치단체의 자치권에 바탕을 둔 것이며, 지방자치법의 규정은 헌법 규정을 확인하고 조례규정사항의 범위를 명확히 한 것일 뿐이다. 따라서 국가의 사무를 제외한 모든 사무는 법률의 수권이나 위임이 없을지라도 법령에 위배되지 않는 한 조례로써 규정할 수 있다.
  ⓑ **주민의 권리·의무에 관한 조례**: 주민의 권리제한 또는 의무부과를 하는 조례제정에 있어 그 위임의 정도가 문제되는데, 헌법재판소와 대법원은 포괄적 위임으로 족하다고 판시하고 있다. 15. 경정승진
  • **헌법재판소**: 조례의 제정권자인 지방의회는 선거를 통해서 그 지역적인 민주적 정당성을 지니고 있는 주민의 대표기관이고 헌법이 지방자치단체에 포괄적인 자치권을 보장하고 있는 취지로 볼 때, 조례에 대한 법률의 위임은 법규명령에 대한 법률의 위임과 같이 반드시 구체적으로 범위를 정하여 할 필요가 없으며 포괄적인 것으로 족하다(헌재 1995.4.20. 92헌마264 등). 08. 사시, 12. 변호사
  • **대법원**: 법률이 주민의 권리·의무에 관한 사항에 관하여 구체적으로 아무런 범위를 정하지 아니한 채 조례로 정하도록 포괄적으로 위임하였다고 하더라도 행정관청의 명령과는 달리 조례도 주민의 대표기관인 지방의회의 의결로 제정되는 지방자치단체의 자주법인 만큼, 지방자치단체가 법령에 위반되지 않는 범위 내에서 주민의 권리·의무에 관한 사항을 조례로 제정할 수 있는 것이다(대판 1995.6.30. 93추83).

01 조례에 의한 벌칙의 규정이 지역에 따라 불평등한 것이 되더라도 이는 헌법이 지방자치제를 보장하고 있는 데에서 오는 불가피한 결과이므로 헌법 위반이 아니다. 04. 법무사 (O, ×)

답 ○

02 조례에 의한 규제가 지역 여건이나 환경 등 그 특성에 따라 다르게 나타나는 것은 헌법이 지방자치단체의 자치입법권을 인정한 이상 당연히 예상되는 결과이나, 고등학생들이 학원 교습시간과 관련하여 자신들이 거주하는 지역의 학원조례 조항으로 인하여 다른 지역 주민들에 비하여 더한 규제를 받게 되었다면 평등권이 침해되었다고 볼 수 있다. 17. 국가직 (O, ×)

답 × 평등권이 침해되었다고 볼 수는 없다.

03 기관위임사무에 있어서는 개별법령에서 위임받은 사항에 관하여 이른바 위임조례를 제정할 수 있다. 06. 법행 (O, ×)

답 ○

04 법령의 위임이 없더라도 지방자치단체의 장에 위임된 기관위임사무에 관한 사항은 조례로 정할 수 있다. 13. 법원직 (O, ×)

답 × 기관위임사무에 있어서도 그에 관한 개별법령에서 일정한 사항을 조례로 정하도록 위임하고 있는 경우에는 위임받은 사항에 관하여 개별법령의 취지에 부합하는 범위 내에서 이른바 '위임조례'를 정할 수 있다.

05 조례제정은 원칙적으로 자치사무에 한정되며 단체위임사무와 기관위임사무에 대해서는 조례를 제정할 수 없다. 다만, 기관위임사무는 개별법령에서 위임한 경우 예외적으로 그 효력을 인정할 수 있다. 16. 서울시 (O, ×)

답 × 지방자치단체가 자치조례를 제정할 수 있는 사항은 지방자치단체의 고유사무인 자치사무와 개별법령에 의하여 지방자치단체에 위임된 단체위임사무에 한하는 것이고, 국가사무가 지방자치단체의 장에게 위임된 기관위임사무는 원칙적으로 자치조례의 제정범위에 속하지 않는다 할 것이고, 다만 기관위임사무에 있어서도 그에 관한 개별법령에서 일정한 사항을 조례로 정하도록 위임하고 있는 경우에는 위임받은 사항에 관하여 개별법령의 취지에 부합하는 범위 내에서 이른바 위임조례를 정할 수 있다.

© 조례에 의한 벌칙규정(조례와 죄형법정주의): 지방자치법 제28조 단서와 제34조 규정에 따라 1,000만원 이하의 과태료를 규정하는 경우에는 법률의 위임이 필요 없으나, 징역, 벌금 등 벌칙을 규정하는 경우에는 반드시 법률의 위임이 있어야 한다.

> **✎ 판례**
>
> **조례에 의한 규제를 지역의 특성에 따라 다르게 하는 것이 위헌인지 여부: 소극**
> [기각]
>
> 조례에 의한 규제가 지역의 여건이나 환경 등 그 특성에 따라 다르게 나타나는 것은 헌법이 지방자치단체의 자치입법권을 인정한 이상 당연히 예상되는 불가피한 결과이므로, 이 사건 심판대상규정으로 인하여 청구인들이 다른 지역의 주민들에 비하여 더한 규제를 받게 되었다 하더라도 이를 두고 헌법 제11조 제1항의 평등권이 침해되었다고 볼 수는 없다(헌재 1995.4.20. 92헌마264 등). 04. 법무사, 05. 사시, 17. 국가직

ⓒ 조례제정권의 한계
ⓐ **조례제정사항**: 지방자치단체가 조례를 제정할 수 있는 사항은 지방자치단체의 고유사무인 자치사무와 개별법령에 의하여 자치단체에 위임된 이른바 단체위임사무에 한하고, 국가사무로서 지방자치단체의 장에게 위임된 이른바 기관위임사무에 관한 사항은 조례의 제정범위 밖이라고 할 것이다(대판 1992.7.28. 92추31). 03. 사시, 16. 서울시 다만, 기관위임사무에 있어서도 그에 관한 개별법령에서 일정한 사항을 조례로 정하도록 위임하고 있는 경우에는 지방자치단체의 조례와는 무관하게 이른바 위임조례를 정할 수 있다. 06. 법행 그러나 이때에도 그 내용은 개별법령이 위임하고 있는 사항에 관한 것으로서 개별법령의 취지에 부합하는 것이라야만 하고, 그 범위를 벗어난 경우에는 위임조례로서의 효력도 인정할 수 없는 것이다. 12. 법행, 13. 법원직

ⓑ **법률우위의 원칙**
• **의의**: 조례는 법령의 범위 내에서 제정되는 것이라야 한다(헌법 제117조 제1항, 지방자치법 제28조 본문). 여기에서의 '법령'이란 헌법·법률·법규명령을 포함할 뿐만 아니라, 헌법의 원칙 및 일반원칙까지도 포함한다. 따라서 조례는 법률과 명령의 하위규범이므로 그 규정사항도 법률과 명령에 위반되지 않아야 한다. 또한 시·군·구의 조례는 시·도의 조례에 위반하여서는 아니 된다. 03. 입시

• **조례와 법률의 관계**
- **문제점**: 법률이 어떤 사항에 대해 어느 정도까지 규제조치를 두고 있는 경우, 조례로써 동일 사항에 대해 동일한 목적으로 그 법률 이상의 엄격한 규제조치를 정할 수 있는지 문제된다.
- **수정법률선점이론(다수설)**: 법률이 전국적으로 일률적 기준을 두어 평등한 규제를 실시하고자 하는 취지라고 해석될 때에는 조례로써 당해 법률의 규제범위 이외의 사항에 대한 규제나 법률의 규제기준 이상의 엄격한 기준을 두어 규제하는 것은 허용될 수 없지만, 반대로 법률이 최소한의 규제조치를 정하고 있는 데

불과하다고 해석될 때에는 지방자치단체가 그 영역의 특수한 사정을 고려할 필요가 인정될 경우에 법률의 규제보다 엄격하게 규제하는 것이 허용된다는 이론이다.
- **대법원 판례**: 대법원 판례도 이러한 수정법률선점이론을 받아들이고 있다.

🔨 판례

수정법률선점이론의 수용

법령에 위반되지 아니하는 범위 내에서 그 사무에 관하여 조례를 제정할 수 있는 것이고, 조례가 규율하는 특정 사항에 관하여 그것을 규율하는 국가의 법령이 이미 존재하는 경우에도 조례가 법령과 별도의 목적에 기하여 규율함을 의도하는 것으로서 그 적용에 의하여 법령의 규정이 의도하는 목적과 효과를 전혀 저해하는 바가 없는 때 또는 양자가 동일한 목적에서 출발한 것이라 할지라도 국가의 법령이 반드시 그 규정에 의하여 **전국적으로 걸쳐 일률적으로 동일한 내용을 규율하려는 취지가 아니고 각 지방자치단체가 그 지방의 실정에 맞게 별도로 규율하는 것을 용인하는 취지**라고 해석되는 때에는 그 조례가 국가의 법령에 위반되는 것은 아니라고 보아야 할 것이다(대판 1997.4.25. 96추244). 02·10·11. 사시, 10. 법행, 12. 지방직

② 조례의 제정절차

> **지방자치법 제32조【조례와 규칙의 제정절차 등】** ① 조례안이 지방의회에서 의결되면 지방의회의 의장은 **의결된 날부터 5일 이내**에 그 지방자치단체의 장에게 이를 이송하여야 한다. 11. 법무사
> ② 지방자치단체의 장은 제1항의 **조례안을 이송받으면 20일 이내에 공포하여야** 한다.
> ③ 지방자치단체의 장은 이송받은 조례안에 대하여 이의가 있으면 제2항의 기간에 이유를 붙여 지방의회로 환부하고, **재의를 요구**할 수 있다. 이 경우 지방자치단체의 장은 조례안의 일부에 대하여 또는 조례안을 수정하여 재의를 요구할 수 없다. 07. 법원직, 16. 법행
> ④ 지방의회는 제3항에 따라 재의 요구를 받으면 조례안을 재의에 부치고 **재적의원 과반수의 출석과 출석의원 3분의 2 이상의 찬성으로 전과 같은 의결**을 하면 그 조례안은 조례로서 확정된다. 11. 법무사·법행
> ⑤ 지방자치단체의 장이 제2항의 기간에 공포하지 아니하거나 재의 요구를 하지 아니할 때에도 그 조례안은 조례로서 확정된다.
> ⑥ 지방자치단체의 장은 제4항과 제5항에 따라 확정된 조례를 **지체 없이 공포**하여야 한다. 이 경우 제5항에 따라 조례가 확정된 후 또는 제4항에 따라 확정된 조례가 지방자치단체의 장에게 이송된 후 5일 이내에 지방자치단체의 장이 공포하지 아니하면 지방의회의 의장이 이를 공포한다.
> ⑦ 제2항 및 제6항 전단에 따라 지방자치단체의 장이 조례를 공포하였을 때에는 즉시 해당 지방의회의 의장에게 통지하여야 하며, 제6항 후단에 따라 지방의회의 의장이 조례를 공포하였을 때에는 그 사실을 즉시 해당 지방자치단체의 장에게 통지하여야 한다.
> ⑧ 조례와 규칙은 특별한 규정이 없으면 공포한 날부터 **20일이 지나면 효력을 발생**한다.
> **☑ 주의 조례안에 대한 재의결정족수**
> • 재적의원 과반수출석과 출석의원 과반수 ✕
> • 재적의원 과반수출석과 출석의원 3분의 2 이상 ○

📕 핵심기출 OX

01 지방자치단체는 법령에 위반되지 아니하는 범위 내에서 그 사무에 관하여 조례를 제정할 수 있으므로 특정 사항에 관하여 그것을 규율하는 국가의 법령이 이미 존재하는 경우에는 조례 제정이 불가능하다. 10. 법행·사시

(○, ✕)

🗐 ✕ 법령에 위반되지 아니하는 범위 내에서 그 사무에 관하여 조례를 제정할 수 있는 것이고, 조례가 규율하는 특정 사항에 관하여 그것을 규율하는 국가의 법령이 이미 존재하는 경우에도 조례가 법령과 별도의 목적에 기하여 규율함을 의도하는 것으로서 그 적용에 의하여 법령의 규정이 의도하는 목적과 효과를 전혀 저해하는 바가 없는 때 또는 양자가 동일한 목적에서 출발한 것이라 할지라도 국가의 법령이 반드시 그 규정에 의하여 전국적으로 걸쳐 일률적으로 동일한 내용을 규율하려는 취지가 아니고 각 지방자치단체가 그 지방의 실정에 맞게 별도로 규율하는 것을 용인하는 취지라고 해석되는 때에는 그 조례가 국가의 법령에 위반되는 것은 아니라고 보아야 할 것이다(대판 1997.4.25. 96추244).

02 지방자치단체의 장은 조례안의 일부에 이의가 있을 경우 그 일부에 대해서 지방의회에 재의를 요구할 수 있다. 07. 법원직 (○, ✕)

🗐 ✕ 지방자치단체의 장은 조례안의 일부에 대하여 또는 조례안을 수정하여 재의를 요구할 수 없다(지방자치법 제32조 제3항 제2문).

03 지방자치단체의 장은 조례안에 대하여 이의가 있는 경우 지방의회에 재의요구를 할 수 있다. 이때 재의요구 사유에 특별한 제한은 없으며, 지방자치단체의 장은 조례안의 일부에 대하여 재의를 요구할 수 있다. 16. 법행

(○, ✕)

🗐 ✕ 지방자치단체의 장은 이송받은 조례안에 대하여 이의가 있으면 제2항의 기간에 이유를 붙여 지방의회로 환부하고, 재의를 요구할 수 있다. 이 경우 지방자치단체의 장은 조례안의 일부에 대하여 또는 조례안을 수정하여 재의를 요구할 수 없다(지방자치법 제32조 제3항).

개념PLUS+ 법률제정과 조례제정의 절차 비교

구분	법률제정	조례제정
발의	• 정부 • 의원 10인 이상 • 위원회	• 지방자치단체장 • 재적의원 5분의 1 이상 • 의원 10인 이상 • 위원회 • 교육감
재의요구	• 이송 후 15일 이내 • 일부거부 · 수정거부할 수 없음	• 이송 후 20일 이내 • 일부거부 · 수정거부할 수 없음
재의결 정족수	재적의원 과반수의 출석과 출석의원 3분의 2 이상의 찬성	

⚖ 판례

1 조례에 대한 법률의 위임시 포괄위임도 허용되는지 여부: 적극 [기각]

조례의 제정권자인 지방의회는 선거를 통해서 그 지역적인 민주적 정당성을 지니고 있는 주민의 대표기관이고, 헌법이 지방자치단체에 대하여 포괄적인 자치권을 보장하고 있는 취지로 볼 때 조례제정권에 대한 지나친 제약은 바람직하지 않으므로 조례에 대한 법률의 위임은 법규명령에 대한 법률의 위임과 같이 반드시 구체적으로 범위를 정하여 할 필요가 없으며 포괄적인 것으로 족하다고 할 것이다(헌재 1995.4.20. 92헌마264). 11. 법행

2 지방자치단체가 과세를 면제하는 조례를 제정하고자 할 때에 내무부장관(현 행정안전부장관)의 사전허가를 받도록 규정하는 지방세법 제9조가 위헌인지 여부: 소극 [합헌]

이 법률조항에서 과세면제조례를 미리 내무부장관의 허가를 얻도록 한 것은 그 조례내용이 조세법률주의와 조세평등주의원칙에 어긋나지 아니하는지, 지역이기주의에 의한 자의적이고 불합리한 조례로서 법령에서 규정된 범위를 벗어난 것은 아닌지, 지방세법상 과세대상이 분명한데도 감면대상으로 한 것은 아닌지, 재판상 다투어질 경우 명확성과 합리성의 결여로 효력이 부정될 가능성은 없는지 등을 개별적 · 구체적으로 철저하게 검토하여 권한의 남용 여부를 심사하고 나아가 전체적인 지방세법 체계와 조화를 유지할 수 있도록 하기 위한 제도적 장치로서의 역할을 하는 것이다. … 따라서 이 법률조항은 헌법에 위반되지 아니한다(헌재 1998.4.30. 96헌바62). 05 · 10. 사시, 13. 경정승진

③ 조례제정권에 대한 통제
　　㉠ 기관소송에 의한 통제: 지방자치단체의 장은 조례의 법령 위반을 이유로 재의결한 지방의회를 상대로 대법원에 소를 제기할 수 있다. 대법원의 위법결정으로 당해 조례는 무효가 된다.

⚖️ 판례

조례가 조약에 위반되는 경우에 그 효력이 부정되는지 여부: 적극 [전라북도 학교급식 조례 재의결 무효확인]

[1] '1994년 관세 및 무역에 관한 일반협정'(General Agreement on Tariffs and Trade 1994, 이하 'GATT'라 한다)은 1994.12.16. 국회의 동의를 얻어 같은 달 23. 대통령의 비준을 거쳐 같은 달 30. 공포되고 1995.1.1. 시행된 조약인 '세계무역기구(WTO) 설립을 위한 마라케쉬협정'(Agreement Establishing the WTO)(조약 1265호)의 부속협정(다자간 무역협정)이고, '정부조달에 관한 협정'(Agreement on Government Procurement, 이하 'AGP'라 한다)은 1994.12.16. 국회의 동의를 얻어 1997.1.3. 공포시행된 조약(조약 1363호, 복수국가간 무역협정)으로서 각 헌법 제6조 제1항에 의하여 국내 법령과 동일한 효력을 가지므로 지방자치단체가 제정한 조례가 GATT나 AGP에 위반되는 경우에는 그 효력이 없다.

[2] 특정 지방자치단체의 초·중·고등학교에서 실시하는 학교급식을 위하여 지방자치단체에서 생산되는 우수농수축산물과 이를 재료로 사용하는 가공식품을 우선적으로 사용하도록 하고 그러한 우수농산물을 사용하는 자를 선별하여 식재료나 식재료 구입비의 일부를 지원하며 지원을 받은 학교는 지원금을 반드시 우수농산물을 구입하는 데 사용하도록 하는 것을 내용으로 하는 지방자치단체의 조례안이 내국민대우원칙을 규정한 GATT에 위반되어 그 효력이 없다(대판 2005.9.9. 2004추10).

ⓒ **법원의 위헌·위법심사에 의한 통제:** 법원은 헌법 제107조 제2항의 명령·규칙에 대한 위헌·위법심사권에 의거하여 해당 조례의 위헌·위법 여부를 심사함으로써 간접적으로 조례를 통제할 수 있다. 이때 법원은 위헌·위법으로 판단된 해당 조례를 당해 사건에의 적용을 배제하는 데 그치고, 그 조례를 일반적으로 무효화시킬 수는 없다(개별적 효력부인). 02. 사시

ⓒ **항고소송에 의한 통제:** 조례 자체를 처분으로 볼 수 있는 경우에는 조례를 항고소송의 대상으로 삼을 수 있다. 이때의 피고는 지방의회가 아니라 지방자치단체의 장이 되고, 시·도의 교육에 관한 조례의 경우에는 시·도교육감이 피고가 된다(대판 1996.9.20. 95누8003).

⚖️ 판례

조례가 직접 국민의 권리·의무에 영향을 미치는 경우에 항고소송의 대상이 되는 행정처분인지 여부: 적극

조례가 집행행위의 개입 없이도 그 자체로서 직접 국민의 구체적인 권리·의무나 법적 이익에 영향을 미치는 등의 법률상 효과를 발생하는 경우 그 조례는 항고소송의 대상이 되는 행정처분에 해당하고, 이러한 조례에 대한 무효확인소송을 제기함에 있어서 행정소송법 제38조 제1항, 제13조에 의하여 피고적격이 있는 처분 등을 행한 행정청은 행정주체인 지방자치단체 또는 지방자치단체의 내부적 의결기관으로서 지방자치단체의 의사를 외부에 표시한 권한이 없는 지방의회가 아니라 구 지방자치법 제19조 제2항, 제92조에 의하여 지방자치단체의 집행기관으로서 조례로서의 효력을 발생시키는 공포권이 있는 지방자치단체의 장이다(대판 1996.9.20. 95누8003). 16. 법행

📖 **핵심기출 OX**

조례가 집행행위의 개입 없이도 그 자체로서 직접 국민의 구체적인 권리·의무나 법적 이익에 영향을 미치는 등의 법률상 효과를 발생하는 경우 그 조례는 항고소송의 대상이 되는 행정처분에 해당하고, 이러한 조례에 대한 무효확인소송을 제기함에 있어서 피고적격이 있는 처분 등을 행한 행정청은 행정주체인 지방자치단체이다. 16. 법행

(O, ×)

답 × 조례가 집행행위의 개입 없이도 그 자체로서 직접 국민의 구체적인 권리의무나 법적 이익에 영향을 미치는 등의 법률상 효과를 발생하는 경우 그 조례는 항고소송의 대상이 되는 행정처분에 해당하고, 이러한 조례에 대한 무효확인소송을 제기함에 있어서 행정소송법 제38조 제1항, 제13조에 의하여 피고적격이 있는 처분 등을 행한 행정청은, 행정주체인 지방자치단체 또는 지방자치단체의 내부적 의결기관으로서 지방자치단체의 의사를 외부에 표시한 권한이 없는 지방의회가 아니라, 구 지방자치법 제19조 제2항, 제92조에 의하여 지방자치단체의 집행기관으로서 조례로서의 효력을 발생시키는 공포권이 있는 지방자치단체의 장이다(대판 1996.9.20. 95누8003).

ⓔ **헌법소원**: 조례제정행위도 공권력 작용에 해당하므로 헌법재판소법 제68조 제1항에 따라 조례에 의하여 기본권을 직접·현재 침해당한 경우에는 헌법소원을 제기할 수 있다. 헌법재판소에 의한 위헌결정은 당해 조례 자체를 무효로 한다. 해당 조례의 위헌 여부의 결정이 재판의 전제가 되는 부수적 작용이 아니라 바로 재판의 직접적인 대상 그 자체이기 때문이다.

> ⚖️ **판례**
>
> **조례가 헌법소원의 대상이 될 수 있는지 여부: 적극 [기각]**
>
> 조례는 지방자치단체가 그 자치입법권에 근거하여 자주적으로 지방의회의 의결을 거쳐 제정한 법규이기 때문에 조례 자체로 인하여 직접 그리고 현재 자기의 기본권을 침해받은 자는 그 권리구제의 수단으로서 조례에 대한 헌법소원을 제기할 수 있다(헌재 1995.4.20. 92헌마264·279). 06·11. 법행, 09. 국가직

(2) 자치행정권

지방자치단체의 사무에는 고유사무, 단체위임사무, 기관위임사무가 있다.

① **고유사무**
　ⓐ **의의**: 지방자치단체의 존립목적이 되는 사무로서 지방자치단체가 자신의 의사와 책임하에 처리한다.
　ⓑ **소요경비**: 소요경비는 당해 지방자치단체가 부담한다.
　ⓒ **국가의 감독**: 고유사무에 대한 국가적 감독은 소극적 감독만이 허용(사후의 합법성만 감독)된다.

② **단체위임사무**
　ⓐ **의의**: 법령에 의하여 국가 또는 상급지방자치단체로부터 위임된 사무(지방자치법 제13조 제1항의 '법령에 따라 지방자치단체에 속하는 사무')를 말한다.
　ⓑ **소요경비**: 단체위임사무의 소요경비에 대하여는 위임단체가 부담한다고 보는 견해와 지방자치단체와 국가가 분담한다고 보는 견해가 대립한다.
　ⓒ **국가의 감독**: 단체위임사무에 대한 국가적 감독은 소극적 감독 외에 합목적성 감독까지 허용된다.

③ **기관위임사무**
　ⓐ **의의**: 전국적으로 이해관계가 있는 사무로서 국가 또는 광역자치단체로부터 지방자치단체의 집행기관에 위임된 사무를 말한다. 이 사무를 위임받은 집행기관은 국가의 하급기관과 동일한 지위에서 사무를 처리한다.
　ⓑ **소요경비**: 소요경비는 전액을 국고에서 부담하는 것이 원칙이다.
　ⓒ **국가의 감독**: 기관위임사무에 대한 국가적 감독은 사후적 감독뿐만 아니라 사전적 감독까지 허용된다.

개념PLUS+	자치사무 · 단체위임사무 · 기관위임사무의 비교		
구분	자치사무(고유사무)	단체위임사무	기관위임사무
의의	지방자치단체의 고유한 사무	법령에 의하여 지방자치단체에 위임된 사무	국가 또는 광역자치단체로부터 지방자치단체의 집행기관에 위임된 사무
경비부담	지방자치단체가 전액 부담	견해대립❶	사무를 위임한 국가 또는 상급지방자치단체가 경비를 전액부담
조례제정 06. 법행	○	○	× (예외적으로 개별 법령에서 위임한 경우에 '위임조례' 제정가능)
권한쟁의 심판	○	○	×
국가감독	합법성 통제 ○ (법령 위반에 한하여 감독관청이 시정명령 · 취소 · 정지 등을 할 수 있음)	• 합법성 통제 ○ • 합목적성 통제 ○ (법령 위반 + 현저히 부당하여 공익을 해한다고 인정될 때)	• 합법성 통제 ○ • 합목적성 통제 ○
국정감사	×	○	○

❶ 사무를 위임한 국가 또는 상급지방자치단체가 경비를 전액부담하여야 한다는 견해와 지방자치단체와 국가가 경비를 분담하여야 한다는 견해가 대립한다.

📖 판례

1 기관위임사무를 대상으로 권한쟁의심판을 청구할 수 있는지 여부: 소극 [인용(권한확인), 각하]

토지대장등록 관련 사무의 성격에 관하여 보건대 지적공부에의 등록과 관련된 국가사무가 법률 그 자체에 의해서 시장 · 군수에게 지정되어 있으므로, **지적공부의 등록 · 비치 · 보관 · 보존 등 등록 관련 집행행위는 기관위임사무에 속하고, …** 토지대장등록사무 등 기관위임사무를 집행하는 국가기관으로서의 피청구인 평택시장은 해당 토지의 등록사무를 담당할 뿐 지방자치단체인 청구인 및 피청구인 평택시와 같이 자치권한을 행사하거나 다른 지방자치단체의 자치권한을 침해할 지위에 있지 않다. 그렇다면 이 사건 심판청구 가운데 청구인의 피청구인 평택시장에 대한 심판청구는 **청구인의 권한에 속하지 아니하는 사무에 관한 권한쟁의심판청구라고 할 것이므로** 더 나아가 살펴볼 필요도 없이 부적법하다(헌재 2004.9.23. 2000헌라2). 19. 지방직

2 건설교통부장관이 고속철도역 명칭을 '천안아산역'으로 결정한 것이 권한쟁의심판의 대상인지 여부: 소극 [각하]

지방자치법 제11조 제6호는 지방자치단체가 처리할 수 없는 국가사무로 '우편 · 철도 등 전국적 규모 또는 이와 비슷한 규모의 사무'를 열거하고 있으므로, 고속철도의 건설이나 고속철도역의 명칭결정과 같은 일은 국가의 사무이고 지방자치단체인 청구인의 사무가 아님이 명백하다(헌재 2006.3.30. 2003헌라2).

🏛 핵심기출 OX

01 자치조례제정권은 원칙적으로 자치사무와 단체위임사무에 한하지만 일정한 경우 기관위임사무에 대하여도 허용된다. 06. 법행 (○, ×)

답 × 기관위임사무에 대한 조례는 자치조례가 아니고, 위임조례이다.

02 기관위임사무에 있어서는 개별법령에서 위임받은 사항에 관하여 이른바 위임조례를 제정할 수 있다. 06. 법행 (○, ×)

답 ○

03 구 지방자치법 제9조 제1항과 제15조 등의 관련 규정에 의하면 지방자치단체는 원칙적으로 그 고유사무인 자치사무와 법령에 의하여 위임된 단체위임사무에 관하여 이른바 자치조례를 제정할 수 있는 외에, 개별법령에서 특별히 위임하고 있을 경우에는 그러한 사무에 속하지 아니하는 기관위임사무에 관하여도 그 위임의 범위 내에서 이른바 위임조례를 제정할 수 있다. 20. 법무사 (○, ×)

답 ○

3 지방선거비용을 해당 지방자치단체에 부담시킨 행위가 지방자치단체인 청구인들의 지방자치권을 침해하는 것인지 여부: 소극 [기각]

지방의회의원과 지방자치단체장을 선출하는 지방선거는 지방자치단체의 기관을 구성하고 그 기관의 각종 행위에 정당성을 부여하는 행위라 할 것이므로 지방선거사무는 지방자치단체의 존립을 위한 자치사무에 해당하고, 따라서 법률을 통하여 예외적으로 다른 행정주체에게 위임되지 않는 한, 원칙적으로 지방자치단체가 처리하고 그에 따른 비용도 지방자치단체가 부담하여야 한다(헌재 2008.6.26. 2005헌라7). 09. 법행, 11. 국가직

4 '신항' 명칭(영문 명칭: Busan New Port)사건 – '신항'의 명칭결정이 자치사무에 해당하는지 여부: 소극 [각하] 09. 법행

지정항만에 관한 사무는 국가사무이므로 새로이 건설된 항만을 독립된 지정항만으로 할 것인지, 이미 지정된 지정항만의 하위항만으로 할 것인지, 아니면 지방자치단체장이 관리하는 지방항만(구 항만법 제2조 제3항, 제22조)으로 할 것인지에 관하여는 국가가 그 결정권한을 가진다 할 것이고, 국가가 신항만을 지정항만의 하위항만으로 하기로 결정한 이상 그 항만구역의 명칭을 무엇이라 할 것인지 역시 국가에 결정할 권한이 있다고 할 것이다. … 신항만에 대한 명칭결정권한이 없는 이상, 이 사건 명칭결정이 청구인들의 권한을 침해하였다거나 침해할 현저한 위험이 있다고 볼 수 없으므로, 이 사건 심판청구는 부적법하다(헌재 2008.3.27. 2006헌라1).

5 서울특별시 관악구가 조례로 관할구역 내 행정동의 명칭을 '보라매동(구 봉천1동)' '신사동(구 신림4동)' '삼성동(구 신림6동 및 신림10동)'으로 변경한 것이 동작구 및 강남구의 행정동 명칭에 관한 권한을 침해한 것이라며 제기된 권한쟁의심판청구에서 권한침해의 가능성이 있는지 여부: 소극 [각하]

행정동 명칭의 변경은 지방자치단체의 관할구역 안 행정구역의 명칭에 관한 사무로서 지방자치단체의 자치사무에 속하는 것이므로 그 지방자치단체의 조례로 정할 수 있다고 할 것이고, 지방자치단체가 행정동의 명칭을 정함에 있어 관계법령에서 내용상의 한계를 규정하거나 인접 지방자치단체 및 그 관할구역 내 주민의 이익을 보호하기 위한 특별한 제한규정을 두고 있지도 아니하다. 이와 같은 점 등을 종합해보면, … 지방자치단체와 다른 지방자치단체의 관계에서 어느 지방자치단체가 특정한 행정동 명칭을 독점적·배타적으로 사용할 권한이 있다고 볼 수는 없으므로, 피청구인의 행정동 명칭변경에 관한 이 사건 조례로 인하여 청구인들의 행정동 명칭에 관한 권한이 침해될 가능성이 있다고 볼 수 없다(헌재 2009.11.26. 2008헌라4). 14. 법무사

☑ **주의** 지방자치단체의 관할구역 안 행정구역의 명칭에 관한 사무
  - 국가사무 ✕
  - 지방자치단체의 자치사무 ○

6 수도권 사립대학의 정원규제가 지방자치단체의 권한을 침해하는지 여부: 소극 [각하]

고등교육법 및 같은 법 시행령, 사립학교법, 지방자치법의 관련 규정을 종합하면, 청구인의 학교 설치·운영 및 지도에 관한 사무는 지역적 특성에 따라 달리 다루어야 할 필요성이 있는 사무로서 유아원부터 고등학교 및 이에 준하는 학교에 관한 사무에 한하여 이를 자치사무로 보아야 할 것이고, 대학의 설립 및 대학생정원 증원 등 운영에 관한 사무는 국가적 이익에 관한 것으로서 전국적인 통일을 기할 필요성이 있는 국가사무로 보아야 할 것이다. 따라서 국가사무인 사립대학의 신설이나 학생정원 증원에 관한 이 사건 수도권 사립대학 정원규제는 청구인의 권한을 침해하거나 침해할 현저한 위험이 있다고 할 수 없으므로, 이 사건 심판청구는 부적법하다(헌재 2012.7.26. 2010헌라3). 13. 국가직

(3) 자치재정권

지방자치단체는 재산을 관리하며 재산을 형성하고 유지할 권한(재산보유·관리·처분권)을 가진다.

5. 주민의 권리와 의무

> 지방자치법 제16조【주민의 자격】지방자치단체의 구역에 주소를 가진 자는 그 지방자치단체의 주민이 된다.
>
> 제17조【주민의 권리】② 주민은 법령으로 정하는 바에 따라 소속 지방자치단체의 재산과 공공시설을 이용할 권리와 그 지방자치단체로부터 균등하게 행정의 혜택을 받을 권리를 가진다.
>
> ③ 주민은 법령으로 정하는 바에 따라 그 지방자치단체에서 실시하는 지방의회의원과 지방자치단체의 장의 선거(이하 "지방선거"라 한다)에 참여할 권리를 가진다.

(1) 공공시설이용권

주민은 법령이 정하는 바에 의하여 소속 지방자치단체의 재산과 공공시설을 이용할 권리를 가진다(지방자치법 제17조 제2항). 다만, 공공시설을 영업의 도구로 사용하는 것은 그 권리에 포함되지 아니한다. 지방자치단체는 주민이 아닌 자의 공공시설이용을 거부하거나 차등을 둘 수 있다.

그리고 주민은 공공시설의 목적에 적합한 범위 안에서 이용권을 가지고, 공공시설의 수용능력이 충분하지 못한 경우에는 이용제한이 가능하다.

(2) 선거권과 피선거권

선거일 현재 18세 이상의 국민으로서 관할구역 안에 주민등록이 되어 있는 자는 선거권을 가지며, 선거일 현재 계속하여 60일 이상 당해 지방자치단체의 관할구역 안에 주민등록이 되어 있는 주민으로서 선거일 현재 18세 이상의 국민은 피선거권을 가진다. 헌법재판소는 관할구역에 거주하는 재외국민에 대해서도 지방선거에서의 선거권과 피선거권을 부여하여야 한다고 판시한 바 있다(헌재 2007.6.28. 2004헌마643).

(3) 주민투표권

> 지방자치법 제18조【주민투표】① 지방자치단체의 장은 주민에게 과도한 부담을 주거나 중대한 영향을 미치는 지방자치단체의 주요결정사항 등에 대하여 주민투표에 부칠 수 있다. 14. 법무사
>
> ② 주민투표의 대상·발의자·발의요건 그 밖에 투표절차 등에 관한 사항은 따로 법률로 정한다.
>
> 주민투표법 제5조【주민투표권】① 18세 이상의 주민 중 제6조 제1항에 따른 투표인명부 작성기준일 현재 다음 각 호의 어느 하나에 해당하는 사람에게는 주민투표권이 있다. 다만, 공직선거법 제18조에 따라 선거권이 없는 사람에게는 주민투표권이 없다.
> 1. 그 지방자치단체의 관할구역에 주민등록이 되어 있는 사람
> 2. 출입국관리 관계법령에 따라 대한민국에 계속 거주할 수 있는 자격(체류자격변경허가 또는 체류기간연장허가를 통하여 계속 거주할 수 있는 경우를 포함한다)을 갖춘 외국인으로서 지방자치단체의 조례로 정한 사람 07. 법행, 19. 국가직
>
> ② 주민투표권자의 연령은 투표일 현재를 기준으로 산정한다.

제7조【주민투표의 대상】 ① 주민에게 과도한 부담을 주거나 중대한 영향을 미치는 지방자치단체의 주요결정사항은 주민투표에 부칠 수 있다.

② 제1항에도 불구하고 다음 각 호의 어느 하나에 해당하는 사항은 주민투표에 부칠 수 없다.

1. 법령에 위반되거나 재판중인 사항
2. 국가 또는 다른 지방자치단체의 권한 또는 사무에 속하는 사항
3. 지방자치단체가 수행하는 다음 각 목의 어느 하나에 해당하는 사무의 처리에 관한 사항
   가. 예산 편성·의결 및 집행
   나. 회계·계약 및 재산관리
3의2. 지방세·사용료·수수료·분담금 등 각종 공과금의 부과 또는 감면에 관한 사항
4. 행정기구의 설치·변경에 관한 사항과 공무원의 인사·정원 등 신분과 보수에 관한 사항
5. 다른 법률에 의하여 주민대표가 직접 의사결정주체로서 참여할 수 있는 공공시설의 설치에 관한 사항. 다만, 제9조 제5항의 규정에 의하여 지방의회가 주민투표의 실시를 청구하는 경우에는 그러하지 아니하다.
6. 동일한 사항(그 사항과 취지가 동일한 경우를 포함한다)에 대하여 주민투표가 실시된 후 2년이 경과되지 아니한 사항

제8조【국가정책에 관한 주민투표】 ① 중앙행정기관의 장은 지방자치단체를 폐지하거나 설치하거나 나누거나 합치는 경우 또는 지방자치단체의 구역을 변경하거나 주요시설을 설치하는 등 국가정책의 수립에 관하여 주민의 의견을 듣기 위하여 필요하다고 인정하는 때에는 주민투표의 실시구역을 정하여 관계 지방자치단체의 장에게 주민투표의 실시를 요구할 수 있다. 이 경우 중앙행정기관의 장은 미리 행정안전부장관과 협의하여야 한다.

② 지방자치단체의 장은 제1항의 규정에 의하여 주민투표의 실시를 요구받은 때에는 지체 없이 이를 공표하여야 하며, 공표일부터 30일 이내에 그 지방의회의 의견을 들어야 한다.

③ 제2항의 규정에 의하여 지방의회의 의견을 들은 지방자치단체의 장은 그 결과를 관계 중앙행정기관의 장에게 통지하여야 한다.

④ 제1항의 규정에 의한 주민투표에 관하여는 제7조, 제16조, 제24조 제1항·제5항·제6항, 제25조 및 제26조의 규정을 적용하지 아니한다.

제9조【주민투표의 실시요건】 ① 지방자치단체의 장은 다음 각 호의 어느 하나에 해당하는 경우에는 주민투표를 실시할 수 있다. 이 경우 제1호 또는 제2호에 해당하는 경우에는 주민투표를 실시하여야 한다.

1. 주민이 제2항에 따라 주민투표의 실시를 청구하는 경우
2. 지방의회가 제5항에 따라 주민투표의 실시를 청구하는 경우
3. 지방자치단체의 장이 주민의 의견을 듣기 위하여 필요하다고 판단하는 경우

② 18세 이상 주민 중 제5조 제1항 각 호의 어느 하나에 해당하는 사람(같은 항 각 호 외의 부분 단서에 따라 주민투표권이 없는 사람은 제외한다. 이하 "주민투표청구권자"라 한다)은 주민투표청구권자 총수의 20분의 1 이상 5분의 1 이하의 범위에서 지방자치단체의 조례로 정하는 수 이상의 서명으로 그 지방자치단체의 장에게 주민투표의 실시를 청구할 수 있다.

③ 주민투표청구권자 총수는 전년도 12월 31일 현재의 주민등록표 및 외국인등록표에 따라 산정한다.

④ 지방자치단체의 장은 매년 1월 10일까지 제3항의 규정에 의하여 산정한 주민투표청구권자 총수를 공표하여야 한다.

⑤ 지방의회는 재적의원 과반수의 출석과 출석의원 3분의 2 이상의 찬성으로 그 지방자치단체의 장에게 주민투표의 실시를 청구할 수 있다.

⑥ 지방자치단체의 장은 직권에 의하여 주민투표를 실시하고자 하는 때에는 그 지방의회 재적의원 과반수의 출석과 출석의원 과반수의 동의를 얻어야 한다.

제15조【주민투표의 형식】 주민투표는 특정한 사항에 대하여 찬성 또는 반대의 의사표시를 하거나 두 가지 사항중 하나를 선택하는 형식으로 실시하여야 한다.

제16조【주민투표실시구역】 ① 주민투표는 그 지방자치단체의 관할구역 전체를 대상으로 실시한다. 다만, 특정한 지역 또는 주민에게만 이해관계가 있는 사항인 경우 지방자치단체의 장은 그 지방자치단체의 관할구역 중 일부를 대상으로 지방의회의 동의를 얻어 주민투표를 실시할 수 있다.

② 청구인대표자는 제10조 제1항에 따라 지방자치단체의 장에게 청구인대표자증명서의 교부를 신청할 때 제1항 단서에 따라 그 지방자치단체의 관할구역 중 일부를 주민투표실시구역으로 정할 것을 신청할 수 있다.

③ 지방자치단체의 장은 제2항에 따른 신청을 받은 경우 제10조 제2항에 따라 청구인대표자증명서를 교부하기 전에 지방의회의 동의를 받아 주민투표실시구역을 정하여야 한다.

제24조【주민투표결과의 확정】 ① 주민투표에 부쳐진 사항은 주민투표권자 총수의 4분의 1 이상의 투표와 유효투표수 과반수의 득표로 확정된다. 다만, 다음 각 호의 어느 하나에 해당하는 경우에는 찬성과 반대 양자를 모두 수용하지 아니하거나, 양자택일의 대상이 되는 사항 모두를 선택하지 아니하기로 확정된 것으로 본다.

1. 전체 투표수가 주민투표권자 총수의 4분의 1에 미달되는 경우
2. 주민투표에 부쳐진 사항에 관한 유효득표수가 동수인 경우

③ 관할선거관리위원회는 개표가 끝나면 지체 없이 그 결과를 공표한 후 지방자치단체의 장에게 통지하여야 한다.

④ 지방자치단체의 장은 제3항의 규정에 의하여 주민투표결과를 통지받은 때에는 지체 없이 이를 지방의회에 보고하여야 하며, 제8조의 규정에 의한 국가정책에 관한 주민투표인 때에는 관계 중앙행정기관의 장에게 주민투표결과를 통지하여야 한다.

⑤ 지방자치단체의 장 및 지방의회는 주민투표결과 확정된 내용대로 행정·재정상의 필요한 조치를 하여야 한다.

⑥ 지방자치단체의 장 및 지방의회는 주민투표결과 확정된 사항에 대하여 2년 이내에는 이를 변경하거나 새로운 결정을 할 수 없다. 다만, 제1항 단서의 규정에 의하여 찬성과 반대 양자를 모두 수용하지 아니하거나 양자택일의 대상이 되는 사항 모두를 선택하지 아니하기로 확정된 때에는 그러하지 아니하다.

✅ 주의 주민투표의 확정
- 주민투표권자 총수의 3분의 1 이상의 투표와 투표자 과반수의 득표 ✕
- 주민투표권자 총수의 3분의 1 이상의 투표와 유효투표수 과반수의 득표 ○

🏛 핵심기출 OX

주민투표법 제8조에 따른 국가정책에 대한 주민투표는 주민의 의견을 묻는 의견수렴으로서의 성격을 갖는 것이고, 주민투표권의 일반적 성격을 보더라도 이는 헌법이 보장하는 참정권이라고 할 수 있다. 13. 법행 (○, ✕)

답 ✕ 주민투표권은 그 성질상 선거권, 공무담임권, 국민투표권과 전혀 다른 것이어서 이를 법률이 보장하는 참정권이라고 할 수 있을지언정 헌법이 보장하는 참정권이라고 할 수는 없다.

개념PLUS+ 주민투표 유형의 비교

구분	지방자치단체의 결정사항에 관한 주민투표	국가정책에 관한 주민투표
청구권자	지방자치단체장, 지방의회, 주민	중앙행정기관의 장
투표대상	주민에게 과도한 부담을 주거나 중대한 영향을 미치는 지방자치단체의 주요결정사항(주민투표법 제7조 제1항)	중앙행정기관의 장이 지방자치단체의 폐치·분합 또는 구역변경, 주요시설의 설치 등 국가정책의 수립에 관하여 주민의 의견을 듣기 위하여 필요하다고 인정하는 사항(주민투표법 제8조 제1항)
효과	자문적인 주민의견 수렴절차에 그치지 않고 법적 구속력 인정(주민투표법 제24조 제5항·제6항)	법적 구속력이 인정되지 않는 단순한 자문적인 주민의견 수렴절차에 불과(주민투표법 제8조 제1항)
주민투표 소송	가능(주민투표법 제25조)	불가능(주민투표법 제8조 제4항)

⚖ 판례

주민투표권이 헌법상 참정권인지 여부: 소극 [각하]

우리 헌법은 법률이 정하는 바에 따른 '선거권'과 '공무담임권' 및 국가안위에 관한 중요정책과 헌법개정에 대한 '국민투표권'만을 헌법상의 참정권으로 보장하고 있으므로, 지방자치법 제13조의2에서 규정한 **주민투표권**은 그 성질상 선거권·공무담임권·국민투표권과 전혀 다른 것이어서 이를 법률이 보장하는 참정권이라고 할 수 있을지언정 헌법이 보장하는 참정권이라고 할 수는 없다(헌재 2001.6.28. 2000헌마735). 04·05·12. 사시, 08. 법원직, 09. 국회직, 11·13. 법행, 09·19. 국가직

---

(4) 조례제정 및 개폐청구권

지방자치법 제19조【조례의 제정과 개정·폐지 청구】 ① 주민은 지방자치단체의 조례를 제정하거나 개정하거나 폐지할 것을 청구할 수 있다.
② 조례의 제정·개정 또는 폐지 청구의 청구권자·청구대상·청구요건 및 절차 등에 관한 사항은 따로 법률로 정한다.
주민조례발안에 관한 법률❶ 제2조【주민조례청구권자】 18세 이상의 주민으로서 다음 각 호의 어느 하나에 해당하는 사람(공직선거법 제18조에 따른 선거권이 없는 사람은 제외한다. 이하 "청구권자"라 한다)은 해당 지방자치단체의 의회(이하 "지방의회"라 한다)에 조례를 제정하거나 개정 또는 폐지할 것을 청구(이하 "주민조례청구"라 한다)할 수 있다.
1. 해당 지방자치단체의 관할 구역에 주민등록이 되어 있는 사람
2. 출입국관리법 제10조에 따른 영주(永住)할 수 있는 체류자격 취득일 후 3년이 지난 외국인으로서 같은 법 제34조에 따라 해당 지방자치단체의 외국인등록대장에 올라 있는 사람
제4조【주민조례청구 제외 대상】 다음 각 호의 사항은 주민조례청구 대상에서 제외한다.
1. 법령을 위반하는 사항
2. 지방세·사용료·수수료·부담금을 부과·징수 또는 감면하는 사항
3. 행정기구를 설치하거나 변경하는 사항
4. 공공시설의 설치를 반대하는 사항

---

❶
약칭: 주민조례발안법

📖 핵심기출 OX

01 지방자치단체 주민은 지방세의 부과·징수 또는 감면에 관한 사항에 대한 조례의 제정이나 개폐를 청구할 수 있다. 05. 법무사 (O, ×)

🔑 × 법령을 위반하는 사항, 지방세·사용료·수수료·부담금의 부과·징수 또는 감면에 관한 사항, 행정기구를 설치하거나 변경하는 것에 관한 사항이나 공공시설의 설치를 반대하는 사항은 조례의 제정이나 개폐청구의 대상이 될 수 없다(구 지방자치법 제15조 제2항 참조).

02 지방자치단체의 주민은 공공시설의 설치를 반대하는 사항을 내용으로 하는 조례의 개폐를 청구할 수 있다. 06. 국가직 (O, ×)

🔑 × 법령을 위반하는 사항, 지방세·사용료·수수료·부담금의 부과·징수 또는 감면에 관한 사항, 행정기구의 설치하거나 변경하는 것에 관한 사항이나 공공시설의 설치를 반대하는 사항은 조례의 제정·개폐청구대상에서 제외된다(구 지방자치법 제15조 제2항 참조).

03 지방자치법상 주민의 조례의 제정·개폐청구권 및 감사청구권은 헌법상 보장된 지방자치제도의 본질적 내용을 이룬다. 05. 사시, 07. 국회직 8급 (O, ×)

🔑 × 지방자치법은 주민에게 주민투표권과 조례의 제정 및 개폐청구권 및 감사청구권을 부여함으로써 주민이 지방자치사무에 직접 참여할 수 있는 길을 열어 놓고 있다. 그렇지만 이러한 제도는 어디까지나 입법에 의하여 채택된 것일 뿐, 헌법이 이러한 제도의 도입을 보장하고 있는 것은 아니다. 이 점에서 우리 헌법이 제72조에서 대표제 민주주의를 보완하기 위하여 '국민투표제'를 직접 도입한 것과 다르다(헌재 2001.6.28. 2000헌마735).

제5조【주민조례청구 요건】① 청구권자가 주민조례청구를 하려는 경우에는 다음 각 호의 구분에 따른 기준 이내에서 해당 지방자치단체의 조례로 정하는 청구권자 수 이상이 연대 서명하여야 한다.

1. 특별시 및 인구 800만 이상의 광역시·도: 청구권자 총수의 200분의 1
2. 인구 800만 미만의 광역시·도, 특별자치시, 특별자치도 및 인구 100만 이상의 시: 청구권자 총수의 150분의 1
3. 인구 50만 이상 100만 미만의 시·군 및 자치구: 청구권자 총수의 100분의 1
4. 인구 10만 이상 50만 미만의 시·군 및 자치구: 청구권자 총수의 70분의 1
5. 인구 5만 이상 10만 미만의 시·군 및 자치구: 청구권자 총수의 50분의 1
6. 인구 5만 미만의 시·군 및 자치구: 청구권자 총수의 20분의 1

제13조【주민청구조례안의 심사 절차】① 지방의회는 제12조 제1항에 따라 주민청구조례안이 수리된 날부터 1년 이내에 주민청구조례안을 의결하여야 한다. 다만, 필요한 경우에는 본회의 의결로 1년 이내의 범위에서 한 차례만 그 기간을 연장할 수 있다.

② 지방의회는 심사 안건으로 부쳐진 주민청구조례안을 의결하기 전에 대표자를 회의에 참석시켜 그 청구의 취지(대표자와의 질의·답변을 포함한다)를 들을 수 있다.

③ 지방자치법 제79조 단서에도 불구하고 주민청구조례안은 제12조 제1항에 따라 주민청구조례안을 수리한 당시의 지방의회의원의 임기가 끝나더라도 다음 지방의회의원의 임기까지는 의결되지 못한 것 때문에 폐기되지 아니한다.

④ 제1항부터 제3항까지에서 규정한 사항 외에 주민청구조례안의 심사 절차에 관하여 필요한 사항은 지방의회의 회의규칙으로 정한다.

⚖ 판례

지방자치법상 주민의 조례의 제정·개폐청구권 및 감사청구권이 헌법상 보장된 지방자치제도의 본질적 내용인지 여부: 소극 [각하]

헌법 제117조 및 제118조가 보장하고 있는 본질적인 내용은 자치단체 존재의 보장, 자치기능의 보장 및 자치사무의 보장으로 어디까지나 지방자치단체의 자치권인 것이다. 따라서 헌법은 지역주민들이 자신들이 선출한 자치단체의 장과 지방의회를 통하여 자치사무를 처리할 수 있는 대의제 또는 대표제 지방자치를 보장하고 있을 뿐이지 주민투표에 대하여는 어떠한 규정도 두고 있지 않다. 물론 이러한 대표제 지방자치제도를 보완하기 위하여 주민발안·주민투표·주민소환 등의 제도가 도입될 수도 있고, 실제로 우리의 **지방자치법은 주민에게 주민투표권과 조례의 제정 및 개폐청구권 및 감사청구권을 부여함으로써 주민이 지방자치사무에 직접 참여할 수 있는 길을 열어 놓고 있다. 그렇지만 이러한 제도는 어디까지나 입법에 의하여 채택된 것일 뿐, 헌법이 이러한 제도의 도입을 보장하고 있는 것은 아니다**(헌재 2001.6.28. 2000헌마735). 04. 법행, 05. 사시, 07. 국회직 8급, 11. 법원직

(5) 감사청구권

지방자치법 제21조【주민의 감사 청구】① 지방자치단체의 18세 이상의 주민으로서 다음 각 호의 어느 하나에 해당하는 사람(공직선거법 제18조에 따른 선거권이 없는 사람은 제외한다. 이하 이 조에서 "18세 이상의 주민"이라 한다)은 시·도는 300명, 제198조에 따른 인구 50만 이상 대도시는 200명, 그 밖의 시·군 및 자치구는 150명 이내에서 그 지방자치단체의 조례로 정하는 수 이상의 18세 이상의 주민이 연대 서명하여 그 지방자치단체와 그 장의 권한에 속하는 사무의 처리가 **법령에 위반되거나 공익을 현저히 해친다고 인정되면** 시·도의 경우에는 **주무부장관**에게, 시·군 및 자치구의 경우에는 **시·도지사**에게 감사를 청구할 수 있다.

1. 해당 지방자치단체의 관할 구역에 주민등록이 되어 있는 사람
2. 출입국관리법 제10조에 따른 영주(永住)할 수 있는 체류자격 취득일 후 3년이 경과한 외국인으로서 같은 법 제34조에 따라 해당 지방자치단체의 외국인등록대장에 올라 있는 사람
② 다음 각 호의 사항은 감사 청구의 대상에서 제외한다.
1. 수사나 재판에 관여하게 되는 사항
2. 개인의 사생활을 침해할 우려가 있는 사항
3. 다른 기관에서 감사하였거나 감사 중인 사항. 다만, 다른 기관에서 감사한 사항이라도 새로운 사항이 발견되거나 중요 사항이 감사에서 누락된 경우와 제22조 제1항에 따라 주민소송의 대상이 되는 경우에는 그러하지 아니하다.
4. 동일한 사항에 대하여 제22조 제2항 각 호의 어느 하나에 해당하는 소송이 진행 중이거나 그 판결이 확정된 사항
③ 제1항에 따른 청구는 사무처리가 있었던 날이나 끝난 날부터 3년이 지나면 제기할 수 없다.
⑨ 주무부장관이나 시·도지사는 감사 청구를 수리한 날부터 60일 이내에 감사 청구된 사항에 대하여 감사를 끝내야 하며, 감사 결과를 청구인의 대표자와 해당 지방자치단체의 장에게 서면으로 알리고, 공표하여야 한다. 다만, 그 기간에 감사를 끝내기가 어려운 정당한 사유가 있으면 그 기간을 연장할 수 있으며, 기간을 연장할 때에는 미리 청구인의 대표자와 해당 지방자치단체의 장에게 알리고, 공표하여야 한다.

(6) 주민소송권

지방자치법 제22조 【주민소송】 ① 제21조 제1항에 따라 공금의 지출에 관한 사항, 재산의 취득·관리·처분에 관한 사항, 해당 지방자치단체를 당사자로 하는 매매·임차·도급계약이나 그 밖의 계약의 체결·이행에 관한 사항 또는 지방세·사용료·수수료·과태료 등 공금의 부과·징수를 게을리한 사항을 **감사청구한 주민**은 다음 각 호의 어느 하나에 해당하는 경우에 그 감사청구한 사항과 관련 있는 위법한 행위나 업무를 게을리한 사실에 대하여 해당 지방자치단체의 장(해당 사항의 사무처리에 관한 권한을 소속 기관의 장에게 위임한 경우에는 그 소속 기관의 장을 말한다. 이하 이 조에서 같다)을 상대방으로 하여 소송을 제기할 수 있다.
1. 주무부장관이나 시·도지사가 감사청구를 수리한 날부터 60일(제21조 제9항 단서에 따라 감사 기간이 연장된 경우에는 연장기간이 끝난 날을 말한다)이 지나도 감사를 끝내지 아니한 경우
2. 제21조 제9항 및 제10항에 따른 감사결과 또는 같은 조 제12항에 따른 조치요구에 불복하는 경우
3. 제21조 제12항에 따른 주무부장관이나 시·도지사의 조치요구를 지방자치단체의 장이 이행하지 아니한 경우
4. 제21조 제12항에 따른 지방자치단체의 장의 이행조치에 불복하는 경우
② 제1항에 따라 주민이 제기할 수 있는 소송은 다음 각 호와 같다.
1. 해당 행위를 계속하면 회복하기 곤란한 손해를 발생시킬 우려가 있는 경우에는 그 행위의 전부나 일부를 중지할 것을 요구하는 소송
2. 행정처분인 해당 행위의 취소 또는 변경을 요구하거나 그 행위의 효력 유무 또는 존재 여부의 확인을 요구하는 소송
3. 게을리한 사실의 위법확인을 요구하는 소송
4. 해당 지방자치단체의 장 및 직원, 지방의회의원, 해당 행위와 관련이 있는 상대방에게 손해배상청구 또는 부당이득반환청구를 할 것을 요구하는 소송. 다만, 그 지방자치단체의 직원이 회계관계직원 등의 책임에 관한 법률 제4조에 따른 변상책임을 져야 하는 경우에는 변상명령을 할 것을 요구하는 소송을 말한다.

④ 제2항에 따른 소송은 다음 각 호의 구분에 따른 날부터 **90일 이내**에 제기하여야 한다.

⑤ 제2항 각 호의 소송이 진행 중이면 다른 주민은 같은 사항에 대하여 별도의 소송을 제기할 수 없다.

⑨ 제2항에 따른 소송은 해당 지방자치단체의 사무소 소재지를 관할하는 **행정법원**(행정법원이 설치되지 아니한 지역에서는 행정법원의 권한에 속하는 사건을 관할하는 지방법원본원을 말한다)의 관할로 한다.

① **주민소송의 의의**: 주민소송제는 2005년 1월 27일 개정된 지방자치법에서 신설되었다. 감사청구한 주민은 주무부장관 또는 시·도지사의 감사결과에 불복이 있거나 지방자치단체장이 주무부장관 또는 시·도지사의 조치요구를 이행하지 않거나 지방자치단체장의 이행조치에 불복이 있는 경우 등에는 그 감사청구한 사항과 관련 있는 위법한 행위나 해태사실에 대하여 당해 지방자치단체의 장을 상대방으로 하여 주민소송을 제기할 수 있다.

② **주민소송의 유형**: 주민소송의 청구유형으로는 ㉠ 해당 행위의 전부 또는 일부의 중지를 요구하는 소송, ㉡ 해당 행위의 취소 또는 변경을 요구하거나 효력의 유무 또는 존재 여부의 확인을 요구하는 소송, ㉢ 해당 게을리한 사실의 위법확인을 요구하는 소송 및 ㉣ 지방자치단체의 장 등 당사자에게 손해배상청구 또는 부당이득반환청구를 할 것을 요구하는 소송 등이 있다(지방자치법 제22조 제2항).

법원에 의하여 손해배상청구 또는 부당이득반환청구를 명하는 판결이 확정되면 지방자치단체장은 손해배상금 또는 부당이득반환금의 지불을 청구하여야 하고, 기한 내에 지불하지 아니할 경우에는 손해배상·부당이득반환의 청구를 목적으로 하는 소송을 제기하여야 한다(지방자치법 제23조).

③ **주민소송의 제기**: 주민소송은 감사결과 등의 통지를 받은 날부터 90일 이내에 제기하여야 한다. 소송을 제기한 주민이 주민의 자격을 상실한 때에는 다른 주민이 6월 이내에 소송절차를 수계할 수 있다. 그리고 주민소송이 계속 중인 때에는 동일한 사항에 대하여 다른 주민이 별도의 소송을 제기할 수 없는데, 이는 주민소송의 남발을 방지하기 위한 것이다.

(7) 청원권

지방자치법 제85조 【청원서의 제출】 ① 지방의회에 청원을 하려는 자는 지방의회의원의 소개를 받아 청원서를 제출하여야 한다. 16. 국회직 9급

② 청원서에는 청원자의 성명(법인인 경우에는 그 명칭과 대표자의 성명) 및 주소를 적고 서명·날인하여야 한다.

제87조 【청원의 심사·처리】 ① 지방의회의 의장은 청원서를 접수하면 소관 위원회나 본회의에 회부하여 심사를 하게 한다.

② 청원을 소개한 지방의회의원은 소관 위원회나 본회의가 요구하면 청원의 취지를 설명하여야 한다.

③ 위원회가 청원을 심사하여 본회의에 부칠 필요가 없다고 결정하면 그 처리결과를 지방의회의 의장에게 보고하고, 지방의회의 의장은 청원한 자에게 알려야 한다. 19. 국가직

핵심기출 OX

주민은 지방자치단체의 불법적 재무행위에 대한 주민소송을 제기할 수 있다. 05. 국회직 8급 (O, ×)

답 O

지방의회에 청원을 하고자 할 때에 반드시 지방의회의원의 소개를 얻도록 한 것이 청원권의 과도한 제한에 해당하는지 여부: 소극 [기각]

지방의회에 청원을 할 때에 지방의회의원의 소개를 얻도록 한 것은 의원이 미리 청원의 내용을 확인하고 이를 소개하도록 함으로써 청원의 남발을 규제하고 심사의 효율을 기하기 위한 것이고, 지방의회의원 모두가 소개의원이 되기를 거절하였다면 그 청원내용에 찬성하는 의원이 없는 것이므로 지방의회에서 심사하더라도 인용가능성이 전혀 없어 심사의 실익이 없으며, 청원의 소개의원도 1인으로 족한 점을 감안하면 이러한 정도의 제한은 공공복리를 위한 필요최소한의 것이라고 할 수 있다(헌재 1999.11.25. 97헌마54). 12. 국회직

(8) 주민소환권

> **지방자치법 제25조 【주민소환】** ① 주민은 그 지방자치단체의 장 및 지방의회의원(비례대표지방의회의원은 제외한다)을 소환할 권리를 가진다. 14. 서울시, 19. 경정승진
> ② 주민소환의 투표청구권자·청구요건·절차 및 효력 등에 관하여는 따로 법률로 정한다.

> **주민소환에 관한 법률 제2조 【주민소환투표의 사무관리】** ① 주민소환투표사무는 공직선거법 제13조 제1항의 규정에 의하여 해당 지방자치단체의 장선거 및 지방의회의원선거의 선거구선거사무를 행하는 선거관리위원회(이하 "관할 선거관리위원회"라 한다)가 관리한다.

> **제3조 【주민소환투표권】** ① 제4조 제1항의 규정에 의한 주민소환투표인명부 작성기준일 현재 다음 각 호의 어느 하나에 해당하는 자는 주민소환투표권이 있다.
> 1. 19세 이상의 주민으로서 당해 지방자치단체 관할구역에 주민등록이 되어 있는 자(공직선거법 제18조의 규정에 의하여 선거권이 없는 자를 제외한다)
> 2. 19세 이상의 외국인으로서 출입국관리법 제10조의 규정에 따른 영주의 체류자격 취득일 후 3년이 경과한 자 중 같은 법 제34조의 규정에 따라 당해 지방자치단체 관할구역의 외국인등록대장에 등재된 자
> ② 주민소환투표권자의 연령은 주민소환투표일 현재를 기준으로 계산한다.

> **제7조 【주민소환투표의 청구】** ① 전년도 12월 31일 현재 주민등록표 및 외국인등록표에 등록된 제3조 제1항 제1호 및 제2호에 해당하는 자(이하 "주민소환투표청구권자"라 한다)는 해당 **지방자치단체의 장 및 지방의회의원**(비례대표선거시·도의회의원 및 **비례대표선거구자치구·시·군의회의원은 제외**하며, 이하 "선출직 지방공직자"라 한다)에 대하여 다음 각 호에 해당하는 주민의 서명으로 그 소환사유를 서면에 구체적으로 명시하여 관할 선거관리위원회에 주민소환투표의 실시를 청구할 수 있다.
> 1. 특별시장·광역시장·도지사(이하 "시·도지사"라 한다): 당해 지방자치단체의 주민소환투표청구권자 총수의 100분의 10 이상
> 2. 시장·군수·자치구의 구청장: 당해 지방자치단체의 주민소환투표청구권자 총수의 100분의 15 이상
> 3. 지역선거구시·도의회의원(이하 "지역구시·도의원"이라 한다) 및 지역선거구자치구·시·군의회의원(이하 "지역구자치구·시·군의원"이라 한다): 당해 지방의회의원의 선거구 안의 주민소환투표청구권자 총수의 100분의 20 이상

> **제8조 【주민소환투표의 청구제한기간】** 제7조 제1항 내지 제3항의 규정에 불구하고 다음 각 호의 어느 하나에 해당하는 때에는 주민소환투표의 실시를 청구할 수 없다.
> 1. 선출직 지방공직자의 임기개시일부터 1년이 경과하지 아니한 때
> 2. 선출직 지방공직자의 임기만료일부터 1년 미만일 때
> 3. 해당 선출직 지방공직자에 대한 주민소환투표를 실시한 날부터 1년 이내인 때

제13조【주민소환투표의 실시】① 주민소환투표일은 제12조 제2항의 규정에 의한 공고일부터 20일 이상 30일 이하의 범위 안에서 관할 선거관리위원회가 정한다. 다만, 주민소환투표대상자가 자진사퇴, 피선거권상실 또는 사망 등으로 궐위된 때에는 주민소환투표를 실시하지 아니한다.

② 제12조 제2항의 규정에 의한 주민소환투표 공고일 이후 90일 이내에 다음 각 호의 어느 하나에 해당하는 투표 또는 선거가 있을 때에는 제1항의 규정에 불구하고 주민소환투표를 그에 병합하거나 동시에 실시할 수 있다.

1. 주민투표법에 의한 주민투표
2. 공직선거법에 의한 선거·재선거 및 보궐선거(대통령 및 국회의원선거를 제외한다)
3. 동일 또는 다른 선출직 지방공직자에 대한 주민소환투표

제16조【주민소환투표의 실시구역】① 지방자치단체의 장에 대한 주민소환투표는 당해 지방자치단체 관할구역 전체를 대상으로 한다.

② 지역구지방의회의원에 대한 주민소환투표는 당해 지방의회의원의 지역선거구를 대상으로 한다.

제21조【권한행사의 정지 및 권한대행】① 주민소환투표대상자는 관할 선거관리위원회가 제12조 제2항의 규정에 의하여 **주민소환투표안을 공고한 때부터** 제22조 제3항의 규정에 의하여 **주민소환투표결과를 공표할 때까지** 그 권한행사가 정지된다.

제22조【주민소환투표결과의 확정】① 주민소환은 제3조의 규정에 의한 **주민소환투표권자**(이하 "주민소환투표권자"라 한다) 총수의 3분의 1 이상의 투표와 유효투표총수 과반수의 찬성으로 확정된다.

제23조【주민소환투표의 효력】① 제22조 제1항의 규정에 의하여 주민소환이 확정된 때에는 주민소환투표대상자는 그 결과가 공표된 시점부터 그 직을 상실한다.

② 제1항의 규정에 의하여 그 직을 상실한 자는 그로 인하여 실시하는 이 법 또는 공직선거법에 의한 해당 보궐선거에 후보자로 등록할 수 없다.

⚖️ 판례

1 주민의 자치권이 개별주민들에게 인정되는지 여부: 소극 [기각]

[1] 지방자치제도는 제도적 보장의 하나로서 … 그 본질적 내용을 침해하지 아니하는 범위 안에서 입법자에게 제도의 구체적인 내용과 형태의 형성권을 폭넓게 인정한다는 의미에서 '최소한 보장의 원칙'이 적용된다.

[2] 한편 제도적 보장으로서 주민의 자치권은 원칙적으로 개별주민들에게 인정된 권리라 볼 수 없다(헌재 2006.2.23. 2005헌마403). 09. 국가직

2 법률에 의하여 특정 지방자치단체를 폐지하여 다른 지방자치단체에 병합하는 것이 지방자치의 본질적 내용을 침해하는지 여부: 소극 [기각]

자치제도의 보장은 지방자치단체에 의한 자치행정을 일반적으로 보장한다는 것뿐이고 특정 자치단체의 존속을 보장한다는 것은 아니며 지방자치단체의 폐치·분합에 있어 지방자치권의 존중은 법정절차의 준수로 족한 것이다. 그러므로 군 및 도의회의 결의에 반하여 법률로 군을 폐지하고 타시에 병합하여 시를 설치한다 하여 주민들의 자치권을 침해하는 결과가 된다거나 헌법 제8장에서 보장하는 지방자치제도의 본질을 침해하는 것이라고 할 수 없다(헌재 1995.3.23. 94헌마175).

🏛️ **핵심기출 OX**

지방자치단체의 폐치·분합의 문제는 지방자치단체의 자치행정권 중 지역고권의 보장문제이므로 헌법소원심판의 대상이 될 수 없다. 17. 서울시 (O, ×)

📖 × 지방자치단체의 폐치·분합에 관한 것은 지방자치단체의 자치행정권 중 지역고권의 보장문제이나, 대상지역 주민들은 그로 인하여 인간다운 생활공간에서 살 권리, 평등권, 정당한 청문권, 거주이전의 자유, 선거권, 공무담임권, 인간다운 생활을 할 권리, 사회보장·사회복지수급권 및 환경권 등을 침해받게 될 수도 있다는 점에서 기본권과도 관련이 있어 헌법소원의 대상이 될 수 있다(헌재 1994.12.29. 94헌마201).

3 공유수면에 대한 지방자치단체의 관할구역과 자치권한이 인정되는지 여부: 적극

지방자치법 제4조 제1항에 규정된 지방자치단체의 구역은 주민·자치권과 함께 지방자치단체의 구성요소로서 자치권을 행사할 수 있는 장소적 범위를 말하며, 자치권이 미치는 관할구역의 범위에는 육지는 물론 바다도 포함되므로, 공유수면에 대한 지방자치단체의 자치권한이 존재한다(헌재 2006.8.31. 2003헌라1). 07. 사시, 12. 국회직, 22. 국가직

4 헌법 또는 법률상 지방자치단체에 영토고권이라는 자치권이 부여되어 있는지 여부: 소극 [각하]

지방자치제도라 함은 일정한 지역을 단위로 일정한 지역의 주민이 그 지방주민의 복리에 관한 사무, 재산관리에 관한 사무 기타 법령이 정하는 사무(헌법 제117조 제1항)를 그들 자신의 책임하에서 자신들이 선출한 기관을 통하여 직접 처리하게 함으로써 지방자치행정의 민주성과 능률성을 제고하고 지방의 균형 있는 발전과 아울러 국가의 민주적 발전을 도모하는 제도이다. 헌법 제117조, 제118조가 제도적으로 보장하고 있는 지방자치의 본질적 내용은 '자치단체의 보장, 자치기능의 보장 및 자치사무의 보장'이라고 할 것이다.
그러나 지방자치제도의 보장은 지방자치단체에 의한 자치행정을 일반적으로 보장한다는 것뿐이고, 마치 국가가 영토고권을 가지는 것과 마찬가지로 지방자치단체에 자신의 관할구역 내에 속하는 영토·영해·영공을 자유로이 관리하고 관할구역 내의 사람과 물건을 독점적·배타적으로 지배할 수 있는 권리가 부여되어 있다고 할 수는 없다. 청구인이 주장하는 지방자치단체의 영토고권은 우리나라 헌법과 법률상 인정되지 아니한다. 11. 지방직 따라서 이 사건 결정이 청구인의 영토고권을 침해한다는 주장은 가지고 있지도 않은 권한을 침해받았다는 것에 불과하여 본안에 들어가 따져볼 필요가 없다(헌재 2006.3.30. 2003헌라2).

6. 국가의 감독과 통제

(1) 입법적 감독과 통제
① **법률에 의한 통제:** 국회는 지방자치제의 본질을 침해하지 아니하는 한 입법을 통하여 이에 관여하거나 통제할 수 있다.
② **행정입법에 의한 통제:** 집행부는 대통령령 등 행정입법을 통해서 지방자치단체에 관여하거나 통제할 수 있다.

(2) 사법적 감독과 통제
① **행정심판을 통한 통제:** 지방자치단체의 장의 위법·부당한 처분 등이 있는 경우 행정심판을 제기할 수 있는데, 행정심판의 재결청은 재결을 통하여 지방자치사무의 적법성과 합목적성을 통제할 수 있다.
② **행정소송을 통한 통제:** 사법기관은 항고소송, 당사자소송, 선거소송, 기관소송 등이 제기된 경우 적법한 자치행정확보를 위한 통제를 할 수 있다.

(3) 행정적 감독과 통제

구분	고유사무	단체위임사무	기관위임사무
감독	사후적·합법성 감독	사후적·합법성 및 합목적성 감독	사전적·사후적, 합법성 및 합목적성 감독
통제	• 사전적 통제수단(비권력적 통제가 원칙) 　- 조언·권고 등 　- 재정 및 기술지원 　- 감사와 보고징수 　- 승인 • 사후적 통제수단 　- 시정명령 및 취소·정지권 　- 재의요구명령·제소지시 및 직접제소권	• 사전적 통제수단(비권력적 통제가 원칙) 　- 조언·권고 등 　- 재정 및 기술지원 　- 감사와 보고징수 불가능 　- 승인 • 사후적 통제수단 　- 시정명령 및 취소·정지권 　- 재의요구명령·제소지시 및 직접제소권	• 위임자인 국가나 상급 지방자치단체의 포괄적인 지도·감독권 • 직무이행명령

지방자치법 제188조【위법·부당한 명령이나 처분의 시정】 ① 지방자치단체의 사무에 관한 지방자치단체의 장의 명령이나 처분이 **법령에 위반**되거나 **현저히 부당하여 공익을 해친다**고 인정되면 시·도에 대하여는 주무부장관이, 시·군 및 자치구에 대하여는 시·도지사가 기간을 정하여 서면으로 시정할 것을 명하고, 그 기간에 이행하지 아니하면 이를 취소하거나 정지할 수 있다. 05. 입시, 11. 사시, 13. 서울시

⑥ 지방자치단체의 장은 제1항, 제3항 또는 제4항에 따른 자치사무에 관한 명령이나 처분의 취소 또는 정지에 대하여 이의가 있으면 그 취소처분 또는 정지처분을 통보받은 날부터 15일 이내에 **대법원에** 소를 제기할 수 있다. 05. 입시, 13·15. 서울시

제189조【지방자치단체의 장에 대한 직무이행명령】 05. 사시 ① 지방자치단체의 장이 법령의 규정에 따라 그 의무에 속하는 **국가위임사무나 시·도위임사무**의 관리와 집행을 명백히 게을리하고 있다고 인정되면 시·도에 대하여는 주무부장관이, 시·군 및 자치구에 대하여는 시·도지사가 기간을 정하여 서면으로 이행할 사항을 명령할 수 있다.

② 주무부장관이나 시·도지사는 해당 지방자치단체의 장이 제1항의 기간에 이행명령을 이행하지 아니하면 그 지방자치단체의 비용부담으로 대집행 또는 행정상·재정상 필요한 조치를 할 수 있다. 이 경우 행정대집행에 관하여는 행정대집행법을 준용한다.

⑥ 지방자치단체의 장은 제1항 또는 제4항의 이행명령에 이의가 있으면 이행명령서를 접수한 날부터 15일 이내에 대법원에 소를 제기할 수 있다. 이 경우 지방자치단체의 장은 이행명령의 집행을 정지하게 하는 집행정지결정을 신청할 수 있다.

제190조【지방자치단체의 자치사무에 대한 감사】 ① 행정안전부장관이나 시·도지사는 지방자치단체의 자치사무에 관하여 보고를 받거나 서류·장부 또는 회계를 감사할 수 있다. 이 경우 감사는 법령 위반사항에 대해서만 한다.

② 행정안전부장관 또는 시·도지사는 제1항에 따라 감사를 하기 전에 해당 사무의 처리가 법령에 위반되는지 등을 확인하여야 한다.

📖 **핵심기출 OX**

01 지방자치단체 장의 자치사무에 관한 명령을 주무부장관이 취소한 경우, 이에 대하여 이의가 있으면 그 취소처분을 통보받은 날로부터 15일 이내에 대법원에 소를 제기할 수 있다.
13. 서울시 　　　　　　(O, ×)

답 O

02 지방자치단체의 사무에 관한 그 장의 명령이나 처분이 법령에 위반되거나 현저히 부당하여 공익을 해친다고 인정될 때에는 시·도에 대하여는 주무부장관이, 시·군 및 자치구에 대하여는 시·도지사가 기간을 정하여 서면으로 시정을 명하고 그 기간 내에 이행하지 아니할 때에는 이를 취소하거나 정지할 수 있으며, 이러한 시정명령이나 처분의 취소 또는 정지에 대하여 지방자치단체의 장은 소를 제기할 수 없다.
05. 입시 　　　　　　(O, ×)

답 × 지방자치단체의 장은 자치사무에 관한 명령이나 처분의 취소 또는 정지에 대하여 이의가 있으면 그 취소처분 또는 정지처분을 통보받은 날부터 15일 이내에 대법원에 소를 제기할 수 있다(지방자치법 제188조 제6항).

03 주무부장관이 지방자치단체사무에 관한 시·도지사의 명령이나 처분에 대하여 시정명령을 할 수 있는 것은 그 명령이나 처분이 위법한 경우에 한한다. 13. 서울시 　　(O, ×)

답 × 지방자치단체의 사무에 관한 그 장의 명령이나 처분이 법령에 위반되거나 현저히 부당하여 공익을 해친다고 인정되면 시·도에 대하여는 주무부장관이, 시·군 및 자치구에 대하여는 시·도지사가 기간을 정하여 서면으로 시정할 것을 명하고, 그 기간에 이행하지 아니하면 이를 취소하거나 정지할 수 있다(지방자치법 제188조 제1항). 그러므로 위임사무에 관한 시정명령은 위법하거나 부당한 경우 모두 가능하다.

제192조【지방의회의결의 재의와 제소】① 지방의회의 의결이 **법령에 위반되거나 공익을 현저히 해친다**고 판단되면 시·도에 대하여는 주무부장관이, 시·군 및 자치구에 대하여는 시·도지사가 재의를 요구하게 할 수 있고, 재의요구를 받은 지방자치단체의 장은 의결사항을 이송받은 날부터 20일 이내에 지방의회에 이유를 붙여 재의를 요구하여야 한다. 12. 법행

② 시·군 및 자치구의회의 의결이 법령에 위반된다고 판단됨에도 불구하고 시·도지사가 제1항에 따라 재의를 요구하게 하지 아니한 경우 주무부장관이 직접 시장·군수 및 자치구의 구청장에게 재의를 요구하게 할 수 있고, 재의 요구 지시를 받은 시장·군수 및 자치구의 구청장은 의결사항을 이송받은 날부터 20일 이내에 지방의회에 이유를 붙여 재의를 요구하여야 한다.

③ 제1항 또는 제2항의 요구에 대하여 재의한 결과 재적의원 과반수의 출석과 출석의원 3분의 2 이상의 찬성으로 전과 같은 의결을 하면 그 의결사항은 확정된다. 05·12. 법행

④ 지방자치단체의 장은 제3항에 따라 재의결된 사항이 **법령에 위반**된다고 판단되면 재의결된 날부터 20일 이내에 대법원에 소를 제기할 수 있다. 이 경우 필요하다고 인정되면 그 의결의 집행을 정지하게 하는 집행정지결정을 신청할 수 있다. 05·11·12. 법행

⑤ 주무부장관이나 시·도지사는 재의결된 사항이 **법령에 위반**된다고 판단됨에도 불구하고 해당 지방자치단체의 장이 소를 제기하지 아니하면 시·도에 대해서는 주무부장관이, 시·군 및 자치구에 대해서는 시·도지사(제2항에 따라 주무부장관이 직접 재의 요구 지시를 한 경우에는 주무부장관을 말한다. 이하 이 조에서 같다)가 그 지방자치단체의 장에게 **제소를 지시하거나 직접 제소 및 집행정지결정을 신청**할 수 있다.

⑥ 제5항에 따른 제소의 지시는 제4항의 기간이 지난 날부터 7일 이내에 하고, 해당 지방자치단체의 장은 제소 지시를 받은 날부터 7일 이내에 제소하여야 한다.

⑦ 주무부장관이나 시·도지사는 제6항의 기간이 지난 날부터 7일 이내에 제5항에 따른 직접 제소 및 집행정지결정을 신청할 수 있다.

⑧ 제1항 또는 제2항에 따라 지방의회의 의결이 법령에 위반된다고 판단되어 주무부장관이나 시·도지사로부터 재의 요구 지시를 받은 해당 지방자치단체의 장이 재의를 요구하지 아니하는 경우(법령에 위반되는 지방의회의 의결사항이 조례안인 경우로서 재의 요구 지시를 받기 전에 그 조례안을 공포한 경우를 포함한다)에는 주무부장관이나 시·도지사는 제1항 또는 제2항에 따른 기간이 지난 날부터 7일 이내에 대법원에 직접 제소 및 집행정지 결정을 신청할 수 있다.

⑨ 제1항 또는 제2항에 따른 지방의회의 의결이나 제3항에 따라 재의결된 사항이 둘 이상의 부처와 관련되거나 주무부장관이 불분명하면 행정안전부장관이 재의 요구 또는 제소를 지시하거나 직접 제소 및 집행정지 결정을 신청할 수 있다.

🔨 판례

1 지방자치단체가 기관위임사무를 대상으로 한 권한쟁의심판청구를 할 수 있는지 여부: 소극

지방자치단체는 헌법 또는 법률에 의하여 부여받은 그의 권한, 즉 지방자치단체의 사무에 관한 권한이 침해되거나 침해될 우려가 있는 때에 한하여 권한쟁의심판을 청구할 수 있다고 할 것인데, 도시계획사업실시계획인가사무는 건설교통부장관으로부터 시·도지사에게 위임되었고, 다시 시장·군수에게 재위임된 기관위임사무로서 국가사무라고 할 것이므로, 청구인의 이 사건 심판청구 중 도시계획사업실시계획인가처분에 대한 부분은 지방자치단체의 권한에 속하지 아니하는 사무에 관한 것으로서 부적법하다고 할 것이다 (헌재 1999.7.22. 98헌라4). 12. 사시

2 기관위임사무에 관한 조례제정이 가능한지 여부: 소극

기관위임사무와 같이 지방자치단체의 장이 국가기관의 지위에서 수행하는 사무일 뿐 지방자치단체 자체의 사무라고 할 수 없는 것은 원칙적으로 자치조례의 제정범위에 속하지 않는다. … 기관위임사무에 있어서도 그에 관한 개별법령에서 일정한 사항을 조례로 정하도록 위임하고 있는 경우에는 지방자치단체의 자치조례제정권과 무관하게 이른바 위임조례를 정할 수 있다고 하겠으나 이때에도 그 내용은 개별법령이 위임하고 있는 사항에 관한 것으로서 개별법령의 취지에 부합하는 것이라야만 하고, 그 범위를 벗어난 경우에는 위임조례로서의 효력도 인정할 수 없다(대판 1999.9.17. 99추30). 02. 법무사, 12. 법행

3 중앙행정기관의 장이 지방자치단체의 자치사무에 대하여 법령 위반사항이 드러나지 않은 상황에서 실시하는 포괄적·일반적인 감사가 헌법 및 지방자치법에 의하여 부여된 지방자치단체의 지방자치권을 침해하는지 여부: 적극 [인용(권한침해)]

중앙행정기관의 지방자치단체의 자치사무에 대한 구 지방자치법 제158조 단서규정의 감사권은 사전적·일반적인 포괄감사권이 아니라 그 대상과 범위가 한정적인 제한된 감사권이라 해석함이 마땅하다. … 중앙행정기관이 구 지방자치법 제158조 단서규정상의 감사에 착수하기 위해서는 자치사무에 관하여 특정한 법령 위반행위가 확인되었거나 위법행위가 있었으리라는 합리적 의심이 가능한 경우이어야 하고, 또한 그 감사대상을 특정하여야 한다. 따라서 전반기 또는 후반기 감사와 같은 포괄적·사전적 일반 감사나 위법사항을 특정하지 않고 개시하는 감사 또는 법령 위반사항을 적발하기 위한 감사는 모두 허용될 수 없다(헌재 2009.5.28. 2006헌라6). 12. 변호사·국회직, 13. 법원직, 16. 사시

제8절 교육제도

1 교육의 의의

1. 개념

교육은 인간의 발달과정을 도와 그 인격과 능력을 바람직한 방향으로 현실화시켜주는 작용인 동시에 사회개조를 위한 수단으로서 가정·학교·사회에서 이루어지는 인간가치의 제고를 위한 모든 활동을 말한다.

2. 목적

교육의 목적은 국민 개개인의 타고난 소질을 계발하여 인격을 완성하게 하고, 자립생활을 할 능력을 증진시킴으로써 인간다운 생활을 누릴 수 있게 하는 데 있다(헌재 1999.3.25. 97헌마130).

2 우리나라의 교육제도

1. 현행헌법의 규정

> 헌법 제31조 ① 모든 국민은 능력에 따라 균등하게 교육을 받을 권리를 가진다.
> ② 모든 국민은 그 보호하는 자녀에게 적어도 초등교육과 법률이 정하는 교육을 받게 할 의무를 진다.
> ③ 의무교육은 무상으로 한다. 05. 법행
> ④ 교육의 자주성·전문성·정치적 중립성 및 대학의 자율성은 법률이 정하는 바에 의하여 보장된다. 07. 법행
> ⑤ 국가는 평생교육을 진흥하여야 한다.
> ⑥ 학교교육 및 평생교육을 포함한 교육제도와 그 운영, 교육재정 및 교원의 지위에 관한 기본적인 사항은 법률로 정한다.

2. 교육의 기본원칙

(1) 교육의 자주성

교육의 자주성이란 교육내용과 교육기구가 교육자에 의하여 자주적으로 결정되고, 행정권력에 의한 교육통제가 배제되어야 한다는 것을 뜻한다. 오늘날의 공교육제도는 국가적 감독을 받지 않을 수 없으나, 국가적 감독은 필요 이상으로 또 합리적인 범위를 넘어 교육의 자주성을 유린하는 것이어서는 아니 된다.

(2) 교육의 전문성

교육의 전문성이란 교육정책의 수립이나 집행은 가급적 교육전문가가 담당하거나 적어도 그들의 참여하에 이루어져야 함을 의미한다.

(3) 교육의 정치적 중립성

교육의 정치적 중립성이란 교육이 국가권력이나 정치적 세력으로부터 부당한 간섭을 받지 않아야 할 뿐만 아니라 교육도 그 본연의 역할을 벗어나 정치적 영역에 개입하지 않아야 한다는 것을 의미한다.

3. 교육제도 등의 법정주의

(1) 교육제도의 법정주의

헌법 제31조 제6항은 "학교교육 및 평생교육을 포함한 교육제도와 그 운영, 교육재정 및 교원의 지위에 관한 기본적인 사항은 법률로 정한다."라고 규정함으로써 교육의 물적 기반이 되는 교육제도와 아울러 교육의 인적 기반으로서 가장 중요한 교원의 근로기본권을 포함한 모든 지위에 관한 기본적인 사항을 국민의 대표기관인 입법부의 권한으로 규정하고 있다(헌재 1991.7.22. 89헌가106).

(2) 교원지위의 법정주의

① 헌법 제31조 제6항과 교원지위의 법정주의의 의미: 헌법 제31조 제6항을 근거로 하여 제정되는 법률에는 교원의 신분보장과 경제적·사회적 지위보장 등 교원의 권리에 해당하는 사항뿐만 아니라 국민의 교육을 받을 권리를 저해할 우려가 있는 행위의 금지 등 교원의 의무에 관한 사항도

당연히 규정할 수 있는 것이므로 결과적으로 교원의 기본권을 제한하는 사항까지도 규정할 수 있게 되는 것이다(헌재 1991.7.22. 89헌가106). 16. 법행 교육은 학문연구결과 등의 전수의 장이 됨으로써 우리 헌법이 지향하고 있는 문화국가의 실현을 위한 기본적 수단이다. 따라서 입법자가 법률로 정하여야 할 교원지위의 기본적 사항에는 교원의 신분이 부당하게 박탈되지 않도록 하는 최소한의 보호의무에 관한 사항이 포함된다(헌재 2003.2.27. 2000헌바26).

② **교원의 근로관계의 특수성(교원의 근로자성):** "헌법 제31조 제6항은 국민의 교육을 받을 기본적 권리를 보다 효과적으로 보장하기 위하여 교원의 보수 및 근무조건 등을 포함하는 개념인 '교원의 지위'에 관한 기본적인 사항을 법률로써 정하도록 한 것이므로 교원의 지위에 관련된 사항에 관한 위 헌법조항이 근로기본권에 관한 헌법 제33조 제1항에 우선하여 적용된다. … 사립학교 교원의 노동운동을 금지하고, 이에 위반한 경우 면직의 사유로 규정한 사립학교법 제55조 및 제58조 제1항 제4호는 위에서 판단한 범위 안에서 근로자의 근로기본권을 규정한 헌법 제33조 제1항, 법률유보에 관한 일반 규정인 헌법 제37조 제2항, 평등에 관한 규정인 헌법 제11조 제1항 및 국제법존중의 원칙을 규정한 헌법 제6조 제1항에 각 위반되지 아니한다."라고 하여 합헌결정을 내린 바 있다(헌재 1991.7.22. 89헌가106). 18. 서울시

4. 대학의 자치(자율성)

(1) 의의

대학의 자치란 연구와 교육이라는 대학 본연의 임무를 달성하는 데 필요한 사항은 가능한 한 대학의 자율에 맡겨야 함을 말한다.

(2) 주체

대학자치의 주체는 대학자치에 관한 사항을 실질적으로 결정할 수 있는 자를 말한다. 헌법재판소는 대학자치의 주체를 대학에 부여된 헌법상의 기본권으로 보고 있으며, 교수나 교수회도 주체가 된다는 입장이다.

> **🔍 판례**
>
> **교수나 교수회가 중첩적으로 대학자치의 주체가 될 수 있는지 여부:** 적극 [기각]
>
> 대학의 자율성은 헌법 제22조 제1항이 보장하고 있는 학문의 자유의 확실한 보장수단으로 꼭 필요한 것으로서 대학에 부여된 헌법상의 기본권이다. 그러나 **대학의 자치의 주체를 기본적으로 대학으로 본다고 하더라도 교수나 교수회의 주체성이 부정된다고 볼 수는 없고, 가령 학문의 자유를 침해하는 대학의 장에 대한 관계에서는 교수나 교수회가 주체가 될 수 있고, 또한 국가에 의한 침해에 있어서는 대학 자체 외에도 대학 전 구성원이 자율성을 가지는 경우도 있을 것이므로 문제되는 경우에 따라서 대학 · 교수 · 교수회 모두가 단독 혹은 중첩적으로 주체가 될 수 있다**고 보아야 할 것이다(헌재 2006.4.27. 2005헌마1047 · 1048). 09. 사시, 12. 법행, 11 · 16. 지방직

(3) 내용

① **인사에 관한 자주결정권**: 대학은 교수의 임용과 보직 등을 자주적으로 결정할 수 있어야 한다.

⚖️ 판례

1 대학교육기관의 교원은 당해 학교법인의 정관이 정하는 바에 따라 기간을 정하여 임면할 수 있다고 규정한 구 사립학교법 제53조의2 제3항이 교원지위법정주의에 위반되는지 여부: 적극 [헌법불합치]

객관적인 기준의 재임용거부사유와 재임용에서 탈락하게 되는 교원이 자신의 입장을 진술할 수 있는 기회 그리고 재임용거부를 사전에 통지하는 규정 등이 없으며, 나아가 재임용이 거부되었을 경우 사후에 그에 대하여 다툴 수 있는 제도적 장치를 전혀 마련하지 않고 있는 이 사건 법률조항은 현대 사회에서 대학교육이 가지는 중요한 기능과 그 교육을 담당하고 있는 대학교원의 신분의 부당한 박탈에 대한 최소한의 보호요청에 비추어 볼 때 헌법 제31조 제6항에서 정하고 있는 **교원지위법정주의에 위반**된다고 볼 수밖에 없다. 다만, 이 사건 법률조항의 위헌성은 기간임용제 그 자체에 있는 것이 아니라 재임용을 거부당한 교원이 구제를 받을 수 있는 길을 완전히 차단한 데 있다. 그런데 이 사건 법률조항에 대하여 단순위헌을 선언하는 경우에는 기간임용제 자체까지도 위헌으로 선언하는 결과를 초래하게 되므로, 단순위헌결정 대신 헌법불합치결정을 하는 것이다 (헌재 2003.2.27. 2000헌바26). 11. 법원직

2 대학교원을 제외한 교육공무원의 정년을 65세에서 62세로 단축한 교육공무원법 제47조 제1항이 위헌인지 여부: 소극 [기각]

교원정년을 62세로 한 것이 헌법 제37조 제2항 또는 신뢰보호원칙에 위반하거나, 공무원의 신분보장정신에 위반하여 공무담임권을 침해하는 것이라 할 수 없다. 한편 초·중등교원과 대학교원은 그 임무, 자격기준, 임용과 승진의 과정 등에서 차이가 있고, 이로 인하여 대학교원의 경우 그 최초임용연령이 초·중등교원보다 상대적으로 고령인데다, 고등교육과 연구라는 업무성격상 초·중등교원보다 높은 연령까지 대학교원으로 재직할 필요성을 인정할 수 있는바, 대학교원의 정년을 65세로 한 것은 합리적 근거에 기초한 것이라 할 것이므로 이로 인하여 초·중등교원들의 평등권이 침해된다고 할 수 없다(헌재 2000.12.14. 99헌마112·137).

---

② **관리·운영에 관한 자주결정권**: ㉠ 연구와 교육의 내용 및 그 방법과 대상, 교과과정의 편성 등에 관한 자주결정권, ㉡ 연구와 교육을 위한 시설의 관리에 관한 자주결정권, ㉢ 대학의 재정에 관한 자주결정권 등이 포함된다.

③ **학사에 관한 자주결정권**: 대학은 학생의 선발, 학생의 전형과 성적평가, 학점의 인정, 학위의 수여, 학생에 대한 포상과 징계 등을 자주적으로 결정할 수 있어야 한다.

1 교수나 교수회에 헌법 제31조 제4항의 대학의 자율의 보장내용에 포함되는 헌법상 기본권인 국립대학의 장의 후보자 선정에 참여할 권리가 있는지 여부: 적극 [기각]

전통적으로 대학자치는 학문활동을 수행하는 교수들로 구성된 교수회가 누려오는 것이었고, 현행법상 국립대학의 장 임명권은 대통령에게 있으나, 1990년대 이후 국립대학에서 총장후보자에 대한 직접선거방식이 도입된 이래 거의 대부분 대학구성원들이 추천하는 후보자 중에서 대학의 장을 임명하여 옴으로써 대통령이 대학총장을 임명함에 있어 대학교원들의 의사를 존중하여 온 점을 고려하면, 청구인들에게 대학총장후보자 선출에 참여할 권리가 있고 이 권리는 대학자치의 본질적인 내용에 포함된다고 할 것이므로 결국 헌법상의 기본권으로 인정할 수 있다(헌재 2006.4.27. 2005헌마1047·1048).

2 교육부장관이 강원대학교법학전문대학원의 2015학년도 및 2016학년도 신입생 각 1명의 모집을 정지하도록 한 행위(이하 '이 사건 모집정지'라고 한다)가 과잉금지원칙에 반하여 대학의 자율권을 침해하는지 여부: 적극 [인용(위헌확인)]

이 사건 모집정지는 강원대학교 법학전문대학원의 신입생 정원 중 2.5%의 모집을 정지하는 것으로 청구인에게 큰 불이익인 점, 강원대학교 법학전문대학원 설치인가 신청서의 내용을 종합하면 장학금지급률을 최저 20% 보장하되 그 당시 장학금확보율이 100.6%에 달한다는 내용으로 해석되는 점, 피청구인의 법학전문대학원 설치인가 심사기준에 따르면 장학금지급률 20% 이상이면 해당 항목의 만점에 해당하는 점, 청구인은 법학전문대학원 개원 이래 초기 3년간 다른 24개 대학들에 비하여 최고수준의 장학금을 지급하였고 이후에도 피청구인의 설치인가 심사기준에서 요구하는 장학금지급률 및 청구인이 제출한 설치인가 신청서상의 최저 장학금지급률을 상회하는 장학금을 지급해 온 점, 법학전문대학원법 제39조는 시정명령 불이행으로 인하여 '정상적인 학사운영이 곤란'한 경우에 한하여 학생모집을 정지할 수 있도록 정하고 있음에도 불구하고 이 사건 모집정지 당시 강원대학교 법학전문대학원의 장학금지급률로 인하여 강원대학교 법학전문대학원의 정상적인 학사운영이 곤란한 정도에 이르렀다고 인정하기 어려운 점 등을 종합하면, 이 사건 모집정지는 과잉금지원칙에 반하여 청구인의 대학의 자율권을 침해한다(헌재 2015.12.23. 2014헌마149).

3 사립학교를 설치·운영하는 학교법인의 물적 기반이 되는 기본재산의 매도에 있어 관할청의 허가를 받도록 한 사립학교법 조항이 사립학교 운영의 자유 및 재산권을 침해하는지 여부: 소극

이 사건 법률조항은 사립학교를 설치·운영하는 학교법인의 물적 기반이 되는 기본재산의 매도에 있어 관할청의 허가를 받도록 함으로써 학교법인의 재정적 기초가 되는 기본재산을 유지·보전하도록 하기 위한 것으로 그 입법목적의 정당성이 인정되고, 학교법인의 기본재산 매도에 있어 관할청의 허가를 요하도록 하는 것은 학교법인의 운영자나 이해관계자의 사익추구행위나 학교법인의 자의적이고 방만한 재정운영으로부터 학교법인의 기본재산이 산일되는 것을 방지하는 데 기여할 수 있어서 위와 같은 입법목적의 달성을 위한 적절한 수단의 하나라 할 것이므로, 수단의 적정성도 인정된다. 공교육의 일익을 담당하는 사립학교 재정의 공고화에 대한 공익은 매우 중대하다 할 것이고 입법자가 이러한 점을 고려하여 거래의 안전이나 상대방의 재산권보다 학교재정의 건전화에 대한 공익적 요구를 중요한 가치로 선택한 것이라 할 수 있으므로, 이러한 입법자의 법익 형량이 불합리하다고 볼 수 없다. 따라서 이 사건 법률조항은 과잉금지원칙을 위반하여 사립학교 운영의 자유나 학교법인의 채권자 내지 거래 상대방 등의 재산권을 침해하지 아니한다(헌재 2012.2.23. 2011헌바14).

01 사립학교는 그 설립자의 특별한 설립이념을 구현하거나 독자적인 교육방침에 따라 개성 있는 교육을 실시할 수 있을 뿐만 아니라 공공의 이익을 위한 재산출연을 통하여 정부의 공교육 실시를 위한 재정적 투자능력의 한계를 자발적으로 보완해 주는 역할을 담당하므로, 사립학교 설립의 자유와 운영의 독자성을 보장할 필요가 있다.
22. 국회직 8급　　　　(O, ×)
답 O

02 사립학교도 공교육의 일익을 담당한다는 점에서 국·공립학교와 본질적인 차이가 있을 수 없기 때문에 공적인 학교 제도를 보장하여야 할 책무를 진 국가가 일정한 범위 안에서 사립학교의 운영을 관리·감독할 권한과 책임을 진다. 22. 국회직 8급　　　(O, ×)
답 O

사립학교는 그 설립자의 특별한 설립이념을 구현하거나 독자적인 교육방침에 따라 개성 있는 교육을 실시할수 있을 뿐만 아니라 공공의 이익을 위한 재산출연을 통하여 정부의 공교육 실시를 위한 재정적 투자능력의 한계를 자발적으로 보완해 주는 역할을 담당하므로, 사립학교 설립의 자유와 운영의 독자성을 보장할 필요가 있다. 그러나 다른 한편, 사립학교도 공교육의 일익을 담당한다는 점에서 국·공립학교와 본질적인 차이가 있을 수 없기 때문에 공적인 학교 제도를 보장하여야 할 책무를 진 국가가 일정한 범위 안에서 사립학교의 운영을 감독·통제할 권한과 책임을 지는 것 또한 당연하다 할 것이고, 그 규율의 정도는 그 시대의 사정과 각급 학교의 형편에 따라 다를 수밖에 없는 것이므로, 교육의 본질을 침해하지 않는한 궁극적으로는 입법권자의 형성의 자유에 속하는 것이라 할 수 있다.

4 유치원의 학교에 속하는 회계의 예산과목 구분을 정한 '사학기관 재무·회계 규칙' 조항이 사립유치원 설립·경영자의 사립유치원 운영의 자유를 침해하는지 여부: 소극

개인이 설립한 사립유치원 역시 사립학교법·유아교육법상 학교로서 공교육 체계에 편입되어 그 공공성이 강조되고 공익적인 역할을 수행하며, 국가 및 지방자치단체로부터 재정지원 및 세제혜택을 받고 있다. 따라서 사립유치원의 재정 및 회계의 투명성은 그 유치원에 의하여 수행되는 교육의 공공성과 직결된다. 이는 국가와 지방자치단체의 재정 지원을 받는 사립유치원이 개인의 영리추구에 매몰되지 아니하고 교육기관으로서 양질의 유아교육을 제공하는 동시에 유아교육의 공공성을 지킬 수 있는 재정적 기초를 다지기 위한 것으로서 그 목적이 정당하다. ⋯ 사립유치원의 재무회계를 국가가 관리·감독하는 것은 사립유치원 경영의 투명성을 제고할 수 있는 적합한 수단이다. ⋯ 심판대상조항이 현저히 불합리하거나 자의적이라고 볼 수 없다. 따라서 심판대상조항이 입법형성의 한계를 일탈하여 사립유치원 설립·경영자의 사립유치원 운영의 자유를 침해한다고 볼 수 없다(헌재 2019.7.25. 2017헌마1038 등).

☑ **주의** 헌법재판소는 해당 조항이 재산권을 제한하지 않는다고 보았다.

제9절 가족제도

1 의의

가족제도란 공동생활을 영위하는 혈연적 가족공동체를 규율하는 법적 제도를 말한다.

2 혼인 및 가족제도의 보장

헌법 제36조 ① 혼인과 가족생활은 개인의 존엄과 양성의 평등을 기초로 성립되고 유지되어야 하며, 국가는 이를 보장한다.

헌법 제36조 제1항에서 규정하는 '혼인'이란 양성이 평등하고 존엄한 개인으로서 자유로운 의사의 합치에 의하여 생활공동체를 이루는 것으로서 법적으로 승인받은 것을 말하므로, 법적으로 승인되지 아니한 사실혼은 헌법 제36조 제1항의 보호범위에 포함된다고 보기 어렵다. 17. 변호사, 18. 지방직

1. 혼인제도의 보장

(1) 혼인관계형성의 자유

① **혼인결정의 자유**: 혼인관계에 있어 기초가 되는 것은 혼인에 관한 개인의 자유로운 결정으로서 혼인을 할 것인지 여부, 배우자 선택, 혼인시기의 결정 등이 자유로운 의사에 의하여 결정되어야 한다. 혼인의 자유의 헌법적 근거를 어디에서 찾을 것인지가 문제되는데, 헌법재판소는 헌법 제10조와 제36조 제1항에서 구하고 있다. 14. 법무사

② **혼인퇴직제(독신조항)**: 혼인퇴직제는 합리적인 이유 없이 여성을 차별하는 것으로 평등의 원칙에 반하며, 실질적으로 혼인의 자유를 제한하는 것으로 위헌무효로 보아야 한다. 남녀고용평등과 일·가정 양립 지원에 관한 법률 제7조 제2항은 혼인(미혼조건)을 퇴직사유로 예정하는 노동계약을 체결하는 것을 금지하고 있다.

③ **사실혼관계**: 당사자가 법적 절차를 밟지 아니하고 사실상 부부생활을 하고 있는 경우에도 국가는 법적 절차를 밟도록 강제할 수 없다. 단지 사실혼관계에 대하여 법적인 혼인관계로 인정하지 아니할 수 있을 뿐이다.

④ **혼인의 자유에 대한 예외**: 혼인의 자유에 대한 예외로 민법에서는 미성년자 혼인시 부모의 동의를 요하는 것(민법 제808조 제1항), 중혼금지(민법 제810조), 근친혼금지(민법 제809조)를 규정하고 있다. 이러한 혼인의 자유의 제한은 일부일처제나 우생학적 근거에서 그 합리성이 인정되는 것으로 헌법 위반이 아니라고 할 것이다.
동성동본혈족간 금혼제를 규정한 구 민법 제809조 제1항은 헌법재판소의 헌법불합치결정(헌재 1997.7.16. 95헌가6 등)에 따라 1999년 1월 1일부로 효력을 상실하였으므로 동성동본혈족간 혼인이 가능하게 되었다.

(2) 혼인관계유지의 자유

혼인관계를 유지할 것인지 아니면 해소할 것인지 결정할 자유도 보장되어야 한다. 현행민법은 일정한 요건과 절차에 따라 이혼을 허용하고 있으며, 이혼 및 혼인취소시 재산분할청구권을 인정하는 등 혼인관계유지의 자유를 제도적으로 보장하고 있다.

📌 판례

혼인으로 인하여 1세대 3주택 이상 주택에 대해서도 일률적으로 60%의 양도소득세를 부과하는 구 소득세법 제104조 제1항 제2호의3이 혼인의 자유를 침해하는지 여부: 적극 [헌법불합치]

혼인으로 새로이 1세대를 이루는 자를 위하여 상당한 기간 내에 보유 주택수를 줄일 수 있도록 하고 그러한 경과규정이 정하는 기간 내에 양도하는 주택에 대해서는 혼인 전의 보유 주택수에 따라 양도소득세를 정하는 등의 완화규정을 두는 것과 같은 손쉬운 방법이 있음에도

이러한 완화규정을 두지 아니한 것은 최소침해성원칙에 위배된다고 할 것이고, 이 사건 법률조항으로 인하여 침해되는 것은 헌법이 강도 높게 보호하고자 하는 헌법 제36조 제1항에 근거하는 혼인의 자유 또는 혼인에 따른 차별금지라는 헌법적 가치라 할 것이므로 이 사건 법률조항이 달성하고자 하는 공익과 침해되는 사익 사이에 적절한 균형관계를 인정할 수 없어 법익균형성원칙에도 반한다(헌재 2011.11.24. 2009헌바146). 12. 경정승진

2. 가족제도의 보장

(1) 부부관계

가족생활에서 기본이 되는 부부관계는 각자의 인격을 존중하는 것이어야 하고 부부의 평등이 유지되는 것이어야 한다. 양성의 평등은 헌법 제11조에 의하여 보장되고 있지만, 헌법은 가족제도와 관련하여 이것을 다시 한번 강조하고 있다.

(2) 친자관계

가족생활에 있어 친자관계도 개인의 존엄과 양성의 평등을 기초로 하는 것이어야 한다. 민법 제909조는 자(子)에 대한 부모의 공동친권을 규정하고 있으며, 민법 제974조는 친족간의 부양의무를 규정하고 있다.

⚖ 판례

1 동성동본금혼조항이 평등의 원칙 등에 반하여 위헌인지 여부: 적극 [헌법불합치]

민법 제809조 제1항(동성동본금혼조항)은 사회적 타당성 내지 합리성을 상실하고 있음과 아울러 '인간으로서의 존엄과 가치 및 행복추구권'을 규정한 헌법이념 및 '개인의 존엄과 양성의 평등'에 기초한 혼인과 가족생활의 성립·유지라는 헌법 규정에 정면으로 배치될 뿐 아니라 남계혈족에만 한정하여 헌법상의 평등의 원칙에도 위반되며, 또한 그 입법목적이 사회질서나 공공복리에 해당될 수 없다는 점에서 헌법 제37조 제2항에도 위반된다(헌재 1997.7.16. 95헌가6 등). 05. 국회직, 10. 법행

2 친생부인의 소의 제척기간을 '출생을 안 날로부터 1년'으로 제한한 것이 위헌인지 여부: 적극 [헌법불합치]

민법 제847조 제1항(출생을 안 날로부터 1년)은 입법재량의 범위를 넘어서 친자관계를 부인하고자 하는 부로부터 이를 부인할 수 있는 기회를 극단적으로 제한함으로써 자유로운 의사에 따라 친자관계를 부인하고자 하는 부의 가정생활과 신분관계에서 누려야 할 인격권, 행복추구권 및 개인의 존엄과 양성의 평등에 기초한 혼인과 가족생활에 관한 기본권을 침해하는 것이다(헌재 1997.3.27. 95헌가14·96헌가7). 14. 법행

3 호주제가 헌법 제36조 제1항에 위반되는지 여부: 적극 [헌법불합치]

호주제는 당사자의 의사나 복리와 무관하게 남계혈통 중심의 가(家)의 유지와 계승이라는 관념에 뿌리박은 특정한 가족관계의 형태를 일방적으로 규정·강요함으로써 개인을 가족 내에서 존엄한 인격체로 존중하는 것이 아니라 가의 유지와 계승을 위한 도구적 존재로 취급하고 있는데, 이는 혼인·가족생활을 어떻게 꾸려나갈 것인지에 관한 개인과 가족의 자율적 결정권을 존중하라는 헌법 제36조 제1항에 부합하지 않는다(헌재 2005.2.3. 2001헌가9 등). 05. 국회직, 06. 행시, 10. 지방직

🏛 핵심기출 OX

01 동성동본금혼제는 '인간으로서의 존엄과 가치 및 행복추구권'을 규정한 헌법이념에 반한다. 10. 법행 (○, ×)
답 ○

02 친생부인의 소의 제척기간과 기산점을 '그 출생을 안 날로부터 1년 내'라고 규정한 것은, 친자관계를 부인하고자 하는 부로부터 이를 부인할 수 있는 기회를 극단적으로 제한함으로써 자유로운 의사에 따라 친자관계를 부인하고자 하는 부의 개인의 존엄과 양성의 평등에 기초한 혼인과 가족생활에 관한 기본권을 침해한다. 14. 법행 (○, ×)
답 ○

03 헌법 제9조에서 말하는 전통이란 역사성과 시대성을 띤 개념으로서 가족제도에 관한 전통·전통문화란 적어도 그것이 가족제도에 관한 헌법이념인 개인의 존엄과 양성의 평등에 반하는 것이어서는 안 된다는 한계가 있으므로, 전래의 어떤 가족제도가 헌법 제36조 제1항이 요구하는 개인의 존엄과 양성평등에 반한다면 헌법 제9조에서의 전통을 근거로 헌법적 정당성을 주장할 수 없다. 11. 법원직 (○, ×)
답 ○

4 부성주의가 위헌인지 여부: 적극 [헌법불합치] 06. 행시

[1] 성의 사용 기준에 대하여 부성주의를 원칙으로 규정한 것은 입법형성의 한계를 벗어난 것으로 볼 수 없다.

[2] 출생 직후의 자에게 성을 부여할 당시 부가 이미 사망하였거나 부모가 이혼하여 모가 단독으로 친권을 행사하고 양육할 것이 예상되는 경우, 혼인 외의 자를 부가 인지하였으나 여전히 모가 단독으로 양육하는 경우 등과 같은 사례에 있어서도 일방적으로 부의 성을 사용할 것을 강제하면서 모의 성의 사용을 허용하지 않고 있는 것은 개인의 존엄과 양성의 평등을 침해한다. 11. 법원직

[3] 입양이나 재혼 등과 같이 가족관계의 변동과 새로운 가족관계의 형성에 있어서 구체적인 사정들에 따라서는 양부 또는 계부 성으로의 변경이 개인의 인격적 이익과 매우 밀접한 관계를 가짐에도 부성의 사용만을 강요하여 성의 변경을 허용하지 않는 것은 개인의 인격권을 침해한다.

[4] 이 사건 법률조항의 위헌성은 부성주의의 원칙을 규정한 것 자체에 있는 것이 아니라 부성의 사용을 강제하는 것이 부당한 것으로 판단되는 경우에 대해서까지 부성주의의 예외를 규정하지 않고 있는 것에 있으므로 이 사건 법률조항에 대하여 헌법불합치결정을 선고함이 상당하다(헌재 2005.12.22. 2003헌가5·6).

5 자산소득을 합산하여 과세하도록 규정하고 있는 소득세법 제61조 제1항이 헌법 제36조 제1항에 위반되는지 여부: 적극 [위헌]

부부간의 인위적인 자산 명의의 분산과 같은 가장행위 등은 상속세 및 증여세법상 증여의제규정 등을 통해서 방지할 수 있고, 부부의 공동생활에서 얻어지는 절약가능성을 담세력과 결부시켜 조세의 차이를 두는 것은 타당하지 않으며, 자산소득이 있는 모든 납세의무자 중에서 혼인한 부부가 혼인하였다는 이유만으로 혼인하지 않은 자산소득자보다 더 많은 조세부담을 하여 소득을 재분배하도록 강요받는 것은 부당하며, 부부 자산소득합산과세를 통해서 혼인한 부부에게 가하는 조세부담의 증가라는 불이익이 자산소득합산과세를 통하여 달성하는 사회적 공익보다 크다고 할 것이므로, 소득세법 제61조 제1항이 자산소득합산과세의 대상이 되는 혼인한 부부를 혼인하지 않은 부부나 독신자에 비하여 차별취급하는 것은 헌법상 정당화되지 아니하기 때문에 헌법 제36조 제1항에 위반된다(헌재 2002.8.29. 2001헌바82). 05. 국회직, 06. 행시, 11. 법원직·법행

6 친양자 입양을 청구하기 위해서는 친생부모의 친권상실, 사망 기타 동의할 수 없는 사유가 없는 한 그의 동의를 반드시 요하도록 한 구 민법 제908조의2 제1항 제3호가 위헌인지 여부: 소극 [합헌]

이 사건 법률조항은 친생부모의 친권이 상실되거나 사망 그 밖의 사유로 동의할 수 없는 경우를 제외하고는 친생부모의 동의가 있어야 친양자 입양을 청구할 수 있도록 규정하여 결과적으로 친양자가 될 자의 기본권을 제한하고 있는바, 친양자 입양은 친생부모와 그 자녀 사이의 친족관계를 완전히 단절시키는 등 친생부모의 지위에 중대한 영향을 미치는 점, 친생부모 역시 헌법 제10조 및 제36조 제1항에 근거한 가족생활에 관한 기본권을 보유하고 있다는 점에 비추어 볼 때 그 입법목적은 정당하고, 나아가 이 사건 법률조항은 친양자 입양에 있어 무조건 친생부모의 동의를 요하도록 하고 있는 것이 아니라, '친생부모의 친권이 상실되거나 사망 기타 그 밖의 사유로 동의할 수 없는 경우'에는 그 동의 없이도 친양자 입양이 가능하도록 예외규정을 두어 기본권제한의 비례성을 준수하고 있다(헌재 2012.5.31. 2010헌바87). 18. 지방직

핵심기출 OX

01 출생 직후의 자(子)에게 성을 부여할 당시 부(父)가 이미 사망하였거나 부모가 이혼하여 모가 단독으로 친권을 행사하고 양육할 것이 예상되는 경우에도 부의 성을 사용할 것이 강제되도록 한 법률조항은 헌법에 합치하지 아니한다. 11. 법원직 (O, ×)

답 O

02 소득세법의 누진세제 체계로 인하여 자산소득합산제도의 적용을 받는 부부가 그 대상이 되지 않는 독신자나 사실혼관계의 부부보다 불이익한 취급을 받는다 하더라도 이는 국민의 생활실태와 자산소득의 특성을 고려하여 소비단위별 담세능력에 부합하는 공평한 과세를 실현하기 위한 것으로서 합리적 근거가 있다.
05. 국회직, 06. 행시, 11. 법원직 (O, ×)

답 × 소득세법 제61조 제1항이 자산소득합산과세의 대상이 되는 혼인한 부부를 혼인하지 않은 부부나 독신자에 비하여 차별취급하는 것은 헌법상 정당화되지 아니하기 때문에 헌법 제36조 제1항에 위반된다(헌재 2002.8.29. 2001헌바82).

7 혼인 중인 부부만 친양자 입양을 할 수 있도록 규정한 민법 조항이 독신자의 평등권 및 가족생활의 자유를 침해하는지 여부: 소극 [합헌]

[1] 심판대상조항은 친양자가 안정된 양육환경을 제공할 수 있는 가정에 입양되도록 하여 양자의 복리를 증진시키기 위하여 친양자의 양친을 기혼자로 한정하였다. 독신자 가정은 기혼자 가정과 달리 기본적으로 양부 또는 양모 혼자서 양육을 담당하여야 하며, 독신자를 친양자의 양친으로 하면 처음부터 편친 가정을 이루게 하고 사실상 혼인 외의 자를 만드는 결과가 발생하므로, 독신자 가정은 기혼자 가정에 비하여 양자의 양육에 있어 불리할 가능성이 높다.

[2] 나아가 독신자가 친양자를 입양하게 되면 그 친양자는 아버지 또는 어머니가 없는 자녀로 가족관계등록부에 공시되어 양자에게 친생자와 같은 양육환경을 만들어주려는 친양자제도의 근본목적에 어긋나게 된다.

[3] 한편 입양특례법에서는 독신자도 일정한 요건을 갖추면 양친이 될 수 있도록 규정하고 있으나, 입양특례법에서 입양의 대상으로 삼고 있는 사람은 보호자가 없거나 보호자로부터 이탈된 아동이며, 양친의 요건 및 제출서류 등과 관련하여서도 민법과 다르게 규정하고 있으므로, 입양특례법과 달리 민법에서 독신자의 친양자 입양을 허용하지 않는 것에는 합리적인 이유가 있다.

[4] 따라서 심판대상조항은 독신자의 평등권을 침해하지 않는다(헌재 2013.9.26. 2011헌가42). 14. 사시, 15. 법원직

8 친생부인의 소의 제척기간을 '친생부인의 사유가 있음을 안 날부터 2년 내'로 제한한 민법 제847조 제1항이 친자관계를 부인하고자 하는 부(夫)의 가정생활과 신분관계에서 누려야 할 인격권 및 행복추구권을 침해하는지 여부: 소극 [합헌]

헌재 1997.3.27. 95헌가14 등 결정의 취지에 따라 2005.3.31. 법률 제7427호로 개정된 민법 제847조 제1항은 '친생부인의 사유가 있음을 안 날'을 제척기간의 기산점으로 삼음으로써 부(夫)가 혈연관계의 진실을 인식할 때까지 기간의 진행을 유보하고, '그로부터 2년'을 제척기간으로 삼음으로써 부(夫)의 친생부인의 기회를 실질적으로 보장하고 있다. 또한 2년이란 기간은 자녀의 불안정한 지위를 장기간 방치하지 않기 위한 것으로서 지나치게 짧다고 볼 수 없다. 따라서 민법 제847조 제1항 중 '부(夫)가 그 사유가 있음을 안 날부터 2년 내' 부분은 친생부인의 소의 제척기간에 관한 입법재량의 한계를 일탈하지 않은 것으로서 헌법에 위반되지 아니한다(헌재 2015.3.26. 2012헌바357).

9 혼인종료 후 300일 이내에 출생한 자를 전남편의 친생자로 추정하는 민법 제844조 제2항 중 '혼인관계종료의 날로부터 300일 내에 출생한 자'에 관한 부분이 모가 가정생활과 신분관계에서 누려야 할 인격권, 혼인과 가족생활에 관한 기본권을 침해하는지 여부: 적극 [헌법불합치]

[1] 오늘날 이혼 및 재혼이 크게 증가하였고, 여성의 재혼금지기간이 2005년 민법개정으로 삭제되었으며, 이혼숙려기간 및 조정전치주의가 도입됨에 따라 혼인 파탄으로부터 법률상 이혼까지의 시간간격이 크게 늘어나게 됨에 따라, 여성이 전남편이 아닌 생부의 자를 포태하여 혼인종료일로부터 300일 이내에 그 자를 출산할 가능성이 과거에 비하여 크게 증가하게 되었으며, 유전자검사기술의 발달로 부자관계를 의학적으로 확인하는 것이 쉽게 되었다.

그런데 심판대상조항에 따르면 혼인종료 후 300일 내에 출생한 자녀가 전남편의 친생자가 아님이 명백하고, 전남편이 친생추정을 원하지도 않으며, 생부가 그 자를 인지하려는 경우에도 그 자녀는 전남편의 친생자로 추정되어 가족관계등록부에 전남편의 친생자로 등록되고, 이는 엄격한 친생부인의 소를 통해서만 번복될 수 있다. 그 결과 심판대상조항은 이혼한 모와 전남편이 새로운 가정을 꾸리는 데 부담이 되고, 자녀와 생부가 진실한 혈연관계를 회복하는 데 장애가 되고 있다.

이와 같이 민법제정 이후의 사회적·법률적·의학적 사정변경을 전혀 반영하지 아니한 채, 이미 혼인관계가 해소된 이후에 자가 출생하고 생부가 출생한 자를 인지하려는 경우마저도, 아무런 예외 없이 그 자를 전남편의 친생자로 추정함으로써 친생부인의 소를 거치도록 하는 심판대상조항은 입법형성의 한계를 벗어나 모가 가정생활과 신분관계에서 누려야 할 인격권, 혼인과 가족생활에 관한 기본권을 침해한다. 17. 국가직·서울시, 18·19. 지방직

[2] 심판대상조항을 위헌으로 선언하면 친생추정의 효력이 즉시 상실되어 혼인종료 후 300일 이내에 출생한 자의 법적 지위에 공백이 발생할 우려가 있고, 심판대상조항의 위헌상태를 어떤 기준과 요건에 따라 개선할 것인지는 원칙적으로 입법자의 형성재량에 속하므로, 헌법불합치결정을 선고하되 입법자의 개선입법이 있을 때까지 계속 적용을 명한다(헌재 2015.4.30. 2013헌마623).

10 부모의 양육권과 육아휴직신청권의 법적 성격 14. 국가직·지방직, 15. 법원직

[1] **양육권**은 공권력으로부터 자녀의 양육을 방해받지 않을 권리라는 점에서는 '**자유권적 기본권**'으로서의 성격을, 자녀의 양육에 관하여 국가의 지원을 요구할 수 있는 권리라는 점에서는 '**사회권적 기본권**'으로서의 성격을 아울러 가진다.

[2] **육아휴직신청권**은 헌법 제36조 제1항 등으로부터 개인에게 직접 주어지는 헌법적 차원의 권리라고 볼 수는 없고, 입법자가 입법의 목적, 수혜자의 상황, 국가예산, 전체적인 사회보장수준, 국민정서 등 여러 요소를 고려하여 제정하는 입법에 적용요건, 적용대상, 기간 등 구체적인 사항이 규정될 때 비로소 형성되는 '법률상의 권리'이다(헌재 2008.10.30. 2005헌마156). 17. 국가직

11 1990년 개정 민법의 시행일인 1991.1.1.부터 그 이전에 성립된 계모자 사이의 법정혈족관계를 소멸시키도록 한 민법 부칙 제4조 중 "전처의 출생자와 계모 사이의 친족관계"에 관한 부분이 헌법 제36조 제1항에 위반되는지 여부: 소극

이 사건 법률조항은 계자의 친부와 계모의 혼인의사를 일률적으로 계자에 대한 입양 또는 그 대리의 의사로 간주하기는 어려우므로, 계자의 친부와 계모의 혼인에 따라 가족생활을 자유롭게 형성할 권리를 침해하지 아니하고, 또한 개인의 존엄과 양성평등에 반하는 전래의 가족제도를 개선하기 위한 입법이므로 가족제도를 보장하는 헌법 제36조 제1항에 위반된다고 볼 수도 없다(헌재 2011.2.24. 2009헌바89).

12 8촌 이내 혈족 사이의 혼인 금지(근친혼 금지) 및 무효 사건

[1] **8촌 이내의 혈족 사이에서는 혼인할 수 없도록 하는 민법 제809조 제1항이 헌법에 위반되는지 여부: 소극 [합헌]**

이 사건 금혼조항은 위와 같이 근친혼으로 인하여 가까운 혈족 사이의 상호 관계 및 역할, 지위와 관련하여 발생할 수 있는 혼란을 방지하고 가족제도의 기능을 유지하기 위한 것이므로 그 입법목적이 정당하다. 또한 8촌 이내의 혈족 사이의 법률상의 혼인을 금지한 것은 근친혼의 발생을 억제하는 데 기여하므로 입법목적 달성에 적합한 수단에 해당한다. … 이 사건 금혼조항이 입법목적 달성에 불필요하거나 과도한 제한을 가하는 것이라고는 볼 수 없다. … 근친혼이 가족 내에서 혼란을 초래하거나 가족의 기능을 저해하는 범위는 가족의 범주에 관한 인식과 합의에 주로 달려 있으므로 역사·종교·문화적 배경이나 생활양식의 차이로 인하여 상이한 가족 관념을 가지고 있는 국가 사이의 단순 비교가 의미를 가지기 어렵다. 이를 종합하면, 이 사건 금혼조항이 침해의 최소성에 반한다고 할 수 없다. … 따라서 이 사건 금혼조항은 법익균형성에 위반되지 아니한다. 그렇다면 이 사건 금혼조항은 과잉금지원칙에 위배하여 혼인의 자유를 침해하지 않는다.

🏛️**핵심기출 OX**

01 육아휴직제도의 헌법적 근거를 헌법 제36조 제1항에서 구한다고 하더라도 육아휴직신청권은 헌법 제36조 제1항 등으로부터 개인에게 직접 주어지는 헌법적 차원의 권리라고 볼 수는 없다. 17. 국가직, 22. 국회직 8급

(O, ×)

답 O

02 1991.1.1.부터 그 이전에 성립된 계모자 사이의 법정혈족관계를 소멸시키도록 한 민법 부칙 조항은 계자의 친부와 계모의 혼인에 따라 가족생활을 자유롭게 형성할 권리를 침해하지 않는다. 23. 경찰승진 (O, ×)

답 O

[2] 민법 제809조 제1항을 위반한 혼인을 무효로 하는 민법 제815조 제2호가 헌법에 위반되는지 여부: 적극 [헌법불합치]

이미 근친혼이 이루어져 당사자 사이에 부부간의 권리와 의무의 이행이 이루어지고 있고, 자녀를 출산하거나 가족 내 신뢰와 협력에 대한 기대가 발생하였다고 볼 사정이 있는 때에 일률적으로 그 효력을 소급하여 상실시킨다면, 이는 가족제도의 기능 유지라는 본래의 입법목적에 반하는 결과를 초래할 가능성이 있다. ··· 이 사건 무효조항은 근친혼의 구체적 양상을 살피지 아니한 채 8촌 이내 혈족 사이의 혼인을 일률적·획일적으로 혼인무효사유로 규정하고, 혼인관계의 형성과 유지를 신뢰한 당사자나 그 자녀의 법적 지위를 보호하기 위한 예외조항을 두고 있지 않으므로, 입법목적 달성에 필요한 범위를 넘는 과도한 제한으로서 침해의 최소성을 충족하지 못한다. ··· 이 사건 무효조항은 법익균형성을 충족하지 못한다. 그렇다면, 이 사건 무효조항은 과잉금지원칙에 위배하여 혼인의 자유를 침해한다. 이 사건 무효조항의 위헌성은 이 사건 금혼조항에 의하여 금지되는 근친혼을 어떠한 예외도 없이 처음부터 무효로 하는 데에 있다. 근친혼이 가까운 혈족 사이의 신분관계 등에 현저한 혼란을 초래하고 가족제도의 기능을 심각하게 훼손하는 경우에도 무효로 하여서는 안 된다는 것은 아니다. 당사자와 그 자녀의 법적 지위에 대한 예외적 보호가 필요한 범위에 관하여는, 혼인과 가정을 보호하고 개인의 존엄과 양성의 평등에 기초한 혼인·가족 제도를 실현하여야 할 일차적 책임이 있는 입법자에게 맡기는 것이 바람직하다. 따라서 단순 위헌결정이 아니라 헌법불합치 결정을 선고한다 (헌재 2022.10.27. 2018헌바115).

13 민법 제999조 제2항 및 구 민법 제999조에 의하여 준용되는 제982조 제2항 중 상속회복청구권의 행사기간을 상속 개시일로부터 10년으로 제한한 것이 재산권, 행복추구권, 재판청구권 등을 침해하고 평등원칙에 위배되는지 여부: 적극

상속회복청구권은 사망으로 인하여 포괄적인 권리의무의 승계가 이루어지는 상속에 즈음하여 참칭상속인에 의하여 진정상속인의 상속권이 침해되는 때가 적지 않음을 고려하여 진정상속인으로 하여금 참칭상속인을 배제하고 상속권의 내용을 실현할 수 있게 함으로써 진정상속인을 보호하기 위한 권리인바, 상속회복청구권에 대하여 상속 개시일부터 10년이라는 단기의 행사기간을 규정함으로 인하여, 위 기간이 경과된 후에는 진정한 상속인은 상속인으로서의 지위와 함께 상속에 의하여 승계한 개개의 권리의무도 총괄적으로 상실하여 참칭상속인을 상대로 재판상 그 권리를 주장할 수 없고, 오히려 그 반사적 효과로서 참칭상속인의 지위는 확정되어 참칭상속인이 상속개시의 시점으로부터 소급하여 상속인으로서의 지위를 취득하게 되므로, 이는 진정상속인의 권리를 심히 제한하여 오히려 참칭상속인을 보호하는 규정으로 기능하고 있는 것이라 할 것이어서, 기본권 제한의 한계를 넘어 헌법상 보장된 상속인의 재산권, 행복추구권, 재판청구권 등을 침해하고 평등원칙에 위배된다(헌재 2001.7.19. 99헌바9 등).

14 상속회복청구권의 제척기간을 상속권의 침해를 안 날로부터 3년, 상속권의 침해행위가 있은 날부터 10년으로 정하고 있는 민법 제999조 제2항이 재산권 및 평등권을 침해하는지 여부: 소극

이 사건 법률조항이 정하는 상속회복청구권의 단기제척기간은 참칭상속인 자체를 보호하기 위한 것이 아니라, 일정한 상속회복청구의 기간이 지난 경우 진정한 상속인이 더 이상 자기의 권리를 주장할 수 없도록 하여 참칭상속인이 상속재산에 대하여 가지고 있는 외관을 믿고 전득한 제3자를 보호함으로써 궁극적으로는 상속을 둘러싼 법률관계를 조기에 확정하여 거래의 안전을 도모하기 위한 것이므로 이 사건 법률조항은 청구인들의 재산권이나 평등권을 침해한다고도 볼 수 없다(헌재 2010.11.25. 2010헌바253).

15 상속개시 후 인지에 의하여 공동상속인이 된 자가 다른 공동상속인에 대해 그 상속분에 상당한 가액의 지급에 관한 청구권(상속분가액지급청구권)을 행사하는 경우에도 상속회복청구권에 관한 10년의 제척기간을 적용하도록 한 민법 조항이 청구인의 재산권과 재판청구권을 침해하여 헌법에 위반되는지 여부: 적극 [위헌]

[심판대상조항]

> **민법 제999조【상속회복청구권】** ② 제1항의 상속회복청구권은 그 침해를 안 날부터 3년, 상속권의 침해행위가 있은 날부터 10년을 경과하면 소멸된다.
>
> **민법 제1014조【분할후의 피인지자 등의 청구권】** 상속개시후의 인지 또는 재판의 확정에 의하여 공동상속인이 된 자가 상속재산의 분할을 청구할 경우에 다른 공동상속인이 이미 분할 기타 처분을 한 때에는 그 상속분에 상당한 가액의 지급을 청구할 권리가 있다.

[1] 민법 제999조 제2항의 '상속권의 침해행위가 있은 날부터 10년' 중 민법 제1014조에 관한 부분은 헌법에 위반된다.

[2] 심판대상조항은 상속개시 후 인지 또는 재판확정에 의하여 공동상속인이 된 자가 상속분가액지급청구권을 행사할 경우 그 기간을 '상속권의 침해행위가 있은 날부터 10년'으로 한정하고 그 후에는 상속분가액지급청구의 소를 제기할 수 없도록 하고 있으므로, 청구인의 재산권과 재판청구권을 제한한다.

민법 제1014조의 상속분가액지급청구권은 인지 또는 재판확정으로 공동상속인이 추가되기 전에 기존 공동상속인이 상속재산을 분할·처분한 경우, 추가된 공동상속인에게 민법 제999조의 상속회복청구의 방식 중 '원물반환의 방식'을 차단하여 그 분할·처분의 효력을 유지함으로써 제3취득자의 거래 안전을 존중하는 한편, 추가된 공동상속인에게는 '가액반환의 방식'만을 보장함으로써 기존 공동상속인, 제3취득자, 추가된 공동상속인 사이의 이해관계를 조정한다.

이때 '침해를 안 날'은 인지 또는 재판이 확정된 날을 의미하므로, 그로부터 3년의 제척기간은 공동상속인의 권리구제를 실효성 있게 보장하는 것으로 합리적 이유가 있다. 그러나 '침해행위가 있은 날'(상속재산의 분할 또는 처분일)부터 10년 후에 인지 또는 재판이 확정된 경우에도 추가된 공동상속인이 상속분가액지급청구권을 원천적으로 행사할 수 없도록 하는 것은 '가액반환의 방식'이라는 우회적·절충적 형태를 통해서라도 인지된 자의 상속권을 뒤늦게나마 보상해 주겠다는 입법취지에 반하며, 추가된 공동상속인의 권리구제 실효성을 완전히 박탈하는 결과를 초래한다. 결국 상속개시 후 인지 또는 재판의 확정에 의하여 공동상속인이 된 자의 상속분가액지급청구권의 경우에도 '침해행위가 있은 날부터 10년'의 제척기간을 정하고 있는 것은, 법적 안정성만을 지나치게 중시한 나머지 사후에 공동상속인이 된 자의 권리구제 실효성을 외면하는 것이므로, **심판대상조항은 입법형성의 한계를 일탈하여 청구인의 재산권 및 재판청구권을 침해한다**(헌재 2024.6.27. 2021헌마1588).

1. 친생부인의 소의 제소기간을 출생을 안 날로부터 1년으로 제한한 것(민법 제847조 제1항): 헌법불합치(헌재 1997.3.27. 95헌가14) 14. 법행
2. 동성동본금혼조항(민법 제809조 제1항): 헌법불합치(헌재 1997.7.16. 95헌가6) 05. 국가직, 10. 법행
3. 상속의 단순승인 의제조항(민법 제1026조 제2호): 헌법불합치(헌재 1998.8.27. 96헌가22) 06. 행시
4. 호주제도(민법 제778조 등): 헌법불합치(헌재 2005.2.3. 2001헌가9 등) 05. 국회직, 06. 행시, 10. 지방직
5. 이혼시 재산분할에 대한 증여세 부과규정(상속세법 제29조의2 제1항 제1호): 위헌(헌재 1997.10.30. 96헌바14)
6. 상속회복청구권의 행사기간 제한규정(민법 제999조 제2항): 위헌(헌재 2001.7.19. 99헌바9)
7. 부모의 사망시 인지청구의 소의 제소기간을 사망을 알게 된 때로부터 1년으로 제한한 것(민법 제864조): 합헌(헌재 2001.5.31. 98헌가9) 06. 행시
8. 부성제도: 헌법불합치(헌재 2005.12.22. 2003헌가5 등) 06. 행시, 11. 법원직
9. 중혼취소 청구권자로 직계비속을 포함하지 않은 것: 위헌(헌재 2010.7.29. 2009헌가8) 11. 법원직
10. 1991.1.1.부터 그 이전에 성립된 계모자 사이의 법정혈족관계를 소멸시키도록 한 민법 부칙 조항: 합헌(헌재 2011.2.24. 2009헌바89). 23. 경찰승진

미국대통령제와 한국대통령제의 비교

구분	미국대통령제	한국대통령제
행정부의 법률안제출권	×	○
국무위원의 국회발언권	×	○
국회의원의 국무위원 겸임	×	○
부통령제	○	×
대통령의 법률안보류거부권	○	×
대통령의 법률안환부거부권	○	○
부서제도	×	○
국무회의의 성격	임의기관·자문기관	필수기관·심의기관

정부형태의 비교

구분	의원내각제	대통령제	이원정부제
대통령 선출	간선	직선	직선
행정부의 구조	이원적(형식적)	일원적	이원적(실질적)
민주적 정당성	일원적(의회)	이원적(대통령·의회)	이원적(대통령·의회)
행정부와 의회의 관계	의존적	독립적	의존적
국회의 행정부에 대한 법적 책임 추궁	○	○	○
국회의 행정부에 대한 정치적 책임 추궁(내각불신임)	○	×	○
의회해산제도	○	×	○(대통령)
각료와 의원 겸임	○	×	×

통치구조의 구성원리 관련 판례

적극	소극
법관으로 하여금 사실판단도 하지 말고, 검사의 의견만 듣고 형을 선고하라는 것이 권력분립의 원리에 위반되는지 여부(헌재 1996.1.25. 95헌가5)	• 전국구의원이 소속 정당을 탈당한 경우에 의원직을 상실하는지 여부(헌재 1994.4.28. 92헌마53)

• 국회 내 정당간의 의석분포를 결정할 권리 내지 국회구성권이 헌법소원으로 다툴 수 있는 국민의 기본권인지 여부(헌재 1998.10.29. 96헌마186) • 대법원장에게 특별검사후보자를 추천하도록 한 특검법이 권력분립의 원칙에 위배되는지 여부(헌재 2008.1.10. 2007헌마1468)

위헌 및 헌법불합치 판결 정리	
위헌	헌법불합치
• 국회의원선거에 참여하여 의석을 얻지 못하고 유효투표총수의 100분의 2 이상을 득표하지 못한 정당에 대하여 그 등록을 취소하도록 한 정당법 제44조 제1항 제3호가 위헌인지 여부: 적극 (헌재 2014.1.28. 2012헌마431) • 경찰청장 퇴임 후 2년간 정당의 발기인이 되거나 당원이 될 수 없도록 한 것이 정당설립 및 가입의 자유를 침해하는지 여부: 적극 (헌재 1999.12.23. 99헌마135) • '집행유예자'의 선거권 제한 부분: 적극 (헌재 2014.1.28. 2012헌마409) • 1인 1표제하의 비례대표국회의원선거방식이 직접선거원칙 등에 위반하여 위헌인지 여부: 적극 (헌재 2001.7.19. 2000헌마91 등) • 공직선거법 제200조 제2항 단서 중 '비례대표국회의원당선인이 제264조의 규정에 의하여 당선이 무효로 된 때' 부분이 대의제 민주주의원리 내지 자기책임원리에 위배되어 궐원된 의원이 속한 정당의 비례대표국회의원후보자명부상의 차순위후보자의 공무담임권을 침해하는지 여부: 적극 (헌재 2009.10.29. 2009헌마350) • 지방자치단체의 장으로 하여금 당해 지방자치단체의 관할구역과 같거나 겹치는 선거구역에서 실시되는 지역구국회의원선거에 입후보하고자 하는 경우 당해 선거의 선거일 전 180일까지 그 직을 사퇴하도록 규정하고 있는 공직선거법 제53조 제3항이 평등의 원칙에 위배되는지 여부: 적극 (헌재 2003.9.25. 2003헌마106)	• '수형자'의 선거권 제한 부분: 적극 (헌재 2014.1.28. 2012헌마409) • 공직선거법 제200조 제2항 단서 중 '임기만료일 전 180일 이내에 비례대표국회의원에 궐원이 생긴 때' 부분이 대의제 민주주의원리에 위배되어 궐원된 의원이 속한 정당의 비례대표국회의원후보자명부상의 차순위후보자의 공무담임권을 침해하는지 여부: 적극 (헌재 2009.6.25. 2008헌마413) • 대통령선거에서 5억원의 기탁금 납부를 규정한 공직선거법 제56조 제1항 제1호가 후보예정자의 공무담임권을 침해하는지 여부: 적극 (헌재 2008.11.27. 2007헌마1024) • 유권자의 금품수수시에 부과할 과태료의 액수를 감액의 여지 없이 일률적으로 '제공받은 금액 또는 음식물·물품 가액의 50배에 상당하는 금액'으로 정하고 있는 공직선거법이 위헌인지 여부: 적극 (헌재 2009.3.26. 2007헌가22) • 부재자투표 개시시간을 '오전 10시'로 정한 공직선거법 제155조 제2항이 위헌인지 여부: 적극 (헌재 2012.2.23. 2010헌마601) • 지방자치단체의 장이 '금고 이상의 형을 선고받고 그 형이 확정되지 아니한 경우'에 부단체장이 그 권한을 대행하도록 하는 것이 위헌인지 여부: 적극 (헌재 2010.9.2. 2010헌마418) • 혼인으로 인하여 1세대 3주택 이상 주택에 대해서도 일률적으로 60%의 양도소득세를 부과하는 구 소득세법 제104조 제1항 제2호의3이 혼인의 자유를 침해하는지 여부: 적극 (헌재 2011.11.24. 2009헌바146)

- 선거일 전 180일부터 선거일까지 '인터넷상 정치적 표현 내지 선거운동'(트위터, 페이스북 등 SNS를 이용한 선거운동)을 금지하는 것이 선거운동의 자유 내지 정치적 표현의 자유를 침해하는지 여부: 적극 (헌재 2011.12.29. 2007헌마1001) [한정위헌]
- 공무원이 '선거운동의 기획에 참여하거나 그 기획의 실시에 관여하는 행위'를 금지하는 것이 헌법에 위반되는지 여부: 적극 (헌재 2008.5.29. 2006헌마1096) [한정위헌]
- 자치구·시·군의원선거의 후보자만 정당표방을 금지하는 것이 위헌인지 여부: 적극 (헌재 2003.1.30. 2001헌가4)
- 금고 이상 형의 '선고유예'를 받은 지방공무원을 당연퇴직사유로 한 것이 위헌인지 여부: 적극 (헌재 2002.8.29. 2001헌마788·2002헌마173)
- 금고 이상의 형의 '선고유예'를 받은 국가공무원을 당연퇴직 사유로 한 것이 위헌인지 여부: 적극 (헌재 2003.10.30. 2002헌마684)
- 금고 이상의 형의 '선고유예'를 받은 예비군지휘관을 당연퇴직하도록 한 것이 위헌인지 여부: 적극 (헌재 2005.12.22. 2004헌마947)
- 금고 이상 형의 '선고유예'를 받은 군무원을 당연퇴직사유로 한 것이 위헌인지 여부: 적극 (헌재 2007.6.28. 2007헌가3)
- 경찰공무원이 자격정지 이상의 형의 '선고유예'를 받은 경우 공무원직에서 당연퇴직하도록 규정한 것이 위헌인지 여부: 적극 (헌재 2004.9.23. 2004헌가12)
- 형사사건으로 기소되면 '필요적으로' 직위해제처분을 하도록 한 국가공무원법 규정이 위헌인지 여부: 적극 (헌재 1998.5.28. 96헌가12)
- 지방자치단체가 지방공무원법 제58조 제2항의 위임에 따라 '사실상 노무에 종사하는 공무원의 범위'를 정하는 조례를 제정하지 아니한 부작위가 청구인들의 근로3권을 침해하는지 여부: 적극 (헌재 2009.7.30. 2006헌마358)

그 외 판례

- 후임자 임명처분에 의한 공무원직 상실규정이 위헌인지 여부: 적극 (헌재 1989.12.18. 89헌마32·33)
- 중앙행정기관의 장이 지방자치단체의 자치사무에 대하여 법령 위반사항이 드러나지 않은 상황에서 실시하는 포괄적·일반적인 감사가 헌법 및 지방자치법에 의하여 부여된 지방자치단체의 지방자치권을 침해하는지 여부: 적극 (헌재 2009.5.28. 2006헌라6) [권한침해]

제1절 입법작용

1 입법권의 의미와 범위

> 헌법 제40조 입법권은 국회에 속한다.

1. 입법권의 의미

헌법 제40조는 ① 실질적 의미의 입법에 관한 권한은 헌법에 특별한 규정이 없는 한 원칙적으로 국회의 권한에 속한다는 국회(중심)입법의 원칙과 ② 형식적 의미의 법률은 국회가 단독으로 의결한다는 국회의 법률단독의결의 원칙을 규정한 것이다. 그러나 이는 국회가 입법권을 독점한다는 의미는 아니다(국회입법독점주의의 배제).

2. 입법권의 범위

헌법상 국회가 단독으로 행사할 수 있는 입법권은 실질적 의미의 입법에 관한 권한 중 법률안의 심의·의결권(헌법 제53조), 헌법개정의 심의·의결권(헌법 제128조 제1항, 헌법 제130조 제1항), 조약의 체결·비준에 대한 동의권(헌법 제60조), 국회규칙의 제정권(헌법 제64조 제1항)뿐이다.

(1) 법률의 제정권

① **법률의 개념**: 법률의 제정권이라 할 경우의 법률은 형식적 의미의 법률을 의미한다.

② **법률의 형태와 체계**

　㉠ **일반적 법률(규범적 법률)**: '일반적'이란 불특정 다수인을 대상으로 함을 말하고, '추상적'이란 규제사항을 지나치게 구체적으로 규정하지 아니함을 말한다. 따라서 일반적 법률은 일반적이고 추상적인 내용을 가진 법률을 말한다.

　㉡ **처분적 법률**

　　ⓐ **의의**: 처분적 법률이란 행정적 집행의 매개 없이 직접 국민에게 권리·의무를 발생하게 하는 법률, 즉 자동집행력을 가지는 법률을 말한다(다수설). 따라서 처분적 법률은 일정한 범위의 국민을 대상으로 하는 어떠한 처분이나 조치 등 구체적이고 개별적인 사항을 그 내용으로 하는 것이다. 현대 국가에서는 국민의 생존과 복지보장 및 비상적 위기상황의 대처를 위하여 처분적 법률의 필요성이 증대되고 있다. 11. 국가직

ⓑ 유형
- **개별인법률**: 일정 범위의 국민만을 대상으로 하는 법률로 부정선거 관련자처벌법, 정치활동정화법, 부정축재처리법 등이 그 예이다.
- **개별사건법률**: 개별적·구체적인 상황 또는 사건을 대상으로 하는 법률로 5·18민주화운동 등에 관한 특별법, 세무대학설치법 폐지법률, 특정 사건을 처리하기 위한 특별검사의 수사에 관한 법률 등이 그 예이다. 11. 국가직
- **한시법률**: 시행기간이 한정된 법률이다.

⚖ 판례

1 처분적 법률이 허용되는지 여부: 적극

우리 헌법재판소는 특정한 법률이 이른바 처분적 법률에 해당한다고 하더라도 그러한 이유만으로 곧바로 헌법에 위반되는 것은 아니라는 점을 수차 밝혀 왔다. 즉, 우리 헌법은 처분적 법률로서의 개인대상법률 또는 개별사건법률의 정의를 따로 두고 있지 않음은 물론 이러한 처분적 법률의 제정을 금하는 명문의 규정도 두고 있지 않으므로 특정한 규범이 개인대상법률 또는 개별사건법률에 해당한다고 하여 그것만으로 바로 헌법에 위반되는 것은 아니다. 다만, 이러한 법률이 일반 국민을 그 규율대상으로 하지 아니하고 특정 개인이나 사건만을 대상으로 함으로써 차별이 발생하는바, 그 차별적 규율이 합리적인 이유로 정당화되는 경우에는 허용된다고 할 것이다(헌재 2008.1.10. 2007헌마1468). 11. 경정승진, 11·18. 국가직, 12. 지방직

2 주식회사 연합뉴스를 국가기간뉴스통신사로 지정하고 이에 대한 재정지원 등을 규정한 뉴스통신 진흥에 관한 법률 제10조 등 심판대상조항이 개인대상법률로서 헌법에 위반되는지 여부: 소극

심판대상조항은 상법상의 주식회사에 불과한 연합뉴스사를 주무관청인 문화관광부장관의 지정절차도 거치지 아니하고 바로 법률로써 국가기간뉴스통신사로 지정하고, 법이 정하는 계약조건으로 정부와 뉴스정보 구독계약을 체결하게 하며, 정부가 위탁하는 공익업무와 관련하여 정부의 예산으로 재정지원을 할 수 있는 법적 근거를 법률로써 창설하고 있는바, 이는 특정인에 대해서만 적용되는 '개인대상법률'으로서 처분적 법률에 해당한다(헌재 2005.6.30. 2003헌마841).

3 국가보위입법회의법 부칙 제4항 후단이 처분적 법률인지 여부: 적극

국가보위입법회의법 부칙 제4항 후단이 규정하고 있는 "… 그 소속 공무원은 이 법에 의한 후임자가 임명될 때까지 그 직을 가진다."라는 내용은 행정집행이나 사법재판을 매개로 하지 아니하고 직접 국민에게 권리나 의무를 발생하게 하는 법률, 즉 **법률이 직접 자동집행력을 갖는 처분적 법률의 예에 해당하는** 것이며 따라서 국가보위입법회의 의장 등의 면직발령은 위 법률의 후속조치로서 당연히 행하여져야 할 사무적 행위에 불과하다고 할 것이다(헌재 1989.12.18. 89헌마32 등).

4 5·18민주화운동 등에 관한 특별법(이하 "특별법"이라 한다) 제2조가 개별사건법률로서 위헌인지 여부: 소극

특별법 제2조는 제1항에서 "1979년 12월 12일과 1980년 5월 18일을 전후하여 발생한 … 헌정질서파괴행위에 대하여 … 공소시효의 진행이 정지된 것으로 본다."라고 규정함으로써, 특별법이 이른바 12·12 사건과 5·18 사건에만 적용됨을 명백히 밝히고 있으므로 다른 유사한 상황의 불특정다수의 사건에 적용될 가능성을 배제하고 오로지 위 두 사건에 관련된 헌정질서파괴범만을 그 대상으로 하고 있어 특별법 제정당시 이미 적용의 인적

범위가 확정되거나 확정될 수 있는 내용의 것이므로 개별사건법률임을 부인할 수는 없다(헌재 1996.2.16. 96헌가2 등).

5 세무대학설치법폐지법률이 처분적 법률인지 여부: 적극

이 사건 폐지법은 세무대학설치의 법적 근거로 제정된 기존의 세무대학설치법을 폐지함으로써 세무대학을 폐교하는 법적 효과를 발생하는 것이므로, 동법은 세무대학과 그 폐지만을 규율목적으로 삼는 처분법률의 형식을 띤다. 그러나 이와 같은 처분법률의 형식은 폐지대상인 세무대학설치법 자체가 이미 처분법률에 해당하는 것이므로, 이를 폐지하는 법률도 당연히 그에 상응하여 처분법률의 형식을 띨 수밖에 없는 필연적 현상이다. 18.국가직 한편 어떤 법률이 개별사건법률 또는 처분법률의 성격을 띠고 있다고 해서 그것만으로 헌법에 위반되는 것은 아니다(헌재 2001.2.22. 99헌마613).

6 대통령후보 이명박의 주가조작 등 범죄혐의의 진상규명을 위한 특검법이 처분적 법률인지 여부: 적극

이 사건 법률 제2조가 특별검사에 의한 수사대상을 특정인에 대한 특정 사건으로 한정한 것은 이른바 처분적 법률이다. … 특정한 규범이 개인대상 또는 개별사건법률에 해당한다고 하여 그것만으로 바로 헌법에 위반되는 것은 아니다. 다만 이러한 법률이 일반국민을 그 규율대상으로 하지 아니하고 특정 개인이나 사건만을 대상으로 함으로써 차별이 발생하는바, 그 차별적 규율이 합리적인 이유로 정당화되는 경우에는 허용된다(헌재 2008.1.10. 2007헌마468).

7 친일반민족행위자 재산의 국가귀속에 관한 특별법 제3조가 처분적 법률인지 여부: 소극

처분적 법률이므로 위헌이라는 청구인들의 주장은 주장 자체로 이유 없고, 나아가 이 사건 법률조항들은 친일반민족행위자의 친일재산에 일반적으로 적용되는 것이므로 위 법률조항들을 처분적 법률로 보기도 어렵다. 그러므로 청구인들의 이 부분 주장은 받아들일 수 없다(헌재 2011.3.31. 2008헌바141 등).

8 문화재의 은닉을 처벌하도록 규정한 구 문화재보호법 제81조 제4항 등이 처분적 법률에 해당하는지 여부: 소극

이 사건 법률조항들은 특정인이나 특정 사건을 규율하는 내용을 담고 있지 아니하며, 전국민을 수범자로 하는 일반적 법률이라 할 것이므로 처분적 법률이 아니다(헌재 2007.7.26. 2003헌마377).

9 보안관찰처분대상자에게 출소 후 신고의무를 부과하고 그 의무위반행위를 형사처벌하는 보안관찰법 제6조가 처분적 법률인지 여부: 소극

보안관찰법 제6조 제1항 전문 후단이 보안관찰처분대상자에게 출소 후 신고의무를 법 집행기관의 구체적 처분(예컨대 신고의무부과처분)이 아닌 법률로 직접 부과하고 있기는 하나 위 조항은 보안관찰처분대상자 중에서 일부 특정 대상자에게만 적용되는 것이 아니라 위 대상자 모두에게 적용되는 일반적이고 추상적인 법률규정이다.
일반적으로 특정법률이 일반 국민에게 특정한 행위를 하지 못하도록 금지하거나 특정한 의무를 부과할 필요가 있는 경우에는 법률 자체에서 직접 규율하고 있는데 이러한 입법형식은 여러 법 영역에서 광범위하게 찾아볼 수 있고, 또한 널리 인정되고 있다. 따라서 이 사건 조항은 보안관찰처분대상자 모두에게 적용되는 일반적·추상적인 법률규정으로서 법률이 직접 출소 후 신고의무를 부과하고 있다고 하더라도 **처분적 법률 내지 개인적 법률에 해당된다고 볼 수 없으므로 권력분립원칙에 위반되지 아니한다고 할 것이다**(헌재 2003.6.26. 2001헌가17 등). 17.입시, 18.국가직

ⓒ **재판적(사법적) 법률**: 재판적 법률이란 사법적 재판을 매개로 하지 아니하고 직접 특정인의 구체적 권리를 박탈하는 것을 내용으로 하는 법률(예 김모의 재산을 몰수한다는 내용의 사권박탈법) 또는 특정인에게 구체적 처벌을 가하는 것을 내용으로 하는 법률(예 이모를 사형에 처한다는 내용의 특정 행위자처벌법)을 말한다. 재판적 법률은 권력분립의 원리에 위배되므로 입헌민주국가에서는 절대로 허용되지 않는다.

③ **법률의 내용**: 형식적 의미의 법률로써 규정될 수 있는 것은 법규사항과 입법사항이다. ㉠ 법규사항은 국민의 권리·의무와 직접 관계있는 사항이고, ㉡ 입법사항(법률사항)은 헌법이나 법률(예 정부조직법 제1조 제2항)이 형식적 의미의 법률로써 규정하도록 하고 있는 사항이다. 그 밖에도 국회가 필요하다고 판단하는 사항은 법률로써 규정할 수 있다.

④ **법률제정의 절차**
㉠ 제안

> **헌법 제52조** 국회의원과 정부는 법률안을 제출할 수 있다.
>
> **제89조** 다음 사항은 국무회의의 심의를 거쳐야 한다. 18. 행시
> 　3. 헌법개정안·국민투표안·조약안·법률안 및 대통령령안
>
> **국회법 제5조의3【법률안 제출계획의 통지】** ① 정부는 부득이한 경우를 제외하고는 매년 1월 31일까지 해당 연도에 제출할 법률안에 관한 계획을 국회에 통지하여야 한다.
> ② 정부는 제1항에 따른 계획을 변경하였을 때에는 분기별로 주요 사항을 국회에 통지하여야 한다. 07. 사시, 14. 국회직
>
> **제51조【위원회의 제안】** ① 위원회는 그 소관에 속하는 사항에 관하여 법률안과 그 밖의 의안을 제출할 수 있다. 07. 국가직
> ② 제1항의 의안은 위원장이 제안자가 된다.
>
> **제79조【의안의 발의 또는 제출】** ① 의원은 10명 이상의 찬성으로 의안을 발의할 수 있다. 05. 국가직, 15. 서울시
> ② 의안을 발의하는 의원은 그 안을 갖추고 이유를 붙여 찬성자와 연서하여 이를 의장에게 제출하여야 한다.
> ③ 의원이 법률안을 발의할 때에는 발의의원과 찬성의원을 구분하되, 법률안 제명의 부제(副題)로 발의의원의 성명을 기재한다.
> ④ 제3항에 따라 발의의원의 성명을 기재할 때 발의의원이 2명 이상인 경우에는 대표발의의원 1명을 명시(明示)하여야 한다. 다만, 서로 다른 교섭단체에 속하는 의원이 공동으로 발의하는 경우(교섭단체에 속하는 의원과 어느 교섭단체에도 속하지 아니하는 의원이 공동으로 발의하는 경우를 포함한다) 소속 교섭단체가 다른 대표발의의원(어느 교섭단체에도 속하지 아니하는 의원을 포함할 수 있다)을 3명 이내의 범위에서 명시할 수 있다.
> ⑤ 의원이 발의한 법률안 중 국회에서 의결된 제정법률안 또는 전부개정법률안을 공표하거나 홍보하는 경우에는 해당 법률안의 부제를 함께 표기할 수 있다.

핵심기출 OX

01 국회의원 10인 이상, 정부 또는 국회 상임위원회는 법률안을 제출할 수 있다. 18. 행시 　(○, ×)
답 ○

02 정부가 법률안을 제출하고자 하는 경우, 그 법률안은 국무회의의 심의를 거쳐야 한다. 18. 행시 　(○, ×)
답 ○

03 의원은 10명 이상의 찬성으로 의안을 발의할 수 있으며, 예산상 또는 기금상의 조치를 수반하는 의안을 발의하는 경우에는 그 의안의 시행에 수반될 것으로 예상되는 비용에 관한 국회예산정책처의 추계서 또는 국회예산정책처에 대한 추계요구서를 함께 제출하여야 한다. 22. 국회직 8급
　(○, ×)
답 ○

제79조의2 【의안에 대한 비용추계 자료 등의 제출】 ① 의원이 예산상 또는 기금상의 조치를 수반하는 의안을 발의하는 경우에는 그 의안의 시행에 수반될 것으로 예상되는 비용에 관한 국회예산정책처의 추계서 또는 국회예산정책처에 대한 추계요구서를 함께 제출하여야 한다.

② 제1항에 따라 의원이 국회예산정책처에 대한 비용추계요구서를 제출한 경우 국회예산정책처는 특별한 사정이 없으면 제58조 제1항에 따른 위원회의 심사 전에 해당 의안에 대한 비용추계서를 의장과 비용추계를 요구한 의원에게 제출하여야 한다. 이 경우 의원이 제1항에 따라 비용추계서를 제출한 것으로 본다.

③ 위원회가 예산상 또는 기금상의 조치를 수반하는 의안을 제안하는 경우에는 그 의안의 시행에 수반될 것으로 예상되는 비용에 관한 국회예산정책처의 추계서를 함께 제출하여야 한다. 다만, 긴급한 사유가 있는 경우 위원회의 의결로 추계서 제출을 생략할 수 있다.

④ 정부가 예산상 또는 기금상의 조치를 수반하는 의안을 제출하는 경우에는 그 의안의 시행에 수반될 것으로 예상되는 비용에 관한 추계서와 이에 상응하는 재원조달방안에 관한 자료를 의안에 첨부하여야 한다. 16. 국회직 9급, 17. 지방직

ⓒ **심의·의결**

국회법 제59조 【의안의 상정시기】 위원회는 의안(예산안, 기금운용계획안 및 임대형 민자사업 한도액안은 제외한다. 이하 이 조에서 같다)이 위원회에 회부된 날부터 다음 각 호의 구분에 따른 기간이 지나지 아니하였을 때에는 그 의안을 상정할 수 없다. 다만, 긴급하고 불가피한 사유로 위원회의 의결이 있는 경우에는 그러하지 아니하다. 14·15. 국회직
1. 일부개정법률안: **15일** 17. 경정승진
2. 제정법률안, 전부개정법률안 및 폐지법률안: **20일**
3. 체계·자구 심사를 위하여 법제사법위원회에 회부된 법률안: **5일**
4. 법률안 외의 의안: **20일**

제59조의2 【의안 등의 자동 상정】 위원회에 회부되어 상정되지 아니한 의안(예산안, 기금운용계획안 및 임대형 민자사업 한도액안은 제외한다) 및 청원은 제59조 각 호의 구분에 따른 기간이 지난 후 30일이 지난 날(청원의 경우에는 위원회에 회부된 후 30일이 지난 날) 이후 처음으로 개회하는 위원회에 상정된 것으로 본다. 다만, 위원장이 간사와 합의하는 경우에는 그러하지 아니하다.

제81조 【상임위원회 회부】 ① 의장은 의안이 발의되거나 제출되었을 때에는 이를 인쇄하거나 전산망에 입력하는 방법으로 의원에게 배부하고 본회의에 보고하며, 소관상임위원회에 회부하여 그 심사가 끝난 후 본회의에 부의한다. 다만, 폐회 또는 휴회 등으로 본회의에 보고할 수 없을 때에는 보고를 생략하고 회부할 수 있다.

② 의장은 안건이 어느 상임위원회의 소관에 속하는지 명백하지 아니할 때에는 **국회운영위원회와 협의**하여 상임위원회에 회부하되, 협의가 이루어지지 아니할 때에는 의장이 소관상임위원회를 결정한다. 09·14·18. 국회직, 12. 지방직

③ 의장은 발의되거나 제출된 의안과 직접적인 이해관계가 있는 위원이 소관상임위원회 재적위원 과반수를 차지하여 그 의안을 공정하게 심사할 수 없다고 인정하는 경우에는 제1항에도 불구하고 국회운영위원회와 협의하여 그 의안을 다른 위원회에 회부하여 심사하게 할 수 있다.

제82조【특별위원회 회부】 ① 의장은 특히 필요하다고 인정하는 안건에 대해서는 본회의의 의결을 거쳐 이를 특별위원회에 회부한다.

② 의장은 특별위원회에 회부된 안건과 관련이 있는 다른 안건을 그 특별위원회에 회부할 수 있다.

제82조의2【입법예고】 ① 위원장은 간사와 협의하여 회부된 법률안(체계·자구 심사를 위하여 법제사법위원회에 회부된 법률안은 제외한다)의 입법취지와 주요 내용 등을 국회공보 또는 국회 인터넷 홈페이지 등에 게재하는 방법 등으로 입법예고하여야 한다. 다만, 다음 각 호의 어느 하나에 해당하는 경우에는 위원장이 간사와 협의하여 입법예고를 하지 아니할 수 있다.

1. 긴급히 입법을 하여야 하는 경우
2. 입법내용의 성질 또는 그 밖의 사유로 입법예고가 필요 없거나 곤란하다고 판단되는 경우

② 입법예고기간은 10일 이상으로 한다. 다만, 특별한 사정이 있는 경우에는 단축할 수 있다.

③ 입법예고의 시기·방법·절차, 그 밖에 필요한 사항은 국회규칙으로 정한다.

제85조【심사기간】 ① 의장은 다음 각 호의 어느 하나에 해당하는 경우에는 위원회에 회부하는 안건 또는 회부된 안건에 대하여 심사기간을 지정할 수 있다. 이 경우 제1호 또는 제2호에 해당할 때에는 의장이 각 교섭단체 대표의원과 협의하여 해당 호와 관련된 안건에 대해서만 심사기간을 지정할 수 있다.

1. 천재지변의 경우
2. 전시·사변 또는 이에 준하는 국가비상사태의 경우
3. 의장이 각 교섭단체 대표의원과 합의하는 경우

② 제1항의 경우 위원회가 이유 없이 지정된 심사기간 내에 심사를 마치지 아니하였을 때에는 의장은 중간보고를 들은 후 다른 위원회에 회부하거나 바로 본회의에 부의할 수 있다. 17. 국가직

제85조의2【안건의 신속처리】 ① 위원회에 회부된 안건(체계·자구 심사를 위하여 법제사법위원회에 회부된 안건을 포함한다)을 제2항에 따른 신속처리대상안건으로 지정하려는 경우 의원은 **재적의원 과반수**가 서명한 신속처리대상안건 지정요구 동의(動議)(이하 이 조에서 "신속처리안건 지정동의"라 한다)를 의장에게 제출하고, 안건의 소관위원회 소속 위원은 **소관위원회 재적위원 과반수**가 서명한 신속처리안건 지정동의를 소관위원회 위원장에게 제출하여야 한다. 14. 국회직 이 경우 의장 또는 안건의 소관위원회 위원장은 지체 없이 신속처리안건 지정동의를 무기명투표로 표결하되, **재적의원 5분의 3 이상** 또는 안건의 소관위원회 재적위원 5분의 3 이상의 찬성으로 의결한다. 13. 국회직, 17·20. 국가직

② 의장은 제1항 후단에 따라 신속처리안건 지정동의가 가결되었을 때에는 그 안건을 제3항의 기간 내에 심사를 마쳐야 하는 안건으로 지정하여야 한다. 이 경우 위원회가 전단에 따라 지정된 안건(이하 "신속처리대상안건"이라 한다)에 대한 대안을 입안한 경우 그 대안을 신속처리대상안건으로 본다.

③ 위원회는 신속처리대상안건에 대한 심사를 그 지정일부터 **180일 이내**에 마쳐야 한다. 14. 국회직 8급 다만, 법제사법위원회는 신속처리대상안건에 대한 체계·자구 심사를 그 지정일, 제4항에 따라 회부된 것으로 보는 날 또는 제86조 제1항에 따라 회부된 날부터 **90일 이내**에 마쳐야 한다.

📖 핵심기출 OX

01 입법예고기간은 10일 이상으로 한다. 다만, 위원장은 긴급히 입법을 하여야 하는 경우나 입법 내용의 성질 또는 그 밖의 사유로 입법예고가 필요 없거나 곤란하다고 판단되는 경우에는 간사와 협의 없이 직권으로 입법예고를 하지 아니할 수 있다. 22. 국회직 8급 (O, ×)

답 ×

02 의장은 각 교섭단체 대표의원과 합의하는 경우에는 위원회에 회부하는 안건 또는 회부된 안건에 대하여 심사기간을 지정할 수 있지만, 위원회가 이유 없이 그 기간 내에 심사를 마치지 아니한 때에는, 의장은 중간보고를 들은 후 다른 위원회에 회부하거나 바로 본회의에 부의할 수 있다. 17. 국가직 (O, ×)

답 O

03 위원회에 회부된 안건을 신속처리대상안건으로 지정하고자 하는 경우, 안건의 소관위원회 소속 위원은 소관위원회 재적위원 과반수가 서명한 신속처리안건 지정동의를 소관위원회 위원장에게 제출해야 하고, 위원장은 신속처리안건 지정동의를 무기명투표로 표결하되 안건의 소관위원회 재적위원 5분의 3 이상의 찬성으로 의결한다. 17. 국가직, 22. 국회직 8급 (O, ×)

답 O

04 의원이 재적의원 과반수가 서명한 신속처리대상안건 지정요구동의를 의장에게 제출한 경우 의장은 지체 없이 신속처리안건 지정동의를 무기명투표로 표결하되 재적의원 5분의 3 이상의 찬성으로 의결한다. 13. 국회직 (O, ×)

답 O

05 위원회에 회부된 안건을 신속처리대상안건으로 지정하고자 하는 경우 의원은 재적의원 과반수가 서명한 신속처리안건 지정동의를 의장에게 제출하여야 하고 의장은 지체 없이 신속처리안건 지정동의를 기명투표로 표결하되 재적의원 5분의 3 이상의 찬성으로 의결한다. 20. 국가직 (O, ×)

답 × 신속처리안건 지정동의를 무기명투표로 표결한다.

06 위원회는 신속처리대상안건에 대한 심사를 그 지정일부터 120일 이내에 마쳐야 한다. 14. 국회직 8급 (O, ×)

답 × 위원회는 신속처리대상안건에 대한 심사를 그 지정일부터 '180일' 이내에 마쳐야 한다.

④ 위원회(법제사법위원회는 제외한다)가 신속처리대상안건에 대하여 제3항 본문에 따른 기간 내에 심사를 마치지 아니하였을 때에는 그 기간이 끝난 다음 날에 소관위원회에서 심사를 마치고 체계·자구 심사를 위하여 법제사법위원회로 회부된 것으로 본다. 다만, 법률안 및 국회규칙안이 아닌 안건은 바로 본회의에 부의된 것으로 본다.

⑤ 법제사법위원회가 신속처리대상안건(체계·자구 심사를 위하여 법제사법위원회에 회부되었거나 제4항 본문에 따라 회부된 것으로 보는 신속처리대상안건을 포함한다)에 대하여 제3항 단서에 따른 기간 내에 심사를 마치지 아니하였을 때에는 그 기간이 끝난 다음 날에 법제사법위원회에서 심사를 마치고 바로 본회의에 부의된 것으로 본다.

⑥ 제4항 단서 또는 제5항에 따른 신속처리대상안건은 본회의에 부의된 것으로 보는 날부터 **60일 이내**에 본회의에 상정되어야 한다.

⑦ 제6항에 따라 신속처리대상안건이 60일 이내에 본회의에 상정되지 아니하였을 때에는 그 기간이 지난 후 처음으로 개의되는 본회의에 상정된다.

⑧ 의장이 각 교섭단체 대표의원과 합의한 경우에는 신속처리대상안건에 대하여 제2항부터 제7항까지의 규정을 적용하지 아니한다.

제85조의3【예산안 등의 본회의 자동 부의 등】① 위원회는 예산안, 기금운용계획안, 임대형 민자사업 한도액안(이하 "예산안 등"이라 한다)과 제4항에 따라 지정된 세입예산안 부수 법률안의 심사를 **매년 11월 30일까지** 마쳐야 한다. 14.국회직

② 위원회가 예산안 등과 제4항에 따라 지정된 세입예산안 부수 법률안(체계·자구 심사를 위하여 법제사법위원회에 회부된 법률안을 포함한다)에 대하여 제1항에 따른 기한까지 심사를 마치지 아니하였을 때에는 그 다음 날에 위원회에서 심사를 마치고 바로 본회의에 부의된 것으로 본다. 다만, 의장이 각 교섭단체 대표의원과 합의한 경우에는 그러하지 아니하다.

제86조【체계·자구의 심사】① 위원회에서 법률안의 심사를 마치거나 입안을 하였을 때에는 **법제사법위원회**에 회부하여 체계와 자구에 대한 심사를 거쳐야 한다. 이 경우 법제사법위원회 위원장은 간사와 협의하여 심사에서 제안자의 취지 설명과 토론을 생략할 수 있다.

제87조【위원회에서 폐기된 의안】① 위원회에서 본회의에 부의할 필요가 없다고 결정된 의안은 본회의에 부의하지 아니한다. 다만, 위원회의 결정이 본회의에 보고된 날부터 폐회 또는 휴회 중의 기간을 제외한 7일 이내에 **의원 30명 이상**의 요구가 있을 때에는 그 의안을 본회의에 부의하여야 한다. 07·18.국가직

② 제1항 단서의 요구가 없을 때에는 그 의안은 폐기된다.

제88조【위원회의 제출 의안】위원회에서 제출한 의안은 그 위원회에 회부하지 아니한다. 다만, 의장은 국회운영위원회의 의결에 따라 그 의안을 다른 위원회에 회부할 수 있다. 12.지방직

제90조【의안·동의의 철회】① 의원은 그가 발의한 의안 또는 동의(動議)를 철회할 수 있다. 다만, 2명 이상의 의원이 공동으로 발의한 의안 또는 동의에 대해서는 발의의원 2분의 1 이상이 철회의사를 표시하는 경우에 철회할 수 있다.

② 제1항에도 불구하고 의원이 본회의 또는 위원회에서 의제가 된 의안 또는 동의를 철회할 때에는 본회의 또는 위원회의 동의(同意)를 받아야 한다.

③ 정부가 본회의 또는 위원회에서 의제가 된 정부제출 의안을 수정하거나 철회할 때에는 본회의 또는 위원회의 동의를 받아야 한다.

제91조 【번안】 ① 본회의에서의 번안동의(飜案動議)는 의안을 발의한 의원이 그 의안을 발의할 때의 발의의원 및 찬성의원 3분의 2 이상의 동의(同意)로, 정부 또는 위원회가 제출한 의안은 소관위원회의 의결로 각각 그 안을 갖춘 서면으로 제출하되, 재적의원 과반수의 출석과 출석의원 3분의 2 이상의 찬성으로 의결한다. 다만, 의안이 정부에 이송된 후에는 번안할 수 없다.

② 위원회에서의 번안동의는 위원의 동의(動議)로 그 안을 갖춘 서면으로 제출하되, 재적위원 과반수의 출석과 출석위원 3분의 2 이상의 찬성으로 의결한다. 다만, 본회의에서 의제가 된 후에는 번안할 수 없다.

제93조의2 【법률안의 본회의 상정시기】 본회의는 위원회가 법률안에 대한 심사를 마치고 의장에게 그 보고서를 제출한 후 1일이 지나지 아니하였을 때에는 그 법률안을 의사일정으로 상정할 수 없다. 다만, 의장이 특별한 사유로 각 교섭단체 대표의원과의 협의를 거쳐 이를 정한 경우에는 그러하지 아니하다. 14. 국회직

제94조 【재회부】 본회의는 위원장의 보고를 받은 후 필요하다고 인정할 때에는 의결로 다시 안건을 같은 위원회 또는 다른 위원회에 회부할 수 있다. 16. 지방직

제95조 【수정동의】 ① 의안에 대한 수정동의(修正動議)는 그 안을 갖추고 이유를 붙여 30명 이상의 찬성 의원과 연서하여 미리 의장에게 제출하여야 한다. 다만, 예산안에 대한 수정동의는 **의원 50명 이상**의 찬성이 있어야 한다. 05. 국가직, 07. 사시, 13. 지방직, 14. 국회직

ⓒ 정부에의 이송

헌법 제53조 ① 국회에서 의결된 법률안은 정부에 이송되어 15일 이내에 대통령이 공포한다. 19. 서울시

ⓔ 대통령의 거부권행사와 국회의 재의

헌법 제53조 ② 법률안에 이의가 있을 때에는 대통령은 제1항의 기간 내에 이의서를 붙여 국회로 환부하고, 그 재의를 요구할 수 있다. 국회의 폐회 중에도 또한 같다. 07. 국가직, 18. 행시, 19. 서울시

③ 대통령은 법률안의 일부에 대하여 또는 법률안을 수정하여 재의를 요구할 수 없다. 07. 국가직, 07·09·10. 법무사, 12. 법행, 18·20. 행시

④ 재의의 요구가 있을 때에는 국회는 재의에 붙이고, 재적의원 과반수의 출석과 출석의원 3분의 2 이상의 찬성으로 전과 같은 의결을 하면 그 법률안은 법률로서 확정된다.

⑤ 대통령이 제1항의 기간 내에 공포나 재의의 요구를 하지 아니한 때에도 그 법률안은 법률로서 확정된다.

✓ 주의
• 대통령의 법률안 재의요구에 대한 국회의 재의결 표결방식은 '전자투표'방식이다. (×)
• 일반적인 법률안 표결방식은 전자투표로 하지만, 재의요구에 대한 재의결 표결방식은 무기명투표방식이다. (○)

ⓜ **공포**

> 헌법 제53조 ⑥ 대통령은 제4항과 제5항의 규정에 의하여 확정된 법률을 지체 없이 공포하여야 한다. 제5항에 의하여 법률이 확정된 후 또는 제4항에 의한 확정법률이 정부에 이송된 후 5일 이내에 대통령이 공포하지 아니할 때에는 국회의장이 이를 공포한다. 10. 법무사, 13. 법원직

대통령의 공포는 법률의 효력발생요건이다(법률은 확정만으로 효력이 발생하지 아니하고 공포되어야만 효력이 발생한다). 현행법상 공포는 관보에 게재함으로써 행하는데, 관보에 게재된 시기는 일반 국민이 구독할 수 있는 최초의 시점이다[최초구독가능시설(통설, 대판 1970.7.21. 70누76)]. 대통령의 공포 위반은 탄핵소추사유가 된다.

> 📑 **참고 국회의장의 예외적 법률공포**
> 국회의 재의결로 확정된 법률을 대통령이 5일 이내에 공포하지 않으면 국회의장이 공포한다. 이때 국회의장의 법률공포권은 정부로 이송된 후 5일이 경과하여야 발생한다. 그러나 대통령이 15일 이내에 공포나 재의요구를 하지 않음으로써 법률로 확정되는 경우에는 5일을 기다릴 필요 없이 국회의장의 법률공포권이 지체 없이 발생한다고 보는 견해와 통일적인 해석상 5일이 경과하여야 발생한다고 보는 견해가 대립된다. 후자의 견해는 '지체 없이'를 '5일 이내'의 의미로 해석한다.

ⓗ **효력발생**

> 헌법 제53조 ⑦ 법률은 특별한 규정이 없는 한 공포한 날로부터 20일을 경과함으로써 효력을 발생한다.

공포된 법률이 효력을 발생하여 현실적으로 적용되는 것을 법률의 시행이라고 한다. 공포가 없는 한 법률의 효력이 발생하지 않으며, 법률에 시행일이 명시된 경우에도 시행일 이후에 공포된 때에는 시행일에 관한 법률규정은 그 효력을 상실한다(대판 1955.6.21. 4288형상95).

(2) 헌법개정의 심의·의결권

> 헌법 제128조 ① 헌법개정은 국회재적의원 과반수 또는 대통령의 발의로 제안된다.
> 제130조 ① 국회는 헌법개정안이 공고된 날로부터 60일 이내에 의결하여야 하며, 국회의 의결은 재적의원 3분의 2 이상의 찬성을 얻어야 한다.

(3) 조약의 체결·비준에 대한 동의권

> 헌법 제60조 ① 국회는 상호원조 또는 안전보장에 관한 조약, 중요한 국제조직에 관한 조약, 우호통상항해조약, 주권의 제약에 관한 조약, 강화조약, 국가나 국민에게 중대한 재정적 부담을 지우는 조약 또는 입법사항에 관한 조약의 체결·비준에 대한 동의권을 가진다.

(4) 국회규칙의 제정권

> 헌법 제64조 ① 국회는 법률에 저촉되지 아니하는 범위 안에서 의사와 내부규율에 관한 규칙을 제정할 수 있다. 18. 법원직 9급

2 입법권의 한계

1. 합헌성의 원칙

국회의 입법권은 헌법의 명문규정 또는 헌법의 기본원리나 기본질서에 위배되지 않아야 한다. 또한 평화주의적 국제질서 또는 국제법존중의 정신(헌법 제6조 제1항)에 비추어 법률내용이 국제질서나 국제법상의 일반 원칙을 부정하면 아니된다.

2. 입법재량남용금지의 원칙

국회에 입법재량권이 인정된다 하더라도 이는 헌법에 기속되는 기속재량이다. 따라서 법률을 제정함에 있어 ① 적법절차의 원칙, ② 비례와 공평의 원칙, ③ 과잉금지의 원칙, ④ 자의금지의 원칙, ⑤ 신뢰보호의 원칙, ⑥ 명확성의 원칙 등 헌법상의 일반원칙에 위배되는 재량권을 행사하면 아니 된다.

제2절 집행작용

1 행정의 의의

> 헌법 제66조 ④ 행정권은 대통령을 수반으로 하는 정부에 속한다. 18. 법행

1. 집행권과 행정권의 개념 구별

집행권은 협의의 행정권(법률의 단순한 집행)과 통치권(고도의 정치적 성격을 띤 국가적 결단과 정치적 지도)을 포괄하는 개념으로서 헌법 제66조 제4항의 행정권은 광의의 행정권, 즉 집행권을 규정한 것이다.

2. 행정의 개념

행정은 법에 따라 구체적으로 국가목적이나 공익의 실현을 위해서 행하여지는 능동적이고 적극적인 형성적 국가작용이다.

핵심기출 OX

행정권은 국무총리를 수반으로 하는 정부에 속한다. 18. 법행　(O, ×)
답 × 국무총리가 아니라 대통령을 수반으로 한다.

3. 행정권의 범위

헌법 제66조 제4항은 행정부 집행의 원칙을 규정한 조항이지만, 집행에 관한 권한을 행정부가 독점한다는 것은 아니다. 즉, 현행헌법상 집행권의 구체적 범위는 실질적 의미의 집행작용 중에서 헌법이 다른 국가기관의 소관으로 하고 있는 것을 제외한 그 밖의 집행(행정)에 관한 권한이라고 할 수 있다.

2 행정권(집행권)에 대한 통제

1. 내부적 통제

(1) 상급행정청이 하급행정청에 대하여 지휘·감독기능을 행사하거나 또는 감사원의 직무감찰과 회계감사 등을 통하여 행정 내부적으로 통제한다.

(2) 대통령이 공무원 임면 또는 행정입법 등을 통하여 행정각부를 직접 통제한다.

(3) 행정심판제도를 통하여 행정의 적법성과 타당성을 행정부 스스로 자율적으로 보장한다.

(4) 행정절차의 민주화를 실현하고 직업공무원제도를 확립함으로써 집행권의 남용을 통제한다.

2. 외부적 통제

(1) **국민에 의한 통제**

① 공무원에 대한 파면청원, ② 국가배상청구권의 행사, ③ 행정처분에 대한 행정쟁송이나 헌법소원, ④ 선거나 여론 등을 통하여 행정을 통제할 수 있다.

(2) **국회에 의한 통제**

국회는 행정부의 권한을 규정한 입법기능, 국정감사·조사, 탄핵소추 등을 통하여 행정부의 권한을 통제한다.

(3) **법원에 의한 통제**

법원은 행정작용이 국민의 권익을 침해한 경우 소송절차를 통하여 그 권익을 구제하며, 행정입법이 위헌·위법이라고 판단되면 그 적용을 거부하고, 행정처분이 위헌·위법이라고 판단되면 취소나 무효확인이 가능하다.

(4) **헌법재판소에 의한 통제**

헌법재판소는 탄핵심판, 권한쟁의심판, 헌법소원심판 등을 통하여 행정을 통제한다.

(5) 옴부즈맨에 의한 통제

① **개념**: 옴부즈맨제도란 의회(또는 행정부)가 임명하는 소수의 인사들인 옴부즈맨이 행정부의 업무수행과 관련된 비리·인권침해 등을 독립적으로 조사·보고하고 시정을 권고함으로써 국민의 기본권을 보호하려는 제도를 말한다.

② **기능**: 옴부즈맨은 국민과 행정기관간의 매개체로서 독립적 지위에서 행정부를 통제하고 국민의 고통을 처리하며 권리를 구제하는 기능을 수행한다.

제3절 사법작용

1 사법의 의의

> 헌법 제101조 ① 사법권은 법관으로 구성된 법원에 속한다.

사법이란 구체적인 법적 분쟁이 발생한 경우 당사자로부터의 쟁송의 제기를 기다려 독립적 지위를 가진 기관이 제3자적 입장에서 무엇이 법인지를 판단하고 선언함으로써 법질서를 유지하기 위한 작용을 말한다(권영성).

2 사법의 특성

1. 소극성·수동성

사법작용은 구체적인 법적 분쟁의 발생을 전제로 당사자로부터 소의 제기가 있어야만 발동되므로 소극적이고 수동적이다.

2. 정치적 중립성

사법작용은 법의 의미를 제3자적 입장에서 중립적으로 인식하는 작용이다.

3. 독립성

사법작용은 신분이 보장된 법관이 법과 양심에 따라 독립적으로 행하는 법선언 작용이다.

4. 보수성

사법작용은 분쟁해결을 통하여 법질서와 법적 평화를 유지하려 한다는 점에서 보수적이다.

3 사법권의 범위

1. 민사재판권

민사재판권이란 민사소송을 처리하는 데 필요한 권한을 말하며, 민사소송은 사인간의 생활관계에 관한 분쟁이나 이해의 충돌이 생긴 경우 국가가 재판권을 행사하여 법률로써 강제적으로 해결·조정하기 위한 절차를 말한다.

2. 형사재판권

형사재판권이란 형사소송을 처리하는 데 필요한 권한을 말하며, 형사소송은 범죄를 인정하고 형벌을 부과하는 절차를 말한다.

3. 행정재판권

행정재판권이란 행정소송을 처리하는 데 필요한 권한을 말하며, 행정소송은 행정법규의 적용과 관련된 분쟁이 생긴 경우 이를 판정하기 위한 소송절차를 말한다.

4. 헌법재판권

헌법재판권이란 헌법소송을 처리하는 데 필요한 권한을 말한다. 협의의 헌법재판은 위헌법률심판만을 의미하고, 광의의 헌법재판은 위헌법률심판뿐만 아니라 명령·규칙심사, 탄핵심판, 정당해산심판, 권한쟁의심판, 헌법소원심판, 선거소송심판 등도 포함한다. 법원은 광의의 헌법재판권 중에서 위헌법률심판제청권과 선거소송에 관한 재판권 그리고 명령·규칙심사권만을 가지고 있을 뿐이다.

4 사법권의 한계

1. 실정법상 한계

(1) 군사재판

> 헌법 제27조 ② 군인 또는 군무원이 아닌 국민은 대한민국의 영역 안에서는 중대한 군사상 기밀·초병·초소·유독음식물공급·포로·군용물에 관한 죄 중 법률이 정한 경우와 비상계엄이 선포된 경우를 제외하고는 군사법원의 재판을 받지 아니한다.

(2) 비상계엄하의 군사재판

> 헌법 제110조 ④ 비상계엄하의 군사재판은 군인·군무원의 범죄나 군사에 관한 간첩죄의 경우와 초병·초소·유독음식물공급·포로에 관한 죄 중 법률이 정한 경우에 한하여 단심으로 할 수 있다. 다만, 사형을 선고한 경우에는 그러하지 아니하다.

(3) 국회의원의 자격심사와 징계

> 헌법 제64조 ② 국회는 의원의 자격을 심사하며, 의원을 징계할 수 있다.
> ③ 의원을 제명하려면 국회재적의원 3분의 2 이상의 찬성이 있어야 한다.
> ④ 제2항과 제3항의 처분에 대하여는 법원에 제소할 수 없다. 18. 국가직·서울시, 19. 지방직

(4) 헌법재판

> **헌법 제111조** ① 헌법재판소는 다음 사항을 관장한다.
> 1. 법원의 제청에 의한 법률의 위헌 여부 심판
> 2. 탄핵의 심판
> 3. 정당의 해산심판
> 4. 국가기관 상호간, 국가기관과 지방자치단체간 및 지방자치단체 상호간의 권한쟁의에 관한 심판
> 5. 법률이 정하는 헌법소원에 관한 심판

2. 국제법상 한계

(1) 외교특권자

외교특권이란 체재국법❶이 아니라 본국법의 적용을 받는 국제법상의 특권을 말한다. 외교특권으로 인하여 외교사절과 그 가족 및 수행원, 국제기구의 직원, 군함의 승무원, 책임 있는 지휘관을 가진 군대 등에 대해서는 사법심사가 불가능하다.

(2) 국제사법재판

국제사법재판은 국제사법재판소가 국제법에 따라 국제분쟁을 해결하는 것으로 국제사법재판소의 관할에 속하는 사항에 대해서는 우리나라에 사법권이 없다. 참고로 남북한은 유엔에 동시 가입하였으므로 모두 국제사법재판에서 당사자능력이 있다.

(3) 조약

위헌조약의 사법심사가 가능한지 여부에 대해서는 부정설도 있으나, 헌법우위설에 따라 조약의 위헌 여부에 대해서도 사법심사가 가능하다는 것이 다수설이다. 이때에도 법률과 동일한 효력을 가진 조약의 경우에는 그 위헌심사를 헌법재판소가 담당하므로 법원의 사법권이 미치지 못하게 된다. 물론 명령과 동일한 효력을 가지는 조약에 대해서는 법원의 사법심사가 가능하다.

3. 권력분립상 한계

(1) 통치행위

① **의의**: 통치행위란 고도의 정치적 성격을 띤 행위로서 사법적 심사의 대상으로 하기에는 부적합한 행위 또는 설사 그에 관한 판결이 있더라도 그 집행이 곤란한 행위를 말한다.

② **사법심사 가부**

　㉠ **문제점**: 사법심사의 대상이 되지 않는 영역으로서 통치행위를 인정할 수 있는지 여부가 문제된다.

　㉡ **학설**

　　ⓐ **사법심사긍정설(통치행위개념부정설)**
　　　• 행정소송사항의 개괄주의의 원칙과 국민의 재판을 받을 권리 등을 근거로 사법심사의 대상이 되지 않는 통치행위라는 개념은 인정될 수 없다는 견해이다.

❶ 체재국법
체류 중인 국가의 법을 말한다.

🏛 **핵심기출 OX**

통치행위는 통치권자의 고도의 정치적 결단에 의하여 행해지는 국가작용이므로 당연히 헌법재판소의 심판대상이 될 수 없다. 05. 법무사　　(O, ×)

📖 × 고도의 정치적 결단에 의하여 행해지는 국가작용이라고 할지라도 그것이 국민의 기본권침해와 직접 관련되는 경우에는 당연히 헌법재판소의 심판대상이 될 수 있다는 것이 헌법재판소의 입장이다.

- 헌법상 법치주의와 권력분립이 규정되어 있으며, 행정소송상 개괄주의가 채택되어 있으므로 모든 국가작용은 사법적 심사의 대상이 되고 통치행위 또한 예외가 될 수는 없다고 한다.

ⓑ **사법심사부정설(통치행위개념긍정설):** 사법적 심사의 대상이 되지 않는 통치행위의 개념을 긍정하는 견해이다. 그 근거로 ㉮ 통치행위에 관한 최종적 판단은 행정부나 국회 또는 국민에게 맡기는 것이 타당하므로 정치적 문제에 개입하지 않는 것이 사법부에 내재된 한계라고 하는 내재적 한계설, ㉯ 통치행위는 행정부의 전속적 권한에 속하는 사항으로 권력분립의 견지에서 사법적 심사의 대상이 될 수 없다는 권력분립설, ㉰ 통치행위는 행정부의 자유재량에 속하는 행위이므로 사법적 심사의 대상에서 제외된다는 자유재량행위설, ㉱ 사법적 심사로 인하여 국가에 커다란 손실이 발생하거나 사법부의 정치개입으로 인하여 사법부의 독립성을 훼손할 염려가 있을 경우에는 사법부가 그 문제에 대한 사법적 심사를 스스로 자제하는 것이 바람직하다는 사법부자제설 등이 제시되고 있다.

ⓒ **헌법재판소**

ⓐ 대통령의 긴급재정경제명령은 국가긴급권의 일종으로서 고도의 정치적 결단에 의하여 발동되는 행위이고 그 결단을 존중하여야 할 필요성이 있는 행위라는 의미에서 이른바 통치행위에 속한다고 할 수 있으나, 통치행위를 포함하여 모든 국가작용은 국민의 기본권적 가치를 실현하기 위한 수단이라는 한계를 반드시 지켜야 하는 것이고, 헌법재판소는 헌법의 수호와 국민의 기본권보장을 사명으로 하는 국가기관이므로 비록 고도의 정치적 결단에 의하여 행해지는 국가작용이라고 할지라도 그것이 국민의 기본권침해와 직접 관련되는 경우에는 당연히 헌법재판소의 심판대상이 된다(헌재 1996.2.29. 93헌마186). 05. 법무사, 19. 국가직·서울시, 20. 경정승진

ⓑ 국군의 이라크파견결정은 대통령이 파병의 정당성뿐만 아니라 북한핵사태의 원만한 해결을 위한 동맹국과의 관계, 우리나라의 안보문제, 국내·외의 정치관계 등 국익과 관련한 여러 가지 사정을 고려하여 파병부대의 성격과 규모, 파병기간을 국가안전보장회의의 자문을 거쳐 결정한 것으로 그 후 국무회의 심의·의결을 거쳐 국회의 동의를 얻음으로써 헌법과 법률에 따른 절차적 정당성을 확보하였음을 알 수 있다. 그렇다면 이 사건 파견결정은 그 성격상 국방 및 외교에 관련된 고도의 정치적 결단을 요하는 문제로서 헌법과 법률이 정한 절차를 지켜 이루어진 것임이 명백하므로 대통령과 국회의 판단은 존중되어야 하고, 헌법재판소가 사법적 기준만으로 이를 심판하는 것은 자제되어야 한다(헌재 2004.4.29. 2003헌마814). 12·18. 국가직, 13. 지방직·변호사

판례

1 대통령의 긴급재정경제명령이 헌법재판소의 심판대상인지 여부: 적극

대통령의 긴급재정경제명령은 국가긴급권의 일종으로서 고도의 정치적 결단에 의하여 발동되는 행위이고 그 결단을 존중하여야 할 필요성이 있는 행위라는 의미에서 이른바 통치행위에 속한다고 할 수 있으나, **통치행위를 포함하여 모든 국가작용은 국민의 기본권적 가치를 실현하기 위한 수단이라는 한계를 반드시 지켜야** 하는 것이고, 비록 고도의 정치적 결단에 의하여 행해지는 국가작용이라고 할지라도 그것이 **국민의 기본권침해와 직접 관련되는 경우에는 당연히 헌법재판소의 심판대상이** 된다(헌재 1996.2.29. 93헌마86). 05. 법행·법무사, 13·14. 지방직, 19. 국가직, 20. 경정승진

☑ **주의** 대통령의 긴급재정경제명령
- 통치행위가 아니므로 사법심사의 대상이다. (×)
- 통치행위이지만 사법심사의 대상이다. (○)

2 이라크파병결정에 대하여 사법심사가 가능한지 여부: 소극

이 사건 파견결정은 그 성격상 국방 및 외교에 관련된 고도의 정치적 결단을 요하는 문제로서 헌법과 법률이 정한 절차를 지켜 이루어진 것임이 명백하므로 대통령과 국회의 판단은 존중되어야 하고, 우리 헌법재판소가 사법적 기준만으로 이를 심판하는 것은 자제되어야 한다. 오랜 민주주의전통을 가진 외국에서도 외교 및 국방에 관련된 것으로서 고도의 정치적 결단을 요하는 사안에 대하여는 줄곧 사법심사를 자제하고 있는 것도 바로 이러한 취지에서 나온 것이라 할 것이다. 이에 대하여는 설혹 사법적 심사의 회피로 자의적 결정이 방치될 수도 있다는 우려가 있을 수 있으나, 그러한 대통령과 국회의 판단은 궁극적으로는 선거를 통하여 국민에 의한 평가와 심판을 받게 될 것이다(헌재 2004.4.29. 2003헌마814). 12·18. 국가직, 13. 지방직·변호사

ㄹ **대법원**
ⓐ 계엄선포가 당연무효가 아닌 한 법원이 계엄선포의 요건구비나 선포의 당·부당을 심사하는 것은 사법권의 내재적인 본질적 한계를 넘어서는 것이다(대판 1981.2.10. 80도3147).
ⓑ 계엄선포요건의 존부는 사법심사의 대상이 되지 못하는 것이므로 비상계엄이 요건 없이 선포된 무효의 계엄이란 논지는 채용할 수 없다(대판 1982.9.14. 82도1847).
ⓒ 대통령의 비상계엄의 선포나 확대행위는 고도의 정치적·군사적 성격을 지니고 있는 행위라 할 것이므로 그것이 누구에게도 일견하여 헌법이나 법률에 위반되는 것으로서 명백하게 인정될 수 있는 등 특별한 사정이 있는 경우라면 몰라도, 그러하지 아니한 이상 그 계엄선포의 요건구비 여부나 선포의 당·부당을 판단할 권한이 사법부에는 없다고 할 것이나, 이 사건과 같이 비상계엄의 선포나 확대가 국헌문란의 목적을 달성하기 위하여 행하여진 경우에는 법원은 그 자체가 범죄행위에 해당하는지의 여부에 관하여 심사할 수 있다(대판 1997.4.17. 96도3376).

ⓓ 남북정상회담의 개최는 고도의 정치적 성격을 지니고 있는 행위라 할 것이므로 특별한 사정이 없는 한 그 당부를 심판하는 것은 사법권의 내재적·본질적 한계를 넘어서는 것이 되어 적절하지 못하지만, 남북정상회담의 개최과정에서 재정경제부장관에게 신고하지 아니하거나 통일부장관의 협력사업승인을 얻지 아니한 채 북한 측에 사업권의 대가 명목으로 송금한 행위 자체는 헌법상 법치국가의 원리와 법 앞에 평등원칙 등에 비추어 볼 때 사법심사의 대상이 된다(대판 2004.3.26. 2003도7878).❶

📖 판례

1 대통령의 계엄선포행위가 사법심사대상인지 여부: 소극

국가원수인 동시에 행정부의 수반이며 국군통수권자인 대통령이 제반상황에 비추어 그 재량으로 비상계엄을 선포함이 상당하다는 판단하에 이를 선포하였을 경우 그 선포의 당·부당을 판단할 권한은 헌법상 계엄의 해제요구권이 있는 국회만이 가지고 있다 할 것이고, 그 선포가 당연무효라면 모르되 사법기관인 법원이 계엄선포요건의 구비 여부나 선포의 당·부당을 심사하는 것은 사법권의 내재적인 본질적 한계를 넘어서는 것이다(대판 1979.12.7. 79초70).

2 군사반란과 내란을 통하여 정권을 장악한 경우가 사법심사대상인지 여부: 적극

우리나라는 제헌헌법의 제정을 통하여 국민주권주의, 자유민주주의, 국민의 기본권보장, 법치주의 등을 국가의 근본이념 및 기본원리로 하는 헌법질서를 수립한 이래 여러 차례에 걸친 헌법개정이 있었으나, 지금까지 한결같이 위 헌법질서를 그대로 유지하여 오고 있는 터이므로 군사반란과 내란을 통하여 폭력으로 헌법에 의하여 설치된 국가기관의 권능행사를 사실상 불가능하게 하고 정권을 장악한 후 국민투표를 거쳐 헌법을 개정하고 개정된 헌법에 따라 국가를 통치하여 왔다고 하더라도 그 군사반란과 내란을 통하여 새로운 법질서를 수립한 것이라고 할 수는 없으며, 우리나라의 헌법질서 아래에서는 헌법에 정한 민주적 절차에 의하지 아니하고 폭력에 의하여 헌법기관의 권능행사를 불가능하게 하거나 정권을 장악하는 행위는 어떠한 경우에도 용인될 수 없다. 따라서 그 군사반란과 내란행위는 처벌의 대상이 된다(대판 1997.4.17. 96도3376). 12. 국가직

3 남북정상회담개최가 사법심사대상인지 여부: 소극

[1] 입헌적 법치주의국가의 기본원칙은 어떠한 국가행위나 국가작용도 헌법과 법률에 근거하여 그 테두리 안에서 합헌적·합법적으로 행하여질 것을 요구하며, 이러한 합헌성과 합법성의 판단은 본질적으로 사법의 권능에 속하는 것이고, 다만 국가행위 중에는 고도의 정치성을 띤 것이 있고, 그러한 고도의 정치행위에 대하여 정치적 책임을 지지 않는 법원이 정치의 합목적성이나 정당성을 도외시한 채 합법성의 심사를 감행함으로써 정책결정이 좌우되는 일은 결코 바람직한 일이 아니며, 법원이 정치문제에 개입되어 그 중립성과 독립성을 침해당할 위험성도 부인할 수 없으므로 고도의 정치성을 띤 국가행위에 대하여는 이른바 통치행위라 하여 법원 스스로 사법심사권의 행사를 억제하여 그 심사대상에서 제외하는 영역이 있으나, 이와 같이 통치행위의 개념을 인정한다고 하더라도 과도한 사법심사의 자제가 기본권을 보장하고 법치주의이념을 구현하여야 할 법원의 책무를 태만히 하거나 포기하는 것이 되지 않도록 그 인정을 지극히 신중하게 하여야 하며, 그 판단은 오로지 사법부만에 의하여 이루어져야 한다.

🏛️ **핵심기출 OX**

01 남북정상회담의 개최과정에서 재정경제부장관에게 신고하지 아니하거나 통일부장관의 협력사업승인을 얻지 아니한 채 북한 측에 사업권의 대가 명목으로 송금한 행위는 남북정상회담에 도움을 주기 위한 시급한 필요에서 비롯된 이른바 통치행위로서 사법심사의 대상이 되지 않는다. 10. 사시

(○, ×)

🔑 × 남북정상회담의 개최과정에서 재정경제부장관에게 신고하지 아니하거나 통일부장관의 협력사업승인을 얻지 아니한 채 북한 측에 사업권의 대가 명목으로 송금한 행위 자체는 헌법상 법치국가의 원리와 법 앞에 평등원칙 등에 비추어 볼 때 사법심사의 대상이 된다(대판 2004.3.26. 2003도7878).

02 한미연합사령부가 연례적으로 실시하고 있는 전시증원연습과 이와 연계된 연합합동 야외기동훈련인 독수리연습을 실시하기로 한 대통령의 결정은 고도의 정치적 결단에 해당하여 사법심사의 대상이 되지 않는다. 12. 국가직

(○, ×)

🔑 × 통치행위에 해당된다고 보기 어렵다. 즉, 사법심사의 대상이 된다.

03 대통령의 개성공단 운영 전면중단 조치는 국가안보와 관련된 대통령의 의사 결정을 포함하고, 그러한 의사 결정은 고도의 정치적 결단을 요하는 문제이므로 사법심사의 대상이 될 수 없다. 22. 국가직

(○, ×)

🔑 × 개성공단 전면중단 조치가 고도의 정치적 결단을 요하는 문제이기는 하나, 조치 결과 개성공단 투자기업인 청구인들에게 기본권 제한이 발생하였고, 국민의 기본권 제한과 직접 관련된 공권력의 행사는 고도의 정치적 고려가 필요한 행위라도 헌법과 법률에 따라 결정하고 집행하도록 견제하는 것이 헌법재판소 본연의 임무이므로, 그 한도에서 헌법소원심판의 대상이 될 수 있다(헌재 2022.1.27. 2016헌마364).

[2] 남북정상회담의 개최는 고도의 정치적 성격을 지니고 있는 행위라 할 것이므로 특별한 사정이 없는 한 그 당부를 심판하는 것은 사법권의 내재적·본질적 한계를 넘어서는 것이 되어 적절하지 못하지만, **남북정상회담의 개최과정에서 재정경제부장관에게 신고하지 아니하거나 통일부장관의 협력사업승인을 얻지 아니한 채 북한측에 사업권의 대가 명목으로 송금한 행위 자체는 헌법상 법치국가의 원리와 법 앞에 평등원칙 등에 비추어 볼 때 사법심사의 대상이 된다**(대판 2004.3.26. 2003도7878). 10. 사시, 12. 국가직, 13·14. 지방직

4 대통령이 한미연합군사훈련의 일종인 2007년 전시증원연습을 하기로 한 결정이 통치행위에 해당하는지 여부: 소극

한미연합군사훈련은 1978. 한미연합사령부의 창설 및 1979.2.15. 한미연합연습 양해각서의 체결 이후 연례적으로 실시되어 왔고, 특히 이 사건 연습은 대표적인 한미연합군사훈련으로서 피청구인이 2007.3.경에 한 이 사건 연습결정이 새삼 국방에 관련되는 고도의 정치적 결단에 해당하여 사법심사를 자제하여야 하는 통치행위에 해당된다고 보기 어렵다(헌재 2009.5.28. 2007헌마369). 12. 국가직

5 개성공단 전면중단 조치에 대한 사법심사가 배제되어야 하는지 여부: 소극 [기각]

이 사건 중단조치가 북한의 핵무기 개발로 인한 위기에 대처하기 위한 조치로서 국가안보와 관련된 대통령의 의사 결정을 포함하고 그러한 의사 결정이 고도의 정치적 결단을 요하는 문제이기는 하나, 그 의사 결정에 따른 조치 결과 투자기업인 청구인들의 영업의 자유 등 기본권에 제한이 발생하였다. 그리고 국민의 기본권 제한과 직접 관련된 공권력의 행사는 고도의 정치적 고려가 필요한 대통령의 행위라도 헌법과 법률에 따라 정책을 결정하고 집행하도록 함으로써 국민의 기본권이 침해되지 않도록 견제하는 것이 국민의 기본권 보장을 사명으로 하는 헌법재판소 본연의 임무이므로, 그 한도에서 헌법소원심판의 대상이 될 수 있다. 따라서 이 사건 헌법소원심판이 사법심사가 배제되는 행위를 대상으로 한 것이어서 부적법하다고는 볼 수 없다(헌재 2022.1.27. 2016헌마364).

(2) 행정청의 자유재량행위

행정청의 재량행위는 기속재량(합법성판단)과 자유재량(합목적성판단)으로 나눌 수 있는바, 기속재량행위에 있어서 재량의 위반은 위법이므로 당연히 사법적 심사의 대상이 된다. 자유재량행위에 대해서는 견해가 대립하고 있으나, 재량행위에 있어서 재량이 기속재량인지 자유재량인지 여부가 객관적으로 명백하지 않다는 점, 자유재량행위라고 하더라도 재량권의 한계를 벗어난 행위는 재량권의 일탈 또는 남용에 해당하는 위법행위가 된다는 점에서 사법적 심사의 대상이 된다고 본다(통설).

개념PLUS+ 재량권의 일탈·남용

1. **재량권의 일탈(외적 한계를 벗어나는 것)**: 재량권 수권규정의 한계를 벗어난 재량권의 행사(예 식품위생법 제58조상의 영업정지처분은 6월 이내로 규정하고 있으나 행정청이 1년의 영업정지처분을 하는 경우)
2. **재량권의 남용(내적 한계를 벗어나는 것)**
   • 재량의 수권목적 위반
   • 헌법 또는 행정법의 일반원리에 반하는 경우
   • 재량의 흠결

(3) 특별권력관계에서의 처분

특별권력관계에서의 처분(예 명령, 강제, 징계 등)도 기본권을 침해한다면 사법적 심사의 대상이 된다. 특별권력관계에 있어서도 위법·부당한 특별권력의 발동으로 권리를 침해당한 자는 처분의 취소를 구할 수 있다(대판 1982.7.27. 80누86).

(4) 국회의 자율권

국회의 자율에 속하는 사항은 원칙적으로 사법심사의 대상이 될 수 없다는 것이 지배적인 견해이다. 헌법에서도 국회의원의 자격심사 및 제명에 대해서는 법원에 제소할 수 없도록 하고 있다(헌법 제64조 제4항). 다만, 국회의원에 대한 제명처분은 헌법소원의 대상은 될 수 있다고 본다(권영성).

4. 사법본질상 한계

사법권을 발동하기 위해서는 ① 구체적이고 현실적인 법적 분쟁이 있어야 하고 (구체적 사건성), ② 자신의 권리를 침해당하였거나 쟁송사건에 대하여 법적 이해관계를 가진 자, 즉 소를 제기할 수 있는 자의 청구가 있어야 하며(당사자적격성), ③ 그 청구와 관련하여 소송을 수행할 실질적 이익이 있어야 한다(소의 이익). 또한 ④ 장래의 문제에 불과하여 구체적인 사건으로 성숙되지 않은 경우에는 원칙적으로 사법권발동의 대상이 될 수 없다(사건의 성숙성).

단원 마무리

사법심사대상 관련 판례	
사법심사대상 ○	사법심사대상 ×
• 대통령이 한미연합군사훈련의 일종인 2007년 전시증원연습을 하기로 한 결정이 통치행위에 해당하는지 여부(헌재 2009.5.28. 2007헌마369) • 대통령의 긴급재정경제명령이 헌법재판소의 사법심사대상인지 여부(헌재 1996.2.29. 93헌마186) • 군사반란과 내란을 통하여 정권을 장악한 행위가 사법심사대상인지 여부(대판 1997.4.17. 96도3376) • 남북정상회담의 개최과정에서 재정경제부장관에게 신고하지 아니하거나 통일부장관의 협력사업승인을 얻지 아니한 채 북한 측에 사업권의 대가 명목으로 송금한 행위가 사법심사대상인지 여부(대판 2004.3.26. 2003도7878)	• 이라크파병결정에 대하여 사법심사가 가능한지 여부(헌재 2004.4.29. 2003헌마814) • 대통령의 계엄선포행위가 사법심사대상인지 여부(대결 1979.12.7. 79초70) • 남북정상회담 개최가 사법심사대상인지 여부(대판 2004.3.26. 2003도7878)

제1절 의회주의

1 의의

1. 개념

의회주의란 국민에 의하여 선출된 국회의원들로 구성되는 의회가 입법 등의 방식으로 국가의 중요정책을 결정하는 정치방식을 말한다.

2. 기원

의회제도의 기원에 관해서는 중세의 등족회의에서 찾는 견해(다수설)와 영국의 모범의회에서 찾는 견해(권영성)가 대립하고 있다.

2 기본원리

1. 국민대표의 원리

의회주의에 있어서는 국민의 의사가 선거를 통하여 의회에 전달되고, 의회가 국민의 의사에 따라 국가정책을 결정한다는 점에서 의회주의는 의회의 국민대표성을 기본원리로 한다. 의회의 국민대표성으로 인하여 의원은 자신을 선출한 선거인으로부터 독립된 법적 지위를 가지고 무기속위임을 그 본질로 하지만, 오늘날에는 선거권의 확대와 정당제의 발달로 의회제 민주주의가 대중민주주의와 정당제 민주주의로 이행됨에 따라 국민대표의 원리도 변질되고 있음이 사실이다.

2. 이성적·공개적 토론의 원리

의회가 국민의 의사를 정확하게 반영하기 위해서는 합의체로서의 의사결정이 신중하고 합리적이어야 하며, 소수의견의 존중과 반대의견에 대한 설득을 전제로 한 이성적이고 공개적인 토론과 반박을 통하여 결론을 이끌어내야 한다.

⚖️ 판례

의사공개의 원칙의 의의와 내용

의사공개의 원칙은 의회민주주의의 핵심적인 기본원리일 뿐 아니라 대의제도의 이념에 따라 주권자인 국민이 국회의원의 의정활동을 감시하고 비판함으로써 책임정치를 실현시킬 수 있는 불가결의 전제조건이며, 공개성은 의사결정의 공정성을 담보하고 정치적 야합과 부패에 대한 방부제 역할을 한다. 의사공개의 원칙은 구체적으로는 **방청의 자유, 보도의**

자유, 중계방송의 자유, 회의록 열람공표의 자유 등을 포함한다(국회법 제149조, 제149조의2).

17. 국회직 8급 의사공개의 구체적 실현을 위하여 국회의사의 중계방송제도를 도입하고 있다. 다만, 의장은 방청권을 발행하여 방청을 허가하며, 질서유지를 위하여 방청인수를 제한하거나 퇴장명령을 내릴 수 있다(국회법 제152조, 제154조)(헌재 2010.12.28. 2008헌라7).

3. 다수결의 원리

(1) 일반적으로 조직의 의사결정은 전원일치가 이상적이겠지만 의안의 성질, 구성원의 동질성의 정도, 구성원의 규모에 의하여 그것이 불가능하게 된다. 의회는 다수의 의원으로 구성된 합의체기관이므로 그 의사결정은 다수결에 의하지 않을 수 없지만, 의회에서의 다수결의 원리는 국민평등의 원리, 다수의 사에 따르는 것이 합리적이라는 경험적 판단, 독단이나 전제를 배제하는 상대주의적 철학 등을 기초로 하여야 한다.

(2) 다수결의 원리는 비합리적 횡포를 이성적 토론과 표결로써 순화시키고자 하는 제도로, 다수결에 이르기까지의 심의·토론의 과정에서 의안의 논점이 파악되고 그에 대한 여러 가지 의견이 제시되면서 타협과 절충에 의하여 합리적 결정에 도달한다는 점에 그 정당성이 있다.

(3) 국회의장이 야당의원의 토론과 표결에 참여할 기회를 사실상 박탈하고 법률안을 가결하였다면 다수인 여당의원들이 참가하여 양적으로는 다수결원칙에 부합하는 것이지만 이성적인 토론이 전제되지 않음으로 인하여 의회주의의 본질적 내용인 토론과 다수결원리를 침해하여 위헌이라고 하여야 할 것이다.

🔨 판례

다수결의 원칙의 의의와 내용

의회민주주의원리는 국가의 정책결정에 참여할 권한을 국민의 대표기관인 의회에 유보하는 것에 그치지 않고 나아가 의사결정과정의 민주적 정당성까지 요구한다. 즉, 절차의 민주성과 공개성이 보장되어야만 민주적 정당성도 획득될 수 있는 것이다. 의회민주주의국가에서 의사절차는 공개와 이성적 토론의 원리, 합리적 결정, 다원적 개방성, 즉 토론과 다양한 고려를 통하여 의안의 내용이 변경될 가능성, 잠재적인 통제를 가능하게 하는 절차의 개방성, 다수결의 원리에 따른 의결 등 여러 가지 요소에 의하여 이루어져야 하지만 무엇보다도 중요한 요소는 헌법 제49조의 다수결의 원리와 제50조의 의사공개의 원칙이라 할 것이다. 의회민주주의의 기본원리의 하나인 다수결의 원리는 의사형성과정에서 **소수파에 토론에 참가하도록 하여 다수파의 견해를 비판하고 반대의견을 밝힐 수 있는 기회를 보장**하여 다수파와 소수파가 공개적이고 합리적인 토론을 거쳐 다수의 의사로 결정한다는 데 그 정당성의 근거가 있는 것이다. 따라서 **입법과정에서 소수파에 출석할 기회조차 주지 않고 토론과정을 거치지 아니한 채 다수파만으로 단독 처리하는 것은 다수결의 원리에 의한 의사결정이라고 볼 수 없다.**

헌법 제49조는 의회민주주의의 기본원리인 다수결의 원리를 선언한 것으로서 이는 단순히 재적의원 과반수의 출석과 출석의원 과반수에 의한 찬성을 형식적으로 요구하는 것에 그치지 않는다. 헌법 제49조는 국회의 의결은 통지가 가능한 국회의원 모두에게 회의에 출석할 기회가 부여된 바탕 위에 재적의원 과반수의 출석과 출석의원 과반수의 찬성으로 이루어져야 한다는 것으로 해석하여야 한다(헌재 2010.12.28. 2008헌라7).

4. 정권교체의 원리

의회주의는 의회 내에서 소수의견과 다수의견의 교체가능성을 그 내용으로 한다. 선거를 통한 평화적 정권교체의 가능성이 전혀 없다면 의회주의는 실질적으로 일당독재에 불과하기 때문이다.

3 의회주의의 위기

1. 위기원인

(1) 국민적 동질성의 상실과 계층간의 갈등

시민사회에서 다원적 이익사회로 변모함에 따라 오늘날 국민적 동질성이 상실되고 계층간의 이해가 다원화됨으로써 대화와 타협이라는 의회주의의 기초가 흔들리게 되었다.

(2) 정당국가화 경향에 따른 의회기능의 약화(합의기능의 상실)

정당정치의 발달로 인하여 의원들의 정당기속이 강화되었고, 자유위임적 의정활동에 제약을 받게 되었다. 모든 국가권력이 집권당의 수뇌부에 있게 됨으로써 의회는 정책을 사전에 추인하는 기관으로 지위가 하락하였다.

(3) 행정국가화 · 사회국가화 경향에 따른 의회역량의 한계

오늘날 국가정책의 입안과 결정에 전문적 · 기술적 지식과 정보를 구비한 정부가 주도적 역할을 담당하는 행정국가화 경향과 자본주의사회의 구조적 모순을 해결하기 위하여 국가가 적극적으로 개입하는 사회국가화(복지국가화) 경향이 현저하게 나타나고 있다. 이러한 요청에 부응하기에는 의회의 조직과 기능이 그 전문성과 능률성에 있어서 부적합한 면이 있다.

(4) 선거제도의 변질

오늘날 선거는 개인적 능력이나 자질보다도 소속 정당이나 그 정강 · 정책이 선택기준이 되면서 선거제도의 성격이 인물선거에서 정당 또는 정당지도자에 대한 신임투표로 변질되었다. 그리하여 유능한 인재보다는 소속 정당에 충성하는 직업정치인들이 의회에 진출하게 되어 의원의 전문성과 자질이 저하되었다.

(5) 의사진행의 비효율성

본회의 중심주의의 운영방식으로 인한 의사진행의 비효율성이 문제된다.

2. 극복방안

(1) 국민적 동질성의 회복

사회국가원리의 실질적 구현을 통한 계층간의 대립과 갈등을 해소시킴으로써 국민적 동질성을 회복하고, 대화와 타협이라는 의회주의의 기초를 바로 세울 수 있다.

(2) 정당의 민주화

정당의 조직과 운영의 민주화를 제고함으로써 정당 수뇌부에 의한 밀실과두 정치를 방지하고, 정당은 제대로 국민의 정치적 의사를 형성하여 이를 반영하여야 한다.

특히 정당 내부에서의 의사결정과정에서 상향식 의사전달과정이 보장되어야 한다.

(3) 선거제도의 개혁

직능대표제와 비례대표제, 절대다수대표제의 도입이 거론된다. 직능대표제는 국회의 전문성을 제고하기 위한 것이고, 비례대표제는 국민대표기능을 강화하며, 절대다수대표제는 의원의 민주적 정당성을 제고하기 위한 것이다.

(4) 의회운영과 의사절차의 효율성 제고

의회의 운영을 본회의 중심주의에서 상임위원회 중심주의로 개편하고 의회 내에 전문위원회를 두어 의회의 운영과 의사절차의 효율성을 제고하고 전문성을 강화하여야 한다.

(5) 직접민주제에 의한 보완

의회제의 기능 약화로 나타나는 국민과의 괴리현상을 해소하기 위하여 직접민주제에 의한 보완이 필요하다. 직접민주제의 방식으로는 국민투표, 국민발안, 국민소환 등이 있다.

4 현행헌법의 태도

1. 의회주의의 원칙

우리나라는 건국헌법에서부터 의회주의를 도입하였고, 특히 현행헌법은 대의제의 핵심이 되는 의회주의를 통치구조의 기본원리로 하고 있다. 따라서 국민은 그 대표기관인 국회를 통하여 주권자로서의 의사를 간접적으로 실현하고, 국정심의는 국회를 중심으로 이루어져야 한다.

2. 직접민주제의 보완

현행헌법은 대통령이 부의한 국가안위 관련 중요정책에 대한 국민투표제의 직접민주제와 헌법개정안에 대한 국민투표제를 부분적으로 채택하여 의회주의를 보완하고 있다.

제2절 국회의 헌법상 지위

1 국민의 대표기관

1. 의의

국회는 국민의 대표기관으로서의 지위를 가진다. 헌법에 국회의 국민대표기관성을 명시적으로 규정한 조항은 없으나, 국민주권의 원리에 비추어 국회의 국민대표성이 전제되어 있다고 볼 것이다.

2. 정치적 대표관계

대의기관이 법적 위임이나 대표의 관계가 아니라 전체 국민의 의사를 반영할 정치적 사명을 지고 정치적·이념적으로 국민을 대표하는 것으로 본다.

2 입법기관

1. 국회의 입법권

국회는 국가의 입법기관이다(헌법 제40조). 국회가 입법기관이라는 것은 실질적 의미의 입법에 관한 권한을 원칙적으로 국회가 행사한다는 것을 의미하고, 이는 가장 본질적인 국회의 지위에 해당한다.

2. 의회입법에 대한 예외

의회가 입법기관이라는 것은 원칙적으로 그러하다는 것이며 의회가 입법권을 독점한다는 의미는 아니다. 헌법도 제40조에서 국회입법의 원칙을 선언하고 있지만 동시에 국회입법에 대한 예외로서 다른 국가기관들에 실질적 입법권의 일부를 부여하고 있는데, 대통령의 긴급명령권과 긴급재정경제명령권, 대통령령·총리령·부령 등의 각종 행정입법권, 대법원·헌법재판소·중앙선거관리위원회의 규칙제정권, 지방자치단체의 자치입법권 등이 그것이다. 또한 정부의 법률안제출권, 대통령의 법률안거부권·법률공포권·조약체결비준권 등에 의하여 국회의 입법권이 제약을 받기도 한다. 06. 입시

3. 입법기관으로서의 지위의 변질 여부

(1) 국회의 통법부❶화 현상
① 오늘날 사회국가화·적극국가화 경향으로 입법에 있어 고도의 전문성과 기술성이 요구되었고, 입법과정에 있어 행정부의 역할이 증대되었다.
② 또한 정당정치의 발달로 인한 의원의 정당기속으로 말미암아 입법기관으로서의 의회의 지위와 역할이 점차 저하되어 통법부화 현상이 나타나고 있다. 04. 국회직 8급

(2) 입법기관으로서의 국회의 지위 강화방안
① 입법기관으로서의 국회의 지위가 약화되고 있다고 하나 오늘날에 있어서도 국회가 여전히 입법기관으로서 중요성을 가지고 있다는 점에 대하여는 이론이 있을 수 없다.
② 다만, 약화되고 있는 국회의 입법기관으로서의 지위를 강화시키기 위하여 전문위원회제도의 활용, 위원회의 안건심사 강화 및 법안심의 실질화, 전문가의 자문 강화, 직능대표제의 도입, 국정감사·조사활동의 강화를 통한 입법자료의 수집, 공청회 및 청문회 등의 기능을 강화시킬 수 있는 방안이 모색될 필요가 있다.

3 국정통제기관

1. 국정통제기능❶의 상대적 비중 강화

국회의 대표기관으로서의 지위와 입법기관으로서의 지위는 점차 저하되고 있는 반면, 국정을 감시하고 비판하는 국정통제기관으로서의 지위는 중요시되고 있다. 이는 권력분립상의 견제·균형의 요청이기도 하며, 국회가 국민의 대표기관으로서 민의를 반영시키기 위한 요청에서도 인정된다.

2. 국정통제의 수단

(1) 국회의 행정부 통제

현행헌법상 인정되는 국회의 행정부 통제수단으로는 국무총리 임명에 대한 동의권, 예산안 심의 및 결산권, 대통령 등에 대한 탄핵소추의결권, 조약의 체결·비준에 대한 동의권, 국무총리·국무위원 해임건의권, 국정감사·조사권, 예비비설치동의 등 중요재정정책에 대한 동의권, 긴급재정경제명령·처분 및 긴급명령승인권, 계엄해제요구권 등이 있다.

(2) 국회의 사법부 통제

국회는 사법권의 독립을 해하지 않는 범위에서 사법부에 대하여 통제할 수 있다. 헌법은 대법원장이나 대법관의 임명에 대한 동의권, 사법부 예산안의 심의·의결권, 국정감사·조사권 등의 통제수단을 두고 있다.

4 국가의 최고기관성 여부

의회가 국가의 최고기관으로서의 지위를 가지는지 여부에 대한 문제가 제기되는바, 국회가 국가의 최고기관 중의 하나라고 할 수는 있어도 국가의 유일한 최고기관이라고 하기는 어렵다(통설).

❶ 의회의 국정통제기능
의원내각제, 의회정부제 > 대통령제

제3절 국회의 구성과 조직

1 구성원리

1. 양원제

(1) 의의

양원제란 의회가 두 개의 합의체로 구성되고 두 합의체가 각기 독립하여 결정한 의사가 일치하는 경우 이를 의회의 의사로 간주하는 의회제도를 말한다. 양원제는 영국을 기원으로 하며 몽테스키외 등이 주장한 것으로 영국, 미국, 독일, 프랑스, 일본 등이 채택하고 있다.

(2) 운용실태

① **미국(상원과 하원):** 상원은 각 주에서 2명씩 선출(직선)된 100명으로 구성되며, 상원의원의 임기는 6년이고, 2년마다 3분의 1씩 개선한다. 상원만이 보유하는 특수 권한으로는 조약비준동의권, 부통령결정권, 탄핵심판권, 고위공무원 임명동의권 등이 있다. 반면에 하원은 435명이고 하원의원의 임기는 2년이다. 하원이 가지는 특수 권한으로는 세입법안우선심의권, 탄핵소추권, 대통령선출권 등이 있다. 일반적으로는 하원의 권한이 강하지만, 미국은 상원의 권한이 하원의 권한보다 강하다.

② **영국(상원과 하원):** 상원은 성직귀족의원, 세습귀족의원, 선거귀족의원, 법률귀족의원 등으로 구성되며 상원의원은 종신이다. 상원은 금전지출법안 이외의 법안을 모두 심의하지만 형식적인 역할에 불과하다. 하원은 국민에 의하여 직접 선출되는 의원들로 구성되며, 하원의원의 임기는 5년이다. 하원은 국가최고기관으로서 입법·집행·사법의 모든 분야에 걸쳐 광범한 권한을 가지고 있다.

(3) 장·단점

① **장점**
- ㉠ 의안심의에 있어 신중을 기함으로써 단원제의 경솔과 졸속을 방지할 수 있다. 10. 사시
- ㉡ 양원의 조직이 서로 다르므로 단원제에서의 파쟁과 부패를 방지할 수 있다.
- ㉢ 의회나 원내 다수파의 전제와 횡포를 방지하고 국민의 권익을 옹호할 수 있다.
- ㉣ 일원이 정부와 충돌한 때 타원이 그 충돌을 완화할 수 있다.
- ㉤ 하원을 지역대표제로 하는 것과 달리, 상원을 직능대표제 또는 주대표제로 함으로써 특수 이익을 대변할 수 있다.

② **단점**
- ㉠ 중복된 절차로 인하여 의안의 심의지연과 국비낭비를 초래한다.
- ㉡ 양원의 책임전가로 인하여 의회의 책임소재가 불분명해진다.
- ㉢ 의회가 양원으로 분열되므로 정부에 대한 의회의 지위가 상대적으로 약화된다. 10. 사시

(4) 양원의 상호관계

① **독립조직의 원칙:** 각원은 그 구성원을 달리한다.
② **독립의결의 원칙:** 양원은 상호 독립하여 회의의 개최, 의사진행 및 의결도 독자적으로 하여야 한다. 양원의 의결이 충돌하거나 대통령선거를 실시할 경우에 한하여 양원합동회의를 개최한다.
③ **의사일치의 원칙:** 의안을 처리할 때 양원의 의견이 서로 일치하는 경우에만 의회의 의결로 한다.
④ **동시활동의 원칙:** 양원은 동시에 집회하고 개회하며, 동시에 휴회하고 폐회하는 것이 원칙이므로 하원이 해산될 경우 상원도 폐회한다.

2. 단원제

(1) 의의

단원제란 의회가 국민에 의하여 선출된 의원으로 조직되는 하나의 합의체로 구성되는 의회제도를 말한다.

(2) 이론적 근거

① 동일 사항에 관하여 국민의 총의가 2개 이상 있을 수 없으므로 국민의 대의기관은 하나이어야 한다(루소).

② 제2원이 제1원과 의사를 달리한다면 그 존재는 유해한 것이 될 것이고, 양자의 의사가 언제나 동일하다면 제2원은 무용지물이 된다(시에예스).

(3) 장·단점

단원제의 장·단점은 양원제와 반대된다. 단원제의 장점으로는 ① 신속하고 능률적인 의안심의, ② 정부에 대한 의회의 지위 강화, ③ 의회의 책임소재 분명, ④ 국비의 절감 등을 들 수 있다.

2 한국헌법에서의 국회구성

1. 헌법사

구분		국회구성	의원의 선출방법
제1공화국	건국헌법	단원제	–
	제1차(1952)	양원제❶ (참의원과 민의원)	실제로 구성되지 않음
	제2차(1954)	–	–
제2공화국	제3차(1960.6.)	양원제 (참의원과 민의원)	• 참의원(임기 6년): 도단위의 대선거구에서 선출 • 민의원(임기 4년): 1선거구 1대표의 원칙에 따라 선출
	제4차(1960.11.)	–	–
제3공화국	제5차(1962)	단원제	지역구출신의원과 전국구출신의원들로 구성
	제6차(1969)	–	–
제4공화국	제7차(1972)	단원제	지역구출신의원과 통일주체국민회의가 선거하는 의원으로 구성(통일주체국민회의는 대통령의 추천에 따라 국회의원정수의 3분의 1에 해당하는 수의 의원을 선거를 통하여 선출)
제5공화국	제8차(1980)	단원제	• 지역구출신국회의원들로 구성 • 다만, 대표의 방법으로 비례대표제가 가미될 수 있음을 규정
현행헌법	제9차(1987)	단원제	–

❶ **양원제 의회**
제1차 개정헌법에서 처음 규정되었다 (실제로 구성×).

2. 현행헌법의 규정

> 헌법 제41조 ① 국회는 국민의 보통·평등·직접·비밀선거에 의하여 선출된 국회의원으로 구성한다. 16. 법무사
> ② 국회의원의 수는 법률로 정하되, 200인 이상으로 한다.
> ③ 국회의원의 선거구와 비례대표제 기타 선거에 관한 사항은 법률로 정한다.
> 제42조 국회의원의 임기는 4년으로 한다.

3. 국회의원의 선거

(1) 선거권과 피선거권

> 공직선거법 제15조【선거권】① 18세 이상의 국민은 대통령 및 국회의원의 선거권이 있다.
> 제16조【피선거권】② 18세 이상의 국민은 국회의원의 피선거권이 있다. 19. 서울시

(2) 선거구와 의원정수

> 헌법 제41조 ③ 국회의원의 선거구와 비례대표제 기타 선거에 관한 사항은 법률로 정한다.
> 공직선거법 제21조【국회의 의원정수】① 국회의 의원정수는 지역구국회의원 254명과 비례대표국회의원 46명을 합하여 300명으로 한다.
> ② 하나의 국회의원지역선거구(이하 "국회의원지역구"라 한다)에서 선출할 국회의원의 정수는 1인으로 한다.

3 의장단

1. 의장과 부의장의 수

> 헌법 제48조 국회는 의장 1인과 부의장 2인을 선출한다.

2. 의장단의 선거

> 국회법 제15조【의장·부의장의 선거】① 의장과 부의장은 국회에서 무기명투표로 선거하고 재적의원 과반수의 득표로 당선된다. 05. 입시, 05·06. 행시, 08·11. 법무사, 18. 서울시
> ② 제1항에 따른 선거는 국회의원 총선거 후 첫 집회일에 실시하며, 처음 선출된 의장 또는 부의장의 임기가 만료되는 경우에는 그 임기만료일 5일 전에 실시한다. 다만, 그 날이 공휴일인 경우에는 그 다음 날에 실시한다.

3. 의장단의 임기

> 국회법 제9조【의장·부의장의 임기】① 의장과 부의장의 임기는 2년으로 한다. 04. 국가직 다만, 국회의원 총선거 후 처음 선출된 의장과 부의장의 임기는 그 선출된 날부터 개시하여 의원의 임기 개시 후 2년이 되는 날까지로 한다. 08. 법무사
> ② 보궐선거로 당선된 의장 또는 부의장의 임기는 전임자 임기의 남은 기간으로 한다.

4. 국회의장의 겸직제한

> **국회법 제20조【의장·부의장의 겸직제한】** ① 의장과 부의장은 특별히 법률로 정한 경우를 제외하고는 의원 외의 직을 겸할 수 없다. 20. 국회직 9급

5. 국회의장과 당적 18. 국가직

> **국회법 제20조의2【의장의 당적 보유 금지】** ① 의원이 의장으로 당선된 때에는 당선된 다음 날부터 의장으로 재직하는 동안은 당적(黨籍)을 가질 수 없다. 04. 국회직, 04·18. 국가직, 06. 사시, 08. 법무사 다만, 국회의원 총선거에서 공직선거법 제47조에 따른 정당추천후보자로 추천을 받으려는 경우에는 의원 임기만료일 90일 전부터 당적을 가질 수 있다. 18. 서울시

1960년 국회법 제19조는 국회의장이 당적을 가질 수 없다고 규정하고 있었는데, 이는 1963년 폐지되어 그 후로는 국회의장이 당적을 가질 수 있었다. 그러나 2002년 국회법은 국회의장의 당적보유금지조항을 신설하였다.

6. 국회의장의 권한

> **국회법 제11조【의장의 위원회 출석과 발언】** 의장은 위원회에 출석하여 발언할 수 있다. 다만, 표결에는 참가할 수 없다. 04. 국가직
>
> **제21조【국회사무처】** ③ 사무총장은 의장이 각 교섭단체 대표의원과의 협의를 거쳐 본회의 승인을 받아 임면(任免)한다.
>
> **제135조【사직】** ① 국회는 의결로 의원의 사직을 허가할 수 있다. 다만, 폐회 중에는 의장이 허가할 수 있다.
>
> **제148조의2【의장석 또는 위원장석의 점거 금지】** 의원은 본회의장 의장석이나 위원회 회의장 위원장석을 점거해서는 아니 된다.
>
> **제148조의3【회의장 출입의 방해 금지】** 누구든지 의원이 본회의 또는 위원회에 출석하기 위하여 본회의장이나 위원회 회의장에 출입하는 것을 방해해서는 아니 된다.
>
> **제150조【현행범인의 체포】** 경위나 경찰공무원은 국회 안에 현행범인이 있을 때에는 체포한 후 의장의 지시를 받아야 한다. 다만, 회의장 안에서는 의장의 명령 없이 의원을 체포할 수 없다. 15. 국회직·서울시

> 🗐 **참고 국회의장의 Casting Vote❶**
>
> 1. 제1·2공화국: 국회의장은 가부동수일 경우 결정권을 가진다.
> 2. 제3·4·5공화국, 현행헌법: 가부동수일 경우 부결된 것으로 본다(국회의장은 표결권은 있으나, Casting Vote는 없음).
> 3. 미국상원의장(부통령)은 일반 표결권은 없으나, Casting Vote를 행사할 수 있다.

❶ Casting Vote
의사결정과정에서 가부(可否)가 동수인 경우 의장이 가지는 결정권을 말한다.

🏛 **핵심기출 OX**

01 국회의장은 특별히 법률로 정한 경우를 제외하고는 의원 외의 직을 겸직할 수 없다. 20. 국회직 9급 (O, ×)

답 O

02 의장과 부의장은 원칙적으로 당적을 가질 수 없다. 08. 법무사 (O, ×)

답 × 국회의장은 당적을 보유할 수 없지만, 부의장은 당적을 가질 수 있다.

03 국회의장은 국회 전체를 통할하는 입장에 있지만 아울러 개별의원으로서의 지위도 가지고 있으므로 위원회나 본회의에 출석하여 발언하고 표결에도 참가할 수 있다. 04. 국가직 (O, ×)

답 × 의장은 위원회에 출석하여 발언할 수 있다. 다만, 표결에는 참가할 수 없다(국회법 제11조).

7. 국회의장의 직무대리와 대행

> **국회법 제12조【부의장의 의장 직무대리】** ① 의장이 사고(事故)가 있을 때에는 의장이 지정하는 부의장이 그 직무를 대리한다. 08. 법무사
> ② 의장이 심신상실 등 부득이한 사유로 의사표시를 할 수 없게 되어 직무대리자를 지정할 수 없을 때에는 소속 의원 수가 많은 교섭단체 소속 부의장의 순으로 의장의 직무를 대행한다. 17·18. 국가직
>
> **제13조【임시의장】** 의장과 부의장이 모두 사고가 있을 때에는 임시의장을 선출하여 의장의 직무를 대행하게 한다.
>
> **제14조【사무총장의 의장 직무대행】** 국회의원 총선거 후 의장이나 부의장이 선출될 때까지는 **사무총장**이 임시회 집회 공고에 관하여 의장의 직무를 대행한다. 처음 선출된 의장과 부의장의 임기만료일까지 부득이한 사유로 의장이나 부의장을 선출하지 못한 경우와 폐회 중에 의장·부의장이 모두 궐위(闕位)된 경우에도 또한 같다.
>
> **제17조【임시의장 선거】** 임시의장은 무기명투표로 선거하고 **재적의원 과반수의 출석과 출석의원 다수득표자를** 당선자로 한다.
>
> **제18조【의장 등 선거시의 의장 직무대행】** 의장 등의 선거에서 다음 각 호의 어느 하나에 해당할 때에는 출석의원 중 **최다선(最多選) 의원**이, 최다선 의원이 2명 이상인 경우에는 그중 연장자가 의장의 직무를 대행한다. 06. 법행
> 1. 국회의원 총선거 후 처음으로 의장과 부의장을 선거할 때
> 2. 제15조 제2항에 따라 처음 선출된 의장 또는 부의장의 임기가 만료되는 경우 그 임기만료일 5일 전에 의장과 부의장의 선거가 실시되지 못하여 그 임기만료 후 의장과 부의장을 선거할 때
> 3. 의장과 부의장이 모두 궐위되어 그 보궐선거를 할 때
> 4. 의장 또는 부의장의 보궐선거에서 의장과 부의장이 모두 사고가 있을 때
> 5. 의장과 부의장이 모두 사고가 있어 임시의장을 선거할 때

8. 국회의장의 사임

> **국회법 제19조【의장·부의장의 사임】** 의장과 부의장은 국회의 동의를 받아 그 직을 사임할 수 있다. 05. 입시, 20. 행시

개념PLUS+ 국회의장과 부의장의 비교 18. 국가직·서울시

구분	국회의장	부의장
수	1인	2인
선출	재적 과반수, 무기명투표	재적 과반수, 무기명투표
임기	2년	2년
당적보유	×	○ 08. 법무사
상임위원 겸직	× 07. 국회직	○
국무위원 겸직	×	× 11. 국가직
사임	국회동의를 얻어 사임	국회동의를 얻어 사임

4 국회의 위원회

1. 의의

(1) 개념

국회의 위원회란 본회의에서의 의안심의를 원활하게 할 목적으로 전문적 지식을 가진 소수의원들로 하여금 의안을 예비적으로 심사하게 하는 소회의제를 말한다. 국회법은 상임위원회 중심주의와 본회의 결정주의를 채택하고 있다.

(2) 필요성

오늘날에는 입법에도 고도의 전문성과 기술성이 요구되어 모든 안건을 처음부터 본회의에서 심의·처리하는 것이 적절하지 않게 되자 그 대응책으로 마련된 것이 국회의 위원회제도이다. 위원회제도는 현대 국가의 행정국가화에 따른 의회기능의 약화 경향 속에서 의회기능의 강화방안으로서의 의미를 가진다.

2. 순기능과 역기능

(1) 순기능

① 본회의에 부의할 의안을 사전에 여과함으로써 본회의 운영에 효율성을 기할 수 있다.
② 의안심의의 능률성이 제고됨으로써 많은 안건을 신속하게 처리할 수 있다.
③ 전문적인 심의가 가능하게 되어 국정기능의 분화·확대에 기여한다.
④ 본회의 의사결정의 민주적 정당성을 강화시킨다.
⑤ 본회의 운영의 탄력성을 보장해준다.

(2) 역기능

① 본회의가 형식화되어 일반 의원의 활동이나 의사가 소외된다.
② 위원회와 정부·여당·압력단체 등 관련 기관의 밀착으로 이들의 영향력이 증대되어 의안처리의 공정성을 해칠 우려가 있다.
③ 위원회가 소관분야의 부분적 이익에 치우침으로써 국정 전반의 이익을 등한시할 수 있다.
④ 의원들의 의안에 대한 폭넓은 국정심의기회가 박탈되는 등의 문제점이 제기된다. 14. 국회직

3. 종류

> **국회법 제35조 【위원회의 종류】** 국회의 위원회는 상임위원회와 특별위원회 두 종류로 한다.

(1) 상임위원회

① **개념**: 상임위원회란 소관사항에 관한 의안을 예비적으로 심의하기 위하여 상설적으로 설치된 위원회를 말한다.

② 상임위원회의 종류와 소관사항(국회법 제37조 제1항)

1. 국회운영위원회	• 국회운영에 관한 사항 19. 서울시 • 국회법 기타 국회규칙에 관한 사항 • 국회사무처 소관에 속하는 사항 • 국회도서관 소관에 속하는 사항 • 국회예산정책처 소관에 속하는 사항 • 국회입법조사처 소관에 속하는 사항 • 대통령비서실, 국가안보실, 대통령경호처 소관에 속하는 사항 11. 법행 • 국가인권위원회 소관에 속하는 사항 19. 서울시
2. 법제사법위원회	• 법무부 소관에 속하는 사항 • 법제처 소관에 속하는 사항 • 감사원 소관에 속하는 사항 05. 입시·국회직, 11. 법행, 19. 서울시 • 고위공직자 범죄수사처 소관에 속하는 사항 • 헌법재판소사무에 관한 사항 • 법원·군사법원의 사법행정에 관한 사항 • 탄핵소추에 관한 사항 • 법률안·국회규칙안의 체계·형식과 자구의 심사에 관한 사항
3. 정무위원회	• 국무조정실, 국무총리비서실 소관에 속하는 사항 • 국가보훈부 소관에 속하는 사항 • 공정거래위원회 소관에 속하는 사항 05. 입시, 11. 법행 • 금융위원회 소관에 속하는 사항 05. 입시, 05·11. 국회직 8급, 11. 법행, 19. 서울시 • 국민권익위원회 소관에 속하는 사항 17. 지방직
4. 기획재정위원회	• 기획재정부 소관에 속하는 사항 19. 서울시 • 한국은행 소관에 속하는 사항
5. 교육위원회	• 교육부 소관에 속하는 사항 • 국가교육위원회 소관에 속하는 사항
6. 과학기술정보방송통신위원회	• 과학기술정보통신부 소관에 속하는 사항 • 방송통신위원회 소관에 속하는 사항 • 원자력안전위원회 소관에 속하는 사항
7. 외교통일위원회	• 외교부 소관에 속하는 사항 • 통일부 소관에 속하는 사무에 관한 사항 05. 입시·국회직, 11. 법행 • 민주평화통일자문회의 사무에 관한 사항
8. 국방위원회	국방부 소관에 속하는 사항
9. 행정안전위원회	• 행정안전부 소관에 속하는 사항 • 인사혁신처 소관에 속하는 사항 • 중앙선거관리위원회 사무에 관한 사항 19. 서울시 • 지방자치단체에 관한 사항
10. 문화체육관광위원회	문화체육관광부 소관에 속하는 사항
11. 농림축산식품해양수산위원회	• 농림축산식품부 소관에 속하는 사항 • 해양수산부 소관에 속하는 사항

12. 산업통상자원 중소벤처기업 위원회	• 산업통상자원부 소관에 속하는 사항 • 중소벤처기업부 소관에 속하는 사항
13. 보건복지 위원회	• 보건복지부 소관에 속하는 사항 • 식품의약품안전처 소관에 속하는 사항
14. 환경노동 위원회	• 환경부 소관에 속하는 사항 • 고용노동부 소관에 속하는 사항
15. 국토교통 위원회	국토교통부 소관에 속하는 사항
16. 정보위원회	• 국가정보원 소관에 속하는 사항 05.입시 • 국가정보원법 제4조 제1항 제5호에 규정된 정보 및 보안업무의 기획·조정대상부처 소관의 정보예산안과 결산심사에 관한 사항
17. 여성가족 위원회	여성가족부 소관에 속하는 사항

③ 상임위원회의 구성과 상임위원회위원의 임기

> 국회법 제38조【상임위원회의 위원 정수】상임위원회의 위원 정수(定數)는 국회규칙으로 정한다. 다만, **정보위원회의 위원 정수는 12명으로 한다.**
>
> 제39조【상임위원회의 위원】① 의원은 둘 이상의 상임위원이 될 수 있다. 04.사시, 08.국회직 8급
> ② 각 교섭단체 대표의원은 국회운영위원회의 위원이 된다.
> ③ 의장은 상임위원이 될 수 없다. 07.국회직
>
> 제40조【상임위원의 임기】❶ ① 상임위원의 임기는 **2년**으로 한다. 다만, 국회의원 총선거 후 처음 선임된 위원의 임기는 선임된 날부터 개시하여 의원의 임기 개시 후 2년이 되는 날까지로 한다.
> ② 보임(補任)되거나 개선(改選)된 상임위원의 임기는 전임자 임기의 남은 기간으로 한다.
>
> 제40조의2【상임위원의 직무 관련 영리행위 금지】상임위원은 소관상임위원회의 직무와 관련한 영리행위를 하여서는 아니 된다.
>
> 제48조【위원의 선임 및 개선】① 상임위원은 교섭단체 소속 의원 수의 비율에 따라 각 교섭단체 대표의원의 요청으로 의장이 선임하거나 개선한다. 04.사시, 06.행시, 18.국가직·서울시 이 경우 각 교섭단체 대표의원은 국회의원 총선거 후 첫 임시회의 집회일부터 2일 이내에 의장에게 상임위원 선임을 요청하여야 하고, 처음 선임된 상임위원의 임기가 만료되는 경우에는 그 임기만료일 3일 전까지 의장에게 상임위원 선임을 요청하여야 하며, 이 기한까지 요청이 없을 때에는 의장이 상임위원을 선임할 수 있다.
> ② 어느 교섭단체에도 속하지 아니하는 의원의 상임위원 선임은 의장이 한다.
> ③ **정보위원회의 위원**은 의장이 각 교섭단체 대표의원으로부터 해당 **교섭단체 소속 의원** 중에서 후보를 추천받아 부의장 및 각 교섭단체 대표의원과 협의하여 선임하거나 개선한다. 17.지방직 다만, **각 교섭단체 대표의원은 정보위원회의 위원**이 된다.
>
> ☑ 주의
> 정보위원회의 위원은 교섭단체 소속의원이 아니어도 될 수 있다. (×)
> ⇨ 정보위원회의 위원은 교섭단체 소속의원 중에서 선임 또는 개선하기 때문에 교섭단체 소속의원이 아닌 경우에는 정보위원이 될 수 없다.

❶ 일반 상임위원의 임기
일반 상임위원의 임기 = 정보위원회위원의 임기 = 2년

④ 상임위원장의 선출방식

> **국회법 제41조【상임위원장】** ② 상임위원장은 제48조 제1항부터 제3항까지에 따라 선임된 해당 **상임위원** 중에서 임시의장선거의 예에 준하여 본회의에서 선거한다. 13. 법원직, 18. 서울시

(2) 특별위원회

① **개념**: 특별위원회는 수 개의 상임위원회 소관사항과 관련되거나 특히 필요하다고 인정한 안건을 효율적으로 처리하기 위하여 본회의의 의결(국회법 제44조) 또는 법률의 규정(국회법 제45조, 제46조의3)으로 설치되는 일시적인 위원회이다.

② **일반 특별위원회**

> **국회법 제44조【특별위원회】** ① 국회는 둘 이상의 상임위원회와 관련된 안건이거나 특히 필요하다고 인정한 안건을 효율적으로 심사하기 위하여 본회의의 의결로 특별위원회를 둘 수 있다.
> ② 제1항에 따른 특별위원회를 구성할 때에는 그 활동기간을 정하여야 한다. 다만, 본회의 의결로 그 기간을 연장할 수 있다.
>
> **제47조【특별위원회의 위원장】** ① 특별위원회에 위원장 1명을 두되, 위원회에서 호선하고 본회의에 보고한다.
> ② 특별위원회의 위원장이 선임될 때까지는 위원 중 연장자가 위원장의 직무를 대행한다.
> ③ 특별위원회의 위원장은 그 특별위원회의 동의를 받아 그 직을 사임할 수 있다. 다만, 폐회 중에는 의장의 허가를 받아 사임할 수 있다.

③ **예산결산특별위원회**

> **국회법 제45조【예산결산특별위원회】** ① 예산안, 기금운용계획안 및 결산(세입세출결산과 기금결산을 말한다. 이하 같다)을 심사하기 위하여 **예산결산특별위원회**를 둔다. 08. 국회직
> ② 예산결산특별위원회의 위원 수는 **50명**으로 한다. 05. 국회직 이 경우 의장은 교섭단체 소속 의원 수의 비율과 상임위원회 위원 수의 비율에 따라 각 교섭단체 대표의원의 요청으로 위원을 선임한다. 18. 지방직, 22. 국가직
> ③ 예산결산특별위원회 위원의 임기는 **1년**으로 한다. 05. 국회직 다만, 국회의원 총선거 후 처음 선임된 위원의 임기는 선임된 날부터 개시하여 의원의 임기 개시 후 1년이 되는 날까지로 하며, 보임되거나 개선된 위원의 임기는 전임자 임기의 남은 기간으로 한다.
> ④ **예산결산특별위원회의 위원장**은 **예산결산특별위원회의 위원 중에서 임시의장선거의 예에 준하여 본회의에서 선거한다.** 13. 경정승진, 17. 지방직
>
> **제84조의3【예산안·기금운용계획안 및 결산에 대한 공청회】** 예산결산특별위원회는 예산안, 기금운용계획안 및 결산에 대하여 공청회를 개최하여야 한다. 다만, 추가경정예산안, 기금운용계획변경안 또는 결산의 경우에는 위원회의 의결로 공청회를 생략할 수 있다.

---

④ 윤리특별위원회

> **국회법 제46조【윤리특별위원회】** ① 의원의 자격심사 · 징계에 관한 사항을 심사하기 위하여 제44조 제1항에 따라 **윤리특별위원회**를 구성한다. 18. 국가직
> ② 삭제
> ③ 윤리특별위원회는 의원의 징계에 관한 사항을 심사하기 전에 따른 윤리심사자문위원회의 의견을 청취하여야 한다. 이 경우 윤리특별위원회는 윤리심사자문위원회의 의견을 존중하여야 한다.
> ④ 삭제
> ⑤ 삭제
> ⑥ 윤리특별위원회의 운영 등에 관하여 이 법에서 정한 사항 외에 필요한 사항은 국회규칙으로 정한다.
>
> **제46조의2【윤리심사자문위원회】** ① 다음 각 호의 사무를 수행하기 위하여 국회에 윤리심사자문위원회를 둔다.
> 1. 의원의 겸직, 영리업무 종사와 관련된 의장의 자문
> 2. 의원 징계에 관한 윤리특별위원회의 자문
> 3. 의원의 이해충돌 방지에 관한 사항
> ② 윤리심사자문위원회는 위원장 1명을 포함한 8명의 자문위원으로 구성하며, 자문위원은 각 교섭단체 대표의원의 추천에 따라 의장이 위촉한다.
> ③ 자문위원의 임기는 2년으로 한다.
> ④ 각 교섭단체 대표의원이 추천하는 자문위원 수는 교섭단체 소속 의원 수의 비율에 따른다. 이 경우 소속 의원 수가 가장 많은 교섭단체 대표의원이 추천하는 자문위원 수는 그 밖의 교섭단체 대표의원이 추천하는 자문위원 수와 같아야 한다.
> ⑤ 윤리심사자문위원회 위원장은 자문위원 중에서 호선하되, 위원장이 선출될 때까지는 자문위원 중 연장자가 위원장의 직무를 대행한다.
> ⑥ 의원은 윤리심사자문위원회의 자문위원이 될 수 없다.
> ⑦ 자문위원은 형법 제127조 및 제129조부터 제132조까지의 규정을 적용할 때에는 공무원으로 본다.
> ⑧ 윤리심사자문위원회의 사무를 지원하기 위하여 국회규칙으로 정하는 바에 따라 필요한 공무원을 둔다.
> ⑨ 자문위원은 제1항 각 호의 사무와 관련하여 직접적인 이해관계가 있거나 공정을 기할 수 없는 현저한 사유가 있는 경우에는 심사에 참여할 수 없다. 이 경우 윤리심사자문위원회는 그 의결로 해당 자문위원의 심사를 중지시킬 수 있다.
>
> **✅ 주의**
> 윤리특별위원회는 상설특별위원회이다. (×)
> ⇨ 국회법 개정으로, 윤리특별위원회는 비상설특별위원회이다.

⑤ 인사청문특별위원회

> **국회법 제46조의3【인사청문특별위원회】** ① 국회는 다음 각 호의 임명동의안 또는 의장이 각 교섭단체 대표의원과 협의하여 제출한 선출안 등을 심사하기 위하여 인사청문특별위원회를 둔다. 다만, **대통령직 인수에 관한 법률 제5조 제2항에 따라 대통령당선인이 국무총리 후보자에 대한 인사청문의 실시를 요청하는 경우**에 의장은 각 교섭단체 대표의원과 협의하여 그 인사청문을 실시하기 위한 인사청문특별위원회를 둔다.
> 1. 헌법에 따라 그 임명에 국회의 동의가 필요한 대법원장 · 헌법재판소장 · 국무총리 · 감사원장 및 대법관에 대한 임명동의안 17. 법행. 19. 서울시

② 인사청문특별위원회의 구성과 운영에 필요한 사항은 따로 법률로 정한다.

제65조의2【인사청문회】 ① 제46조의3에 따른 심사 또는 인사청문을 위하여 인사에 관한 청문회(이하 "인사청문회"라 한다)를 연다.

② 상임위원회는 다른 법률에 따라 다음 각 호의 어느 하나에 해당하는 공직후보자에 대한 인사청문 요청이 있는 경우 인사청문을 실시하기 위하여 각각 인사청문회를 연다. 05. 행시, 08. 국회직, 18. 국가직

1. 대통령이 임명하는 헌법재판소 재판관, 중앙선거관리위원회 위원, 09. 사시 국무위원, 방송통신위원회 위원장, 국가정보원장, **공정거래위원회 위원장**, 금융**위원회 위원장, 국가인권위원회 위원장**, 고위공직자범죄수사처장, 국세청장, 검찰총장, 경찰청장, 합동참모의장, **한국은행 총재**, 특별감찰관 또는 한국방송공사 사장의 후보자 15. 국가직, 19. 서울시

2. 대통령당선인이 대통령직 인수에 관한 법률 제5조 제1항에 따라 지명하는 국무위원 후보자

3. 대법원장이 지명하는 헌법재판소 재판관 또는 중앙선거관리위원회 위원의 후보자 09. 사시

인사청문회법 제3조【인사청문특별위원회】 ① 국회법 제46조의3의 규정에 의한 인사청문특별위원회는 임명동의안 등(국회법 제65조의2 제2항의 규정에 의하여 다른 법률에서 국회의 인사청문을 거치도록 한 공직후보자에 대한 인사청문요청안을 제외한다)이 국회에 제출된 때에 구성된 것으로 본다.

② 인사청문특별위원회의 위원정수는 13인으로 한다. 14. 지방직

③ 인사청문특별위원회의 위원은 교섭단체 등의 의원수의 비율에 의하여 각 교섭단체대표의원의 요청으로 국회의장(이하 '의장'이라 한다)이 선임 및 개선한다. 이 경우 각 교섭단체대표의원은 인사청문특별위원회가 구성된 날부터 2일 이내에 의장에게 위원의 선임을 요청하여야 하며, 이 기한 내에 요청이 없는 때에는 의장이 위원을 선임할 수 있다.

④ 어느 교섭단체에도 속하지 아니하는 의원의 위원선임은 의장이 이를 행한다. 14. 지방직

⑤ 인사청문특별위원회는 위원장 1인과 각 교섭단체별로 간사 1인을 호선하고 본회의에 보고한다. 05. 국회직, 13. 경정승진

⑥ 인사청문특별위원회는 임명동의안 등이 본회의에서 의결될 때 **또는 인사청문경과가 본회의에 보고될 때**까지 존속한다.

제6조【임명동의안 등의 회부 등】 ② 국회는 임명동의안 등이 **제출된 날부터 20일 이내**에 그 심사 또는 인사청문을 마쳐야 한다. 06. 입시, 12. 사시, 14·19. 지방직

③ 부득이한 사유로 제2항의 규정에 의한 기간 이내에 헌법재판소 재판관·중앙선거관리위원회 위원·국무위원·방송통신위원회 위원장·국가정보원장·공정거래위원회 위원장·금융위원회 위원장·국가인권위원회 위원장·고위공직자범죄수사처장·국세청장·검찰총장·경찰청장·합동참모의장·한국은행 총재·특별감찰관 또는 한국방송공사 사장(이하 "헌법재판소 재판관 등"이라 한다)의 후보자에 대한 인사청문회를 마치지 못하여 국회가 인사청문경과보고서를 송부하지 못한 경우에 대통령·대통령당선인 또는 대법원장은 제2항에 따른 기간의 다음 날부터 10일 이내의 범위에서 기간을 정하여 인사청문경과보고서를 송부하여 줄 것을 국회에 요청할 수 있다.

④ 제3항의 규정에 의한 기간 이내에 헌법재판소 재판관 등의 후보자에 대한 인사청문경과보고서를 국회가 송부하지 아니한 경우에 대통령 또는 대법원장은 헌법재판소 재판관 등으로 임명 또는 지명할 수 있다.

🏛 **핵심기출 OX**

01 헌법에 의하여 그 임명에 국회의 동의를 요하는 직위를 선출하는 경우에는 국회 인사청문특별위원회의 인사청문을 실시하여야 하고, 법률에서 국회의 인사청문을 거치도록 규정한 경우에는 소관상임위원회의 인사청문을 실시하여야 한다. 17. 법행 (O, ×)

🔖 ○

02 대법원장이 각각 지명하는 헌법재판소 재판관 또는 중앙선거관리위원회 위원의 후보자에 대한 인사청문의 요청이 있을 때에는 인사청문특별위원회에서 인사청문을 실시한다. 09. 사시 (O, ×)

🔖 × 대법원장이 지명하는 헌법재판소 재판관 또는 중앙선거관리위원회 위원의 후보자에 대한 인사청문은 '소관상임위원회'에서 실시한다(국회법 제65조의2 제2항).

03 대통령의 요청에 따라 국회는 국가정보원장·국세청장·검찰총장·경찰청장 후보자의 인사청문을 위하여 인사청문특별위원회를 구성한다. 05. 행시 (O, ×)

🔖 × 각각 소관상임위원회별로 인사청문회를 연다(국회법 제65조의2 제2항).

04 대통령이 국무총리·대법원장·헌법재판소장·감사원장·국가정보원장·검찰총장 후보자에 대한 인사청문을 요청한 경우 인사청문특별위원회에서 인사청문을 실시한다. 15. 국가직 (O, ×)

🔖 × 대통령이 임명하는 헌법재판소 재판관, 중앙선거관리위원회 위원, 국무위원, 방송통신위원회 위원장, 국가정보원장, 공정거래위원회 위원장, 금융위원회 위원장, 국가인권위원회 위원장, 고위공직자범죄수사처장, 국세청장, 검찰총장, 경찰청장, 합동참모의장, 한국은행 총재, 특별감찰관 또는 한국방송공사 사장의 후보자는 소관상임위원회에서 인사청문을 연다(국회법 제65조의2 제2항).

제9조【위원회의 활동기간 등】① 위원회는 임명동의안 등이 회부된 날부터 15일 이내에 인사청문회를 마치되, 인사청문회의 기간은 3일 이내로 한다. 06. 입시, 12. 사시 다만, 부득이한 사유로 헌법재판소 재판관 등의 후보자에 대한 인사청문회를 그 기간 이내에 마치지 못하여 제6조 제3항의 규정에 의하여 기간이 정하여진 때에는 그 연장된 기간 이내에 인사청문회를 마쳐야 한다. 13. 사시
② 위원회는 임명동의안 등에 대한 인사청문회를 마친 날부터 3일 이내에 심사경과보고서 또는 인사청문경과보고서를 의장에게 제출한다.

개념PLUS+ 인사청문특별위원회와 소관상임위원회의 비교

인사청문기관	인사청문대상
인사청문 특별위원회 07. 법행, 09. 사시	• 임명에 국회의 동의를 요하는 기관: 국무총리, 대법원장, 대법관, 헌법재판소장, 감사원장 • 국회에서 선출하는 기관: 헌법재판소 재판관 3인, 중앙선거관리위원회 위원 3인 • 대통령당선인이 국무총리후보자를 지명하여 인사청문실시를 요청한 경우
소관상임위원회 05. 행시, 08. 국회직, 09. 사시	• 대통령이 임명: 헌법재판소 재판관 3인, 중앙선거관리위원회 위원 3인, 국무위원, 방송통신위원회 위원장, 국가정보원장, 공정거래위원회 위원장, 금융위원회 위원장, 국가인권위원회 위원장, 고위공직자범죄수사처장, 국세청장, 검찰총장, 경찰청장, 합동참모의장, 한국은행총재, 특별감찰관 또는 한국방송공사 사장 • 대법원장이 지명: 헌법재판소 재판관 3인, 중앙선거관리위원회 위원 3인

(3) 상임위원회와 특별위원회의 비교

구분		상설 여부	위원정수	임기	위원장선출	회의공개
상임 위원회	일반 상임위원회	상설	국회규칙	2년	본회의	공개
	정보위원회	상설	12인	2년	본회의	일률적 비공개 위헌
특별 위원회	일반 특별위원회	-	-	-	위원회 선출	-
	예산결산 특별위원회	상설	50인	1년	본회의	-
	윤리 특별위원회	비상설	-	-	-	-
	인사청문 특별위원회	비상설	13인 (인사청문 회법)	존속시기 동안	위원회 선출	-

핵심기출 OX

01 인사청문특별위원회를 구성할 때에는 그 활동기한을 정하여야 하며, 본회의 의결로 그 기간을 연장할 수 있다. 13. 사시 (O, ×)

답 × 위원회는 임명동의안 등이 회부된 날부터 15일 이내에 인사청문회를 마치되, 인사청문회의 기간은 3일 이내로 한다. 다만, 부득이한 사유로 헌법재판소 재판관 등의 후보자에 대한 인사청문회를 그 기간 이내에 마치지 못하여 제6조 제3항의 규정에 의하여 기간이 정하여진 때에는 그 연장된 기간 이내에 인사청문회를 마쳐야 한다(인사청문회법 제9조 제1항).

02 인사청문회가 개회된 경우 위원회에서의 질의는 원칙적으로 일괄질의의 방식으로 한다. 13. 사시 (O, ×)

답 × 위원회에서의 질의는 1문 1답의 방식으로 한다. 다만, 위원회의 의결이 있는 경우 일괄질의 등 다른 방식으로 할 수 있다(인사청문회법 제7조 제4항).

03 대통령이 임명하는 헌법재판소 재판관은 모두 국회 인사청문특별위원회의 인사청문을 거쳐야 한다. 17. 국가직 (O, ×)

답 × 대통령이 임명하는 헌법재판소 재판관 3명과 대법원장이 지명하는 헌법재판소 재판관 3인은 소관상임위원회의 인사청문회를 거친다.

04 중앙선거관리위원회 위원은 모두 소관상임위원회의 인사청문을 거치므로, 그 위원 중에서 호선하는 중앙선거관리 위원장은 인사청문특별위원회의 인사청문대상이 되지 않는다. 07. 법행 (O, ×)

답 × 중앙선거관리위원회 위원 중 국회에서 선출하는 3인은 인사청문특별위원회의 인사청문대상이고, 대통령이 임명하는 3인과 대법원장이 지명하는 3인은 소관상임위원회의 인사청문을 거친다.

(4) 전원위원회

> **국회법 제63조의2【전원위원회】** ① 국회는 위원회의 심사를 거치거나 위원회가 제안한 의안 중 정부조직에 관한 법률안, 조세 또는 국민에게 부담을 주는 법률안 등 주요 의안의 본회의 상정 전이나 본회의 상정 후에 재적의원 4분의 1 이상이 요구할 때에는 그 심사를 위하여 의원 전원으로 구성되는 전원위원회(全院委員會)를 개회할 수 있다. 07. 국가직, 16. 사시 다만, 의장은 주요 의안의 심의 등 필요하다고 인정하는 경우 각 교섭단체 대표의원의 동의를 받아 전원위원회를 개회하지 아니할 수 있다.
> ② 전원위원회는 제1항에 따른 의안에 대한 **수정안을** 제출할 수 있다. 이 경우 해당 수정안은 전원위원장이 제안자가 된다. 08. 국회직, 20. 국회직 8급
> ③ 전원위원회에 위원장 1명을 두되, **의장이 지명하는** 부의장으로 한다.
> ④ 전원위원회는 제54조에도 불구하고 **재적위원 5분의 1 이상의 출석으로 개회**하고, 재적위원 4분의 1 이상의 출석과 출석위원 과반수의 찬성으로 의결한다.
> ✅ **주의**
> 전원위원회는 본회의 상정 후에는 개회할 수 없다. (×)
> ⇨ 전원위원회는 본회의 상정 전이나 상정 후에 개회할 수 있다. (○)

(5) 안건조정위원회

> **국회법 제57조의2【안건조정위원회】** ① 위원회는 이견을 조정할 필요가 있는 안건(예산안, 기금운용계획안, 임대형 민자사업 한도액안 및 체계·자구 심사를 위하여 법제사법위원회에 회부된 법률안은 제외한다. 이하 이 조에서 같다)을 심사하기 위하여 재적위원 3분의 1 이상의 요구로 안건조정위원회(이하 이 조에서 "조정위원회"라 한다)를 구성하고 해당 안건을 제58조 제1항에 따른 대체토론(大體討論)이 끝난 후 조정위원회에 회부한다. 다만, 조정위원회를 거친 안건에 대해서는 그 심사를 위한 조정위원회를 구성할 수 없다. 20. 입시
> ② 조정위원회의 활동기한은 그 구성일부터 90일로 한다. 다만, 위원장은 조정위원회를 구성할 때 간사와 합의하여 90일을 넘지 아니하는 범위에서 활동기한을 따로 정할 수 있다.
> ③ 조정위원회는 조정위원회의 위원장(이하 이 조에서 "조정위원장"이라 한다) 1명을 포함한 6명의 조정위원회의 위원(이하 이 조에서 "조정위원"이라 한다)으로 구성한다.
> ④ 제3항에 따라 조정위원회를 구성하는 경우에는 소속 의원 수가 가장 많은 교섭단체(이하 이 조에서 "제1교섭단체"라 한다)에 속하는 조정위원의 수와 제1교섭단체에 속하지 아니하는 조정위원의 수를 같게 한다. 다만, 제1교섭단체가 둘 이상인 경우에는 각 교섭단체에 속하는 조정위원 및 어느 교섭단체에도 속하지 아니하는 조정위원의 수를 위원장이 간사와 합의하여 정한다.

4. 위원회의 운영

> **국회법 제49조【위원장의 직무】** ① 위원장은 위원회를 대표하고 의사를 정리하며, 질서를 유지하고 사무를 감독한다.
> ② 위원장은 위원회의 의사일정과 개회일시를 간사와 협의하여 정한다.
>
> **제49조의2【위원회 의사일정의 작성기준】** ① 위원장(소위원회의 위원장을 포함한다)은 예측 가능한 국회운영을 위하여 특별한 사정이 없으면 다음 각 호의 기준에 따라 제49조 제2항의 의사일정 및 개회일시를 정한다.
> 1. 위원회 개회일시: 매주 월요일·화요일 오후 2시
> 2. 소위원회 개회일시: 매주 수요일·목요일 오전 10시

② 위원회(소위원회는 제외한다)는 매월 2회 이상 개회한다. 다만, 다음 각 호의 어느 하나에 해당하는 경우에는 그러하지 아니하다.

1. 해당 위원회의 국정감사 또는 국정조사 실시기간
2. 그 밖에 회의를 개회하기 어렵다고 의장이 인정하는 기간

③ 제2항에도 불구하고, 국회운영위원회, 정보위원회, 여성가족위원회, 특별위원회 및 예산결산특별위원회의 경우에는 위원장이 개회 횟수를 달리 정할 수 있다.

제49조의3【위원 회의 출석 현황 공개】 위원장은 위원회(소위원회는 제외한다) 회의가 종료되면 그 다음 날까지 소속 위원의 회의 출석 여부를 국회공보 또는 인터넷 홈페이지 등에 게재하는 방법으로 공개하여야 한다.

제50조【간사】 ① 위원회에 각 교섭단체별로 간사 1명을 둔다.
② 간사는 위원회에서 호선하고 이를 본회의에 보고한다.
③ 위원장이 사고가 있을 때에는 위원장이 지정하는 간사가 위원장의 직무를 대리한다.
④ 위원장이 궐위된 때에는 소속 의원 수가 많은 교섭단체 소속 간사의 순으로 위원장의 직무를 대리한다.

제51조【위원회의 제안】 07. 국가직, 13. 국회직 ① 위원회는 그 소관에 속하는 사항에 관하여 법률안과 그 밖의 의안을 제출할 수 있다.
② 제1항의 의안은 위원장이 제안자가 된다.

제52조【위원회의 개회】 위원회는 다음 각 호의 어느 하나에 해당할 때에 개회한다. 04. 국회직
1. 본회의의 의결이 있을 때
2. 의장이나 위원장이 필요하다고 인정할 때
3. **재적위원 4분의 1 이상의 요구가 있을 때**

제54조【위원회의 의사정족수·의결정족수】 위원회는 **재적위원 5분의 1 이상의 출석으로 개회하고, 재적위원 과반수의 출석과 출석위원 과반수의 찬성으로 의결한다.** 17. 경정승진

제54조의2【정보위원회에 대한 특례】 ① 정보위원회의 회의는 공개하지 아니한다. 다만, 공청회 또는 제65조의2에 따른 인사청문회를 실시하는 경우에는 위원회의 의결로 이를 공개할 수 있다. 16. 경정승진
* [단순위헌, 2018헌마1162, 2022.1.27., 국회법 제54조의2 제1항 본문은 헌법에 위반된다.]
② 정보위원회의 위원 및 소속 공무원(의원 보좌직원을 포함한다. 이하 이 조에서 같다)은 직무수행상 알게 된 국가기밀에 속하는 사항을 공개하거나 타인에게 누설해서는 아니 된다.

제55조【위원회에서의 방청 등】 ① 의원이 아닌 사람이 위원회를 방청하려면 **위원장의 허가를 받아야 한다.**

제56조【본회의 중 위원회의 개회】 위원회는 본회의의 의결이 있거나 의장이 필요하다고 인정하여 각 교섭단체 대표의원과 협의한 경우를 제외하고는 **본회의 중에는 개회할 수 없다. 다만, 국회운영위원회는 그러하지 아니하다.**

제58조【위원회의 심사】 ① 위원회는 안건을 심사할 때 먼저 그 취지의 설명과 전문위원의 검토보고를 듣고 대체토론[안건 전체에 대한 문제점과 당부(當否)에 관한 일반적 토론을 말하며 제안자와의 질의·답변을 포함한다]과 축조심사 및 찬반토론을 거쳐 표결한다.
② 상임위원회는 안건을 심사할 때 제57조 제2항에 따른 상설소위원회에 회부하여 이를 심사·보고하도록 한다. 다만, 필요한 경우 제57조 제1항에 따른 소위원회에 이를 회부할 수 있다.
③ 위원회는 제1항에 따른 대체토론이 끝난 후에만 안건을 소위원회에 회부할 수 있다.
④ 제1항 및 제3항에도 불구하고 소위원회에 회부되어 심사 중인 안건과 직접 관련된 안건이 위원회에 새로 회부된 경우 위원장이 간사와 협의하여 필요하다고 인정할 때에는 그 안건을 바로 해당 소위원회에 회부하여 함께 심사하게 할 수 있다.
⑤ 제1항에 따른 축조심사는 **위원회의 의결로 생략할 수 있다. 다만, 제정법률안과 전부개정법률안에 대해서는 그러하지 아니하다.** 09. 국가직

01 10인 이상의 국회의원과 정부는 법률안제출권을 가지지만, 위원회는 법률안을 심의할 뿐 제출권은 가지지 않는다. 07. 국가직 (O, ×)

🔑 × 위원회는 그 소관에 속하는 사항에 관하여 법률안 그 밖의 의안을 제출할 수 있다. 이 경우 위원장이 제안자가 된다(국회법 제51조).

02 법률안의 발의 또는 제출은 국회의원·위원회·정부가 할 수 있는데, 위원회의 경우 법률안의 제출자는 각 위원회 소속의 발의의원이 된다. 13. 국회직 (O, ×)

🔑 × 위원회는 그 소관에 속하는 사항에 관하여 법률안과 그 밖의 의안을 제출할 수 있고, 제안자는 위원장이 된다(국회법 제51조).

03 위원회는 재적위원 5분의 1 이상의 출석으로 개회하고, 출석위원 과반수의 찬성으로 의결한다. 17. 경정승진 (O, ×)

🔑 × 개회정족수는 '재적위원 5분의 1 이상의 출석'이고, 의결정족수는 '재적의원 과반수 이상의 출석, 출석위원 과반수의 찬성'이다.

04 정보위원회는 각 교섭단체의 대표의원이 자동적으로 위원이 되며, 그 회의는 공청회나 인사청문회에 대하여 의결로써 공개하기로 한 경우를 제외하고는 공개하지 않는다. 16. 경정승진 (O, ×)

🔑 ○

05 소위원회에 관하여는 국회법에서 다르게 정하거나 그 성질에 반하지 아니하는 한 위원회에 관한 규정을 적용하지만, 축조심사는 생략할 수 있다. 07. 국가직 (O, ×)

🔑 × 소위원회에 관하여는 이 법에서 다르게 정하거나 성질에 반하지 아니하는 한 위원회에 관한 규정을 적용한다. 다만, 소위원회는 축조심사(逐條審査)를 생략하여서는 아니 된다(국회법 제57조 제7항).

⑥ 위원회는 제정법률안과 전부개정법률안에 대해서는 공청회 또는 청문회를 개최하여야 한다. 다만, 위원회의 의결로 이를 생략할 수 있다. 07·09. 국가직

제58조의2【헌법재판소 위헌결정에 대한 위원회의 심사】 ① 헌법재판소는 종국결정이 법률의 제정 또는 개정과 관련이 있으면 그 결정서 등본을 국회로 송부하여야 한다.
② 의장은 제1항에 따라 송부된 결정서 등본을 해당 법률의 소관 위원회와 관련위원회에 송부한다.

제59조【의안의 상정시기】 위원회는 의안(예산안, 기금운용계획안 및 임대형 민자사업 한도액안은 제외한다. 이하 이 조에서 같다)이 위원회에 회부된 날부터 다음 각 호의 구분에 따른 기간이 지나지 아니하였을 때에는 그 의안을 상정할 수 없다. 다만, 긴급하고 불가피한 사유로 위원회의 의결이 있는 경우에는 그러하지 아니하다.
1. 일부개정법률안: 15일
2. 제정법률안, 전부개정법률안 및 폐지법률안: 20일
3. 체계·자구 심사를 위하여 법제사법위원회에 회부된 법률안: 5일
4. 법률안 외의 의안: 20일

제59조의2【의안 등의 자동 상정】 위원회에 회부되어 상정되지 아니한 의안(예산안, 기금운용계획안 및 임대형 민자사업 한도액안은 제외한다) 및 청원은 제59조 각 호의 구분에 따른 기간이 지난 후 30일이 지난 날(청원의 경우에는 위원회에 회부된 후 30일이 지난 날) 이후 처음으로 개회하는 위원회에 상정된 것으로 본다. 다만, 위원장이 간사와 합의하는 경우에는 그러하지 아니하다.

제60조【위원의 발언】 ① 위원은 위원회에서 같은 의제(議題)에 대하여 횟수 및 시간 등에 제한 없이 발언할 수 있다. 다만, 위원장은 발언을 원하는 위원이 2명 이상일 경우에는 간사와 협의하여 15분의 범위에서 각 위원의 첫 번째 발언시간을 균등하게 정하여야 한다.
② 위원회에서의 질의는 일문일답(一問一答)의 방식으로 한다. 다만, 위원회의 의결이 있는 경우 일괄질의의 방식으로 할 수 있다.

제61조【위원이 아닌 의원의 발언 청취】 위원회는 안건에 관하여 위원이 아닌 의원의 발언을 들을 수 있다.

제62조【비공개회의록 등의 열람과 대출 금지】 위원장은 의원이 비공개회의록이나 그 밖의 비밀참고자료의 열람을 요구하면 심사·감사 또는 조사에 지장이 없으면 이를 허용하여야 한다. 다만, 국회 밖으로는 대출할 수 없다.

제64조【공청회】 ① 위원회(소위원회를 포함한다. 이하 이 조에서 같다)는 중요한 안건 또는 전문지식이 필요한 안건을 심사하기 위하여 그 의결 또는 **재적위원 3분의 1 이상**의 요구로 공청회를 열고 이해관계자 또는 학식·경험이 있는 사람 등(이하 "진술인"이라 한다)으로부터 의견을 들을 수 있다. 다만, 제정법률안과 전부개정법률안의 경우에는 제58조 제6항에 따른다. 08. 국가직, 16. 국회직 9급

제65조【청문회】 ① 위원회(소위원회를 포함한다. 이하 이 조에서 같다)는 중요한 안건의 심사와 국정감사 및 국정조사에 필요한 경우 증인·감정인·참고인으로부터 증언·진술을 청취하고 증거를 채택하기 위하여 위원회 의결로 청문회를 열 수 있다. 08. 국가직, 16. 국회직 9급
② 제1항에도 불구하고 법률안 심사를 위한 청문회는 **재적위원 3분의 1 이상**의 요구로 개회할 수 있다. 다만, 제정법률안과 전부개정법률안의 경우에는 제58조 제6항에 따른다.
③ 위원회는 청문회 개회 5일 전에 안건·일시·장소·증인 등 필요한 사항을 공고하여야 한다.
④ 청문회는 공개한다. 다만, 위원회의 의결로 청문회의 전부 또는 일부를 공개하지 아니할 수 있다.

개념PLUS+ 정족수의 비교

구분	본회의(임시회)	상임위원회	전원위원회
집회소집 요구정족수	재적 4분의 1	재적 4분의 1	재적 4분의 1
의사정족수	재적 5분의 1	재적 5분의 1	재적 5분의 1
의결정족수	재적 과반수 + 출석 과반수	재적 과반수 + 출석 과반수	재적 4분의 1 + 출석 과반수

5. 연석회의

> **국회법 제63조【연석회의】** ① 소관 위원회는 다른 위원회와 협의하여 연석회의(連席會議)를 열고 의견을 교환할 수 있다. 다만, **표결은 할 수 없다.** 05. 사시·입시
> ② 연석회의를 열려는 위원회는 위원장이 부의할 안건명과 이유를 서면에 적어 다른 위원회의 위원장에게 요구하여야 한다.
> ☑ **주의** 연석회의: 의견교환 ○ / 표결 ✕

5 소위원회

> **국회법 제57조【소위원회】** ① 위원회는 소관사항을 분담·심사하기 위하여 상설소위원회를 둘 수 있고, 필요한 경우 특정한 안건의 심사를 위하여 소위원회를 둘 수 있다. 이 경우 소위원회에 대하여 국회규칙으로 정하는 바에 따라 필요한 인원 및 예산 등을 지원할 수 있다.
> ② **상임위원회는 소관 법률안의 심사를 분담하는 둘 이상의 소위원회를 둘 수 있다.**
> ③ 소위원회의 위원장은 위원회에서 소위원회의 위원 중에서 선출하고 이를 본회의에 보고하며, 소위원회의 위원장이 사고가 있을 때에는 소위원회의 위원장이 소위원회의 위원 중에서 지정하는 위원이 그 직무를 대리한다.
> ④ 소위원회의 활동은 위원회가 의결로 정하는 범위에 한정한다.
> ⑤ 소위원회의 회의는 공개한다. 14. 법원직, 16. 사시 다만, 소위원회의 의결로 공개하지 아니할 수 있다.
> ⑥ 소위원회는 폐회 중에도 활동할 수 있으며, 법률안을 심사하는 소위원회는 매월 3회 이상 개회한다. 다만, 국회운영위원회, 정보위원회 및 여성가족위원회의 법률안을 심사하는 소위원회의 경우에는 소위원장이 개회 횟수를 달리 정할 수 있다.
> ⑦ 소위원회는 그 의결로 의안 심사와 직접 관련된 보고 또는 서류 및 해당 기관이 보유한 사진·영상물의 제출을 정부·행정기관 등에 요구할 수 있고, 증인·감정인·참고인의 출석을 요구할 수 있다. 이 경우 그 요구는 위원장의 명의로 한다.
> ⑧ 소위원회에 관하여는 이 법에서 다르게 정하거나 성질에 반하지 아니하는 한 위원회에 관한 규정을 적용한다. 다만, 소위원회는 축조심사(逐條審査)를 생략해서는 아니 된다.
> ⑨ 예산결산특별위원회는 제1항의 소위원회 외에 심사를 위하여 필요한 경우에는 이를 여러 개의 분과위원회로 나눌 수 있다.
> **제68조【소위원회 위원장의 보고】** 소위원회에서 심사를 마쳤을 때에는 소위원회 위원장은 그 심사 경과 및 결과를 위원회에 보고한다. 이 경우 소위원회 위원장은 심사보고서에 소위원회의 회의록 또는 그 요지를 첨부하여야 한다.

6 교섭단체

> **국회법 제33조【교섭단체】** ① 국회에 20명 이상의 소속 의원을 가진 정당은 하나의 교섭단체가 된다. 다만, 다른 교섭단체에 속하지 아니하는 20명 이상의 의원으로 따로 교섭단체를 구성할 수 있다. 05·13. 사시, 08. 법무사, 18. 국가직
>
> ② 교섭단체 대표의원은 그 단체의 소속 의원이 연서·날인한 명부를 의장에게 제출하여야 하며, 그 소속 의원에 이동(異動)이 있거나 소속 정당의 변경이 있을 때에는 그 사실을 지체 없이 의장에게 보고하여야 한다. 다만, 특별한 사유가 있을 때에는 해당 의원이 관계 서류를 첨부하여 이를 보고할 수 있다.
>
> ③ 어느 교섭단체에도 속하지 아니하는 의원이 당적을 취득하거나 소속 정당을 변경한 때에는 그 사실을 즉시 의장에게 보고하여야 한다.
>
> **제34조【교섭단체 정책연구위원】** ① 교섭단체 소속 의원의 입법 활동을 보좌하기 위하여 교섭단체에 정책연구위원을 둔다.
>
> ② 정책연구위원은 해당 교섭단체 대표의원의 제청(提請)에 따라 의장이 임면한다.
>
> ③ 정책연구위원은 별정직 공무원으로 하고, 그 인원·자격·임면절차·직급 등에 필요한 사항은 국회규칙으로 정한다.

핵심기출 OX

01 각 소속 의원 20명 미만인 2개 이상의 정당이 연합하여 따로 교섭단체를 구성하는 것은 허용되지 않는다. 05. 사시 변형 (○, ×)

답 × 정당 단위가 아닐지라도 다른 교섭단체에 속하지 아니하는 20명 이상의 의원들도 따로 교섭단체를 구성할 수 있다(국회법 제33조 제1항 참조).

02 국회에 20명 이상의 소속 의원을 가진 정당은 하나의 교섭단체가 되고, 각 소속 의원 20명 미만인 2개 이상의 정당이 연합하여 따로 교섭단체를 구성하는 것은 허용되지 않는다. 13. 사시 변형 (○, ×)

답 × 국회에 20명 이상의 소속 의원을 가진 정당은 하나의 교섭단체가 된다. 다만, 다른 교섭단체에 속하지 아니하는 20명 이상의 의원으로 따로 교섭단체를 구성할 수 있다(국회법 제33조 제1항).

03 교섭단체는 정당국가하에서 소속 의원이 자유롭게 의견개진을 할 수 있게 하여 무기속 자유위임을 강화한다. 13. 사시 (○, ×)

답 × 오늘날 교섭단체가 정당국가에서 의원의 정당기속을 강화하는 하나의 수단으로 기능할 뿐만 아니라 정당소속 의원들의 원내 행동통일을 기함으로써 정당의 정책을 의안심의에서 최대한으로 반영하기 위한 기능도 갖는다는 점에 비추어 볼 때, 국회의장이 국회의 의사(議事)를 원활히 운영하기 위하여 상임위원회의 구성원인 위원의 선임 및 개선에 있어 교섭단체대표의원과 협의하고 그의 '요청'에 응하는 것은 국회운영에 있어 본질적인 요소라고 아니할 수 없다(헌재 2003.10.30. 2002헌라1).

04 교섭단체에 속하는 의원의 경우와는 달리, 교섭단체에 속하지 아니하는 의원의 발언시간 및 발언자 수는 의장이 각 교섭단체 대표의원과의 협의를 거치지 아니하고 직권으로 정할 수 있다. 16. 사시 (○, ×)

답 × 교섭단체에 속하지 아니하는 의원의 발언시간 및 발언자 수는 의장이 각 교섭단체 대표의원과 협의하여 정한다(국회법 제104조 제5항).

개념PLUS+ 교섭단체와 정당의 비교

구분	교섭단체	정당
대표	교섭단체대표의원	정당대표
구성원	국회의원	정당원
법적 성격	국회법상 기관 (국가기관)	법인격 없는 사단 (사적 결사)
헌법소원청구능력 (기본권주체)	× 05. 사시	○
권한쟁의능력	○	×
양자의 관계	의원 20인이 안 되는 두 개 이상의 정당은 하나의 교섭단체를 구성할 수 있다. 한 교섭단체의원은 동일 정당 소속일 필요는 없다.	하나의 정당은 두 개의 교섭단체를 구성할 수 없다.

판례

정책연구위원을 교섭단체구성 여부만을 기준으로 배정하는 것이 소수정당의 평등권을 침해하는 것인지 여부: 소극

국회의 역할 중 가장 중요한 것은 국민의 요구와 기대를 수렴하여 입법화하는 일이다. 그런데 국민의 의사를 수렴하여 정책을 수립하고 이를 법률안으로 구체화하는 일은 국회의원 개개인보다 그들의 결사체인 정당 등 교섭단체가 하는 것이 더 적절하고 효율적일 것이다. 나아가 원내에서도 법률안을 발의하는 데에는 의원 10인 이상의 찬성이 있어야 하는 점(국회법 제79조 제1항), 이를 심의하기 위한 의사일정에 관하여 교섭단체간의 타협과 조정이 필요한 점, 법률안심의는 주로 본회의가 아닌 소관상임위원회 중심으로 이루어지는데 상임위원회의 수가 17개에 달하는 점(동법 제37조 제1항) 등을 고려하여 볼 때, 일정수 이상의

소속 의원을 가진 교섭단체가 입법활동을 주도할 가능성이 높다. 이러한 상황에서 교섭단체에 한하여 정책연구위원을 배정하는 것은 입법재량의 범위 내로서 그 차별에 합리적인 이유가 있다 할 것이다(헌재 2008.3.27. 2004헌마654). 08. 국가직, 10. 법무사

제4절 국회의 운영과 의사절차

1 입법기와 회기

1. 입법기(의회기)

국회의원들의 임기개시일부터 임기만료일 또는 국회해산시까지의 시기를 말한다.

2. 회기

> 헌법 제47조 ② 정기회의 회기는 100일을, 임시회의 회기는 30일을 초과할 수 없다. 02. 법무사
>
> 국회법 제7조 【회기】 ① 국회의 회기는 의결로 정하되, 의결로 연장할 수 있다.
> ② 국회의 회기는 집회 후 즉시 이를 정하여야 한다.

회기는 입법기 내에서 국회가 실제로 활동능력을 가지는 일정한 기간을 말한다. 즉, 국회의 회기는 집회일로부터 기산하여 폐회일까지이다.

3. 휴회

> 국회법 제8조 【휴회】 ① 국회는 의결로 기간을 정하여 휴회할 수 있다.
> ② 국회는 휴회 중이라도 대통령의 요구가 있을 때, 의장이 긴급한 필요가 있다고 인정할 때 또는 재적의원 4분의 1 이상의 요구가 있을 때에는 국회의 회의(이하 "본회의"라 한다)를 재개한다.

국회는 회기 중이라도 의결로써 일정한 기간을 정하여 활동을 중지할 수 있는데 이것을 휴회라고 하며, 휴회일수도 회기에 산입된다.

2 정기회와 임시회

1. 정기회

> 헌법 제47조 ① 국회의 정기회는 법률이 정하는 바에 의하여 매년 1회 집회되며, … . 04. 법행, 19. 서울시
> ② 정기회의 회기는 100일을, … 초과할 수 없다. 02. 법무사
>
> 국회법 제4조 【정기회】 정기회는 매년 9월 1일에 집회한다. 다만, 그 날이 공휴일인 때에는 그 다음 날에 집회한다. 02. 법무사, 05. 국회직

정기회는 매년 1회 정기적으로 소집되는 국회를 말한다.

🏛️**핵심기출 OX**

01 정기회의 회기는 90일을, 임시회의 회기는 30일을 초과할 수 없다. 02. 법무사 (O, ×)

🗒 × 정기회의 회기는 100일을, 임시회의 회기는 30일을 초과할 수 없다(헌법 제47조 제2항).

02 국회의 정기회 및 임시회는 대통령 또는 국회재적의원 4분의 1 이상의 요구에 의하여 집회된다. 04. 법행 (O, ×)

🗒 × 국회의 정기회는 법률이 정하는 바에 의하여 매년 1회 집회되며, 국회의 임시회는 대통령 또는 국회재적의원 4분의 1 이상의 요구에 의하여 집회된다(헌법 제47조 제1항).

2. 임시회

> **헌법 제47조** ① …, 국회의 임시회는 대통령 또는 국회재적의원 4분의 1 이상의 요구에 의하여 집회된다. 01·02·15. 법무사, 12. 법원직, 19. 서울시
>
> ② …, 임시회의 회기는 30일을 초과할 수 없다. 02. 법무사, 12. 법원직
>
> ③ 대통령이 임시회의 집회를 요구할 때에는 기간과 집회요구의 이유를 명시하여야 한다. 18. 서울시
>
> **국회법 제5조 【임시회】** ① 의장은 임시회의 집회 요구가 있을 때에는 집회기일 **3일 전에 공고한다.** 04. 국회직 이 경우 둘 이상의 집회 요구가 있을 때에는 집회일이 빠른 것을 공고하되, 집회일이 같은 때에는 그 요구서가 먼저 제출된 것을 공고한다.
>
> ② 의장은 제1항에도 불구하고 다음 각 호의 어느 하나에 해당하는 경우에는 집회기일 1일 전에 공고할 수 있다.
>
> 1. 내우외환, 천재지변 또는 중대한 재정·경제상의 위기가 발생한 경우
> 2. 국가의 안위에 관계되는 중대한 교전 상태나 전시·사변 또는 이에 준하는 국가비상 사태인 경우
>
> ③ 국회의원 총선거 후 첫 임시회는 의원의 임기 개시 후 7일에 집회하며, 처음 선출된 의장의 임기가 폐회 중에 만료되는 경우에는 늦어도 **임기만료일 5일 전까지** 집회한다. 다만, 그 날이 공휴일인 때에는 그 다음 날에 집회한다.
>
> **제5조의2 【연간 국회운영 기본일정 등】** ① 의장은 국회의 연중 상시운영을 위하여 각 교섭단체 대표의원과의 협의를 거쳐 **매년 12월 31일까지** 다음 연도의 국회운영 기본일정(국정감사를 포함한다)을 정하여야 한다. 다만, 국회의원 총선거 후 처음 구성되는 국회의 해당 연도 국회운영 기본일정은 6월 30일까지 정하여야 한다.
>
> ② 제1항의 연간 국회운영 기본일정은 다음 각 호의 기준에 따라 작성한다.
>
> 1. 2월·3월·4월·5월 및 6월 1일과 8월 16일에 **임시회를 집회한다.** 다만, 국회의원 총선거가 있는 경우 임시회를 집회하지 아니하며, 집회일이 공휴일인 경우에는 그 다음 날에 집회한다. 18. 국회직 8급, 22. 국가직
> 2. 정기회의 회기는 100일로, 제1호에 따른 임시회의 회기는 해당 월의 말일까지로 한다. 다만, 임시회의 회기가 30일을 초과하는 경우에는 30일로 한다.
> 3. 2월, 4월 및 6월에 집회하는 임시회의 회기 중 한 주(週)는 제122조의2에 따라 정부에 대한 질문을 한다.
>
> **제5조의3 【법률안 제출계획의 통지】** ① 정부는 부득이한 경우를 제외하고는 **매년 1월 31일까지** 해당 연도에 제출할 법률안에 관한 계획을 국회에 통지하여야 한다. 20. 지방직
>
> ② 정부는 제1항에 따른 계획을 변경하였을 때에는 분기별로 주요 사항을 국회에 통지하여야 한다. 07. 사시

임시회는 임시집회의 필요가 있을 때마다 집회하는 회의를 말한다.

개념PLUS+ 임시회 개회정족수

건국헌법	제1차 개헌	제5차 개헌	제7차 개헌	제8차 개헌	제9차 개헌
재적 4분의 1	• 민의원: 재적 4분의 1 • 참의원: 재적 과반수	재적 4분의 1	재적 3분의 1	재적 3분의 1	재적 4분의 1

3. 개의

> **국회법 제72조【개의】** 본회의는 오후 2시(토요일은 오전 10시)에 개의한다. 다만, 의장은 각 교섭단체 대표의원과 협의하여 그 개의시(開議時)를 변경할 수 있다.
>
> **제73조【의사정족수】❶** ① 본회의는 재적의원 5분의 1 이상의 출석으로 개의한다. 04. 국회직 8급
> ② 의장은 제72조에 따른 개의시부터 1시간이 지날 때까지 제1항의 정족수에 미치지 못할 때에는 유회(流會)를 선포할 수 있다.
> ③ 회의 중 제1항의 정족수에 미치지 못할 때에는 의장은 회의의 중지 또는 산회를 선포한다. 다만, 의장은 교섭단체 대표의원이 의사정족수의 충족을 요청하는 경우 외에는 효율적인 의사진행을 위하여 회의를 계속할 수 있다.
>
> **제74조【산회】** ① 의사일정에 올린 안건의 의사가 끝났을 때에는 의장은 산회를 선포한다.
> ② 산회를 선포한 당일에는 회의를 다시 개의할 수 없다. 다만, 내우외환, 천재지변 또는 중대한 재정·경제상의 위기, 국가의 안위에 관계되는 중대한 교전상태나 전시·사변 또는 이에 준하는 국가비상사태로서 의장이 각 교섭단체 대표의원과 합의한 경우에는 그러하지 아니하다. 20. 국가직

❶ 본회의 의사정족수
- 재적의원의 4분의 1 이상 (✕)
- 재적의원의 5분의 1 이상 (○)

4. 헌정사

구분	국회의 연간 개회 일수제한	정기회 일수	임시회 일수 제한	임시회 소집정족수
제1공화국(건국·제1차·제2차)	없음	90일	30일	재적 4분의 1
제2공화국(제3차·제4차)	없음	120일	양원의결 일치	재적 4분의 1
제3공화국(제5차·제6차)		120일		
제4공화국(제7차)	150일	90일	30일	재적 3분의 1
제5공화국(제8차)	150일	90일	30일	재적 3분의 1
현행헌법	없음	100일		재적 4분의 1

3 의사절차에 관한 원칙

1. 의사공개의 원칙

> **헌법 제50조** ① 국회의 회의는 공개한다. 19. 지방직

(1) 의의

국회의 의안심의과정을 일반인에게 공개하는 것을 의사공개의 원칙이라 한다. 의사공개의 원칙은 의사진행의 내용과 의원의 활동을 국민에게 공개함으로써 민의에 따른 국회운영을 실천한다는 민주주의적 요청에서 유래하는 것으로서 국회에서의 토론 및 정책결정의 과정이 공개되어야 주권자인 국민의 정치적 의사형성과 참여, 의정활동에 대한 감시와 비판이 가능하게 될 뿐더러 의사의 공개는 의사결정의 공정성을 담보하고 정치적 야합과 부패에 대한 방부제 역할을 하기도 하는 것이다.

(2) 내용

의사공개의 원칙의 내용으로는 ① 방청의 자유, ② 국회의사록의 공표, ③ 보도의 자유 등을 들 수 있다.

(3) 적용범위

의사공개원칙은 원칙적으로 국회 본회의에만 적용되는 것이라는 견해(김철수)가 있으나, 국회 본회의뿐만 아니라 국회의 위원회의 회의에도 원칙적으로 적용된다고 보아야 한다(다수설 및 판례). 04. 법무사

⚖ 판례

국회 상임위원회 위원장이 위원회 전체 회의 개의 직전부터 회의가 종료될 때까지 회의장 출입문을 폐쇄하여 회의의 주체인 소수당 소속 상임위원회위원들의 출입을 봉쇄한 상태에서 상임위원회 전체 회의를 개의하여 안건을 상정한 행위 등이 의사공개원칙에 위배되는지 여부: 적극

의사공개원칙은 민의의 전당인 국회에서의 의사진행을 공개함으로써 국민의 비판과 감시를 받게 하는 원칙이다. 이 원칙에 따라 국회 본회의뿐만 아니라 위원회 회의도 공개되어야 한다. 헌법 제50조 제1항은 "국회의 회의는 공개한다. 다만, 출석의원 과반수의 찬성이 있거나 의장이 국가의 안전보장을 위하여 필요하다고 인정할 때에는 공개하지 아니할 수 있다."라고 규정하여 의사공개원칙을 천명하고 있고, 이를 받아 국회법 제75조 제1항도 "본회의는 공개한다. 다만, 의장의 제의 또는 의원 10인 이상의 연서에 의한 동의로 본회의의 의결이 있거나 의장이 각 교섭단체대표의원과 협의하여 국가의 안전보장을 위하여 필요하다고 인정할 때에는 공개하지 아니할 수 있다."라고 규정하고 있다. 국회법 제71조에 따라 국회법 제75조 제1항은 상임위원회에도 준용된다. … 이 사건에서 피청구인은 회의가 시작되기 훨씬 전인 2008.12.18. 08:15경 회의장의 출입문을 폐쇄하고 내부에 책상 등으로 바리케이드를 설치하게 함으로써 외교통일위원회위원인 소수당 국회의원의 출입까지 불가능하게 한 상태에서 이 사건 회의를 개의하여 이 사건 상정·회부행위를 하였는바, 이는 의사공개원칙에 위배된다 하겠다(헌재 2010.12.28. 2008헌라7).

---

(4) 예외

> 헌법 제50조 ① 국회의 회의는 공개한다. 다만, **출석의원 과반수**의 찬성이 있거나 의장이 국가의 안전보장을 위하여 필요하다고 인정할 때에는 공개하지 아니할 수 있다. 05. 입시, 05·07·18. 국회직 8급, 07. 국가직, 19. 지방직
>
> ② 공개하지 아니한 회의내용의 공표에 관하여는 **법률**이 정하는 바에 의한다. 19. 지방직
>
> ☑ **주의**
> 국회의 회의는 재적의원 과반수 출석에 출석의원 과반수의 찬성이 있으면 공개하지 아니할 수 있다. (×)
> ⇨ 국회의 회의는 출석의원 과반수의 찬성이 있으면 공개하지 아니할 수 있다. (○)

> **국회법 제75조【회의의 공개】**① 본회의는 공개한다. 다만, 의장의 제의 또는 의원 **10명 이상**의 연서에 의한 동의(動議)로 본회의 의결이 있거나 의장이 각 **교섭단체 대표의원**과 협의하여 **국가의 안전보장**을 위하여 필요하다고 인정할 때에는 공개하지 아니할 수 있다. 05·07. 국회직, 06. 사시, 07. 국가직, 11. 법무사, 12. 지방직
>
> ② 제1항 단서에 따른 제의나 동의에 대해서는 **토론을 하지 아니하고 표결**한다. 06. 사시, 18. 국가직

제54조의2【정보위원회에 대한 특례】① 정보위원회의 회의는 공개하지 아니한다. 다만, 공청회 또는 제65조의2에 따른 인사청문회를 실시하는 경우에는 위원회의 의결로 이를 공개할 수 있다. 06. 사시

제55조【위원회에서의 방청 등】① 의원이 아닌 사람이 위원회를 방청하려면 위원장의 허가를 받아야 한다.

② 위원장은 질서유지를 위하여 필요할 때에는 방청인의 퇴장을 명할 수 있다.

제158조【징계의 의사】징계에 관한 회의는 공개하지 아니한다. 다만, 본회의나 위원회의 의결이 있을 때에는 그러하지 아니하다.

판례

1 의사공개의 원칙이 위원회의 회의에도 적용되는지 여부: 적극

의사공개의 원칙은 민의의 전당인 국회에서의 의사진행을 공개함으로써 국민의 비판과 감시를 받게 하는 원칙이다. 이 원칙에 따라 국회 본회의뿐만 아니라 위원회의 회의도 공개되어야 한다. … 오늘날 국회기능의 중점이 본회의에서 위원회로 옮겨져 위원회 중심주의로 운영되고 있고, 법안 등의 의안에 대한 실질적인 심의가 위원회에서 이루어지고 있음은 주지의 사실인바, 헌법 제50조 제1항이 천명하고 있는 의사공개의 원칙은 위원회의 회의에도 당연히 적용되는 것으로 보아야 한다. 의사공개에 관한 국회법의 규정 또한 이러한 헌법원칙을 반영하고 있다. 국회법 제75조 제1항은 "본회의는 공개한다."라고 하여 본회의공개원칙을, 동법 제65조 제4항은 "청문회는 공개한다."라고 하여 위원회에서 개최하는 청문회공개원칙을 분명히 밝히고 있으며, 국회법 제71조는 본회의에 관한 규정을 위원회에 대하여 준용하도록 규정하고 있다. 결국 본회의이든 위원회의 회의이든 국회의 회의는 원칙적으로 공개하여야 하고, 원하는 모든 국민은 원칙적으로 그 회의를 방청할 수 있는 것이다(헌재 2000.6.29. 98헌마443 등). 06·20. 입시. 16. 사시

2 위원회에서는 의원이 아닌 자는 허가를 받아 방청하도록 한 국회법 제55조 제1항이 위헌인지 여부: 소극

국회법 제55조 제1항은 "위원회에서는 의원이 아닌 자는 위원장의 허가를 받아 방청할 수 있다."라고 규정하고 있는바, 이는 위원회의 공개원칙을 전제로 한 것이다. 청구인들의 주장과 같이 비공개를 원칙으로 하여 위원장의 자의에 따라 공개 여부를 결정하게 한 것이 아니다. 위 조항은 위원회회의가 공개되는 경우에도 방청을 허용하여서는 아니될 사유가 있을 때에는 위원장이 방청을 허가하지 아니할 수 있도록 하고 있는 규정이다. 그러나 위원장이라고 하여 아무런 제한 없이 임의로 방청불허결정을 할 수 있는 것은 아니다. … 위원장이 방청을 불허하는 결정을 할 수 있는 사유란 회의장의 장소적 제약으로 불가피한 경우, 회의의 원활한 진행을 위하여 필요한 경우 등 결국 회의의 질서유지를 위하여 필요한 경우로 제한된다고 할 것이다(헌재 2000.6.29. 98헌마443 등). 09. 사시. 11. 국가직. 17. 입시

3 예산결산특별위원회의 계수조정소위원회 방청불허조치가 알 권리를 침해하는지 여부: 소극

소위원회의 회의도 가능한 한 국민에게 공개하는 것이 바람직하나, 전문성과 효율성을 위한 제도인 소위원회의 회의를 공개할 경우 우려되는 부정적 측면도 외면할 수 없고, 헌법은 국회회의의 공개 여부에 관하여 회의구성원의 자율적 판단을 허용하고 있으므로 소위원회회의의 공개 여부 또한 소위원회 또는 소위원회가 속한 위원회에서 여러 가지 사정을 종합하여 합리적으로 결정할 수 있다 할 것인바, 예산결산특별위원회의 계수조정소위원회는 예산의 각 장·관·항의 조정과 예산액 등의 수치를 종합적으로 조정·정리하는

핵심기출 OX

01 헌법 제50조 제1항의 취지를 고려하면, 국민은 헌법상 보장된 알 권리의 한 내용으로서 국회에 대하여 입법과정의 공개를 요구할 권리를 가지나, 국회의 의사에 대하여는 직접적인 이해관계 유무와 상관없이 일반적 정보공개청구권을 가지는 것은 아니다.
17. 서울시. 22. 지방직   (○, ×)

답 × 국민은 헌법상 보장된 알 권리의 한 내용으로서 국회에 대하여 입법과정의 공개를 요구할 권리를 가지며, 국회의 의사에 대하여는 직접적인 이해관계 유무와 상관없이 일반적 정보공개청구권을 가진다고 할 수 있다(헌재 2009.9.24. 2007헌바17).

02 오늘날 국회기능의 중점이 본회의에서 위원회로 이동하여 위원회 중심으로 운영되고 있고, 법안 등의 의안에 대한 실질적인 심의가 위원회에서 이루어지고 있는 현실에서, 국회 의사공개의 원칙은 위원회의 회의에도 적용되며, 소위원회의 회의에도 당연히 적용된다. 20. 입시   (○, ×)

답 ○

03 '위원회에서는 의원이 아닌 자는 위원장의 허가를 받아 방청할 수 있다'는 국회법 제55조 제1항은 위원회의 비공개원칙을 전제로 한 것이므로, 위원장이 재량으로 방청불허결정을 할 수 있다. 17. 입시   (○, ×)

답 ×

04 헌법은 국회 회의의 공개 여부에 관하여 회의 구성원의 자율적 판단을 허용하고 있으므로, 소위원회 회의의 공개여부 또한 소위원회 또는 소위원회가 속한 위원회에서 여러 가지 사정을 종합하여 합리적으로 결정할 수 있다 할 것이다. 22. 지방직   (○, ×)

답 ○

05 국회예산결산특별위원회 계수조정소위원회를 비공개로 하는 것은 국회의 확립된 관행이라고 하더라도 국민의 헌법상 보장된 알 권리인 국회방청권을 침해한다. 10. 국회직 8급(○, ×)

답 ×

소위원회로서 예산심의에 관하여 이해관계를 가질 수밖에 없는 많은 국가기관과 당사자들에게 계수조정과정을 공개하기는 곤란하다는 점과 계수조정소위원회를 비공개로 진행하는 것이 국회의 확립된 **관행**이라는 점을 들어 방청을 불허한 것이고, 한편 절차적으로도 계수조정소위원회를 비공개로 함에 관하여는 예산결산특별위원회위원들의 **실질적인 합의 내지 찬성**이 있었다고 볼 수 있으므로, 이 사건 소위원회 방청불허행위를 헌법이 설정한 국회의사자율권의 범위를 벗어난 위헌적인 공권력의 행사라고 할 수 없다(헌재 2000.6.29. 98헌마443 등). 06. 입시, 07·10. 국회직, 09. 국가직

4 의원들의 국정감사활동에 대한 평가 및 결과공표의 부적절함을 이유로 국정감사에 대한 시민단체의 방청을 불허한 것이 알 권리를 침해하는지 여부: 소극

피청구인들은 의원들의 국정감사활동에 대한 시민연대의 평가기준의 공정성에 대한 검증절차가 없었고, 모니터 요원들의 전문성이 부족하며, 평가의 언론공표로 의원들의 정치적 평판 내지 명예에 대한 심각한 훼손의 우려가 있어 청구인들의 방청을 허용할 경우 원활한 국정감사의 실현이 불가능하다고 보아 전면적으로 또는 조건부로 방청을 불허하였는바, 원만한 회의진행 등 회의의 질서유지를 위하여 방청을 금지할 필요성이 있었는지에 관하여는 국회의 자율적 판단을 존중하여야 하는 것인즉, 피청구인들이 위와 같은 사유를 들어 방청을 불허한 것이 헌법재판소가 관여하여야 할 정도로 명백히 이유 없는 자의적인 것이라 보기 어렵다(헌재 2000.6.29. 98헌마443 등). 09. 국가직, 19. 지방직, 20. 입시

5 정보위원회 회의를 비공개하도록 규정한 국회법 조항이 알 권리를 침해하는지 여부: 적극 [위헌]

헌법 제50조 제1항은 본문에서 국회의 회의를 공개한다는 원칙을 규정하면서, 단서에서 '출석의원 과반수의 찬성이 있거나 의장이 국가의 안전보장을 위하여 필요하다고 인정할 때'에는 이를 공개하지 아니할 수 있다는 예외를 두고 있다. 이러한 헌법 제50조 제1항의 구조에 비추어 볼 때, 헌법상 의사공개원칙은 모든 국회의 회의를 항상 공개하여야 하는 것은 아니나 이를 공개하지 아니할 경우에는 헌법에서 정하고 있는 일정한 요건을 갖추어야 한다. 또한 헌법 제50조 제1항 단서가 정하고 있는 회의의 비공개를 위한 절차나 사유는 그 문언이 매우 구체적이어서, 이에 대한 예외도 엄격하게 인정되어야 한다. 따라서 헌법 제50조 제1항으로부터 일체의 공개를 불허하는 절대적인 비공개가 허용된다고 볼 수는 없는바, 특정한 내용의 국회의 회의나 특정 위원회의 회의를 일률적으로 비공개한다고 정하면서 공개의 여지를 차단하는 것은 헌법 제50조 제1항에 부합하지 아니한다(헌재 2022.1.27. 2018헌마1162).

6 피청구인 사법개혁특별위원회(이하 '사개특위'라 함) 위원장이 2019.4.29. 사개특위 회의에서 사개특위 소관 법률안들에 대한 신속처리안건 지정동의안의 가결을 선포한 행위가 사개특위 위원인 청구인들의 법률안 심의·표결권을 침해하였는지 여부: 소극

[1] 국회의원의 법률안 등 의안의 발의는 국회 내부의 의사절차이므로, 그 방식을 어떻게 정하는지는 헌법 제64조 제1항에 따라 법률에 저촉되지 않는 범위 안에서 국회의 규칙으로 정하여 할 수 있는 '의사와 내부 규율', 즉 국회의 의사자율권의 영역에 있다. 국회사무관리규정 제8조의2에서는 문서의 전자적 처리에 관하여, 제21조 제6항에서는 정보통신망을 이용한 문서의 접수·처리에 관하여 일반적으로 정하고 있고, 국회사무처 정보화업무 내규 제3조 제2호에서는 국회사무총장이 원활한 의정활동을 지원하기 위하여 구축하고 운영할 수 있는 정보시스템의 하나로 '입안지원시스템'을 규정하고 있으며, 이러한 국회사무처 정보화업무 내규는 그 부칙에 의하여 이 사건 당시로부터 약 3년 전인 2016.1.15. 이후 제정되어 시행되었다. 전자문서에 의한 개별 국회의원의 법률안 제출 방식은 국회의 자율권의 범위 내에서 허용되고 국회규칙 및 내규에 근거를 둔 제출 방식으로 국회법 제79조 제2항에 반하지 않는다.

피청구인 사개특위 위원장이 국회 입안지원시스템을 통하여 발의된 법률안들에 대한 신속처리안건 지정동의안을 상정한 것은, 국회법 제79조 제2항을 위반한 것이라고 볼 수 없다. 의안의 발의와 접수의 세부적인 절차는 국회의 의사자율권의 영역에 있으므로, 발의된 법률안이 철회의 대상이 될 수 있는 시점에 대해서도 국회가 의사자율의 영역에서 규칙 또는 자율적인 법해석으로 정할 수 있다. 따라서 팩스로 제출이 시도되었던 법률안의 접수가 완료되지 않아 동일한 법률안을 제출하기 전에 철회 절차가 필요 없다고 보는 것은 국회법 제90조에 반하지 않는다. 또한, 국회법 제90조는 발의된 법률안을 철회하는 요건을 정한 것일 뿐, 동일한 내용의 법률안을 중복하여 발의하는 것 자체를 금지하는 조항은 아니며, 국회법에 이에 대한 별도의 금지조항은 없다. 이 사건에서 팩스로 먼저 제출이 시도된 법률안을 철회하지 않고 동일한 내용으로 제출된 법률안을 접수한 것은 국회법 제90조를 위반한 것으로 볼 수 없고, 이와 같이 발의된 '고위공직자범죄수사처 설치 및 운영에 관한 법률안(의안번호 제2020029호)'에 대한 신속처리안건 지정동의안을 상정한 피청구인 사개특위 위원장의 행위도 절차상 위법하다고 할 수 없다.

[2] 신속처리안건 지정동의안의 심의는 그 대상이 된 위원회 회부 안건 자체의 심의가 아니라, 이를 신속처리대상안건으로 지정하여 의사절차의 단계별 심사기간을 설정할 것인지 여부를 심의하는 것이다. 국회법 제85조의2 제1항에서 요건을 갖춘 지정동의가 제출된 경우 의장 또는 위원장은 '지체 없이' 무기명투표로 표결하도록 규정하고 있고, 이 밖에 신속처리안건 지정동의안의 표결 전에 국회법상 질의나 토론이 필요하다는 규정은 없다. 이 사건 사개특위의 신속처리안건 지정동의안에 대한 표결 전에 그 대상이 되는 법안의 배포나 별도의 질의·토론 절차를 거치지 않았다는 이유로 그 표결이 절차상 위법하다고 볼 수 없다(헌재 2020.5.27. 2019헌라3 등).

2. 회기계속의 원칙

> **헌법 제51조** 국회에 제출된 법률안 기타의 의안은 회기 중에 의결되지 못한 이유로 폐기되지 아니한다. 다만, 국회의원의 임기가 만료된 때에는 그러하지 아니하다. 06. 입시, 09. 사시, 18. 국회직 8급, 19. 지방직

(1) 개념

① **회기계속의 원칙**: 회기 중에 의결되지 못한 의안도 폐기되지 아니하고 다음 회기에서 계속 심의할 수 있다는 원칙으로 회기불계속의 원칙에 반대된다. 우리나라는 국회가 매 회기마다 독립된 별개의 국회가 아니라 일체성과 동일성을 가진다는 것을 근거로 회기계속의 원칙을 채택하고 있다.

② **회기불계속의 원칙**: 의회의 1회기 중에 심의가 완료되지 아니한 안건은 그 회기가 종료됨으로써 소멸하고 다음 회기에 계속되지 아니한다는 원칙을 말한다. 의회는 회기 중에만 활동능력을 가지며 매 회기마다 독립된 의사를 가지므로 전 회기의 의사가 후 회기의 의사를 구속하지 못한다는 논리에 바탕을 두고 있다. 11. 국가직

(2) 보류거부와 회기(불)계속원칙의 관계

대통령의 법률안보류거부는 미국에서처럼 회기불계속원칙에 따라 운영되는 회기제도에서 큰 효력이 있으나, 우리나라와 같이 회기계속원칙에 따라 운영되는 회기제도에서는 그 제도적 의의가 없다(허영).

개념PLUS+ 회기계속원칙과 회기불계속원칙의 비교

구분	회기계속원칙	회기불계속원칙
연혁	제3공화국 헌법부터 규정	–
입법례	프랑스	영국·미국
이념	국회는 한 입법기 내에는 동일한 의사를 가짐	국회는 한 회기마다 독립적인 의사를 가짐
회기 중에 이송된 법률안, 폐회 중 법률안에 대하여 이의가 있는 경우	• 재의요구기간 내 환부거부 • 재의요구기간 내 환부거부하지 않으면 법률안은 확정	• 보류거부 • 재의요구기간 내 서명하지 않으면 법률안은 폐기
폐회 중 대통령이 법률안에 대하여 이의가 없는 경우	대통령은 공포함	대통령은 서명·공포함

❶ 일사부재의의 원칙
- 헌법에 규정되어 있다. (×)
- 국회법에 규정되어 있다. (○)
- 일사부재의 원칙과 무제한토론은 모두 소수자를 위한 제도이다. (×)

❷
일사부재의의 원칙(Filibuster 방지) ↔ 무제한토론(Filibuster)

핵심기출 OX

01 우리 헌법은 회기계속의 원칙을 정하고 있기 때문에 국회에 제출된 의안은 어떠한 경우에도 회기 중 의결되지 못하였다는 이유로 폐기되지 아니한다. 09. 사시 (○, ×)

☞ × 국회에 제출된 법률안 기타의 의안은 회기 중에 의결되지 못한 이유로 폐기되지 아니한다. 다만, 국회의원의 임기가 만료된 때에는 그러하지 아니한다(헌법 제51조).

02 동일 안건인 경우, 전 회기에 부결한 것을 다음 회기에 재차 발의하여 심의할 수 없다. 05. 사시 (○, ×)

☞ × 일사부재의의 원칙이라 함은 의회에서 일단 부결된 의안은 동일 회기 중에 다시 발의하거나 심의하지 못한다는 원칙을 말한다. 따라서 동일 의안일지라도 전 회기에 의결한 것은 다음 회기에 다시 발의·심의할 수 있다.

03 국회의 일사부재의 원칙은 의회의 원활한 운영을 도모하고 소수파에 의한 의사진행 방해를 배제하기 위한 헌법상의 원칙으로서 국회법 개정만으로 폐기될 수는 없다. 14. 지방직 (○, ×)

☞ × 일사부재의원칙은 헌법이 아닌 국회법상 규정이므로 법률 개정만으로도 폐기가 가능하다.

3. 일사부재의의 원칙

> **국회법 제92조【일사부재의】** 부결된 안건은 같은 회기 중에 다시 발의하거나 제출할 수 없다. 14·19. 지방직, 18. 국회직 8급

(1) 개념
일사부재의의 원칙❶이란 의회에서 일단 부결된 의안은 동일 회기 중에 다시 발의하거나 심의하지 못한다는 원칙을 말한다.

(2) 제도적 의의
일사부재의의 원칙은 특히 소수파에 의한 의사진행방해(Filibuster)를 배제하려는 데 목적이 있다. 참고로 무제한토론제도❷는 합법적인 의사진행방해 제도이다.

(3) 일사부재의의 원칙에 반하지 아니하는 것
① **철회된 경우**: 일단 의제가 된 의안일지라도 철회되어 의결에 이르지 못했다면 아직 국회의 의사가 결정되지 않은 것이므로 다시 발의하더라도 재의가 아니다. 11. 국가직

② **회기를 달리하는 경우**: 전 회기에 부결된 의안이라도 회기를 달리하여 다음 회기에 다시 발의·심의하는 것은 가능하다. 05. 사시, 06. 입시·법무사, 18. 국가직

③ **사유를 달리하는 경우**: 동일 인물에 대한 해임건의안일지라도 그 후 새로이 발생한 사유 때문이라면 동일 사안의 재의가 아니다.

④ **위원회에서 의결된 경우**: 위원회의 의결은 국회 자체의 결정이 아니므로 위원회에서 결정된 것을 본회의에서 다시 심의하더라도 동일 사안의 재의가 아니다.

📑 **참고** 번안과 일사부재의의 원칙의 적용

'번안'이란 의안이 가결된 후에 사정변경이나 의사결정에 착오가 있었음을 발견하고 가결된 의안을 번복하여 그 의결을 무효로 하여 다시 심의하는 것을 말한다. 번안에는 일사부재의의 원칙이 적용되지 않는데, 이는 일사부재의의 원칙이 '부결'된 안건에 대해서만 적용되기 때문이다. 따라서 번안동의를 하더라도 일사부재의의 원칙에 위배되지 않는다. 08. 사시

국회법 제91조【번안】 ① 본회의에서의 번안동의(飜案動議)는 의안을 발의한 의원이 그 의안을 발의할 때의 발의의원 및 찬성의원 3분의 2 이상의 동의(同意)로, 정부 또는 위원회가 제출한 의안은 소관 위원회의 의결로 각각 그 안을 갖춘 서면으로 제출하되, **재적의원 과반수의 출석과 출석의원 3분의 2 이상의 찬성으로 의결한다.** 다만, 의안이 정부에 이송된 후에는 번안할 수 없다.

② 위원회에서의 번안동의는 위원의 동의(動議)로 그 안을 갖춘 서면으로 제출하되, **재적위원 과반수의 출석과 출석위원 3분의 2 이상의 찬성으로 의결한다.** 다만, 본회의에서 의제가 된 후에는 번안할 수 없다. 18. 국가직

⚖️ **판례**

재적의원 과반수의 출석수에 미달한 의결을 두고 투표종료선언을 하였다가 다시 재적 과반수출석을 하게 하여 표결한 것이 일사부재의원칙에 위배되는지 여부: 적극

국회법 제92조는 "부결된 안건은 같은 회기 중에 다시 발의 또는 제출하지 못한다."라고 규정하여 일사부재의원칙을 선언하고 있다. 만일 같은 회기 중에 동일 안건을 몇 번이고 회의에 부의하게 된다면 특정 사안에 대한 국회의 의사가 확정되지 못한 채 표류하게 되므로 일사부재의원칙은 국회의 의사의 단일화, 회의의 능률적인 운영 및 소수파에 의한 의사방해 방지 등에 중요한 의의를 가진다. … 국회의원이 특정 의안에 반대하는 경우 회의장에 출석하여 반대투표하는 방법뿐만 아니라 회의에 불출석하는 방법으로도 의안에 대하여 반대의 의사를 표시할 수 있다. 따라서 '재적의원 과반수의 출석'과 '출석의원 과반수의 찬성'이라는 요건이 국회의 의결에 대하여 가지는 의미나 효력을 달리 할 이유가 없다. … 한편 우리 헌법은 헌법개정안에 투표한 유권자의 수가 유권자총수의 과반수에 미달한 경우 헌법개정안에 대한 국민투표는 부결된 것으로 보고(제130조 제2항), 주민소환에 관한 법률은 단체장이나 지방의원에 대한 주민소환투표의 경우에 소환요건 충족인원인 3분의 1 이상의 투표수에 미달한 경우 주민소환이 부결된 것으로 보는바(제22조 제1항), 이러한 규정과의 균형상으로도 국회에서의 의결에 있어서 표결절차가 종료될 때 재적의원 과반수의 출석에 미달한 경우에도 부결된 것으로 보아야 한다고 해석하여야 한다. … 결국 이 사건에서 방송법안에 대한 투표가 종료되어 재적의원 과반수의 출석에 미달되었음이 확인된 이상, 방송법안에 대한 국회의 의사는 부결로 확정되었다고 보아야 할 것이다. 그렇다면 피청구인이 이미 존재하는 국회의 방송법안에 대한 확정된 부결의사를 무시하고 재표결을 실시하여 그 표결결과에 따라 방송법안의 가결을 선포한 것은 일사부재의원칙에 위배하여 청구인들의 표결권을 침해하였다고 봄이 상당하다(헌재 2009.10.29. 2009헌라8·9·10). 16. 사시, 17. 국가직

🏆 **핵심기출 OX**

01 법률안에 대한 투표가 종료된 결과 재적의원 과반수의 출석이라는 의결정족수에 미달된 이상 법률안에 대한 국회의 의결이 유효하게 성립되었다고 할 수 없으므로, 국회의장이 재표결을 실시하여 그 결과에 따라 법률안의 가결을 선포한 것이 일사부재의원칙에 위배되는 것은 아니다. 16. 사시 (O, ×)

답 × 표결이 종료되어 '재적의원 과반수의 출석'에 미달하였다는 결과가 확인된 이상, '출석의원 과반수의 찬성'에 미달한 경우와 마찬가지로 국회의 의사는 부결로 확정되었다고 보아야 한다. 피청구인이 이미 존재하는 국회의 방송법안에 대한 확정된 부결의사를 무시하고 재표결을 실시하여 그 표결 결과에 따라 방송법안의 가결을 선포한 것은 일사부재의원칙에 위배하여 청구인들의 표결권을 침해하였다고 봄이 상당하다(헌재 2009.10.29. 2009헌라8 등).

02 법안에 대한 투표가 종료된 결과 재적의원 과반수의 출석이라는 의결정족수에 미달된 경우에는 법안에 대한 국회의 의결이 유효하게 성립되었다고 할 수 없으므로, 국회의장이 법안에 대한 재표결을 실시하여 그 결과에 따라 법안의 가결을 선포한 것은 일사부재의의 원칙에 위배되지 않는다. 17. 국가직
 (O, ×)

답 × 방송법 수정안에 대한 1차 투표가 종료되어 재적의원 과반수의 출석에 미달되었음이 확인된 이상, 방송법 수정안에 대한 국회의 의사는 부결로 확정되었다고 보아야 하므로, 피청구인이 이를 무시하고 재표결을 실시하여 그 표결 결과에 따라 방송법안의 가결을 선포한 행위는 일사부재의 원칙(국회법 제92조)에 위배하여 청구인들의 표결권을 침해한 것이다(헌재 2009.10.29. 2009헌라8).

4. 다수결의 원칙

> 헌법 제49조 국회는 헌법 또는 법률에 특별한 규정이 없는 한 재적의원 과반수의 출석과 출석의원 과반수의 찬성으로 의결한다. 가부동수인 때에는 부결된 것으로 본다. 19. 서울시

🔨 판례

국회 상임위원회 위원장이 위원회 전체 회의 개의 직전부터 회의가 종료될 때까지 회의장 출입문을 폐쇄하여 회의의 주체인 소수당 소속 상임위원회위원들의 출입을 봉쇄한 상태에서 상임위원회 전체 회의를 개의하여 안건을 상정한 행위 등이 다수결의 원칙에 위배되는지 여부: 적극

의회민주주의의 기본원리의 하나인 다수결의 원리는 의사형성과정에서 소수파에 토론에 참가하여 다수파의 견해를 비판하고 반대의견을 밝힐 수 있는 기회를 보장하여 다수파와 소수파가 공개적이고 합리적인 토론을 거쳐 다수의 의사로 결정한다는 데 그 정당성의 근거가 있는 것이다. 따라서 입법과정에서 소수파에 출석할 기회조차 주지 않고 토론과정을 거치지 아니한 채 다수파만으로 단독처리하는 것은 다수결의 원리에 의한 의사결정이라고 볼 수 없다. 헌법 제49조는 의회민주주의의 기본원리인 다수결의 원리를 선언한 것으로서 이는 단순히 재적의원 과반수의 출석과 출석의원 과반수에 의한 찬성을 형식적으로 요구하는 것에 그치지 않는다. 헌법 제49조는 국회의 의결은 통지가 가능한 국회의원 모두에게 회의에 출석할 기회가 부여된 바탕 위에 재적의원 과반수의 출석과 출석의원 과반수의 찬성으로 이루어져야 한다는 것으로 해석하여야 한다. ··· 다수결의 원리를 위와 같이 볼 경우 이 사건에서 위법한 질서유지권의 행사로 청구인들에게 회의장출입이 원천봉쇄된 상태에서 이 사건 회의를 개의하여 이루어진 이 사건 상정·회부행위는 비록 의사정족수가 충족된 상태에서 이루어진 것이라 하더라도 다수결의 원리를 규정한 헌법 제49조 혹은 다수결의 원리를 포함하는 상위원리인 의회민주주의원리에 위배되고, 이러한 헌법원리를 구체적으로 구현하고 있는 법률규정으로 볼 수 있는 국회법 제54조의 규정에도 위배되는 것으로 볼 것이다(헌재 2010.12.28. 2008헌라7).

---

4 정족수

정족수는 다수인의 합의체에서 회의를 진행하고 의사를 결정하는 데 필요한 출석자의 수를 말한다.

1. 의사정족수와 의결정족수

(1) 의사정족수
의사정족수는 의사를 여는 데 필요한 출석자의 법정수를 말한다.

(2) 의결정족수
의결정족수는 의결에 필요한 출석자의 정족수를 말한다.

2. 일반정족수와 특별정족수

(1) 일반정족수

① 국회의 의사정족수

> 국회법 제73조 【의사정족수】 ① 본회의는 재적의원 5분의 1 이상의 출석으로 개의한다. 11. 법무사

② 국회의 의결정족수

> 헌법 제49조 국회는 헌법 또는 법률에 특별한 규정이 없는 한 재적의원 과반수의 출석과 출석의원 과반수의 찬성으로 의결한다. 가부동수인 때에는 **부결**된 것으로 본다. 10. 국가직

(2) 특별정족수

일반정족수 외에 헌법 또는 법률에 규정되어 있는 정족수이다.

3. 표결방법❶

> 국회법 제107조 【의장의 토론 참가】 의장이 토론에 참가할 때에는 의장석에서 물러나야 하며, 그 안건에 대한 표결이 끝날 때까지 의장석으로 돌아갈 수 없다. 10. 법무사, 12. 지방직
>
> 제111조 【표결의 참가와 의사변경의 금지】 ① 표결을 할 때 회의장에 있지 아니한 의원은 표결에 참가할 수 없다. 다만, 기명투표 또는 무기명투표로 표결할 때에는 투표함이 폐쇄될 때까지 표결에 참가할 수 있다.
> ② 의원은 표결에 대하여 표시한 의사를 변경할 수 없다. 10. 법무사
>
> 제112조 【표결방법】 ① 표결할 때에는 전자투표에 의한 기록표결로 가부(可否)를 결정한다. 06. 사시 다만, 투표기기의 고장 등 특별한 사정이 있을 때에는 기립표결로, 기립표결이 어려운 의원이 있는 경우에는 의장의 허가를 받아 본인의 의사표시를 할 수 있는 방법에 의한 표결로 가부를 결정할 수 있다.
> ② 중요한 안건으로서 의장의 제의 또는 의원의 동의(動議)로 본회의 의결이 있거나 **재적의원 5분의 1 이상의 요구가 있을 때에는 기명투표·호명투표(呼名投票) 또는 무기명투표로 표결한다.** 07. 사시
> ④ 헌법개정안은 기명투표로 표결한다.
> ⑤ 대통령으로부터 환부(還付)된 법률안과 그 밖에 인사에 관한 안건은 **무기명투표로 표결한다.** 다만, 겸직으로 인한 의원 사직과 위원장 사임에 대하여 의장이 각 교섭단체 대표의원과 협의한 경우에는 그러하지 아니하다. 06·07. 사시
> ⑥ 국회에서 실시하는 각종 **선거**는 법률에 특별한 규정이 없으면 **무기명투표**로 한다. 투표 결과 당선자가 없을 때에는 최고득표자와 차점자에 대하여 결선투표를 하여 다수표를 얻은 사람을 당선자로 한다. 다만, 득표수가 같을 때에는 연장자를 당선자로 한다.
> ⑦ 국무총리 또는 국무위원의 해임건의안이 발의되었을 때에는 의장은 그 해임건의안이 발의된 후 처음 개의하는 본회의에 그 사실을 보고하고, 본회의에 보고된 때부터 24시간 이후 72시간 이내에 무기명투표로 표결한다. 이 기간 내에 표결하지 아니한 해임건의안은 폐기된 것으로 본다.
> ⑧ 제1항 본문에 따라 투표를 하는 경우 재적의원 5분의 1 이상의 요구가 있을 때에는 전자적인 방법 등을 통하여 정당한 투표권자임을 확인한 후 투표한다.
> ⑨ 의장이 각 교섭단체 대표의원과 합의를 하는 경우에는 제2항·제4항부터 제7항까지에 따른 기명투표 또는 무기명투표를 전자장치를 이용하여 실시할 수 있다.

🏛 핵심기출 OX

01 정족수 원칙에는 회의가 성립하기 위한 최소요건인 의사정족수(또는 개의정족수)와 의안을 유효하게 결정하기 위한 최소요건인 의결정족수가 있는바, 의결정족수에 관한 헌법상의 원칙은 재적의원 과반수이다. 10. 국가직
(O, ×)

답 × 국회는 헌법 또는 법률에 특별한 규정이 없는 한 재적의원 과반수의 출석과 출석의원 과반수의 찬성으로 의결한다. 가부동수인 때에는 부결된 것으로 본다(헌법 제49조).

02 의장은 국회의 운영의 책임자이기에 의원들간의 토론을 진행시킬 수는 있으나 본인이 직접 토론에 참가할 수는 없다. 12. 지방직
(O, ×)

답 × 의장이 토론에 참가할 때에는 의장석에서 물러나야 하며, 그 안건에 대한 표결이 끝날 때까지 의장석으로 돌아갈 수 없다(국회법 제107조).

03 국회의원은 표결에 있어 투표함이 폐쇄될 때까지는 표시한 의사를 변경할 수 있다. 10. 법무사
(O, ×)

답 × 의원은 표결에 대하여 표시한 의사를 변경할 수 없다(국회법 제111조 참조).

04 국회에서는 전자투표에 의한 기록표결을 원칙으로 한다. 그러나 대통령으로부터 환부된 법률안에 대한 재의결은 기명투표로 한다. 06. 사시
(O, ×)

답 × 대통령으로부터 환부(還付)된 법률안과 그 밖에 인사에 관한 안건은 무기명투표로 표결한다(국회법 제112조 제5항).

제130조【탄핵소추의 발의】① 탄핵소추가 발의되었을 때에는 의장은 **발의된 후 처음 개의하는 본회의**에 보고하고, 본회의는 의결로 법제사법위원회에 회부하여 조사하게 할 수 있다. ② 본회의가 제1항에 따라 탄핵소추안을 법제사법위원회에 회부하기로 의결하지 아니한 경우에는 본회의에 보고된 때부터 **24시간 이후 72시간 이내**에 탄핵소추 여부를 무기명투표로 표결한다. 이 기간 내에 표결하지 아니한 탄핵소추안은 **폐기**된 것으로 본다.

개념PLUS+ 정족수 정리

10인 이상	의회의안발의, 05. 국가직 회의의 비공개발의
20인 이상	징계요구, 국무총리·국무위원 등에 대한 출석요구발의, 의사일정의 변경발의
30인 이상	자격심사의 청구, 일반의안수정동의, 위원회에서 폐기한 법률안 본회의 부의
50인 이상	예산안에 대한 수정동의 07. 사시
재적 5분의 1 이상	국회 및 위원회 의사정족수, 13. 국회직 기명·호명 또는 무기명투표의 요구
재적 4분의 1 이상	임시회소집요구, 11. 법행 휴회 중의 본회의 소집요구, 국정조사발의, 13. 국회직 의원의 석방요구발의 13. 국가직
재적 3분의 1 이상	해임건의발의, 05. 법행 일반탄핵소추발의, 13. 국회직, 19. 지방직 무제한 토론요구 (종결요구) 14. 국회직
재적 과반수	해임건의의결, 13. 국회직 일반탄핵소추의결, 11. 법행 헌법개정안발의, 11. 국회직 8급 대통령에 대한 탄핵소추발의, 13. 국가직 의장·부의장선출(국회법 제67조 제2항), 계엄해제요구, 05. 법행 신속처리안건지정동의 14. 국회직
재적 과반수, 출석 과반수	일반의결정족수 11. 국회직 8급
재적 과반수, 출석 3분의 2 이상	법률안재의결, 02. 법무사, 05. 법행. 13. 국회직 국무회의의결정족수, 번안의결 18. 국가직
재적 5분의 3 이상	신속처리안건지정동의의결, 13. 국회직 무제한 토론종결의결
재적 3분의 2 이상	제명, 03·04·05. 법무사, 11. 법행 무자격의결(국회법 제142조 제3항), 11. 법행, 12. 법무사 헌법개정안의결, 05. 법행 대통령에 대한 탄핵소추의결

제5절 국회의 권한

1 서설

국회의 권한은 권한의 실질적 내용에 따라 ① 입법에 관한 권한, ② 재정에 관한 권한, ③ 헌법기관구성에 관한 권한, ④ 국정통제에 관한 권한, ⑤ 국회의 자율권으로 분류할 수 있다.

2 입법에 관한 권한

1. 헌법개정에 관한 권한

국회는 헌법개정에 관하여 발의와 심의·의결권을 가진다.

2. 법률제정에 관한 권한

법률제정에 관한 권한은 국회가 보유하는 입법에 관한 권한 중 가장 본질적이고 핵심적인 권한이다.

3. 조약의 체결·비준에 관한 동의권

> 헌법 제73조 대통령은 조약을 체결·비준하고, 외교사절을 신임·접수 또는 파견하며, 선전포고와 강화를 한다.
>
> 제60조 ① 국회는 **상호원조** 또는 안전보장에 관한 조약, 중요한 국**제조직**에 관한 조약, 우호통상항해조약, **주권**의 제약에 관한 조약, **강화조약**, 국가나 국민에게 중대한 **재정적** **부담**을 지우는 조약 또는 **입법사항**에 관한 조약의 체결·비준에 대한 동의권을 가진다.

(1) 제도적 의의

국회의 조약의 체결·비준에 관한 동의권은 대통령의 대표권행사의 남용을 방지하고, 국민의 권리·의무에 영향을 미치는 조약에 대한 국민적 합의를 형성하는 데 그 제도적 의의가 있다.

(2) 국회의 동의를 요하는 조약의 범위

국회의 동의를 요하는 조약을 규정하고 있는 헌법 제60조 제1항이 예시조항인지 아니면 열거조항인지에 대해서는 견해가 갈리고 있는데, 열거조항으로 보는 것이 타당하다(다수설).

(3) 국회의 동의시기

조약의 체결에 관한 국회의 동의는 기명날인 전의 동의, 즉 사전동의를 의미한다.

(4) 국회동의의 효력

헌법 제60조 제1항에 열거된 조약은 국회의 동의를 얻지 아니하면 국내법으로서의 효력이 발생하지 않는다. 다만, 국제법적인 효력은 대통령의 비준으로 발생한다.

(5) 국회의 수정동의권

국회의 동의권 중에 조약의 수정권이 포함되는지 여부에 대해서는 부정설과 긍정설의 대립이 있으나, 수정부정설이 타당하며 다수설이다.

(6) 조약의 종료에 대한 국회의 동의

조약의 종료에 관한 국회의 동의권 여부가 문제되는데, 이에 관하여는 국회의 동의가 필요하다는 견해도 있으나, 헌법은 대통령에게 대외관계와 외교문제에 관한 일반적 권한을 부여하고 있으므로 대통령은 단독으로 조약을 종료시킬 수 있다고 보는 것이 타당하다(권영성).

통치구조론

제3편

해커스공무원 신동욱 헌법 기본서

📖 핵심기출 OX

01 조약의 체결·비준에 대한 동의권은 국회에 있으며, 조약의 체결·비준 동의안에 대한 심의·표결권은 국회의원에게 있다. 20. 입시 (○, ×)

답 ○

02 조약의 명칭이 '협정'으로 되어 있다 하더라도 외국 군대의 지위에 관한 것이고, 국가에게 재정적 부담을 지우는 내용과 입법사항을 포함하고 있으면 국회의 동의를 요하는 조약으로 취급되어야 한다. 12. 국가직 (○, ×)

답 ○

4. 국회규칙의 제정권

> 헌법 제64조 ① 국회는 법률에 저촉되지 아니하는 범위 안에서 의사와 내부규율에 관한 규칙을 제정할 수 있다.

국회규칙 중 명령에 해당하는 규칙은 국회의 구성원뿐만 아니라 의사당이나 원내에 입장하는 제3자에게도 적용되나, 본래의 규칙은 국회구성원에게만 적용된다.

3 재정에 관한 권한

1. 재정에 관한 헌법원칙

(1) 의회의결주의

의회의결주의란 재정제도와 재정작용은 국민의 재산권에 미치는 영향이 매우 크므로 재정에 관한 중요사항은 국민의 대표기관인 의회로 하여금 의결하게 하는 원칙을 말한다.

(2) 조세평등주의와 조세법률주의

① **조세의 의의**: 조세란 국가나 지방자치단체 등이 재원을 조달하기 위하여 그 과세권을 발동하여 반대급부를 요건으로 하지 않고, 일반 국민으로부터 강제적으로 부과·징수하는 과징금을 말한다(헌재 1991.11.25. 91헌가6).

② **부담금**: 부담금은 반대급부가 보장되지 않는 금전납부의무를 설정하고, 강제적으로 국민에게 부과·징수하는 점에서 조세와 매우 유사하다. 그러나 일반 국민에게 부과되는 것이 아니고 특정 공익사업을 위해 특별 이해관계인에게만 그 사업의 경비를 부담시키는 점에서 조세와 구별된다. 반면에 **사용료나 수수료**는 반대급부를 전제로 한다는 점에서 반대급부 없이 부과·징수하는 조세나 부담금과 구별된다. 사용료나 수수료는 공법상의 것이든 사법상의 것이든 재산권의 무상박탈이 아니며, 상대방이 받는 편익과의 사이에 어떤 대가관계를 전제로 징수하는 요금을 말한다.

  ㉠ **종류**: 순수하게 재정조달목적만 가지는 **재정조달목적 부담금**과 재정조달목적뿐만 아니라 부담금의 부과 자체로 추구되는 특정한 사회·경제정책실현목적을 가지는 **정책실현목적 부담금** 등이 있다.

  ㉡ **허용한계**: 부담금을 부과함에 있어서는 평등원칙이나 비례성원칙과 같은 기본권제한입법의 한계를 준수하여야 함은 물론 이러한 부담금의 부과를 통하여 수행하고자 하는 특정한 사회적·경제적 과제에 대하여 조세 외적 부담을 지울 만큼 특별하고 긴밀한 관계가 있는 특정 집단에 국한하여 부과하여야 하고, 이와 같이 부과·징수된 부담금은 그 특정 과제의 수행을 위하여 별도로 관리·지출되어야 하며, 국가의 일반적 재정수입에 포함시켜 일반적 국가과제를 수행하는 데 사용되어서는 아니 된다. 그렇지 않으면 국가가 조세저항을 회피하기 위한 수단으로 부담금이라는 형식을 남용할 수 있기 때문이다(헌재 1998.12.24. 98헌가1). 09. 국가직

⚖️ 판례

부담금의 유형과 그 정당화요건

[1] 부담금의 유형

부담금은 그 부과목적과 기능에 따라 ① 순수하게 재정조달목적만 가지는 것(이하 '재정조달목적 부담금'이라 한다)과 ② 재정조달목적뿐 아니라 부담금의 부과 자체로 추구되는 특정한 사회·경제정책실현목적을 가지는 것(이하 '정책실현목적 부담금'이라 한다)으로 양분해 볼 수 있다. 전자의 경우에는 추구되는 공적 과제가 부담금수입의 지출단계에서 비로소 실현된다고 한다면, 후자의 경우에는 추구되는 공적 과제의 전부 혹은 일부가 부담금의 부과단계에서 이미 실현된다고 할 것이다. 20. 법무사 가령 부담금이라는 경제적 부담을 지우는 것 자체가 국민의 행위를 일정한 정책적 방향으로 유도하는 수단이 되는 경우(유도적 부담금) 또는 특정한 공법적 의무를 이행하지 않은 사람과 그것을 이행한 사람 사이 혹은 공공의 출연(出捐)으로부터 특별한 이익을 얻은 사람과 그 외의 사람 사이에 발생하는 형평성문제를 조정하는 수단이 되는 경우(조정적 부담금) 그 부담금은 후자의 예에 속한다고 할 수 있다.

[2] 재정조달목적 부담금의 헌법적 정당화요건

① 부담금은 조세에 대한 관계에서 어디까지나 예외적으로만 인정되어야 하며, 어떤 공적 과제에 관한 재정조달을 조세로 할 것인지 아니면 부담금으로 할 것인지에 관하여 입법자의 자유로운 선택권을 허용하여서는 안 된다. 09. 사시, 12. 변호사, 15. 국회직 즉, 국가 등의 일반적 재정수입에 포함시켜 일반적 과제를 수행하는 데 사용할 목적이라면 반드시 조세의 형식으로 하여야 하지, 거기에 부담금의 형식을 남용하여서는 안 되는 것이다.

② 부담금납부의무자는 재정조달대상인 공적 과제에 대하여 일반 국민에 비하여 '특별히 밀접한 관련성'을 가져야 한다. 당해 과제에 관하여 납부의무자집단에 특별한 재정책임이 인정되고 주로 그 부담금수입이 납부의무자집단에 유용하게 사용될 때 위와 같은 관련성이 있다고 볼 것이다.

③ 이상과 같은 부담금의 예외적 성격과 특히 부담금이 재정에 대한 국회의 민주적 통제체계로부터 일탈하는 수단으로 남용될 위험성을 감안할 때 부담금이 장기적으로 유지되는 경우에 있어서는 그 징수의 타당성이나 적정성이 입법자에 의해 지속적으로 심사될 것이 요구된다고 하여야 한다(헌재 2004.7.15. 2002헌바42).

---

③ **조세평등주의**: 조세평등주의는 평등원칙의 조세법적 표현이다. 이러한 조세평등주의는 같은 것은 같게, 다른 것은 다르게 취급함으로써 조세법의 입법과정이나 집행과정에서 조세정의를 실현하려는 원칙이다. 이때 조세평등주의가 요구하는 담세능력에 따른 과세의 원칙(또는 응능부담의 원칙)은 한편으로 동일한 소득은 원칙적으로 동일하게 과세될 것을 요청하며(이른바 수평적 조세정의), 다른 한편으로 소득이 다른 사람들간의 공평한 조세부담의 배분을 요청한다(이른바 수직적 조세정의). 또한 조세에 관한 입법을 할 때에는 조세부담이 국민들 사이에 공평하게 배분되도록 하여야 하며, 모든 국민을 평등하게 취급하도록 조세법을 해석·적용하여야 한다.

1 골프장을 취득할 경우 중과세규정이 조세평등주의에 위반하는지 여부: 소극

입법자가 골프장을 스키장 및 승마장보다 사치성 재산이라고 보아 중과세하고 있는 것은 시설이용의 대중성, 녹지와 환경에 대한 훼손의 정도, 일반 국민의 인식 등을 종합하여 볼 때 정책형성권의 한계를 일탈한 자의적인 조치라고 보기는 어려우므로 조세평등주의에 위배되지 아니한다. … 위 지방세법규정이 직업선택의 자유와 재산권의 본질적 내용을 침해하거나 기본권제한에 있어서의 비례의 원칙에 위배되지 않는다(헌재 1999.2.25. 96헌바64). 12. 국회직

2 이혼시 재산분할을 청구하여 상속세 인적 공제액을 초과하는 재산을 취득한 경우 그 초과 부분에 대하여 증여세를 부과하도록 규정하고 있는 상속세법규정이 위헌인지 여부: 적극 [위헌] 12. 국회직

[1] 이혼시의 재산분할제도는 본질적으로 혼인 중 쌍방의 협력으로 형성된 공동재산의 청산이라는 성격에 경제적으로 곤궁한 상대방에 대한 부양적 성격이 보충적으로 가미된 제도라 할 것이어서, 이에 대하여 재산의 무상취득을 과세원인으로 하는 증여세를 부과할 여지가 없으며, 설령 증여세나 상속세를 면탈할 목적으로 위장이혼하는 것과 같은 경우에 증여와 동일하게 취급할 조세정책적 필요성이 있다 할지라도, 그러한 경우와 진정한 재산분할을 가리려는 입법적 노력 없이 반증의 기회를 부여하지도 않은 채 상속세 인적 공제액을 초과하는 재산을 취득하기만 하면 그 초과 부분에 대하여 증여세를 부과한다는 것은 입법목적과 그 수단간의 적정한 비례관계를 벗어난 것이며 비민주적 조세관의 표현이다. 그러므로 이혼시 재산분할을 청구하여 상속세 인적 공제액을 초과하는 재산을 취득한 경우 그 초과 부분에 대하여 증여세를 부과하는 것은 증여세제의 본질에 반하여 증여라는 과세원인이 없음에도 불구하고 증여세를 부과하는 것이어서 현저히 불합리하고 자의적이며 재산권보장의 헌법이념에 부합하지 않으므로 실질적 조세법률주의에 위배된다.

[2] 이혼시의 재산분할청구로 취득한 재산에 대하여 증여세를 부과하는 주된 입법목적은 배우자의 사망으로 상속받는 재산에 대하여 상속세를 부과하는 것과 과세상 형평을 유지한다는 데 있다고 하나, 이혼과 배우자의 사망은 비록 혼인관계의 종료를 가져온다는 점에서 공통점이 있다 하더라도 그로 인한 재산관계·신분관계는 여러 가지 면에서 차이가 있다. 그러므로 증여세의 상속세 보완세적 기능을 관철하는 데에만 집착한 나머지 배우자상속과 이혼시 재산분할의 재산관계의 본질적이고도 다양한 차이점을 무시하고 이를 동일하게 다루는 것은 본질적으로 다른 것을 같게 다룸으로써 자신의 실질적 공유재산을 청산받는 혼인당사자를 합리적 이유 없이 불리하게 차별하는 것이므로 조세평등주의에 위배된다(헌재 1997.10.30. 96헌바14).

3 '주택'과 '주거용 오피스텔'에 관한 지방세법상 취득세율을 차별하는 것이 위헌인지 여부: 소극 [합헌]

건축법령상 오피스텔은 '업무를 주로 하며, 분양하거나 임대하는 구획 중 일부 구획에서 숙식을 할 수 있도록 한 건축물'로서 주택과 달리 일반업무시설에 해당한다. 주택법도 주택과 오피스텔을 개념상 구별하고 있다.
주택과 오피스텔에 관한 규율의 차이는 주택과 달리 오피스텔의 주기능이 '업무'에 있다는 것에 기인한다. 주택과 오피스텔은 그 법적 개념과 주된 용도가 다름으로 말미암아, 건축기준, 관리방법·기준, 공급·분양 절차 등 여러 가지 주요 사항에 관한 규율에서 구별되는 것이다. 아울러 주택과 오피스텔의 취득세율 체계는 우리나라의 주거 현실이나 주거 정책과도 긴밀히 맞물려 있다고 할 수 있다. 입법자가 오피스텔의 사실상 용도와

관계없이 주택과 오피스텔을 구별하여 그 취득세에 관한 세율 체계를 달리 규정한 것을 두고 비합리적이고 불공정한 조치라 할 수 없으며, 현저히 자의적이라고 보기 어렵다. 심판대상조항이 오피스텔 취득자의 주관적 사용 목적 내지 의사를 고려하지 않았다고 하더라도 그것만을 이유로 조세평등주의에 위배된다는 결론에 이를 수는 없다(헌재 2020.3.26. 2017헌바363).

4 문화재보호구역에 있는 부동산을 재산세 경감 대상으로 규정하면서 역사문화환경 보존지역에 있는 부동산을 재산세 경감 대상으로 규정하지 않은 것이 조세평등주의에 위배되는지 여부: 소극 [합헌]

보호구역은 문화재가 외부환경과의 직접적인 접촉으로 인하여 훼손되지 않도록 하는 데 목적이 있는 반면, 역사문화환경 보존지역은 문화재 주변 경관을 저해하는 이질적 요소들로 인해 문화재의 가치가 하락하지 않도록 하는 데 목적이 있으므로, 양자는 그 취지와 목적을 달리한다. 보호구역에 있는 부동산의 경우 문화재의 보존에 영향을 미칠 우려가 있는지 여부와 무관하게 대부분의 현상 변경 행위에 대하여 허가가 필요하다. 반면, 역사문화환경 보존지역에 있는 부동산의 경우 건설공사의 시행이 지정문화재의 보존에 영향을 미칠 우려가 있는지 여부를 사전에 검토하여 그러한 우려가 있는 경우에만 허가를 받도록 하고 있고, 미리 고시된 행위기준의 범위 안에서 행하여지는 건설공사에 대하여는 위 검토 절차도 생략되므로, 보호구역에 있는 부동산과 비교하여 건설공사의 시행이 더 자유롭게 이루어질 수 있다. 이처럼 보호구역에 있는 부동산과 역사문화환경 보존지역에 있는 부동산은 그 재산권 행사 제한의 정도에 있어서 상당한 차이가 있다. 이상의 점들을 종합하면, 심판대상조항이 보호구역에 있는 부동산을 재산세 경감 대상으로 규정하면서 역사문화환경 보존지역에 있는 부동산을 재산세 경감 대상으로 규정하지 않은 것이 입법재량을 벗어난 합리적 이유 없는 차별에 해당한다고 볼 수 없으므로, 심판대상조항은 조세평등주의에 위배되지 않는다(헌재 2024.1.25. 2020헌바479).

④ 조세법률주의

> 헌법 제59조 조세의 종목과 세율은 법률로 정한다.

㉠ 의의

ⓐ **개념**: 조세법률주의는 법률에 근거가 없으면 국가는 조세를 부과·징수할 수 없고, 국민도 법률에 근거가 없으면 조세납부를 요구받지 아니한다는 원칙을 말한다.

ⓑ **연혁**: 조세법률주의는 영국의 마그나 카르타에서 비롯되었고 1689년의 권리장전, 1776년 미국 버지니아 권리장전에서 "대표 없이 과세 없다."는 원칙으로 확립되어 이후 세계 각국에서 채택되었다. 조세법률주의의 입법례로는 ㉮ 국가나 지방자치단체가 조세를 부과·징수하기 위해서는 의회가 그에 관한 법률을 연도마다 새로이 제정하여야 하는 방식인 일년세주의와 ㉯ 의회가 일단 조세에 관한 법률을 제정하면 그 법률에 따라 국가나 지방자치단체가 몇 년이든 계속하여 조세를 부과·징수할 수 있는 방식인 영구세주의가 있다. 헌법 제59조의 조세법률주의는 영구세주의를 규정한 것이며(통설) 조세법률주의는 과세요건법정주의, 과세요건명확주의, 소급과세금지원칙, 엄격한 해석의 원칙, 실질과세의 원칙 등을 내용으로 한다.

🏛️ **핵심기출 OX**

과세요건, 즉 납세의무자, 과세물건, 과세표준, 과세기간, 세율 등은 법률로 규정해야 하지만 조세의 부과나 징수절차까지 법률로 규정할 필요는 없다. 12. 국회직 8급 (O, ×)

🔟 × 조세법률주의는 조세는 국민의 재산권을 침해하는 것이 되므로 납세의무를 성립시키는 납세의무자, 과세물건, 과세표준, 과세기간, 세율 등의 모든 과세요건과 조세의 부과·징수절차는 모두 국민의 대표기관인 국회가 제정한 법률로 이를 규정하여야 한다는 것(과세요건법정주의)과 또 과세요건을 법률로 규정하였다고 하더라도 그 규정내용이 지나치게 추상적이고 불명확하면 과세관청의 자의적인 해석과 집행을 초래할 염려가 있으므로 그 규정내용이 명확하고 일의적(一義的)이어야 한다는 것(과세요건명확주의)을 그 핵심적 내용으로 하고 있다(헌재 1992.12.24. 90헌바21).

ⓒ **제도적 의의**: 국민의 재산권을 보장함과 동시에 국민의 경제생활에 있어서의 법적 안정성과 예측가능성을 보장하기 위한 것이다.

ⓒ **내용**

ⓐ **과세요건법정주의**: 과세요건법정주의란 납세의무의 중요한 사항 내지 본질적 내용이라고 여겨지는 과세요건인 납세의무자, 과세물건, 과세표준 및 세율뿐 아니라 조세의 부과·징수절차까지 모두 국민의 대표기관인 국회가 제정한 법률로써 규정하여야 한다는 원칙을 말한다. 12. 국회직 8급, 18. 국회직 9급

ⓑ **과세요건명확주의**: 과세요건명확주의란 과세요건의 규정내용이 지나치게 추상적이고 불명확할 경우 과세관청의 자의적인 해석과 집행을 초래할 염려가 있으므로 규정내용이 명확하고 일의적이어야 한다는 원칙을 말한다.

🔍 **판례**

1 구 조세감면규제법 부칙 제23조가 개정법의 시행으로 실효되었음에도 불구하고 실효되지 않은 것으로 해석하는 것이 헌법상의 권력분립원칙과 조세법률주의의 원칙에 위배되어 헌법에 위반되는지 여부: 적극

형벌조항이나 조세법의 해석에 있어서는 헌법상의 죄형법정주의·조세법률주의의 원칙상 엄격하게 법문을 해석하여야 하고 합리적인 이유 없이 확장해석하거나 유추해석할 수는 없는바, '유효한' 법률조항의 불명확한 의미를 논리적·체계적 해석을 통하여 합리적으로 보충하는 데에서 더 나아가 해석을 통하여 전혀 새로운 법률상의 근거를 만들어 내거나, 기존에는 존재하였으나 실효되어 더이상 존재한다고 볼 수 없는 법률조항을 여전히 '유효한' 것으로 해석한다면 이는 법률해석의 한계를 벗어나 '법률의 부존재'로 말미암아 형벌의 부과나 과세의 근거가 될 수 없는 것을 법률해석을 통하여 창설해 내는 일종의 '입법행위'로서 헌법상의 권력분립원칙·죄형법정주의·조세법률주의의 원칙에 반한다. … 과세요건법정주의 및 과세요건명확주의를 포함하는 조세법률주의가 지배하는 조세법의 영역에서는 경과규정의 미비라는 명백한 입법의 공백을 방지하고 형평성의 왜곡을 시정하는 것은 원칙적으로 입법자의 권한이고 책임이지 법문의 한계 안에서 법률을 해석·적용하는 법원이나 과세관청의 몫은 아니다. 뿐만 아니라 구체적 타당성을 이유로 법률에 대한 유추해석 내지 보충적 해석을 하는 것도 어디까지나 '유효한' 법률조항을 대상으로 할 수 있는 것이지 이미 '실효된' 법률조항은 그러한 해석의 대상이 될 수 없다. 따라서 관련 당사자가 공평에 반하는 이익을 얻을 가능성이 있다 하여 **이미 실효된 법률조항을 유효한 것으로 해석하여 과세의 근거로 삼는 것은 과세근거의 창설을 국회가 제정하는 법률에 맡기고 있는 헌법상 권력분립원칙과 조세법률주의의 원칙에 반한다**(헌재 2012.5.31. 2009헌바123). 18. 국회직 8급

2 조세법률주의의 내용

조세법률주의는 **과세요건명확주의**와 **과세요건법정주의**를 그 핵심적 내용으로 하고 있는바, 과세요건명확주의는 과세요건을 법률로 규정하였다고 하더라도 그 규정내용이 지나치게 추상적이고 불명확하면 이에 대한 과세관청의 자의적인 해석과 집행을 초래할 염려가 있으므로 그 규정내용이 명확하고 일의적이어야 한다는 것을 말하며, 과세요건법정주의는 납세의무를 성립시키는 **납세의무자, 과세물건, 과세표준, 과세 기간, 세율** 등의 모든 **과세요건**과 부과·징수절차는 모두 국민의 대표기관인 국회가 제정한 법률로 규정하여야 한다는 것을 말한다(헌재 1999.3.25. 98헌가11). 02. 법무사, 05·11. 법행, 06. 행시, 09. 국가직, 12. 국회직 8급

ⓒ **소급과세금지원칙**: 소급과세금지원칙이란 조세를 납부할 의무가 성립한 소득, 수익, 재산 또는 거래에 대하여 성립 이후의 새로운 세법에 의하여 소급하여 과세하지 않는다는 원칙을 말한다. 소급과세금지원칙에서 소급이란 과세요건완성 전의 사실이나 법률관계를 규율대상으로 하는 진정소급을 의미한다. 이러한 소급과세금지원칙은 조세법률관계에 있어서 법적 안정성을 보장하고 납세자의 신뢰이익의 보호에 기여한다. 따라서 새로운 입법으로 과거에 소급하여 과세하거나 또는 이미 납세의무가 존재하는 경우에도 소급하여 중과세하는 것은 소급입법과세금지원칙에 위반된다(헌재 2004.7.15. 2002헌바63). 13. 지방직

ⓓ **엄격한 해석의 원칙**: 조세법규의 해석에 있어 유추해석이나 확장해석은 허용되지 아니하고 엄격히 해석하여야 하는 것은 조세법률주의에 비추어 당연한 것이다. 비과세나 조세감면의 요건에 관한 규정이라 하더라도 이를 확대해석하면 조세형평의 원칙에 반하는 결과를 초래하게 되기 때문에 과세요건을 정하는 규정과 마찬가지로 엄격히 해석하여야 한다(대판 1990.5.22. 89누7191). 02·10. 법무사, 06. 행시, 09. 국가직, 12. 국회직 9급, 16. 서울시

ⓔ **실질과세의 원칙**: 실질과세의 원칙이란 과세를 함에 있어 법적 형식과 경제적 실질이 서로 다른 때에는 경제적 실질에 따라 과세한다는 원칙을 말한다. 즉, 법적 형식이나 명의, 외관 등과 그 진실, 실태, 경제적 실질 등이 서로 상이한 경우에는 그 진실, 실태, 경제적 실질에 따라 과세한다는 원칙이다.

ⓕ **과세요건입증책임**: 조세부과에 있어 과세요건에 대한 입증책임은 과세관청에 있다.

⚖️ 판례

조세감면규정에도 조세법률주의가 적용되는지 여부: 적극

조세의 감면에 관한 규정은 조세의 부과·징수의 요건이나 절차와 직접 관련되는 것은 아니지만, 납세의무자 상호간에는 **조세의 전가(轉嫁)관계**가 있으므로 특정인이나 특정 계층에 대하여 정당한 이유 없이 조세감면의 우대조치를 하는 것은 특정한 납세자군(群)이 조세의 부담을 다른 납세자군(群)의 부담으로 떠맡기는 것에 다름 아니므로 조세감면의 근거 역시 법률로 정하여야만 하는 것이 국민주권주의나 법치주의의 원리에 부응하는 것이다(헌재 1996.6.26. 93헌바2). 02·09. 법무사, 05·06. 행시, 09. 국가직, 16. 서울시

㉣ **한계**: 사회현상의 복잡다기화와 국회의 전문적·기술적 능력의 한계 및 시간적 적응능력의 한계로 인하여 조세부과에 관련된 모든 법규를 예외 없이 형식적 의미의 법률로써 규정한다는 것은 사실상 불가능할 뿐만 아니라 실제에 적합하지도 않다. 그러므로 경제현실의 변화나 전문적 기술의 발달에 즉시 대응하여야 할 필요 등 부득이한 사정이 있는 경우에는 법률로 규정하여야 할 사항에 관하여 형식적 법률보다 더 탄력성이 있는 **행정입법에 위임함이 허용된다**(헌재 1999.6.24. 98헌바42). 18. 국회직 8급

조세법상 위임입법의 엄격성

국민의 재산권을 직접적으로 제한하거나 침해하는 내용의 조세법규에 있어서는 일반적인 급부행정법규에서와 달리 위임입법의 요건과 범위가 보다 엄격하고 제한적으로 규정되어야 한다(헌재 1995.11.30. 93헌바32).

ⓔ **예외**
　ⓐ **조례에 의한 지방세의 세목규정**

> **지방세기본법 제5조【지방세의 부과·징수에 관한 조례】** ① 지방자치단체는 지방세의 세목, 과세대상, 과세표준, 세율 그 밖에 부과·징수에 필요한 사항을 정할 때에는 이 법 또는 지방세관계법에서 정하는 범위에서 조례로 정하여야 한다.

🔨 **판례**

조세입법권을 지방자치단체의 조례로 위임하는 것이 조세법률주의에 위배되는지 여부: 소극

지방세법이 지방세의 부과와 징수에 관하여 필요한 사항을 조례로 정할 수 있도록 한 것은 지방세법은 그 규율대상의 성질상 어느 정도 요강적 성격(要綱的 性格)을 띨 수밖에 없기 때문이라고 해석된다. 왜냐하면 비록 국민의 재산권에 중대한 영향을 미치는 지방세에 관한 것이라 하더라도 중앙정부가 모든 것을 획일적으로 확정하는 것은 지방자치제도 본래의 취지를 살릴 수 없기 때문이다. 더구나 지방세법의 규정에 의거하여 제정되는 지방세부과에 관한 조례는 주민의 대표로 구성되는 지방의회의 의결을 거치도록 되어 있으므로 법률이 조례로써 과세요건 등을 확정할 수 있도록 조세입법권을 부분적으로 지방자치단체에 위임하였다고 하더라도 조세법률주의의 바탕이 되고 있는 '대표 없는 조세 없다.'는 사상에 반하는 것도 아니다(헌재 1995.10.26. 94헌마242). 15. 사시

　ⓑ **긴급재정경제처분·명령에 의한 조세부과**

> **헌법 제76조** ① 대통령은 내우·외환·천재·지변 또는 중대한 재정·경제상의 위기에 있어서 **국가의 안전보장 또는 공공의 안녕질서를 유지**하기 위하여 긴급한 조치가 필요하고 **국회의 집회를 기다릴 여유가 없을 때**에 한하여 최소한으로 필요한 재정·경제상의 처분을 하거나 이에 관하여 법률의 효력을 가지는 명령을 발할 수 있다. 17. 국회직 9급

　ⓒ **조약에 의한 세율규정**

> **국제조세조정에 관한 법률 제3조【국제거래에 관한 실질과세】** ① 국제거래에서 과세의 대상이 되는 소득, 수익, 재산, 행위 또는 거래의 귀속에 관하여 사실상 귀속되는 자가 명의자와 다른 경우에는 사실상 귀속되는 자를 납세의무자로 하여 조세조약을 적용한다.
> ② 국제거래에서 과세표준의 계산에 관한 규정은 소득, 수익, 재산, 행위 또는 거래의 명칭이나 형식과 관계없이 그 실질내용에 따라 조세조약을 적용한다.

③ 국제거래에서 조세조약 및 이 법의 혜택을 부당하게 받기 위하여 제3자를 통한 간접적인 방법으로 거래하거나 둘 이상의 행위 또는 거래를 거친 것으로 인정되는 경우에는 그 경제적 실질에 따라 당사자가 직접 거래한 것으로 보거나 연속된 하나의 행위 또는 거래로 보아 조세조약과 이 법을 적용한다.

제4조【다른 법률과의 관계】① 이 법은 국세와 지방세에 관하여 규정하는 다른 법률보다 우선하여 적용한다.
② 국제거래에 대해서는 소득세법 제41조와 법인세법 제52조를 적용하지 아니한다. 다만, 대통령령으로 정하는 자산의 증여 등에 대해서는 그러하지 아니하다.

2. 예산심의 · 확정권

(1) 예산의 의의

① **개념**: 예산이란 일(1) 회계연도에 있어서 국가의 세입·세출의 예정계획을 내용으로 하고, 국회의 의결로써 성립하는 법규범의 일종을 말한다.

② **성질**: 예산은 예산을 법률의 형식으로 의결하는 **예산법률주의**(예 영국, 미국, 독일, 프랑스 등)와 예산을 법률과는 다른 특수한 형식으로 의결하는 **예산특수의결주의**(예 일본, 스위스, 우리나라 등)가 있다.

우리 헌법은 법률의결권과는 별도로 헌법 제54조에서 예산의결권을 규정하여 법률과 예산의 형식을 구별하고 있는바, 여기에 예산의 성질(본질)이 문제된다.

　㉠ **법규범설(통설)**: 예산은 법규범의 일종이고, 다만 일반 법규범이 국민과 국가기관을 동시에 구속하는 것이라면 예산은 관계국가기관만을 구속한다는 점에서 구별된다고 한다.

　㉡ **세출승인설(법규범부인설)**: 예산은 법규범의 일종이 아니라 정부의 세출에 대하여 국회가 의결로써 행하는 세출승인행위라고 한다.

③ **예산과 법률 비교**

구분	예산	법률
형식	예산(비법률)	법률
제출권자	정부	정부·국회
국회의 심의절차	• 폐지·삭감: 가능 • 증액·항목신설: 정부의 동의 없이 불가	수정자유
관보게재형식	공고	공포
효력상의 차이	의결로써 효력발생 05. 사시	공포가 효력발생요건
거부권행사	• 불인정 05. 법행, 08. 국회직 • 국회는 예산심의를 전면 거부할 수 없음 • 대통령은 국회에서 통과된 예산안에 대하여 거부권을 행사할 수 없음	인정

시간적 효력	일(1) 회계연도 내	개폐될 때까지 유효
기속력의 대상	국가기관만 08. 국회직 8급	국가기관·국민 모두

(2) 예산의 성립절차

① 예산안의 편성·제출 – 정부

> **헌법 제54조** ② 정부는 회계연도마다 예산안을 편성하여 회계연도 개시 90일 전까지 국회에 제출하고, …. 17. 국가직
>
> **국가재정법 제33조【예산안의 국회제출】** 정부는 대통령의 승인을 얻은 예산안을 회계연도 개시 120일 전까지 국회에 제출하여야 한다.

예산은 국가의 세입·세출을 단일회계로 통일하여 편성하고(단일예산주의), 국가의 총수입과 총지출을 계상하여 편성하며(총계예산주의), 일 회계연도마다 편성한다(예산일년주의).

② 예산안의 심의·수정·의결 – 국회

> **헌법 제54조** ① 국회는 국가의 예산안을 심의·확정한다.
> ② …, 국회는 회계연도 개시 30일 전까지 이를 의결하여야 한다. 17. 국가직
>
> **제57조** 국회는 정부의 동의 없이 정부가 제출한 지출예산 각 항의 금액을 증가하거나 새 비목을 설치할 수 없다.❶ 05. 국회직 8급, 08. 법원직, 18. 지방직
>
> **국회법 제84조【예산안·결산의 회부 및 심사】** ① 예산안과 결산은 소관상임위원회에 회부하고, 소관상임위원회는 **예비심사**를 하여 그 결과를 의장에게 보고한다. 이 경우 예산안에 대해서는 본회의에서 **정부의 시정연설**을 듣는다.
> ② 의장은 예산안과 결산에 제1항의 보고서를 첨부하여 이를 예산결산특별위원회에 회부하고 그 심사가 끝난 후 본회의에 부의한다. 결산의 심사 결과 위법하거나 부당한 사항이 있는 경우에 국회는 본회의 의결 후 정부 또는 해당 기관에 변상 및 징계조치 등 그 시정을 요구하고, 정부 또는 해당 기관은 시정요구를 받은 사항을 지체 없이 처리하여 그 결과를 국회에 보고하여야 한다.
> ③ 예산결산특별위원회의 예산안 및 결산 심사는 제안설명과 전문위원의 검토보고를 듣고 종합정책질의, 부별 심사 또는 분과위원회 심사 및 찬반토론을 거쳐 표결한다. 이 경우 위원장은 종합정책질의를 할 때 간사와 협의하여 각 교섭단체별 대표질의 또는 교섭단체별 질의시간 할당 등의 방법으로 그 기간을 정한다.

---

❶ 예산안의 삭감금지 – 헌법 제57조 관련
조약이나 법률로써 확정된 금액(법률비)과 채무부담행위(의무비)로서 전년도에 이미 국회의 의결을 얻은 금액은 삭감할 수 없다는 것이 통설이다. 06. 행시

④ 정보위원회는 제1항과 제2항에도 불구하고 국가정보원 소관 예산안과 결산, 국가정보원법 제4조 제1항 제5호에 따른 정보 및 보안 업무의 기획·조정 대상 부처 소관의 정보 예산안과 결산에 대한 심사를 하여 그 결과를 해당 부처별 총액으로 하여 의장에게 보고하고, 의장은 정보위원회에서 심사한 예산안과 결산에 대하여 총액으로 예산결산특별위원회에 통보한다. 이 경우 정보위원회의 심사는 예산결산특별위원회의 심사로 본다.

⑤ 예산결산특별위원회는 소관상임위원회의 예비심사 내용을 존중하여야 하며, 소관상임위원회에서 삭감한 세출예산 각 항의 금액을 증가하게 하거나 새 비목(費目)을 설치할 경우에는 소관상임위원회의 동의를 받아야 한다. 다만, 새 비목의 설치에 대한 동의 요청이 소관상임위원회에 회부되어 회부된 때부터 72시간 이내에 동의 여부가 예산결산특별위원회에 통지되지 아니한 경우에는 소관상임위원회의 동의가 있는 것으로 본다.

⑥ 의장은 예산안과 결산을 소관상임위원회에 회부할 때에는 심사기간을 정할 수 있으며, 상임위원회가 이유 없이 그 기간 내에 심사를 마치지 아니한 때에는 이를 바로 예산결산특별위원회에 회부할 수 있다.

제85조의3【예산안 등의 본회의 자동 부의 등】 ① 위원회는 예산안, 기금운용계획안, 임대형 민자사업 한도액안(이하 "예산안 등"이라 한다)과 제4항에 따라 지정된 세입예산 부수 법률안의 심사를 **매년 11월 30일까지** 마쳐야 한다. 14. 국회직

② 위원회가 예산안 등과 제4항에 따라 지정된 세입예산 부수 법률안(체계·자구 심사를 위하여 법제사법위원회에 회부된 법률안을 포함한다)에 대하여 제1항에 따른 기한까지 심사를 마치지 아니하였을 때에는 그 다음 날에 위원회에서 심사를 마치고 바로 본회의에 부의된 것으로 본다. 다만, 의장이 각 교섭단체 대표의원과 합의한 경우에는 그러하지 아니하다.

제95조【수정동의】 ① 의안에 대한 수정동의(修正動議)는 그 안을 갖추고 이유를 붙여 **30명 이상**의 찬성 의원과 연서하여 미리 의장에게 제출하여야 한다. 다만, 예산안에 대한 수정동의는 의원 **50명 이상**의 찬성이 있어야 한다. 07.사시, 11. 법무사

국가재정법 제35조【국회제출 중인 예산안의 수정】 정부는 예산안을 국회에 제출한 후 부득이한 사유로 인하여 그 내용의 일부를 수정하고자 하는 때에는 국무회의의 심의를 거쳐 대통령의 승인을 얻은 수정예산안을 국회에 제출할 수 있다.

(3) 예산의 내용

예산은 예산총칙, 세입세출예산, 계속비, 명시이월비와 국고채무부담행위를 총칭한다(국가재정법 제19조).

① 계속비

> **헌법 제55조** ① 한 회계연도를 넘어 계속하여 지출할 필요가 있을 때에는 정부는 연한을 정하여 계속비로서 국회의 의결을 얻어야 한다.

② 예비비

> **헌법 제55조** ② 예비비는 총액으로 국회의 의결을 얻어야 한다. 예비비의 지출은 차기 국회의 승인을 얻어야 한다. 17. 입시

핵심기출 OX

01 법률안에 대한 수정동의는 국회의원 30명 이상의 찬성을 요하지만 예산상의 조치를 수반하는 법률안에 대한 수정동의는 국회의원 50명 이상의 찬성을 요한다. 07. 사시 (○, ×)

답 × 예산상 조치를 수반하는 법률안에 대한 수정동의도 30명 이상의 찬성이면 가능하다. 예산안에 대한 수정동의는 50명 이상의 찬성이 있어야 한다(국회법 제95조 제1항).

02 정부는 예산안을 국회에 제출한 후 부득이한 사유로 인하여 그 내용의 일부를 수정하고자 하는 때에는 국무회의의 심의를 거쳐 국무총리의 승인을 얻은 수정예산안을 국회에 제출할 수 있다. 22. 지방직 (○, ×)

답 ×

03 예산안은 국회의 의결에 의하여 성립하고 정부에 이송되어 대통령이 공고함으로써 효력이 발생한다. 05. 사시 (○, ×)

답 × 법률은 공포를 효력발생요건으로 하나 예산은 국회의 의결로써 효력이 발생한다.

04 대통령은 법률안의 경우와 마찬가지로 국회에서 통과된 예산안에 대하여 거부권을 행사할 수 있다. 05. 법행 (○, ×)

답 × 예산안에 대하여는 거부권을 행사할 수 없다.

05 정부는 예측할 수 없는 예산 외의 지출 또는 예산초과지출에 충당하기 위하여 일반회계 예산총액의 100분의 1 이내의 금액을 예비비로 세입세출예산에 계상할 수 있는데, 이 경우 예비비의 지출은 차기 국회의 승인을 얻을 필요가 없다. 17. 입시 (○, ×)

답 × 예비비의 지출은 차기 국회의 승인을 얻어야 한다.

예비비는 총액으로 국회의 의결을 요하며, 예비비의 개별적 지출은 차기 국회의 승인을 요한다. 다만, 차기 국회의 승인을 얻지 못하더라도 지출 행위 그 자체의 효력에는 영향이 없으나 정치적 책임을 진다.

(4) 예산의 종류

① **임시예산(준예산):** 건국헌법에서 1948년부터 1960년까지 사용한 것은 가예산(假豫算)제도이다.

> 헌법 제54조 ② 정부는 회계연도마다 예산안을 편성하여 회계연도 개시 90일 전까지 국회에 제출하고, 국회는 회계연도 개시 30일 전까지 이를 의결하여야 한다.
> ③ 새로운 회계연도가 개시될 때까지 예산안이 의결되지 못한 때에는 정부는 국회에서 예산안이 의결될 때까지 다음의 목적을 위한 경비는 **전년도 예산에 준하여 집행할 수 있다.** 04. 법행, 05. 행시·입시, 18. 지방직
> 1. 헌법이나 법률에 의하여 설치된 기관 또는 시설의 유지·운영
> 2. 법률상 지출의무의 이행
> 3. 이미 예산으로 승인된 사업의 계속

개념PLUS+ 준예산·잠정예산·가예산의 비교

구분	기간제한	국회의결	지출항목	채택국가	채택된 경우
준예산	제한 없음	불필요	한정적	한국·독일	제2공화국 헌법 이후 채택
잠정예산	제한 없음	필요	전반적	영국·캐나다·일본	채택한 바 없음
가예산	1개월	필요	전반적	프랑스 (제3·4공화국)	제1공화국 헌법에서 채택

② **추가경정예산**

> 헌법 제56조 정부는 예산에 변경을 가할 필요가 있을 때에는 추가경정예산안을 편성하여 국회에 제출할 수 있다.
>
> **국가재정법 제89조【추가경정예산안의 편성】** ① 정부는 다음 각 호의 어느 하나에 해당하게 되어 이미 확정된 예산에 변경을 가할 필요가 있는 경우에는 추가경정예산안을 편성할 수 있다. 19. 경정승진
> 1. 전쟁이나 대규모 재해가 발생한 경우
> 2. 경기침체, 대량실업, 남북관계의 변화, 경제협력과 같은 대내·외 여건에 중대한 변화가 발생하였거나 발생할 우려가 있는 경우
> 3. 법령에 따라 국가가 지급하여야 하는 지출이 발생하거나 증가하는 경우

3. 결산심사권

> 헌법 제99조 감사원은 세입·세출의 결산을 매년 검사하여 대통령과 **차년도 국회**에 그 결과를 보고하여야 한다.

4. 기타 정부재정행위에 대한 권한

(1) 긴급재정경제처분 · 명령에 대한 승인권 19. 국가직

> 헌법 제76조 ① 대통령은 내우 · 외환 · 천재 · 지변 또는 중대한 재정 · 경제상의 위기에 있어서 국가의 안전보장 또는 공공의 안녕질서를 유지하기 위하여 긴급한 조치가 필요하고 국회의 집회를 기다릴 여유가 없을 때에 한하여 최소한으로 필요한 재정 · 경제상의 처분을 하거나 이에 관하여 법률의 효력을 가지는 명령을 발할 수 있다.
> ③ 대통령은 제1항과 제2항의 처분 또는 명령을 한 때에는 **지체 없이 국회에 보고하여 그 승인을 얻어야 한다.**

(2) 예비비지출에 대한 승인권

> 헌법 제55조 ② 예비비는 총액으로 국회의 의결을 얻어야 한다. 예비비의 지출은 차기 국회의 승인을 얻어야 한다. 18. 행시

(3) 기채동의권과 예산 외에 국가의 부담이 될 계약체결에 대한 동의권

> 헌법 제58조 국채를 모집하거나 예산 외에 국가의 부담이 될 계약을 체결하려 할 때에는 정부는 미리 국회의 의결을 얻어야 한다. 10. 사시

(4) 재정적 부담을 지우는 조약의 체결 · 비준에 대한 동의권

> 헌법 제60조 ① 국회는 … 국가나 국민에게 중대한 재정적 부담을 지우는 … 조약의 체결 · 비준에 대한 동의권을 가진다.

4 헌법기관구성에 관한 권한

1. 대통령 선출권

> 헌법 제67조 ① 대통령은 국민의 보통 · 평등 · 직접 · 비밀선거에 의하여 선출한다.
> ② 제1항의 선거에 있어서 최고득표자가 2인 이상인 때에는 국회의 **재적의원 과반수가 출석한 공개회의에서 다수표를 얻은 자**를 당선자로 한다. 04. 국가직, 19. 서울시

2. 헌법기관 선출권

(1) 헌법재판소 재판관 일부 선출권

> 헌법 제111조 ② 헌법재판소는 법관의 자격을 가진 9인의 재판관으로 구성하며, 재판관은 대통령이 임명한다.
> ③ 제2항의 재판관 중 3인은 국회에서 선출하는 자를, 3인은 **대법원장이 지명하는** 자를 임명한다.

(2) 중앙선거관리위원회위원의 일부 선출권

> 헌법 제114조 ② 중앙선거관리위원회는 **대통령**이 임명하는 3인, **국회**에서 선출하는 3인과 **대법원장**이 지명하는 3인의 위원으로 구성한다. 위원장은 위원 중에서 **호선**한다.

3. 헌법기관구성에 관한 동의권

(1) 국무총리 임명동의권

> 헌법 제86조 ① 국무총리는 국회의 동의를 얻어 대통령이 임명한다.

국무총리 임명에 있어서의 동의는 사전동의를 의미한다. 건국헌법은 선임명후동의제(국무총리는 대통령이 임명하고 국회의 승인을 얻어야 한다)를 규정하였으나, 1972년 유신헌법 이후에는 선동의후임명제(국무총리는 국회의 동의를 얻어 대통령이 임명한다)를 채택하고 있다.

(2) 대법원장과 대법관 임명동의권

> 헌법 제104조 ① 대법원장은 국회의 동의를 얻어 대통령이 임명한다.
> ② 대법관은 대법원장의 제청으로 국회의 동의를 얻어 **대통령이 임명한다.** 18. 서울시

(3) 헌법재판소장 임명동의권

> 헌법 제111조 ④ 헌법재판소의 장은 국회의 동의를 얻어 재판관 중에서 대통령이 임명한다. 18. 서울시, 20. 법원직 9급

(4) 감사원장 임명동의권

> 헌법 제98조 ② (감사)원장은 국회의 동의를 얻어 대통령이 임명하고 ….

5 국정통제에 관한 권한

1. 의의

국정통제권이란 의회가 그 밖의 국가기관들을 감시·비판·견제하는 권한을 말한다. 이러한 국정통제권은 정부형태에 따라 그 내용에 차이가 있다. 의원내각제에서는 의회가 국가최고기관을 의미하므로 광범하고 강력한 국정통제권을 행사할 수 있으나, 대통령제에서는 권한의 균형을 이상으로 하므로 의회의 국정통제권도 상대적으로 미약하다.

2. 탄핵소추권

(1) 탄핵제도

① **의의:** 탄핵제도란 일반 사법절차에 의해서는 책임을 추궁하기가 곤란한 고위직 공무원이 직무상 위법행위를 한 경우에 이를 의회가 소추하는 제도를 말한다. 우리나라의 탄핵제도는 미국, 독일 등과 마찬가지로 **징계적 처벌의 성질**을 가지므로, 공직만을 박탈할 뿐이다.

> **헌법 제65조** ④ 탄핵결정은 공직으로부터 파면함에 그친다. 그러나 이에 의하여 민사상이나 형사상의 책임이 면제되지는 아니한다. 06. 법행, 11. 법무사

② **연혁**

- ㉠ 근대적 의미의 탄핵제도는 14세기 영국에서 출발하였다.
- ㉡ 1805년 멜빌(Melville) 사건에 이르기까지 70여 건에 달하는 탄핵소추가 이루어졌다.
- ㉢ 미국에서 1868년 존슨(Andrew Johnson) 대통령이 최초로 하원에서 탄핵소추되었으나 상원에서 부결되었으며, 제37대 닉슨(R. Nixon) 대통령은 1974년 하원에서 탄핵소추가 발의되자 사임하였다.
- ㉣ 1998년에 빌 클린턴(Bill Clinton) 대통령에 대한 탄핵소추안이 하원에서 통과되었으나 상원에서 부결되었다. 2019년, 2021년에 트럼프 대통령에 대한 두 차례의 탄핵소추안이 하원에서 통과되었으나 상원에서 모두 부결되었다.

(2) 국회의 탄핵소추권

> **헌법 제65조** ① 대통령, 국무총리, 국무위원, 행정각부의 장, 헌법재판소 재판관, 법관, 중앙선거관리위원회 위원, 감사원장, 감사위원 기타 법률이 정한 공무원이 그 직무집행에 있어서 헌법이나 법률을 위배한 때에는 국회는 탄핵의 소추를 의결할 수 있다. 04. 법행, 14. 법무사, 19. 서울시

① **소추기관**: 현행헌법상 탄핵소추기관은 국회이다(제65조 제1항). 헌법재판소제도가 없는 양원제 국가에서는 보통 **하원이 소추기관이 되고 상원이 심판기관이 된다**(예 미국, 영국). 일본은 탄핵심판소가 심판기관이다. 반면 헌법재판소제도가 있는 양원제 국가에서는 양원이 소추기관이 되고 헌법재판소가 심판기관이 된다.

② **소추대상자**: 헌법 제65조 제1항은 탄핵소추대상자로 **대통령, 국무총리, 국무위원, 행정각부의 장, 헌법재판소 재판관, 법관, 중앙선거관리위원회 위원, 감사원장, 감사위원 기타 법률이 정한 공무원**을 들고 있다. 이때 기타 법률이 정한 공무원의 범위는 장차 입법에 의하여 정해지겠지만, 현행법상 **검사**, 06. 법행 **경찰청장**, 방송통신위원회 위원장, 원자력안전위원회 위원장, 각급선거관리위원회의 위원, 국가수사본부장, 특별검사 및 특별검사보, 고위공직자범죄수사처 처장 및 차장과 수사처검사 등이 있다. 단, 국회의원은 탄핵대상이 되지 않는다. 14. 법무사

③ **소추사유**

- ㉠ **직무집행과 관련될 것**: 탄핵소추의 사유는 직무집행과 관련된 것임을 요한다. '직무집행에 있어서'의 '직무'란 법제상 소관 직무에 속하는 고유 업무 및 통념상 이와 관련된 업무를 말한다. 따라서 직무상의 행위란 법령, 조례 또는 행정관행·관례에 의하여 그 지위의 성질상 필요로 하거나 수반되는 모든 행위나 활동을 의미한다(헌재 2004.5.14. 2004헌나1). 09. 사시 그러나 직무집행과 관계가 없는 사생활에 관한 사항이나 취임 전 또는 퇴직 후의 행위는 탄핵소추의 사유가 될 수 없다.

🏛 핵심기출 OX

01 헌법재판소의 장은 국회의 동의를 얻어 재판관 중에서 대통령이 임명한다. 20. 법원직 9급 (O, ×)

답 O

02 탄핵결정은 징계적 처벌이므로 탄핵결정과 민·형사재판간에는 일사부재리의 원칙이 적용되지 않는다. 06. 법행 (O, ×)

답 O

03 탄핵심판·결정권을 가진 헌법재판소의 재판관에 대하여는 탄핵의 대상에서 제외하고 있다. 04. 법행 (O, ×)

답 × 헌법은 탄핵대상자에 헌법재판소 재판관도 포함하고 있다(헌법 제65조 제1항).

04 헌법에서 직접 규정하고 있는 탄핵소추대상자에는 국가정보원장, 검사, 대통령비서실장, 법제처장, 법관 등이 있다. 14. 법무사 변형 (O, ×)

답 × 국가정보원장·대통령비서실장·법제처장은 탄핵의 대상이 아니며, 검사는 검찰청법상 탄핵대상자이다. 법관만 헌법 제65조 제1항에 명시된 탄핵소추대상자에 해당한다.

05 헌법 제65조 제1항이 규정하고 있는 탄핵사유 중 '직무집행에 있어서'의 '직무'란, 법제상 소관 직무에 속하는 고유 업무 및 통념상 이와 관련된 업무를 말하지만, 직무상의 행위에 행정관행·관례에 의하여 그 지위의 성질상 필요로 하거나 수반되는 행위나 활동까지 포함하는 것은 아니다. 09. 사시 (O, ×)

답 × '직무집행에 있어서'의 '직무'란, 법제상 소관 직무에 속하는 고유 업무 및 통념상 이와 관련된 업무를 말한다. 따라서 직무상의 행위란, 법령·조례 또는 행정관행·관례에 의하여 그 지위의 성질상 필요로 하거나 수반되는 모든 행위나 활동을 의미한다. 이에 따라 대통령의 직무상 행위는 법령에 근거한 행위뿐만 아니라, '대통령의 지위에서 국정수행과 관련하여 행하는 모든 행위'를 포괄하는 개념으로서, 예컨대 각종 단체·산업현장 등 방문행위, 준공식·공식만찬 등 각종 행사에 참석하는 행위, 대통령이 국민의 이해를 구하고 국가정책을 효율적으로 수행하기 위하여 방송에 출연하여 정부의 정책을 설명하는 행위, 기자회견에 응하는 행위 등을 모두 포함한다.

⚖️ **판례**

대통령의 직무상 행위에 '대통령당선자'의 지위에서의 행위도 포함되는지 여부:

소극 08. 사시

[1] 대통령의 직무상 행위는 법령에 근거한 행위뿐만 아니라 '대통령의 지위에서 국정수행과 관련하여 행하는 모든 행위'를 포괄하는 개념으로서 예컨대 각종 단체·산업현장 등 방문행위, 준공식·공식만찬 등 각종 행사에 참석하는 행위, 대통령이 국민의 이해를 구하고 국가정책을 효율적으로 수행하기 위하여 방송에 출연하여 정부의 정책을 설명하는 행위, **기자회견에 응하는 행위** 등을 모두 포함한다.

[2] 탄핵사유의 요건을 '직무'집행으로 한정하고 있으므로, 해당 규정의 해석상 대통령의 직위를 보유하고 있는 상태에서 범한 법 위반행위만이 소추사유가 될 수 있다고 보아야 한다. 따라서 **당선 후 취임시까지의 기간에 이루어진 대통령의 행위도 소추사유가 될 수 없다.** … 대통령당선자의 지위와 권한은 대통령의 직무와는 근본적인 차이가 있고, 이 시기 동안의 불법정치자금수수 등의 위법행위는 형사소추의 대상이 되므로 헌법상 탄핵사유에 대한 해석을 달리할 근거가 없다(헌재 2004.5.14. 2004헌나1).

✅ **주의** 대통령당선자의 행위: 탄핵사유 ×, 형사소추사유 ○

ⓛ **헌법과 법률에 위배될 것**: 헌법과 법률에 위배된다고 할 때의 헌법에는 형식적 의미의 헌법뿐만 아니라 헌법적 관행도 포함되며, 법률에는 형식적 의미의 법률뿐만 아니라 법률과 동등한 효력을 가지는 국제조약, 일반적으로 승인된 국제법규, 긴급명령 등이 포함된다(통설). 09. 사시, 19. 지방직 다만, 해임건의사유와는 달리 단순한 부도덕이나 정치적 무능력 또는 정책결정상의 과오는 탄핵사유가 될 수 없다. 16. 국가직 헌법재판소도 "헌법 제65조 제1항은 탄핵사유를 '헌법이나 법률에 위배한 때'로 제한하고 있고, 헌법재판소의 탄핵심판절차는 법적인 관점에서 단지 탄핵사유의 존부만을 판단하는 것이므로 정치적 무능력이나 정책결정상의 잘못 등 직책수행의 성실성 여부는 그 자체로서 소추사유가 될 수 없어 탄핵심판절차의 판단대상이 되지 아니한다."라고 하였다(헌재 2004.5.14. 2004헌나1). 13. 변호사

⚖️ **판례**

'헌법이나 법률에 위배한 때'의 의미

헌법은 탄핵사유를 '헌법이나 법률에 위배한 때'로 규정하고 있는데 '헌법'에는 **명문의 헌법 규정**뿐만 아니라 헌법재판소의 결정에 의하여 형성되어 확립된 **불문헌법도 포함**된다. '법률'이란 단지 형식적 의미의 법률 및 그와 동등한 효력을 가지는 **국제조약, 일반적으로 승인된 국제법규** 등을 의미한다(헌재 2004.5.14. 2004헌나1). 09. 법행·사시, 19. 지방직

④ **발의와 의결**

> **헌법 제65조** ② 제1항의 탄핵소추는 국회재적의원 3분의 1 이상의 발의가 있어야 하며, 그 의결은 **국회재적의원** 과반수의 찬성이 있어야 한다. 08. 법무사 다만, 대통령에 대한 탄핵소추는 국회재적의원 과반수의 발의와 국회재적의원 3분의 2 이상의 찬성이 있어야 한다. 13. 국가직

국회법 제130조【탄핵소추의 발의】① 탄핵소추가 발의되었을 때에는 의장은 발의된 후 처음 개의하는 본회의에 보고하고, 본회의는 의결로 법제사법위원회에 회부하여 조사하게 할 수 있다. 11. 법무사

② 본회의가 제1항에 따라 탄핵소추안을 법제사법위원회에 회부하기로 의결하지 아니한 경우에는 본회의에 보고된 때부터 **24시간 이후 72시간 이내**에 탄핵소추 여부를 **무기명투표**로 표결한다. 이 기간 내에 표결하지 아니한 탄핵소추안은 폐기된 것으로 본다. 08·10. 법행, 10. 사시

⚖ 판례

1 탄핵소추절차에도 적법절차원칙이 적용되는지 여부: 소극

국가기관이 국민과의 관계에서 공권력을 행사함에 있어서 준수하여야 할 법원칙으로서 형성된 적법절차의 원칙을 국가기관에 대하여 헌법을 수호하고자 하는 탄핵소추절차에는 직접 적용할 수 없다(헌재 2004.5.14. 2004헌나1). 08. 법행·법무사

✓ 주의
탄핵심판절차에는 적법절차원리가 적용되지 않는다. (×)
⇨ '탄핵소추절차'에 적법절차원리가 적용되지 않는다. (○)

2 탄핵대상공무원이 그 직무집행에 있어서 헌법이나 법률을 위배한 때 국회에 탄핵소추의결을 하여야 할 작위의무가 있는지 여부: 소극

헌법 제65조 제1항은 국회의 탄핵소추의결이 국회의 재량행위임을 명문으로 밝히고 있고 헌법해석상으로도 국정통제를 위하여 헌법상 국회에 인정된 다양한 권한 중 어떠한 것을 행사하는 것이 적절한 것인가에 대한 판단권은 오로지 국회에 있다고 보아야 할 것이다(헌재 1996.2.29. 93헌마186). 09. 사시

3 탄핵소추를 하기 전 법제사법위원회에 회부하여 조사하게 하는 것이 의무인지 여부: 소극

[1] 국회가 탄핵소추를 하기 전에 소추사유에 관하여 충분한 조사를 하는 것이 바람직하나, 국회법 제130조 제1항에 의하면 "탄핵소추의 발의가 있은 때에는 … 본회의는 의결로 법제사법위원회에 회부하여 조사하게 할 수 있다."라고 하여 조사의 여부를 국회의 재량으로 규정하고 있으므로, 이 사건에서 국회가 별도의 조사를 하지 않았다 하더라도 헌법이나 법률을 위반하였다고 할 수 없다.

[2] 법제사법위원회에 회부되지 않은 탄핵소추안에 대하여 "본회의에 보고된 때로부터 24시간 이후 72시간 이내에 탄핵소추의 여부를 무기명투표로 표결한다."라고 규정하고 있는 국회법 제130조 제2항을 탄핵소추에 관한 특별 규정인 것으로 보아 '탄핵소추의 경우에는 질의와 토론 없이 표결할 것을 규정한 것'으로 해석할 여지가 있기 때문에 국회의 자율권과 법해석을 존중한다면 이러한 법해석이 자의적이거나 잘못되었다고 볼 수 없다(헌재 2004.5.14. 2004헌나1). 18. 서울시

⑤ 소추의 효과

헌법 제65조 ③ 탄핵소추의 의결을 받은 자는 탄핵심판이 있을 때까지 그 권한행사가 정지된다. 11. 법행

국회법 제134조【소추의결서의 송달과 효과】① 탄핵소추가 의결되었을 때에는 의장은 지체 없이 소추의결서의 정본을 **법제사법 위원장인 소추위원**에게 송달하고, 그 등본을 헌법재판소, 소추된 사람과 그 소속 기관의 장에게 송달한다.

② 소추의결서가 송달되었을 때에는 소추된 사람의 권한행사는 정지되며, 임명권자는 소추된 사람의 사직원을 접수하거나 소추된 사람을 해임할 수 없다. 06. 사시, 06 · 09 · 12. 법행, 11. 법무사, 14. 경정승진

⊘ **주의** 권한행사의 정지요건 및 시점
- 발의: 권한행사정지 ×
- 의결: 권한행사정지 ○
- 권한정지시점: 소추의결서가 피소추자에게 송달된 때

(3) 헌법재판소에 의한 탄핵심판

① 심판기관

> 헌법 제111조 ① 헌법재판소는 다음 사항을 관장한다.
> 2. 탄핵의 심판 19. 서울시

㉠ 탄핵심판기관에 관한 입법례로는 ⓐ 상원이 하는 예(예 영국, 미국), ⓑ 헌법법원으로 하는 예(예 독일), ⓒ 독립된 탄핵법원이 하는 예(예 일본의 탄핵심판소) 등이 있다.

㉡ 우리나라의 경우 제1공화국(건국 · 제1차 · 제2차)은 **탄핵재판소**, 제2공화국(제3차 · 제4차)은 **헌법재판소**, 제3공화국(제5차 · 제6차)은 **탄핵심판위원회**, 제4공화국(제7차) · 제5공화국(제8차)은 **헌법위원회**에서 탄핵심판을 담당하였고, 현행헌법상으로는 헌법재판소에서 담당하고 있다.

② 심판개시

> **국회법 제134조【소추의결서의 송달과 효과】** ① 탄핵소추가 의결되었을 때에는 의장은 지체 없이 소추의결서의 정본을 **법제사법 위원장인 소추위원**에게 송달하고, 그 등본을 헌법재판소, 소추된 사람과 그 소속 기관의 장에게 송달한다.
>
> **헌법재판소법 제49조【소추위원】** ① 탄핵심판에서는 국회 **법제사법위원회의 위원장**이 소추위원이 된다. 10. 법행 · 사시, 19. 서울시
> ② 소추위원은 헌법재판소에 소추의결서의 정본을 제출하여 탄핵심판을 청구하며, 심판의 변론에서 피청구인을 신문할 수 있다. 19. 서울시

③ 심판절차

> **헌법재판소법 제30조【심리의 방식】** ① 탄핵의 심판, 정당해산의 심판 및 권한쟁의의 심판은 구두변론에 의한다. 11. 법무사, 12. 국가직
>
> **제51조【심판절차의 정지】** 피청구인에 대한 탄핵심판청구와 동일한 사유로 형사소송이 진행되고 있는 경우에는 재판부는 심판절차를 **정지할 수 있다.** 03. 법행, 04. 국회직, 11. 법무사
>
> **제52조【당사자의 불출석】** ① 당사자가 변론기일에 출석하지 아니하면 다시 기일을 정하여야 한다.
> ② 다시 정한 기일에도 당사자가 출석하지 아니하면 그의 출석 없이 심리할 수 있다.
>
> **제40조【준용규정】** ① 헌법재판소의 심판절차에 관하여는 이 법에 특별한 규정이 있는 경우를 제외하고는 **헌법재판의 성질에 반하지 아니하는 한도에서 민사소송에 관한 법령**을 준용한다. 이 경우 탄핵심판의 경우에는 **형사소송에 관한 법령**을 준용하고, 권한쟁의심판 및 헌법소원심판의 경우에는 **행정소송법**을 함께 준용한다.

② 제1항 후단의 경우에 형사소송에 관한 법령 또는 행정소송법이 민사소송에 관한 법령에 저촉될 때에는 민사소송에 관한 법령은 준용하지 아니한다.

⚖ 판례

국회의 탄핵소추사유에 헌법재판소가 구속을 받는지 여부: 적극

헌법재판소는 사법기관으로서 원칙적으로 탄핵소추기관인 국회의 탄핵소추의결서에 기재된 소추사유에 의하여 구속을 받는다. 따라서 헌법재판소는 탄핵소추의결서에 기재되지 아니한 소추사유를 판단의 대상으로 삼을 수 없다. 그러나 탄핵소추의결서에서 그 위반을 주장하는 '법규정의 판단'에 관하여 헌법재판소는 원칙적으로 구속을 받지 않으므로 청구인이 그 위반을 주장한 법규정 외에 다른 관련 법규정에 근거하여 탄핵의 원인이 된 사실관계를 판단할 수 있다. 또한 헌법재판소는 소추사유의 판단에 있어서 국회의 탄핵소추의결서에서 분류된 소추사유의 체계에 의하여 구속을 받지 않으므로, 소추사유를 어떠한 연관관계에서 법적으로 고려할 것인가의 문제는 전적으로 헌법재판소의 판단에 달려있다(헌재 2004.5.14. 2004헌나1). 09. 법행·사시

☑ **주의** 탄핵소추의결서에 의한 헌법재판소 구속
- 소추사유: 구속 ○
- 법규정의 판단: 구속 ×

(4) 탄핵의 결정

① 의결정족수

> **헌법 제113조** ① 헌법재판소에서 법률의 위헌결정, 탄핵의 결정, 정당해산의 결정 또는 헌법소원에 관한 인용결정을 할 때에는 재판관 6인 이상의 찬성이 있어야 한다.

탄핵심판사건에서 소수의견을 표시하여야 하는지에 대하여 노무현 대통령 탄핵심판사건에서는 명문규정이 없다는 이유로 소수의견을 표시하지 않았지만, 그 이후 법이 개정되어 이제는 탄핵심판사건을 포함한 모든 헌법재판에서 개별의견을 표시하여야 한다(헌법재판소법 제36조 제3항). 05. 법무사, 10. 법행

> **헌법재판소법 제53조【결정의 내용】** ① 탄핵심판청구가 이유 있는 경우에는 헌법재판소는 피청구인을 해당 공직에서 파면하는 결정을 선고한다.
> ② 피청구인이 결정선고 전에 해당 공직에서 파면되었을 때에는 헌법재판소는 심판청구를 기각하여야 한다. 03. 법행, 04·08. 국회직, 09. 법무사
>
> ☑ **주의** 헌법재판소의 결정 전에 피청구인이 공직에서 파면된 경우 헌법재판소의 결정
> - 파면결정 ×
> - 기각결정 ○

⚖ 판례

'탄핵심판청구가 이유 있는 때'의 의미

헌법재판소법 제53조 제1항의 '탄핵심판청구가 이유 있는 때'란 모든 법 위반의 경우가 아니라 단지 공직자의 파면을 정당화할 정도로 '중대한' 법 위반의 경우를 말한다. … 대통령의 경우 국민의 선거에 의하여 부여받은 '직접적 민주적 정당성' 및 '직무수행의 계속성에 관한 공익'의 관점이 파면결정을 함에 있어서 중요한 요소로서 고려되어야 하며, 대통령에 대한 파면효과가 이와 같이 중대하다면 파면결정을 정당화하는 사유도 이에 상응하는 중대성을 가져야 한다. 대통령을 제외한 다른 공직자의 경우에는 파면결정으로 인한 효과가 일반적으로 적기 때문에 상대적으로 경미한 법 위반행위에 의해서도 파면이 정당화될 가능성이 큰 반면, 대통령의 경우에는 파면결정의 효과가 지대하기 때문에 파면결정을 하기 위해서는 이를 압도할 수 있는 중대한 법 위반이 존재해야 한다. 구체적으로 대통령의 파면을 요청할 정도로 '헌법수호의 관점에서 중대한 법 위반'이란 자유민주적 기본질서를 위협하는 행위로서 법치국가원리와 민주국가원리를 구성하는 기본원칙에 대한 적극적인 위반행위를 뜻하는 것이고, '국민의 신임을 배반한 행위'란 '헌법수호의 관점에서 중대한 법 위반'에 해당하지 않는 그 외의 행위유형까지도 모두 포괄하는 것으로서 자유민주적 기본질서를 위협하는 행위 외에도 예컨대 뇌물수수, 부정부패, 국가의 이익을 명백히 해하는 행위가 그의 전형적인 예라 할 것이다(헌재 2004.5.14. 2004헌나1). 05. 법무사, 06·09. 법행, 09·11. 사시

② **효과**

　㉠ **일반적 효과**

> 헌법 제65조 ④ 탄핵결정은 공직으로부터 파면함에 그친다. 그러나 이에 의하여 민사상이나 형사상의 책임이 면제되지는 아니한다. 05. 법무사, 13. 경정승진, 19. 서울시

　㉡ **일정 기간의 공직취임금지**

> 헌법재판소법 제54조 【결정의 효력】 ① 탄핵결정은 피청구인의 민사상 또는 형사상의 책임을 면제하지 아니한다. 11. 법무사
> ② 탄핵결정에 의하여 파면된 사람은 결정선고가 있는 날부터 5년이 지나지 아니하면 공무원이 될 수 없다. 03. 법행, 13. 경정승진, 18. 서울시

　㉢ **탄핵결정에 대한 사면의 가부**: 미국헌법은 명문으로 탄핵결정에 대한 사면을 금지하고 있다. 현행헌법에는 명문의 규정은 없으나, 13. 서울시 탄핵결정의 실효성 확보를 위하여 탄핵결정에 대해서는 사면이 인정되지 아니한다고 보아야 한다(통설).

3. 국정감사·조사권

> 헌법 제61조 ① 국회는 국정을 감사하거나 특정한 국정사안에 대하여 조사할 수 있으며, 이에 필요한 서류의 제출 또는 증인의 출석과 증언이나 의견의 진술을 요구할 수 있다.
> ② 국정감사 및 조사에 관한 절차 기타 필요한 사항은 법률로 정한다.

(1) 의의

① **개념**: 국정조사권이란 국회의 권한을 유효적절하게 행사하기 위하여 부정기적으로 특정한 국정사안에 대하여 조사할 수 있는 권한을 말하며, 국정감사권이란 국회가 매년 정기적으로 국정 전반에 대하여 감사할 수 있는 권한을 말한다.

② **연혁**

    ㉠ 국정조사권은 1689년 영국의 의회가 아일랜드전쟁에서의 패전원인을 규명하고 책임을 추궁하기 위하여 특별위원회를 구성한 것이 효시가 되어 각국에 전파되었다.

    ㉡ 국정조사권은 미연방헌법에는 명문규정은 없으나, 학설과 판례를 통하여 인정되어 왔다. 06. 법행, 09. 법무사

    ㉢ 국정조사권은 바이마르헌법에서 최초로 규정되었다.

    ㉣ 제2차 대전 이후에는 독일기본법과 일본헌법 등에서 명문화하였다.

개념PLUS+ **우리나라의 국정감사 · 조사의 연혁** 05 · 14 · 18. 국회직, 08 · 10 · 12. 국가직, 13. 경정
승진, 17. 지방직, 18. 서울시

제1공화국(건국 · 제1차 · 제2차)	
제2공화국(제3차 · 제4차)	국정감사권
제3공화국(제5차 · 제6차)	
제4공화국(제7차)	국정감사권 폐지
제5공화국(제8차)	국정조사권 신설
현행헌법	국정감사 · 조사권(모두 규정)

③ **국정감사와 국정조사의 관계**: 국정감사권과 국정조사권은 그 본질, 주체, 행사방법, 한계, 효과의 점에서 대동소이하고 그 시기와 기간, 대상만을 다소 달리할 뿐이다. 요컨대 국정조사가 특정한 국정사안을 대상으로 하여 수시로 행하는 부정기적 특정 국정조사라면, 국정감사는 국정 전반을 대상으로 하여 정례적으로 행하는 정기적 일반 국정조사라는 점에서 구별된다. 다만, 양자 모두 공개가 원칙이라는 점에서는 차이가 없다.

개념PLUS+ **국정감사와 국정조사의 구별** 03. 법행, 07 · 12 · 14. 국회직, 12. 국가직

구분	국정감사	국정조사
사안	국정 전반	특정 사안
시기	• 정기적(매년 정기회 집회일 이전) • 본회의 의결로 정기회 기간 중 감사 실시가능	재적의원 4분의 1의 요구가 있을 때
기간	30일 이내	의결로 정함
주체	소관상임위원회	특별위원회, 상임위원회
공개	공개(의결로 비공개가능)	공개(의결로 비공개가능)

통치구조론 제3편 해커스공무원 신동욱 헌법 기본서

(2) 본질

① **보조적 권한설(다수설):** 국정감사·조사권은 의회가 보유하는 헌법상의 권한들을 유용하고 실효적인 것이 되게 하기 위한 보조적 권한이라고 한다.

② **독립적 권한설:** 국정감사·조사권은 입법권·국정통제권·예산심의권과 더불어 의회의 4대 권한이라고 한다.

③ **검토:** 국정감사·조사권은 국회가 가지는 헌법상의 권한들을 유효적절하게 행사하는 데 필요한 부수적·보조적 권한에 불과하다고 본다.

(3) 시기와 기간

① 국정감사

> **국정감사 및 조사에 관한 법률 제2조 【국정감사】** ① 국회는 국정전반에 관하여 소관 상임위원회별로 매년 정기회 집회일 이전에 국정감사(이하 "감사"라 한다) 시작일부터 30일 이내의 기간을 정하여 감사를 실시한다. 다만, 본회의 의결로 정기회기간 중에 감사를 실시할 수 있다. 03. 법행, 07·12. 국회직 8급, 12·18. 지방직
> ② 제1항의 감사는 상임위원장이 국회운영위원회와 협의하여 작성한 감사계획서에 따라 한다. 14. 국회직 국회운영위원회는 상임위원회간에 감사대상기관이나 감사일정의 중복 등 특별한 사정이 있는 때에는 이를 조정할 수 있다.
> ③ 제2항에 따른 감사계획서에는 감사반의 편성, 감사일정, 감사요령 등 감사에 필요한 사항을 기재하여야 한다.
> ④ 제2항에 따른 감사계획서는 매년 처음 집회되는 임시회에서 작성하고 제7조에 따른 감사대상기관에 이를 통지하여야 한다. 다만, 국회의원 총선거가 실시되는 연도에는 국회의원 총선거 후 새로 구성되는 국회의 임시회 또는 정기회에서 감사계획서를 작성·통지할 수 있다.
> ⑤ 제4항에 따른 감사계획서의 감사대상기관이나 감사일정 등을 변경하는 경우에는 그 내용을 감사실시일 7일 전까지 감사대상기관에 통지하여야 한다.

② 국정조사

> **국정감사 및 조사에 관한 법률 제3조 【국정조사】** ① 국회는 재적의원 4분의 1 이상의 요구가 있는 때에는 특별위원회 또는 상임위원회로 하여금 국정의 특정사안에 관하여 국정조사(이하 "조사"라 한다)를 하게 한다. 03. 법행, 13·14. 국회직, 16. 국가직, 17. 입시, 18. 서울시

(4) 대상기관

① 국정감사의 대상기관

ㄱ **위원회 선정대상기관**

ⓐ 정부조직법 그 밖의 법률에 의하여 설치된 국가기관

ⓑ 지방자치단체 중 특별시·광역시·도❶ 08. 국가직

ⓒ 공공기관의 운영에 관한 법률 제4조에 따른 공공기관, 한국은행, 농업협동조합중앙회, 수산업협동조합중앙회

ㄴ **본회의 승인대상기관**

ⓐ 위원회 선정대상기관 외의 지방행정기관, 지방자치단체

ⓑ 위원회 선정대상기관 외의 감사원법에 의한 감사원의 감사대상기관

② **국정조사의 대상기관**: 국정조사의 대상기관은 국회 본회의가 의결서로써 승인한 조사계획서에 기재된 기관에 국한된다.

> **국정감사 및 조사에 관한 법률 제7조【감사의 대상】** 감사의 대상기관은 다음 각 호와 같다.
> 1. 정부조직법, 그 밖의 법률에 따라 설치된 국가기관
> 2. 지방자치단체 중 특별시·광역시·도. 다만, 그 감사범위는 국가위임사무와 국가가 보조금 등 예산을 지원하는 사업으로 한다. 19. 국가직
> 3. 공공기관의 운영에 관한 법률 제4조에 따른 공공기관, 한국은행, 농업협동조합중앙회, 수산업협동조합중앙회
> 4. 제1호부터 제3호까지 외의 지방행정기관, 지방자치단체, 감사원법에 따른 감사원의 감사대상기관. 이 경우 본회의가 특히 필요하다고 의결한 경우로 한정한다.❶ 19. 국가직

(5) 방법과 장소

① 감사·조사의 방법

㉠ 예비조사

> **국정감사 및 조사에 관한 법률 제9조의2【예비조사】** 위원회는 조사를 하기 전에 전문위원이나 그 밖의 국회사무처 소속 직원 또는 조사대상기관의 소속이 아닌 전문가 등으로 하여금 예비조사를 하게 할 수 있다. 19. 국가직

㉡ 증인 등의 출석요구, 보고·서류제출요구

> **국정감사 및 조사에 관한 법률 제10조【감사 또는 조사의 방법】** ① 위원회, 제5조 제1항에 따른 소위원회 또는 반은 감사 또는 조사를 위하여 그 의결로 감사 또는 조사와 관련된 보고 또는 서류 등의 제출을 관계인 또는 그 밖의 기관에 요구하고, 증인·감정인·참고인의 출석을 요구하고 검증을 할 수 있다. 16. 경정승진 다만, 위원회가 감사 또는 조사와 관련된 서류 등의 제출요구를 하는 경우에는 **재적위원 3분의 1 이상**의 요구로 할 수 있다.
>
> **제13조【제척과 회피】** ① 의원은 직접 이해관계가 있거나 공정을 기할 수 없는 현저한 사유가 있는 경우에는 그 사안에 한정하여 감사 또는 조사에 참여할 수 없다. 09. 사시
> ② 제1항의 사유가 있다고 인정할 때에는 본회의 또는 위원회 의결로 해당 의원의 감사 또는 조사를 중지시키고 다른 의원으로 하여금 감사 또는 조사하게 하여야 한다.
> ③ 제2항에 따른 조치에 대하여 해당 의원의 이의가 있는 때에는 본회의가 의결한다.
> ④ 제1항의 사유가 있는 의원은 그 사안에 한정하여 위원회의 허가를 받아 감사 또는 조사를 회피(回避)할 수 있다.
>
> **국회법 제127조의2【감사원에 대한 감사 요구 등】** ① 국회는 의결로 감사원에 대하여 감사원법에 따른 감사원의 직무 범위에 속하는 사항 중 사안을 특정하여 감사를 요구할 수 있다. 13. 서울시 이 경우 감사원은 감사 요구를 받은 날부터 3개월 이내에 감사 결과를 국회에 보고하여야 한다.

❶
국회 본회의가 특히 필요하다고 의결한 경우에 감사원법에 따른 감사원의 감사대상기관에 대하여 국정감사를 실시할 수 있다(국정감사 및 조사에 관한 법률 제7조).

🏛 **핵심기출 OX**

01 국회는 특정 국정사안에 대하여 조사하기 위하여 필요한 서류의 제출, 증인 출석, 증언·의견진술 요구 및 압수·수색을 할 수 있다. 16. 경정승진
(○, ×)

답 × 압수·수색은 할 수 없다.

02 국정조사위원회는 국정조사에 필요한 경우 증인·감정인·참고인들로부터 증언·진술의 청취와 증거의 채택을 위하여 공청회를 열 수 있다.
06. 국회직 8급 (○, ×)

답 × 공청회가 아니라 청문회를 열 수 있다.

> **제128조 【보고·서류 등의 제출 요구】** ① 본회의, 위원회 또는 소위원회는 그 의결로 안건의 심의 또는 국정감사나 국정조사와 직접 관련된 보고 또는 서류와 해당 기관이 보유한 사진·영상물(이하 이 조에서 "서류 등"이라 한다)의 제출을 정부, 행정기관 등에 요구할 수 있다. 다만, 위원회가 청문회, 국정감사 또는 국정조사와 관련된 서류 등의 제출을 요구하는 경우에는 그 의결 또는 재적위원 3분의 1 이상의 요구로 할 수 있다.
> ② 제1항에 따라 서류 등의 제출을 요구할 때에는 서면, 전자문서 또는 컴퓨터의 자기테이프·자기디스크, 그 밖에 이와 유사한 매체에 기록된 상태나 전산망에 입력된 상태로 제출할 것을 요구할 수 있다.

ⓒ 청문회의 개최

> **국회법 제65조 【청문회】** ① 위원회(소위원회를 포함한다. 이하 이 조에서 같다)는 중요한 안건의 심사와 국정감사 및 국정조사에 필요한 경우 증인·감정인·참고인으로부터 증언·진술을 청취하고 증거를 채택하기 위하여 위원회 의결로 청문회를 열 수 있다. 06. 국회직 8급
> ② 제1항에도 불구하고 법률안 심사를 위한 청문회의 경우에는 **재적위원 3분의 1 이상**의 요구로 개회할 수 있다. 다만, 제정법률안과 전부개정법률안의 경우에는 제58조 제6항에 따른다.
> ③ 위원회는 청문회 개회 5일 전에 안건·일시·장소·증인 등 필요한 사항을 공고하여야 한다.
> ④ 청문회는 공개한다. 다만, 위원회의 의결로 청문회의 전부 또는 일부를 공개하지 아니할 수 있다.
> ⑤ 위원회는 필요한 경우 국회사무처, 국회예산정책처 또는 국회입법조사처 소속 공무원이나 교섭단체의 정책연구위원을 지정하거나 전문가를 위촉하여 청문회에 필요한 사전조사를 실시하게 할 수 있다.

개념PLUS+ 공청회와 청문회의 비교

구분	공청회	청문회
대상안건	• 법률안을 포함한 중요한 안건 • 전문지식을 요하는 안건	• 중요한 안건 • 국정감사 및 조사, 제정법률안 또는 전문개정법률안
회의주체	위원회·소위원회	위원회 (국정감사·조사를 위한 소위원회)
개회절차	위원회의결 또는 재적의원 3분의 1 이상의 요구	• 위원회의결 • 입법청문회는 재적위원 3분의 1 이상의 요구
진술인	학식·경험이 있는 자, 이해관계자 등(진술인)	증인·감정인·참고인
출석·선서	진술인의 출석·선서의 강제불가	• 출석·선서 및 증언 강제가능 • 위증시 고발가능
고발	–	불출석 등의 죄, 국회모욕의 죄, 위증 등의 죄를 범한 증인·감정인 등

ⓔ 동행명령제

> 국회에서의 증언·감정 등에 관한 법률 제6조【증인에 대한 동행명령】① 국
> 정감사나 국정조사를 위한 위원회(이하 "위원회"라 한다)는 증인이 정당한
> 이유 없이 출석하지 아니하는 때에는 그 **의결**로 해당 증인에 대하여 지정
> 한 장소까지 **동행할 것을 명령**할 수 있다. 13. 법무사
> ② 제1항의 동행명령을 할 때에는 위원회의 위원장이 동행명령장을 발부
> 한다. 12. 지방직

ⓜ 고발

> 국회에서의 증언·감정 등에 관한 법률 제14조【위증 등의 죄】① 이 법에 따
> 라 선서한 증인 또는 감정인이 허위의 진술(서면답변을 포함한다)이나 감
> 정을 하였을 때에는 1년 이상 10년 이하의 징역에 처한다. 다만, 범죄가 발
> 각되기 전에 자백하였을 때에는 그 형을 감경 또는 면제할 수 있다.
> ② 제1항의 자백은 국회에서 안건심의 또는 국정감사나 국정조사를 종료
> 하기 전에 하여야 한다.
>
> 제15조【고발】① 본회의 또는 위원회는 증인·감정인 등이 제12조(불출석
> 등의 죄), 제13조(국회모욕의 죄) 또는 제14조(위증 등의 죄) 제1항 본문의
> 죄를 범하였다고 인정한 때에는 고발하여야 한다. 다만, 청문회의 경우에는
> 재적위원 3분의 1 이상의 연서에 따라 그 위원의 이름으로 고발할 수 있다.
> ② 제1항에도 불구하고 제14조 제1항 단서의 자백이 있는 경우에는 **고발하
> 지 아니할 수 있다.**

⚖️ 판례

**국회에서 허위의 진술을 한 증인에 대하여 위증죄로 처벌하는 '국회에서의 증언·감
정 등에 관한 법률' 제14조 제1항이 진술거부권을 침해하는지 여부: 소극 [합헌]**

[1] 국회증언감정법상의 증인의 경우 진술거부권을 고지받을 권리가 인정되지 않으므로,
청구인이 진술거부권을 고지받지 않았다고 하더라도 심판대상조항이 헌법상 진술거부
권을 제한한다고 볼 수 없다.

[2] 심판대상조항이 형사소송법과 달리 증언거부권 고지 규정을 두고 있지 않은 것은 입법
자가 국회증언감정법상 증언절차와 형사소송절차 사이의 목적 내지 성질상 차이 등을
고려한 것이다. 또한, 현실에서 국회의 증인 채택 및 증언 절차가 국회증언감정법의 취
지에 맞게 엄격하게 진행되지 아니하고 있다 하더라도, 이를 이유로 심판대상조항이
증언거부권 고지 규정을 반드시 두어야 한다고 할 수는 없다. 따라서 심판대상조항이
국회증언감정법상 증인과 형사소송법상 증인을 차별취급하는 데에는 합리적 이유가
있으므로 평등원칙에 위배된다고 할 수 없다.

[3] 심판대상조항은 형법상 위증죄보다 무거운 법정형을 정하고 있으나, 국회에서의 위증
죄가 지니는 불법의 중대성, 별도의 엄격한 고발 절차를 거쳐야 처벌될 수 있는 점 등
을 고려할 때 형벌체계상의 정당성이나 균형성을 상실하고 있지 아니하므로 평등원칙
에 위배된다고 할 수 없다(헌재 2015.9.24. 2012헌바410).

🏛️ **핵심기출 OX**

국정감사나 국정조사를 위한 위원회는
증인이 정당한 이유 없이 출석하지 아
니하는 때에는 그 의결로 해당 증인에
대하여 지정한 장소까지 동행할 것을
명령할 수 있다. 13. 법무사 (O, X)

답 O

② 장소

국정감사 및 조사에 관한 법률 제11조【감사 또는 조사의 장소】감사 또는 조사는 위원회에서 정하는 바에 따라 국회 또는 감사·조사 대상 현장이나 그 밖의 장소에서 할 수 있다.

③ 공개의 원칙

국정감사 및 조사에 관한 법률 제12조【공개원칙】감사 및 조사는 공개한다. 다만, 위원회의 의결로 달리 정할 수 있다. 03. 법행, 18. 서울시

(6) 사안과 범위

국정감사는 국정 전반을 대상으로 하므로 그 범위가 포괄적이지만, 국정조사는 특정의 국정사안만을 대상으로 하므로 그 범위가 한정적이다.

(7) 한계
① 권력분립상의 한계
ㄱ **행정작용**: 행정작용에 대한 감사·조사는 할 수 있으나, 국회가 직접 구체적인 행정처분을 하거나 행정처분의 취소를 명할 수는 없다. 또한 행정부에 정치적 압력을 가하기 위한 감사·조사는 할 수 없다.
ㄴ **사법작용**
ⓐ **병행조사의 문제**: 계속 중인 사건에 관하여 정치적 압력을 가하거나 재판내용에 개입하거나 법관의 법정지휘에 관한 절차를 감사·조사하는 것은 사법권의 독립을 위협하는 것으로 허용되지 아니한다. 국정감사 및 조사에 관한 법률은 계속 중인 재판에 관여할 목적으로 국정감사·조사를 할 수 없다고 규정하고 있는바(국정감사 및 조사에 관한 법률 제8조), 여기서 재판에 관여할 목적이란 재판의 공정성 또는 타당성 자체를 조사대상으로 삼는 것을 의미하므로 재판 그 자체를 조사대상으로 삼지 않는 한 입법을 위한 감사·조사, 정치적 책임 추궁을 위한 감사·조사 등 다른 목적을 위한 감사·조사는 진행 중인 재판과 병행하여 할 수 있다는 것이 통설적 견해이다.
ⓑ **재판 후 재판내용·소송절차의 당부조사의 문제**: 현재 계속 중이 아닌 사건에 대하여는 인권옹호나 공정한 재판의 보장 여부를 조사대상으로 할 수 있다는 견해가 있으나 재판이 종료된 사안일지라도 그와 유사한 사건에서 법관의 자유심증에 영향을 미칠 수 있으므로 조사대상에서 제외된다고 본다(통설).
ㄷ **검찰사무**: 검찰사무 중 수사나 공소진행은 실질적으로 준사법적 성질을 가지므로 감사·조사를 하는 경우에도 형사사법의 공정을 기하기 위하여 현재 진행 중인 수사나 소추에 간섭해서는 안 된다. 다만, 수사나 소추의 대상이 되어 있는 범죄사건일지라도 소추에 관여할 목적이 아니고 국정에 대한 비판과 감시를 위한 정치적 목적인 경우라면 감사·조사할 수 있다. 07. 국회직, 18. 지방직

② **지방자치단체의 고유사무**: 지방자치단체의 고유사무에 대해서는 지방자치제를 보장하고 있는 헌법의 정신에 비추어 볼 때 당해 지방의회가 감사·조사하는 것이 타당하므로 국회의 감사·조사대상에서 제외된다.

⑩ **감사원의 준사법적 판단행위**: 감사원의 업무 중 변상책임의 판정이나 징계처분과 문책의 요구 등 준사법적 판단행위는 감사원의 독립기관성에 비추어 국정감사·조사의 대상에서 제외된다고 본다(권영성).

② **기본권보장상의 한계**: 감사 또는 조사는 개인의 사생활을 침해할 목적으로 행사되어서는 안 되나(국정감사 및 조사에 관한 법률 제8조), 사생활에 관한 사항이라도 정치자금의 출처나 용도 등 국가작용과 관련이 있는 사항에 대해서 감사·조사하는 것은 무방하다. 07. 국회직 또한 증인이나 참고인에게 정치적 신조 또는 직무상의 비밀에 관한 증언을 강제해서는 안 되며, 불리한 진술을 강요하여서는 안 된다.

③ **기능적 한계**: 특정인을 표창하거나 공무원 임용을 위한 조사 등 국회의 기능과 무관한 내용을 국정감사·조사의 내용으로 삼아서는 안 된다.

④ **국익상의 한계**

> **국회에서의 증언·감정 등에 관한 법률 제4조 【공무상 비밀에 관한 증언·서류 등의 제출】** ① 국회로부터 공무원 또는 공무원이었던 사람이 증언의 요구를 받거나 국가기관이 서류 등의 제출을 요구받은 경우에 증언할 사실이나 제출할 서류 등의 내용이 직무상 비밀에 속한다는 이유로 증언이나 서류 등의 제출을 거부할 수 없다. 13. 법무사 다만, 군사·외교·대북 관계의 국가기밀에 관한 사항으로서 그 발표로 말미암아 국가안위에 중대한 영향을 미칠 수 있음이 명백하다고 주무부장관(대통령 및 국무총리의 소속 기관에서는 해당 관서의 장)이 증언 등의 요구를 받은 날부터 5일 이내에 소명하는 경우에는 그러하지 아니하다. 05. 국회직
> ② 국회가 제1항 단서의 소명을 수락하지 아니할 경우에는 본회의의 의결로, 폐회 중에는 해당 위원회의 의결로 국회가 요구한 증언 또는 서류 등의 제출이 국가의 중대한 이익을 해친다는 취지의 국무총리의 성명(聲明)을 요구할 수 있다.
> ③ 국무총리가 제2항의 성명 요구를 받은 날부터 7일 이내에 그 성명을 발표하지 아니하는 경우에는 증언이나 서류 등의 제출을 거부할 수 없다.

핵심기출 OX

01 국회의 국정조사는 입법·행정·재정에 관한 사항에 대하여 할 수 있을 뿐, 사법에 관한 사항에 대해서는 할 수 없다. 13. 서울시 (○, ×)

답 × 국회는 입법·사법·행정·재정에 관한 사항을 조사할 수 있다. 다만, 개인의 사생활을 침해하거나 계속 중인 재판 또는 수사 중인 사건의 소추에 관여할 목적으로 행사되어서는 아니 된다(국정감사 및 조사에 관한 법률 제8조).

02 국정감사·조사권은 행정부와 아울러 사법부에 대해서도 행사할 수 있다. 10. 지방직 (○, ×)

답 ○

(8) 효과

> **국정감사 및 조사에 관한 법률 제15조 【감사 또는 조사 결과의 보고】** ① 감사 또는 조사를 마쳤을 때에는 위원회는 지체 없이 그 감사 또는 조사 보고서를 작성하여 의장에게 제출하여야 한다.
> ② 제1항의 보고서에는 증인 채택 현황 및 증인신문 결과를 포함한 감사 또는 조사의 경과와 결과 및 처리의견을 기재하고 그 중요근거서류를 첨부하여야 한다.
> ③ 제1항의 보고서를 제출받은 의장은 이를 지체 없이 본회의에 보고하여야 한다.
>
> **제16조 【감사 또는 조사결과에 대한 처리】** ① 국회는 본회의 의결로 감사 또는 조사 결과를 처리한다.
> ② 국회는 감사 또는 조사의 결과 위법하거나 부당한 사항이 있을 때에는 그 정도에 따라 정부 또는 해당 기관에 변상, 징계조치, 제도개선, 예산조정 등 시정을 요구하고, 정부 또는 해당 기관에서 처리함이 타당하다고 인정되는 사항은 정부 또는 해당 기관에 이송한다. 12·19. 국가직
> ③ 정부 또는 해당 기관은 제2항에 따른 시정요구를 받거나 이송받은 사항을 지체 없이 처리하고 그 결과를 국회에 보고하여야 한다. 13. 국가직

4. 긴급명령과 긴급재정경제처분·명령에 대한 승인권

> **헌법 제76조** ③ 대통령은 제1항과 제2항의 처분 또는 명령을 한 때에는 지체 없이 국회에 **보고하여 그 승인을 얻어야** 한다. 06. 법무사
> ④ 제3항의 승인을 얻지 못한 때에는 그 처분 또는 명령은 **그때부터 효력을 상실**한다. 이 경우 그 명령에 의하여 개정 또는 폐지되었던 법률은 그 명령이 승인을 얻지 못한 때부터 당연히 효력을 회복한다.

5. 계엄해제요구권

> **헌법 제77조** ⑤ 국회가 재적의원 과반수의 찬성으로 계엄의 해제를 요구한 때에는 대통령은 이를 해제하여야 한다. 05. 법행

6. 국방 및 외교정책에 관한 동의권

> **헌법 제60조** ① 국회는 **상호원조** 또는 안전보장에 관한 조약, 중요한 국제조직에 관한 조약, 우호통상항해조약, **주권**의 제약에 관한 조약, **강화조약**, 국가나 국민에게 중대한 **재정적** 부담을 지우는 조약 또는 **입법사항**에 관한 조약의 체결·비준에 대한 동의권을 가진다.
> ② 국회는 선전포고, 국군의 외국에의 파견 또는 외국군대의 대한민국영역 안에서의 주류에 대한 동의권을 가진다.

7. 일반사면에 대한 동의권

> **헌법 제79조** ② 일반사면을 명하려면 국회의 동의를 얻어야 한다. 20. 법원직

8. 국무총리·국무위원의 해임건의권

> 헌법 제63조 ① 국회는 국무총리 또는 국무위원의 해임을 대통령에게 건의할 수 있다.
> 13. 변호사
> ② 제1항의 해임건의는 국회재적의원 3분의 1 이상의 발의에 의하여 국회재적의원 과반수의 찬성이 있어야 한다. 15. 국회직 8급, 18. 서울시

(1) 제도적 의의

① 헌법 제63조는 국회의 국무총리·국무위원에 대한 해임건의권을 규정하고 있는바, 대통령제를 채택하면서도 국무총리 등에 대하여 의회가 해임을 건의할 수 있도록 한 것은 이례적이며, 해임건의제도는 의원내각제적 요소라고 할 수 있다. 05. 국가직

② 그러나 현행헌법상 대통령은 강력한 권한을 가진 국정 전반의 중재자·조정자이므로 대통령에 대하여 직접 책임을 추궁하는 것은 적절하지 않다. 따라서 대통령 대신에 국무총리 등에 대한 책임을 추궁함으로써 간접적으로 대통령을 견제할 수 있도록 하려는 데에 국회의 해임건의권을 인정하는 제도적 의의가 있다.

(2) 대상 ❶

국무총리와 국무위원이다. 헌법은 해임건의의 대상으로 국무총리와 국무위원만을 명시하고 있다. 그 밖의 경우 예컨대 정부위원에 대해서도 해임건의를 할 수 있는지가 문제되는데, 이에 대해서는 헌법이 명문으로 국무총리와 국무위원으로 규정하고 있는 점, 대통령제에서 해임건의는 이례적인 제도라는 점에 비추어 헌법상 명문으로 규정되지 않은 자에 대해서는 해임건의할 수 없다고 본다(통설).

(3) 사유

해임건의의 사유는 탄핵소추의 사유보다 넓다. 그 예로는 ① 직무집행에 있어 헌법이나 법률을 위반한 경우, ② 정책수행상 중대한 과오를 범한 경우, ③ 부하직원의 과오나 범법행위에 대하여 정치적 책임이 추궁되는 경우, ④ 대통령을 잘못 보좌한 경우 등을 들 수 있다. 05·11. 국가직, 15. 국회직 8급, 18. 서울시

(4) 절차

> 헌법 제63조 ① 국회는 국무총리 또는 국무위원의 해임을 대통령에게 건의할 수 있다.
> ② 제1항의 해임건의는 국회재적의원 3분의 1 이상의 발의에 의하여 국회재적의원 과반수의 찬성이 있어야 한다. 15. 국회직 8급
>
> **국회법 제112조 【표결방법】** ⑦ 국무총리 또는 국무위원의 **해임건의안**이 발의되었을 때에는 의장은 그 해임건의안이 발의된 후 **처음 개의하는 본회의**에 그 사실을 보고하고, 본회의에 보고된 때부터 **24시간 이후 72시간 이내에 무기명투표로 표결**한다. 이 기간 내에 표결하지 아니한 해임건의안은 **폐기된 것으로 본다.** 11. 법무사, 05·19. 국가직

해임건의는 국무총리 또는 국무위원에 대하여 개별적으로 또는 일괄적으로 할 수 있는데(헌법 제63조 제1항), 이 점에서 의원내각제의 일괄적 해임결의와 구별된다.

❶ **해임건의권의 대상**
• 국무총리 ○
• 대통령 ×
• 국무위원 ○
• 법관 ×

🏛 **핵심기출 OX**

01 대통령에게 계엄의 해제를 요구하려면 재적의원 3분의 2 이상의 찬성이 있어야 한다. 05. 법행 (○, ×)

🔖 × 국회가 재적의원 과반수의 찬성으로 계엄의 해제를 요구한 때에는 대통령은 이를 해제하여야 한다(헌법 제77조 제5항).

02 대통령이 특별사면을 명하려면 국회의 동의를 얻어야 한다. 20. 법원직 (○, ×)

🔖 × 특별사면이 아니라 일반사면에 대해 국회의 동의가 요구된다.

03 국무위원에 대한 해임건의는 국회재적의원 과반수의 발의와 출석의원 과반수의 찬성이 있어야 한다. 15. 국회직 8급 (○, ×)

🔖 × 국무총리 또는 국무위원의 해임건의는 국회재적의원 3분의 1 이상의 발의에 의하여 국회재적의원 과반수의 찬성이 있어야 한다(헌법 제63조).

04 국무총리에 대한 해임건의는 국무총리가 그 직무집행에 있어서 헌법이나 법률을 위배한 때에 한한다. 15. 국회직 8급 (○, ×)

🔖 × 해임건의는 국무총리가 그 직무집행에 있어서 헌법이나 법률을 위배한 때뿐만 아니라 정책실패, 대통령을 잘못 보좌한 경우 등 탄핵사유보다 범위가 넓다.

05 국무위원에 대한 해임건의는 국회재적의원 과반수의 발의와 출석의원 과반수의 찬성이 있어야 한다. 15. 국회직 8급 (○, ×)

🔖 × 국회재적의원 3분의 1 이상의 발의와 재적의원 과반수의 찬성이 있어야 한다.

제3장 국회 **1087**

통치구조론 제3편 해커스공무원 신동욱 헌법 기본서

(5) 효과

① **대통령을 구속하는지 여부:** 해임건의가 있는 경우 대통령은 반드시 이에 응해야 한다는 견해가 있으나, 명문규정이 없고 현행헌법이 대통령제 정부형태를 원칙으로 하고 있으므로 해임건의가 있는 경우에도 대통령은 국무총리 또는 국무위원을 반드시 해임하여야 할 구속을 받지 아니한다는 견해가 다수설이다.

> ⚖ **판례**
>
> **국회의 해임건의에 법적 구속력이 있는지 여부: 소극**
>
> 국회는 국무총리나 국무위원의 해임을 건의할 수 있으나(헌법 제63조), 국회의 해임건의는 대통령을 기속하는 해임결의권이 아니라 아무런 법적 구속력이 없는 단순한 해임건의에 불과하다. 우리 헌법 내에서 '해임건의권'의 의미는 임기 중 아무런 정치적 책임을 물을 수 없는 대통령 대신에 그를 보좌하는 국무총리·국무위원에 대하여 정치적 책임을 추궁함으로써 대통령을 간접적이나마 견제하고자 하는 것에 지나지 않는다. 헌법 제63조의 해임건의권을 법적 구속력 있는 해임결의권으로 해석하는 것은 법문과 부합할 수 없을 뿐만 아니라 대통령에게 국회해산권을 부여하고 있지 않는 현행헌법상의 권력분립질서와도 조화될 수 없다(헌재 2004.5.14. 2004헌나1). 13. 변호사, 15. 국회직 8급, 16. 국가직

② **연대책임을 지는지 여부:** 현행헌법의 해임건의제는 의원내각제의 수상에 대한 불신임 의결과 상이하므로 다른 국무위원까지 해임할 필요가 없다는 것이 다수설이나, 해임건의에 따라 대통령이 국무총리를 해임하는 경우 다른 국무위원도 연대책임을 진다는 견해도 있다.

📋 **참고** 해임건의제도의 연혁별 정리

1. 해임건의제도의 변천

	건국헌법	없음
제1공화국	제1차	국무원에 대한 연대불신임결의권
	제2차	개별적 불신임결의권
제2공화국(제3차·제4차)		불신임결의권
제3공화국(제5차·제6차)		해임건의권
제4공화국(제7차)		해임의결권
제5공화국(제8차)		해임의결권
현행헌법		해임건의권

2. 제3공화국과 현행헌법 비교 05. 국가직

구분	제3공화국	현행헌법
공통점	국무총리·국회의원에 대하여 해임건의권을 규정	
차이점	• 발의요건 × • 국회재적의원 과반수의 찬성	• 발의요건: 국회재적의원 3분의 1 이상 • 국회재적의원 과반수의 찬성

개념PLUS+ 탄핵제도와 해임건의의 비교

구분	탄핵제도	해임건의
책임의 특성	법적 책임	정치적 책임
정부형태와의 관계	정부형태와 무관 (대통령제에서 필요성이 더 큼)	의원내각제 요소
헌법상 연혁	건국헌법	제1차 개정헌법
대상자	대통령, 국무총리, 국무위원, 행정각부의 장, 헌법재판소 재판관, 법관, 중앙선거관리위원회 위원, 감사원장, 감사위원(법률상 검사)	국무총리, 국무위원
직무관련성	• 직무집행과 관련된 것만 • 사생활·도덕상 과오는 대상이 아님	• 직무와 관련 없는 사생활 • 도덕상 과오도 대상이 됨
위법성	• 헌법이나 법률을 위배한 경우 • 정책상 과오, 정치적 무능력은 해당하지 않음	• 위법성을 전제로 하지 않음 • 정책상 과오도 해당함
정족수	• 대통령: 재적 과반수의 발의, 재적 3분의 2 이상의 찬성 • 대통령 이외의 자: 재적 3분의 1의 발의, 재적 과반수의 찬성	재적 3분의 1의 발의, 재적 과반수의 찬성
국회투표	본회의가 보고된 때로부터 24 ~ 72시간 이내에 무기명투표	
국회의결효과	권한행사가 정지됨	권한행사가 정지되지 않음
공직취임금지	5년간 금지됨	5년간 금지되지 않음

9. 국무총리·국무위원 등의 국회출석요구 및 질문권

헌법 제62조 ② 국회나 그 위원회의 요구가 있을 때에는 국무총리·국무위원 또는 정부위원은 출석·답변하여야 하며, 국무총리 또는 국무위원이 출석요구를 받은 때에는 국무위원 또는 정부위원으로 하여금 출석·답변하게 할 수 있다. 19. 국가직

국회법 제120조【국무위원 등의 발언】① 국무총리, 국무위원 또는 정부위원은 본회의나 위원회에서 발언하려면 미리 의장이나 위원장의 허가를 받아야 한다.

② 법원행정처장, 헌법재판소 사무처장, 중앙선거관리위원회 사무총장은 의장이나 위원장의 허가를 받아 본회의나 위원회에서 소관 사무에 관하여 발언할 수 있다.

제121조【국무위원 등의 출석 요구】① 본회의는 의결로 국무총리, 국무위원 또는 정부위원의 출석을 요구할 수 있다. 이 경우 그 발의는 의원 20명 이상이 이유를 구체적으로 밝힌 서면으로 하여야 한다. 06. 사시, 18. 서울시, 13·19. 국가직

② 위원회는 의결로 국무총리, 국무위원 또는 정부위원의 출석을 요구할 수 있다. 이 경우 위원장은 의장에게 그 사실을 보고하여야 한다.

③ 제1항이나 제2항에 따라 출석 요구를 받은 국무총리, 국무위원 또는 정부위원은 출석하여 답변을 하여야 한다.

④ 제3항에도 불구하고 국무총리나 국무위원은 의장 또는 위원장의 승인을 받아 국무총리는 국무위원으로 하여금, 국무위원은 정부위원으로 하여금 대리하여 출석·답변하게 할 수 있다. 이 경우 의장은 각 교섭단체 대표의원과, 위원장은 간사와 협의하여야 한다.

⑤ 본회의나 위원회는 특정한 사안에 대하여 질문하기 위하여 **대법원장, 헌법재판소장, 중앙선거관리위원회 위원장, 감사원장** 또는 그 대리인의 출석을 요구할 수 있다. 06. 사시, 13. 국가직, 18. 서울시 이 경우 위원장은 의장에게 그 사실을 보고하여야 한다.

🏛 **핵심기출 OX**

제7차 개정헌법(1972년)과 제8차 개정헌법(1980년)도 현행헌법에서와 마찬가지로 국무총리 또는 국무위원에 대한 해임건의권을 규정하였다.
15. 국회직 8급 　　　　　　(○, ×)

답 × 제7차·제8차 헌법에서는 해임건의가 아니라 해임의결권이 인정되었다.

6 국회의 자율권

> 헌법 제64조 ① 국회는 법률에 저촉되지 아니하는 범위 안에서 의사와 내부규율에 관한 규칙을 제정할 수 있다. 19. 행시
> ② 국회는 의원의 **자격을 심사**하며, 의원을 징계할 수 있다.
> ③ 의원을 **제명**하려면 국회재적의원 3분의 2 이상의 찬성이 있어야 한다.
> ④ 제2항과 제3항의 처분에 대하여는 **법원에 제소할 수 없다.**

1. 의의

(1) 개념
국회의 자율권이란 국회가 다른 국가기관의 간섭을 받지 아니하고 헌법과 법률 그리고 의회규칙에 따라 의사와 내부문제에 대하여 독자적인 결정을 할 수 있는 권한을 말한다.

(2) 인정근거
① **권력분립의 요청**: 권력분립의 정신에 따라 의회의 내부문제에 관하여는 다른 국가기관의 개입이나 간섭을 허용해서는 아니 된다.
② **기능독립의 요청**: 의회의 기능을 적절히 수행하게 하려면 의사와 내부문제에 관한 의회의 독자적 결정을 존중하여야 한다.
③ **기능자치의 요청**: 원내 다수파의 횡포로부터 소수파를 보호하기 위해서는 의회의 자율적인 의사규칙을 필요로 한다.

(3) 연혁
국회의 자율권은 본래 영국의회가 행정권으로부터 의회의 자주성을 확보하기 위한 투쟁에 의하여 얻어진 것이며, 이것이 의회특권으로 발전하여 각국으로 전파되었다.

2. 내용

(1) 집회 및 의사에 관한 권한
국회는 헌법과 국회법이 정하는 바에 따라 집회, 휴회, 폐회, 회기 등을 자주적으로 결정할 수 있다. 또한 국회는 의사일정의 작성, 의안의 발의·동의·수정 등과 같은 의사에 대해서는 헌법과 국회법 및 국회규칙에 구속되는 것을 제외하고는 스스로 이를 정할 수 있다. 의사절차의 적법성 여부도 국회 스스로 판단·해석한다.

(2) 내부조직권
국회는 헌법과 국회법이 정하는 바에 따라 독자적으로 의장·부의장을 선출하고, 위원회를 구성하며, 사무총장과 직원을 임명한다.

(3) 내부경찰권과 의원가택권
① **내부경찰권**: 국회 내부의 질서를 유지하기 위하여 의원·방청객은 물론 원내에 있는 모든 자에 대하여 일정한 사항을 명령하거나 강제할 수 있는 권한을 말한다.
② **의원가택권**: 국회의 의사에 반하여 타인이 국회 내에 침입하는 것을 금지하는 권한을 말한다.

(4) 국회규칙의 제정권

국회규칙이란 헌법과 법률에 저촉되지 아니하는 범위 내에서 국회가 의사와 내부사항에 관하여 정하는 것으로 법률의 하위에 있는 규범이다(헌법 제64조 제1항).

(5) 의원신분에 관한 권한

① 사직허가권

> **국회법 제135조【사직】①** 국회는 의결로 의원의 사직을 허가할 수 있다. 다만, **폐회** 중에는 의장이 허가할 수 있다. 12. 변호사
> **③** 사직 허가 여부는 **토론을 하지 아니하고 표결**한다.

② 자격심사권

> **헌법 제64조 ②** 국회는 의원의 **자격**을 **심사**하며, 의원을 **징계**할 수 있다. 19. 법무사
> **④** 제2항과 제3항의 처분에 대하여는 **법원에 제소할 수 없다.** 03. 법행, 07. 법원직, 12. 경정승진, 19. 지방직
>
> **국회법 제138조【자격심사의 청구】** 의원이 다른 의원의 자격에 대하여 이의가 있을 때에는 **30명 이상**의 연서로 의장에게 자격심사를 청구할 수 있다. 05. 입시
>
> **제142조【의결】①** 윤리특별위원회가 심사보고서를 의장에게 제출하면 의장은 본회의에 부의하여야 한다.
> **②** 심사대상 의원은 본회의에서 스스로 변명하거나 다른 의원으로 하여금 변명하게 할 수 있다.
> **③** 본회의는 심사대상 의원의 자격 유무를 의결로 결정하되, 그 자격이 없는 것으로 의결할 때에는 **재적의원 3분의 2 이상**의 찬성이 있어야 한다. 05. 입시, 11. 법행, 12. 법무사

③ 징계권

> **헌법 제64조 ②** 국회는 의원의 **자격**을 **심사**하며, 의원을 **징계**할 수 있다.
> **③** 의원을 **제명**하려면 국회재적의원 3분의 2 이상의 찬성이 있어야 한다. 03·19. 법무사
> **④** 제2항과 제3항의 처분에 대하여는 **법원에 제소할 수 없다.** 19. 법무사·지방직
>
> **국회법 제155조【징계】** 국회는 의원이 다음 각 호의 어느 하나에 해당하는 행위를 하였을 때에는 윤리특별위원회의 심사를 거쳐 그 의결로써 징계할 수 있다. 다만, 의원이 제10호에 해당하는 행위를 하였을 때에는 윤리특별위원회의 심사를 거치지 아니하고 그 의결로써 징계할 수 있다.
>   1. 헌법 제46조 제1항 또는 제3항을 위반하는 행위를 하였을 때
>   2. 제29조의 겸직 금지 규정을 위반하였을 때
>   3. 제29조의2의 영리업무 종사 금지 규정을 위반하였을 때
>   4. 제54조의2 제2항을 위반하였을 때
>   5. 제102조를 위반하여 의제와 관계없거나 허가받은 발언의 성질과 다른 발언을 하거나 이 법에서 정한 발언시간의 제한 규정을 위반하여 의사진행을 현저히 방해하였을 때
>   6. 제118조 제3항을 위반하여 게재되지 아니한 부분을 다른 사람에게 열람하게 하거나 전재 또는 복사하게 하였을 때
>   7. 제118조 제4항을 위반하여 공표 금지 내용을 공표하였을 때

핵심기출 OX

01 국회의 국회의원에 대한 징계처분에 대하여는 법원에 제소할 수 없으나, 제명처분에 대하여는 법원에 제소할 수 있다. 03. 법행, 07. 법원직 (O, ×)

답 × 헌법 제64조 제4항에서는 국회 자율권의 일환으로서 자격심사·징계·제명처분을 한 경우 법원에 제소할 수 없다고 명시하고 있다. 권력분립을 통해 국회의 자율성을 도모하고, 사법부의 정치화를 막기 위한 규정이다. 다만, 일부 견해는 제명처분에 대하여는 헌법소원을 제기할 수 있다는 주장을 하기도 한다.

02 국회의원은 국회재적의원 3분의 2 이상의 찬성이 있으면 제명할 수 있고, 이에 불복이 있는 경우 법원에 제소할 수 있다. 12. 경정승진 (O, ×)

답 × 국회의원의 자격심사, 제명 등 징계는 법원에 제소할 수 없다(헌법 제64조 제4항).

03 국회는 재적의원 3분의 2 이상의 찬성으로써 의원을 제명할 수는 있으나, 의원의 무자격을 의결할 수는 없다. 05. 입시 (O, ×)

답 × 의원에 대한 자격심사의 청구는 30명 이상의 연서로 의장에게 하며(국회법 제138조 참조), 의원의 무자격결정은 재적의원 3분의 2 이상의 찬성으로 의결할 수 있다(국회법 제142조 제3항 참조).

01 국회의 의원에 대한 자격심사에서 국회가 윤리특별위원회의 심사를 거쳐 본회의에서 재적의원 과반수의 찬성으로 피심의원에 대하여 국회의원의 자격이 없음을 의결하면 그 직을 상실한다. 12. 법무사 (○, ×)

📖 × 본회의는 심사대상 의원의 자격 유무를 의결로 결정하되 그 자격이 없는 것으로 의결할 때에는 재적의원 3분의 2 이상의 찬성이 있어야 한다(국회법 제142조 제3항).

02 국회는 의원의 자격을 심사하며, 의원을 징계할 수 있다. 의원을 제명하려면 국회재적의원 3분의 2 이상의 찬성이 있어야 하는데, 제명처분에 대하여는 법원에 제소할 수 없다. 19. 법무사 (○, ×)

📖 ○

03 국회의 자격심사나 제명을 제외한 국회의원에 대한 국회의 징계처분에 대해서는 예외적으로 법원에 제소할 수 있다. 19. 지방직 (○, ×)

📖 × 법원에 제소할 수 없다.

04 의원을 제명하려면 국회재적의원 3분의 1 이상의 발의에 의하여 국회재적의원 과반수의 찬성이 있어야 한다. 03. 법무사 (○, ×)

📖 × 의원을 제명하려면 국회재적의원 3분의 2 이상의 찬성이 있어야 한다(헌법 제64조 제3항).

05 국회는 의원이 의장석 또는 위원장석을 점거하고 점거 해제를 위한 의장 또는 위원장의 조치에 따르지 아니하거나 의원의 본회의장 또는 위원회 회의장 출입을 방해한 때에는 윤리특별위원회의 심사를 거치지 아니하고 의결로써 징계할 수 있다. 13. 국회직 변형 (○, ×)

📖 × 의장석 또는 위원장석을 점거하고 점거 해제를 위한 의장 또는 위원장의 조치에 따르지 아니하였을 때에는 윤리특별위원회의 심사를 거치지 아니하고 그 의결로써 이를 징계할 수 있다(국회법 제155조 제10호). 반면, 의원의 본회의장 또는 위원회 회의장 출입을 방해하였을 때에는 윤리특별위원회의 심사를 거쳐 그 의결로써 징계할 수 있다(국회법 제155조 제11호).

8. 제145조 제1항에 해당되는 회의장의 질서를 어지럽히는 행위를 하거나 이에 대한 의장 또는 위원장의 조치에 따르지 아니하였을 때

9. 제146조를 위반하여 본회의 또는 위원회에서 다른 사람을 모욕하거나 다른 사람의 사생활에 대한 발언을 하였을 때

10. 제148조의2를 위반하여 의장석 또는 위원장석을 점거하고 점거 해제를 위한 제145조에 따른 의장 또는 위원장의 조치에 따르지 아니하였을 때 13. 국회직

11. 제148조의3을 위반하여 의원의 본회의장 또는 위원회 회의장 출입을 방해하였을 때 13. 국회직

12. 정당한 이유 없이 국회 집회일부터 7일 이내에 본회의 또는 위원회에 출석하지 아니하거나 의장 또는 위원장의 출석요구서를 받은 후 5일 이내에 출석하지 아니하였을 때

13. 탄핵소추사건을 조사할 때 국정감사 및 조사에 관한 법률에 따른 주의의무를 위반하는 행위를 하였을 때

14. 국정감사 및 조사에 관한 법률 제17조에 따른 징계사유에 해당할 때

15. 공직자윤리법 제22조에 따른 징계사유에 해당할 때

16. 국회의원윤리강령이나 국회의원윤리실천규범을 위반하였을 때

제156조【징계의 요구와 회부】 ① 의장은 제155조 각 호의 어느 하나에 해당하는 행위를 한 의원(이하 "징계대상자"라 한다)이 있을 때에는 윤리특별위원회에 회부하고 본회의에 보고한다.

② 위원장은 소속 위원 중에 징계대상자가 있을 때에는 의장에게 보고하며, 의장은 이를 윤리특별위원회에 회부하고 본회의에 보고한다.

③ 의원이 징계대상자에 대한 징계를 요구하려는 경우에는 의원 **20명 이상**의 **찬성**으로 그 사유를 적은 요구서를 의장에게 제출하여야 한다.

④ 징계대상자로부터 **모욕을 당한 의원**이 **징계를 요구**할 때에는 찬성의원을 필요로 하지 아니하며, 그 사유를 적은 요구서를 의장에게 제출한다.

⑤ 제3항과 제4항의 징계 요구가 있을 때에는 의장은 이를 윤리특별위원회에 회부하고 본회의에 보고한다.

⑥ 윤리특별위원회의 위원장 또는 위원 5명 이상이 징계대상자에 대한 징계 요구를 하였을 때에는 윤리특별위원회는 이를 의장에게 보고하고 심사할 수 있다.

⑦ 제155조 제10호에 해당하여 징계가 요구되는 경우에는 의장은 제1항·제2항·제5항 및 제6항에도 불구하고 해당 의원에 대한 징계안을 바로 본회의에 부의하여 지체 없이 의결하여야 한다.

제157조【징계의 요구 또는 회부의 시한 등】 ① 의장은 다음 각 호에 해당하는 날부터 폐회 또는 휴회기간을 제외한 3일 이내에 윤리특별위원회에 징계(제155조 제10호에 해당하여 요구되는 징계는 제외한다. 이하 이 항에서 같다) 요구를 회부하여야 한다. 다만, 윤리특별위원회가 구성되지 아니하여 본문에 따른 기간 내에 징계 요구를 회부할 수 없을 때에는 제46조에 따라 윤리특별위원회가 구성된 날부터 폐회 또는 휴회기간을 제외하고 3일 이내에 징계 요구를 회부하여야 한다.

1. 제156조 제1항의 경우: 그 사유가 발생한 날 또는 그 징계대상자가 있는 것을 알게 된 날

2. 제156조 제2항의 경우: 위원장의 보고를 받은 날

3. 제156조 제5항의 경우: 징계요구서를 제출받은 날

② 제156조 제2항에 따른 위원장의 징계대상자 보고와 같은 조 제3항·제4항 및 제6항에 따른 징계 요구는 그 사유가 발생한 날 또는 그 징계대상자가 있는 것을 알게 된 날부터 10일 이내에 하여야 한다. 다만, 폐회기간 중에 그 징계대상자가 있을 경우에는 다음 회 국회의 집회일부터 3일 이내에 하여야 한다.

제163조【징계의 종류와 선포】 ① 제155조에 따른 징계의 종류는 다음과 같다.

1. 공개회의에서의 경고
2. 공개회의에서의 사과
3. **30일(제155조 제2호 또는 제3호에 해당하는 행위를 한 의원에 대한 징계는 90일) 이내의 출석정지.** 이 경우 출석정지기간에 해당하는 국회의원의 보좌직원과 수당 등에 관한 법률에 따른 수당·입법활동비 및 특별활동비(이하 "수당 등"이라 한다)는 2분의 1을 감액한다.
4. **제명(除名)**

② 제1항에도 불구하고 제155조 제8호·제10호 또는 제11호에 해당하는 행위를 한 의원에 대한 징계의 종류는 다음과 같다.

1. 공개회의에서의 경고 또는 사과. 이 경우 수당 등 월액의 2분의 1을 징계 의결을 받은 달과 다음 달의 수당 등에서 감액하되, 이미 수당 등을 지급한 경우에는 감액분을 환수한다.
2. 30일 이내의 출석정지. 이 경우 징계 의결을 받은 달을 포함한 3개월간의 수당 등을 지급하지 아니하되, 이미 수당 등을 지급한 경우에는 전액 환수한다.
3. 제명

③ 제1항 제1호·제2호 및 제2항 제1호의 경우에는 윤리특별위원회에서 그 문안을 작성하여 보고서와 함께 의장에게 제출하여야 한다. 다만, 제155조 제10호에 해당하여 바로 본회의에 부의하는 징계안의 경우에는 그러하지 아니하다.

④ 제명이 의결되지 아니하였을 때에는 본회의는 다른 징계의 종류를 의결할 수 있다.

⑤ 징계를 의결하였을 때에는 의장은 공개회의에서 그 사실을 선포한다.

제164조【제명된 사람의 입후보 제한】 제163조에 따른 징계로 제명된 사람은 그로 인하여 궐원된 의원의 보궐선거에서 후보자가 될 수 없다. 19. 지방직

개념PLUS+ 자격심사와 징계 비교

구분	자격심사	징계
사유	• 금지된 직에 취임 • 임시 개시일 후 해직된 권한행사	청렴의무, 이권운동금지, 욕발언금지 등에 위배한 때
요구정족수	의원 30명	의원 20명 또는 모욕당한 의원
종류	무자격결정(장래효)	경고, 사과, 30일 이내의 출석정지, 제명❶
정족수	무자격결정: 재적의원 3분의 2	• 경고·사과·출석정지: 일반 의결 정족수 • 제명: 재적의원 3분의 2
출석·변명	• 허가를 받아 출석가능 • 변명가능	• 출석금지 • 변명가능

❶ 두문자 암기법
출·제(되면)·경·사(로다)

3. 한계

국회자율권의 한계는 국회의 자율권의 범위에 관한 문제로서 자율권행사에 대한 사법적 심사가능성이 그 핵심내용이다.

(1) 자격심사 및 징계처분과 사법적 심사

국회의원이 자격심사나 징계처분을 받은 경우 그 위법을 주장하여 법원에 취소소송을 제기할 수 있는지 문제되나 헌법은 명문으로 이를 금지하고 있다. 이는 권력분립과 국회의 자율성을 존중하기 위한 헌법적 요청에서 유래한다. 다만, 제명의 경우 헌법소원을 제기하는 것은 가능하다고 본다(다수설).

(2) 의사절차와 사법적 심사

① **문제점**
　　㉠ 국회가 의사절차에 관한 법률규정에 위반하여 법률을 제정하였을 때 헌법재판소의 위헌심사권이 이에 미치는지 여부가 문제된다.
　　㉡ 이것은 구체적으로 국회가 헌법과 국회법에 규정된 회의정족수나 의결정족수에 관한 규정 또는 의사진행절차에 관한 규정에 위반하여 법안 등을 의결한 경우 헌법재판소가 이에 대하여 사법심사를 할 수 있는지의 문제이다.

② **학설**
　　㉠ **긍정설:** 헌법재판소는 법률에 관한 형식적 심사권을 가질 뿐만 아니라 법치주의에 따라 정당한 법의 적용을 보장하는 것이 그 사명이므로 모든 법률문제의 적부를 판단할 권한을 가진다고 한다.
　　㉡ **부정설:** 국회가 의결하여 일단 적법한 절차에 따라 공포된 이상 국회의 자율성을 존중하는 의미에서 헌법재판소는 의사절차에 관한 위헌 여부를 심사할 수 없다고 한다.
　　㉢ **제한적 긍정설:** 국회의 자율권에 근거하여 의사절차상의 하자는 원칙적으로 국회 스스로 판단할 문제이나, 그 하자가 중대하고 명백한 경우 사법심사가 가능하다고 한다.

③ **헌법재판소 입장:** 헌법재판소는 국회의 자율권도 헌법이나 법률을 위반하지 않는 범위 내에서 허용되어야 하므로 의사절차에 관한 헌법이나 법률의 규정을 명백히 위반한 흠이 있는 경우에는 국회는 자율권을 가진다고 할 수 없다고 하며, 국회의장이 야당의원들에게 본회의 개의일시를 적법하게 통지하지 않음으로써 그들이 본회의에 출석할 기회를 잃게 되었고, 그 결과 법률안의 심의표결과정에 참여하지 못하게 된 사안에서 사법심사를 긍정한 바 있다(헌재 1997.7.16. 96헌라2).

1 국회의 의사에 관한 자율권의 한계

모든 국가기관은 헌법과 법률에 의하여 기속을 받는 것이므로 국회의 자율권도 헌법이나 법률을 위반하지 않는 범위 내에서 허용되어야 하고, 국회의 의사절차나 입법절차에 헌법이나 법률의 규정을 명백히 위반한 흠이 있는 경우에도 국회가 자율권을 가진다고는 할 수 없다(헌재 1997.7.16. 96헌라2). 13. 변호사, 18. 국가직

2 탄핵소추의결이 국회의 재량행위인지 여부: 적극

헌법 제65조 제1항은 국회의 탄핵소추의결이 국회의 재량행위임을 명문으로 밝히고 있고 헌법해석상으로도 국정통제를 위하여 헌법상 국회에 인정된 다양한 권한 중 어떠한 것을 행사하는 것이 적절한 것인가에 대한 판단권은 오로지 국회에 있다고 보아야 할 것이다(헌재 1996.2.29. 93헌마186).

3 국회의장이 교섭단체대표의원의 요청에 따라 그 소속 국회의원을 국회보건복지위원회에서 강제사임시킨 행위가 국회의 조직자율권을 남용한 것인지 여부: 소극

오늘날 교섭단체가 정당국가에서 의원의 정당기속을 강화하는 하나의 수단으로 기능할 뿐만 아니라 정당 소속 의원들의 원내 행동통일을 기함으로써 정당의 정책을 의안심의에서 최대한으로 반영하기 위한 기능도 갖는다는 점에 비추어 볼 때 국회의장이 국회의 의사(議事)를 원활히 운영하기 위하여 상임위원회의 구성원인 위원의 선임 및 개선에 있어 교섭단체대표의원과 협의하고 그의 '요청'에 응하는 것은 국회운영에 있어 본질적인 요소라고 아니할 수 없다. 피청구인은 국회법 제48조 제1항에 규정된 바에 따라 청구인이 소속된 한나라당 '교섭단체대표의원의 요청'을 서면으로 받고 이 사건 사·보임행위를 한 것으로서 하등 헌법이나 법률에 위반되는 행위를 한 바가 없다.
요건대 피청구인의 이 사건 사·보임행위는 청구인이 소속된 정당 내부의 사실상 강제에 터 잡아 교섭단체대표의원이 상임위원회 사·보임요청을 하고 이에 따라 이른바 의사정리권한의 일환으로 이를 받아들인 것으로서 그 절차·과정에 헌법이나 법률의 규정을 명백하게 위반하여 재량권의 한계를 현저히 벗어나 청구인의 권한을 침해한 것으로는 볼 수 없다고 할 것이다(헌재 2003.10.30. 2002헌라1). 05·06. 사시, 06. 행시, 12. 변호사·국가직, 19. 지방직

4 국회의장이 야당국회의원들에게 본회의 개의일시를 통지하지 아니한 채 여당국회의원들만 새벽 6시에 모여 법률안을 변칙적으로 처리한 경우 야당국회의원의 법률안 '심의권·표결권'이 침해되는지 여부: 적극 [권한침해]

국회의원은 국민에 의하여 직접 선출되는 국민의 대표로서 여러 가지 헌법상·법률상의 권한이 부여되어 있지만 그중에서도 가장 중요하고 본질적인 것은 입법에 대한 권한임은 두말할 나위가 없고, 이 권한에는 법률안제출권(제52조)과 법률안 심의·표결권이 포함된다. 국회의원의 법률안 심의·표결권은 비록 헌법에는 이에 관한 명문의 규정이 없지만 의회민주주의의 원리, 입법권을 국회에 귀속시키고 있는 헌법 제40조, 국민에 의하여 선출되는 국회의원으로 국회를 구성한다고 규정하고 있는 헌법 제41조 제1항으로부터 당연히 도출되는 헌법상의 권한이다. 그리고 이러한 국회의원의 법률안 심의·표결권은 국회의 다수파의원에게만 보장되는 것이 아니라 소수파의원과 특별한 사정이 없는 한 국회의원 개개인에게 모두 보장되는 것임도 당연하다. … 그렇다면 피청구인이 국회법 제76조 제3항을 위반하여 청구인들에게 본회의 개의일시를 통지하지 않음으로써 청구인들은 이 사건 본회의에 출석할 기회를 잃게 되었고 그 결과 이 사건 법률안의 심의·표결과정에도 참여하지 못하게 되었다. 따라서 나머지 국회법규정의 위반 여부를 더 나아가 살필 필요도 없이 피청구인의 그러한 행위로 인하여 청구인들이 헌법에 의하여 부여받은 권한인 법률안 심의·표결권이 침해되었음이 분명하다(헌재 1997.7.16. 96헌라2). 08. 사시

🏛 **핵심기출 OX**

01 당론과 다른 견해를 가진 소속 국회의원을 다른 상임위원회로 전임하는 조치는 정당민주주의, 자유위임에 비추어 특별한 사정이 없는 한 헌법상 용인될 수 없다. 11. 경정승진 (O, X)

🔒 X 당론과 다른 견해를 가진 소속 국회의원을 당해 교섭단체의 필요에 따라 다른 상임위원회로 전임(사·보임)하는 조치는 특별한 사정이 없는 한 헌법상 용인될 수 있는 '정당 내부의 사실상 강제'의 범위 내에 해당한다고 할 것이다(헌재 2003.10.30. 2002헌라1).

02 국회의장이 교섭단체대표의원의 요청에 따라 그 소속 국회의원을 국회 보건복지위원회에서 강제사임시킨 행위는 국회의 자율권에 속하는 행위로서 사법심사의 대상에서 제외되어야 한다. 12. 국가직 (O, X)

🔒 X 소속 국회의원을 상임위원회에서 강제사임시킨 행위도 사법심사의 대상이 된다고 보았다. 이는 국회의원의 권한침해를 부정한 사건이다.

🔍 한 눈에 쏙

여당의원들만의 본회의를 개최함

▼

법률안을 단독으로 처리함

▼

야당의원들이 권한쟁의를 청구함

▼

헌법재판소의 결정

▼ | ▼

야당의원의 심의권·표결권침해 여부: 적극 | 법률안 가결·선포행위의 무효 여부: 소극(기각)

5 국회의장이 야당국회의원들에게 본회의 개의일시를 통지하지 아니한 채 여당국회의원들만 새벽 6시에 모여 법률안을 변칙적으로 처리한 경우 국회의장의 '법률안 가결·선포행위'가 헌법 제49조의 다수결원칙에 위배되어 무효인지 여부: 소극 [기각]

[1] 유효설(3인)

우리 헌법은 국회의 의사절차에 관한 기본원칙으로 제49조에서 '다수결의 원칙'을, 제50조에서 '회의공개의 원칙'을 각 선언하고 있으므로, 이 사건 법률안의 가결·선포행위의 효력 유무는 결국 그 절차상에 위 헌법 규정을 명백히 위반한 흠이 있는지 여부에 의하여 가려져야 할 것이다. 그러므로 이 사건 법률안은 재적의원의 과반수인 국회의원 155인이 출석한 가운데 개의된 본회의에서 출석의원 전원의 찬성으로(결국 재적의원 과반수의 찬성으로) 의결처리되었고, 그 본회의에 관하여 일반 국민의 방청이나 언론의 취재를 금지하는 조치가 취하여지지도 않았음이 분명하므로 그 의결절차에 위 헌법 규정을 명백히 위반한 흠이 있다고는 볼 수 없다. 그렇다면 피청구인의 이 사건 법률안의 가결·선포행위에는 국회법 위반의 하자는 있을지언정 입법절차에 관한 헌법의 규정을 명백히 위반한 흠이 있다고 볼 수 없으므로 이를 무효라고 할 수는 없다.

[2] 무효설(3인)

의회민주주의의 기본원리의 하나인 다수결원리는 의사형성과정에서 소수파에게 토론에 참가하여 다수파의 견해를 비판하고 반대의견을 밝힐 수 있는 기회를 보장하여 다수파와 소수파가 공개적이고 합리적인 토론을 거쳐 다수의 의사로 결정을 한다는 데 그 정당성의 근거가 있는 것이다. 따라서 입법과정에서 소수파에게 출석할 기회를 주지 않고 토론과정을 거치지 아니한 채 다수파만으로 단독 처리하는 것은 다수결원리에 의한 의사결정이라고 볼 수 없다. … 헌법 제49조를 형식적으로 풀이하여 재적의원 과반수를 충족하는 다수파에게만 출석의 가능성을 준 다음 그들만의 회의로 국가의사를 결정하여도 헌법 위반이 아니라고 해석하는 것은 의회민주주의의 기본원리인 공개와 토론의 원리 및 다수결원리의 정당성의 근거를 외면한 것이고, 복수정당제도를 채택하고 있는 헌법의 정신에 정면배치될 뿐만 아니라 결과적으로 국민의 다원적 의사를 대표하는 국민대표기관으로서의 국회의 본질적 기능을 무너뜨리는 것이다. … 피청구인의 이 사건 법률안의 가결·선포행위는 국회의원인 청구인들의 권한을 침해한 것임과 아울러 다수결원리를 규정한 헌법 제49조에 명백히 위반되는 것이라고 아니할 수 없다.

[3] 결론

이 사건 법률안을 상정하여 가결·선포한 행위는 … 인용의견이 재판관 과반수에 이르지 못하므로 이를 기각하기로 한다(헌재 1997.7.16. 96헌라2).

6 국회의장이 법률안에 대한 심사기간 지정요청을 거부한 행위 등이 국회의원들의 법률안 심의·표결권을 침해하거나 침해할 위험성이 있는지 여부: 소극 [각하] – 국회선진화법 사건 [5(각하):2(기각):2(인용)]

[심판대상 관련 조항]

국회법 제85조 【심사기간】 ① 의장은 다음 각 호의 어느 하나에 해당하는 경우에는 위원회에 회부하는 안건 또는 회부된 안건에 대하여 심사기간을 지정할 수 있다. 이 경우 제1호 또는 제2호에 해당하는 때에는 의장이 각 교섭단체대표의원과 협의하여 해당 호와 관련된 안건에 대하여만 심사기간을 지정할 수 있다.

1. 천재지변의 경우
2. 전시·사변 또는 이에 준하는 국가비상사태의 경우
3. 의장이 각 교섭단체대표의원과 합의하는 경우

② 제1항의 경우 위원회가 이유 없이 그 기간 내에 심사를 마치지 아니한 때에는 의장은 중간보고를 들은 후 다른 위원회에 회부하거나 바로 본회의에 부의할 수 있다.

제85조의2 【안건의 신속처리】 ① 위원회에 회부된 안건(체계·자구심사를 위하여 법제사법위원회에 회부된 안건을 포함한다)을 제2항에 따른 신속처리대상안건으로 지정하고자 하는 경우 의원은 재적의원 과반수가 서명한 신속처리대상안건 지정요구 동의(이하 이 조에서 '신속처리안건지정동의'라 한다)를 의장에게, 안건의 소관위원회 소속 위원은 소관위원회 재적위원 과반수가 서명한 신속처리안건지정동의를 소관위원회 위원장에게 제출하여야 한다. 이 경우 의장 또는 안건의 소관위원회 위원장은 지체 없이 신속처리안건지정동의를 무기명투표로 표결하되 재적의원 5분의 3 이상 또는 안건의 소관위원회 재적위원 5분의 3 이상의 찬성으로 의결한다.

② 의장은 제1항 후단에 따라 신속처리안건지정동의가 가결된 때에는 해당 안건을 제3항의 기간 내에 심사를 마쳐야 하는 안건으로 지정하여야 한다. 이 경우 위원회가 전단에 따라 지정된 안건(이하 '신속처리대상안건'이라 한다)에 대한 대안(代案)을 입안한 경우 그 대안을 신속처리대상안건으로 본다.

[이유의 요지]

[1] 이 사건 표결실시 거부행위에 대한 심판청구

국회법 제85조의2 제1항에 의하면 소관위원회 재적위원 과반수의 서명이라는 신속처리대상안건 지정요건을 갖춘 신속처리안건지정동의가 소관위원회 위원장에게 제출되어야 위원장은 무기명투표로 표결을 실시할 의무를 부담하게 되는 것이고, 소관위원회 소속 위원들도 비로소 신속처리안건지정동의를 표결할 권한을 가지게 된다. 이 사건의 경우 소관위원회 재적위원 과반수의 서명요건을 갖추지 못하였으므로, 이 사건 표결실시 거부행위로 인하여 청구인 나○린의 신속처리안건지정동의에 대한 표결권이 직접 침해당할 가능성은 없다.

[2] 이 사건 심사기간 지정 거부행위에 대한 심판청구

국회법 제85조 제1항의 직권상정권한은 국회의 수장이 국회의 비상적인 헌법적 장애상태를 회복하기 위하여 가지는 권한으로 국회의장의 의사정리권에 속하고, 의안 심사에 관하여 위원회 중심주의를 채택하고 있는 우리 국회에서는 비상적·예외적 의사절차에 해당한다. 국회법 제85조 제1항 각 호의 심사기간 지정사유는 국회의장의 직권상정권한을 제한하는 역할을 할 뿐 국회의원의 법안에 대한 심의·표결권을 제한하는 내용을 담고 있지는 않다. 청구인들의 법안 심의·표결권에 대한 침해위험성은 해당 안건이 본회의에 상정되어야만 비로소 현실화되고 국회법 제85조 제1항의 지정사유가 있다 하더라도 국회의장은 직권상정권한을 행사하지 않을 수 있다. 따라서 이 사건 심사기간 지정 거부행위로 말미암아 청구인들의 법률안 심의·표결권이 직접 침해당할 가능성은 없다(헌재 2016.5.26. 2015헌라1). 19. 국회직 8급

7 천재지변이나 국가비상사태의 경우 또는 각 교섭단체 대표와의 합의가 있을 때에 한하여 국회의장이 법률안의 심의기간을 지정할 수 있도록 한 국회법 제85조 제1항 및 제86조 제2항과 신속처리대상안건 지정 및 무제한 토론의 종결동의를 위한 의결정족수에 관하여 규정하고 있는 같은 법 제85조의2 제1항 및 제106조의2 제6항에 대한 헌법소원심판 청구가 적법한지 여부: 소극 [각하]

헌법소원제도는 공권력작용으로 인하여 헌법상의 권리를 침해받은 자가 그 권리를 구제받기 위하여 심판을 구하는 이른바 주관적 권리구제절차라는 점을 본질적 요소로

하고 있는 것으로서(헌재 1997.12.24. 96헌마172 등 참조), 청구인의 구체적인 기본권침해와 무관하게 법률 등 공권력이 헌법에 합치하는지 여부를 추상적으로 심판하고 통제하는 절차가 아니다.

그러므로 법률 등 공권력에 대한 헌법소원심판청구가 적법하기 위해서는 청구인에게 당해 공권력에 해당되는 사유가 발생함으로써 그 공권력이 청구인 자신의 기본권을 직접 현실적으로 침해하였거나 침해가 확실히 예상되는 경우에 한정된다고 할 것이다(헌재 1994.6.30. 91헌마162 참조). 그런데 청구인들은 심판대상조항들이 의회주의 및 다수결의 원칙을 위반하여 국민주권주의 및 선거를 통하여 국회에 입법권을 위임한 국민의 정치적 기본권을 침해한 것이라고 주장할 뿐, 심판대상조항들에 의하여 청구인들 자신의 기본권이 현실적으로 침해되었다거나 침해될 가능성이 있다고 인정할 만한 구체적 사정을 주장하고 있지 않으며, 설령 심판대상조항들에 의하여 결과적으로 일반 국민인 청구인들이 어떠한 불이익을 입게 된다고 하더라도 이를 청구인들 자신의 기본권을 직접, 현실적으로 침해하는 법적 불이익이라고 볼 수는 없다. 따라서 이 사건 심판청구는 기본권침해의 법적 관련성을 갖추지 못하여 부적법하다(헌재 2016.5.26. 2014헌마795).

8 국회가 국회운영에 관한 폭넓은 자율권을 가지는지 여부: 적극

국회는 국민의 대표기관이자 입법기관으로서 의사와 내부규율 등 국회운영에 관하여 폭넓은 자율권을 가지며, 국회의 의사절차나 입법절차에 헌법이나 법률의 규정을 명백히 위반한 흠이 있는 경우가 아닌 한 그 자율권은 권력분립의 원칙이나 국회의 위상과 기능에 비추어 존중되어야 한다. 18. 법원직 9급 특히 국회법 제10조는 국회의장으로 하여금 국회를 대표하고 의사를 정리하며 질서를 유지하고 사무를 감독하도록 하고 있고, 국회법 제6장의 여러 규정들은 개의, 의사일정의 작성, 의안의 상임위원회 회부와 본회의 상정, 발언과 토론, 표결 등 회의절차 전반에 관하여 국회의장에게 폭넓은 권한을 부여하고 있어 국회의 의사진행에 관한 한 원칙적으로 의장에게 그 권한과 책임이 귀속된다. 따라서 국회의장이 논란의 여지가 많은 사실관계하에서 진행한 의사절차진행행위라도 그것이 헌법이나 법률에 명백히 위배되지 않는 한 다른 국가기관은 이를 존중하여야 한다(헌재 2009.10.29. 2009헌라8·9·10).

9 신문법 및 방송법 관련 권한쟁의사건

[1] 국회부의장이 국회의장의 직무를 대리하는 경우에 국회부의장이 권한쟁의심판의 상대방이 되는지 여부: 소극

권한쟁의심판에서는 처분 또는 부작위를 야기한 기관으로서 법적 책임을 지는 기관만이 피청구인적격을 가지므로, 이 사건 권한쟁의심판은 의안의 상정·가결·선포 등의 권한을 가지는 피청구인 국회의장을 상대로 제기되어야 한다. 피청구인 **국회부의장**은 국회의장의 직무를 대리하여 **법률안을 가결·선포할 수 있을 뿐**(국회법 제12조 제1항), 법률안가결·선포행위에 따른 법적 책임을 지는 주체가 될 수 **없으므로**, 피청구인 국회부의장에 대한 **이 사건 심판청구는** 피청구인적격이 인정되지 아니한 자를 상대로 제기되어 **부적법**하다. 11. 국가직, 12. 변호사, 14. 법행

[2] 신문법 원안 등 3개의 법률안을 상정한 후 곧바로 질의와 토론을 실시하지 않겠다고 공언하고, 곧이어 신문법 수정안을 상정한 다음 이에 대한 표결을 선포한바, 이러한 절차진행이 법률안 심의에 있어 질의·토론절차에 관한 국회법 제93조에 위배하여 청구인들의 심의·표결권을 침해하였는지 여부: 적극

신문법 수정안은 위원회의 심사를 거치지 않고 본회의에 상정된 법안으로, 본회의의 의결에 의하여도 질의와 토론절차를 생략할 수 없다. 신문법 수정안은 이 사건 당일 15:35 국회에 제출되고 15:38에 e-의안시스템에 입력되었으므로, 청구인들로서는 그 이전에 해당 의안의 존재나 내용을 알 수 없었다. 한편 피청구인은 같은 날

15 : 37경 신문법 수정안을 다른 법안들과 일괄 상정하고, 그 즉시 그에 대한 질의·토론은 실시하지 않겠다고 선언한 다음 곧바로 수정안에 대한 표결을 선포하였으며, 약 11분 가량이 지난 후인 15시 49분 27초에야 신문법 수정안이 회의진행시스템에 입력되었고, 약 30초 후인 15 : 50 투표가 시작되었는바, 이러한 진행상황에 비추어보면 청구인들이 피청구인의 표결선포 전에 질의나 토론신청을 준비하는 것은 물리적으로 불가능하였다. 또한 국회법 제110조 제2항에 따라 표결선포 이후에는 질의·토론 자체가 허용되지 않으므로, 피청구인이 의안내용을 사전에 제공하지 아니한 채 표결선포를 함으로써 질의 및 토론신청의 기회는 실질적으로 봉쇄되었다. 이러한 사정을 종합하면 피청구인이 청구인들에게 신문법 수정안에 대한 질의·토론신청을 할 수 있는 기회를 사전에 부여하였다고 볼 수 없으므로, 질의·토론절차를 생략한 피청구인의 의사진행은 국회법 제93조 단서에 명백하게 위반된다.

[3] 신문법 수정안에 대한 표결과정에 무질서한 상황에서 수차례 권한 없는 자에 의한 투표가 이루어지는 등 헌법상 다수결원리에 반하는 명백한 절차적 하자가 있어 청구인들의 법률안 심의·표결권을 침해한 것으로 평가할 수 있는지 여부: 적극

① **입법과정에서 표결절차의 헌법적 의의**

헌법 제49조가 천명한 다수결의 원칙은 국회의 의사결정과정의 합리성 내지 정당성이 확보될 것을 전제로 한 것이므로, 법률안에 대한 표결절차가 자유와 공정이 현저히 저해된 상태에서 이루어져 표결결과의 정당성에 영향을 미칠 개연성이 인정되는 경우라면, 그러한 표결절차는 헌법 제49조 및 국회법 제109조가 규정한 다수결원칙의 대전제에 반하는 것으로서 국회의원의 법률안 표결권을 침해한다.

국회의원의 표결권은 개별 국회의원의 고유한 권리로서 일신전속적이므로 이를 타인에게 위임하거나 양도할 수 없으므로(국회법 제24조, 제111조 제1항, 제114조의2 등), 전자투표시스템에 의한 표결의 경우에도 자신에게 사용권한이 없는 투표단말기를 사용하여 투표하는 행위는 그 동기나 경위가 무엇이든 국회법에 위배되어 다른 국회의원의 헌법상 권한인 법률안 표결권을 침해하는 것이다.

② **표결의 자유와 공정이 현저히 저해되었는지 여부**

신문법 수정안에 대한 표결과정에 권한 없는 자에 의한 임의의 투표행위, 다른 국회의원의 투표단말기에 접근하거나 손을 가까이 가져가는 등 위법한 무권 또는 대리투표행위로 의심받을 만한 행위, 다수의 민주당 의원들이 한나라당 의원들의 투표행위를 저지하기 위하여 실랑이를 벌이거나 한나라당 의원석에 앉아 있고, 나아가 적극적으로 반대투표행위를 한 행위, 정상적인 표결절차에서 결코 나타날 수 없는 극히 이례적인 경위의 투표행위가 다수 확인되었다.

이러한 사정을 종합하면 신문법 수정안에 대한 표결절차는 자유와 공정이 현저히 저해된 상태에서 이루어졌다 하겠다.

③ **표결결과의 정당성에 영향을 미쳤을 개연성**

신문법 수정안 표결 전후 상황, 위법의 의심이 있는 투표행위의 횟수 및 정도 등을 종합하면 신문법 수정안의 표결결과는 극도로 무질서한 상황에서 발생한 위법한 투표행위, 정당한 표결권행사에 의한 것인지를 객관적으로 가릴 수 없는 다수의 투표행위들이 그대로 반영된 것으로서, 표결과정의 현저한 무질서와 불합리 내지 불공정이 표결결과의 정당성에 영향을 미쳤을 개연성이 있다고 판단된다.

④ 결국 피청구인의 신문법 수정안의 가결·선포행위는 헌법 제49조 및 국회법 제109조의 다수결원칙에 위배되어 청구인들의 표결권을 침해한 것이다.

[4] 방송법 수정안에 대한 표결결과 투표에 참가한 의원수가 재적의원의 과반수에 달하지 못하여 위 법률안이 부결되었음에도 국회부의장이 동일한 법률안에 대하여 즉석에서 재투표를 실시한 것이 일사부재의원칙에 위배되는지 여부: 적극

전자투표에 의한 표결의 경우 국회의장의 투표종료선언에 의하여 투표결과가 집계됨으로써 안건에 대한 표결절차는 실질적으로 종료되므로, 투표의 집계결과 출석의원 과반수의 찬성에 미달한 경우는 물론 재적의원 과반수의 출석에 미달한 경우에도 국회의 의사는 부결로 확정되었다고 볼 수밖에 없다.

헌법개정안에 투표한 유권자수가 **유권자 총수의 과반수에 미달**한 경우 헌법개정안에 대한 국민투표는 **부결**된 것으로 보고(헌법 제130조 제2항), **단체장이나 지방의원에 대한 주민소환투표의 경우** 소환요건 충족인원인 **3분의 1 이상의 투표수에 미달한 경우 주민소환이 부결**된 것으로 보는바(주민소환에 관한 법률 제22조 제1항), 위 규정들과의 균형상 국회에서의 의결에 있어서 표결절차가 종료될 때 재적의원 과반수의 출석에 미달한 경우도 부결된 것으로 보아야 한다.

결국 방송법안에 대한 1차 투표가 종료되어 **재적의원 과반수의 출석에 미달**되었음이 확인된 이상, 방송법안에 대한 국회의 의사는 **부결로 확정**되었다고 보아야 하므로, 피청구인이 국회의 방송법안에 대한 확정된 부결의사를 무시하고 재표결을 실시하여 그 표결결과에 따라 방송법안의 가결을 선포한 것은 **일사부재의원칙에 위배**하여 청구인들의 표결권을 침해한 것이다. 17. 국가직

[5] 신문법안 가결·선포행위가 무효인지 여부: 소극

헌법재판소법 제61조, 제66조는 권한쟁의심판에서 헌법재판소가 심판할 대상을 피청구인의 처분 등이 헌법 또는 법률에 의하여 부여받은 청구인의 권한을 침해하였는지 여부로 정하고, 나아가 피청구인의 처분을 취소하거나 그 무효를 확인하는 것에 대하여는 재량에 따른 부가적인 심판가능성을 부여하고 있을 뿐이다.

따라서 권한쟁의심판결과 드러난 위헌·위법상태를 제거함에 있어 피청구인에게 정치적 형성의 여지가 있는 경우 헌법재판소는 피청구인의 정치적 형성권을 가급적 존중하여야 하므로, 재량적 판단에 의한 무효확인 또는 취소를 통하여 피청구인의 처분의 효력을 직접 결정하는 것은 권한질서의 회복을 위하여 헌법적으로 요청되는 예외적인 경우에 한정되어야 한다. 이 사건에 있어서도 기능적 권력분립과 국회의 자율권을 존중하는 의미에서 헌법재판소는 원칙적으로 처분의 권한침해만 확인하고, 권한침해로 야기된 위헌·위법상태의 시정은 피청구인에게 맡기는 것이 바람직하므로 이 부분 청구는 기각되어야 한다.

[6] 방송법안 가결·선포행위가 무효인지 여부: 소극

헌법재판소법 제66조는 권한침해확인과 아울러 원인되는 처분의 취소 또는 무효확인까지 할 것인지 여부를 헌법재판소의 재량에 맡겨놓고 있다. 우리 헌법은 국회의 의사절차에 관한 기본원칙으로 제49조에서 '다수결의 원칙'을, 제50조에서 '회의공개의 원칙'을 각 선언하고 있으므로, 결국 법률안의 가결·선포행위의 효력은 입법절차상 위 헌법 규정을 명백히 위반한 하자가 있었는지에 따라 결정되어야 할 것이다. 이 사건의 경우 피청구인의 방송법안 가결·선포행위는 비록 국회법 제92조를 위반하여 청구인들의 심의·표결권을 침해한 것이지만, 그것이 입법절차에 관한 헌법규정을 위반하는 등 가결·선포행위를 취소 또는 무효로 할 정도의 하자에 해당한다고 보기는 어렵다. 따라서 이 부분 무효확인청구는 기각함이 상당하다(헌재 2009.10.29. 2009헌라8·9·10).

10 국회의원과 상임위원회 위원장(외교통상통일위원회 위원장) 등 간의 권한쟁의 사건

[1] 국회 상임위원회 위원장이 위원회 전체회의 개의 직전부터 회의가 종료될 때까지 회의장 출입문을 폐쇄하여 회의의 주체인 소수당 소속 상임위원회 위원들의 출입을 봉쇄한 상태에서 상임위원회 전체회의를 개의하여 안건을 상정한 행위 및 소위원회로 안건심사를 회부한 행위가 회의에 참석하지 못한 소수당 소속 상임위원회 위원들의 조약비준동의안에 대한 심의권을 침해한 것인지 여부: **적극**

피청구인이 청구인들의 출입을 봉쇄한 상태에서 이 사건 회의를 개의하여 한미 FTA 비준동의안을 상정한 행위 및 위 동의안을 법안심사소위원회에 심사회부한 행위는 헌법 제49조의 다수결의 원리, 헌법 제50조 제1항의 의사공개의 원칙과 이를 구체적으로 구현하는 국회법 제54조, 제75조 제1항에 반하는 위헌·위법한 행위라 할 것이고, 그 결과 청구인들은 이 사건 동의안 심의과정(대체토론)에 참여하지 못하게 됨으로써, 이 사건 상정·회부행위로 인하여 헌법에 의하여 부여받은 이 사건 동의안의 심의권을 침해당하였다 할 것이다.

[2] 위 안건 상정·소위원회 회부행위가 무효인지 여부: **소극**

이 사건 상정·회부행위는 국회의원의 조약비준동의안 심의·표결의 전제가 되는 회의장 출석 자체를 봉쇄함으로써 의안 심의권의 한 내용을 이루는 대체토론권을 침해한 잘못이 있고, 그러한 절차상의 하자는 결코 가볍다고 할 수 없다. 그러나 헌법재판소법 제66조 제2항이 권한침해처분의 취소나 무효확인에 관하여 헌법재판소에 재량적 판단여지를 부여하고 있는 이상, 종국결정 당시를 기준으로 현저히 공공복리에 적합하지 않은 예외적인 경우에는 행정소송에서의 사정판결의 법리를 유추적용하여 처분의 취소나 무효확인을 하지 아니함으로써 처분의 효력을 유지하도록 할 수도 있다. 따라서 비록 이 사건 상정·회부행위가 청구인들의 이 사건 동의안 심의권을 침해하는 중대한 하자를 지니고 있지만, 이 사건 동의안에 대한 사후의 진행경과, 현재의 제반상황, 이 사건 상정·회부행위에 존재하는 하자가 본회의 심사에서 치유될 가능성 등을 감안하여, 이 부분 청구는 기각함이 상당하다(헌재 2010.12.28. 2008헌라7 등).

11 국회의원들의 법률안 심의·표결권을 침해하여 권한침해확인결정이 선고된 후에 국회의장이 국회의원들에게 법률안에 대한 심의·표결권을 행사할 수 있는 조치를 취하지 아니한 것이 이들의 심의·표결권을 침해하는지 여부: 소극 [기각]

권한침해확인결정의 기속력을 직접받는 피청구인은 그 결정을 존중하고 헌법재판소가 그 결정에서 명시한 위헌·위법성을 제거할 헌법상의 의무를 부담한다. 그런데 그 결정의 기속력에 의하여 법률안 가결·선포행위에 내재하는 위헌·위법성을 어떤 방법으로 제거할 것인지는 전적으로 국회의 자율에 맡겨져 있다. 따라서 헌법재판소가 '권한의 존부 또는 범위'의 확인을 넘어 그 구체적 실현방법까지 임의로 선택하여 가결·선포행위의 효력을 무효확인 또는 취소하거나 부작위의 위법을 확인하는 등 기속력의 구체적 실현을 직접 도모할 수는 없다. 따라서 이러한 권한침해확인결정의 기속력의 한계로 인하여 이 사건 심판청구는 이를 기각함이 상당하다(헌재 2010.11.25. 2009헌라12). 13. 국회직

제6절 국회의원

1 국회의원의 지위

1. 헌법상 지위

국회의원은 근대 의회의 성립 이후 국민의 대표자이며 그 대표관계는 자유위임을 의미하는 것으로 해석되고 있었다. 다만, 20세기에 들어와서 정당국가의 발전과 함께 정당의 대표자로서 정당에 예속됨에 따라 전통적인 대의제 민주주의에 있어서의 국회의원의 성격이 변모하고 있어 국회의원의 지위에 대한 재검토가 요구되고 있다.

(1) 국회의 구성원으로서의 지위

우리 헌법에는 국회의원의 헌법상 지위에 관한 구체적이고 직접적인 명문규정이 없으나, 제41조 제1항에서 "국회는 국회의원으로 구성한다."라고 하고 있으므로 국회의원은 국회의 구성원으로서의 지위를 가진다.

(2) 국민의 대표자로서의 지위

대의제하에서 국회의원은 국민을 대표한다. 다만, 대표의 성격과 관련하여 정치적 대표설과 법적 대표설의 견해 대립이 있는바, 현행헌법상 국회의원은 국민 전체를 대표하며 무기속위임을 기초로 하고 있다는 점, 국회의원은 국민 전체의 이익을 위하여 활동하여야 하고 국민은 국회의원에 대하여 차기 선거나 여론 등을 통해 정치적 책임을 물을 수 있다는 점에서 정치적 대표를 의미한다고 본다.

(3) 정당의 대표자로서의 지위 – 이중적 지위

오늘날에는 거의 모든 의원이 특정 정당에 소속되어 소속 정당을 대표하는 정당제 민주주의가 확립되어 있다. 따라서 오늘날 국회의원은 국민의 대표자로서의 지위와 정당의 대표자로서의 지위를 함께 가진다.

(4) 국민의 대표자로서의 지위와 정당의 대표자로서의 지위간의 관계

① **문제의 소재**: 국회의원이 이처럼 국민대표자로서의 지위와 정당대표자로서의 지위를 함께 가지게 됨에 따라 양 지위의 상호관계가 문제된다. 대의제의 이념이 의원 개개인의 개별적 행동만을 전제로 하는 것은 아니며 정당정책을 함께 하는 집단의 공동행동으로 더욱 강력하게 실현될 수도 있는 것이므로 정당을 통한 활동 자체가 항상 무기속위임과 모순·충돌하는 것은 아니다.

그러나 국민대표자로서의 지위가 무기속위임을 본질로 하는 데 반하여, 정당대표자로서의 의원은 소속 정당의 지시와 명령에 따르는 정당에의 기속을 그 본질로 하므로 양자가 외형상 모순관계에 있게 됨은 부인할 수 없다.

② 학설 및 검토

　　㉠ 정당대표성을 강조하는 견해는 오늘날의 정당국가의 현실을 강조하여 정당기속을 우선하나, 국민대표성을 강조하는 견해는 무기속위임의 원칙은 오늘날에도 여전히 관철되어야 하고 정당기속성은 무기속위임의 원칙에 위배되지 않는 한계 내에서만 유효하다고 한다.

　　㉡ 의원은 탈당의 자유가 있을 뿐만 아니라 표결에 있어서도 비밀투표가 보장되어 있어 국가의 이익과 소속 정당의 이익이 충돌할 경우에는 양심에 따라 소속 정당의 결정과 반대되는 발언이나 표결도 할 수 있고, 헌법은 국회의원의 국가이익우선의무를 규정하고 있으므로(제46조 제2항), 국민의 대표자로서의 지위가 정당의 대표자로서의 지위보다 우선한다고 하여야 할 것이다. 11. 국회직 9급

개념PLUS+ 　국회의원직 상실사유의 해당 여부

상실사유	상실사유가 아닌 것
• 임기만료 • 당선무효판결 • 선거법 위반으로 100만원 이상의 벌금형 확정 • 퇴직 • 사직 • 국회의 제명의결 • 국회의 자격상실결정 • 비례대표의원의 합당·해산·제명 외의 사유로 탈당 • 정당의 강제해산	• 정당에서의 제명(당원자격만 상실) • 탄핵결정(국회의원은 탄핵대상이 아님) • 지역구의원의 탈당 • 비례대표의원의 합당·해산·제명에 의한 당적변경 • 정당의 등록취소, 자진해산에 의한 당적변경

⚖️ 판례

1 전국구의원(비례대표의원)이 그를 공천한 정당을 탈당할 때 의원직을 상실하는지 여부: 소극

전국구의원이 그를 공천한 정당을 탈당할 때 의원직을 상실하는지 여부는 그 나라의 헌법과 법률이 국회의원을 자유위임하에 두었는가, 명령적 위임하에 두었는가, 양 제도를 병존하게 하였는가에 달려있는데 자유위임하의 국회의원의 지위는 그 의원직을 얻은 방법, 즉 전국구로 얻었는가, 지역구로 얻었는가에 의하여 차이가 없으며, 전국구의원도 그를 공천한 정당을 탈당하였다고 하여도 별도의 법률규정이 있는 경우는 별론으로 하고 당연히 국회의원직을 상실하지는 않는다(헌재 1994.4.28. 92헌마153). 98·00. 사시, 10. 법행

☑ 주의 전국구의원(비례대표의원)의 탈당
- **과거**: 의원직 상실 ×
- **현재**: 의원직 상실 ○

2 국회의원이 질의권·토론권 등의 침해를 이유로 헌법소원을 청구할 수 있는지 여부: 소극

국회의원이 국회 내에서 행하는 질의권·토론권 및 표결권 등은 공권력을 행사하는 국가기관인 국회의 구성원의 지위에 있는 국회의원에게 부여된 권한이지 국회의원 개인에게 헌법이 보장하는 권리, 즉 기본권으로 인정된 것이라고 할 수 없으므로 구체적 기본권을 침해당한 바 없는 국회의원에게 헌법소원심판청구가 허용된다고 할 수 없다(헌재 1995.2.23. 90헌마125). 12·14. 국가직, 15. 법원직 8급

2. 의원자격의 발생과 소멸

(1) 의원자격의 발생

① 의원으로서의 자격의 발생시기에 관하여는 ㉠ 당선결정설, ㉡ 취임승낙설, ㉢ 임기개시설이 대립하고 있으나, 헌법과 법률이 정한 임기개시와 동시에 의원자격이 발생한다고 보는 **임기개시설**이 다수설이다.

② 공직선거법 제14조 제2항은 "총선거에 의한 전임의원의 임기만료일의 다음 날로부터 의원의 임기가 개시된다."라고 규정하고 있다. 보궐선거에 의한 경우에는 당선결정시, 비례대표의원직 승계의 경우에는 선거관리위원회의 승계결정통고시부터 의원자격이 발생한다. 13. 국회직 8급

(2) 의원자격의 소멸

① **임기의 만료**: 의원은 임기(4년)가 만료됨으로써 자격을 상실한다.

② **당선무효와 유죄판결의 확정**

> **공직선거법 제263조【선거비용의 초과지출로 인한 당선무효】** ① 제122조(선거비용제한액의 공고)의 규정에 의하여 공고된 선거비용제한액의 **200분의 1 이상**을 초과지출한 이유로 선거사무장, 선거사무소의 **회계책임자**가 **징역형 또는 300만원 이상의 벌금형**의 선고를 받은 때에는 그 후보자의 당선은 무효로 한다. 다만, 다른 사람의 유도 또는 도발에 의하여 당해 후보자의 당선을 무효로 되게 하기 위하여 지출한 때에는 그러하지 아니하다.
>
> **제264조【당선인의 선거범죄로 인한 당선무효】** 당선인이 당해 선거에 있어 이 법에 규정된 죄 또는 정치자금법 제49조의 죄를 범함으로 인하여 **징역 또는 100만원 이상의 벌금형**의 선고를 받은 때에는 그 당선은 무효로 한다. 11. 법무사
>
> **제265조【선거사무장 등의 선거범죄로 인한 당선무효】** **선거사무장·선거사무소의 회계책임자**(선거사무소의 회계책임자로 선임·신고되지 아니한 자로서 후보자와 통모하여 당해 후보자의 선거비용으로 지출한 금액이 선거비용제한액의 3분의 1 이상에 해당되는 자를 포함한다) 또는 후보자(후보자가 되려는 사람을 포함한다)의 **직계존비속 및 배우자**가 해당 선거에 있어서 제230조부터 제234조까지, 제257조 제1항 중 기부행위를 한 죄 또는 정치자금법 제45조 제1항의 정치자금부정수수죄를 범함으로 인하여 **징역형 또는 300만원 이상의 벌금형**의 선고를 받은 때(선거사무장, 선거사무소의 회계책임자에 대하여는 선임·신고되기 전의 행위로 인한 경우를 포함한다)에는 그 선거구후보자(대통령후보자, 비례대표국회의원후보자 및 비례대표지방의회의원후보자를 제외한다)의 당선은 무효로 한다. 다만, 다른 사람의 유도 또는 도발에 의하여 당해 후보자의 당선을 무효로 되게 하기 위하여 죄를 범한 때에는 그러하지 아니하다.

③ 퇴직

> **국회법 제136조【퇴직】** ① 의원이 공직선거법 제53조에 따라 사직원을 제출하여 공직선거후보자로 등록되었을 때에는 의원직에서 퇴직한다.
> ② 의원이 법률에 규정된 피선거권이 없게 되었을 때에는 퇴직한다.
> ③ 의원에 대하여 제2항의 피선거권이 없게 되는 사유에 해당하는 형을 선고한 법원은 그 판결이 확정되었을 때에 그 사실을 지체 없이 국회에 통지하여야 한다.

④ 사직

> **국회법 제135조【사직】** ① 국회는 의결로 의원의 사직을 허가할 수 있다. 다만, **폐회 중에는 의장이 허가**할 수 있다. 11. 법무사, 12. 변호사, 14. 지방직
> ② 의원이 사직하려는 경우에는 본인이 서명·날인한 사직서를 의장에게 제출하여야 한다.
> ③ 사직 허가 여부는 **토론을 하지 아니하고 표결**한다.

개념PLUS+ 사직과 퇴직의 비교

구분	사직(국회법 제135조)	퇴직(국회법 제136조)
개념	자신의 의사로 직위를 포기하는 것	법이 정한 사유에 의하여 직위를 상실하는 것
사유	자신의 의사	• 공직선거법 제53조의 규정에 의한 사직원제출 후 공직선거후보자로 등록된 때 • 피선거권이 없게 된 때
국회의 허가	• 개회·휴회: 국회 본회의의 허가 • 폐회: 국회의장의 허가	허가 필요 없음

⑤ 제명

> **헌법 제64조** ③ 의원을 **제명**하려면 국회재적의원 3분의 2 이상의 찬성이 있어야 한다. 11. 법무사, 15. 법원직

⑥ 자격심사

> **헌법 제64조** ② 국회는 의원의 **자격을 심사**하며, 의원을 징계할 수 있다.

⑦ 비례대표의원의 탈당

> **공직선거법 제192조【피선거권상실로 인한 당선무효 등】** ④ 비례대표국회의원 또는 비례대표지방의회의원이 소속 정당의 **합당·해산 또는 제명 외의 사유로** 당적을 이탈·변경하거나 2 이상의 당적을 가지고 있는 때에는 국회법 제136조(퇴직) 또는 지방자치법 제90조(의원의 퇴직)의 규정에 불구하고 퇴직된다. 다만, 비례대표국회의원이 국회의장으로 당선되어 국회법 규정에 의하여 당적을 이탈한 경우에는 그러하지 아니하다. 06. 사시, 08·11·12. 법무사, 13. 법원직

3. 겸직제한

헌법 제43조 국회의원은 법률이 정하는 직을 겸할 수 없다.

국회법 제29조 【겸직금지】 ① 의원은 국무총리 또는 국무위원 직 외의 다른 직을 겸할 수 없다. 다만, 다음 각 호의 어느 하나에 해당하는 경우에는 그러하지 아니하다. 12. 변호사, 14·18. 서울시, 15. 법원직
1. 공익목적의 명예직
2. 다른 법률에서 의원이 임명·위촉되도록 정한 직
3. 정당법에 따른 정당의 직
② 의원이 당선 전부터 제1항 각 호의 직 외의 직을 가진 경우에는 임기 개시일 전까지 (재선거·보궐선거 등의 경우에는 당선이 결정된 날의 다음 날까지를 말한다. 이하 이 항에서 같다) 그 직을 휴직하거나 사직하여야 한다. 다만, 다음 각 호의 어느 하나의 직을 가진 경우에는 임기 개시일 전까지 그 직을 사직하여야 한다.
1. 공공기관의 운영에 관한 법률 제4조에 따른 공공기관(한국은행을 포함한다)의 임직원
2. 농업협동조합법, 수산업협동조합법에 따른 조합, 중앙회와 그 자회사(손자회사를 포함한다)의 임직원
3. 정당법 제22조 제1항에 따라 정당의 당원이 될 수 있는 교원
③ 의원이 당선 전부터 제1항 각 호의 직(제3호의 직은 제외한다. 이하 이 조에서 같다)을 가지고 있는 경우에는 임기 개시 후 1개월 이내에, 임기 중에 제1항 각 호의 직을 가지는 경우에는 지체 없이 이를 의장에게 서면으로 신고하여야 한다.
④ 의장은 제3항에 따라 신고한 직(본회의 의결 또는 의장의 추천·지명 등에 따라 임명·위촉된 경우는 제외한다)이 제1항 각 호의 직에 해당하는지 여부를 제46조의2에 따른 윤리심사자문위원회의 의견을 들어 결정하고 그 결과를 해당 의원에게 통보한다. 이 경우 의장은 윤리심사자문위원회의 의견을 존중하여야 한다.
⑦ 의장은 제4항에 따라 의원에게 통보한 날부터 15일 이내(본회의 의결 또는 의장의 추천·지명 등에 따라 임명·위촉된 경우에는 해당 의원이 신고한 날부터 15일 이내)에 겸직 내용을 국회공보 또는 국회 인터넷홈페이지 등에 게재하는 방법으로 공개하여야 한다. 14. 서울시
⑧ 의원이 제1항 각 호의 직을 겸하는 경우에는 그에 따른 보수를 받을 수 없다. 14. 서울시 다만, 실비 변상은 받을 수 있다.

제29조의2 【영리업무종사금지】 ① 의원은 그 직무 외에 영리를 목적으로 하는 업무에 종사할 수 없다. 15. 지방직 다만, 의원 본인 소유의 토지·건물 등의 재산을 활용한 임대업 등 영리업무를 하는 경우로서 의원 직무수행에 지장이 없는 경우에는 그러하지 아니하다.
② 의원이 당선 전부터 제1항 단서의 영리업무 외의 영리업무에 종사하고 있는 경우에는 임기 개시 후 6개월 이내에 그 영리업무를 휴업하거나 폐업하여야 한다.

제39조 【상임위원회의 위원】 ④ 국무총리·국무위원·국무총리실장·처의 장, 행정각부의 차관 기타 국가공무원의 직을 겸한 의원은 상임위원을 **사임할 수 있다.**

2 국회의원의 특권

1. 불체포특권

> **헌법 제44조** ① 국회의원은 현행범인인 경우를 제외하고는 **회기 중** 국회의 동의 없이 체포 또는 구금되지 아니한다. 07. 법무사, 17. 법행
> ② 국회의원이 회기 전에 체포 또는 구금된 때에는 현행범인이 아닌 한 국회의 요구가 있으면 **회기 중** 석방된다. 15. 법원직, 15·19. 서울시

(1) 의의

① **개념**: 불체포특권이란 국회의원은 현행범인인 경우를 제외하고는 회기 중 국회의 동의 없이 체포 또는 구금되지 아니하고, 회기 전에 체포 또는 구금된 때에도 국회의 요구가 있으면 회기 중 석방될 수 있는 특권을 말한다.

② **연혁과 입법례**: 불체포특권은 영국의회와 국왕과의 투쟁과정에서 그 기원을 찾을 수 있으며 이를 최초로 성문화한 것은 미연방헌법이다. 오늘날 대부분의 헌법이 이 특권을 규정하고 있다.

③ **제도적 취지**: 불체포특권을 인정하는 취지는 행정부의 불법·부당한 억압으로부터 의회의 자주적인 활동을 보장하고 의원의 직무수행을 원활하게 하려는 데에 있다.

(2) 법적 성질

① **국회의 특권인지 여부**
   ㉠ 불체포특권을 ⓐ 국회의 정상적인 활동을 보장하기 위한 국회의 특권으로 보는 견해와 ⓑ 의회의 자주적 활동을 보장하고 의원의 자유로운 직무수행을 보장하기 위한 것이므로 의회구성원으로서의 의원의 특권으로 보는 견해가 대립한다.
   ㉡ 통설은 불체포특권을 의원의 특권임과 동시에 의회의 정상적 기능을 보장하기 위한 제도적 장치이므로 의원이 개인적으로 포기할 수 없다고 본다.

② **형사책임과의 관계**: 불체포특권은 의원이 범법행위를 한 경우 형사책임을 면제하는 것은 아니며, 단지 회기 중에 한하여 체포당하지 않는다는 것을 의미한다. 따라서 회기 중이라도 불구속수사, 기소, 확정판결에 의한 자유형집행은 할 수 있다.

③ **면책특권과의 관계**: 면책특권은 형사책임을 영구히 면제하는 것이므로 일시적으로 체포되지 아니하는 특권에 불과한 불체포특권과는 법적 성질을 달리 한다.

④ **평등의 원칙과의 관계**: 불체포특권은 의회의 자주성과 의원의 원활한 직무수행을 보장하기 위함이라는 합리적 이유가 있으므로 평등의 원칙에 위배되지 않는다는 것이 지배적 견해이다.

01 국회의원의 불체포특권에 있어서 체포·구금에는 형사절차에 의한 체포·구금만 포함될 뿐 경찰관 직무집행법에 의한 보호조치 등과 같은 행정상의 절차에 의한 신체자유의 구속은 포함되지 않는다는 것이 통설이다. 01. 법무사

(O, ✕)

📖 ✕ 불체포특권에 있어서의 체포·구금에는 형사소송법상의 강제처분만이 아니라, 경찰관 직무집행법에 의한 보호조치나 감호조치 또는 격리처분과 같은 행정상의 강제처분도 포함된다는 것이 통설의 견해이다.

02 국회의원이 불구속으로 기소되어 징역형이 확정된 경우에도 국회의 회기 중에는 그 형을 집행할 수 없다. 12. 변호사

(O, ✕)

📖 ✕ 불구속으로 기소되어 판결확정 후에는 회기 중에도 징역형을 집행할 수 있다.

03 국회의원이 동료의원의 석방요구를 의결할 경우 재적의원 과반수의 동의를 요한다. 04. 국가직

(O, ✕)

📖 ✕ 국회의결 석방요구의 의결정족수는 재적의원 과반수의 출석과 출석의원 과반수의 찬성으로 의결하며, 국회의 요구가 있으면 현행범인이 아닌 한 회기 중에 석방된다.

04 국회의원이 회기 전에 체포하거나 구금된 때에는 국회의 요구가 있으면 회기 중 석방된다. 이 경우 체포 또는 구금된 의원의 석방요구를 발의할 때에는 재적의원 20인 이상의 연서로 그 이유를 첨부한 요구서를 국회의장에게 제출하여야 한다. 13. 국가직 변형

(O, ✕)

📖 ✕ 회기 전에 체포하거나 구금된 의원의 석방요구를 발의할 때에는 재적의원 4분의 1 이상의 연서로 그 이유를 첨부한 요구서를 의장에게 제출하여야 한다(국회법 제28조).

05 현행범인에게는 불체포특권이 인정되지 아니한다. 따라서 국회의원이 회의장 내에 있다고 하더라도 국회의장의 명령 없이도 체포할 수 있다. 02. 법무사, 04. 법행 유사 (O, ✕)

📖 ✕ 국회의원이 현행범인 경우에는 국회 회기 중이라 하더라도 불체포특권이 인정되지 아니하지만, 현행범인인 국회의원이 회의장 내에 있는 경우에는 국회의장의 명령 없이 체포할 수 없다(국회법 제150조 단서).

(3) 내용

① 원칙

㉠ **회기 중에는 의원을 체포·구금할 수 없다(사전적 불체포특권):** 회기 중이란 휴회 중을 포함하여 집회일로부터 폐회일까지의 기간을 말한다. 체포 또는 구금이란 일정 기간 신체의 자유를 박탈하여 일정한 장소에 유치하는 강제처분을 말하며, 형사소송법상의 체포·구금뿐만 아니라 경찰관 직무집행법에 의한 보호조치나 감호조치 또는 격리처분과 같은 행정상의 강제처분까지 포함된다. 01. 법무사, 10. 사시 다만, 의원을 불구속으로 수사 또는 형사소추하거나 판결확정 후에 자유형을 집행하는 것은 무방하다. 12. 변호사

㉡ **회기 전에 체포·구금한 때에도 국회의 요구가 있으면 석방하여야 한다(사후적 불체포특권):** 회기 전이란 회기시작 이전을 의미한다. 전 회기의 기간도 포함되므로 전 회기에 국회의 체포동의가 있었더라도 현 회기에는 석방요구가 가능하다. 의원이 동료의원의 석방요구를 발의하려면 **재적의원 4분의 1 이상의 연서로 이유를 첨부한 요구서**를 의장에게 제출하고(국회법 제28조), 08. 법행, 13. 국가직 재적의원 과반수의 출석과 출석의원 과반수의 찬성으로 의결한다(헌법 제49조). 04. 국가직 국회의 석방요구는 상대기관을 구속하며 그 기관은 즉각 의원을 석방하여야 한다. 석방은 회기 중에 한하여 인정되므로 회기가 끝난 후에는 다시 구금할 수 있다.

② 예외

㉠ **현행범:** 현행범에게는 불체포특권이 인정되지 않으므로 회기 전에 현행범으로 체포·구금된 자에 대하여는 석방을 요구하지 못한다. 07. 국회직, 17. 법행 국회의원이 현행범인 경우에는 국회 회기 중이라 하더라도 불체포특권이 인정되지 아니하지만, 현행범인인 국회의원이 회의장 내에 있는 경우에는 국회의장의 명령 없이 체포할 수 없다(국회법 제150조 단서). 02. 법무사, 04. 법행, 15. 국회직·서울시

㉡ **국회의 동의:** 의원을 체포하거나 구금하기 위하여 국회의 동의를 얻으려고 할 때에는 관할법원의 판사는 영장을 발부하기 전에 체포동의 요구서를 **정부에 제출**하여야 하며, **정부는 이를 수리한 후 지체 없이 그 사본을 첨부하여 국회에 체포동의를 요청**하여야 한다(국회법 제26조 제1항). 의장은 체포동의를 요청받은 후 처음 개의하는 본회의에 이를 보고하고, 본회의에 보고된 때부터 **24시간 이후 72시간 이내에 표결한다**(국회법 제26조 제2항). 다만, **체포동의안이 72시간 이내에 표결되지 아니하는 경우에는 그 이후에 최초로 개의하는 본회의에 상정하여 표결한다.** 16. 지방직, 19. 국가직

재적의원 과반수의 출석과 출석의원 과반수의 찬성으로 동의를 하면 회기 중에도 국회의원을 체포 또는 구금할 수 있다. 15. 서울시, 17. 법원직·법무사

✔ **주의**

체포동의안이 72시간 이내에 표결되지 아니하는 경우에는 폐기된 것으로 본다. (✕)

⇨ 체포동의안이 72시간 이내에 표결되지 아니하는 경우에는 그 이후에 최초로 개의하는 본회의에 상정하여 표결한다. (O)

> **국회법 제26조【체포동의 요청의 절차】** ① 의원을 체포하거나 구금하기 위하여 국회의 동의를 받으려고 할 때에는 관할법원의 판사는 영장을 발부하기 전에 체포동의 요구서를 정부에 제출하여야 하며, 정부는 이를 수리(受理)한 후 지체 없이 그 사본을 첨부하여 국회에 체포동의를 요청하여야 한다. 08. 법행
>
> ② 의장은 제1항에 따른 체포동의를 요청받은 후 처음 개의하는 본회의에 이를 보고하고, 본회의에 보고된 때부터 24시간 이후 72시간 이내에 표결한다. 다만, 체포동의안이 72시간 이내에 표결되지 아니하는 경우에는 그 이후에 최초로 개의하는 본회의에 상정하여 표결한다. 19. 국가직
>
> **제27조【의원체포의 통지】** 정부는 체포 또는 구금된 의원이 있을 때에는 지체 없이 의장에게 영장 사본을 첨부하여 이를 통지하여야 한다. 구속기간이 연장되었을 때에도 또한 같다. 16. 법원직, 19. 국가직

ⓒ **국회의 석방요구가 없는 경우:** 회기 전에 체포·구금되고 현행범인이 아닌 경우에도 국회의 석방요구가 없으면 불체포특권은 인정되지 아니한다.

(4) 계엄하에서의 국회의원의 불체포특권 강화

> **계엄법 제13조【국회의원의 불체포특권】** 계엄 시행 중 국회의원은 현행범인인 경우를 제외하고는 체포 또는 구금되지 아니한다. 07. 국회직, 16. 지방직

계엄법 제13조는 국회의원의 불체포특권을 회기 중으로 제한하고 있지 않다. 따라서 계엄 시행 중에는 국회의원은 현행범인인 경우를 제외하고는 회기 전이나 회기 중을 가리지 아니하고 체포 또는 구금되지 아니한다.

(5) 공직선거법상의 불체포특권과의 비교

공직선거법은 각종 선거후보자에 대하여 후보자등록이 끝난 날부터 개표종료시까지 불체포특권을 인정하고 있다.

2. 면책특권

> **헌법 제45조** 국회의원은 국회에서 직무상 행한 발언과 표결에 관하여 국회 외에서 책임을 지지 아니한다.

(1) 의의

① **개념:** 의원의 면책특권이란 국회의원이 국회에서 직무상 행한 발언과 표결에 관하여 국회 외에서 책임을 지지 아니하는 특권을 말한다. 그 취지는 국회의원이 국민의 대표자로서 국회 내에서 자유롭게 발언하고 표결할 수 있도록 보장함으로써 국회가 입법 및 국정통제 등 헌법에 의하여 부여된 권한을 적정하게 행사하고 그 기능을 원활하게 수행할 수 있도록 보장하는 데에 있다. 18. 서울시

② **연혁:** 면책특권은 영국에서 국왕과 의회의 투쟁결과 1689년 권리장전에서 확립되었고, 미국헌법에 계수된 후 오늘날 현대 입헌국가의 대부분이 이를 규정하고 있다.

③ **제도적 의의**: 면책특권은 ⊙ 의회의 독립성과 자율성 보장, ⓒ 행정부의 부당한 탄압배제, ⓒ 국회기능의 원활한 수행보장에 그 제도적 의의가 있다.

(2) 법적 성질

① **의원 및 의회의 특권성**: 발언과 표결에 관한 면책특권은 의원 개인의 의정활동 및 의회 자체의 정상적 기능수행을 보장하기 위한 것이다.

② **범죄구성요건과의 관계**: 발언과 표결에 관한 면책특권은 범죄성립의 요건은 충족하나 그에 관한 형벌권의 발동을 저지시키는 것으로서 형법상 인적 처벌조각사유에 해당한다. 18. 서울시

③ **불체포특권과의 관계**: 면책특권은 형사책임을 영구히 면제하는 것임에 반하여, 불체포특권은 일시적인 신체불가침특권을 의미할 뿐이라는 점에서 서로 구별된다.

④ **평등의 원칙 위배 여부**: 의원의 면책특권은 범죄가 성립하는 경우에도 처벌을 받지 아니하는 특권이라는 점에서 헌법 제11조의 평등의 원칙에 대한 위배가 아닌지가 문제되나, 국회의원의 면책특권은 의원의 국민대표성과 원활한 직무수행을 보장하기 위한 것이므로 합리적 근거가 있는 것이어서 평등의 원칙에 위배되지 않는다(통설).

(3) 주체

면책특권의 주체는 국회의원에 한하므로 지방의회의원은 면책특권을 누리지 못하고, 국회에서 발언하는 국무총리, 국무위원, 증인, 참고인 등은 면책의 주체가 될 수 없다. 의원직을 겸한 국무총리·국무위원에 대해서는 ① 의원인자격에서 행한 원내 발언에 대해서는 면책특권을 인정하여야 한다고 보지만(다수설), ② 의원인자격에서 행한 원내 발언뿐만 아니라 국무위원의 자격에서 행한 원내 발언에 대하여도 면책특권이 인정된다고 보는 견해도 있다(김철수).

(4) 내용

① **면책의 대상**

⊙ **국회 내**: 국회는 국회의사당이라는 건물만을 의미하는 것이 아니라 국회의 본회의나 위원회 또는 교섭단체가 개최되고 있는 장소를 포함한다.

ⓒ **직무행위**: 면책대상행위의 직무관련성을 최초로 규정한 것은 1962년 제5차 개정헌법이다. 직무상 행위에는 직무집행 그 자체는 물론이고 직무행위와 관련이 있는 직무집행에 부수된 행위도 포함된다. 03. 법행, 10. 국회직 9급, 15. 서울시, 16. 지방직 직무부수행위인지 여부는 구체적인 행위의 목적, 장소, 태양 등을 종합하여 개별적으로 판단하여야 한다. 국회 내의 행위라도 직무수행과 관계없는 사담이나 야유, 폭력행위 등은 면책되지 아니하며 정규의 절차에 따라서 한 발언일지라도 명예훼손적 발언이나 심한 모욕적 언사는 직무수행과 관계없는 것이므로 면책되지 아니하고 명예훼손죄나 모욕죄로 처벌될 수 있다.

1 본회의 발언 30분 전에 국회기자실에서 본회의 질문원고를 사전에 배포한 행위가 면책특권의 대상이 되는 직무부수행위인지 여부: 적극

피고인이 배포한 원고의 내용이 공개회의에서 행할 발언내용이고(회의의 공개성), 원고의 배포시기가 당초 발언하기로 예정된 회의시작 30분 전으로 근접되어 있으며(시간적 근접성), 원고배포의 장소 및 대상이 국회의사당 내에 위치한 기자실에서 국회 출입 기자들만을 상대로 한정적으로 이루어졌고(장소 및 대상의 한정성), 원고배포의 목적이 보도의 편의를 위한 것이라는(목적의 정당성) 등의 사실을 인정한 후 이와 같은 사실을 종합하여 피고인이 국회 본회의에서 질문한 원고를 위와 같이 사전에 배포한 행위는 국회의원의 면책특권의 대상이 되는 직무부수행위에 해당한다(대판 1992.9.22. 91도3317). 03. 법행, 07. 법무사, 08. 사시, 18. 서울시, 13·19. 국가직

2 국회의원이 국회예산결산위원회 회의장에서 법무부장관을 상대로 대정부질의를 하던 중 대통령 측근에 대한 대선자금제공의혹과 관련하여 이에 대한 수사를 촉구하는 과정에서 한 발언이 국회의원의 면책특권의 대상이 되는지 여부: 적극

헌법 제45조에서 규정하는 국회의원의 면책특권은 국회의원이 국민의 대표자로서 국회 내에서 자유롭게 발언하고 표결할 수 있도록 보장함으로써 국회가 입법 및 국정통제 등 헌법에 의하여 부여된 권한을 적정하게 행사하고 그 기능을 원활하게 수행할 수 있도록 보장하는 데 그 취지가 있다. 이러한 면책특권의 목적 및 취지 등에 비추어 볼 때 발언내용 자체에 의하더라도 직무와는 아무런 관련이 없음이 분명하거나 명백히 허위임을 알면서도 허위의 사실을 적시하여 타인의 명예를 훼손하는 경우 등까지 면책특권의 대상이 될 수는 없지만 발언내용이 허위라는 점을 인식하지 못하였다면 비록 발언내용에 다소 근거가 부족하거나 진위 여부를 확인하기 위한 조사를 제대로 하지 않았다고 하더라도 그것이 직무수행의 일환으로 이루어진 것인 이상 이는 면책특권의 대상이 된다(대판 2007.1.12. 2005다57752). 10·13·19. 국가직

3 국회의원이 이른바 떡값 리스트를 상임위원회 개의 당일에 국회의원회관에서 기자들에게 배포한 것이 면책특권의 대상이 되는 직무부수행위에 해당하는지 여부: 적극

국회의원인 피고인이 구 국가안전기획부 내 정보수집팀이 대기업 고위관계자와 중앙일간지 사주간의 사적 대화를 불법 녹음한 자료를 입수한 후 그 대화내용과 전직 검찰간부인 피해자가 위 대기업으로부터 이른바 떡값 명목의 금품을 수수하였다는 내용이 게재된 보도자료를 작성하여 국회법제사법위원회 개의 당일 국회의원회관에서 기자들에게 배포한 사안에서 피고인이 국회법제사법위원회에서 발언할 내용이 담긴 위 보도자료를 사전에 배포한 행위는 국회의원 면책특권의 대상이 되는 직무부수행위에 해당하므로 피고인에 대한 허위사실적시 명예훼손 및 통신비밀보호법 위반의 점에 대한 공소를 기각하여야 한다(대판 2011.5.13. 2009도14442). 18. 서울시

ⓒ **발언과 표결**: 발언이란 의제에 관한 의사의 표시를 말하는 것으로 의제에 대한 발의, 토론, 질문, 연설 등이 포함된다. 표결이란 의제에 관하여 찬·반의 의사를 표시하는 것이다.

② **면책의 효과**
ㄱ **국회 외에서의 면책**: 발언과 표결에 관한 면책특권은 국회 외에서의 책임을 지지 않는 것이므로 의원의 발언·표결이 국회법이나 의사규칙에 규정된 징계사유에 해당하면 국회 내에서 징계처분을 하는 것은 가능하다.

01 국회의원의 면책특권은 국회에서 직무상 행한 발언과 표결에 관하여 국회 외에서 책임을 지지 아니하는 것이므로, 국회의원이 본회의나 위원회에서 발언할 내용을 직전에 원내기자실에서 출입기자들에게 사전배포하는 행위는 면책특권의 대상이 되지 아니한다. 07. 법무사 (O, ×)

📖 × 국회의원이 국회본회의에서 질문할 원고를 사전에 배포한 행위는 면책특권의 대상이 되는 직무부수행위에 해당한다(대판 1992.9.22. 91도3317).

02 국회의원이 국회 내에서의 자신의 직무상 발언내용이 허위라는 점을 인식하지 못했다 하더라도, 발언내용에 다소 근거가 부족하거나 진위 여부를 확인하기 위한 조사를 제대로 하지 않았다면 면책특권의 대상이 될 수 없다. 10. 국가직 (O, ×)

📖 × 발언내용이 허위라는 점을 인식하지 못하였다면 비록 발언내용에 다소 근거가 부족하거나 진위 여부를 확인하기 위한 조사를 제대로 하지 않았다고 하더라도, 그것이 직무수행의 일환으로 이루어진 것인 이상 이는 면책특권의 대상이 된다(대판 2007.1.12. 2005다57752).

03 발언내용이 허위라는 점을 인식하지 못하였을지라도 발언내용에 다소 근거가 부족하거나 진위 여부를 확인하기 위한 조사를 제대로 하지 않았다면, 그것이 직무수행의 일환으로 이루어졌을지라도 이는 면책특권의 대상이 되지 않는다. 13. 국가직 (O, ×)

📖 × 발언내용이 허위라는 점을 인식하지 못하였다면 비록 발언내용에 다소 근거가 부족하거나 진위 여부를 확인하기 위한 조사를 제대로 하지 않았다고 하더라도, 그것이 직무수행의 일환으로 이루어진 것인 이상 이는 면책특권의 대상이 된다(대판 2007.1.12. 2005다57752).

© **법적 책임의 면제**: 면책은 법적 책임을 의미하는바, 민·형사상의 책임은 물론 공직자로서 지는 징계상의 책임도 지지 않는다. 13. 국가직 만약 국회 의원의 면책특권이 적용되는 행위에 대하여 공소가 제기된 경우 법원은 공소기각의 판결을 선고하여야 한다. 08. 국회직 8급, 11. 국회직 9급, 12. 변호사 그러나 의원의 국회 내에서의 발언 등에 대해서 선거구민에 대한 정치적 책임이나 소속 정당에 의한 징계처분까지 면제되는 것은 아니다(통설).

© **면책기간**: 불체포특권과는 달리 면책은 재임 중에 국한하지 않고 임기 만료 이후에도 영구적이다. 04. 법무사, 16. 지방직, 18. 서울시

(5) 한계

국회 내에서 행한 직무상 발언과 표결일지라도 그것을 다시 원외에서 되풀이하는 경우에는 원칙적으로 면책되지 않으나, 08. 법원직 예외적으로 공개회의의 회의록을 그대로 공개 또는 반포한 경우에는 언론의 자유(알 권리나 보도의 자유)의 일환으로서 면책된다.

3 국회의원의 권한

1. 국회의 활동에 관한 권한

(1) 국회소집요구권

> **헌법 제47조** ① 국회의 정기회는 법률이 정하는 바에 의하여 매년 1회 집회되며, 국회의 임시회는 대통령 또는 국회재적의원 4분의 1 이상의 요구에 의하여 집회된다.

(2) 의안발의권

> **국회법 제79조 【의안의 발의 또는 제출】** ① 의원은 10명 이상의 찬성으로 의안을 발의할 수 있다. 15. 법무사
> ② 의안을 발의하는 의원은 그 안을 갖추고 이유를 붙여 찬성자와 연서하여 이를 의장에게 제출하여야 한다.

(3) 질문권

> **헌법 제62조** ② 국회나 그 위원회의 요구가 있을 때에는 국무총리·국무위원 또는 정부위원은 출석·답변하여야 하며, 국무총리 또는 국무위원이 출석요구를 받은 때에는 국무위원 또는 정부위원으로 하여금 출석·답변하게 할 수 있다.
>
> **국회법 제122조【정부에 대한 서면질문】** ① 의원이 정부에 서면으로 질문하려고 할 때에는 질문서를 의장에게 제출하여야 한다.
> ② 의장은 제1항의 질문서를 받았을 때에는 지체 없이 이를 정부에 이송한다.
> ③ 정부는 질문서를 받은 날부터 10일 이내에 서면으로 답변하여야 한다. 그 기간 내에 답변하지 못할 때에는 그 이유와 답변할 수 있는 기한을 국회에 통지하여야 한다.
> ④ 정부는 서면질문에 대하여 답변할 때 회의록에 게재할 답변서와 그 밖의 답변 관계 자료를 구분하여 국회에 제출하여야 한다.
> ⑤ 제3항의 답변에 대하여 보충하여 질문하려는 의원은 서면으로 다시 질문할 수 있다.
>
> **제122조의2【정부에 대한 질문】** ① 본회의는 회기 중 기간을 정하여 국정 전반 또는 국정의 특정 분야를 대상으로 정부에 대하여 질문(이하 "대정부질문"이라 한다)을 할 수 있다.
> ② 대정부질문은 일문일답의 방식으로 하되, 의원의 질문시간은 20분을 초과할 수 없다. 이 경우 질문시간에 답변시간은 포함되지 아니한다. 08. 사시
>
> **제122조의3【긴급현안질문】** ① 의원은 20명 이상의 찬성으로 회기 중 현안이 되고 있는 중요한 사항을 대상으로 정부에 대하여 질문(이하 이 조에서 "긴급현안질문"이라 한다)을 할 것을 의장에게 요구할 수 있다. 08. 사시, 16. 지방직·국가직, 20. 경정승진
> ② 제1항에 따라 긴급현안질문을 요구하는 의원은 그 이유와 질문 요지 및 출석을 요구하는 국무총리 또는 국무위원을 적은 질문요구서를 본회의 개의 24시간 전까지 의장에게 제출하여야 한다.

질문권이란 국회의원이 '현재의 의제와 관계없이' 정부에 대하여 질문을 할 수 있는 권한이다(국회법 제122조 내지 제122조의3). 질문의 대상은 국무총리·국무위원·정부위원이며, 질문에는 정부에 대한 서면질문(국회법 제122조), 정부에 대한 질문(국회법 제122조의2), 긴급현안질문(국회법 제122조의3) 등이 있다.

개념PLUS+ 정부에 대한 질문과 긴급현안질문 비교

구분	정부에 대한 질문(국회법 제122조의2)	긴급현안질문(국회법 제122조의3)
사안	국정 전반, 국정의 특정 분야	회기 중 현안이 되고 있는 중요한 사항
제출	의장에게 제출, 의장이 48시간 전까지 정부에 도달되도록 송달	24시간 전까지 의장에게 제출
질문시간	일문일답에 의한 질문은 20분으로 하고, 답변시간은 제외함	• 질문 10분 • 보충질문 5분

(4) 질의권

질의권이란 국회의원이 '현재 의제가 되어 있는 사안에 대하여' 의의(疑義)를 물을 수 있는 권한이다. 질의의 대상은 위원장·발의자·국무총리·국무위원·정부위원이다.

(5) 토론권

의원은 의제가 된 의안에 대하여 찬·반 토론을 할 수 있다.

> **국회법 제93조【안건 심의】** 본회의는 안건을 심의할 때 그 안건을 심사한 위원장의 심사보고를 듣고 질의·토론을 거쳐 표결한다. 다만, 위원회의 심사를 거치지 아니한 안건에 대해서는 제안자가 그 취지를 설명하여야 하고, 위원회의 심사를 거친 안건에 대해서는 의결로 질의와 토론을 모두 생략하거나 그중 하나를 생략할 수 있다.
>
> **제106조【토론의 통지】** ① 의사일정에 올린 안건에 대하여 토론하려는 의원은 미리 반대 또는 찬성의 뜻을 의장에게 통지하여야 한다.
> ② 의장은 제1항의 통지를 받은 순서와 그 소속 교섭단체를 고려하여 반대자와 찬성자가 교대로 발언하게 하되, 반대자에게 먼저 발언하게 한다.
>
> **제106조의2【무제한토론의 실시 등】** ① 의원이 본회의에 부의된 안건에 대하여 이 법의 다른 규정에도 불구하고 시간의 제한을 받지 아니하는 토론(이하 이 조에서 "무제한토론"이라 한다)을 하려는 경우에는 **재적의원 3분의 1 이상**이 서명한 요구서를 의장에게 제출하여야 한다. 이 경우 의장은 해당 안건에 대하여 무제한토론을 실시하여야 한다. 13·14. 국회직 8급, 16. 사시, 17. 입시
> ② 제1항에 따른 요구서는 요구 대상 안건별로 제출하되, 그 안건이 의사일정에 기재된 본회의가 개의되기 전까지 제출하여야 한다. 다만, 본회의 개의 중 당일 의사일정에 안건이 추가된 경우에는 해당 안건의 토론 종결 선포 전까지 요구서를 제출할 수 있다.
> ③ 의원은 제1항에 따른 요구서가 제출되면 해당 안건에 대하여 무제한토론을 할 수 있다. 이 경우 **의원 1명당 한 차례만** 토론할 수 있다. 13. 국회직 8급
> ④ 무제한토론을 실시하는 본회의는 제7항에 따른 무제한토론 종결 선포 전까지 산회하지 아니하고 회의를 계속한다. 이 경우 제73조 제3항 본문에도 불구하고 회의 중 재적의원 5분의 1 이상이 출석하지 아니하였을 때에도 회의를 계속한다.
> ⑤ 의원은 무제한토론을 실시하는 안건에 대하여 **재적의원 3분의 1 이상**의 서명으로 무제한토론의 종결동의(終結動議)를 의장에게 제출할 수 있다.
> ⑥ 제5항에 따른 무제한토론의 종결동의는 동의가 제출된 때부터 24시간이 지난 후에 무기명투표로 표결하되 재적의원 5분의 3 이상의 찬성으로 의결한다. 이 경우 무제한토론의 종결동의에 대해서는 토론을 하지 아니하고 표결한다. 17. 국가직
>
> **제107조【의장의 토론 참가】** 의장이 토론에 참가할 때에는 의장석에서 물러나야 하며, 그 안건에 대한 표결이 끝날 때까지 의장석으로 돌아갈 수 없다.
>
> **제108조【질의 또는 토론의 종결】** ① 질의나 토론이 끝났을 때에는 의장은 질의나 토론의 종결을 선포한다.
> ② 각 교섭단체에서 1명 이상의 발언이 있은 후에는 본회의 의결로 의장은 질의나 토론의 종결을 선포한다. 다만, 질의나 토론에 참가한 의원은 질의나 토론의 종결동의를 할 수 없다.
> ③ 제2항의 동의는 토론을 하지 아니하고 표결한다.

(6) 표결권

① 국회의원은 본회의나 위원회 등에서 표결에 참가할 권한을 가진다. 헌법은 제45조에서 "국회의원은 국회에서 직무상 행한 발언과 표결에 관하여 국회 외에서 책임을 지지 아니한다."라고 하여 표결의 자유를 보장하고 있다.

② 국회의원의 법률안 심의·표결권은 의회민주주의의 원리, 입법권을 국회에 귀속시키고 있는 헌법 제40조, 국민에 의하여 선출되는 국회의원으로 국회를 구성한다고 규정하고 있는 헌법 제41조 제1항 및 국회의결에 관하여 규정한 헌법 제49조로부터 당연히 도출되는 헌법상의 권한이다. 그리고 이러한 국회의원의 법률안 심의·표결권은 헌법기관으로서의 국회의원 각자에게 모두 보장되는 것 또한 의문의 여지가 없다(헌재 1997.7.16. 96헌라2 ; 헌재 2000.2.24. 99헌라1).

⚖️ 판례

1 국회의원의 심의·표결권이 국회의원 각자에게 보장되는 헌법상 권한인지 여부: 적극

국회의원은 국민에 의하여 직접 선출되는 국민의 대표로서 여러 가지 헌법상·법률상의 권한이 부여되어 있지만 그중에서도 가장 중요하고 본질적인 것은 입법에 대한 권한임은 두말할 나위가 없고, 이 권한에는 법률안제출권(제52조)과 법률안 심의·표결권이 포함된다. 국회의원의 법률안 심의·표결권은 의회민주주의의 원리, 입법권을 국회에 귀속시키고 있는 헌법 **제40조**, 국민에 의하여 선출되는 국회의원으로 국회를 구성한다고 규정하고 있는 헌법 **제41조 제1항** 및 국회의결에 관하여 규정한 헌법 **제49조**로부터 당연히 도출되는 헌법상의 권한이다. 그리고 이러한 국회의원의 법률안 심의·표결권은 헌법기관으로서의 **국회의원 각자에게 모두 보장되는 것** 또한 의문의 여지가 없다(헌재 2000.2.24. 99헌라1). 08. 사시, 15. 서울시·법행

2 국회의원의 법률안 심의·표결권을 포기할 수 있는지 또는 위임할 수 있는지 여부: 소극

국회의원의 법률안 심의·표결권은 국민에 의하여 선출된 국가기관으로서 국회의원이 그 본질적 임무인 입법에 관한 직무를 수행하기 위하여 보유하는 권한으로서의 성격을 갖고 있으므로 국회의원의 개별적인 의사에 따라 포기할 수 있는 것은 아니다. 10. 법무사 … 국회의원의 표결권은 개별 국회의원의 고유한 권리로서 일신전속적이므로 이를 타인에게 위임하거나, 양도할 수 없다(국회법 제24조, 제111조 제1항, 제114조의2 등). 따라서 국회의원이 다른 국회의원으로부터 표결권을 위임받아 행사하는 행위 및 권한을 위임받지 아니한 채 다른 국회의원의 표결권을 행사하는 행위는 모두 허용되지 않는다. 전자투표시스템에 의한 표결방식의 경우에도 개별 의원들의 투표단말기는 표결절차 내에서는 투표함과 같은 역할을 하는 것이기 때문에 이를 직접 조작하여 교정하는 행위는 오로지 해당 국회의원의 전속적인 권한에 속하므로 자신에게 사용권한이 없는 투표단말기를 사용하여 투표하는 행위는 그 동기나 경위가 무엇이든 국회법에 위배되어 다른 국회의원의 헌법상 권한인 법률안 표결권을 침해하는 것이다(헌재 2009.10.29. 2009헌라8·9·10). 12. 변호사, 15. 서울시

🏆 핵심기출 OX

01 국회의원의 법률안 심의·표결권은 헌법기관으로서의 국회의원 각자에게 모두 보장되는 것이다. 15. 법행
(○, ×)

답 ○

02 국회의원의 법률안 심의·표결권은 국회의원이 그 본질적인 임무인 입법에 관한 직무를 수행하기 위하여 보유하는 권한으로서의 성격을 가지므로 국회의원의 개별적인 의사에 따라 이를 포기할 수 없다. 10. 법무사 (○, ×)

답 ○

2. 수당과 여비를 받을 권리

> 국회법 제30조 【수당·여비】 의원은 따로 법률에서 정하는 바에 따라 수당과 여비를 받는다.

4 국회의원의 의무

1. 윤리적 의무

국회의원은 주권자인 국민의 대표로서 양심에 따라 직무를 성실히 수행하고, 국회의 명예와 권위를 유지하여야 한다는 의미에서 일반 공무원보다 가중된 윤리적 의무를 진다.

2. 법적 의무

(1) 헌법상 의무 14. 국회직, 20. 입시

① 겸직금지의무

> 헌법 제43조 국회의원은 법률이 정하는 직을 겸할 수 없다.

② 청렴의무

> 헌법 제46조 ① 국회의원은 청렴의 의무가 있다.

③ 국가이익우선의무, 양심에 따른 직무수행의무

> 헌법 제46조 ② 국회의원은 국가이익을 우선하여 양심에 따라 직무를 행한다.

④ 지위를 남용한 이권개입금지의무

> 헌법 제46조 ③ 국회의원은 그 지위를 남용하여 국가·공공단체 또는 기업체와의 계약이나 그 처분에 의하여 재산상의 권리·이익 또는 직위를 취득하거나 타인을 위하여 그 취득을 알선할 수 없다.

(2) 국회법상 의무

국회법에서는 국회의원의 의무로 ① 품위유지의무, 20. 입시 ② 국회출석의무, ③ 회의장에서의 질서준수의무, ④ 다른 의원을 모욕하거나 다른 의원의 발언을 방해하지 않을 의무, ⑤ 국정감사·조사에서의 비밀유지의무, ⑥ 의장의 질서유지에 관한 명령복종의무, ⑦ 영리업무종사금지의무 등을 규정하고 있다.

개념PLUS+ 국회의원의 의무 20. 입시

헌법상 의무	국회법상 의무
• 겸직금지의무 • 청렴의무 • 국가이익우선의무 • 지위를 남용한 이권개입금지의무 • 양심에 따른 직무수행의무	• 품위유지의무 • 출석의무 • 회의장에서의 질서준수의무 • 국정감사·국정조사에서의 비밀유지의무 • 영리업무종사 금지의무

핵심기출 OX

국회의원의 청렴의무, 지위남용금지의무, 품위유지의무, 겸직금지의무는 헌법에 규정되어 있다. 20. 입시 (O, ×)

답 × 청렴의무, 지위남용금지의무, 겸직금지의무는 헌법에 규정되어 있으나, 품위유지의무는 국회법에 규정되어 있다.

⚖️ 판례

1 국회의원이 보유한 직무관련성 있는 주식의 매각 또는 백지신탁을 명하고 있는 구 공직자윤리법 조항이 과잉금지원칙에 위반되어 국회의원의 재산권을 침해하는 것인지 여부: 소극

[1] 이 사건 법률조항은 국회의원으로 하여금 직무관련성이 인정되는 주식을 매각 또는 백지신탁하도록 하여 그 직무와 보유주식간의 이해충돌을 원천적으로 방지하고 있는바, 헌법상 국회의원의 국가이익우선의무, 지위남용금지의무조항 등에 비추어 볼 때 이는 정당한 입법목적을 달성하기 위한 적절한 수단이다. 나아가 이 사건 법률조항은 국회의원이 보유한 모든 주식에 대해 적용되는 것이 아니라 직무관련성이 인정되는 금 3천만원 이상의 주식에 대하여 적용되어 그 적용범위를 목적달성에 필요한 범위 내로 최소화하고 있는 점, 당사자에 대한 사후적 제재수단인 형사처벌이나 부당이득환수, 또는 보다 완화된 사전적 이해충돌회피수단이라 할 수 있는 직무회피나 단순보관신탁만으로는 이 사건 법률조항과 같은 수준의 입법목적달성효과를 가져올 수 있을지 단정할 수 없다는 점에 비추어 최소침해성원칙에 반한다고 볼 수 없고, 국회의원의 공정한 직무수행에 대한 국민의 신뢰확보는 가히 돈으로 환산할 수 없는 가치를 지니는 점 등을 고려해 볼 때, 이 사건 법률조항으로 인한 사익의 침해가 그로 인해 확보되는 공익보다 반드시 크다고는 볼 수 없으므로 법익균형성원칙 역시 준수하고 있다. 따라서 이 사건 법률조항은 당해사건 원고의 재산권을 침해하지 아니한다. 15. 국가직

[2] 이 사건 법률조항이 매각 또는 백지신탁의 대상이 되는 주식의 보유한도액을 결정함에 있어 국회의원 본인뿐만 아니라 본인과 일정한 친족관계가 있는 자들의 보유주식 역시 포함하도록 하고 있는 것은 본인과 친족 사이의 실질적·경제적 관련성에 근거한 것이지, 실질적으로 의미 있는 관련성이 없음에도 오로지 친족관계 그 자체만으로 불이익한 처우를 가하는 것이 아니므로 헌법 제13조 제3항에 위배되지 아니한다(헌재 2012.8.23. 2010헌가65).

2 국회의원은 자신의 사적인 이해관계와 국민에 대한 공적인 이해관계가 충돌할 경우 당연히 후자를 우선하여야 할 이해충돌회피의무 내지 직무전념의무를 지게 되는바, 이를 국회의원 개개인의 양심에만 맡겨둘 것이 아니라 국가가 제도적으로 보장할 필요성 또한 인정되는지 여부: 적극

국회의원에 대해서는 겸직금지의무(헌법 제43조), 청렴의무(헌법 제46조 제1항), 국가이익 우선의무(헌법 제46조 제2항), 지위남용금지의무(헌법 제46조 제3항) 조항 등을 통해 이를 더욱 강조하고 있다. 따라서 국회의원은 자신의 사적인 이해관계와 국민에 대한 공적인 이해관계가 충돌할 경우 당연히 후자를 우선하여야 할 이해충돌회피의무 내지 직무전념의무를 지게 되는 바, 이를 국회의원 개개인의 양심에만 맡겨둘 것이 아니라 국가가 제도적으로 보장할 필요성 또한 인정된다(헌재 2012.8.23. 2010헌가65). 19. 지방직

단원 마무리

국회 관련 판례	
적극	소극
• 국회 상임위원회 위원장이 위원회 전체 회의 개의 직전부터 회의가 종료될 때까지 회의장출입문을 폐쇄하여 회의의 주체인 소수당 소속 상임위원회위원들의 출입을 봉쇄한 상태에서 상임위원회 전체 회의를 개의하여 안건을 상정한 행위 등이 의사공개의 원칙에 위배되는지 여부(헌재 2010.12.28. 2008헌라7) • 의사공개의 원칙이 위원회의 회의에도 적용되는지 여부(헌재 2000.6.29. 98헌마443 등) • 재적의원 과반수의 출석수에 미달한 의결을 두고 투표종료선언을 했다가 다시 재적 과반수 출석을 하게 하여 표결한 것이 일사부재의원칙에 위배되는지 여부(헌재 2009.10.29. 2009헌라8·9·10) • 조세감면규정에도 조세법률주의가 적용되는지 여부(헌재 1996.6.26. 93헌바2) • 구 조세감면규제법 부칙 제23조가 개정법의 시행으로 실효되었음에도 불구하고 실효되지 않은 것으로 해석하는 것이 헌법상의 권력분립원칙과 조세법률주의의 원칙에 위배되어 헌법에 위반되는지 여부(헌재 2012.5.31. 2009헌바123) • 국회의 탄핵소추사유에 헌법재판소가 구속을 받는지 여부(헌재 2004.5.14. 2004헌나1) • 탄핵소추의결이 국회의 재량행위인지 여부(헌재 1996.2.29. 93헌마186) • 국회의장이 야당국회의원들에게 본회의 개의일시를 통지하지 아니한 채 여당국회의원들만 새벽 6시에 모여 법률안을 변칙적으로 처리한 경우 야당국회의원의 법률안 심의권·표결권이 침해되는지 여부(헌재 1997.7.16. 96헌라2) • 본회의 발언 30분 전에 국회기자실에서 본회의 질문원고를 사전에 배포한 행위가 면책특권의 대상이 되는 직무부수행위인지 여부(대판 1992.9.22. 91도3317) • 국회의원이 국회예산결산위원회 회의장에서 법무부장관을 상대로 대정부질의를 하던 중 대통령 측근에 대한 대선자금 제공 의혹과 관련하여 이에 대한 수사를 촉구하는 과정에서 한 발언이 국회의원의 면책특권의 대상이 되는지 여부(대판 2007.1.12. 2005다57752)	• 정책연구위원을 교섭단체구성 여부만을 기준으로 배정하는 것이 소수정당의 평등권을 침해하는 것인지 여부(헌재 2008.3.27. 2004헌마654) • 위원회에서 의원이 아닌 자는 허가를 받아 방청하도록 한 국회법 제55조 제1항이 위헌인지 여부(헌재 2000.6.29. 98헌마443 등) • 예산결산특별위원회의 계수조정소위원회 방청불허조치가 알권리를 침해하는지 여부(헌재 2000.6.29. 98헌마443 등) • 의원들의 국정감사활동에 대한 평가 및 결과 공표의 부적절함을 이유로 국정감사에 대한 시민단체의 방청을 불허한 것이 알권리를 침해한 것인지 여부(헌재 2000.6.29. 98헌마443 등) • 국회가 의결한 예산 또는 국회의 예산안의결행위가 헌법소원의 대상이 되는지 여부(헌재 2006.4.25. 2006헌마409) • 조세입법권을 지방자치단체의 조례로 위임하는 것이 조세법률주의에 위배되는지 여부(헌재 1995.10.26. 94헌마242) • 국회의 해임건의에 법적 구속력이 있는지 여부(헌재 2004.5.14. 2004헌나1) • 국회의장이 교섭단체대표의원의 요청에 따라 그 소속 국회의원을 국회보건복지위원회에서 강제사임시킨 행위가 국회의 조직자율권을 남용한 것인지 여부(헌재 2003.10.30. 2002헌라1) • 국회의장이 야당국회의원들에게 본회의 개의일시를 통지하지 아니한 채 여당국회의원들만 새벽 6시에 모여 법률안을 변칙적으로 처리한 경우 국회의장의 법률안 가결·선포행위가 헌법 제49조의 다수결원칙에 위배되어 무효인지 여부(헌재 1997.7.16. 96헌라2) • 국회의원이 질의권·토론권 등의 침해를 이유로 헌법소원을 청구할 수 있는지 여부(헌재 1995.2.23. 90헌마125) • 국회의원의 법률안 심의·표결권을 포기할 수 있는지 또는 위임할 수 있는지 여부(헌재 2009.10.29. 2009헌라8 등)

제4장 대통령

제1절 대통령의 헌법상 지위

1 국민대표기관으로서의 지위

(1) 대통령은 의회와 더불어 국민을 대표하는 기관이다. 현행헌법은 대통령이 국민에 의하여 직접 선출된다는 조항(헌법 제67조) 및 국가원수조항(헌법 제66조 제1항) 등을 두고 있어 국민대표기관으로서의 지위를 시사하고 있다.

(2) 따라서 대통령은 국회와 함께 국민을 대표하는 기관이지만, ① 국회가 다원적 집단이익의 대표를 의미한다면 대통령은 통일적 국가이익의 대표를 의미하며(권영성), ② 국회가 국민의 추정적 의사를 존중하는 고전적 대의이념이 강하게 요구되는 반면, 대통령은 추정적 의사와 경험적 의사의 경중을 가려 통합적 대의를 실현시킬 것이 요구된다(허영).

2 국가원수로서의 지위

> **헌법 제66조** ① 대통령은 국가의 원수이며, 외국에 대하여 국가를 대표한다.

1. 국가의 대표자

외국과 조약을 체결·비준하고, 외교사절을 신임·접수 또는 파견하며, 외국에 대하여 선전포고와 강화를 한다(헌법 제73조).

2. 국가와 헌법의 수호자

> **헌법 제66조** ② 대통령은 국가의 독립, 영토의 보전, 국가의 계속성과 헌법을 수호할 책무를 진다. 17. 입시
>
> **제69조** 대통령은 취임에 즈음하여 다음의 선서를 한다. "나는 헌법을 준수하고 국가를 보위하며 조국의 평화적 통일과 국민의 자유와 복리의 증진 및 민족문화의 창달에 노력하여 대통령으로서의 직책을 성실히 수행할 것을 국민 앞에 엄숙히 선서합니다."

대통령이 국가와 헌법의 수호자로서의 지위에서 행하는 권한으로 ① 긴급명령권과 긴급재정경제처분·명령권(헌법 제76조), ② 계엄선포권(헌법 제77조), ③ 위헌정당해산제소권(헌법 제8조), ④ 대통령이 국가안전보장회의를 주재하는 것(헌법 제91조 제1항) 등을 들 수 있다.

대통령의 '성실한 직책수행의무'가 원칙적으로 사법적 판단의 대상이 될 수 있는지 여부: 소극

[1] 대통령은 헌법을 수호하고 실현하기 위한 모든 노력을 기울여야 할 뿐만 아니라 법을 준수하여 현행법에 반하는 행위를 하여서는 안 되며, 나아가 입법자의 객관적 의사를 실현하기 위한 모든 행위를 하여야 한다. 행정부의 법존중의무와 법집행의무는 행정부가 위헌적인 것으로 간주하는 법률에 대해서도 마찬가지로 적용된다.

위헌적인 법률을 법질서로부터 제거하는 권한은 헌법상 단지 헌법재판소에 부여되어 있으므로 설사 행정부가 특정 법률에 대하여 위헌의 의심이 있다 하더라도 헌법재판소에 의하여 법률의 위헌성이 확인될 때까지는 법을 존중하고 집행하기 위한 모든 노력을 기울여야 한다. … 대통령이 현행법을 '관권선거시대의 유물'로 폄하하고 법률의 합헌성과 정당성에 대하여 대통령의 지위에서 공개적으로 의문을 제기하는 것은 헌법과 법률을 준수하여야 할 의무와 부합하지 않는다.

[2] 헌법 제69조는 대통령의 취임선서의무를 규정하면서 대통령으로서 '직책을 성실히 수행할 의무'를 언급하고 있다. 비록 대통령의 '성실한 직책수행의무'는 헌법적 의무에 해당하나, '헌법을 수호하여야 할 의무'와는 달리 규범적으로 그 이행이 관철될 수 있는 성격의 의무가 아니므로 원칙적으로 사법적 판단의 대상이 될 수 없다고 할 것이다(헌재 2004.5.14. 2004헌나1). 11. 사시, 12. 국가직, 12·17. 지방직, 13. 변호사, 18. 서울시·입시

☑ **주의** 대통령의 성실한 직책수행의무
- 헌법적 의무 ○
- 사법심사대상 ×

01 헌법 제69조(취임선서)에 의거한 대통령의 '직책을 성실히 수행할 의무'는 헌법적 의무로서 그 이행 여부는 원칙적으로 사법적 심사의 대상이 된다.
11. 사시 (○, ×)

🔑 × 대통령의 '성실한 직책수행의무'는 헌법적 의무에 해당하나, '헌법을 수호해야 할 의무'와는 달리, 규범적으로 그 이행이 관철될 수 있는 성격의 의무가 아니므로, 원칙적으로 사법적 판단의 대상이 될 수 없다고 할 것이다(헌재 2004.5.14. 2004헌나1).

02 대통령의 '성실한 직책수행의무'는 헌법적 의무에 해당하고 규범적으로 그 이행이 관철될 수 있는 성격의 의무이므로, '성실한 직책수행의무' 위반은 탄핵사유가 된다. 12. 지방직 (○, ×)

🔑 × 헌법 제69조는 대통령의 취임선서의무를 규정하면서, 대통령으로서 '직책을 성실히 수행할 의무'를 언급하고 있다. 비록 대통령의 '성실한 직책수행의무'는 헌법적 의무에 해당하나, '헌법을 수호해야 할 의무'와는 달리, 규범적으로 그 이행이 관철될 수 있는 성격의 의무가 아니므로, 원칙적으로 사법적 판단의 대상이 될 수 없다(헌재 2004.5.14. 2004헌나1).

03 대통령의 '직책을 성실히 수행할 의무'는 헌법적 의무로서 '헌법을 수호해야 할 의무'와 마찬가지로 그 이행이 관철될 수 있는 규범적 성격의 의무이므로 사법적 판단의 대상이 된다.
17. 지방직, 18. 입시 유사 (○, ×)

🔑 × 대통령의 '성실한 직책수행의무'는 헌법적 의무에 해당하나, '헌법을 수호해야 할 의무'와는 달리, 규범적으로 그 이행이 관철될 수 있는 성격의 의무가 아니므로, 원칙적으로 사법적 판단의 대상이 될 수 없다고 할 것이다(헌재 2004.5.14. 2004헌나1).

3. 국정의 통합·조정자

국정의 통합·조정권자로서의 대통령이 행사하는 권한으로는 ① 헌법개정안의 제안권(헌법 제128조 제1항), ② 중요정책의 국민투표부의권(헌법 제72조), ③ 국회임시회의 소집요구권(헌법 제47조 제1항), ④ 법률안제출권(헌법 제52조), ⑤ 사면·감형 및 복권에 관한 권한 등이 있다.

4. 헌법기관구성권자

헌법상 대통령은 ① 국회의 동의를 얻어 대법원장과 헌법재판소장 및 감사원장을 임명하고, ② 대법원장의 제청으로 국회의 동의를 얻어 대법관을 임명하며, ③ 헌법재판소 재판관 및 중앙선거관리위원회위원의 임명과 ④ 감사원장의 제청으로 감사위원을 임명하는 권한을 가진다.

3 행정부 수반으로서의 지위

헌법 제66조 ④ 행정권은 대통령을 수반으로 하는 정부에 속한다.

1. 행정부의 최고책임자

대통령은 행정부 수반으로서 집행에 관한 실질적·최종적인 결정권과 행정부의 모든 구성원에 대한 최고의 지휘·감독권을 가진다. 대통령은 이 지위에서 법률집행권, 행정입법권(헌법 제75조) 기타 행정에 관한 권한을 가진다.

2. 행정부의 조직권자

① 대통령은 국회의 동의를 얻어 국무총리를 임명하고(헌법 제86조 제1항), ② 헌법과 법률이 정하는 바에 의하여 공무원을 임면하며(헌법 제78조), ③ 국무총리의 제청으로 국무위원을 임명하며(헌법 제87조 제1항), ④ 국무위원 중에서 국무총리의 제청으로 행정각부의 장을 임명한다(헌법 제94조).

3. 국무회의의장

대통령은 행정부의 권한에 속하는 중요정책을 심의하는 기관인 국무회의의 의장으로서 국무회의를 소집하고 주재한다(헌법 제88조). 05. 법무사

제2절 대통령의 선거

1 헌정사 07. 법무사

구분		선출방식	임기	중임 여부	권한대행자
제1공화국	건국	국회 간선제	4년	1차 중임	• 부통령 • 국무총리
	제1차	직선제		초대대통령에 한하여 예외를 인정함	• 부통령 • 국무위원❶
	제2차				
제2공화국 (제3차·제4차)		국회 간선제	5년	1차 중임	• 참의원장 • 민의원장 • 국무총리
제3공화국	제5차	직선제	4년	−	• 국무총리 • 국무위원
	제6차			계속재임 3기까지	
제4공화국(제7차)		통일주체국민회의 간선제	6년	관련 규정 없음	위와 동일
제5공화국(제8차)		대통령선거인단 간선제	7년	단임	위와 동일
현행헌법		직선제	5년	단임	위와 동일

2 현행헌법의 태도

1. 대통령의 선출방식

(1) 원칙적 직선제

> 헌법 제67조 ① 대통령은 국민의 보통·평등·직접·비밀선거에 의하여 선출한다.

❶
제1공화국에서는 국무총리를 두지 않았다.

(2) 예외적 국회 간선제

> 헌법 제67조 ② 제1항의 선거에 있어서 최고득표자가 2인 이상인 때에는 국회의 재적의원 과반수가 출석한 공개회의에서 다수표를 얻은 자를 당선자로 한다. 19. 지방직

2. 대통령의 선거

(1) 대통령의 피선거권

> 헌법 제67조 ④ 대통령으로 선거될 수 있는 자는 국회의원의 피선거권이 있고 선거일 현재 40세에 달하여야 한다.
>
> 공직선거법 제16조【피선거권】① 선거일 현재 5년 이상 국내에 거주하고 있는 40세 이상의 국민은 대통령의 피선거권이 있다. 이 경우 공무로 외국에 파견된 기간과 국내에 주소를 두고 일정 기간 외국에 체류한 기간은 국내거주 기간으로 본다. 13·19. 서울시

(2) 대통령후보자

> 공직선거법 제48조【선거권자의 후보자추천】① 관할 선거구 안에 주민등록이 된 선거권자는 각 선거(비례대표국회의원선거 및 비례대표지방의회의원선거를 제외한다)별로 정당의 당원이 아닌 자를 당해 선거구의 후보자(이하 "무소속후보자"라고 한다)로 추천할 수 있다.
> ② 무소속후보자가 되고자 하는 자는 관할 선거구선거관리위원회가 후보자등록신청 개시일 전 5일(대통령의 임기만료에 의한 선거에 있어서는 후보자등록신청 개시일 전 30일, 대통령의 궐위로 인한 선거 등에 있어서는 그 사유가 확정된 후 3일)부터 검인하여 교부하는 추천장을 사용하여 다음 각 호에 의하여 선거권자의 추천을 받아야 한다.
> 1. 대통령선거: 5 이상의 시·도에 나누어 하나의 시·도에 주민등록이 되어 있는 선거권자의 수를 700인 이상으로 한 3,500인 이상 6,000인 이하
>
> 제56조【기탁금】① 후보자등록을 신청하는 자는 등록신청시에 후보자 1명마다 다음 각 호의 기탁금을 중앙선거관리위원회규칙으로 정하는 바에 따라 관할 선거구선거관리위원회에 납부하여야 한다.
> 1. 대통령선거는 3억원

(3) 대통령당선자

> 헌법 제67조 ③ 대통령후보자가 1인일 때에는 그 득표수가 **선거권자 총수의 3분의 1 이상**이 아니면 대통령으로 당선될 수 없다. 04. 법행. 08. 국가직. 09. 법원직 9급
>
> 대통령직 인수에 관한 법률 제1조【목적】이 법은 대통령당선인으로서의 지위와 권한을 명확히 하고 대통령직 인수를 원활하게 하는 데에 필요한 사항을 규정함으로써 국정운영의 계속성과 안정성을 도모함을 목적으로 한다. 19. 서울시
>
> 제2조【정의】이 법에서 사용하는 용어의 뜻은 다음과 같다.
> 1. "대통령당선인"이란 대한민국헌법 제67조와 공직선거법 제187조에 따라 당선인으로 결정된 사람을 말한다.
> 2. "대통령직"이란 대한민국헌법에 따라 대통령에게 부여된 직무를 말한다.
>
> 제3조【대통령당선인의 지위와 권한】① 대통령당선인은 대통령당선인으로 결정된 때부터 대통령임기 시작일 전날까지 그 지위를 갖는다. 19. 서울시

② 대통령당선인은 이 법에서 정하는 바에 따라 대통령직 인수를 위하여 필요한 권한을 갖는다. 19. 서울시

제4조【예우】대통령당선인과 배우자에 대하여는 다음 각 호에 따른 예우를 할 수 있다.
1. 대통령당선인에 대한 교통·통신 및 사무실제공 등의 지원
2. 대통령당선인과 그 배우자에 대한 진료
3. 그 밖에 대통령당선인에 대하여 필요한 예우

제5조【국무총리후보자의 지명 등】① 대통령당선인은 대통령임기 시작 전에 국회의 인사청문절차를 거치게 하기 위하여 국무총리 및 국무위원후보자를 지명할 수 있다. 이 경우 국무위원후보자에 대하여는 국무총리후보자의 추천이 있어야 한다. 05. 행시, 08. 사시, 12. 지방직, 16. 국가직, 19. 서울시
② 대통령당선인은 제1항에 따라 국무총리 및 국무위원후보자를 지명한 경우에는 국회의장에게 국회법 제65조의2 및 인사청문회법에 따른 인사청문의 실시를 요청하여야 한다.

제6조【대통령직인수위원회의 설치 및 존속기한】① 대통령당선인을 보좌하여 대통령직 인수와 관련된 업무를 담당하기 위하여 대통령직인수위원회(이하 "위원회"라고 한다)를 설치한다.
② 위원회는 대통령임기 시작일 이후 30일의 범위에서 존속한다. 05. 행시, 08. 사시, 17. 국회직 8급

제7조【업무】위원회는 다음 각 호의 업무를 수행한다. 19. 서울시
1. 정부의 조직·기능 및 예산현황의 파악
2. 새 정부의 정책기조를 설정하기 위한 준비
3. 대통령의 취임행사 등 관련 업무의 준비
4. 대통령당선인의 요청에 따른 국무총리 및 국무위원후보자에 대한 검증
5. 그 밖에 대통령직의 인수에 필요한 사항

제8조【위원회의 구성 등】① 위원회는 위원장 1명, 부위원장 1명 및 24명 이내의 위원으로 구성한다.
② 위원장·부위원장 및 위원은 명예직으로 하고, 대통령당선인이 임명한다. 08. 사시, 19. 서울시
③ 위원장은 대통령당선인을 보좌하여 위원회의 업무를 총괄하며, 위원회의 직원을 지휘·감독한다.
④ 위원장이 부득이한 사유로 직무를 수행할 수 없는 경우에는 대통령당선인이 지명하는 사람이 그 직무를 대행한다.

제16조【백서발간】위원회는 위원회의 활동경과 및 예산사용명세를 백서로 정리하여 위원회의 활동이 끝난 후 30일 이내에 공개하여야 한다.

공직선거법 제14조【임기 개시】① 대통령의 임기는 전임대통령의 임기만료일의 다음 날 0시부터 개시된다. 다만, 전임자의 임기가 만료된 후에 실시하는 선거와 궐위로 인한 선거에 의한 대통령의 임기는 당선이 결정된 때부터 개시된다. 17. 국가직

(4) 대통령후임자선거

헌법 제68조 ① 대통령의 임기가 만료되는 때에는 임기만료 70일 내지 40일 전에 후임자를 선거한다.
② 대통령이 궐위된 때 또는 대통령당선자가 사망하거나 판결 기타의 사유로 그 자격을 상실한 때에는 60일 이내에 후임자를 선거한다.

> **공직선거법 제34조 【선거일】** ① 임기만료에 의한 선거의 선거일은 다음 각 호와 같다.
> 1. 대통령선거는 그 임기만료일 전 70일 이후 첫 번째 수요일
> 2. 국회의원선거는 그 임기만료일 전 50일 이후 첫 번째 수요일
> 3. 지방의회의원 및 지방자치단체의 장의 선거는 그 임기만료일 전 30일 이후 첫 번째 수요일
> ② 제1항의 규정에 의한 선거일이 국민생활과 밀접한 관련이 있는 민속절 또는 공휴일인 때와 선거일 전일이나 그 다음 날이 공휴일인 때에는 그 다음 주의 수요일로 한다.

제3절 대통령의 신분과 직무

1 취임

> **헌법 제69조** 대통령은 취임에 즈음하여 다음의 선서를 한다.
> "나는 헌법을 준수하고 국가를 보위하며 조국의 평화적 통일과 국민의 자유와 복리의 증진 및 민족문화의 창달에 노력하여 대통령으로서의 직책을 성실히 수행할 것을 국민 앞에 엄숙히 선서합니다."

2 임기

> **헌법 제70조** 대통령의 임기는 5년으로 하며, 중임할 수 없다.

1. 역대 헌법상 대통령의 임기

제1공화국	제2공화국	제3공화국	제4공화국	제5공화국	제6공화국
4년	5년	4년	6년	7년	5년

2. 헌법기관의 임기

구분	국회의원	감사위원	대통령	대법원장	대법관	헌법재판관	중앙선거관리위원
임기	4년	4년	5년	6년	6년	6년	6년
연임	○	1차에 한하여 중임	단임	단임	○	○	○

3 불소추특권

헌법 제84조 대통령은 내란 또는 외환의 죄를 범한 경우를 제외하고는 재직 중 형사상의 소추를 받지 아니한다. 18. 서울시

1. 의의

대통령의 불소추특권이란 사법부는 대통령이 내란 또는 외환의 죄를 범한 경우를 제외하고는 그 신분보유 기간 중에는 원칙적으로 형사재판권을 행사할 수 없다는 것을 말한다.

2. 인정취지

대통령이라는 특수한 직책을 원활히 수행할 수 있도록 보장하며, 국가의 체면과 권위를 유지하게 하기 위한 것이다. 17. 국회직 9급

3. 내용

(1) 원칙

대통령은 재직 중에는 원칙적으로 형사피고인이나 증인으로 구인당하지 아니한다. 이러한 대통령의 불소추특권을 무시하고 대통령을 기소한 경우에는 형사소송법 제327조 제1호의 재판권의 부존재사유에 해당하므로 법원은 공소기각의 판결을 내려야 한다.

(2) 예외

① 헌법 제84조에서는 '내란 또는 외환의 죄를 범한 경우를 제외하고'라고 규정하고 있으므로 내란 또는 외환의 죄를 범한 경우에는 재직 중에도 형사상 소추를 할 수 있다. 03. 법무사

② 헌법 제84조에서는 '재직 중 형사상의 소추'라고 하고 있으므로 퇴직 후에 형사상의 소추를 하는 것은 무방하며, 재직 중이라도 민사상·행정상의 책임은 면제되지 아니한다. 03. 법무사, 16. 법행

③ 탄핵소추는 불소추특권과는 무관하므로 탄핵소추를 의결하면 그 권한행사가 정지되고, 탄핵결정을 하게 되면 대통령직에서 파면된다.

개념PLUS+ 대통령의 형사상 불소추특권과 국회의원의 면책특권 비교 08. 국가직

구분	불소추특권	면책특권
목적	국가원수로서의 권위유지와 원활한 직무수행	국정통제기관으로서의 기능과 정상적 활동유지
적용대상	대통령	국회의원
적용기간	재직 중	영구적
탄핵소추	가능	불가능
적용범위	• 형사상으로만 불소추 • 민사상·행정상 책임은 추궁가능	• 민·형사상 일체 법적 책임 없음 • 정치적 책임은 추궁가능

대통령 재직 중에 공소시효의 진행이 당연히 정지되는지 여부: 적극

대통령의 불소추특권에 관한 헌법의 규정(제84조)이 대통령이라는 특수한 신분에 따라 일반 국민과는 달리 대통령 개인에게 특권을 부여한 것으로 볼 것이 아니라 단지 국가의 원수로서 외국에 대하여 국가를 대표하는 지위에 있는 대통령이라는 특수한 직책의 원활한 수행을 보장하고, 그 권위를 확보하여 국가의 체면과 권위를 유지하여야 할 실제상의 필요 때문에 대통령으로 재직 중인 동안만 형사상 특권을 부여하고 있음에 지나지 않는 것으로 보아야 할 것이다. 위와 같은 헌법 제84조의 규정취지와 함께 공소시효제도나 공소시효정지제도의 본질에 비추어 보면 비록 헌법 제84조에는 "대통령은 내란 또는 외환의 죄를 범한 경우를 제외하고는 재직 중 형사상의 소추를 받지 아니한다."라고만 규정되어 있을 뿐 헌법이나 형사소송법 등의 법률에 대통령의 재직 중 공소시효의 진행이 정지된다고 명백히 규정되어 있지는 않다고 하더라도 위 헌법 규정은 바로 공소시효진행의 소극적 사유가 되는 국가의 소추권행사의 법률상 장애사유에 해당하므로 대통령의 재직 중에는 공소시효의 진행이 당연히 정지되는 것으로 보아야 한다(헌재 1995.1.20. 94헌마246).❶ 03·12. 법무사, 14·18·19. 서울시

❶ 대통령 재직 중 공소시효정지
• 당연히 정지된다. (○)
• 명문의 규정이 있다. (×)

4 권한대행

헌법 제71조 대통령이 궐위되거나 사고로 인하여 직무를 수행할 수 없을 때에는 **국무총리, 법률이 정한 국무위원**의 순서로 그 권한을 대행한다. 18. 국가직

정부조직법 제26조【행정각부】 ① 대통령의 통할하에 다음의 행정각부를 둔다.
1. 기획재정부
2. 교육부
3. 과학기술정보통신부
4. 외교부
5. 통일부
6. 법무부
7. 국방부
8. 행정안전부
9. 국가보훈부
10. 문화체육관광부
11. 농림축산식품부
12. 산업통상자원부
13. 보건복지부
14. 환경부
15. 고용노동부
16. 여성가족부
17. 국토교통부
18. 해양수산부
19. 중소벤처기업부

📖 **핵심기출 OX**

01 헌법재판소는 헌법 제84조에 의하여 대통령 재직 중에는 공소시효의 진행이 당연히 정지되지는 않는다고 결정하였다. 14. 서울시 (○, ×)

📝 × 대통령의 재직 중에는 공소시효의 진행이 당연히 정지되는 것으로 보아야 한다(헌재 1995.1.20. 94헌마246).

02 대통령이 궐위된 때에 잔여 임기가 6개월 미만인 경우에는 국무총리가 잔여 임기 동안 대통령의 권한을 대행한다. 07. 법무사 (○, ×)

📝 × 대통령이 궐위된 때에는 잔여 임기가 6월 미만인 경우에도 보궐선거를 실시한다.

1. 궐위인 경우 17. 서울시

(1) 대통령이 사망한 경우

(2) 탄핵결정으로 파면된 경우

(3) 판결 기타의 사유로 자격을 상실한 경우

(4) 사임한 경우 등

2. 사고인 경우 17. 서울시

(1) 대통령이 재직하고 있으나 신병이나 해외순방 등으로 직무를 수행할 수 없는 경우 15. 법원직

(2) 국회가 탄핵소추를 의결함으로써 탄핵결정이 있을 때까지 대통령의 권한행사가 정지된 경우

3. 대통령의 사고의 판단기관

(1) 우리나라는 대통령의 사고를 판단·확인할 국가기관이 없어, 과연 직무를 수행할 수 없는 경우인지 여부를 누가 결정할 것인지가 문제되고 있다. 1차적으로는 대통령 자신이 결정하여야 하나, 불가능한 경우에는 사전에 법으로 규정해 둘 필요가 있다. 04·17. 국가직

(2) 참고로 프랑스는 헌법평의회가 대통령의 사고 또는 궐위를 확인할 권한을 가지는바, 우리나라에서도 헌법재판소가 이를 확인하고 선언할 권한을 가지는 것이 바람직하다고 본다(권영성).

4. 권한대행의 범위

구분	다수설(김철수)	권영성	허영
사고의 경우	현상유지에 한함	현상유지에 한함	직무 전반
궐위의 경우	현상유지에 한함	직무 전반	현상유지에 한함

개념PLUS+ 우리나라의 역대 헌법상 권한대행

건국헌법	부통령 ⇨ 국무총리
제2공화국 헌법	참의원의장 ⇨ 민의원의장 ⇨ 국무총리
제3공화국 헌법 이후	국무총리 ⇨ 법률이 정한 국무위원의 순서(현행 정부조직법: 기획재정부 ⇨ 교육부 ⇨ 과학기술정보통신부 ⇨ 외교부 ⇨ …)

5 의무

1. 직무상의 의무

대통령은 헌법을 준수하고 국가를 보위하며 조국의 평화적 통일과 국민의 자유와 복리의 증진 및 민족문화의 창달에 노력하여 대통령으로서의 직책을 성실히 수행할 의무를 진다(헌법 제69조).

2. 겸직금지의무

대통령은 국무총리, 국무위원, 행정각부의 장 기타 법률이 정하는 공사의 직을 겸할 수 없다(헌법 제83조).

6 전직대통령에 대한 예우

헌법 제85조 전직대통령의 신분과 예우에 관하여는 법률로 정한다.

제90조 ① 국정의 중요한 사항에 관한 대통령의 자문에 응하기 위하여 국가원로로 구성되는 국가원로자문회의를 둘 수 있다.

② 국가원로자문회의의 의장은 직전대통령이 된다. 다만, 직전대통령이 없을 때에는 대통령이 지명한다.

전직대통령 예우에 관한 법률 제2조【정의】 이 법에서 "전직대통령"이란 헌법에서 정하는 바에 따라 대통령으로 선출되어 재직하였던 사람을 말한다.

제3조【적용범위】 이 법은 전직대통령 또는 그 유족에 대하여 적용한다.

제4조【연금】 ① 전직대통령에게는 연금을 지급한다.

② 제1항에 따른 연금지급액은 지급 당시의 대통령 보수연액(報酬年額)의 100분의 95에 상당하는 금액으로 한다.

제5조【유족에 대한 연금】 ① 전직대통령의 유족 중 배우자에게는 유족연금을 지급하며, 그 연금액은 지급 당시의 대통령 보수연액의 100분의 70에 상당하는 금액으로 한다.

② 전직대통령의 유족 중 배우자가 없거나 제1항에 따라 유족연금을 받던 배우자가 사망한 경우에는 그 연금을 전직대통령의 30세 미만인 유자녀(遺子女)와 30세 이상인 유자녀로서 생계능력이 없는 사람에게 지급하되, 지급 대상자가 여러 명인 경우에는 그 연금을 균등하게 나누어 지급한다.

제5조의2【기념사업의 지원】 민간단체 등이 전직대통령을 위한 기념사업을 추진하는 경우에는 관계 법령에서 정하는 바에 따라 필요한 지원을 할 수 있다.

제5조의3【묘지관리의 지원】 전직대통령이 사망하여 국립묘지에 안장되지 아니한 경우에는 대통령령으로 정하는 바에 따라 묘지관리에 드는 인력 및 비용을 지원할 수 있다.

제6조【그 밖의 예우】 ① 전직대통령은 비서관 3명과 운전기사 1명을 둘 수 있고, 전직대통령이 서거한 경우 그 배우자는 비서관 1명과 운전기사 1명을 둘 수 있다.

② 제1항에 따라 전직대통령이 둘 수 있는 비서관과 운전기사는 전직대통령이 추천하는 사람 중에서 임명하며, 비서관은 고위공무원단에 속하는 별정직 공무원으로 하고, 운전기사는 별정직 공무원으로 한다.

③ 제1항에 따라 전직대통령이 서거한 경우 그 배우자가 둘 수 있는 비서관과 운전기사는 전직대통령의 배우자가 추천하는 사람 중에서 임명하며, 비서관과 운전기사의 신분은 대통령령으로 정한다.

④ 전직대통령 또는 그 유족에게는 관계 법령에서 정하는 바에 따라 다음 각 호의 예우를 할 수 있다.

1. 필요한 기간의 경호 및 경비(警備)
2. 교통·통신 및 사무실제공 등의 지원
3. 본인 및 그 가족에 대한 치료
4. 그 밖에 전직대통령으로서 필요한 예우

제7조【권리의 정지 및 제외 등】 ① 이 법의 적용대상자가 공무원에 취임한 경우에는 그 기간 동안 제4조 및 제5조에 따른 연금의 지급을 정지한다.

② 전직대통령이 다음 각 호의 어느 하나에 해당하는 경우에는 제6조 제4항 제1호에 따른 예우를 제외하고는 이 법에 따른 전직대통령으로서의 예우를 하지 아니한다. 17. 국가직

1. 재직 중 탄핵결정을 받아 퇴임한 경우
2. 금고 이상의 형이 확정된 경우 03. 법무사
3. 형사처분을 회피할 목적으로 외국정부에 도피처 또는 보호를 요청한 경우
4. 대한민국의 국적을 상실한 경우

제4절 대통령의 권한

1 개설

대통령의 권한은 실질적 성질에 따라 ① 비상대권적 권한, ② 헌법기관구성에 관한 권한, ③ 입법에 관한 권한, ④ 집행에 관한 권한, ⑤ 사법에 관한 권한 등으로 분류할 수 있다.

2 비상대권적 권한

헌법 제76조 ① 대통령은 내우·외환·천재·지변 또는 중대한 재정·경제상의 위기에 있어서 국가의 안전보장 또는 공공의 안녕질서를 유지하기 위하여 긴급한 조치가 필요하고 국회의 집회를 기다릴 여유가 없을 때에 한하여 최소한으로 필요한 재정·경제상의 처분을 하거나 이에 관하여 법률의 효력을 가지는 명령을 발할 수 있다. 05. 사시, 08. 국회직, 09. 법무사, 10. 국가직, 17. 법원직
② 대통령은 국가의 안위에 관계되는 중대한 교전상태에 있어서 **국가를 보위하기** 위하여 긴급한 조치가 필요하고 **국회의 집회가 불가능한 때**에 한하여 법률의 효력을 가지는 명령을 발할 수 있다. 05·13. 사시, 09. 법무사, 10·13. 국가직, 12. 경정승진, 13. 국회직
③ 대통령은 제1항과 제2항의 처분 또는 명령을 한 때에는 지체 없이 국회에 **보고하여 그 승인을 얻어야 한다.** 05. 행시, 13. 국가직·경정승진
④ 제3항의 승인을 얻지 못한 때에는 그 처분 또는 명령은 **그때부터** 효력을 상실한다. 07. 국가직, 10. 사시 이 경우 그 명령에 의하여 개정 또는 폐지되었던 법률은 그 명령이 승인을 얻지 못한 때부터 **당연히** 효력을 회복한다. 05. 사시, 15. 서울시
⑤ 대통령은 제3항과 제4항의 사유를 지체 없이 공포하여야 한다.

1. 긴급명령권

(1) 의의

긴급명령이란 통상의 입법절차로는 대처할 수 없는 국가안위에 관계되는 중대한 교전상태가 발생하고 국회의 집회가 불가능한 때에 이를 극복하기 위하여 발하는 법률의 효력을 가지는 명령을 말한다(헌법 제76조 제2항).

(2) 법적 성격

대통령의 긴급명령은 예외적·비상적 긴급입법제도로 국회입법의 원칙에 대한 중대한 예외가 된다.

(3) 요건

① **실질적 요건**

　㉠ **상황요건**

　　ⓐ **국가의 안위에 관계되는 중요한 교전상태의 발생**: '중대한 교전상태'란 외국과의 전쟁이나 이에 준하는 사태 또는 내란 등을 의미하며, 그것은 국가의 안위에 직접 관계되는 것임을 요한다.

　　ⓑ **국가를 보위하기 위한 긴급한 조치의 필요성**: '국가를 보위하기 위한 긴급한 조치'란 국가를 보위하기 위하여 필요한 조치이기만 하면 되므로 입법사항 전반을 그 내용으로 할 수 있다.

　　ⓒ **국회의 집회불가능**: '국회의 집회가 불가능한 때'란 국회개회·폐회·휴회 중을 가리지 않고, 비상사태로 인하여 집회가 사실상 불가능한 때이다(김철수, 허영). 국회의원의 과반수가 집회에 불응하는 경우에도 집회가 불가능한 경우로 볼 수 있다(권영성). 05. 행시·사시, 12. 경정승진, 13. 사시·국회직

　㉡ **목적요건**: 대통령은 국가를 보위한다는 소극적 목적을 위해서만 긴급명령을 발포할 수 있으며, 공공복리의 실현이나 집권연장이라는 적극적 목적을 위하여 발포하여서는 안 된다. 05. 사시

　㉢ **필요성 판단**: 긴급명령의 필요성에 관한 판단은 제1차적으로 대통령의 독자적 판단에 맡기고 있으나, 그 판단은 객관적이어야 한다.

② **절차적 요건**

　㉠ **국무회의의 심의**: 대통령의 긴급명령발동은 필수적 국무회의의 심의사항이다(헌법 제89조 제5호). 특히 국가의 안전보장에 관련되는 사항일 때에는 국무회의의 심의에 앞서 국가안전보장회의의 자문까지 거쳐야 한다(헌법 제91조).

　㉡ **문서·부서**: 긴급명령의 형식은 문서로 하여야 하며, 이 문서에는 국무총리와 관계국무위원의 부서를 요한다(헌법 제82조). 05. 법행

　㉢ **국회에 보고하여 승인**

　　ⓐ 대통령이 긴급명령을 발한 때에는 지체 없이 국회에 보고하여 그 승인을 얻어야 한다(헌법 제76조 제3항). 이때의 '지체 없이'는 즉시라는 의미이므로 국회가 폐회 중이라면 임시집회를 요구하여야 한다. 국회승인의 의결정족수에 관하여는 헌법의 명문규정이 없다.

　　ⓑ 이에 학설은 ㉮ 출석의원과반수설[일반의결정족수설(다수설)]과 ㉯ 계엄해제요구의 의결정족수와의 균형을 이유로 한 재적의원과반수설(권영성)이 대립하고 있다. 05. 법행

　　☑ **주의 긴급재정경제처분·명령에 대한 국회의 권한**
　　　• 동의권 ×
　　　• 승인권 ○

(4) 내용

① **원칙**: 긴급명령은 모든 법률사항에 대하여 명령적 규율을 할 수 있다. 긴급명령은 기존법률의 개정과 폐지는 물론 국민의 기본권제한도 가능하다.

② 한계

　　㉠ **헌법을 개정할 수 있는지 여부:** 긴급명령의 효력은 법률과 동일하므로 긴급명령으로써 헌법을 개정할 수는 없다.

　　㉡ **국회를 해산할 수 있는지 여부:** 긴급명령을 발한 때에는 지체 없이 국회에 보고하여 승인을 얻어야 하므로 긴급명령으로써 국회를 해산할 수 없다. 07. 국가직

　　㉢ **국회·헌법재판소·법원의 권한에 대하여 특별한 조치를 할 수 있는지 여부:** 긴급명령으로써 국회·헌법재판소·법원의 권한에 관하여도 특별한 조치를 할 수 없다.

　　㉣ **군정을 실시할 수 있는지 여부(다수설):** 군정을 실시하기 위해서는 헌법 제77조의 계엄선포권에 의해야 할 것이므로 헌법 제76조 제2항의 긴급명령으로써 군정을 실시할 수 없다고 본다.

(5) 효력

① **국회승인을 얻지 못한 경우:** 긴급명령이 국회승인을 얻지 못한 때에는 긴급명령은 그때부터 효력을 상실한다(장래효). 10. 사시, 15. 서울시 이 경우 그 명령에 의하여 개정 또는 폐지되었던 법률은 그 명령이 승인을 얻지 못한 때부터 당연히 효력을 회복한다(헌법 제76조 제4항).

② **국회승인을 얻은 경우:** 긴급명령이 국회의 승인을 얻으면 국회가 제정한 법률과 동일한 효력을 가지게 된다.

(6) 통제

① **행정부 내의 통제:** 국무회의의 심의나 부서를 요하게 하는 것은 긴급명령에 대한 행정부 내의 사전적 통제수단이 된다.

② **국회에 의한 통제:** 긴급명령은 국회의 승인에 의하여 사후통제를 받는다. 국회에 보고하여 승인을 얻게 하는 것은 대통령의 긴급명령에 대한 가장 실효성 있는 통제수단이다. 이때 국회의 승인권에는 긴급명령의 내용을 삭제·수정할 수 있는 수정승인권이 포함된다. 05. 행시

③ **법원 및 헌법재판소에 의한 통제:** 대통령의 긴급명령의 위헌 여부가 재판의 전제가 되는 때에는 법원은 헌법재판소에 위헌심판을 제청할 수 있으며, 법원의 위헌심판의 제청이 있는 경우에 헌법재판소는 긴급명령에 대한 위헌 여부를 심판할 수 있다(헌법 제111조 제1항 제1호).

(7) 긴급명령과 계엄 비교

구분	긴급명령	계엄
법적 근거	헌법	헌법 및 법률
발동상황	국가의 안위에 관계되는 중대한 교전상태	전시·사변 또는 이에 준하는 국가비상사태
수단	경찰력 07. 국가직	병력
국회집회가능성	불가능한 경우	집회 여부와 무관
내용	긴급입법	일시적 군사통치
통제방법	국회에 보고하여 승인	국회에 통고

제한대상	한정조항 없음	비상계엄이 선포된 때의 영장제도, 언론·출판·집회·결사의 자유, 정부나 법원의 권한

2. 긴급재정경제처분·명령권

(1) 의의

① **긴급재정경제처분의 개념**: 긴급재정경제처분이란 내우, 외환, 천재, 지변 또는 중대한 재정·경제상의 위기에 있어서 국회의 집회를 기다릴 시간적 여유조차도 없는 경우에 대통령이 국가의 안전보장이나 공공의 안녕질서를 유지하기 위하여 행하는 국가긴급제도이다.

② **긴급재정경제명령의 개념**: 긴급재정경제명령이란 대통령이 긴급재정경제처분의 실효성을 뒷받침하기 위하여 발하는 긴급입법으로서 국회의 집회를 기다릴 시간적 여유가 없는 경우에 한하여 발하는 법률의 효력을 가진 명령을 말한다. 08. 국회직 8급, 17. 행시, 19. 국가직

(2) 법적 성격

긴급재정경제처분·명령권은 국회입법의 원칙과 재정의회주의에 대한 중대한 예외를 의미하는 것으로 국가긴급권의 일종이다.

(3) 요건

① **실질적 요건**

㉠ **상황요건**

ⓐ **긴급재정경제처분의 경우**
- 내우, 외환, 천재, 지변 또는 중대한 재정·경제상의 위기발생
- 국가의 안전보장 또는 공공의 안녕질서를 유지하기 위한 긴급조치의 필요
- 국회의 집회를 기다릴 여유가 없을 때: '국회의 집회를 기다릴 여유가 없을 때'란 국회가 폐회 중인 경우를 말하고, 휴회 중에는 긴급한 필요가 있으면 언제든지 회의를 재개할 수 있으므로 휴회 중인 경우는 포함되지 아니한다.

ⓑ **긴급재정경제명령의 경우**: 긴급재정경제명령은 긴급재정경제처분을 법률적 효력을 가진 명령으로써 뒷받침할 필요가 있는 경우에 한하여 발한다.

㉡ **목적요건**

ⓐ **긴급재정경제처분의 경우**: 긴급재정경제처분은 국가의 안전보장 또는 공공의 안녕질서를 유지하기 위한 소극적인 목적을 위해서만 발동될 수 있다. 09. 사시

ⓑ **긴급재정경제명령의 경우**: 긴급재정경제명령은 긴급재정경제처분을 법적으로 뒷받침할 목적으로 발한다.

긴급재정경제명령의 발동요건

긴급재정경제명령은 정상적인 재정운용·경제운용이 불가능한 중대한 재정·경제상의 **위기가 현실적으로 발생**하여(그러므로 위기가 발생할 우려가 있다는 이유로 **사전적·예방적으로 발할 수는 없다**) 긴급한 조치가 필요함에도 국회의 폐회 등으로 국회가 현실적으로 집회될 수 없고 국회의 집회를 기다려서는 그 목적을 달할 수 없는 경우에 이를 **사후적으로** 수습함으로써 **기존질서를 유지·회복**하기 위하여(그러므로 공공복지의 증진과 같은 적극적 목적을 위하여는 발할 수 없다) 위기의 직접적 원인의 제거에 **필수불가결한 최소의 한도 내에서** 헌법이 정한 절차에 따라 행사되어야 한다(헌재 1996.2.29. 93헌마186). 05. 행시. 09. 사시, 13·19. 국가직

　　　ⓒ **필요성 판단**: 긴급재정경제처분·명령의 필요성에 관한 판단은 제1차적으로 대통령의 독자적 판단에 맡기고 있으나, 그 판단은 객관적이어야 한다.
　　② **절차적 요건**: 긴급명령권과 동일하다.

(4) 내용
　　긴급재정경제처분은 내정, 외교, 국방, 사법 등은 그 내용으로 할 수 없으며, 재정 또는 경제와 관련이 있는 사항만을 그 내용으로 할 수 있다.

(5) 형식
　　긴급재정경제처분은 행정처분의 형식인 개별적·구체적 내용의 처분 또는 조치의 형식으로 하며, 긴급재정경제명령은 입법의 형식인 일반적이고 추상적인 내용의 입법조치의 형식으로 한다.

(6) 효력
　　① **국회의 승인을 얻지 못한 경우**: 국회의 승인을 얻지 못한 때에는 긴급재정경제처분 또는 긴급재정경제명령은 그때부터 효력을 상실한다. 이 경우 긴급재정경제명령에 의하여 개정 또는 폐지되었던 법률은 그 명령이 승인을 얻지 못한 때부터 당연히 효력을 회복한다(헌법 제76조 제4항).
　　② **국회의 승인을 얻은 경우**: 긴급재정경제처분·명령이 국회의 승인을 얻으면 국회가 제정한 법률과 동일한 효력을 가지게 된다.

(7) 통제
　　① **긴급재정경제처분에 대한 통제**
　　　　㉠ **국회에 의한 통제**: 긴급재정경제처분은 국회의 승인에 의하여 사후통제를 받는다. 05. 행시, 13. 국가직·경정승진 국회에 보고하여 승인을 얻게 하는 것은 대통령의 긴급재정경제처분에 대한 가장 실효성 있는 통제수단이며, 국회의 승인권에는 수정승인권이 포함된다.
　　　　㉡ **법원 및 헌법재판소에 의한 통제**: 긴급재정경제처분은 국회의 승인을 얻은 경우에도 행정처분으로서의 성격을 가지므로 법원의 명령·규칙·처분의 심사대상이 된다. 05. 행시
　　② **긴급재정경제명령에 대한 통제**: 긴급재정경제명령에 대한 통제는 긴급명령의 경우와 동일하다.

---

01 긴급재정·경제명령은 정상적인 재정운용·경제운용이 불가능한 재정·경제상의 위기가 현실적 또는 잠재적으로 발생하여 긴급한 조치가 필요한 경우를 전제로 한다. 13. 국가직 (○, ✕)

답 ✕ 긴급재정·경제명령은 정상적인 재정운용·경제운용이 불가능한 중대한 재정·경제상의 위기가 현실적으로 발생하여(그러므로 위기가 발생할 우려가 있다는 이유로 사전적·예방적으로 발할 수는 없다) 긴급한 조치가 필요함을 전제로 한다.

02 대통령의 긴급재정·경제처분은 처분으로서의 효력을 갖는 데 지나지 않으므로, 국회의 승인을 요하지 않으나 최종적으로는 대법원의 위헌·위법심사의 대상이 된다. 05. 행시 (○, ✕)

답 ✕ 긴급재정·경제처분도 긴급명령, 긴급재정·경제명령과 동일하게 대통령은 처분을 한 때에는 지체 없이 국회에 보고하여 그 승인을 얻어야 한다.

03 긴급재정경제처분은 처분으로서의 효력을 갖는 데 지나지 않으므로 국회의 승인을 요하지는 않으나, 최종적으로 대법원의 위헌·위법심사의 대상이 된다. 13. 경정승진 (○, ✕)

답 ✕ 긴급재정경제처분도 국회의 승인을 요한다. 긴급재정경제처분은 일종의 행정처분의 성질을 갖기 때문에 최종적으로 대법원의 위헌·위법심사의 대상이 된다.

04 대통령의 긴급재정·경제처분은 처분으로서의 효력을 갖는 데 지나지 않으므로, 국회의 승인을 요하지 않는다. 13. 국가직 (○, ✕)

답 ✕ 국회의 승인을 얻어야 한다.

05 국가긴급권의 행사는 헌법질서에 대한 중대한 위기상황의 극복을 위한 것이기 때문에, 본질적으로 위기상황의 직접적인 원인을 제거하는 데 필수불가결한 최소한도 내에서만 행사되어야 한다는 목적상 한계가 있지만, 그 본질상 일시적·잠정적으로만 행사되어야 한다는 시간적 한계는 인정되지 않는다. 15. 법무사 (○, ✕)

답 ✕ 국가긴급권은 비상적인 위기상황을 극복하고 헌법질서를 수호하기 위해 헌법질서에 대한 예외를 허용하는 것이기 때문에 그 본질상 일시적·잠정적으로만 행사되어야 한다는 시간적 한계가 있다(헌재 2015.3.26. 2014헌가5).

긴급재정경제명령이 헌법소원심판의 대상이 되는지 여부: 적극 [각하·기각] 19. 국가직

> 대통령은 1993년 8월 12일 금융실명거래 및 비밀보장에 관한 긴급재정경제명령(대통령 긴급재정경제명령 제16호, 이하 '이 사건 긴급명령'이라고 한다)을 발하여 같은 날 20 : 00 부터 이 사건 긴급명령이 시행되었고 같은 달 19일 국회의 승인을 받았다. 이에 대하여 청구인은 대통령은 헌법 제76조 제1항에 규정한 요건을 갖추지 못하였음에도 이 사건 긴급 명령을 발하였고, 국회는 위헌적인 이 사건 긴급명령을 발한 대통령에 대하여 헌법 제65조의 탄핵소추를 의결하여야 함에도 이를 하지 아니함으로써 청구인의 알 권리와 청원권 및 재산 권을 침해하였다고 주장하며 1993년 8월 16일 이 사건 헌법소원심판을 청구하였다.

[1] 적법요건에 관한 판단
  ① 이 사건 긴급명령 부분
    ㉠ **통치행위주장에 대한 판단(대상적격)**
    대통령의 긴급재정경제명령은 국가긴급권의 일종으로서 고도의 정치적 결단에 의하여 발동되는 행위이고 그 결단을 존중하여야 할 필요성이 있는 행위라는 의미에서 이른바 통치행위에 속한다고 할 수 있으나, 통치행위를 포함하여 모든 국가작용은 국민의 기본권적 가치를 실현하기 위한 수단이라는 한계를 반드시 지켜야 하는 것이고, 헌법재판소는 헌법의 수호와 국민의 기본권보장을 사명으로 하는 국가기관이므로 비록 고도의 정치적 결단에 의하여 행해지는 국가작용이라고 할지라도 그것이 국민의 기본권침해와 직접 관련되는 경우에는 당연히 헌법재판소의 심판대상이 된다. 05. 법행, 06. 행시, 09·10·13. 사시, 15. 서울시
    ㉡ **기본권침해의 직접성결여주장에 대한 판단(청구인적격)**
    이 사건 긴급명령의 실시로 인하여 청구인의 소유 주식 11주의 시가가 하락함으로써 재산권이 침해되었다는 청구인의 주장에 관하여 살피건대 청구인이 제출한 자료에 의하면 청구인이 주장하는 주식의 소유자는 청구인이 아니라 청구 외 최명숙인 점을 알 수 있어 재산권침해 부분은 기본권침해의 자기관련성이 흠결되어 부적법하므로 더이상 판단하지 않는다.
  ② **국회의 부작위 부분(대상적격)**
  부작위위헌확인소원은 기본권보장을 위하여 헌법상 명문으로 또는 헌법의 해석상 특별히 공권력주체에게 작위의무가 규정되어 있어 청구인에게 그와 같은 작위를 청구할 헌법상 기본권이 인정되는 경우에 한하여 인정되는 것인바, 국회에게 대통령의 헌법 등 위배행위가 있을 경우에 탄핵소추의결을 하여야 할 헌법상의 작위의무가 있다거나 청구인에게 탄핵소추의결을 청구할 헌법상 기본권이 있다고 할 수 없다. 왜냐하면 헌법은 청구인에게 국회의 탄핵소추의결을 청구할 권리에 관하여도 아무런 명문규정이 없고, 헌법해석상으로도 그와 같은 권리를 인정할 수 없기 때문이다(다만, 청원법에 의하여 청구인은 국회에 탄핵소추의결을 청원할 수는 있으나 이에 대하여 국회는 성실히 심사처리할 의무만 있을 뿐 반드시 탄핵소추의결을 하여야 할 의무는 없음).
  따라서 국회의 탄핵소추의결의 부작위는 헌법소원의 대상이 되는 공권력의 불행사에 해당한다고 할 수 없어 이 부분에 대한 헌법소원청구는 부적법하다.

[2] 위헌 여부에 관한 판단
  ① 기본권의 침해
  대통령의 긴급재정경제명령은 일시적이긴 하나 다소간 권력분립의 원칙과 개인의 기본권에 대한 침해를 가져오는 것은 어쩔 수 없는 것이다. 그렇기 때문에 헌법은 긴급재정경제명령의 발동에 따른 기본권침해를 위기상황의 극복을 위하여 필요한

🏛️ **핵심기출 OX**

01 대통령의 국가긴급권은 헌법재판소의 통제대상이 되지 않는다. 09. 사시
(O, ×)

📖 × 헌법재판소는 헌법의 수호와 국민의 기본권보장을 사명으로 하는 국가기관이므로 비록 고도의 정치적 결단에 의하여 행해지는 국가작용이라고 할지라도 그것이 국민의 기본권침해와 직접 관련되는 경우에는 당연히 헌법재판소의 심판대상이 된다(헌재 1996.2.29. 93헌마186).

02 대통령의 긴급재정·경제명령은 계엄과 달리 고도의 정치적 결단에 의하여 발동되는 행위라고 볼 수 없어 이른바 통치행위에 속하지 않으므로, 그것이 국민의 기본권침해와 직접 관련되는 경우에는 당연히 헌법재판소의 심판대상이 된다. 13. 사시 (O, ×)

📖 × 대통령의 긴급재정경제명령은 국가긴급권의 일종으로서 고도의 정치적 결단에 의하여 발동되는 행위이고 그 결단을 존중하여야 할 필요성이 있는 행위라는 의미에서 이른바 통치행위에 속한다고 할 수 있으나, 통치행위를 포함하여 모든 국가작용은 국민의 기본권적 가치를 실현하기 위한 수단이라는 한계를 반드시 지켜야 하는 것이고, 비록 고도의 정치적 결단에 의하여 행해지는 국가작용이라고 할지라도 그것이 국민의 기본권침해와 직접 관련되는 경우에는 당연히 헌재의 심판대상이 된다(헌재 1996.2.29. 93헌마186).

03 국민의 기본권침해와 직접 관련되는 대통령의 긴급재정경제명령은 헌법재판소가 헌법재판소법 제68조 제1항에 의한 헌법소원의 대상성을 부인한 것에 해당한다. 05. 법행 변형 (O, ×)

📖 × 우리 헌법재판소는 '금융실명거래 및 비밀보장에 관한 긴급재정경제명령'에 대한 헌법소원 대상성을 인정한 바 있다(헌재 1996.2.29. 93헌마186).

최소한에 그치도록 그 발동요건과 내용, 한계를 엄격히 규정함으로써 그 남용 또는 악용의 소지를 줄임과 동시에 긴급재정경제명령이 헌법에 합치하는 경우라면 이에 따라 기본권을 침해받는 국민으로서도 특별한 사정이 없는 한 이를 수인할 것을 요구하고 있는 것이다. 즉, **긴급재정경제명령이 헌법 제76조 소정의 요건과 한계에 부합하는 것이라면 그 자체로 목적의 정당성, 수단의 적정성, 피해의 최소성, 법익의 균형성이라는 기본권제한의 한계로서의 과잉금지원칙을 준수하는 것이 되는 것이다.** 그러므로 이 사건 긴급명령이 헌법 제76조가 정하고 있는 요건과 한계에 부합하는 것인지 살펴본다.

② **이 사건 긴급명령의 요건구비 여부**

㉠ **긴급재정경제명령을 발할 수 있는 중대한 재정·경제상의 위기상황**

이 사건 긴급명령은 '중대한 재정·경제상의 위기에 있어서 국가의 안전보장 또는 공공의 안녕질서를 유지하기 위하여' 발하여진 것이라고 할 수 있을 것이다.

㉡ **긴급명령을 발하여야 할 필요성**

대통령은 기존의 금융실명법으로는 재정·경제상의 위기상황을 극복할 수 없다고 판단하여 이 사건 긴급명령을 발한 것임을 알 수 있고, 당시 국회는 폐회 중이었고 금융실명제의 실시를 지체하기에는 우리나라의 재정·경제상의 위기상황이 매우 심각하였다. 그렇다면 이 사건 긴급명령의 발포와 관련하여 '긴급한 조치가 필요함에도 국회의 집회를 기다릴 여유가 없을 때'라는 요건도 충족되었다고 볼 것이다.

㉢ **긴급명령발포상태의 장기화의 문제**

긴급권은 그 본질상 비상사태에 대응하기 위한 잠정적 성격의 권한이므로 긴급권의 발동은 그 목적을 달성할 수 있는 최단 기간 내로 한정되어야 하고, 그 원인이 소멸된 때에는 지체 없이 해제하여야 할 것인데도 이 사건 긴급명령은 발포일로부터 2년이 훨씬 지난 현재까지도 유지되고 있는바, 이와 같은 긴급명령 발포상태의 장기화가 바람직하지는 않지만 그렇다고 그 사유만으로 발포 당시 합헌적이었던 이 사건 긴급명령이 바로 위헌으로 된다고 할 수는 없다. 16. 지방직

③ **소결**

그렇다면 이 사건 긴급명령은 헌법이 정한 절차와 요건에 따라 헌법의 한계 내에서 발포된 것이고 따라서 이 사건 긴급명령발포로 인한 청구인의 기본권침해는 헌법상 수인의무의 한계 내에 있다고 할 것이다.

[3] 결론

따라서 이 사건 심판청구 중 국회의 탄핵소추의결부작위에 대한 부분은 부적법하므로 이를 각하하고, 이 사건 긴급명령에 대한 부분은 이유 없으므로 이를 기각한다(헌재 1996.2.29. 93헌마186).❶

개념PLUS+ **긴급명령과 긴급재정경제명령의 비교**

구분	긴급명령	긴급재정경제명령
상황적 요건	중대한 교전상태	내우, 외환, 천재, 지변 또는 재정·경제상의 위기
목적적 요건	국가보위	국가안전보장, 공공안녕질서
시기	휴회·폐회·개회	폐회 중에만
국회집회 여부	집회가 불가능한 경우	집회를 기다릴 여유가 없는 경우
제한할 수 있는 기본권	모든 기본권	경제적 기본권

❶ 긴급재정경제명령이 헌법 제76조 소정의 요건을 충족하여도 별도로 제37조 제2항의 과잉금지원칙 위배 여부를 심사하여야 한다. (×)

⇨ 긴급재정경제명령이 헌법 제76조 소정의 요건을 충족하면 제37조 제2항의 과잉금지원칙도 준수한 것이라고 본다. (○)

3. 계엄선포권

> **헌법 제77조** ① 대통령은 전시·사변 또는 이에 준하는 국가비상사태에 있어서 병력으로써 군사상의 필요에 응하거나 공공의 안녕질서를 유지할 필요가 있을 때에는 법률이 정하는 바에 의하여 계엄을 선포할 수 있다. 15. 서울시, 16. 국가직
> ② 계엄은 비상계엄과 경비계엄으로 한다.
> ③ 비상계엄이 선포된 때에는 법률이 정하는 바에 의하여 **영장제도, 언론·출판·집회·결사의 자유, 정부나 법원의 권한**에 관하여 특별한 조치를 할 수 있다. 05. 국가직, 07. 법원직, 09. 법무사·사시, 10. 국가직, 13. 서울시
> ④ 계엄을 선포한 때에는 대통령은 지체 없이 **국회에 통고**하여야 한다. 14. 서울시
> ⑤ 국회가 재적의원 과반수의 찬성으로 계엄의 해제를 요구한 때에는 대통령은 이를 해제하여야 한다. 08. 국가직, 15. 서울시

(1) 의의

계엄이란 전시·사변 또는 이에 준하는 국가비상사태에 있어서 군사상의 필요에 응하거나(군사계엄) 공공의 안녕질서를 유지할 필요가 있을 경우에(행정계엄) 대통령이 병력을 사용하여 국민의 기본권을 제한하는 국가긴급권제도를 말한다.

(2) 요건

① **실질적 요건**

㉠ **상황요건**: 계엄의 선포는 전시·사변 또는 이에 준하는 국가비상사태가 발생한 경우이어야 한다. 전시란 전쟁이 일어난 때를 말하고, 전쟁이란 국가간의 무력투쟁상태를 말하며, 사변은 국토참절이나 국헌문란목적을 가진 무장반란집단의 폭동을 말한다. 이에 준하는 국가비상사태란 전시 또는 사변에 해당하지 아니하는 경우로서, 집단이나 군중 또는 자연적 재난으로 인한 사회질서교란상태를 말한다. 비상적 사태의 발생이 예견되는 경우로는 부족하며 이미 발생한 경우이어야 한다.

㉡ **필요요건**: 계엄의 선포는 병력으로써 군사상의 필요에 응하거나 공공의 안녕질서를 유지할 필요가 있는 경우이어야 한다. 군사상의 필요는 군대의 안전을 위한 군작전상의 필요를 말하고, 공공의 안녕질서의 유지는 사회적 안전이나 평온과 같은 공안질서의 유지를 말한다. 국가비상사태가 발생한 경우에도 경찰력만으로 비상사태를 극복할 수 있을 때에는 계엄을 선포할 수 없다.

② **절차적 요건❶**

> **헌법 제77조** ④ 계엄을 선포한 때에는 대통령은 지체 없이 국회에 통고하여야 한다.
> **제89조** 다음 사항은 국무회의의 심의를 거쳐야 한다.
>   5. 대통령의 긴급명령·긴급재정경제처분 및 명령 또는 계엄과 그 해제

대통령이 계엄을 선포하기 위해서는 국무회의의 심의를 거쳐야 하고(헌법 제89조 제5호), 계엄을 선포한 때에는 지체 없이 국회에 통고하여야 하며(헌법 제77조 제4항), 국회가 폐회 중이면 임시집회를 요구하여야 한다(계엄법 제4조 제2항). 09. 사시, 18. 지방직

🏛 핵심기출 OX

01 대통령은 국회의 집회가 불가능하고, 국가의 안위에 관계되는 중대한 교전상태가 발생했을 때 계엄을 선포할 수 있다. 16. 국가직　(○, ×)

📝 × 계엄은 국회집회 여부와 무관하게 선포할 수 있으며, 대통령은 계엄을 선포한 후에 국회에 통고하면 된다. 국회는 사후에 재적의원 과반수 찬성으로 계엄의 해제를 요구할 수 있다(헌법 제77조 참조).

02 대통령은 전시·사변 또는 이에 준하는 국가비상사태에 병력으로써 군사상의 필요에 응하거나 공공의 안녕질서를 유지할 필요가 있을 때 국회의 집회가 불가능한 때에 한하여 계엄을 선포할 수 있다. 15. 서울시　(○, ×)

📝 × '국회의 집회가 불가능한 때'는 계엄선포의 요건이 아니다. 즉, 국회집회 여부와 무관하다.

03 헌법상 대통령의 계엄선포권은 '국가의 안위에 관계되는 중대한 교전상태'를 발동요건으로 한다. 17. 행시　(○, ×)

📝 × 대통령은 전시·사변 또는 이에 준하는 국가비상사태에 있어서 병력으로써 군사상의 필요에 응하거나 공공의 안녕질서를 유지할 필요가 있을 때에는 법률이 정하는 바에 의하여 계엄을 선포할 수 있다(헌법 제77조 제1항).

04 대통령이 계엄을 선포하였을 때에는 지체 없이 국회에 통고하여야 한다. 국회가 폐회 중인 경우에는 그러하지 아니한다. 09. 사시　(○, ×)

📝 × 국회가 폐회 중인 때에는 대통령은 지체 없이 국회의 집회를 요구하여야 한다(계엄법 제4조 제2항).

(3) 계엄의 선포권자와 지휘·감독권자

> **헌법 제77조** ① 대통령은 전시·사변 또는 이에 준하는 국가비상사태에 있어서 병력으로써 군사상의 필요에 응하거나 공공의 안녕질서를 유지할 필요가 있을 때에는 법률이 정하는 바에 의하여 계엄을 선포할 수 있다. 17. 행시
>
> **계엄법 제5조【계엄사령관의 임명 및 계엄사령부의 설치 등】** ① 계엄사령관은 현역장성급 장교 중에서 **국방부장관이 추천한 사람을 국무회의의 심의를 거쳐 대통령이 임명**한다.
>
> **제6조【계엄사령관에 대한 지휘·감독】** ① 계엄사령관은 계엄의 시행에 관하여 국방부장관의 지휘·감독을 받는다. 다만, **전국을 계엄지역으로 하는 경우**와 대통령이 직접 지휘·감독을 할 필요가 있는 경우에는 **대통령의 지휘·감독을 받는다.**

(4) 종류와 변경

> **계엄법 제2조【계엄의 종류와 선포 등】** ① 계엄은 비상계엄과 경비계엄으로 구분한다.
> ② 비상계엄은 대통령이 전시·사변 또는 이에 준하는 국가비상사태시 적과 교전상태에 있거나 사회질서가 극도로 교란되어 행정 및 사법기능의 수행이 현저히 곤란한 경우에 군사상 필요에 따르거나 공공의 안녕질서를 유지하기 위하여 선포한다.
> ③ **경비계엄은 대통령이 전시·사변 또는 이에 준하는 국가비상사태시 사회질서가 교란되어 일반 행정기관만으로는 치안을 확보할 수 없는 경우에 공공의 안녕질서를 유지**하기 위하여 선포한다.
> ④ 대통령은 계엄의 종류, 시행지역 또는 계엄사령관을 변경할 수 있다.
> ⑤ 대통령이 계엄을 선포하거나 변경하고자 할 때에는 **국무회의의 심의를 거쳐야** 한다. 18. 지방직

개념PLUS+ 비상계엄과 경비계엄의 비교

구분	비상계엄	경비계엄
상황요건	적과 교전 중이거나 행정·사법기능수행이 현저히 곤란한 경우	일반 행정기관만으로는 치안확보가 불가한 경우
계엄사령관 관장사항	모든 행정·사법 사무 10. 국가직	군사에 관한 행정·사법 사무
영장, 언론·출판·집회·결사의 자유에 대한 특별한 조치	○	×
특정한 범죄에 대한 군사재판 단심제	○	×
국회의원의 불체포특권	폐회·회기 중 모두 현행범이 아닌 한 인정(계엄법 제13조)	

(5) 효력

① 경비계엄의 효력

> **계엄법 제7조【계엄사령관의 관장사항】** ② **경비계엄의 선포와 동시에 계엄사령관은 계엄지역의 군사에 관한 행정사무와 사법사무를 관장**한다.

통치구조론

제3편

해커스공무원 신동욱 헌법 기본서

핵심기출 OX

계엄법상 대통령은 전시·사변 또는 이에 준하는 국가비상사태 시 사회질서가 교란되어 일반 행정기관만으로는 치안을 확보할 수 없는 경우에 공공의 안녕질서를 유지하기 위하여 비상계엄을 선포한다. 22. 지방직 (O , ×)

답 × 비상계엄이 아니라 경비계엄을 선포한다.

② 비상계엄의 효력

> **헌법 제27조** ② 군인 또는 군무원이 아닌 국민은 대한민국의 영역 안에서는 중대한 군사상 기밀·초병·초소·유독음식물공급·포로·군용물에 관한 죄 중 법률이 정한 경우와 비상계엄이 선포된 경우를 제외하고는 군사법원의 재판을 받지 아니한다.
>
> **제77조** ③ 비상계엄이 선포된 때에는 법률이 정하는 바에 의하여 **영장제도, 언론·출판·집회·결사의 자유, 정부나 법원의 권한**에 관하여 특별한 조치를 할 수 있다. 05·14. 국회직 8급, 07. 법원직, 09. 법무사·사시, 10. 국가직, 13. 서울시
>
> **제110조** ④ 비상계엄하의 군사재판은 군인·군무원의 범죄나 **군사에 관한 간첩죄**의 경우와 초병·초소·유독음식물공급·포로에 관한 죄 중 법률이 정한 경우에 한하여 **단심**으로 할 수 있다. 다만, 사형을 선고한 경우에는 그러하지 아니하다.
>
> **계엄법 제7조 【계엄사령관의 관장사항】** ① 비상계엄의 선포와 동시에 계엄사령관은 계엄지역의 모든 행정사무와 사법사무를 관장한다.
>
> **제9조 【계엄사령관의 특별조치권】** ① 비상계엄지역에서 계엄사령관은 군사상 필요한 때에는 체포·구금·압수·수색·**거주·이전**·언론·출판·집회·결사 또는 단체행동에 대하여 특별한 조치를 할 수 있다. 이 경우 계엄사령관은 그 조치 내용을 미리 공고하여야 한다.

㉠ **행정사무·사법사무에 대한 특별조치**: 비상계엄이 선포된 때에는 법률이 정하는 바에 의하여 정부나 법원의 권한에 관하여 특별한 조치를 할 수 있다[헌법 제77조 제3항(비상계엄의 선포로 국회나 헌법재판소의 권한에 대해서는 특별한 조치를 할 수 없다)]. 다만, 계엄법 제7조 제1항에서 말하는 사법사무는 엄격한 의미에서의 민·형사재판을 제외한 사법행정사무(사법경찰, 검찰, 형집행)만을 말한다(다수설).

㉡ **기본권에 대한 특별조치**: 헌법은 "비상계엄이 선포된 때에는 법률이 정하는 바에 의하여 영장제도, 언론·출판·집회·결사의 자유 … 에 관하여 특별한 조치를 할 수 있다."라고 규정하고 있으나, 계엄법 제9조는 "비상계엄지역에서 계엄사령관은 군사상 필요한 때에는 체포·구금·압수·수색·**거주·이전**·언론·출판·집회·결사 또는 단체행동에 대하여 특별한 조치를 할 수 있다."라고 규정하고 있는바, 헌법 제77조 제3항에 규정되어 있지 아니한 거주·이전의 자유 등의 제한이 헌법 위반은 아닌지가 문제되고 있다. 14. 국회직 8급
이에 대하여 학설은 ⓐ 헌법 제77조 제3항은 제한적 규정이고 기본권보장의 중대한 예외가 되는 것이므로 엄격하게 해석하여야 하므로 위헌이라는 견해(다수설)와 ⓑ 헌법 제77조 제3항은 예시적 규정이라 보아 합헌이라는 견해(김철수, 문홍주)가 대립하고 있다.

(6) 해제

> **헌법 제77조** ⑤ 국회가 재적의원 과반수의 찬성으로 계엄의 해제를 요구한 때에는 대통령은 이를 해제하여야 한다. 08. 국가직, 18. 지방직
>
> **제89조** 다음 사항은 국무회의의 심의를 거쳐야 한다.
> 5. 대통령의 긴급명령·긴급재정경제처분 및 명령 또는 계엄과 그 해제

> **계엄법 제12조【행정·사법사무의 평상화】** ① 계엄이 해제된 날부터 모든 행정사무와 사법사무는 평상상태로 복귀한다.
> ② 비상계엄시행 중 제10조에 따라 군사법원에 계속 중인 재판사건의 관할은 비상계엄해제와 동시에 일반법원에 속한다. 다만, 대통령이 필요하다고 인정할 때에는 군사법원의 재판권을 1개월의 범위에서 연기할 수 있다. 05. 국회직, 14. 국가직

계엄법 제12조 제2항 단서가 규정하고 있는 군사법원재판권 1개월 연장조항에 대하여 위헌론(다수설)이 제기되고 있으나, 대법원은 군사법원의 재판을 받지 아니할 권리의 제한에 합목적성이 인정되어 위헌이 아니라고 한다(대판 1985.5.28. 81도1045).

(7) 통제

① **국회에 의한 통제**: 국회는 재적의원 과반수의 찬성으로 계엄의 해제를 요구할 수 있고 대통령이 국회의 해제요구에 불응하면 탄핵소추의 사유가 된다. 계엄선포가 있더라도 국회의 활동은 가능하므로 입법과 국정감사·조사, 국무총리와 국무위원에 대한 출석요구 및 해임건의권 등으로 계엄통제가 가능하다.

② **법원에 의한 통제**: 대통령의 계엄선포행위가 법원에 의한 사법심사의 대상이 되는지가 문제되는바, 사법적 심사의 대상이 된다는 견해가 일반적이지만, 판례는 사법기관인 법원이 계엄의 선포요건의 구비 여부나 선포의 당·부당을 심사하는 것은 사법권의 내재적인 본질적 한계를 넘어서는 것이어서 적절하지 못하다고 한다(대판 1981.9.22. 81도1833). 다만, 계엄당국의 포고령, 처분 등 개별적인 행위에 대해서는 사법심사가 가능하다는 것이 지배적인 견해이다.

③ **헌법재판소에 의한 통제**: 계엄선포나 계엄에 의한 특별 조치로 기본권이 침해된 경우에는 헌법소원심판을 통한 권리구제가 가능하다.

4. 국민투표부의권

> **헌법 제72조** 대통령은 필요하다고 인정할 때에는 **외교·국방·통일 기타 국가안위**에 관한 **중요정책을 국민투표**에 부칠 수 있다. 09. 사시

개념PLUS+ 국민투표부의권의 연혁

구분	내용	특징
제2차 개헌 (1954년)	제7조의2 ① 대한민국의 주권의 제약 또는 영토의 변경을 가져올 국가안위에 관한 중대사항은 국회의 가결을 거친 후에 국민투표에 부하여 민의원의원선거권자 3분의 2 이상의 투표와 유효투표 3분의 2 이상의 찬성을 얻어야 한다. 19. 서울시	국민투표제를 최초로 도입 06. 행시
제7차 개헌 (1972년)	제49조 대통령은 필요하다고 인정할 때에는 국가의 중요한 정책을 국민투표에 부칠 수 있다.	• 대통령에게 국민투표부의권을 최초로 규정 06. 행시 • '중요정책'에 대한 국민투표도입

🏛 핵심기출 OX

01 대통령은 비상계엄이 선포된 때에는 국회나 법원의 권한에 대하여 특별한 조치를 할 수 있다. 13. 서울시
(O, ×)

답 × '정부'나 '법원'의 권한에 관하여 특별한 조치를 할 수 있고, 국회의 권한에 대하여는 특별한 조치를 할 수 없다.

02 계엄을 선포한 때에는 대통령은 지체 없이 국회에 통고하여야 하며, 국회가 재적의원 과반수의 출석과 출석의원 과반수의 찬성으로 계엄의 해제를 요구한 때에는 이를 해제하여야 한다. 08·22. 국가직 (O, ×)

답 × 국회가 '재적의원 과반수'의 찬성으로 계엄의 해제를 요구한 때에는 이를 해제하여야 한다(헌법 제77조 제5항).

03 계엄을 선포한 경우 대통령은 지체 없이 국회에 통고하여 국회의 승인을 얻어야 한다. 14. 서울시 (O, ×)

답 × 계엄을 선포한 때에는 대통령은 지체 없이 국회에 통고하여야 한다(헌법 제77조 제4항). '승인'을 얻어야 하는 것은 아니다.

04 비상계엄시행 중 군사법원에 계속 중인 재판사건의 관할은 비상계엄 해제와 동시에 일반 법원에 속하게 되지만, 대통령이 필요하다고 인정할 때에는 군사법원의 재판권을 3개월의 범위에서 연기할 수 있다. 14. 국가직
(O, ×)

답 × 1개월의 범위에서 연기할 수 있다.

🔍 한 눈에 쏙

대통령의 신임을 묻는 국민투표제안

▼

헌법소원심판의 대상인지 여부: 소극	국회의 탄핵소추가 가능한지 여부: 적극

▼

헌법 제72조에 위반되는지 여부: 적극

▼

대통령을 파면할 정도의 중대한 법 위반인지 여부: 소극

제8차 개헌 (1980년)	제47조 대통령은 필요하다고 인정할 때에는 외교·국방·통일 기타 국가안위에 관한 중요정책을 국민투표에 부칠 수 있다.	국민투표의 대상을 '외교·국방·통일 기타 국가안위에 관한 중요정책'이라고 하여 구체적으로 명시
현행헌법 (1987년)	제72조 대통령은 필요하다고 인정할 때에는 외교·국방·통일 기타 국가안위에 관한 중요정책을 국민투표에 부칠 수 있다.	제8차 개정헌법과 동일

⚖️ 판례

1 국민에게 특정의 국가정책에 관하여 국민투표에 회부할 것을 요구할 권리가 인정되는지 여부: 소극

특정의 국가정책에 대하여 다수의 국민들이 국민투표를 원하고 있음에도 불구하고 대통령이 이러한 희망과는 달리 국민투표에 회부하지 아니한다고 하여도 이를 헌법에 위반된다고 할 수 없고, 국민에게 특정의 국가정책에 관하여 국민투표에 회부할 것을 요구할 권리가 인정된다고 할 수도 없다. 결국 헌법 제72조의 국민투표권은 대통령이 어떠한 정책을 국민투표에 부의한 경우에 비로소 행사가 가능한 기본권이라 할 수 있다(헌재 2005.11.24. 2005헌마579). 14. 법무사, 16. 지방직, 18. 서울시, 19. 국가직

2 대통령의 신임을 묻는 국민투표제안이 헌법소원의 대상이 되는지 여부: 소극

국민투표에 관하여는 공고와 같이 국민투표에 관한 절차의 법적 개시로 볼 수 있는 행위가 있을 때에 비로소 법적인 효력을 지닌 공권력의 행사가 있게 된다. 그러한 법적 행위 이전에 국민투표의 실시에 관한 정치적 제안을 하거나 내부적으로 계획을 수립하여 검토하는 등의 조치는 일종의 준비행위에 불과하여 언제든지 변경·폐기될 수 있다. 이 사건 심판의 대상이 된 피청구인(대통령)의 발언만으로는 국민투표의 실시에 관하여 법적인 구속력 있는 결정이나 조치가 취해진 것이라 할 수 없으며, 그로 인하여 국민들의 법적 지위에 어떠한 영향을 미친다고 볼 수도 없다. 그렇다면 … 헌법소원의 대상이 되는 '공권력의 행사'라고 할 수는 없다(헌재 2003.11.27. 2003헌마694). 06. 행시

3 대통령의 신임을 묻는 국민투표제안이 헌법 제72조에 위반되는지 여부: 적극

헌법 제72조는 "대통령은 필요하다고 인정할 때에는 외교·국방·통일 기타 국가안위에 관한 중요정책을 국민투표에 부칠 수 있다."라고 규정하여 대통령에게 국민투표부의권을 부여하고 있다. 헌법 제72조는 대통령에게 국민투표의 실시 여부, 시기, 구체적 부의사항, 설문내용 등을 결정할 수 있는 임의적인 국민투표발의권을 독점적으로 부여함으로써 대통령이 단순히 특정 정책에 대한 국민의 의사를 확인하는 것을 넘어서 자신의 정책에 대한 추가적인 정당성을 확보하거나 정치적 입지를 강화하는 등 국민투표를 정치적 무기화하고 정치적으로 남용할 수 있는 위험성을 안고 있다. 이러한 점을 고려할 때 대통령의 부의권을 부여하는 헌법 제72조는 가능하면 대통령에 의한 국민투표의 정치적 남용을 방지할 수 있도록 엄격하고 축소적으로 해석되어야 한다. 이러한 관점에서 볼 때 헌법 제72조의 국민투표의 대상인 '중요정책'에는 대통령에 대한 '국민의 신임'이 포함되지 않는다. 대통령은 헌법상 국민에게 자신에 대한 신임을 국민투표의 형식으로 물을 수 없을 뿐만 아니라 특정 정책을 국민투표에 부치면서 이에 자신의 신임을 결부시키는 대통령의 행위도 위헌적인 행위로서 헌법적으로 허용되지 않는다. 뿐만 아니라 헌법은 명시적으로 규정된 국민투표 외에 다른 형태의 재신임 국민투표를 허용하지 않는다. 이는 주권자인 국민이 원하거나 또는 국민의 이름으로 실시하더라도 마찬가지이다. 국민은 선거와 국민투표를 통하여 국가권력을 직접 행사하게 되며, 국민투표는 국민에 의한 국가권력의 행사방법의 하나로서 명시적인 헌법적 근거를 필요로 한다. 따라서 국민투표의

🏛️ 핵심기출 OX

01 대통령이 국회의 시정연설에서 자신에 대한 신임국민투표의 실시를 밝힌 것은 헌법소원의 대상이 되는 공권력의 행사에 해당한다는 것이 헌법재판소의 입장이다. 06. 행시   (○, ×)

🔳 × 비록 피청구인이 대통령으로서 국회 본회의의 시정연설에서 자신에 대한 신임국민투표를 실시하고자 한다고 밝혔다 하더라도, 그것이 공고와 같이 법적인 효력이 있는 행위가 아니라 단순한 정치적 제안의 피력에 불과하다고 인정되는 이상 이를 두고 헌법소원의 대상이 되는 '공권력의 행사'라고 할 수는 없다.

02 대통령은 헌법상 국민에게 자신에 대한 신임을 국민투표의 형식으로 물을 수 없으나, 특정 정책을 국민투표에 부치면서 이에 자신의 신임을 결부시키는 대통령의 행위는 헌법적으로 허용될 수 있다. 06. 사시 유사, 09. 사시   (○, ×)

🔳 × 대통령은 헌법상 국민에게 자신에 대한 신임을 국민투표의 형식으로 물을 수 없을 뿐만 아니라, 특정 정책을 국민투표에 부치면서 이에 자신의 신임을 결부시키는 대통령의 행위도 위헌적인 행위로서 헌법적으로 허용되지 않는다(헌재 2004.5.14. 2004헌나1).

03 헌법 제72조는 대통령에게 국민투표의 실시 여부, 시기, 구체적 부의사항, 설문내용 등을 결정할 수 있는 임의적인 국민투표발의권을 독점적으로 부여하고 있다. 09. 사시   (○, ×)

🔳 ○

가능성은 국민주권주의나 민주주의원칙과 같은 일반적인 헌법원칙에 근거하여 인정될 수 없으며, 헌법에 명문으로 규정되지 않는 한 허용되지 않는다. … 헌법상 허용되지 않는 재신임 국민투표를 국민들에게 제안한 것은 그 자체로서 헌법 제72조에 반하는 것으로 헌법을 실현하고 수호하여야 할 대통령의 의무를 위반한 것이다(헌재 2004.5.14. 2004헌나1). 06. 행시, 06·09. 사시, 12·18. 국가직, 15·18. 서울시

국민투표법 제28조 【운동을 할 수 없는 자】 ① 정당법상의 당원의 자격이 없는 자는 운동을 할 수 없다. 19. 국가직

---

3 헌법기관구성에 관한 권한

1. 대법원구성권

헌법 제104조 ① 대법원장은 국회의 동의를 얻어 대통령이 임명한다.
② 대법관은 대법원장의 제청으로 국회의 동의를 얻어 대통령이 임명한다.

2. 헌법재판소구성권

헌법 제111조 ② 헌법재판소는 법관의 자격을 가진 9인의 재판관으로 구성하며, 재판관은 대통령이 임명한다. 18. 서울시
③ 제2항의 재판관 중 3인은 국회에서 선출하는 자를, 3인은 대법원장이 지명하는 자를 임명한다. 18. 서울시
④ 헌법재판소의 장은 국회의 동의를 얻어 재판관 중에서 대통령이 임명한다.

3. 중앙선거관리위원회구성권

헌법 제114조 ① 선거와 국민투표의 공정한 관리 및 정당에 관한 사무를 처리하기 위하여 선거관리위원회를 둔다.
② 중앙선거관리위원회는 대통령이 임명하는 3인, 국회에서 선출하는 3인과 대법원장이 지명하는 3인의 위원으로 구성한다. 위원장은 위원 중에서 호선한다. 07. 법원직 9급

4. 감사원구성권

헌법 제98조 ② 원장은 국회의 동의를 얻어 대통령이 임명하고, 그 임기는 4년으로 하며, 1차에 한하여 중임할 수 있다. 18·19. 서울시
③ 감사위원은 원장의 제청으로 대통령이 임명하고, 그 임기는 4년으로 하며, 1차에 한하여 중임할 수 있다. 18·19. 서울시, 19. 지방직

4 집행에 관한 권한

1. 집행에 관한 최고결정권·지휘권

대통령은 행정부의 수반으로서 집행에 관한 최고결정권과 최고지휘권을 가진다.

2. 법률집행권

대통령은 국회가 제정한 법률을 공포하고 집행할 권한을 가지며, 법률을 집행함에 있어 필요한 경우에는 위임명령과 집행명령을 발할 수 있다(헌법 제75조).

3. 국가의 대표 및 외교에 관한 권한

> 헌법 제73조 대통령은 조약을 체결·비준하고, 외교사절을 신임·접수 또는 파견하며, 선전포고와 강화를 한다. 17. 법행
>
> 제60조 ② 국회는 선전포고, 국군의 외국에의 파견 또는 외국군대의 대한민국영역 안에서의 주류에 대한 동의권을 가진다.

(1) 조약체결권(헌법 제73조)

(2) 외교사절의 파견·접수권(헌법 제73조)

(3) 선전포고·강화권(헌법 제73조)

(4) 국군의 해외파견권(헌법 제60조 제2항)

(5) 외국군대의 국내 주류허가권(헌법 제60조 제2항)

4. 정부구성권과 공무원 임명권

(1) 행정부구성권

> 헌법 제86조 ① 국무총리는 국회의 동의를 얻어 대통령이 임명한다. 19. 지방직
>
> 제87조 ① 국무위원은 국무총리의 제청으로 대통령이 임명한다. 19. 지방직
>
> 제94조 행정각부의 장은 국무위원 중에서 국무총리의 제청으로 대통령이 임명한다. 18. 지방직
>
> 정부조직법 제8조【공무원의 정원 등】① 각 행정기관에 배치할 공무원의 종류와 정원, 고위공무원단에 속하는 공무원으로 보하는 직위와 고위공무원단에 속하는 공무원의 정원, 공무원배치의 기준 및 절차 그 밖에 필요한 사항은 대통령령으로 정한다. 다만, 각 행정기관에 배치하는 정무직공무원(**대통령비서실 및 국가안보실에 배치하는 정무직 공무원은 제외한다**)의 경우에는 법률로 정한다. 19. 국가직

(2) 공무원 임면권

> 헌법 제78조 대통령은 헌법과 법률이 정하는 바에 의하여 공무원을 임면한다.

5. 국군통수권

> 헌법 제74조 ① 대통령은 헌법과 법률이 정하는 바에 의하여 국군을 통수한다.

6. 재정에 관한 권한

> 헌법 제54조 ① 국회는 국가의 예산안을 심의·확정한다.
> ② 정부는 회계연도마다 예산안을 편성하여 회계연도 개시 90일 전까지 국회에 제출하고, 국회는 회계연도 개시 30일 전까지 이를 의결하여야 한다. 18. 지방직
> ③ 새로운 회계연도가 개시될 때까지 예산안이 의결되지 못한 때에는 정부는 국회에서 예산안이 의결될 때까지 다음의 목적을 위한 경비는 전년도 예산에 준하여 집행할 수 있다. 05. 행시·입시
> 1. 헌법이나 법률에 의하여 설치된 기관 또는 시설의 유지·운영
> 2. 법률상 지출의무의 이행
> 3. 이미 예산으로 승인된 사업의 계속
> 제55조 ① 한 회계연도를 넘어 계속하여 지출할 필요가 있을 때에는 정부는 연한을 정하여 계속비로서 국회의 의결을 얻어야 한다.
> ② 예비비는 총액으로 국회의 의결을 얻어야 한다. 예비비의 지출은 차기 국회의 승인을 얻어야 한다.
> 제56조 정부는 예산에 변경을 가할 필요가 있을 때에는 추가경정예산안을 편성하여 국회에 제출할 수 있다.
> 제58조 국채를 모집하거나 예산 외에 국가의 부담이 될 계약을 체결하려 할 때에는 정부는 미리 국회의 의결을 얻어야 한다.

행정부 수반으로서 대통령은 재정에 관한 광범위한 권한을 가지고 있으나, 재정은 국민의 경제적 부담을 전제로 하는 까닭에 국민의 대표기관인 국회의 통제를 받게 된다.

7. 영전수여권

> 헌법 제80조 대통령은 법률이 정하는 바에 의하여 훈장 기타의 영전을 수여한다.

5 국회와 입법에 관한 권한

1. 국회에 관한 권한

(1) 임시회의 소집요구권

> 헌법 제47조 ① 국회의 정기회는 법률이 정하는 바에 의하여 매년 1회 집회되며, 국회의 임시회는 대통령 또는 국회재적의원 4분의 1 이상의 요구에 의하여 집회된다.
> ③ 대통령이 임시회의 집회를 요구할 때에는 기간과 집회요구의 이유를 명시하여야 한다. 11. 법원직 9급, 19. 서울시
> 제89조 다음 사항은 국무회의의 심의를 거쳐야 한다. 18·19. 서울시
> 7. 국회의 임시회집회의 요구

대통령이 긴급명령 또는 긴급재정경제처분·명령을 발하거나 계엄을 선포한 경우에 국회가 휴회·폐회 중이면, 국회에 보고 또는 통고하기 위하여 국회 임시회의 소집을 요구하여야 한다.

(2) 국회출석·발언권

> 헌법 제81조 대통령은 국회에 출석하여 발언하거나 서한으로 의견을 표시할 수 있다.
> 03. 법행, 19. 서울시

대통령은 입법이나 정부정책에 대하여 국회의 이해와 협조를 구할 수 있으나, 국회가 대통령에 대하여 출석·답변을 요구할 수는 없다고 본다. 즉, 국회출석·발언권은 대통령의 권한일 뿐 의무는 아니므로 국회는 대통령에 대하여 출석을 요구하거나 서한에 의한 의견표시를 요구하지 못한다. 03. 법행, 12·13. 국가직

2. 헌법개정에 관한 권한

> 헌법 제128조 ① 헌법개정은 국회재적의원 과반수 또는 대통령의 발의로 제안된다.
> 제129조 제안된 헌법개정안은 대통령이 20일 이상의 기간 이를 공고하여야 한다. 18. 국가직
> 제130조 ③ 헌법개정안이 제2항의 찬성을 얻은 때에는 헌법개정은 확정되며, 대통령은 즉시 이를 공포하여야 한다.

3. 법률제정에 관한 권한

(1) 법률안제출권

> 헌법 제52조 국회의원과 정부는 법률안을 제출할 수 있다.
> 제89조 다음 사항은 국무회의의 심의를 거쳐야 한다.
> 　3. 헌법개정안·국민투표안·조약안·법률안 및 대통령령안

(2) 법률안거부권

> 헌법 제53조 ① 국회에서 의결된 법률안은 정부에 이송되어 15일 이내에 대통령이 공포한다. 04. 법행, 10. 국가직
> ② 법률안에 이의가 있을 때에는 대통령은 제1항의 기간 내에 이의서를 붙여 국회로 환부하고, 그 재의를 요구할 수 있다. 국회의 폐회 중에도 또한 같다. 03. 법행, 05. 입시, 06. 행시, 08. 법원직, 10. 국가직, 13. 사시, 18. 서울시
> ③ 대통령은 법률안의 일부에 대하여 또는 법률안을 수정하여 재의를 요구할 수 없다. 03·04. 법행, 06. 행시, 10. 국가직, 13·15. 서울시, 16. 법원직
> ④ 재의의 요구가 있을 때에는 국회는 재의에 붙이고, 재적의원 과반수의 출석과 출석의원 3분의 2 이상의 찬성으로 전과 같은 의결을 하면 그 법률안은 법률로서 확정된다. 03·04. 법행, 05. 입시, 06. 행시, 12. 국가직, 16. 지방직
> ⑤ 대통령이 제1항의 기간 내에 공포나 재의의 요구를 하지 아니한 때에도 그 법률안은 법률로서 확정된다. 03·06. 법행, 10. 국가직, 15. 서울시

① 의의
  ㉠ **개념**: 법률안거부권(또는 법률안재의요구권)❶이란 국회의 의결을 거쳐 정부에 이송한 법률안에 대하여 대통령이 이의가 있는 경우에 법률안을 국회의 재의에 붙일 수 있는 권한을 말한다.
  ㉡ **제도적 의의**: 국회의 경솔·부당한 입법을 견제하고, 권력 상호간의 억제와 균형을 실현하며, 법률안에 대한 **형식적 심사권뿐만 아니라 그 내용의 적부에 관한 실질적 심사권**까지 인정함으로써 헌법을 수호한다는 데에 제도적 의의가 있다.

② **법적 성격**: 법률안거부권의 법적 성격에 대하여는 정지조건설과 해제조건설이 대립하고 있는데, 국회가 재의결하기까지 법률확정을 정지시키는 소극적인 조건부정지권의 성격을 가지는 것으로 보는 정지조건설이 통설이다. 따라서 국회의 재의결 전에 대통령은 언제든지 재의요구를 철회할 수 있다. 05. 입시, 06. 법행

③ **행사요건**
  ㉠ **실질적 요건**: 헌법에 법률안거부권의 행사사유에 대한 규정은 없으나 ⓐ 법률안이 헌법에 위반된다고 판단되는 경우, ⓑ 법률안의 집행이 불가능한 경우, ⓒ 법률안이 국가적 이익에 반하는 것을 내용으로 하는 경우, ⓓ 법률안이 행정부에 대한 **부당한 정치적 공세**를 내용으로 하는 경우 등 정당한 이유가 있는 경우에 한하여 행사할 수 있다. 06. 행시·법행 정당한 이유 없이 법률안거부권을 남용하면 탄핵소추의 사유가 된다. 05. 입시
  ㉡ **절차적 요건**: ⓐ 법률안이 정부로 이송되어 온 날로부터 15일 이내에 ⓑ 국무회의의 심의를 거친 후 ⓒ 그 법률안에 이의서를 첨부하여 ⓓ 국회로 환부하여 재의를 요구한다.

④ **유형**
  ㉠ **환부거부**
    ⓐ **의의**: 환부거부란 대통령이 국회가 의결하여 정부에 이송한 법률안을 15일 이내에 이의서를 붙여 국회에 환부하고 재의를 요구하는 것을 말한다. 대통령은 법률안에 대하여 이의가 있으면 국회가 폐회 중인 때에도 그 법률안을 국회에 환부하여야 하며, 대통령이 환부도 공포도 하지 않을 경우에는 15일이 경과함으로써 그 법률안은 법률로서 확정된다. 10. 국가직
    ⓑ **일부거부와 수정거부**: 법률안거부에 있어 일부거부와 수정거부가 인정되는지가 문제된다. 일부거부는 법률안의 유기적 관련성을 파괴하고 국회의 법률안 심의권을 침해하므로 허용되지 않는다. 수정거부는 거부권의 소극적 성격에 반한다는 점, 정부에 법률안제출권이 있어 수정을 요구할 필요가 없다는 점에서 허용되지 않는다. 헌법 제53조 제3항에서도 "대통령은 법률안의 일부에 대하여 또는 법률안을 수정하여 재의를 요구할 수 없다."라고 하여 이를 불허하고 있다.

❶ **법률안거부권의 유래**
대통령의 법률안거부권은 미연방헌법에서 유래된 제도이다. 03. 법행

🏛 **핵심기출 OX**

01 국회에서 의결된 법률안이 정부에 이송되었을 때, 대통령은 15일 이내에 이의서를 첨부하여 국회로 환부하고 재의를 요구할 수 있다. 다만, 국회가 폐회 중일 경우에는 환부하지 않은 상태로 거부권을 행사할 수 있다.
13. 사시, 22. 지방직 　　　　(○, ×)

답 × 국회에서 의결된 법률안이 정부에 이송되었을 때, 대통령은 15일 이내에 이의서를 첨부하여 국회로 환부하고 재의를 요구할 수 있다. 국회의 폐회 중에도 환부하여 재의를 요구해야 한다(헌법 제53조 제2항 참조).

02 정부로 이송된 법률안에 대해 대통령이 15일 동안 아무런 조치를 취하지 않는 경우 국회는 법률안을 재의결할 수 있다. 10. 국가직 　　(○, ×)

답 × 정부로 이송된 법률안에 대해 대통령이 15일 동안 아무런 조치를 취하지 않는 경우 그 법률안은 법률로서 확정된다(헌법 제53조 제5항).

03 대통령은 정부에 이송된 법률안에 대하여 수정하여 거부할 수는 없으나 그 일부를 거부할 수는 있다. 13. 서울시 　　　　(○, ×)

답 × 일부에 대하여 또는 수정하여 재의가 불가하다(헌법 제53조 제3항).

04 정부에 이송된 법률안에 대하여 대통령이 재의를 요구하는 경우, 국회가 재적의원 3분의 2 이상의 찬성으로 전과 같은 의결을 하면 대통령은 더 이상 재의를 요구할 수 없고 지체 없이 공포하여야 하며, 대통령이 공포함으로써 법률안은 법률로서 확정된다.
23. 국회직 8급 　　　　(○, ×)

답 ×

01 국회의 임기만료 또는 국회의 해산으로 인하여 대통령에게 이송되었던 법률안을 환부할 수 있는 국회가 존재하지 않게 된 경우, 대통령은 이른바 보류거부권을 행사할 수 있다고 보는 데 학설은 일치하고 있다. 10. 국회직 8급

(O, ×)

☞ × 보류거부의 인정 유무에 대해서는 견해가 대립되고 있다. 보류거부는 해석상 부정하는 것이 다수설이다.

02 대통령의 재의의 요구가 있을 때에는 국회는 재의에 붙이고 재적의원 과반수의 출석과 출석의원 3분의 2 이상의 찬성으로 전과 같은 의결을 하면 그 법률안은 법률로서 확정되며, 이 경우 대통령이 공포하지 않더라도 법률로서의 효력에는 영향이 없다. 16. 법행

(O, ×)

☞ × 대통령은 확정된 법률을 지체 없이 공포하여야 하는데, 법률이 확정된 후 또는 확정법률이 정부에 이송된 후 5일 이내에 대통령이 공포하지 아니할 때에는 국회의장이 이를 공포한다(헌법 제53조 참조). 법률은 공포가 효력발생요건이므로 법률이 효력을 발생하기 위해서는 반드시 공포되어야 한다.

03 국회의 재의결에 의한 확정법률이 정부에 이송된 후 15일 이내에 대통령이 공포하지 아니할 때에는 국회의장이 이를 공포한다. 17. 법무사 (O, ×)

☞ × 5일 이내에 대통령이 공포하지 아니할 때에는 국회의장이 이를 공포한다(헌법 제53조 제6항).

04 재의에 붙여진 법률안이 국회를 통과하여 법률로 확정된 경우에는 국회의장이 지체 없이 이를 공포한다.
06. 입시, 12. 경정승진 (O, ×)

☞ × 원칙상 대통령이 공포하고 예외적으로 5일 이내 미공포시 국회의장이 대신한다.

05 법률안의 공포는 대통령의 권한에 속하므로, 모든 법률안은 반드시 대통령이 공포하여야 법률로서 확정될 수 있다. 15. 서울시 (O, ×)

☞ × 예외적으로 국회의장이 공포하는 경우도 있기 때문에 틀린 지문이다.

ⓒ **보류거부**

ⓐ **의의:** 보류거부란 국회의 폐회로 인하여 대통령이 그 지정된 기일 안에 법률안을 국회에 환부하는 것이 불가능한 경우에 대통령이 그 법률안을 거부하기 위하여 그대로 가지고 있으면 법률안이 자동적으로 폐기되는 것을 말한다.

ⓑ **현행헌법에서의 인정 여부:** 미연방헌법은 보류거부를 인정하고 있다. 우리 헌법에서 보류거부가 인정되는지 여부에 관하여 ㉮ 헌법은 헌법 제51조에서 회기계속의 원칙을 규정하고 있고 헌법 제53조 제2항 후단에서는 국회의 폐회 중에도 환부할 수 있도록 하고 있으며 헌법 제53조 제5항은 15일 이내에 공포도 재의도 요구하지 않으면 그 법률안은 법률로서 확정된다고 하고 있으므로 보류거부는 인정되지 않는다는 전면적 부정설(다수설)과, 10. 국회직 8급 ㉯ 원칙적으로 보류거부는 인정되지 아니하나 국회가 법률안을 의결하고 정부에 이송한 후 15일 이내에 의원의 임기가 만료되거나 국회가 폐회된 경우에는 예외적으로 보류거부가 인정된다는 부분 긍정설(권영성)의 견해가 대립하고 있다.

(3) 법률공포권

> **헌법 제53조** ① 국회에서 의결된 법률안은 정부에 이송되어 15일 이내에 대통령이 공포한다.
> ④ 재의의 요구가 있을 때에는 국회는 재의에 붙이고, 재적의원과반수의 출석과 출석의원 3분의 2 이상의 찬성으로 전과 같은 의결을 하면 그 법률안은 법률로서 확정된다.
> ⑥ 대통령은 제4항과 제5항의 규정에 의하여 확정된 법률을 지체 없이 공포하여야 한다. 제5항에 의하여 **법률이 확정된 후** 또는 제4항에 의한 **확정법률이 정부에 이송된 후 5일** 이내에 대통령이 공포하지 아니할 때에는 국회의장이 이를 공포한다.
> 05·06. 입시, 06. 행시, 12. 경정승진, 13. 법원직, 16. 법행

개념PLUS+ 미국과 우리나라 대통령의 입법권 비교

구분	미국	우리나라
법률안제출권	×	○
재의요구기간	10일	15일
환부거부	○	○
일부거부	×	×
보류거부	○	×
재의결정족수	상하 양원 각각 재적의원 3분의 2	재적의원 과반수 + 출석의원 3분의 2
국회의장의 법률안공포권	×	○

4. 행정입법에 관한 권한

> **헌법 제75조** 대통령은 법률에서 구체적으로 범위를 정하여 **위임받은 사항**과 법률을 **집행**하기 위하여 필요한 사항에 관하여 대통령령을 발할 수 있다. 18. 서울시

(1) 행정입법의 의의

① **개념**: 헌법 제75조에서는 대통령이 대통령령으로서 위임명령과 집행명령을 발포할 권한을 규정하고 있는데, 이처럼 행정기관이 정립하는 법규사항(국민의 자유와 권리에 관한 사항)에 관한 입법을 행정입법이라 한다.

② **필요성**: 법규사항(국민의 자유와 권리에 관한 사항)은 의회가 법률의 형식으로 규율하는 것이 원칙이지만, 오늘날의 행정국가·사회국가에서는 모든 법규사항을 의회가 법률로써 직접 규정한다는 것이 부적당하게 되었다. 이에 따라 전문적·세부적 사항은 그에 정통한 행정부가 위임명령, 집행명령 등 행정입법의 형식에 의하여 규율하는 것이 필요하게 되었고, 오늘날에는 헌법에 근거하여 대통령 또는 행정부가 행정입법을 하는 것이 보편적이다.

(2) 행정입법의 유형

① **법규명령과 행정명령**

  ㉠ **법규명령**

    ⓐ **의의**: 법규명령이란 행정기관이 헌법에 근거하여 국민의 권리·의무에 관한 사항(법규사항)을 규정하는 것으로 대외적·일반적 구속력을 가지는 법규적 명령을 말한다. 헌법상 법규명령으로는 대통령령(헌법 제75조), 총리령과 부령(헌법 제95조), 대법원규칙(헌법 제108조), 헌법재판소규칙(헌법 제113조 제2항), 중앙선거관리위원회규칙(헌법 제114조 제2항)을 들 수 있다.

    ⓑ **종류**: 법규명령은 발령기관을 기준으로 대통령령·총리령·부령으로, 그 내용을 기준으로 위임명령·집행명령으로 분류된다.

  ㉡ **행정명령**: 행정명령(행정규칙)이란 행정기관이 헌법상 근거를 필요로 하지 아니하고, 일반 국민의 권리·의무와 직접 관계가 없는 비법규사항을 규정하는 것으로 행정청 내부의 사무처리준칙에 불과하여 대외적·일반적 구속력을 가지지 아니하는 규칙을 말한다. 04. 법무사 그러나 행정규칙이더라도 상위법령의 위임에 따라 상위법령의 시행에 필요한 구체적 사항을 정하였을 때에는 대외적 구속력을 가진다.
    이를 이른바 '법령보충적 행정규칙'이라고 하는데, '법령보충적 행정규칙'이라도 그 자체로서 직접적으로 대외적인 구속력을 가지는 것은 아니다. 즉, 상위법령과 결합하여 일체가 되는 한도 내에서 상위법령의 일부가 됨으로써 대외적 구속력이 발생되는 것일 뿐 행정규칙 자체는 대외적 구속력을 가지는 것은 아니라 할 것이다(헌재 2004.10.28. 99헌바91). 11. 법무사

구분	법규명령	행정명령
헌법상 근거	필요	불필요
대상	국민의 권리·의무와 관계있는 사항(법규사항)	국민의 권리·의무와 관계없는 사항
대국민적 구속력	있음	없음

개념PLUS+ 법규명령과 행정명령의 비교 04. 법무사, 05. 입시

② 위임명령과 집행명령

㉠ 위임명령

ⓐ **의의**: 위임명령은 헌법에 근거하고 법률의 위임에 따라 발하는 명령을 말한다. 헌법 제75조 전단은 대통령이 위임명령을 제정할 수 있음을 규정하고 있다.

ⓑ **성질**: 위임명령은 법률의 위임을 전제로 하므로 위임한 법률에 종속한다(법률에의 종속성). 따라서 위임명령의 발효시기·내용·효력상실 등은 모법의 내용을 전제로 하고, 모법에 위반되는 사항을 규정할 수 없으며, 모법이 개정되거나 폐지되면 그에 따라 개정되거나 폐지된다. 07. 법무사 다만, 모법이 위임한 범위 안에서 새로운 입법사항에 관해 규정할 수 있다는 점에서 집행명령과 다르다.

ⓒ **위임의 형식(포괄적 위임입법금지의 원칙)**: 법률이 명령에 위임하는 형식에는 법률이 위임하는 사항과 범위를 구체적으로 한정하지 아니하고 특정의 행정기관에 입법권을 일반적·포괄적으로 위임하는 형식인 **일반적·포괄적 위임**과 법률이 위임하는 사항과 범위를 구체적으로 한정하여 특정의 행정기관에 입법권을 위임하는 형식인 **개별적·구체적 위임**이 있다. 일반적·포괄적 위임을 하는 것은 실제에 있어 입법권의 백지위임과 다를 것이 없으며 국회입법의 원칙에 정면으로 위배되어 허용될 수 없다. 우리 헌법도 헌법 제75조 전단에서 "법률에서 구체적으로 범위를 정하여 위임받은 사항 … 에 관하여 대통령령을 발할 수 있다."라고 하여 개별적·구체적 위임의 형식만을 인정하고 있다(통설). 포괄적인 위임입법의 금지는 법률이 정관에 자치법적 사항을 위임한 경우에는 원칙적으로 적용되지 않는다. 11. 법무사

판례

1 헌법이 인정하고 있는 위임입법의 형식이 예시적인 것인지 여부: 적극

법령이 입법사항에 관하여 헌법조항에서 규정한 대통령령, 총리령, 부령이 아닌 형식, 즉 고시·훈령 등으로 위임이 가능한가에 대하여 의문이 들 수 있다. 헌법 제40조와 헌법 제75조, 제95조의 의미를 살펴보면 국회입법에 의한 수권이 입법기관이 아닌 제2의 국가기관인 행정기관에 법률 등으로 구체적인 범위를 정하여 위임한 사항에 관하여 법정립의 권한을 가지게 되고, 입법자가 규율의 형식을 선택할 수도 있다 할 것이다. 따라서 헌법이 인정하고 있는 위임입법의 형식은 예시적인 것으로 보아야 할 것이고, 그것은 법률이 행정규칙에 위임하더라도 그 행정규칙은 위임된 사항만을 규율할 수 있으므로 국회입법의 원칙과 상치되지도 않는다(헌재 2004.10.28. 99헌바91). 12·18. 국가직, 12. 법무사, 18. 서울시

핵심기출 OX

01 법률에서 구체적인 범위를 정한다고 하더라도 입법사항을 대통령령이 아니라 그 하위의 부령에 직접 위임할 수는 없다. 06. 행시 (O, X)

답 X 법률에서 구체적인 범위를 정하여 위임하는 경우에는 법률에서 총리령 또는 부령에 직접 위임하는 것도 가능하다(헌법 제95조 참조).

02 법률이 대통령령으로 위임하는 경우 규정될 내용 및 범위의 기본사항이 구체적이고 명확하게 규정되어 있지 않더라도 관련 분야의 평균인이 볼 때 당해 법률로부터 대통령령에 규정될 내용의 대강을 예측할 수 있으면 위임입법의 한계를 넘은 것이 아니다. 17. 지방직 (O, X)

답 X '법률에서 구체적으로 범위를 정하여 위임받은 사항'이라 함은 법률에 이미 대통령령으로 규정될 내용 및 범위의 기본사항이 구체적으로 규정되어 있어서 누구라도 당해 법률로부터 대통령령에 규정될 내용의 대강을 예측할 수 있어야 함을 의미한다(헌재 1991.7.8. 91헌가4).

03 헌법이 인정하고 있는 위임입법의 형식은 열거적인 것으로 보아야 하므로 법률이 행정규칙에 위임하는 것은 비록 그 행정규칙이 위임된 사항만을 규율할 수 있다고 하더라도 국회입법의 원칙에 위배되는 것이다. 12. 국가직·법무사 (O, X)

답 X 헌법이 인정하고 있는 위임입법의 형식은 예시적인 것으로 보아야 할 것이고, 그것은 법률이 행정규칙에 위임하더라도 그 행정규칙은 위임된 사항만을 규율할 수 있으므로, 국회입법의 원칙과 상치되지도 않는다(헌재 2004.10.28. 99헌바91).

2 위임입법이 대법원규칙인 경우에도 포괄위임금지원칙을 준수하여야 하는지 여부: 적극

위임입법이 대법원규칙인 경우에도 수권법률에서 헌법 제75조에 근거한 포괄위임금지원칙을 준수하여야 하는 것은 마찬가지이다. 다만 대법원규칙으로 규율될 내용은 소송에 관한 절차와 같이 법원의 전문적이고 기술적인 사무에 관한 것이 대부분일 것인바, 법원의 축적된 지식과 실제적 경험의 활용, 규칙의 현실적 적응성과 적시성의 확보라는 측면에서 수권법률에서의 위임의 구체성·명확성의 정도는 다른 규율영역에 비하여 완화될 수 있을 것이다(헌재 2016.6.30. 2013헌바370). 17·19. 지방직

3 영화진흥법이 제한상영가등급분류의 구체적 기준을 영상물등급위원회의 규정에 위임하는 것이 포괄위임입법금지원칙에 위배되는지 여부: 적극 [헌법불합치]

영화진흥법 제21조 제7항 후문 중 '제3항 제5호' 부분의 위임규정은 영화상영등급분류의 구체적 기준을 영상물등급위원회의 규정에 위임하고 있는데, 이 사건 위임규정에서 위임하고 있는 사항은 제한상영가등급분류의 기준에 대한 것으로 그 내용이 사회현상에 따라 급변하는 내용들도 아니고, 특별히 전문성이 요구되는 것도 아니며, 그렇다고 기술적인 사항도 아닐 뿐만 아니라 더욱이 표현의 자유의 제한과 관련되어 있다는 점에서 경미한 사항이라고도 할 수 없는데도, 이 사건 위임규정은 영상물등급위원회규정에 위임하고 있는바, 이는 그 자체로서 포괄위임금지원칙을 위반하고 있다고 할 것이다. 나아가 이 사건 위임규정은 등급분류의 기준에 관하여 아무런 언급 없이 영상물등급위원회가 그 규정으로 이를 정하도록 하고 있는바, 이것만으로는 무엇이 제한상영가등급을 정하는 기준인지에 대해 전혀 알 수 없고, 다른 관련 규정들을 살펴보더라도 위임되는 내용이 구체적으로 무엇인지 알 수 없으므로 이는 포괄위임금지원칙에 위반된다 할 것이다(헌재 2008.7.31. 2007헌가4). 09·12. 사시

4 법률이 자치적인 사항을 '정관'에 위임할 경우 헌법상의 포괄위임입법금지원칙이 적용되는지 여부: 소극

법률이 정관에 자치법적 사항을 위임한 경우에는 헌법 제75조, 제95조가 정하는 포괄적인 위임입법의 금지는 원칙적으로 적용되지 않는다고 봄이 상당하다. 우선 헌법 제75조, 제95조의 내용을 보면 그 문리해석상 정관에 위임한 경우까지 그 적용대상으로 하고 있지 않다. 즉, 헌법상의 포괄위임입법금지원칙은 법규적 효력을 가지는 행정입법의 제정(법규명령)을 주된 대상으로 하고 있는 것이다. 한편 법률이 자치적인 사항을 정관에 위임할 경우 원칙적으로 헌법상의 포괄위임입법금지원칙이 적용되지 않는다 하더라도 그 사항이 국민의 권리·의무에 관련되는 것일 경우에는 적어도 국민의 권리와 의무의 형성에 관한 사항을 비롯하여 국가의 통치조직과 작용에 관한 기본적이고 본질적인 사항은 반드시 국회가 정하여야 한다는 법률유보 내지 의회유보의 원칙이 지켜져야 할 것이다. … 이 사건 조항은 농업기반공사의 자치적 입법사항을 정관에 위임한 것으로서 그 위헌심사에는 헌법상 포괄위임입법금지원칙이 적용되지 않는다(헌재 2001.4.26. 2000헌마122). 11. 국가직·법무사, 13. 지방직

5 '정관'의 제정주체가 행정부인 경우에 포괄위임금지원칙이 적용되는지 여부: 적극

법률이 정관에 자치법적 사항을 위임한 경우에는 헌법상의 포괄위임입법금지의 원칙이 원칙적으로 적용되지 않는다고 볼 것이다. 그러나 공법적 기관의 정관 규율사항이라도 그러한 정관의 제정주체가 사실상 행정부에 해당하거나, 기타 권력분립의 원칙에서 엄격한 위임입법의 한계가 준수될 필요가 있는 경우에는 헌법 제75조, 제95조의 포괄위임입법금지원칙이 적용되어야 할 것이다.

한편 법률이 자치적인 사항을 정관에 위임할 경우 원칙적으로 헌법상의 포괄위임입법 금지원칙이 적용되지 않는다 하더라도, 그 사항이 국민의 권리 의무에 관련되는 것일 경우에는 적어도 국민의 권리와 의무의 형성에 관한 사항을 비롯하여 국가의 통치조직과 작용에 관한 기본적이고 본질적인 사항은 반드시 국회가 정하여야 한다는 법률유보 내지 의회유보의 원칙이 지켜져야 할 것이다. 나아가 비록 기본적이고 본질적인 것이 아닌 권리와 의무에 관한 사항이라도 국민의 권리와 의무에 관한 사항을 입법부의 권한 내지 의무로 하는 법치주의 내지 법률유보의 원칙을 고려할 때, 법률에서 정관으로 정하여질 내용을 되도록 범위를 한정시켜 위임하는 것이 바람직하며, 한편 정관으로 제정된 내용은 자의적인 것이어서는 안 될 것이다(헌재 2001.4.26. 2000헌마122).

6 대통령령으로 규정한 내용이 헌법에 위반되면 입법권을 위임한 수권법률조항까지도 위헌으로 되는지 여부: 소극

위임입법의 법리는 헌법의 근본원리인 권력분립주의와 의회주의 내지 법치주의에 바탕을 두는 것이기 때문에 행정부에서 제정된 대통령령에서 규정한 내용이 정당한 것인지 여부와 위임의 적법성에는 직접적인 관계가 없다. 따라서 대통령령으로 규정한 내용이 헌법에 위반될 경우라도 그 대통령령의 규정이 위헌으로 되는 것은 별론으로 하고, 그로 인하여 정당하고 적법하게 입법권을 위임한 수권법률조항까지도 위헌으로 되는 것은 아니다(헌재 1996.6.26. 93헌바2). 03 · 08. 법행, 06. 행시, 06 · 09 · 18. 국가직, 07 · 11. 법무사, 09. 사시

☑ 주의
- 대통령령이 위헌이면 수권법률(모법)도 위헌 ✕
- 수권법률(모법)이 위헌이면 대통령령도 효력상실 ○

7 '영업의 위생관리와 질서유지, 국민의 보건위생 증진'을 위하여 지켜야 할 사항을 총리령으로 위임한 부분이 포괄위임금지원칙에 위배되는지 여부: 적극

[위헌]

수시로 업태가 변하는 식품 관련 영업의 특성에 비추어 심판대상조항의 수범자인 영업자의 범위나 영업 형태를 법률에서 모두 규정한다는 것은 입법기술상 어려움이 있고, 식품산업의 발전 및 관련 정책의 변화에 따라 탄력적으로 대응할 수 있도록 하위 법령에 위임할 필요가 있다.

또한 식품 관련 영업자가 준수하여야 할 사항은 각 영업의 종류와 특성, 주된 업무 태양에 따라 달라지므로, 수범자와 준수사항은 상호 관련성하에서 함께 규율할 필요가 있다. 따라서 영업의 종류가 수시로 변하여 법률에서 일률적으로 수범자인 영업자를 정할 수 없다면, 해당 영업자의 준수사항 역시 하위 법령에 위임할 필요성이 인정된다.

심판대상조항은 식품접객업자를 제외한 어떠한 영업자가 하위법령에서 수범자로 규정될 것인지에 대하여 아무런 기준을 정하고 있지 않다. 다만, 수범자 부분이 다소 광범위하더라도 준수사항이 구체화되어 있다면 준수사항의 내용을 통하여 수범자 부분을 예측하는 것이 가능할 수 있으므로, 준수사항을 통해서 수범자의 범위가 획정될 수 있는지 살펴볼 필요가 있다.

그런데 '영업의 위생관리와 질서유지', '국민의 보건위생 증진'은 매우 추상적이고 포괄적인 개념이어서 이를 위하여 준수하여야 할 사항이 구체적으로 어떠한 것인지 그 행위 태양이나 내용을 예측하기 어렵다. 또한 '영업의 위생관리와 국민의 보건위생 증진'은 식품위생법 전체의 입법목적과 크게 다를 바 없고, '질서유지'는 식품위생법의 입법목적에도 포함되어 있지 않은 일반적이고 추상적인 공익의 전체를 의미함에 불과하므로, 이러한 목적의 나열만으로는 식품 관련 영업자에게 행위기준을 제공해주지 못한다.

결국 심판대상조항은 수범자와 준수사항을 모두 하위법령에 위임하면서도 어느 한 부분에서조차 위임될 내용에 대하여 구체화하고 있지 아니하여 그 내용들을 전혀 예측할 수 없게 하고 있으므로, 위임입법의 한계를 준수하고 있다고 보기 어렵다. 따라서 포괄위임금지원칙에 위반된다(헌재 2016.11.24. 2014헌가6). 17. 경정승진

8 제1종 특수면허 없이 자동차를 운전한 경우 무면허운전죄로 처벌하면서 제1종 특수면허로 운전할 수 있는 차의 종류를 행정안전부령에 위임하고 있는 도로교통법 관련 부분이 포괄위임금지원칙에 위반되는지 여부: 소극

도로교통법상 운전면허를 취득하여야 하는 자동차 및 건설기계의 종류는 매우 다양하고 어떤 운전면허로 어떤 자동차 또는 건설기계를 운전할 수 있도록 할지를 정하는 작업에는 전문적이고 기술적인 지식이 요구되므로, 제1종 특수면허로 운전할 수 있는 차의 종류를 하위법령에 위임할 필요성이 인정된다. 또한, 자동차 운전자로서는 자동차관리법상 특수자동차의 일종인 트레일러와 레커의 용도와 조작방법 등의 특성을 감안할 때 이를 운전하기 위해서는 제1종 특수면허를 취득하여야 한다는 점도 충분히 예측할 수 있으므로, 심판대상조항이 포괄위임금지원칙에 위배된다고 할 수 없다(헌재 2015.1.29. 2013헌바173).

9 '대통령령으로 정하는 고급주택'에 대해서 중과세대상으로 한 것이 포괄위임입법금지원칙에 위배되는지 여부: 적극 [위헌]

고급주택이 무엇인지는 취득세 중과세요건의 핵심적 내용을 이루는 본질적이고도 중요한 사항임에도 불구하고 그 기준과 범위를 구체적으로 확정하지도 않고 또 그 최저기준을 설정하지도 않은 채 단순히 '대통령령으로 정하는 고급주택'이라고 불명확하고 포괄적으로 규정함으로써 실질적으로는 중과세 여부를 온전히 행정부의 재량과 자의에 맡긴 것이나 다름없을 뿐만 아니라 입법목적, 지방세법의 체계나 다른 규정, 관련법규를 살펴보더라도 고급주택의 기준과 범위를 예측해 내기 어려우므로 이 조항들(지방세법 제112조 제2항 전단 중 '고급주택')은 헌법상의 조세법률주의 · 포괄위임입법금지원칙에 위배된다(헌재 1999.1.28. 98헌가17).

10 "고급오락장용 건축물의 구분과 한계는 대통령령으로 정한다."고 하여 위임한 것이 포괄위임입법금지원칙에 위배되는지 여부: 적극 [위헌]

지방세법 제188조 제3항은 고급오락장용 건물이 무엇인지 … 그 기준과 범위를 구체적으로 규정하지 않고 단순히 "고급오락장용 건축물의 구분과 한계는 대통령령으로 정한다."라고 불명확하고 포괄적으로 규정함으로써 … 헌법 제75조상의 포괄위임입법금지원칙에 위배된다(헌재 1999.3.25. 98헌가11).

11 사업시행자에 의하여 개발된 토지 등의 처분계획의 내용 · 처분방법 · 절차 · 가격기준 등에 관하여 필요한 사항을 대통령령으로 정할 수 있도록 위임한 산업입지 및 개발에 관한 법률 제38조 제2항이 위임입법의 한계를 일탈하였는지 여부: 소극

산업입지 및 개발에 관한 법률의 입법목적이 산업입지의 원활한 조성 · 공급을 통하여 산업의 담당자인 기업과 개인의 입지수요 욕구를 충족시켜 그들의 산업경쟁력을 제고시킴으로써 종국적으로는 국민경제의 건전한 발전에 이바지하는 것이라는 점에 비추어 보면 이 사건 법률조항의 위임에 의하여 장차 규정될 대통령령의 내용과 범위의 대강은, 개발된 산업입지의 처분가격등 처분조건, 처분 방법이나 절차등에 관하여 산업단지의 개발목적, 수요실태등 다양한 조건들을 반영하면서 위와 같은 입법목적을 가장 효율적으로 실현하는 내용이 될 것이라고 객관적으로 예측할 수 있다고 보인다. 더구나 이 사건 법률조항의 피적용자는 주로 해당 분야의 전문가라고 할 수 있는 사업시행자와 그로부터 산업입지를 분양등 처분받는 기업들인데, 이들은 대통령령에 규정될 내용이 대체적으로 어떤 것인지 충분히 예측할 수 있는 지위에 있다는 사정을 고려하면 더욱 그러하다. 따라서 이 사건 법률조항은 헌법 제75조에서 정한 위임입법의 한계내에 있다고 보아야 할 것이다(헌재 2002.12.18. 2001헌바52). 19. 서울시

01 국회는 조세의 종목과 세율에 관한 사항을 대통령령으로 정하도록 위임할 수 있다. 03. 법무사 (O, ×)

답 × 제59조는 "조세의 종목과 세율은 법률로 정한다."라고 하여 조세법률주의를 선언하고 있다. 이는 과세요건을 국민의 대표기관인 국회가 제정한 법률로 규정하도록 하여 국민의 재산권을 보장하고 국민생활의 법적 안정성과 예측가능성을 보장하고자 하는 것이다 (헌재 2003.12.18. 2002헌바16).

02 행정사의 자격시험 실시 여부를 특별시장·광역시장 및 도지사의 재량사항으로 정한 행정사법 시행령은 행정사법에서 '행정사의 자격시험의 과목·방법 기타 시험에 관하여 필요한 사항'을 대통령령으로 정하도록 위임하고 있을 뿐 아니라 수시로 변화하는 행정사의 수급상황에 따라 탄력적으로 대응할 전문적·기술적 필요성이 인정되므로 위임입법의 한계를 벗어난 것이 아니다. 11. 사시, 12. 경정승진 (O, ×)

답 × 이 사건 조항은 모법으로부터 위임받지 아니한 사항을 하위법규에서 기본권제한사유로 설정하고 있는 것이므로 위임입법의 한계를 일탈하고, 법률상 근거 없이 기본권을 제한하여 법률유보원칙에 위반하여 청구인의 직업선택의 자유를 침해한다(헌재 2010.4.29. 2007헌마910).

03 금전채무이행판결을 선고할 경우 법정 지연이율의 범위를 정한 소송촉진 등에 관한 특례법(1998.1.13. 법률 제5507호로 개정된 것) 제3조 제1항 중 '대통령령으로 정하는 이율' 부분은 헌법상의 포괄위임입법금지의 원칙에 반하지 않는다. 03. 법행 (O, ×)

답 ×

04 법률에서 위임받은 사항을 전혀 규정하지 아니하고 그대로 재위임하는 것은 당연히 허용되지 않으며, 위임받은 사항에 관하여 대강을 정하고 그중 특정 사항을 범위를 정하여 하위법령에 다시 위임하는 것도 허용되지 않는다. 11. 국회직 8급 (O, ×)

답 × 법률에서 위임받은 사항을 전혀 규정하지 아니하고 그대로 재위임하는 것은 허용되지 않으며 위임받은 사항에 관하여 대강을 정하고 그중의 특정 사항을 범위를 정하여 하위법령에 다시 위임하는 경우에만 재위임이 허용된다 (헌재 1996.2.29. 94헌마213).

12 상시 4명 이하의 근로자를 사용하는 사업 또는 사업장에 대하여 대통령령으로 정하는 바에 따라 근로기준법의 일부 규정을 적용할 수 있도록 위임한 근로기준법 제11조 제2항이 법률유보원칙 및 포괄위임금지원칙에 위배되는지 여부: 소극 [합헌]

[1] 심판대상조항은 4인 이하 사업장에 대하여 근로기준법 중 어느 조항이 적용될지는 법률 아닌 대통령령으로 정하도록 하고 있다. 그러나 근로기준법 제11조 제1항에서 근로기준법을 전부적용하는 범위를 근로자 5명 이상 사용 사업장으로 한정하였고, 4인 이하 사업장에 근로기준법을 일부만 적용할 수 있도록 한 것이 심판대상조항에 의하여 법률로 명시적으로 규정되어 있는 이상, 구체적인 개별 근로기준법 조항의 적용 여부까지 입법자가 반드시 법률로써 규율하여야 하는 사항이라고 볼 수 없다. 따라서 심판대상조항이 일부적용 대상 사업장에 대해 적용될 구체적인 근로기준법 조항을 결정하는 문제를 대통령령으로 규율하도록 위임한 것이 헌법 제75조에서 금지하는 포괄위임의 한계를 준수하는 한, 법률유보원칙에 위배되는 것은 아니한다.

[2] 비록 심판대상조항이 근로기준법의 어떤 규정을 4인 이하 사업장에 적용할지에 관한 기준을 명시적으로 두고 있지 않은 것은 사실이나, 심판대상조항의 포괄위임금지원칙 위배 여부를 판단할 때에는 근로기준법이 제정된 이래로 근로기준법의 법규범성을 실질적으로 관철하기 위하여 5인 이상 사용 사업장까지 근로기준법 전부 적용 사업장의 범위를 확대하고, 종전에는 근로기준법을 전혀 적용하지 않던 4인 이하 사업장에 대하여 근로기준법을 일부나마 적용하는 것으로 범위를 점차 확대해 나간 근로기준법 시행령의 연혁 및 심판대상조항의 입법취지와, 근로기준법 조항의 적용 여부를 둘러싼 근로자보호의 필요성과 사용자의 법 준수능력간의 조화 등을 종합적으로 고려하여야 한다.

심판대상조항은 사용자의 부담이 그다지 문제되지 않으면서 동시에 근로자의 보호 필요성의 측면에서 우선적으로 적용될 수 있는 근로기준법의 범위를 선별하여 적용할 것을 대통령령에 위임한 것으로 볼 수 있고, 그러한 근로기준법 조항들이 4인 이하 사업장에 적용되리라 예측할 수 있다. 따라서 심판대상조항은 포괄위임금지원칙에 위배되지 아니한다(헌재 2019.4.11. 2013헌바112).

13 "대통령령으로 정하는 이율에 의한다."고 규정한 소송촉진 등에 관한 특례법 제3조 제1항이 포괄위임입법금지원칙에 위배되는지 여부: 적극 [위헌]

금전채무의 이행을 명하는 판결을 선고할 경우 손해배상액 산정의 기준이 되는 법정이율은 소장 또는 이에 준하는 서면이 채무자에게 송달된 날의 다음 날부터는 "대통령령으로 정하는 이율에 의한다."라고 규정한 소송촉진 등에 관한 특례법 제3조 제1항은 '대통령령으로 정하는 이율'에 의한다고 규정하고 있을 뿐, 그 이율의 상한이나 하한에 대한 아무런 기준이 제시되지 않아 위임의 범위를 구체적으로 명확하게 정하고 있다고 할 수 없으며, 또한 다른 법조항을 유기적·체계적으로 살펴보아도 이 사건 조항이 예측가능성을 가지고 있다고 보기 어렵다(헌재 2003.4.24. 2002헌가15). 03. 법행

14 부령의 제정·개정절차가 대통령령에 비하여 보다 용이한 점을 고려할 때 재위임에 의한 부령의 경우에도 위임에 의한 대통령령에 가해지는 헌법상의 제한이 당연히 적용되어야 하는지 여부: 적극

법률에서 위임받은 사항을 전혀 규정하지 않고 재위임하는 것은 "위임받은 권한을 그대로 다시 위임할 수 없다."는 복위임금지의 법리에 반할 뿐 아니라 수권법의 내용변경을 초래하는 것이 되고, 부령의 제정·개정절차가 대통령령에 비하여 보다 용이한 점을 고려할 때 재위임에 의한 부령의 경우에도 위임에 의한 대통령령에 가해지는 헌법상의 제한이 당연히 적용되어야 할 것이다(헌재 1996.2.29. 94헌마213). 18. 국가직, 19. 지방직

15 취득세의 과세표준이 되는 가액, 가격 또는 연부 금액의 범위와 취득시기에 관하여 대통령령으로 정하도록 한 구 지방세법 제11조 제7항이 위임입법의 한계를 일탈하였는지 여부: 소극

구 지방세법(1995.12.6. 법률 제4995호로 개정되기 전의 것) 제111조 제7항은 "제1항 내지 제6항의 규정에 의한 취득세의 과세표준이 되는 가액, 가격 또는 연부 금액의 범위와 취득시기에 관하여는 대통령령으로 정한다"고 규정하고 있는바, 이 법률조항 중 "연부 금액의 범위", "취득시기" 부분은 위임사항을 분명히 특정하여 대통령령에 위임하고 있고, "취득세의 과세표준이 되는 가액, 가격"부분은, 취득세의 본질, 취득당시의 가액을 과세표준으로 명정한 제111조 제1항의 취지, 동조 제3항·제5항·제6항 등의 관련조항을 종합하여 보면 그 대강의 의미를 포착할 수 있다. 여기에 취득물건의 종류와 취득행위 개념이 다기·다양하므로 가액산정의 원칙과 주요한 경우의 산정방식을 제시한 이상, 그 틀 안에서 보다 세부적이고 기술적인 산정방식을 탄력적 규율이 가능한 행정입법에 위임하는 것이 필요하다는 점을 보태어 보면 구 지방세법 제111조 제7항이 조세법률주의나 포괄위임입법금지원칙에 위배된다고 볼 수 없다(헌재 2002.3.28. 2001헌바32). 19. 서울시

16 등록세 중과세의 대상이 되는 부동산등기의 지역적 범위에 관하여 대통령령으로 정하는 대도시라고 규정한 구 지방세법 제138조 제1항이 위임입법의 한계를 위배하였는지 여부: 소극

구 지방세법(1998.12.31. 법률 제5615호로 개정되기 전의 것) 제138조 제1항 제3호는 법인의 신설, 전입 등으로 인한 등록세 중과세의 대상이 되는 부동산등기의 지역적 범위에 관하여 '대통령령으로 정하는 대도시'라고 규정하고 있는데, 인구와 경제력의 편중을 억제함으로써 지역간의 균형발전 내지는 지역경제를 활성화하려는 입법취지에 비추어 보면 이 법률조항의 위임에 따라 대통령령에서 정하여 질 "대도시"에는 우선, 단위도시 그 자체로 지역이 넓고 인구가 많으며 정치·경제생활의 중심지가 되는 도시가 해당될 것임은 물론, 나아가 그러한 특정의 대도시를 인근도시들이 둘러싸거나 또는 대도시에 이르지 못하는 여러 도시군(群)이 집합체를 이룸으로써 대도시권역을 이루고 있는 경우도 포함될 것임을 어렵지 않게 예측할 수 있다. 그렇다면 이 법률조항은 중과세되는 부동산등기의 지역적 범위에 관한 기본사항을 정한 다음 단지 세부적·기술적 사항만을 대통령령에 위임한 것이라 할 것이므로 조세법률주의나 포괄위임입법금지원칙에 위반되지 아니한다(헌재 2002.3.28. 2001헌바24 등). 19. 서울시

17 전기판매사업자로 하여금 전기요금에 관한 약관을 작성하여 산업통상자원부장관의 인가를 받도록 한 전기사업법 제16조 제1항 중 '전기요금'에 관한 부분이 의회유보원칙에 위배되는지 여부: 소극 [합헌]

전기의 보편적이고 안정적인 공급은 개인의 생존은 물론 기본권의 실현에 있어 기본적이고 중요한 사항이므로, 전기의 보편적이고 안정적인 공급을 위한 기반 조성 및 관련된 규범체계의 마련을 행정에 맡길 것이 아니라 국민의 대표자인 입법자 스스로 그 본질적인 사항에 대하여 결정하여야 할 것이다. 이에 전기사업법은 전기사업자에 대하여 전기사용자가 언제 어디서나 적정한 요금으로 전기를 사용할 수 있도록 전기의 보편적 공급에 이바지할 의무를 부과하고(제2조 제15호, 제6조 제1항), 정당한 사유 없이 전기의 공급을 거부할 수 없도록 하여(제14조) 전기판매사업의 공공성 및 공익성을 강조하고 있다. 또한 전기사업법은 전기판매사업을 하기 위해서는 산업통상자원부장관 등의 허가를 받도록 규정하고(제7조 제1항), 전기판매사업자로 하여금 전기요금과 그 밖의 공급조건에 관한 약관을 작성하게 하여 전기판매사업자와 일반 수요자 사이에 전기요금에 대하여 개별적으로 협정하는 것을 금지하고 약관의 정함에 따르도록 하고 있으며, 전기요금약관에 대하여 산업통상자원부장관의 인가 또는 변경인가를 받도록 하여 정부가 전기요금약관을 사전적으로 통제할 수 있도록 규정하는 등(제16조 제1항), 전기의 보편적이고 안정적인 공급에 관한 본질적 사항을 규정하고 있다.

다만, 전기가 국민의 생존과 직결되어 있어 전기의 사용이 일상생활을 정상적으로 영위하는 데에 필수불가결한 요소라 하더라도, 전기요금은 전기판매사업자가 전기사용자와 체결한 전기공급계약에 따라 전기를 공급하고 그에 대한 대가로 전기사용자에게 부과되는 것으로서 국가가 일반 재정수입을 목적으로 아무런 반대급부 없이 강제적·의무적으로 징수하는 조세 내지 특정한 공익사업에 필요한 경비를 부담시키기 위하여 부과하는 부담금과는 명백히 구분된다. 즉, 전기의 공급 대가인 전기요금의 부과 그 자체로 전기사용자의 재산권이 직접적으로 제한된다고 볼 수 없으므로, 한국전력공사가 전기사용자에게 전기를 부과하는 것이 국민의 재산권에 제한을 가하는 행정작용에 해당한다고 볼 수 없다.

나아가 전기요금의 결정에는 전기를 공급하기 위하여 실제 소요된 비용과 투입된 자산에 대한 적정 보수, 전기사업의 위험도나 물가상승률, 재투자계획이나 시설확장계획, 산업구조의 변화나 경제상황 등이 종합적으로 고려되어야 하는바, **전기요금의 산정이나 부과에 필요한 세부적인 기준을 정하는 것은 전문적이고 정책적인 판단을 포함은 물론 기술의 발전이나 환경의 변화에 즉각적으로 대응할 필요가 있는 사항이라고 할 수 있다. 이러한 점을 고려하면 전기요금의 결정에 관한 내용을 반드시 입법자 스스로 규율해야 하는 부분이라고 보기 어렵다. 따라서 심판대상조항은 의회유보원칙에 위반되지 아니한다.**

전기요금약관의 인가 여부를 결정함에 있어서는 전력의 수급상태, 물가수준, 한국전력공사의 재정상태 등이 종합적으로 반영되어야 하므로, 인가의 구체적인 기준을 설정하는 것은 전문적인 판단을 포함은 물론 수시로 변화하는 상황에도 시의 적절하게 탄력적으로 대응할 필요가 있다. 따라서 **전기요금약관의 인가기준에 대해서는 하위법령에 위임할 필요성이 인정된다.**

전기사업법은 전기사업자에게 전기사용자의 이익을 보호하기 위한 방안을 마련하고, 전기사용자가 언제 어디서나 적정한 요금으로 전기를 사용할 수 있도록 전기의 보편적 공급에 기여하여야 할 의무를 부과하고 있으며(제3조 제1항, 제4조 및 제6조 제1항), 비용이나 수익을 부당하게 분류하여 전기요금을 부당하게 산정하는 등 전력시장에서의 공정한 경쟁을 해치거나 전기사용자의 이익을 해칠 우려가 있는 행위를 금지하고 있다(제21조 제1항 제4호). 위와 같은 법조항들을 종합해 보면, 하위법령에서는 전기의 보편적 공급과 전기사용자의 보호, 물가의 안정이라는 공익을 고려하여 전기판매사업자에게 허용된 최대수익을 제한할 수 있도록 전기요금의 산정 원칙이나 산정 방법 등을 정할 것이 충분히 예측가능하다. 또한 전기사업법 및 물가안정법은 전기요금약관의 인가 절차 내지 공공요금의 협의 절차에 관한 구체적인 규정들을 두고 있는바, 이를 종합해 보면 하위법령에 규정될 전기요금약관의 인가기준의 대강을 충분히 예측할 수 있다. 따라서 심판대상조항은 포괄위임금지원칙에 위반되지 아니한다(헌재 2021.4.29. 2017헌가25).

ⓓ **위임의 범위와 한계**

- **재위임의 가부**: 법률에서 위임받은 사항을 대통령령에서 다시 하위법규에 무조건 위임하는 것은 실질적으로 수권법의 내용을 변경하는 결과를 가져오므로 허용될 수 없다. 08. 국가직, 11. 법행 다만, 위임받은 사항에 관하여 대강을 정하고 그중 특수한 사항에 대하여 범위를 정하여 하위명령에 위임하는 것은 가능하다. 03. 법무사, 08·09·18. 국가직, 11. 국회직 8급

- **국회전속 입법사항의 위임의 가부**: 헌법이 국회의 전속적 입법사항으로 하고 있는 것에 관하여는 그에 관한 입법권을 위임할 수 없다. 국회의 전속적 입법사항의 예로는 국적취득의 요건(헌법 제2조 제1항), 조세의 종목과 세율(헌법 제59조), 지방자치단체의 종류(헌법 제117조 제2항) 등이 있다.
- **처벌규정의 위임**: 우리 헌법상 죄형법정주의의 원칙에 따라 처벌에 관한 사항은 원칙적으로 법률로 정하여야 하나, 부득이한 경우 처벌법규도 위임이 가능하다고 본다. 헌법재판소는 "위임입법에 관한 헌법 제75조는 처벌법규에도 적용되는 것이지만 법률에 의한 처벌법규의 위임은 그 요건과 범위가 보다 엄격하게 제한적으로 적용되어야 하고, 따라서 **처벌법규의 위임은 특히 긴급한 필요가 있거나 미리 법률로써 자세히 정할 수 없는 부득이한 사정이 있는 경우에 한정되어야 하고**, 이러한 경우일지라도 법률에서 범죄의 구성요건은 처벌대상인 행위가 어떠한 것일 거라고 이를 **예측할 수 있을 정도로 구체적으로 정하고** 형벌의 종류 및 그 상한과 폭을 명백히 규정하여야 한다."라고 한다(헌재 1997.9.25. 96헌가16). 또한 위임의 **구체성·명확성의 요구 정도는 그 규율대상의 종류와 성격에 따라 달라질 것이지만**, 특히 처벌법규나 조세법규와 같이 국민의 기본권을 직접적으로 제한하거나 침해할 소지가 있는 법규에서는 **구체성·명확성의 요구가 강화되어** 그 위임의 요건과 범위가 일반적인 급부행정의 경우보다 더 **엄격하게 제한적으로 규정되어야 한다**고 하였다(헌재 1996.6.26. 93헌바2). 03· 11. 법행, 05. 입시, 06. 행시, 07·09·12. 사시, 12. 법원직
- ⓛ **집행명령**
  - ⓐ **의의**: 집행명령은 헌법에 근거하여 법률의 범위 내에서 법률의 실시에 관한 세부적·기술적 사항을 규율하기 위하여 발하는 명령을 말하고, 헌법 제75조 후단은 대통령의 집행명령제정권을 규정하고 있다. 집행명령은 법률을 집행하는 행정기관의 사무처리에 있어서의 통일성을 보장하기 위하여 인정된다.
  - ⓑ **성질**: 집행명령은 모법의 세칙을 정하고 있는 범위에서 행정기관과 국민을 다같이 구속하는 대외적·일반적 구속력을 가지는 법규로서의 성질을 가지며, 모법에 종속한다(법률에의 종속성). 즉, 집행명령으로 모법을 변경하거나 보충할 수 없으며 모법에 규정이 없는 새로운 입법사항을 규정할 수도 없고, 모법이 변경되거나 소멸되면 집행명령의 효력도 변경되거나 소멸된다.
  - ⓒ **한계**: 집행명령은 모법을 변경하거나 보충할 수 없으며, 모법에 규정이 없는 새로운 입법사항을 규정하거나 국민의 권리·의무를 규정할 수 없다.

🔍 **한 눈에 쏙**

구체성·명확성의 요구 정도

구분	위임명령	집행명령
의의	헌법에 근거(제75조 전단)하여 법률의 위임에 따라 발하는 명령	헌법에 근거(제75조 후단)하여 법률을 집행하는 데 필요한 세칙을 정하는 명령
성질	모법에 위반불가 (법률에의 종속성)	모법의 변경불가 (법률에의 종속성)
한계	법률이 위임한 범위 내에서는 새로운 입법사항 규정가능	모법에 규정이 없는 새로운 입법사항 규정불가

(3) 행정입법의 통제

① 행정부의 자율적 통제(행정입법의 적정성 도모)

ⓐ 대통령령의 제정의 경우 국무회의의 심의제도(헌법 제89조 제3호)

ⓑ 대통령령의 공포의 경우 국무총리와 관계국무위원의 부서(헌법 제82조)

ⓒ 하급행정청의 행정입법의 경우 상급행정청의 지휘·감독권의 행사

ⓓ 법제처의 각 부·처에서 국무회의에 상정할 모든 법령안의 심사

ⓔ 행정입법의 제정의 경우 입법예고, 공청회의 개최 등

② 국회에 의한 통제

> **국회법 제98조의2【대통령령 등의 제출 등】** ① 중앙행정기관의 장은 법률에서 위임한 사항이나 법률을 집행하기 위하여 필요한 사항을 규정한 대통령령·총리령·부령·훈령·예규·고시 등이 제정·개정 또는 폐지되었을 때에는 10일 이내에 이를 국회 소관상임위원회에 제출하여야 한다. 다만, **대통령령의 경우에는 입법예고를 할 때**(입법예고를 생략하는 경우에는 법제처장에게 심사를 요청할 때를 말한다)에도 그 입법예고안을 10일 이내에 제출하여야 한다. 06. 사시, 12·19. 국가직, 16·19. 지방직
> ② 중앙행정기관의 장은 제1항의 기간 이내에 제출하지 못한 경우에는 그 이유를 소관상임위원회에 통지하여야 한다.
> ③ 상임위원회는 위원회 또는 상설소위원회를 정기적으로 개회하여 그 소관 중앙행정기관이 제출한 대통령령·총리령 및 부령(이하 이 조에서 "대통령령 등"이라 한다)의 **법률 위반 여부 등을 검토하여야 한다.**
> ④ 상임위원회는 제3항에 따른 검토 결과 **대통령령 또는 총리령**이 법률의 취지 또는 내용에 합치되지 아니한다고 판단되는 경우에는 검토의 경과와 처리 의견 등을 기재한 검토결과보고서를 의장에게 제출하여야 한다. 16. 국회직 9급
> ⑤ 의장은 제4항에 따라 제출된 검토결과보고서를 본회의에 보고하고, 국회는 본회의 의결로 이를 처리하고 정부에 송부한다.
> ⑥ 정부는 제5항에 따라 송부받은 검토결과에 대한 처리 여부를 검토하고 그 처리결과(송부받은 검토결과에 따르지 못하는 경우 그 사유를 포함한다)를 국회에 제출하여야 한다.
> ⑦ 상임위원회는 제3항에 따른 검토 결과 부령이 법률의 취지 또는 내용에 합치되지 아니한다고 판단되는 경우에는 소관 중앙행정기관의 장에게 그 내용을 통보할 수 있다.

---

⑧ 제7항에 따라 검토내용을 통보받은 중앙행정기관의 장은 통보받은 내용에 대한 처리 계획과 그 결과를 지체 없이 소관상임위원회에 보고하여야 한다.

⑨ 전문위원은 제3항에 따른 대통령령 등을 검토하여 그 결과를 해당 위원회 위원에게 제공한다.

 ㉠ **직접적 통제방법**
  ⓐ 행정입법의 제정에 국회의 동의를 필요로 하는 것
  ⓑ 법률을 제정·개정함으로써 유효하게 성립한 행정입법의 효력을 소멸시키는 것
 ㉡ **간접적 통제방법**
  ⓐ 위법·부당한 행정입법에 대한 국정감사·조사(헌법 제61조)
  ⓑ 국회에서의 국무총리 등에 대한 질문(헌법 제62조)
  ⓒ 국무총리·국무위원의 해임건의(헌법 제63조)
  ⓓ 탄핵소추(헌법 제65조) 등
③ **법원에 의한 통제**: 법원은 헌법 제107조의 명령·규칙심사권에 의하여 행정입법을 통제할 수 있으며, 이때의 명령·규칙은 법규명령을 의미한다 (통설·판례).
④ **헌법재판소에 의한 통제**: 헌법재판소가 법규명령의 위헌 여부에 대해서도 심사할 수 있는지에 대하여 견해가 대립하나, 헌법재판소는 대법원에서 제정한 법무사법 시행규칙에 대한 헌법소원을 인정한 바 있으므로 대통령령 등의 법규명령에 대하여도 헌법재판소가 심판권을 가지고 이를 통제할 수 있다고 보아야 할 것이다(헌재 1990.10.15. 89헌마178). 07. 국가직
⑤ **국민에 의한 통제**: 행정절차법에는 입법예고제와 청문·공청회절차를 규정하고 있는바, 이를 통하여 국민은 행정입법을 통제할 수 있다.

6 사법에 관한 권한

1. 사면권

> **헌법 제79조** ① 대통령은 법률이 정하는 바에 의하여 사면·감형 또는 복권을 명할 수 있다.
> ② **일반사면을 명하려면 국회의 동의를 얻어야 한다.** 07·18. 국회직, 18·19. 서울시
> ③ 사면·감형 및 복권에 관한 사항은 법률로 정한다.

(1) 의의
사면은 형선고의 효과 또는 공소권을 소멸시키거나 형집행을 면제시키는 협의의 사면과 감형, 복권까지 포괄하는 개념이다. 07. 사시, 08. 법원직, 18. 국회직 대통령의 사면권은 권력분립의 원리에 대한 예외로서 국가원수의 권한으로 일반적으로 인정되고 있다. 사면제도는 역사적으로 절대군주인 국왕의 은사권에서 유래하였으며, 미국헌법에서 처음으로 사면권을 명문화하였다. 06. 법행

❶ 상신(上申)
윗사람에게 일에 대한 의견 등을 보고하는 것을 말한다.

🏛 **핵심기출 OX**

01 일반사면은 대통령령으로 죄의 종류를 정하여 행하여야 하되, 국회의 동의를 거칠 필요는 없다. 16. 법원직
(O, ×)

[답] × 일반사면을 명하려면 국회의 동의를 얻어야 한다(헌법 제79조 제2항). 일반사면, 죄 또는 형의 종류를 정하여 하는 감형 및 일반에 대한 복권은 대통령령으로 한다. 이 경우 일반사면은 죄의 종류를 정하여 한다(사면법 제8조).

02 대통령의 일반사면은 죄를 범한 자에 대하여 국회의 동의를 얻어 법률의 형식으로 한다. 16. 국회직 9급 (O, ×)

[답] × 대통령의 일반사면은 죄를 범한 자에 대하여 국회의 동의를 얻어 '대통령령'으로 한다.

03 법무부장관은 검찰총장으로부터 특별사면의 상신신청을 받은 후 스스로 그 상신의 적정성을 심사하여 적정하다고 판단되면 대통령에게 특별사면을 상신한다. 13. 법무사 (O, ×)

[답] × 법무부장관은 특별사면, 특정한 자에 대한 감형 및 복권을 상신할 때에는 사면심사위원회의 심사를 거쳐야 한다(사면법 제10조).

04 특별사면은 검찰총장의 상신으로 대통령이 행한다. 13. 국가직 (O, ×)

[답] × '법무부장관'은 대통령에게 특별사면, 특정한 자에 대한 감형 및 복권을 상신(上申)한다(사면법 제10조 제1항). '검찰총장'은 직권으로 또는 형의 집행을 지휘한 검찰청 검사의 보고 또는 수형자가 수감되어 있는 교정시설의 장의 보고에 의하여 법무부장관에게 특별사면 또는 특정한 자에 대한 감형을 상신할 것을 신청할 수 있다(사면법 제11조).

05 사면심사위원회는 위원장인 법무부장관을 포함한 9명의 위원으로 구성되며, 위원은 법무부장관이 임명하거나 위촉하되, 공무원이 아닌 위원 3명 이상을 위촉하여야 한다. 16. 국가직
(O, ×)

[답] × 위원장은 법무부장관이 되고, 위원은 법무부장관이 임명하거나 위촉하되, 공무원이 아닌 위원을 4명 이상 위촉하여야 한다(사면법 제10조의2 제3항).

사면법 제1조【목적】 이 법은 사면(赦免), 감형(減刑) 및 복권(復權)에 관한 사항을 규정한다.

제2조【사면의 종류】 사면은 일반사면과 특별사면으로 구분한다.

제3조【사면 등의 대상】 사면, 감형 및 복권의 대상은 다음 각 호와 같다.
  1. 일반사면: 죄를 범한 자
  2. 특별사면 및 감형: 형을 선고받은 자
  3. 복권: 형의 선고로 인하여 법령에 따른 자격이 상실되거나 정지된 자

제4조【사면규정의 준용】 행정법규 위반에 대한 범칙(犯則) 또는 과벌(科罰)의 면제와 징계법규에 따른 징계 또는 징벌의 면제에 관하여는 이 법의 사면에 관한 규정을 준용한다. 06. 행시, 08. 법원직, 09. 국가직

제5조【사면 등의 효과】 ① 사면, 감형 및 복권의 효과는 다음 각 호와 같다.
  1. 일반사면: 형선고의 효력이 상실되며, 형을 선고받지 아니한 자에 대하여는 공소권(公訴權)이 상실된다. 다만, 특별한 규정이 있을 때에는 예외로 한다. 04. 법행
  2. 특별사면: 형의 집행이 면제된다. 다만, 특별한 사정이 있을 때에는 이후 형선고의 효력을 상실하게 할 수 있다. 04. 법행, 13. 국가직, 16. 서울시
  3. 일반(一般)에 대한 감형: 특별한 규정이 없는 경우에는 형을 변경한다.
  4. 특정한 자에 대한 감형: 형의 집행을 경감한다. 다만, 특별한 사정이 있을 때에는 형을 변경할 수 있다.
  5. 복권: 형선고의 효력으로 인하여 상실되거나 정지된 자격을 회복한다.
  ② 형의 선고에 따른 기성(旣成)의 효과는 사면, 감형 및 복권으로 인하여 변경되지 아니한다. 06. 법행, 13. 사시

제6조【복권의 제한】 복권은 형의 집행이 끝나지 아니한 자 또는 집행이 면제되지 아니한 자에 대하여는 하지 아니한다. 10. 사시, 13. 국가직, 17. 경정승진, 18. 국회직

제7조【집행유예를 선고받은 자에 대한 사면 등】 형의 집행유예를 선고받은 자에 대하여는 형선고의 효력을 상실하게 하는 특별사면 또는 형을 변경하는 감형을 하거나 그 유예기간을 단축할 수 있다. 17. 경정승진

제8조【일반사면 등의 실시】 일반사면, 죄 또는 형의 종류를 정하여 하는 감형 및 일반에 대한 복권은 대통령령으로 한다. 이 경우 일반사면은 죄의 종류를 정하여 한다. 04. 법행, 16. 법원직·국회직, 18. 국가직

제9조【특별사면 등의 실시】 특별사면, 특정한 자에 대한 감형 및 복권은 대통령이 한다.

제10조【특별사면 등의 상신】 ① 법무부장관은 대통령에게 특별사면, 특정한 자에 대한 감형 및 복권을 상신(上申)❶한다. 07. 사시, 13. 법무사·국가직
  ② 법무부장관은 제1항에 따라 특별사면, 특정한 자에 대한 감형 및 복권을 상신할 때에는 제10조의2에 따른 사면심사위원회의 심사를 거쳐야 한다. 13. 법무사, 18. 서울시

제10조의2【사면심사위원회】 ① 제10조 제1항에 따른 특별사면, 특정한 자에 대한 감형 및 복권상신의 적정성을 심사하기 위하여 법무부장관 소속으로 사면심사위원회를 둔다. 13. 국가직, 18. 서울시
  ② 사면심사위원회는 위원장 1명을 포함한 9명의 위원으로 구성한다.
  ③ 위원장은 법무부장관이 되고, 위원은 법무부장관이 임명하거나 위촉하되, 공무원이 아닌 위원을 4명 이상 위촉하여야 한다. 16. 국가직
  ④ 공무원이 아닌 위원의 임기는 2년으로 하며, 한 차례만 연임할 수 있다.

> **제11조【특별사면 등 상신의 신청】** 검찰총장은 직권으로 또는 형의 집행을 지휘한 검찰청 검사의 보고 또는 수형자가 수감되어 있는 교정시설의 장의 보고에 의하여 법무부장관에게 특별사면 또는 특정한 자에 대한 감형을 상신할 것을 신청할 수 있다. 13. 법무사
>
> **제27조【군사법원에서 형을 선고받은 자의 사면 등】** 군사법원에서 형을 선고받은 자에 대하여는 이 법에 따른 법무부장관의 직무는 국방부장관이 수행하고, 검찰총장과 검사의 직무는 형을 선고한 군사법원에서 군검사의 직무를 수행한 군법무관이 수행한다. 06. 행시

① **협의의 사면권**: 사면에는 일반사면과 특별사면이 있다.
  ㉠ **일반사면**: 죄의 종류를 정하여 이에 해당하는 모든 범죄인에 대해 형의 선고의 효과를 소멸시키거나, 형의 선고를 받지 아니한 자에 대해 공소권을 소멸시키는 것을 말한다. 일반사면은 **대통령령으로** 행하며, **국무회의의 심의를 거쳐 국회의 동의**를 얻어야 한다. 07. 사시, 07 · 18. 국가직, 18. 국회직
  ㉡ **특별사면**: 특정인에 대하여 형의 집행을 면제해주는 것으로서 국회의 동의 없이 국무회의의 심의를 거쳐 대통령의 명으로써 한다. 07. 국가직, 18. 국회직
② **감형권**: 감형권이란 선고받은 형을 경감하거나 형의 집행을 감경시켜 주는 국가원수의 특권을 말한다. 일반에 대한 감형은 특별한 규정이 없는 경우에는 형을 변경하며, 특정한 자에 대한 감형은 형의 집행을 경감한다.
③ **복권에 관한 권한**: 복권이란 상실 또는 정지된 법률상 자격을 회복시켜 주는 것을 말한다. 복권은 집행이 종료된 자 또는 집행이 면제된 자를 대상으로 하며, 집행 중인 자는 복권의 대상이 아니다. 10. 사시, 17. 경정승진 일반복권은 대통령령으로써 하고 특별복권은 법무부장관의 상신에 따라 대통령이 명으로써 한다.

개념PLUS+ 일반사면과 특별사면 비교

구분	대상자	효과	국무회의 심의	국회 동의	형식
일반사면	죄를 범한 자	• 형의 선고를 받기 전인 자: 공소권 소멸 • 형의 선고를 받은 자: 형의 선고의 효력상실	○	○	대통령령으로 함
특별사면	형의 선고를 받은 자	• 일반적인 경우: 형집행면제 • 형집행유예를 선고받은 자: 형의 선고의 효력상실	○	×	대통령이 명함

(3) 효과

형의 선고에 의한 기성의 효과는 사면, 감형과 복권으로 인하여 변경되지 않는다(사면법 제5조 제2항). 13. 사시 즉, 사면권행사의 효과는 **장래효만 가지며**, 소급효는 인정되지 않는다. 07. 국회직, 16. 지방직

(4) 한계

대통령의 사면권행사와 관련하여 헌법과 사면법은 사면의 사유에 관한 명문규정을 두고 있지 않다. 대통령의 사면권행사에는 한계가 없다는 견해도 있으나, 통설은 다음과 같은 한계를 긍정하고 있다.

① **권력분립상의 한계**: 사면권은 권력분립의 원칙상 사법권의 본질적 내용을 침해하거나 사법부의 권위를 훼손하지 않도록 적정하게 행사되어야 한다. 이러한 헌법적 한계를 실천하기 위하여 대통령이 사면을 행하기 전에 대법원의 의견을 청취하는 것이 바람직하다는 견해가 있다.

② **목적상의 한계**: 사면권은 대통령이 사법권에 예외적으로 관여하는 것이므로 국가이익과 국민화합을 이루기 위한 목적으로 행사되어야 하고, 정치적으로 남용되어서는 안 된다.

③ **탄핵소추에 의한 한계의 문제**: 탄핵결정을 받은 자에 대하여 대통령의 사면이 가능한지가 문제된다. 미국의 경우처럼 헌법이 명문으로 이를 금지하고 있는 경우도 있지만 명문의 규정이 없는 현행헌법의 경우에도 탄핵결정에 대해서는 사면이 인정되지 아니한다는 것이 통설이다. 탄핵결정을 받은 자에 대하여 사면이 가능하다고 하면 국회가 헌법상 부여받은 권한이며 이를 통하여 정부에 대한 견제기능을 하고자 하는 탄핵제도가 대통령의 사면결정으로 인하여 유명무실한 것이 되고 말 것이기 때문이다.

⚖ 판례

1 여러 개의 형이 병과된 사람에 대하여 그 병과형 중 일부에 대한 특별사면이 있은 경우 그 특별사면의 효력이 병과된 나머지 형에까지 미치는 것인지 여부: 소극

형법 제41조, 사면법 제5조 제1항 제2호, 제7조 등의 규정의 내용 및 취지에 비추어 보면, 여러 개의 형이 병과된 사람에 대하여 그 병과형 중 일부의 집행을 면제하거나 그에 대한 형의 선고의 효력을 상실하게 하는 특별사면이 있은 경우 그 특별사면의 효력이 병과된 나머지 형에까지 미치는 것은 아니므로 징역형의 집행유예와 벌금형이 병과된 신청인에 대하여 징역형의 집행유예의 효력을 상실하게 하는 내용의 특별사면이 그 벌금형의 선고의 효력까지 상실하게 하는 것은 아니다(대결 1997.10.13. 96모33). 04·06. 법행, 07. 국회직, 12. 법무사, 18. 서울시

2 여러 개의 형이 병과된 사람에 대하여 병과된 형의 일부만을 사면하는 것이 헌법에 위반되는지 여부: 소극

선고된 형의 전부를 사면할 것인지 또는 일부만을 사면할 것인지를 결정하는 것은 사면권자의 전권사항에 속하는 것이고, 징역형의 집행유예에 대한 사면이 병과된 벌금형에도 미치는 것으로 볼 것인지 여부는 사면의 내용에 대한 해석문제에 불과하다 할 것이다. 청구인에 대한 사면장에도 대상자의 본적, 성명 및 연령, 죄명, 형명·형기가 기재되어 있고, 형명·형기란에는 '징역(금고) 2년 집행유예 3년'으로 기재되어 있을 뿐 벌금형에 대한 기재가 없으므로 사면권자의 의사가 벌금형을 사면에서 제외한 것으로 해석하는 것이 상당하다. 결론적으로 사면의 은사적 성격 및 특별사면의 입법취지 등을 종합하면 병과된 형의 일부만을 사면하는 것은 헌법에 위반된다고 볼 수 없다(헌재 2000.6.1. 97헌바74). 06. 법행, 07. 사시, 18. 서울시

---

3 대통령의 특별사면에 관하여 일반 국민의 지위에서 헌법소원심판을 청구할 수 있는지 여부: 소극 [각하]

청구인들(일반 국민)은 대통령의 특별사면에 관하여 일반 국민의 지위에서 사실상의 또는 간접적인 이해관계를 가진다고 할 수는 있으나 대통령의 청구외인들에 대한 특별사면으로 인하여 청구인들 자신의 법적 이익 또는 권리를 직접적으로 침해당한 피해자라고 볼 수 없으므로 이 사건 심판청구는 자기관련성·직접성이 결여되어 부적법하다(헌재 1998.9.30. 97헌마404). 07. 국가직, 10. 사시, 18. 국회직

2. 위헌정당해산제소권

헌법 제8조 ④ 정당의 목적이나 활동이 민주적 기본질서에 위배될 때에는 정부는 헌법재판소에 그 해산을 제소할 수 있고, 정당은 헌법재판소의 심판에 의하여 해산된다.

7 대통령의 권한행사의 방법과 통제

1. 권한행사의 원칙

대통령은 집행에 관한 모든 사항을 그의 권한과 책임하에 독자적으로 행사하는 것이 원칙이다. 그러나 권한행사는 대통령의 전제를 방지하고 권한행사의 민주적 정당성을 확보하기 위하여 헌법과 법률에 규정된 절차와 방법에 따라야 하고, 다른 국가기관에 의한 통제를 받아야 한다.

2. 권한행사의 방법

(1) 문서주의

헌법 제82조 대통령의 국법상 행위는 문서로써 하며 … .

대통령의 국법상 행위는 반드시 문서로써 하여야 한다(헌법 제82조). 문서주의는 국민의 예측가능성과 법적 안정성을 보장한다는 점, 대통령의 권한행사에 관한 증거를 남긴다는 점 또한 권한행사에 있어 즉흥성을 피하고 신중을 기하도록 한다는 점에 그 목적이 있다. 대통령의 국법상 행위가 문서에 의하지 아니한 경우에는 원칙적으로 법적 효력이 없다.

(2) 부서

헌법 제82조 대통령의 국법상 행위는 문서로써 하며, 이 문서에는 국무총리와 관계 국무위원이 부서한다. 군사에 관한 것도 또한 같다. 06. 국가직, 18. 서울시

① **의의**: 부서란 군주 또는 대통령의 서명에 부가하여 보필자가 서명하는 것을 말한다. 부서제도는 대통령의 전제를 방지하고 국무총리와 관계 국무위원의 책임소재를 명백히 하려는 데 그 의의가 있다. 다만, 대통령이 국무총리와 국무위원의 임면권을 가지고 있는 헌법하에서는 대통령의 전제방지라는 측면에서의 부서제도의 의의는 크지 않다. 이러한 부서제도에 대하여는 군주제의 잔재라는 비판이 있다.

🏛 핵심기출 OX

01 대통령의 국법상 행위는 문서로써 하여야 하지만, 군사에 관한 것은 예외적으로 구두로 할 수 있다. 06. 국가직
(O, X)

📖 X 대통령의 국법상 행위는 문서로써 하며, 이 문서에는 국무총리와 관계 국무위원이 부서한다. 군사에 관한 것도 또한 같다(헌법 제82조).

02 대통령이 국무회의에서 심의하지 않은 사항이라든가 국무회의의 심의 내용과 상이하게 권한을 행사할 경우 국무총리 또는 관계국무위원이 부서를 거부할 수 있다고 보는 입장에서는 그 부서 없는 대통령의 행위를 당연히 무효로 본다. 06. 법행 (O, X)

📖 X 국무총리 또는 관계국무위원이 부서를 거부할 수 있다는 것이 통설적 입장이나, 그 부서가 없는 대통령의 국법상 행위의 효력에 대해서는 무효설과 유효설이 대립되어 있다.

② **법적 성격**
　㉠ **학설**
　　ⓐ **물적 증거설**: 부서제도는 부서권자가 대통령의 국무행위에 참여하였다는 물적 증거로서의 성격만을 가진다고 한다.
　　ⓑ **보필책임설**: 부서제도는 대통령의 전제를 방지하고 부서권자로 하여금 대통령의 행위에 대한 보필책임을 지게 하며 부서권자의 책임의 소재를 명백히 하는 성질을 가진다고 한다.
　㉡ **검토**: 물적 증거설은 연혁적 의미가 강할 뿐 현대적 의미의 권력통제에는 적합하지 못하다는 점에서 **보필책임설**이 다수설이고 또 타당하다. 따라서 부서의 결과에 대해서는 국회가 해임건의 또는 탄핵소추 등의 방법으로 책임 추궁이 가능하다고 본다.
③ **부서 없는 대통령의 행위의 효력**: 부서 없는 대통령의 행위의 효력에 대하여 법적으로 무효라는 견해와 그 행위는 유효하고, 다만 탄핵사유가 될 수 있다는 견해가 대립된다. 06. 법행
　㉠ **무효설(다수설)**: 대통령의 전제를 방지하고 국무총리와 관계국무위원의 책임소재를 명백히 하려는 부서제도의 취지를 고려할 때, 부서 없는 대통령의 행위는 무효라는 견해이다.
　㉡ **유효설**: 부서제도는 대통령의 국법상 행위의 유효요건이 아니라 적법요건이라고 보아야 할 것이므로 부서가 없는 대통령의 국법상 행위라도 행위의 효력에는 영향이 없고, 다만 탄핵으로 책임을 물을 수 있다고 보는 견해이다(권영성).
④ **부서거부의 가부**: 대통령이 국무회의에서 심의하지 않은 사항 또는 국무회의의 심의와 다르게 대통령이 권한행사를 하는 경우 등에 있어 국무총리 등이 부서를 거부할 수 있는지 문제된다. 부서하는 권한은 재량이 인정되므로 국무총리 등은 대통령의 권한행사에 동의하지 않으면 부서를 거부할 수 있다는 것이 통설적 입장이다. 06. 법행

(3) 국무회의의 심의

헌법 제89조에 열거된 사항에 관해서는 국정의 통일성과 원활을 기하기 위하여 미리 국무회의의 심의를 거쳐야 한다. 국무회의의 심의를 거쳐야 하는 사항에 대하여 심의를 거치지 아니하고 대통령이 권한행사를 하는 경우 그러한 행위의 효력 및 대통령이 권한행사함에 있어 국무회의의 심의결과에 구속되는지 여부에 대하여는 견해의 대립이 있다. 국무회의의 심의결과에 구속되는 것은 아니나 거치지 않으면 무효라는 것이 다수설이다.

(4) 자문기관의 자문

대통령의 자문기관으로는 국가원로자문회의, 국가안전보장회의, 민주평화통일자문회의, 국민경제자문회의, 국가과학기술자문회의 등이 있으나, 국가안전보장회의를 제외한 나머지는 모두 임의적 자문기관이다. 다만, 자문기관의 자문을 거쳐야 할 의무는 없으나 거치는 것이 원칙이다.

(5) 국회의 동의 또는 승인

① 현행헌법상 국회의 동의를 얻어야 하는 사항으로는 중요조약의 체결·비준(헌법 제60조 제1항), 선전포고와 국군의 외국파견 및 외국군대의 국내 주류(헌법 제60조 제2항), 계속비·예비비의 설치(헌법 제55조), 국채모집과 예산 외 국가부담이 될 계약의 체결(헌법 제58조), 일반사면(헌법 제79조 제2항), 국무총리 임명(헌법 제86조 제1항), 감사원장 임명(헌법 제98조 제2항), 대법원장 및 대법관 임명(헌법 제104조 제1항·제2항), 헌법재판소장 임명(헌법 제111조 제4항) 등이 있다. 03. 법무사

② 국회의 승인을 요하는 사항은 긴급명령과 긴급재정경제처분·명령(헌법 제76조 제3항)과 예비비지출에 대한 차기 국회의 승인(헌법 제55조 제2항) 등이 있다.

③ 국회의 동의나 승인을 얻도록 하는 것은 대통령의 권한행사에 국회가 민주적 통제를 가하기 위한 것이므로 이러한 헌법 규정에 위배되어 대통령이 권한행사를 하는 경우 무효라고 보아야 할 것이다.

3. 권한행사의 통제

(1) 기관 내 통제

① 국무회의의 심의
② 부서
③ 국무총리의 국무위원 임명제청과 해임건의
④ 자문기관의 자문 등

(2) 기관간 통제

① **국민에 의한 통제**: 국민은 청원권이나 국가배상청구권 또는 저항권의 행사를 통하여 대통령의 권한행사를 통제할 수 있다. 또한 국민은 대통령이 제안한 헌법개정안과 외교·국방·통일 기타 국가의 안위에 관한 중요정책에 대한 국민투표를 통하여 대통령의 권한행사를 통제할 수 있다.

② **국회에 의한 통제**: 국회는 국정감사·조사, 탄핵소추, 국무총리와 국무위원에 대한 해임건의, 긴급명령 등에 대한 승인, 계엄선포에 대한 해제요구를 통하여 대통령의 권한행사를 통제할 수 있다.

③ **법원에 의한 통제**: 대통령의 명령이 헌법이나 법률에 위배된다고 판단할 경우에 법원은 그 명령을 재판에 적용하는 것을 거부할 수 있고, 대통령의 처분이 헌법이나 법률에 위배된다고 판단할 경우에는 그 무효를 확인하거나 취소할 수 있다(헌법 제107조 제2항).

⚖ 판례

1 군사반란 및 내란행위에 의하여 정권을 장악한 후 국민투표로 헌법개정을 하였다면 그 군사반란 및 내란행위가 사법심사의 대상이 될 수 있는지 여부: 적극

우리나라는 제헌헌법의 제정을 통하여 국민주권주의, 자유민주주의, 국민의 기본권보장, 법치주의 등을 국가의 근본이념 및 기본원리로 하는 헌법질서를 수립한 이래 여러 차례에 걸친 헌법개정이 있었으나, 지금까지 한결같이 위 헌법질서를 그대로 유지하여 오고 있는 터이므로 군사반란과 내란을 통하여 폭력으로 헌법에 의하여 설치된 국가기관의

권능행사를 사실상 불가능하게 하고 정권을 장악한 후 국민투표를 거쳐 헌법을 개정하고 개정된 헌법에 따라 국가를 통치하여 왔다고 하더라도 그 군사반란과 내란을 통하여 새로운 법질서를 수립한 것이라고 할 수는 없으며, 우리나라의 헌법질서 아래에서는 헌법에 정한 민주적 절차에 의하지 아니하고 폭력에 의하여 헌법기관의 권능행사를 불가능하게 하거나 정권을 장악하는 행위는 어떠한 경우에도 용인될 수 없다. 따라서 그 군사반란과 내란행위는 처벌의 대상이 된다(대판 1997.4.17. 96도3376). 12. 국가직

2 남북정상회담개최가 사법심사의 대상이 되는지 여부: 소극

[1] 고도의 정치행위에 대하여 정치적 책임을 지지 않는 법원이 정치의 합목적성이나 정당성을 도외시한 채 합법성의 심사를 감행함으로써 정책결정이 좌우되는 일은 결코 바람직한 일이 아니며, 법원이 정치문제에 개입되어 그 중립성과 독립성을 침해당할 위험성도 부인할 수 없으므로 고도의 정치성을 띤 국가행위에 대하여는 이른바 통치행위라 하여 법원 스스로 사법심사권의 행사를 억제하여 그 심사대상에서 제외하는 영역이 있으나, 이와 같이 통치행위의 개념을 인정한다고 하더라도 과도한 사법심사의 자제가 기본권을 보장하고 법치주의이념을 구현하여야 할 법원의 책무를 태만히 하거나 포기하는 것이 되지 않도록 그 인정을 지극히 신중하게 하여야 하며, 그 판단은 오로지 사법부만에 의하여 이루어져야 한다.

[2] 남북정상회담의 개최는 고도의 정치적 성격을 지니고 있는 행위라 할 것이므로 특별한 사정이 없는 한 그 당부를 심판하는 것은 **사법권의 내재적·본질적 한계를 넘어서는 것**이 되어 적절하지 못하지만, 남북정상회담의 개최과정에서 재정경제부장관에게 신고하지 아니하거나 통일부장관의 협력사업승인을 얻지 아니한 채 **북한 측에 사업권의 대가 명목으로 송금한 행위 자체**는 헌법상 법치국가의 원리와 법 앞에 평등원칙 등에 비추어 볼 때 **사법심사의 대상이 된다**(대판 2004.3.26. 2003도7878). 07·08. 법행, 10. 사시, 12. 국가직

3 유신헌법에 근거한 대통령의 긴급조치 1호가 사법심사대상이 되는지 여부: 적극

[위헌] 12. 변호사

[1] 긴급조치에 대한 사법심사의 가부

① 입헌적 법치주의국가의 기본원칙은 어떠한 국가행위나 국가작용도 헌법과 법률에 근거하여 그 테두리 안에서 합헌적·합법적으로 행하여질 것을 요구하고, 이러한 합헌성과 합법성의 판단은 본질적으로 사법의 권능에 속하는 것이다. 다만, 고도의 정치성을 띤 국가행위에 대하여는 이른바 통치행위라 하여 법원 스스로 사법심사권의 행사를 억제하여 그 심사대상에서 제외하는 영역이 있을 수 있다. 그러나 이와 같이 통치행위의 개념을 인정한다고 하더라도 과도한 사법심사의 자제가 기본권을 보장하고 법치주의이념을 구현하여야 할 법원의 책무를 태만히 하거나 포기하는 것이 되지 않도록 그 인정을 지극히 신중하게 하여야 한다(대판 2004.3.26. 2003도7878). 이러한 법리를 바탕으로 하여 볼 때 평상시의 헌법질서에 따른 권력행사방법으로는 대처할 수 없는 중대한 위기상황이 발생한 경우 이를 수습함으로써 국가의 존립을 보장하기 위하여 행사되는 국가긴급권에 관한 대통령의 결단은 가급적 존중되어야 한다. 그러나 앞에서 살펴 본 바와 같은 법치주의의 원칙상 통치행위라 하더라도 헌법과 법률에 근거하여야 하고 그에 위반되어서는 아니 된다. 더욱이 유신헌법 제53조에 근거한 긴급조치 제1호는 국민의 기본권에 대한 제한과 관련된 조치로서 형벌법규와 국가형벌권의 행사에 관한 규정을 포함하고 있다. 그러므로 기본권보장의 최후 보루인 법원으로서는 마땅히 긴급조치 제1호에 규정된 형벌법규에 대하여 사법심사권을 행사함으로써 대통령의 긴급조치권행사로 인하여 국민의 기본권이 침해되고 나아가 우리나라 헌법의 근본이념인 자유민주적 기본질서가 부정되는 사태가 발생하지 않도록 그 책무를 다하여야 할 것이다.

② 그런데 유신헌법 제53조 제4항이 "제1항과 제2항의 긴급조치는 사법적 심사의 대상이 되지 아니한다."라고 규정하고 있어 대법원은 유신헌법 아래서 긴급조치는 유신헌법에 근거한 것으로서 사법적 심사의 대상이 되지 아니하므로 그 위헌 여부를 다툴 수 없다는 취지의 판시를 한 바 있다(대판 1977.3.22. 74도3510 전합 등).

그러나 재심소송에서 적용될 절차에 관한 법령은 재심판결 당시의 법령이므로 사법적 심사의 대상이 되는지 여부는 현재 시행 중인 대한민국헌법(이하 '현행헌법'이라 한다)에 기하여 판단하여야 한다. 현행헌법 제76조는 대통령의 긴급명령·긴급재정경제명령 등 국가긴급권의 행사에 대하여 사법심사배제규정을 두고 있지 아니하다. 더욱이 유신헌법 자체에 의하더라도 그 제8조가 "모든 국민은 인간으로서의 존엄과 가치를 가지며, 이를 위하여 국가는 국민의 기본적 인권을 최대한으로 보장할 의무를 진다."라고 규정하고 제9조 내지 제32조에서 개별 기본권보장규정을 두고 있었으므로, 유신헌법 제53조 제4항이 사법심사를 배제할 것을 규정하고 있다고 하더라도 이는 사법심사권을 절차적으로 제한하는 것일 뿐 이러한 기본권보장규정과 충돌되는 긴급조치의 합헌성 내지 정당성까지 담보한다고 할 수 없다. 따라서 이 사건 재심절차를 진행함에 있어 모든 국민은 유신헌법에 따른 절차적 제한을 받음이 없이 법이 정한 절차에 의해서 긴급조치의 위헌성 유무를 따지는 것이 가능하므로 이와 달리 유신헌법 제53조 제4항에 근거하여 이루어진 긴급조치에 대한 사법심사가 불가능하다는 취지의 위 대법원 판결 등은 더 이상 유지될 수 없다.

[2] 긴급조치의 위헌심판기관

현행헌법 제107조 제1항은 "법률이 헌법에 위반되는 여부가 재판의 전제가 된 경우에는 법원은 헌법재판소에 제청하여 그 심판에 의하여 재판한다."라고 규정하고, 현행헌법 제111조 제1항 제1호는 헌법재판소의 관장사무로 법원의 제청에 의한 법률의 위헌 여부 심판을 규정하고 있다. 위 각 헌법 규정에 의하면 위헌심사의 대상이 되는 '법률'이라 함은 '국회의 의결을 거친 이른바 형식적 의미의 법률'을 의미하고(대판 2008.12.24. 2006도1427 등), 위헌심사의 대상이 되는 규범이 형식적 의미의 법률이 아닌 때에는 그와 동일한 효력을 갖는 데에 국회의 승인이나 동의를 요하는 등 국회의 입법권행사라고 평가할 수 있는 실질을 갖춘 것이어야 한다. 유신헌법 제53조 제3항은 대통령이 긴급조치를 한 때에는 지체 없이 국회에 통고하여야 한다고 규정하고 있을 뿐 사전적으로는 물론이거니와 사후적으로도 긴급조치가 그 효력을 발생 또는 유지하는 데 국회의 동의 내지 승인 등을 얻도록 하는 규정을 두고 있지 아니하고, 실제로 국회에서 긴급조치를 승인하는 등의 조치가 취하여진 바도 없다. 따라서 유신헌법에 근거한 긴급조치는 국회의 입법권행사라는 실질을 전혀 가지지 못한 것으로서 헌법재판소의 위헌심판대상이 되는 '법률'에 해당한다고 할 수 없고, 긴급조치의 위헌 여부에 대한 심사권은 최종적으로 대법원에 속한다(대판 2010.12.16. 2010도5986). 12. 변호사, 18. 국가직

④ 헌법재판소에 의한 통제: 헌법재판소는 긴급명령 등에 대한 위헌 여부 심판, 탄핵심판, 위헌정당해산심판, 권한쟁의심판, 헌법소원심판을 통하여 대통령의 권한행사를 통제할 수 있다(헌법 제111조 제1항).

⚖ 판례

1 긴급재정경제명령이 헌법재판소의 심판대상인지 여부: 적극

대통령의 긴급재정경제명령은 국가긴급권의 일종으로서 고도의 정치적 결단에 의하여 발동되는 행위이고 그 결단을 존중하여야 할 필요성이 있는 행위라는 의미에서 이른바 통치행위에 속한다고 할 수 있으나, 통치행위를 포함하여 모든 국가작용은 국민의 기본권적 가치를 실현하기 위한 수단이라는 한계를 반드시 지켜야 하는 것이고, 헌법재판소는 헌법의 수호와 국민의 기본권보장을 사명으로 하는 국가기관이므로 비록 고도의 정치적 결단에 의하여 행해지는 국가작용이라고 할지라도 그것이 국민의 기본권침해와 직접 관련되는 경우에는 당연히 헌법재판소의 심판대상이 된다(헌재 1996.2.29. 93헌마186). 06. 행시, 10·12. 사시, 13. 변호사, 18. 서울시, 19. 국가직

2 행정수도이전문제가 사법심사의 대상인지 여부: 적극

[1] 국가긴급권의 발동, 국군의 해외파견 등과 같이 대통령이나 국회에 의한 고도의 정치적 결단이 요구되고, 이러한 결단은 가급적 존중되어야 한다는 요청에서 사법심사를 자제할 필요가 있는 국가작용이 우리 헌법상 존재하는 것은 이를 인정할 수 있다. 그러나 고도의 정치적 결단에 의하여 행해지는 국가작용이라고 할지라도 그것이 국민의 기본권침해와 직접 관련되는 경우에는 당연히 헌법재판소의 심판대상이 될 수 있다.

[2] 신행정수도건설이나 수도이전의 문제가 정치적 성격을 가지고 있는 것은 인정할 수 있지만, 그 자체로 고도의 정치적 결단을 요하여 사법심사의 대상으로 하기에는 부적절한 문제라고까지는 할 수 없다. 다만, 대통령의 의사결정이 사법심사의 대상이 될 경우 위 의사결정은 고도의 정치적 결단을 요하는 문제여서 사법심사를 자제함이 바람직하다고는 할 수 있다. 그러나 **대통령의 의사결정이 국민의 국민투표권을 침해한다면**, 가사 위 의사결정이 고도의 정치적 결단을 요하는 행위라고 하더라도 이는 국민의 기본권침해와 직접 관련되는 것으로서 헌법재판소의 심판대상이 될 수 있다(헌재 2004.10.21. 2004헌마554 등).

3 국군의 외국에의 파병결정이 사법심사의 대상인지 여부: 소극

외국에의 국군의 파견결정은 고도의 정치적 결단이 요구되는 사안이다. 이 사건 파견결정은 그 성격상 국방 및 외교에 관련된 고도의 정치적 결단을 요하는 문제로서 **헌법과 법률이 정한 절차를 지켜 이루어진 것임이 명백하므로** 대통령과 국회의 판단은 존중되어야 하고, 우리 헌법재판소가 사법적 기준만으로 이를 **심판하는 것은 자제되어야 한다**(헌재 2004.4.29. 2003헌바814). 07. 법행, 08. 국회직, 10. 사시, 12. 국가직

4 한·미간 전략적 유연성 합의가 헌법소원의 대상인지 여부: 소극 [각하]

'한·미 동맹 동반자관계를 위한 전략대화'를 가지고 발표하였다는 공동성명의 주요내용은 양국의 외교관계 당국자간의 동맹국에 대한 양해 내지 존중의 정치적 선언의 의미를 가지는 데 불과하다. 그렇다면 피청구인들(대통령과 외교통상부장관)의 행위는 고도의 정치·외교적인 행위로 헌법재판소의 헌법소원심판의 대상으로 삼을 수 없는 것이거나 또는 그렇지 않다고 하더라도 그로 인하여 청구인들의 국민투표권, 납세자의 권리 등 기본권이 침해되는 문제가 발생된다고도 볼 수 없어 그 행위의 위헌확인을 구하는 이 사건 심판청구는 기본권침해의 자기관련성이 인정되지 아니한다(헌재 2006.5.16. 2006헌마500).

5 대통령이 한미연합군사훈련의 일종인 2007년 전시증원연습을 하기로 한 결정이 통치행위에 해당하는지 여부: 소극 [각하]

통치행위란 고도의 정치적 결단에 의한 국가행위로서 그 결단을 존중하여야 할 필요성이 있어 사법적 심사의 대상으로 삼기에 적절하지 못한 행위라고 일반적으로 정의되고 있는바, 궁극적으로 국민 내지 국익에 영향을 미치는 복잡하고도 중요한 문제로서 국내 및 국제정치관계 등 제반상황을 고려하여 미래를 예측하고 목표를 설정하는 등 고도의 정치적 결단이 요구되는 사안에 관하여 현행헌법이 채택하고 있는 대의민주제 통치구조하에서 대의기관인 대통령과 국회가 내린 결정은 가급적 존중되어야 할 것이다. 그러나 한미연합군사훈련은 1978. 한미연합사령부의 창설 및 1979.2.15. 한미연합연습 양해각서의 체결 이후 연례적으로 실시되어 왔고, 특히 이 사건 연습은 대표적인 한미연합군사훈련으로서 피청구인이 2007.3.경에 한 이 사건 연습결정이 새삼 국방에 관련되는 고도의 정치적 결단에 해당하여 사법심사를 자제하여야 하는 통치행위에 해당된다고 보기 어렵다(헌재 2009.5.28. 2007헌마369). 09. 법행, 12. 국가직

⊘ 주의
- 한·미간의 전략적 유연성 합의: 통치행위 ○
- 한미연합국사훈련인 전시증원연습 실시결정: 통치행위 ×

📋 핵심기출 OX

01 대통령이 한미연합군사훈련의 일종인 2007년 전시증원연습을 하기로 한 결정은 고도의 정치적 결단이 필요한 통치행위로서 사법심사가 자제되어야 한다. 09. 법행 (○, ×)

🔟 × 이 사건 연습은 대표적인 한미연합 군사훈련으로서, 피청구인이 2007.3.경에 한 이 사건 연습결정이 새삼 국방에 관련되는 고도의 정치적 결단에 해당하여 사법심사를 자제하여야 하는 통치행위에 해당된다고 보기 어렵다(헌재 2009.5.28. 2007헌마369).

02 한미연합사령부가 연례적으로 실시하고 있는 전시증원연습과 이와 연계된 연합합동 야외기동훈련인 독수리연습을 실시하기로 한 대통령의 결정은 고도의 정치적 결단에 해당하여 사법심사의 대상이 되지 않는다. 12. 국가직 (○, ×)

🔟 × 이 사건 연습결정이 새삼 국방에 관련되는 고도의 정치적 결단에 해당하여 사법심사를 자제하여야 하는 통치행위에 해당된다고 보기 어렵다(헌재 2009.5.28. 2007헌마369).

대통령 관련 판례	
적극	**소극**
• 대통령 재직 중에 공소시효의 진행이 당연히 정지되는지 여부(헌재 1995.1.20. 94헌마246) • 긴급재정경제명령이 헌법소원심판의 대상이 되는지 여부(헌재 1996.2.29. 93헌마186) • 대통령의 신임을 묻는 국민투표제안이 헌법 제72조에 위반되는지 여부(헌재 2004.5.14. 2004헌나1) • 헌법이 인정하고 있는 위임입법의 형식이 예시적인 것인지 여부(헌재 2004.10.28. 99헌바91) • '대통령령으로 정하는 고급주택'을 중과세대상으로 한 것이 포괄위임입법금지원칙에 위배되는지 여부(헌재 1999.1.28. 98헌가17) • 영화진흥법이 제한상영가등급분류의 구체적 기준을 영상물등급위원회의 규정에 위임하는 것이 포괄위임입법금지원칙에 위배되는지 여부(헌재 2008.7.31. 2007헌가4) • 군사반란 및 내란행위에 의하여 정권을 장악한 후 국민투표로 헌법개정을 하였다면 그 군사반란 및 내란행위가 사법심사의 대상이 될 수 있는지 여부(대판 1997.4.17. 96도3376) • 유신헌법에 근거한 대통령의 긴급조치 1호가 사법심사대상이 되는지 여부(대판 2010.12.16. 2010도5986) • 행정수도이전문제가 사법심사의 대상인지 여부(헌재 2004.10.21. 2004헌마554 등)	• 대통령의 직무상 행위에 '대통령당선자'의 지위에서의 행위도 포함되는지 여부(헌재 2004.5.14. 2004헌나1) • 탄핵대상공무원이 그 직무집행에 있어서 헌법이나 법률을 위배한 때 국회에 탄핵소추의결을 하여야 할 작위의무가 있는지 여부(헌재 1996.2.29. 93헌마186) • 탄핵소추절차에도 적법절차원칙이 적용되는지 여부(헌재 2004.5.14. 2004헌나1) • 탄핵소추를 하기 전에 법제사법위원회에 회부하여 조사하게 하는 것이 의무인지 여부(헌재 2004.5.14. 2004헌나1) • 대통령의 '성실한 직책수행의무'가 원칙적으로 사법적 판단의 대상이 될 수 있는지 여부(헌재 2004.5.14. 2004헌나1) • 국민에게 특정의 국가정책에 관하여 국민투표에 회부할 것을 요구할 권리가 인정되는지 여부(헌재 2005.11.24. 2005헌마579) • 대통령의 신임을 묻는 국민투표제안이 헌법소원의 대상이 되는지 여부(헌재 2003.11.27. 2003헌마694) • 대통령령으로 규정한 내용이 헌법에 위반되면 입법권을 위임한 수권법률조항까지도 위헌으로 되는지 여부(헌재 1996.6.26. 93헌바2) • 법률이 자치적인 사항을 '정관'에 위임할 경우 헌법상의 포괄위임입법금지원칙이 적용되는지 여부(헌재 2001.4.26. 2000헌마122) • 여러 개의 형이 병과된 사람에 대하여 그 병과형 중 일부에 대한 특별사면이 있은 경우 그 특별사면의 효력이 병과된 나머지 형에까지 미치는 것인지 여부(대결 1997.10.13. 96모33) • 여러 개의 형이 병과된 사람에 대하여 병과된 형의 일부만을 사면하는 것이 헌법에 위반되는지 여부(헌재 2000.6.1. 97헌바74) • 대통령의 특별사면에 관하여 일반국민의 지위에서 헌법소원심판을 청구할 수 있는지 여부(헌재 1998.9.30. 97헌마404) • 남북정상회담 개최가 사법심사의 대상이 되는지 여부(대판 2004.3.26. 2003도7878) • 국군의 외국에의 파병결정이 사법심사의 대상인지 여부(헌재 2004.4.29. 2003헌마814) • 한·미간 전략적 유연성 합의가 헌법소원의 대상인지 여부(헌재 2006.5.16. 2006헌마500) • 대통령이 한미연합군사훈련의 일종인 2007년 전시증원연습을 하기로 한 결정이 통치행위에 해당하는지 여부(헌재 2009.5.28. 2007헌마369)

제5장 정부

제1절 국무총리

1 헌정사

건국헌법은 대통령제를 기본으로 하면서도 부통령뿐만 아니라 국무총리를 함께 둠으로써 변형된 대통령제를 출현시켰으나, 1954년 제2차 개헌으로 국무총리제가 폐지되었다. 1960년 헌법은 고전적 의원내각제의 채택으로 국무총리가 집행에 관한 실질적인 권한을 장악하였고, 1962년 헌법은 다시 비교적 순수한 대통령제를 채택하면서도 국무총리는 유지시켰다. 1972년 헌법도 대통령제의 범주에 속하는 것으로 입법부·사법부에 비하여 대통령이 절대적으로 우월적 지위에 있었지만 부통령 대신 여전히 국무총리제를 두고 있었고, 이후 1980년 헌법과 현행헌법도 기본적으로는 대통령제에 속하면서 국무총리제를 유지하고 있다.

2 제도적 의의

대통령제에서는 대통령의 궐위시에 대비하여 부통령을 두는 것이 논리적이다. 다만, 현행헌법은 의원내각제의 본질적 요소인 국무총리제를 두고 있는바, 이와 같이 이질적인 국무총리제를 채택한 제도적 의의가 문제된다. 현행헌법상의 국무총리제는 대통령의 유고시에 그 권한대행자가 필요하다는 점, 대통령을 대신하여 국회에 출석함으로써 입법부와 행정부의 공화를 유지하는 기능을 수행한다는 점, 대통령을 보좌하고 행정부를 통할·조정하는 보좌기관의 역할을 한다는 점 등의 제도적 의의를 가진다(다수설).

3 헌법상 지위

1. 대통령의 권한대행자

국무총리는 대통령이 궐위 또는 사고로 인하여 직무를 수행할 수 없을 경우에 제1순위의 권한대행권을 가진다(헌법 제71조). 국무총리의 대통령 권한대행자로서의 지위는 과거의 헌정사에서 보듯이 막강한 권한을 행사할 가능성이 있는 지위로서 현행헌법이 통치권의 민주적 정당성을 제고하기 위하여 대통령 직선제를 규정하면서도 궐위시 권한대행 제1순위자를 국민의 선거에 의하여 선출되는 부통령으로 하지 않고, 대통령이 임명하는 국무총리로 하고 있는 것은 정부형태의 체계적합성에 어긋난다는 비판이 제기된다.

2. 대통령의 보좌기관 15. 국가직, 16. 지방직, 18. 서울시

(1) 국무총리는 독자적인 정치적 결정권을 행사할 수 없으며, 집행에 관하여 대통령에 종속된 보좌기관이다.

(2) 국무총리는 대통령의 명을 받아 행정각부를 통할하고(헌법 제86조 제2항), 중요한 정책을 심의함에 있어 국무회의의 부의장으로서 대통령을 보좌하며(헌법 제88조 제3항), 대통령의 모든 국법상 행위에 부서를 한다(헌법 제82조).

3. 행정부 제2인자

(1) 국무총리는 대통령 다음가는 행정부 제2인자의 지위를 가진다. 행정부 제2인자로서 국무총리는 대통령의 명을 받아 행정각부를 통할하고(헌법 제86조 제2항), 국무위원과 행정각부의 장관에 대한 임명제청권과(헌법 제87조 제1항, 제94조) 해임건의권을 가지며(헌법 제87조 제3항), 국무위원과 달리 국무총리는 대통령의 모든 국무행위에 부서하여야 한다.

(2) 국무총리의 행정부 제2인자로서의 지위는 행정각부의 장보다 상위에 있는 지위로서 국무총리는 중앙행정기관의 장의 명령이나 처분이 위법 또는 부당하다고 인정될 경우에는 대통령의 승인을 받아 이를 중지 또는 취소할 수 있다(정부조직법 제18조). 13. 국가직

4. 중앙행정관청

국무총리는 대통령의 명을 받아 상급행정관청으로서 행정각부를 통할할 권한을 가지면서도 소관 사무의 업무를 결정하고 집행하는 행정관청으로서의 지위를 가진다. 소관 사무를 처리하는 중앙행정관청으로서의 지위는 행정각부와 동등한 지위이다. 중앙행정관청으로서의 국무총리는 행정각부의 사무를 기획·조정하는 사무와 특정의 부에 속하게 할 수 없는 성질의 사무를 그 소관 사무로서 처리한다.

5. 국무회의 부의장

국무총리는 국무회의의 구성원이며 그 부의장이 된다. 국무총리는 국무회의의 심의에 있어서는 대통령 및 국무위원들과 법적으로 대등한 지위를 가지지만, 국무회의의 운영에 있어서는 부의장으로서 국무위원들보다 우월한 지위에 있다.

4 신분과 직무

1. 임명

> 헌법 제86조 ① 국무총리는 국회의 동의를 얻어 대통령이 임명한다.

개념PLUS+	국무총리의 임명방법(연혁)	
제1공화국	건국	대통령이 임명하고 국회가 승인
	제1차	
	제2차	국무총리제 폐지

제2공화국(제3차·제4차)	대통령이 지명하고 민의원이 동의
제3공화국(제5차·제6차)	대통령이 임명(국회의 동의를 요하지 않음) 03. 법행
제4공화국(제7차)	
제5공화국(제8차)	대통령이 국회의 동의를 얻어 임명
현행헌법	

2. 문민원칙

헌법 제86조 ③ 군인은 현역을 면한 후가 아니면 국무총리로 임명될 수 없다. 18. 지방직

3. 국회의원 겸직

헌법 제43조 국회의원은 법률이 정하는 직을 겸할 수 없다.

국회법 제29조 【겸직】 ① 의원은 국무총리 또는 국무위원의 직 이외의 다른 직을 겸할 수 없다. 다만, 다음 각 호의 어느 하나에 해당하는 경우에는 그러하지 아니하다. 18. 서울시
1. 공익목적의 명예직
2. 다른 법률에서 의원이 임명·위촉되도록 정한 직
3. 정당법에 따른 정당의 직

제39조 【상임위원회의 위원】 ④ 국무총리, 국무위원, 국무총리실장, 처의 장, 행정각부의 차관 기타 국가공무원의 직을 겸한 의원은 상임위원을 사임할 수 있다. 12. 변호사

헌법 제43조가 국회의원의 겸직의 범위를 입법사항으로 하고 있다. 이에 국회법 제29조 제1항에서는 국회의원은 국무총리 또는 국무위원 이외의 다른 직을 겸할 수 없다고 규정하고, 국회법 제39조 제4항에서는 국무총리·국무위원의 의원 겸직을 전제로 한 규정이므로 국무총리와 국무위원의 국회의원 겸직은 허용된다고 본다(통설).

4. 직무대행과 서리제도

(1) 직무대행

정부조직법 제22조 【국무총리의 직무대행】 국무총리가 사고로 직무를 수행할 수 없는 경우에는 기획재정부장관이 겸임하는 부총리, 교육부장관이 겸임하는 부총리의 순으로 직무를 대행하고, 국무총리와 부총리가 모두 사고로 직무를 수행할 수 없는 경우에는 대통령의 지명이 있으면 그 지명을 받은 국무위원이, 지명이 없는 경우에는 제26조 제1항에 규정된 순서에 따른 국무위원이 그 직무를 대행한다. 13. 국가직, 17. 경정승진

제26조 【행정각부】 ① 대통령의 통할하에 다음의 행정각부를 둔다.
1. 기획재정부
2. 교육부
3. 과학기술정보통신부
4. 외교부
5. 통일부
6. 법무부
7. 국방부

8. 행정안전부
9. 국가보훈부
10. 문화체육관광부
11. 농림축산식품부
12. 산업통상자원부
13. 보건복지부
14. 환경부
15. 고용노동부
16. 여성가족부
17. 국토교통부
18. 해양수산부
19. 중소벤처기업부

개념PLUS+	대통령 권한대행과 국무총리 직무대행의 비교
대통령의 권한대행	국무총리 ⇨ 법률이 정한 국무위원의 순서
국무총리의 직무대행	부총리(기획재정부장관이 겸임하는 부총리, 교육부장관이 겸임하는 부총리의 순) ⇨ 대통령의 지명을 받은 국무위원 ⇨ 지명이 없는 경우에는 법률이 정하는 국무위원의 순서 13. 국가직, 17. 경정승진

(2) 서리제도의 위헌 여부

국무총리는 국회의 사전동의를 얻어 대통령이 임명한다. 그러나 대통령이 국회의 동의를 얻지 않고 먼저 국무총리를 임명하는 관행이 있었는바, 이렇게 국회의 동의를 거치지 않고 임명된 국무총리를 국무총리서리라고 한다. 이러한 국무총리서리제도가 허용될 수 있는지 문제된다.

① 학설
  ㉠ **합헌설:** ⓐ 국무총리 임명에 대한 국회동의는 소극적 거부권의 의미를 가지는 것으로 사후적 승인의 성격을 가지고, ⓑ 국무총리서리라는 헌법변천이 성립하였다고 볼 수 있으며, ⓒ 정부조직법 제22조의 직무대행은 국무총리의 사고의 경우만을 규정하고 있으므로 국무총리의 궐위의 경우에는 법적 상태의 흠결이 발생한다는 것을 이유로 국무총리서리제도는 합헌이라는 견해이다.
  ㉡ **위헌설:** ⓐ 국무총리 임명에 대한 국회동의의 취지는 대통령과 국회의 공동 임명의 의미를 가지는 것으로 국회동의는 사전적 동의의 성격을 가지고, ⓑ 국무총리서리는 위헌적인 것으로 헌법변천으로 성립하였다고 볼 수 없으며, ⓒ 정부조직법 제22조의 직무대행의 사유로서 국무총리의 '사고'에는 국무총리의 '궐위'도 포함하는 것이므로 국무총리의 궐위의 경우에도 법적 상태의 흠결이 발생하지 아니한다는 것을 이유로 국무총리서리제도는 위헌이라는 견해이다.
  ㉢ **예외적 합헌설:** 국무총리서리제도는 원칙적으로 위헌이지만 국회구성이 안 되는 경우, 재적 과반수 출석이 불가능한 경우, 국회 내부적 원인으로 임명동의안을 처리할 수 없는 경우에 한하여 국무총리서리 임명은 헌법에 반하지 아니한다는 견해이다.

② **헌법재판소 – 대통령과 국회의원간의 권한쟁의 [각하]:** 헌법재판소는 국무총리 임명동의안의 처리가 국회에서 무산된 후 대통령이 국회의 동의 없이 국무총리서리를 임명한 데에 대하여 다수당 소속 국회의원들이 국회 또는 자신들의 권한침해를 주장하면서 권한쟁의심판을 청구할 수 있는지 여부가 문제된 사건에서 적법요건을 충족하지 못하였다는 이유로 부적법 각하결정을 하였다(헌재 1998.7.14. 98헌라1).

5. 해임

대통령이 국무총리를 해임하는 것은 자유이다. 국회도 국무총리의 해임을 대통령에게 건의할 수 있는데, 국회의 해임건의가 있는 경우에도 대통령은 이에 구속되지 아니한다(1980년 제8차 개정헌법상 해임의결제와의 차이). 국무총리가 사퇴 또는 해임될 경우에 그가 제청한 국무위원은 당연히 총사퇴하여야 하는지에 대해서는 부정설이 다수설이다.

5 권한

1. 행정각부의 통할·감독권

> 헌법 제86조 ② 국무총리는 대통령을 보좌하며, 행정에 관하여 **대통령의 명**을 받아 행정각부를 통할한다.

국무총리는 행정각부의 장에 대하여 훈령, 지시, 통첩 등의 형식으로 통할·감독하고, 중앙행정기관의 장의 명령이나 처분이 위법 또는 부당하다고 인정될 경우에는 대통령의 승인을 받아 이를 중지 또는 취소할 수 있다(정부조직법 제18조).
09·12. 사시, 11. 법무사, 13. 국가직, 14. 경정승진, 16. 지방직, 18. 서울시

⚖ 판례

1 국가안전기획부를 대통령직속기관으로 한 정부조직법 제14조가 행정각부를 국무총리의 통할하에 두도록 한 헌법 제86조 제2항에 위반하는지 여부: 소극

헌법 제86조 제2항은 그 위치와 내용으로 보아 국무총리의 헌법상 주된 지위가 대통령의 보좌기관이라는 것과 그 보좌기관인 지위에서 행정에 관하여 대통령의 명을 받아 행정각부를 통할할 수 있다는 것을 규정한 것일 뿐 그 통할을 받지 않는 행정기관은 법률에 의하더라도 이를 설치할 수 없음을 의미한다고는 볼 수 없어 구 정부조직법 제14조가 국가안전기획부를 대통령직속기관으로 규정하고 있다 하더라도 이 규정이 헌법 제86조 제2항에 위반된다고 할 수 없다(헌재 1994.4.28. 89헌마86). 06. 행시, 09. 국가직, 12. 사시·법무사·지방직, 16. 국가직

2 국무총리의 통할을 받는 '행정각부'의 의미

헌법이 '행정각부'의 의의에 관하여는 아무런 규정도 두고 있지 않지만, '행정각부의 장(長)'에 관하여는 '제3관 행정각부'의 관(款)에서 행정각부의 장은 국무위원 중에서 임명되며(헌법 제94조) 그 소관사무에 관하여 법률이나 대통령령의 위임 또는 직권으로 부령을 발할 수 있다(헌법 제95조)고 규정하고 있는바, 이는 헌법이 '행정각부'의 의의에 관하여 간접적으로 그 개념범위를 제한한 것으로 볼 수 있다. 즉, 성질상 정부의 구성단위인 중앙행정기관이라 할지라도, 법률상 그 기관의 장(長)이 국무위원이 아니라든가 또는

국무위원이라 하더라도 그 소관사무에 관하여 부령을 발할 권한이 없는 경우에는 그 기관은 우리 헌법이 규정하는 실정법적(實定法的) 의미의 행정각부로는 볼 수 없다는 헌법상의 간접적인 개념제한이 있음을 알 수 있다. 따라서 정부의 구성단위로서 그 권한에 속하는 사항을 집행하는 모든 중앙행정기관이 곧 헌법 제86조 제2항 소정의 행정각부는 아니라 할 것이다. 또한 입법권자는 헌법 제96조에 의하여 법률로써 행정을 담당하는 행정기관을 설치함에 있어 그 기관이 관장하는 사무의 성질에 따라 국무총리가 대통령의 명을 받아 통할할 수 있는 기관으로 설치할 수도 있고 또는 대통령이 직접 통할하는 기관으로 설치할 수도 있다 할 것이므로 헌법 제86조 제2항 및 제94조에서 말하는 국무총리의 통할을 받는 행정각부는 입법권자가 헌법 제96조의 위임을 받은 정부조직법 제29조(현 제26조)에 의하여 설치하는 행정각부만을 의미한다고 할 것이다(헌재 1994.4.28. 89헌마221). 06. 행시, 09·16·19. 국가직, 12. 지방직, 18. 서울시

☑ **주의**
- 국무총리의 통할을 받지 않는 행정기관은 둘 수 없다. (×)
- 정부조직법에 의하여 설치되는 행정각부는 모두 국무총리의 통할을 받아야 한다. (○)

3 고위공직자범죄수사처가 입법부·행정부·사법부 어디에도 속하지 않는 기관인지, 아니면 행정부 소속의 기관인지 여부: 적극

공수처법 제3조 제1항은 수사처의 소속에 대하여 아무런 언급을 하고 있지 않다.
그러나 중앙행정기관을 반드시 국무총리의 통할을 받는 '행정각부'의 형태로 설치하거나 '행정각부'에 속하는 기관으로 두어야 하는 것이 헌법상 강제되는 것은 아니어서 법률로써 '행정각부'에 속하지 않는 독립된 형태의 행정기관을 설치하는 것이 헌법상 금지된다고 할 수 없는 점, 수사처가 수행하는 수사와 공소제기 및 유지는 헌법상 본질적으로 행정에 속하는 사무에 해당하는 점, 수사처의 구성에 있어 대통령의 실질적인 인사권이 인정되고 수사처장이 국무회의에 출석하여 발언할 수 있으며 독자적으로 의안을 제출하는 대신 법무부장관에게 의안제출을 건의할 수 있는 점 등을 종합하면, **수사처는 대통령을 수반으로 하는 행정부에 소속되고, 그 관할권의 범위가 전국에 미치는 중앙행정기관으로 보는 것이 타당하다**(헌재 2021.1.28. 2020헌마264).

2. 총리령발포권

> 헌법 제95조 국무총리 또는 행정각부의 장은 소관 사무에 관하여 법률이나 대통령령의 위임 또는 직권으로 총리령 또는 부령을 발할 수 있다. 10. 법무사, 18. 지방직

(1) 종류
① **위임명령**: 국무총리가 법률이나 대통령령의 위임에 따라 발하는 법규명령이다.
② **직권명령**: 법규명령으로서의 집행명령이다.
③ **행정명령**: 국무총리는 비법규명령인 행정명령을 발할 수 있다.

(2) 총리령과 부령의 우열관계
총리령과 부령의 우열관계에 관하여는 ① 동위설(통설)과 ② 총리령우위설이 대립한다. 총리령과 부령은 다같이 법률 또는 대통령령의 위임에 의하여 또는 그 집행을 위하여 발한다는 점, 국무총리도 그 소관 사무에 관하여는 행정각부와 동등한 중앙행정관청에 지나지 않는다는 점, 헌법에 그 우열에 관한 규정이 없다는 점에서 양자는 형식적 효력에 있어 차이가 없다고 본다. 그러나 대통령령은 총리령이나 부령보다 상위규범임을 주의하여야 한다.

3. 대통령의 권한대행권

> 헌법 제71조 대통령이 궐위되거나 사고로 인하여 직무를 수행할 수 없을 때에는 국무총리, 법률이 정한 국무위원의 순서로 그 권한을 대행한다.

4. 국무위원·행정각부의 장의 임면관여권

(1) 의의

> 헌법 제87조 ① 국무위원은 국무총리의 제청으로 대통령이 임명한다. 15. 법무사, 18. 서울시
> ③ 국무총리는 국무위원의 해임을 대통령에게 건의할 수 있다. 15. 국가직

(2) 국무총리의 제청이 없는 대통령의 임명행위의 효력

국무총리의 제청 없이 대통령이 단독으로 한 임명행위의 효력에 관하여는 무효설과 유효설(다수설)이 대립하고 있는바, 국무총리의 국무위원 임명제청은 대통령에 대한 보좌적 기능에 불과하고 적법요건일 뿐이므로 국무총리의 제청 없이 대통령이 단독으로 한 임명행위도 헌법 위반으로 탄핵소추의 사유가 될 수 있을지언정 당연히 무효가 되는 것은 아니라고 본다.

(3) 국무총리의 제청이나 해임건의에 대통령이 구속되는지 여부

이에 대해서도 구속설과 비구속설의 대립이 있지만, 현행법상 국무총리는 대통령의 보좌기관에 불과하므로 법적 구속력을 가진다고는 할 수 없을 것이다.

(4) 국무위원들의 연대책임 여부

국무총리가 국회의 해임건의에 의해 해임된 경우 그가 제청한 국무위원들도 사임하여야 하는지에 대하여 사임필요설과 사임불요설이 대립하나, 국무총리의 해임은 내각에 대한 불신임이 아니고 그 개인의 정치적 책임에 불과하므로 다른 국무위원이나 행정각부의 장까지 사임할 이유는 없다고 본다(다수설).

5. 국무회의에서의 심의·의결권

> 헌법 제88조 ① 국무회의는 정부의 권한에 속하는 중요한 정책을 심의한다.
> ② 국무회의는 대통령·국무총리와 15인 이상 30인 이하의 국무위원으로 구성한다. 19. 서울시
> ③ 대통령은 국무회의의 의장이 되고, 국무총리는 부의장이 된다.

6. 대통령의 국무행위에 부서할 권한

> 헌법 제82조 대통령의 국법상 행위는 문서로써 하며, 이 문서에는 국무총리와 관계국무위원이 부서한다. 군사에 관한 것도 또한 같다. 18. 서울시

📖 핵심기출 OX

01 행정각부의 장과는 달리 국무위원으로 임명되기 위해서는 국무총리의 제청이 필수적인 것은 아니다. 15. 법무사
(O, ×)

답 × 국무위원은 국무총리의 제청으로 대통령이 임명한다(헌법 제87조 제1항). 행정각부의 장은 국무위원 중에서 국무총리의 제청으로 대통령이 임명한다(헌법 제94조).

02 국무위원은 임명권자가 해임할 수 있으며, 국무위원에 대한 해임건의권의 행사는 국회에 전속된다. 15. 국가직
(O, ×)

답 × 국무총리는 국무위원의 해임을 대통령에게 건의할 수 있다(헌법 제87조 제3항).

❶ 정부위원

국무조정실의 실장 및 차장, 부·처·청의 처장·차관·청장·차장·실장·국장 및 차관보와 과학기술정보통신부·행정안전부 및 산업통상자원부에 두는 본부장은 정부위원이 된다(정부조직법 제10조).

7. 국회에의 출석·발언권

> **헌법 제62조** ① 국무총리·국무위원 또는 정부위원❶은 국회나 그 위원회에 출석하여 국정처리상황을 보고하거나 의견을 진술하고 질문에 응답할 수 있다. 09·19. 국가직, 18. 지방직
>
> **국회법 제120조【국무위원 등의 발언】** ① 국무총리, 국무위원 또는 정부위원은 본회의나 위원회에서 발언하려면 미리 의장 또는 위원장의 허가를 받아야 한다.

6 책임

1. 대통령에 대한 책임

(1) 국정운영에 관하여 대통령을 보좌할 책임

(2) 집행에 관하여 대통령의 명을 받아 행정각부를 통할할 책임

(3) 대통령의 모든 국법상의 행위에 부서할 책임

2. 국회에 대한 책임

(1) 국회의 해임건의에 따른 책임

국무총리는 행정부의 제2인자로서 국회에 대하여 정치적 책임을 지고, 국회는 국무총리에 대하여 해임건의를 의결할 수 있다. 이 점에서 국회에 대하여 아무런 정치적 책임을 지지 아니하는 대통령과 구별된다. 다만, 대통령의 궐위시에 대통령의 권한을 대행하는 국무총리에 대해서는 국회의 해임건의가 불가능하다(권영성).

(2) 국회의 요구에 의한 출석·답변의 책임

> **헌법 제62조** ② 국회나 그 위원회의 요구가 있을 때에는 국무총리·국무위원 또는 정부위원은 출석·답변하여야 하며, 국무총리 또는 국무위원이 출석요구를 받은 때에는 국무위원 또는 정부위원으로 하여금 출석·답변하게 할 수 있다. 16. 지방직

(3) 국회의 탄핵소추에 대한 책임

> **헌법 제65조** ① 대통령, 국무총리, 국무위원, 행정각부의 장, 헌법재판소 재판관, 법관, 중앙선거관리위원회위원, 감사원장, 감사위원 기타 법률이 정한 공무원이 그 직무집행에 있어서 헌법이나 법률을 위배한 때에는 국회는 탄핵의 소추를 의결할 수 있다. 19. 서울시
> ② 제1항의 탄핵소추는 국회재적의원 3분의 1 이상의 발의가 있어야 하며, 그 의결은 국회재적의원 과반수의 찬성이 있어야 한다. 다만, 대통령에 대한 탄핵소추는 국회재적의원 과반수의 발의와 국회재적의원 3분의 2 이상의 찬성이 있어야 한다.
> ③ 탄핵소추의 의결을 받은 자는 탄핵심판이 있을 때까지 그 권한행사가 정지된다.

> **참고 국무총리 소속기관** 19. 국가직
>
> 정부조직법상 인사혁신처, 법제처, 식품의약품안전처를 국무총리 소속기관으로 규정한다.
>
> > **정부조직법 제22조의3【인사혁신처】** ① 공무원의 인사·윤리·복무 및 연금에 관한 사무를 관장하기 위하여 국무총리 소속으로 인사혁신처를 둔다.
> >
> > **제23조【법제처】** ① 국무회의에 상정될 법령안·조약안과 총리령안 및 부령안의 심사와 그 밖에 법제에 관한 사무를 전문적으로 관장하기 위하여 국무총리 소속으로 법제처를 둔다.
> >
> > **제25조【식품의약품안전처】** ① 식품 및 의약품의 안전에 관한 사무를 관장하기 위하여 국무총리 소속으로 식품의약품안전처를 둔다.

제2절 국무위원

1 헌법상 지위

> **헌법 제87조** ② 국무위원은 국정에 관하여 **대통령을 보좌**하며, 국무회의의 구성원으로서 국정을 심의한다. 13. 법원직

(1) 국무회의 구성원의 지위를 가진다.

(2) 대통령 보좌기관의 지위를 가진다.

2 임면

> **헌법 제87조** ① 국무위원은 국무총리의 제청으로 대통령이 임명한다.
> ③ 국무총리는 국무위원의 해임을 대통령에게 건의할 수 있다.
> ④ 군인은 현역을 면한 후가 아니면 국무위원으로 임명될 수 없다. 10. 지방직

3 권한

(1) 대통령의 권한대행권(헌법 제71조, 정부조직법 제26조)

(2) 국무회의의 소집요구 및 심의·의결권

(3) 부서할 권한(헌법 제82조)

(4) 국회에의 출석·발언권(헌법 제62조 제1항)

핵심기출 OX

01 대통령은 국가원수이자 집행부 수반으로서의 지위를 겸하고, 집행부의 각료회의는 대통령의 보좌기관 내지 자문기관에 지나지 않는다. 06. 국가직
(O, ×)

답 ○

02 국무위원은 국정에 관하여 국무총리를 보좌하며, 국무회의의 구성원으로서 국정을 심의한다. 13. 법원직
(O, ×)

답 × 국무위원은 국정에 관하여 대통령을 보좌하며, 국무회의의 구성원으로서 국정을 심의한다(헌법 제87조 제2항).

03 총리와 부총리는 모두 국무회의의 구성원이기는 하나, 국무위원은 아니다. 14. 법무사 (O, ×)

답 × 총리(국무총리)는 국무회의 구성원이지만 국무위원은 아니다. 그러나 부총리는 국무회의 구성원이면서 국무위원이다.

4 책임

(1) 국회나 그 위원회의 요구가 있을 때에는 출석·답변하여야 한다(헌법 제62조 제2항).

(2) 자신의 권한사항과 관련된 대통령의 국법상 행위에 대해서는 부서를 하여야 한다.

(3) 국회의 해임건의(국회에 대한 정치적 책임, 해임건의의 구속력은 없다)에 따라 대통령에 의한 해임이 있는 경우에는 사임하여야 한다. 10. 지방직

제3절 국무회의

> 헌법 제88조 ① 국무회의는 정부의 권한에 속하는 중요한 정책을 심의한다.

1 국무회의의 유형 비교

구분	미국의 각료회의	우리나라의 국무회의	의원내각제의 내각
기관의 성격	자문기관	심의기관	의결기관
헌법기관성	×	○	○
필수적 기관성	×	○	○
의결절차의 필수성	×	○	○
의결의 구속력	×	×	○
의회에 대한 정치적 책임	×	○ (국회의 해임건의권)	○ (의회의 내각불신임권)

2 헌법상 지위

현행헌법상 국무회의는 행정부의 권한에 속하는 중요정책을 심의하는 '행정부의 최고합의제 심의기관으로서 헌법상 필수기관'이다.

1. 헌법상 필수기관

국무회의는 헌법상 반드시 설치하여야 하는 필수기관이므로 헌법개정을 통해서만 폐지할 수 있다. 08. 법무사

2. 최고의 정책심의기관

국무회의는 의원내각제의 내각과 대통령제의 각료회의의 중간 형태인 정책심의 기관이다.

3. 독립된 합의제 기관

국무회의는 대통령에 소속하는 기관이 아니라 독립된 합의제 기관이다(통설). 따라서 국무회의의 심의에 있어서는 대통령, 국무총리, 국무위원 모두가 법적으로 동등한 지위를 가진다. 국무회의는 대외적으로 자신의 명의로써 국가의사를 표시할 권한은 없으므로 합의제 '관청'은 아니다.

☑ **주의 국무회의**
- 대통령 소속 기관 ✕
- 독립된 합의제 기관 ○

3 구성과 운영

1. 국무회의의 구성

> **헌법 제88조** ① 국무회의는 정부의 권한에 속하는 중요한 정책을 심의한다.
> ② 국무회의는 **대통령·국무총리와 15인 이상 30인 이하의 국무위원**으로 구성한다. 06.
> 법행, 12. 지방직, 13. 국가직, 14. 법무사
> ③ 대통령은 국무회의의 의장이 되고, 국무총리는 부의장이 된다.

2. 국무회의의 운영

> **정부조직법 제12조【국무회의】** ① 대통령은 국무회의의장으로서 회의를 소집하고 이를 주재한다.
> ② 의장이 사고로 직무를 수행할 수 없는 경우에는 부의장인 국무총리가 그 직무를 대행하고, 의장과 부의장이 모두 사고로 직무를 수행할 수 없는 경우에는 **기획재정부장관이 겸임하는 부총리, 교육부장관이 겸임하는 부총리** 및 제26조 제1항에 규정된 순서에 따라 국무위원이 그 직무를 대행한다. 08. 사시
> ③ 국무위원은 정무직으로 하며, 의장에게 의안을 제출하고 국무회의의 소집을 요구할 수 있다. 18. 지방직
> ④ 국무회의의 운영에 관하여 필요한 사항은 대통령령으로 정한다.
>
> **제13조【국무회의의 출석권 및 의안제출】** ① 국무조정실장·인사혁신처장·법제처장·식품의약품안전처장 그 밖에 법률로 정하는 공무원은 필요한 경우 국무회의에 **출석하여 발언**할 수 있다.
> ② 제1항에 규정된 공무원은 소관 사무에 관하여 국무총리에게 의안의 제출을 건의할 수 있다.

01 국무회의는 구성원 과반수의 출석으로 개의하고, 출석구성원 과반수의 찬성으로 의결한다. 18. 국회직 9급
(O, X)

🖉 × 국무회의는 구성원 과반수의 출석으로 개의(開議)하고, 출석구성원 3분의 2 이상의 찬성으로 의결한다.

02 정부에 제출되는 정부의 정책에 관계되는 청원의 심사는 청원법에 따라 국무회의의 심사를 거칠 수 있다.
13. 법원직 (O, X)

🖉 × 정부에 제출 또는 회부된 정부의 정책에 관계되는 청원의 심사는 '헌법'에 따라 국무회의의 심의를 거쳐야 하는 필수적 심의사항이다(헌법 제89조 제15호). 즉, 심의를 거쳐야 한다.

03 행정각부간의 권한의 획정, 행정각부의 장 및 검찰총장·대사의 임명, 국정처리상황의 평가·분석, 정부에 제출 또는 회부된 정부의 정책에 관계되는 청원의 심사 등은 국무회의 심의사항에 해당하나, 외국대사의 신임장 수리, 국무총리 임명 등은 심의대상이 아니다. 14. 경정승진 (O, X)

🖉 × 행정각부의 장의 임명은 국무회의 심의사항이 아니다(헌법 제89조 참조).

04 국무회의의 심의사항에 관하여 헌법 제89조는 정부의 권한에 속하는 중요정책으로서 제1호에서 제16호까지 열거한 사항만을 대상으로 하도록 규정하여 소위 한정적 열거주의를 취하고 있다. 14. 경정승진 (O, X)

🖉 × 헌법 제89조 제1호에서 제16호까지 열거한 사항 외에 '기타 대통령·국무총리 또는 국무위원이 제출한 사항'도 국무회의의 심의사항으로 할 수 있기 때문에 한정적 열거주의를 취하고 있는 것은 아니다(헌법 제89조 제17호 참조).

05 대통령의 영전수여권과 외교사절의 신임·접수권은 행정부 수반에게 주어진 고유권한이므로 국무회의의 심의사항이 아니다. 15. 서울시 (O, X)

🖉 × '영전수여'는 국무회의 심의사항이지만, 외교사절의 신임·접수권은 국무회의 심의사항이 아니다(헌법 제89조 참조).

06 행정각부간의 권한의 획정은 국무회의 심의사항이다. 08. 국가직 (O, X)

🖉 O

4 심의

1. 심의절차

> 헌법 제88조 ① 국무회의는 정부의 권한에 속하는 중요한 정책을 심의한다.
>
> 국무회의 규정 제6조 【의사정족수 및 의결정족수 등】 ① 국무회의는 구성원 과반수의 출석으로 개의하고, 출석구성원 3분의 2 이상의 찬성으로 의결한다. 04. 법행, 08. 사시, 11. 법무사, 14. 국가직, 18. 국회직 9급

2. 심의사항

> 헌법 제89조 다음 사항은 국무회의의 심의를 거쳐야 한다. 04·08. 국가직, 05. 입시·행시, 06. 법행, 08. 사시, 10·15. 법무사, 14. 경정승진, 15. 법원직·서울시, 17. 법원직
> 1. 국정의 기본계획과 정부의 일반 정책
> 2. 선전·강화 기타 중요한 대외정책
> 3. 헌법개정안·국민투표안·조약안·법률안 및 대통령령안 19. 서울시
> 4. 예산안·결산·국유재산처분의 기본계획·국가의 부담이 될 계약 기타 재정에 관한 중요사항
> 5. 대통령의 긴급명령·긴급재정경제처분 및 명령 또는 계엄과 그 해제
> 6. **군사에 관한 중요사항**
> 7. 국회의 **임시회집회의 요구** 19. 서울시
> 8. **영전수여** 15. 서울시, 19. 지방직
> 9. 사면·감형과 복권
> 10. **행정각부간의 권한의 획정** 08. 국가직
> 11. 정부안의 권한의 위임 또는 배정에 관한 기본계획
> 12. 국정처리상황의 평가·분석
> 13. 행정각부의 중요한 정책의 수립과 조정
> 14. 정당해산의 제소
> 15. 정부에 제출 또는 회부된 정부의 정책에 관계되는 **청원의 심사** 13. 법원직
> 16. **검찰총장, 합동참모의장, 각군 참모총장, 국립대학교 총장, 대사** 기타 법률이 정한 공무원과 국영기업체 관리자의 임명
> 17. 기타 대통령·국무총리 또는 국무위원이 제출한 사항
> ☑ **주의** 국무회의 심의사항이 아닌 것
> 총리령안, 부령안, 국회의 정기회, 대법원장, 대법관, 국무총리, 국무위원, 행정각부의 장, 헌법재판소장, 헌법재판관, 감사원장, 감사위원

3. 심의의 효과

(1) 심의를 거치지 아니한 대통령의 국무행위의 효력

① **학설**

　㉠ **유효설**: 국무회의는 심의기관에 불과하다는 점에서 국무회의의 심의절차는 효력요건이 아닌 적법요건으로 보아야 할 것이고, 따라서 심의를 거치지 않은 대통령의 행위는 단지 위법한 행위로서 탄핵소추의 사유가 될 뿐이라고 한다(권영성).

ⓛ **무효설(다수설)**: 국무회의의 심의 자체가 하나의 기관 내 통제수단일 뿐 아니라 통치권행사의 절차적 정당성을 확보하기 위한 통치구조상의 메커니즘에 해당한다는 점에서 국무회의의 심의를 거치지 않은 행위는 무효이고, 또한 대통령이 국무회의의 심의내용에 기속되지 아니한다는 것과 대통령이 국무회의의 심의절차를 무시한다는 것과는 엄격히 구별되어야 한다고 한다.

② **검토**: 헌법이 규정하고 있는 국무회의의 기관 내 통제수단으로서의 기능을 무시할 수 없으나, 국무회의의 성격은 대통령의 정책결정을 보좌하는 심의기관에 지나지 아니하므로 국무회의에서의 심의절차는 적법요건으로 보아야 할 것이고, 국무회의의 심의절차를 무시한 대통령의 국무행위도 당연무효는 아니고 단지 위법한 행위로서 탄핵소추의 사유가 되는 것에 지나지 않는다고 할 것이다.

(2) 국무회의의 심의결과의 구속력

① **학설**

ⓖ **구속설**: 국무회의에서 심의한 사항을 대통령이 반드시 채택하여 집행할 의무는 없지만, 헌법이 국무회의의 심의를 규정하고 있는 이상 이를 채택하여 집행할 경우에는 대통령은 국무회의에서 심의한 내용과 다르게 그 권한을 행사할 수 없다고 한다.

ⓛ **비구속설(통설)**: 국무회의는 정부의 권한에 속하는 중요정책을 결정하는 것이 아니라 심의하는 것일 뿐이므로 국무회의의 심의가 의결의 형식으로 이루어진 경우에도 그 의결은 대통령을 구속하는 효력이 없다고 한다. 08 · 09. 사시

② **검토**: 우리 헌법은 대통령제를 기본으로 하고 있고 헌법이 의결이라는 표현 대신 심의라는 용어를 사용하고 있는 점을 감안한다면 심의결과에 대통령이 법적으로 구속된다고 볼 수는 없고, 대통령은 국무회의의 심의내용과 다른 정책을 결정하고 집행할 수 있다고 할 것이다.

⚖ 판례

국무회의의 의결이 헌법소원의 대상이 되는지 여부: 소극 [각하]

대통령이 국회에 파병동의안을 제출하기 전에 대통령을 보좌하기 위하여 파병정책을 심의 · 의결한 국무회의의 의결은 국가기관의 내부적 의사결정행위에 불과하여 그 자체로 국민에 대하여 직접적인 법률효과를 발생시키는 행위가 아니므로 헌법재판소법 제68조 제1항에서 말하는 공권력의 행사에 해당하지 아니한다(헌재 2003.12.18. 2003헌마225). 05. 법행, 08. 사시, 15. 법원직, 17. 국회직 9급

제4절 대통령의 자문기관

1 국가원로자문회의

> **헌법 제90조** ① 국정의 중요한 사항에 관한 대통령의 자문에 응하기 위하여 국가원로로 구성되는 국가원로자문회의를 둘 수 있다. 04. 국가직, 14. 국회직 8급
> ② 국가원로자문회의의 의장은 직전대통령이 된다. 다만, 직전대통령이 없을 때에는 대통령이 지명한다. 19. 서울시
> ③ 국가원로자문회의의 조직·직무범위 기타 필요한 사항은 법률로 정한다.

1988년에는 국가원로자문회의법이 개정되어 국가원로자문회의의 구성, 의장의 직무, 사무처 등을 규정한 바 있으나 1989년 3월에 국가원로자문회의법은 폐지되었고, 현재 국가원로자문회의는 설치되고 있지 않다.

2 국가안전보장회의

> **헌법 제91조** ① 국가안전보장에 관련되는 **대외**정책·군사정책과 **국내**정책의 수립에 관하여 국무회의의 심의에 앞서 대통령의 자문에 응하기 위하여 국가안전보장회의를 둔다. 04·06. 법행, 14. 법무사, 15. 법원직
> ② 국가안전보장회의는 대통령이 주재한다. 19. 서울시
> ③ 국가안전보장회의의 조직·직무범위 기타 필요한 사항은 법률로 정한다.

국가안전보장회의는 국무회의의 심의에 앞서 대통령의 자문에 응하는 필수적 자문기관이다. 04. 국가직 그러나 자문기관에 불과하다는 점에서 대통령이 그 자문을 거치지 않았더라도 효력과 적법성에는 영향이 없다. 국가안전보장회의는 대통령, 국무총리, 외교부장관, 통일부장관, 국방부장관 및 국가정보원장과 대통령이 정하는 약간의 위원으로 구성하며(기획재정부장관은 제외), 06. 법행 대통령은 국가안전보장회의의 의장이 된다.

🔨 판례

국가안전보장회의의 이라크파병결정이 헌법소원의 대상이 되는지 여부: 소극 [각하]

국가안전보장회의는 헌법상 대통령의 자문기관에 불과할 뿐 공권력의 행사, 특히 문제된 국군의 외국에의 파견이라는 국가행위(공권력행사)의 주체가 될 수 없다. 가사 국가안전보장회의가 그와 같은 결정(의결)을 하더라도 이는 국군통수권자인 대통령의 결정으로 볼 수 있음은 별론으로 하고 국가기관 내부의 의사결정, 특히 대통령에 대한 권고 내지 의견제시에 불과할 뿐 법적 구속력이 있거나 대외적 효력이 있는 행위라고 볼 수는 없다. 살피건대 국가안전보장회의는 국가안보와 관련한 대외정책·군사정책의 수립에 관하여 헌법상 대통령의 자문기관이고 그 의결에 구속력이 없어 그 자체로는 법적 효력이 없지만, 대통령이 대외정책·군사정책의 수뇌부가 모인 가운데 자문을 거쳐 의결로 파병을 결정하고 공표하였다면 그 결정은 실질적으로 대통령의 파병결정이라고 할 것이다(헌재 2004.4.29. 2003헌마814).

3 민주평화통일자문회의

> **헌법 제92조** ① 평화통일정책의 수립에 관한 대통령의 자문에 응하기 위하여 민주평화통일자문회의를 둘 수 있다. 04. 국가직, 15. 국회직 8급
> ② 민주평화통일자문회의의 조직·직무범위 기타 필요한 사항은 법률로 정한다.

이에 관한 법률로는 민주평화통일자문회의법이 있다. 대통령은 민주평화통일자문회의의 의장이 되며, 대통령이 위촉하는 7천명 이상의 자문위원으로 구성한다. 의장은 위원 중에서 그 출신지역과 직능을 참작하여 25명 이내의 부의장을 임명한다(민주평화통일자문회의법 제3조, 제6조).

4 국민경제자문회의

> **헌법 제93조** ① 국민경제의 발전을 위한 **중요**정책의 수립에 관하여 대통령의 자문에 응하기 위하여 국민경제자문회의를 둘 수 있다.
> ② 국민경제자문회의의 조직·직무범위 기타 필요한 사항은 법률로 정한다.

이에 관한 법률로서 국민경제자문회의법이 있다. 국민경제자문회의는 의장 1명, 부의장 1명, 당연직 위원 5명 이내, 위촉위원 30명 이내 및 지명위원으로 구성하며, 국민경제자문회의의 의장은 대통령이 되고 부의장은 의장이 위촉위원 중에서 지명한다(국민경제자문회의법 제3조).

5 국가과학기술자문회의❶

> **헌법 제127조** ① 국가는 과학기술의 혁신과 정보 및 인력의 개발을 통하여 국민경제의 발전에 노력하여야 한다.
> ③ 대통령은 제1항의 목적을 달성하기 위하여 필요한 자문기구를 둘 수 있다.

국가과학기술자문회의는 그 밖의 자문회의와는 달리 헌법상의 기관이 아니다. 국가과학기술자문회의는 의장 1명, 부의장 1명을 포함한 30명 이내의 위원으로 구성하며, 의장은 대통령이 되고 부의장은 국가과학기술자문회의법 제3조 제3항 제1호에 따라 과학기술 또는 정치·경제·인문·사회·문화 분야에 관하여 학식과 경험이 풍부한 전문가 중에서 의장이 위촉한 위원 중에서 의장이 지명한다(국가과학기술자문회의법 제3조).

개념PLUS+ 대통령의 자문기관 비교 04. 국가직, 06. 법행, 13. 서울시

구분	성격		의장	연혁	관련 법률
국가원로자문회의	헌법기관	임의기관	직전 대통령	제5공화국 헌법	국가원로자문회의법 – 폐지
국가안전보장회의	헌법기관	필수기관	대통령	제3공화국 헌법	국가안전보장회의법

❶ 국가과학기술자문회의
헌법기관 ×, 법률기관 ○

🏛 **핵심기출 OX**

01 평화통일정책의 수립에 관한 대통령의 자문에 응하기 위하여 민주평화통일자문회의를 두어야 하며, 그 조직·직무범위 기타 필요한 사항은 법률로 정한다. 15. 국회직 8급 (○, ×)
🔑 × 민주평화통일자문회의를 둘 수 있다. 즉, 임의적 자문기구이다.

02 헌법은 임의적 자문기구로, 국가과학기술자문회의와 국가원로자문회의를 명시하고 있다. 13. 서울시 (○, ×)
🔑 × 국가원로자문회의는 헌법상 임의적 자문기구이지만, 국가과학기술자문회의는 헌법 제127조 제3항에 근거하는 자문기구이기는 하나 헌법이 그 이름을 명시하고 있지는 않다. 국가과학기술자문회의법에 의하여 설치된 법률기관이다.

03 헌법상의 자문기관으로는 국가원로자문회의, 국가안전보장회의, 민주평화통일자문회의, 국민경제자문회의가 규정되어 있다. 06. 법행 (○, ×)
🔑 ○

민주평화통일 자문회의	헌법기관	임의기관	대통령	제5공화국 헌법	민주평화통일 자문회의법
국민경제 자문회의	헌법기관	임의기관	대통령	현행헌법 신설	국민경제 자문회의법
국가과학기술 자문회의	법률기관	임의기관	대통령	제5공화국 헌법	국가과학기술 자문회의법

제5절 행정각부

1 행정각부

1. 개념

행정각부는 대통령을 수반으로 하는 행정부의 구성단위로서 대통령이 결정한 정책과 그 밖의 행정부의 권한에 속하는 사항을 집행하는 중앙행정관청이다.

2. 성격

행정각부는 대통령이나 국무총리의 단순한 보좌기관이 아니라 그들의 하위에 있는 관청이다.

3. 설치 · 조직 및 직무범위

헌법 제96조 행정각부의 설치 · 조직과 직무범위는 법률로 정한다.

정부조직법 제26조 【행정각부】 ① 대통령의 통할하에 다음의 행정각부를 둔다.
 1. 기획재정부
 2. 교육부
 3. 과학기술정보통신부
 4. 외교부
 5. 통일부
 6. 법무부
 7. 국방부
 8. 행정안전부
 9. 국가보훈부
 10. 문화체육관광부
 11. 농림축산식품부
 12. 산업통상자원부
 13. 보건복지부
 14. 환경부
 15. 고용노동부
 16. 여성가족부
 17. 국토교통부
 18. 해양수산부
 19. 중소벤처기업부

② 행정각부에 장관 1명과 차관 1명을 두되, 장관은 국무위원으로 보하고, 차관은 정무직으로 한다. 다만, 기획재정부·과학기술정보통신부·외교부·문화체육관광부·국토교통부에는 차관 2명을 둔다.
③ 장관은 소관 사무에 관하여 지방행정의 장을 지휘·감독한다.

2 행정각부의 장

1. 지위

헌법 제94조 행정각부의 장은 **국무위원** 중에서 국무총리의 제청으로 대통령이 임명한다.
15. 법무사

행정각부의 장은 모두 국무위원이지만, 13. 지방직 국무위원이 모두 행정각부의 장은 아니다. 따라서 행정각부의 장은 국무위원의 지위와 행정각부의 장이라는 이중적 지위를 가지나, 그 법적 지위는 서로 다르다.

2. 권한

(1) 중앙행정관청으로서의 권한

행정각부의 장은 소관 사무에 관하여 결정·집행할 수 있다. 또한 소속 직원을 지휘·감독하며, 소관 사무에 관하여 지방행정기관의 장을 지휘·감독한다.

(2) 부령발포권

헌법 제95조 국무총리 또는 행정각부의 장은 소관 사무에 관하여 법률이나 대통령령의 위임 또는 직권으로 총리령 또는 부령을 발할 수 있다. 08. 선관위 7급, 10. 법무사, 18. 지방직·행시

행정각부의 장이 발하는 부령에는 ① 법규명령[위임명령, 집행명령(직권명령)]과 ② 행정명령(행정규칙)이 있다.

✅ **주의** 부령발포권자
- 국무위원 ✕
- 국무총리, 행정각부의 장 ○

(3) 소속 공무원에 대한 임용제청권과 임용권

국가공무원법 제32조【임용권자】① 행정기관 소속 5급 이상 공무원 및 고위공무원단에 속하는 일반직 공무원은 소속 장관의 제청으로 인사혁신처장과 협의를 거친 후에 국무총리를 거쳐 대통령이 임용하되, 고위공무원단에 속하는 일반직 공무원의 경우 소속 장관은 해당 기관에 소속되지 아니한 공무원에 대하여도 임용제청할 수 있다. 이 경우 국세청장은 국회의 인사청문을 거쳐 대통령이 임명한다. 18. 서울시
② 소속 장관은 소속 공무원에 대하여 제1항 외의 모든 임용권을 가진다.

(4) 기타 권한

소관 사무에 관한 정책을 수립하고, 필요한 법률 또는 대통령령을 제정·개정·폐지하는 안과 예산안을 작성할 수 있다.

구분	국무위원	행정각부의 장
상호관계	국무위원이 반드시 행정각부의 장인 것은 아님	행정각부의 장은 모두 국무위원
지위	• 대통령 보좌 • 국무회의 구성원	대통령의 지휘·감독을 받아 소관 사무를 집행하는 기관
대통령과의 관계	법적으로 대등	하급행정기관
사무범위	한계 없음	한계 있음
권한	• 국무회의소집요구권 • 대통령의 권한대행 • 부서	• 부령발포권 • 소속 직원에 대한 지휘·감독권 • 행정각부의 소관 사무의 집행결정권
책임	• 국회출석·답변의무 • 탄핵소추에 의한 책임 • 해임건의에 의한 책임 • 부서에 따르는 책임	탄핵소추에 의한 책임

제6절 감사원

1 의의

1. 개념

감사원은 국가의 세입·세출의 결산, 국가 및 법률이 정한 단체의 회계검사, 행정기관 및 공무원에 대한 직무감찰을 그 소관 사항으로 하는 대통령 소속하의 헌법상 독립된 합의제 기관(관청)이다. 06. 행시, 08. 법원직

2. 유형

(1) 입법부형

감사기관이 입법부에 소속된 유형이다(예 미국, 영국).

(2) 행정부형

감사기관이 행정부에 소속된 유형이다(예 우리나라). 11. 사시

(3) 독립형

감사기관을 독립된 기관으로 설치한 유형이다(예 독일, 프랑스, 일본).

2 연혁

구분	헌법	법률
제1공화국(건국·제1차·제2차)	심계원(회계검사)	감찰위원회(직무감찰)
제2공화국(제3차·제4차)	심계원(대통령 소속, 회계검사)	감찰위원회(국무총리 소속, 직무감찰)
제3공화국 이후 (제5차·제6차· 제7차·제8차·현행)	감사원(대통령 소속, 회계검사와 직무감찰)	-

3 헌법상 지위

1. 대통령 소속 기관
감사원은 조직상으로는 대통령에 소속한다.

2. 헌법상 필수기관
감사원은 헌법상 반드시 설치하여야 하는 필수기관이다.

3. 직무상 독립기관
감사원은 대통령에 소속하되, 직무에 관하여는 독립의 지위를 가진다(감사원법 제2조). 감사원은 누구의 지시나 간섭을 받음이 없이 독자적으로 업무를 수행하는 독립기관으로, 직무에 관한 한 대통령이라도 지휘·감독할 수 없다고 본다. 03. 법행, 06. 행시, 08. 법원직, 09. 사시, 11·12. 국가직, 18. 서울시

4. 합의제 기관

> **감사원법 제11조 【의장 및 의결】** ① 감사위원회의는 원장을 포함한 감사위원 전원으로 구성하며, 원장이 의장이 된다. 18. 지방직
> ② 감사위원회의는 재적감사위원 과반수의 찬성으로 **의결**한다. 11. 법무사, 18. 지방직

4 구성

> **헌법 제98조** ① 감사원은 원장을 **포함**한 5인 이상 11인 이하의 감사위원으로 구성한다. 09. 법무사
> ② 원장은 국회의 동의를 얻어 대통령이 임명하고, 그 임기는 **4년**으로 하며, **1차**에 한하여 중임할 수 있다. 02·12. 법무사, 05. 법행, 07. 법원직, 09. 사시, 13. 국회직, 17. 입시, 18. 서울시
> ③ 감사위원은 원장의 제청으로 대통령이 임명하고, 그 임기는 **4년**으로 하며, **1차**에 한하여 중임할 수 있다. 02·12. 법무사, 09. 사시, 11. 국가직, 13. 국회직
>
> **감사원법 제3조 【구성】** 감사원은 감사원장(이하 "원장"이라 한다)을 포함한 7인의 감사위원으로 구성한다. 12. 사시, 13. 국가직
>
> **제4조 【원장】** ③ 원장이 궐위(闕位)되거나 사고로 인하여 직무를 수행할 수 없을 때에는 감사위원으로 **최장기간 재직한 감사위원**이 그 권한을 대행한다. 08. 법행, 12. 사시, 13. 국가직 다만, 재직기간이 같은 감사위원이 2명 이상인 경우에는 연장자가 그 권한을 대행한다. 11. 법무사

제6조【임기 및 정년】② 감사위원의 정년은 65세로 한다. 다만, 원장인 감사위원의 정년은 70세로 한다. 17. 입시

제8조【신분보장】① 감사위원은 다음 각 호의 어느 하나에 해당하는 경우가 아니면 본인의 의사에 반하여 면직되지 아니한다.
  1. 탄핵결정이나 금고 이상의 형의 선고를 받았을 때
  2. 장기의 심신쇠약으로 직무를 수행할 수 없게 된 때
  ② 제1항 제1호의 경우에는 당연히 퇴직되며, 같은 항 제2호의 경우에는 감사위원회의의 의결을 거쳐 원장의 제청으로 대통령이 퇴직을 명한다.

제10조【정치운동의 금지】감사위원은 정당에 가입하거나 정치운동에 관여할 수 없다. 04. 법행, 12. 사시

제15조【감사위원의 제척】② 감사위원이 탄핵소추의 의결을 받았거나 형사재판에 계속 (係屬)되었을 때에는 그 탄핵의 결정 또는 재판이 확정될 때까지 그 권한행사가 정지된다. 13. 국가직

5 권한

헌법 제97조 국가의 세입·세출의 결산, 국가 및 법률이 정한 단체의 회계검사와 행정기관 및 공무원의 직무에 관한 감찰을 하기 위하여 대통령 소속하에 감사원을 둔다. 09. 사시, 18. 서울시

제100조 감사원의 조직·직무범위, 감사위원의 자격, 감사대상공무원의 범위 기타 필요한 사항은 법률로 정한다.

1. 결산·회계검사 및 보고권

헌법 제99조 감사원은 세입·세출의 결산을 매년 검사하여 대통령과 **차년도 국회**에 그 결과를 보고하여야 한다. 09. 사시, 11. 국가직

감사원법 제21조【결산의 확인】감사원은 회계검사의 결과에 따라 국가의 세입·세출의 결산을 확인한다.

제22조【필요적 검사사항】① 감사원은 다음 각 호의 사항을 검사한다.
  1. 국가의 회계
  2. 지방자치단체의 회계
  3. 한국은행의 회계와 국가 또는 지방자치단체가 자본금의 2분의 1 이상을 출자한 법인의 회계
  4. 다른 법률에 따라 감사원의 회계검사를 받도록 규정된 단체 등의 회계 11. 국가직

제23조【선택적 검사사항】감사원은 필요하다고 인정하거나 국무총리의 요구가 있는 경우에는 다음 각 호의 사항을 검사할 수 있다.
  4. 국가 또는 지방자치단체가 **자본금의 일부를 출자한 자**의 회계

2. 직무감찰권

감사원법 제24조【감찰사항】 ① 감사원은 다음 각 호의 사항을 감찰한다.
1. 정부조직법 및 그 밖의 법률에 따라 설치된 행정기관의 사무와 그에 소속한 공무원의 직무
2. 지방자치단체의 사무와 그에 소속한 지방공무원의 직무
3. 제22조 제1항 제3호 및 제23조 제7호에 규정된 자의 사무와 그에 소속한 임원 및 감사원의 검사대상이 되는 회계사무와 직접 또는 간접으로 관련이 있는 직원의 직무
4. 법령에 따라 국가 또는 지방자치단체가 위탁하거나 대행하게 한 사무와 그 밖의 법령에 따라 공무원의 신분을 가지거나 공무원에 준하는 자의 직무
② 제1항 제1호의 행정기관에는 군기관과 교육기관을 포함한다. 다만, 군기관에는 소장급 이하의 상교가 지휘하는 전투를 주된 임무로 하는 부대 및 중령급 이하의 장교가 지휘하는 부대는 제외한다.
③ 제1항의 공무원에는 **국회·법원 및 헌법재판소에 소속한 공무원은 제외**한다. 03·08. 법행, 07. 국회직 8급, 09. 사시, 13·18. 서울시, 15. 국가직
④ 제1항에 따라 감찰을 하려는 경우 다음 각 호의 어느 하나에 해당하는 사항은 감찰할 수 없다.
1. 국무총리로부터 국가기밀에 속한다는 소명이 있는 사항
2. 국방부장관으로부터 군기밀이거나 작전상 지장이 있다는 소명이 있는 사항

3. 감사결과와 관련된 권한

감사원법 제31조【변상책임의 판정 등】 ① 감사원은 감사결과에 따라 따로 법률에서 정하는 바에 따라 회계관계직원 등(제23조 제7호에 해당된 자 중 제22조 제1항 제3호 및 제4호 또는 제23조 제1호부터 제6호까지 및 제8호부터 제10호까지에 해당하지 아니한 자의 소속 직원은 제외한다)에 대한 변상책임의 유무를 심리하고 판정한다.

제32조【징계요구 등】 ① 감사원은 국가공무원법과 그 밖의 법령에 규정된 징계사유에 해당하거나 정당한 사유 없이 이 법에 따른 감사를 거부하거나 자료의 제출을 게을리한 공무원에 대하여 그 소속 장관 또는 임용권자에게 징계를 요구할 수 있다.

제33조【시정 등의 요구】 ① 감사원은 감사결과 위법 또는 부당하다고 인정되는 사실이 있을 때에는 소속 장관, 감독기관의 장 또는 해당 기관의 장에게 시정·주의 등을 요구할 수 있다. 12. 국가직
② 제1항의 요구가 있으면 소속 장관, 감독기관의 장 또는 해당 기관의 장은 감사원이 정한 날까지 이를 이행하여야 한다.

제34조【개선 등의 요구】 ① 감사원은 감사결과 법령상·제도상 또는 행정상 모순이 있거나 그 밖에 개선할 사항이 있다고 인정할 때에는 국무총리, 소속 장관, 감독기관의 장 또는 해당 기관의 장에게 법령 등의 제정·개정 또는 폐지를 위한 조치나 제도상 또는 행정상의 개선을 요구할 수 있다. 12. 사시

제34조의2【권고 등】 ① 감사원은 감사결과 다음 각 호의 어느 하나에 해당하는 경우에는 소속 장관, 감독기관의 장 또는 해당 기관의 장에게 그 개선 등에 관한 사항을 권고하거나 통보할 수 있다.
1. 제32조, 제33조 및 제34조에 따른 요구를 하는 것이 부적절한 경우
2. 관계 기관의 장이 자율적으로 처리할 필요가 있다고 인정되는 경우
3. 행정운영 등의 경제성·효율성 및 공정성 등을 위하여 필요하다고 인정되는 경우

제35조【고발】 감사원은 감사결과 범죄혐의가 있다고 인정할 때에는 이를 수사기관에 고발하여야 한다. 08. 법원직 9급

4. 재심의(再審議)

> **감사원법 제36조【재심의 청구】** ① 제31조에 따른 변상 판정에 대하여 위법 또는 부당하다고 인정하는 본인, 소속 장관, 감독기관의 장 또는 해당 기관의 장은 변상판정서가 도달한 날부터 3개월 이내에 감사원에 재심의를 청구할 수 있다.
> ② 감사원으로부터 제32조, 제33조 및 제34조에 따른 처분을 요구받거나 제34조의2에 따른 권고·통보를 받은 소속 장관, 임용권자나 임용제청권자, 감독기관의 장 또는 해당 기관의 장은 그 처분 요구나 권고·통보가 위법 또는 부당하다고 인정할 때에는 그 처분 요구나 권고·통보를 받은 날부터 1개월 이내에 감사원에 재심의를 청구할 수 있다.
> ③ 제1항에 따른 변상 판정에 대한 재심의 청구는 집행정지의 효력이 없다.
>
> **제40조【재심의의 효력】** ① 청구에 따라 재심의한 사건에 대하여는 또다시 재심의를 청구할 수 없다. 다만, 감사원이 직권으로 재심의한 것에 대하여는 재심의를 청구할 수 있다.
> ② 감사원의 재심의 판결에 대하여는 감사원을 당사자로 하여 행정소송을 제기할 수 있다. 다만, 그 효력을 정지하는 가처분결정은 할 수 없다.

5. 감사원규칙제정권

> **감사원법 제52조【감사원규칙】** 감사원은 감사에 관한 절차, 감사원의 내부규율과 감사사무처리에 관한 규칙을 제정할 수 있다.

감사원규칙제정권은 헌법에 근거하고 있지 않고, 감사원법에만 근거규정이 있을 뿐이다. 06. 입법, 11. 법무사, 17. 입시 이와 관련하여 감사원규칙의 법적 성격이 문제되는바, ① 법규명령으로 보는 견해(소수설)도 있으나, ② 감사원규칙은 헌법에 근거가 없으므로 행정명령으로 보아야 할 것이다(다수설).

⚖ 판례

국민감사청구를 기각하는 결정이 헌법소원의 대상인지 여부: 적극

국민감사청구제도는 일정한 요건을 갖춘 국민들이 감사청구를 한 경우에 감사원장으로 하여금 감사청구된 사항에 대하여 감사실시 여부를 결정하고 그 결과를 감사청구인에게 통보하도록 의무를 지운 것이므로, 지방자치법상의 주민감사청구권과 같은 유형의 권리를 창설한 것으로 보아야 할 것이다. 따라서 이러한 국민감사청구에 대한 기각결정은 공권력주체의 고권적 처분이라는 점에서 헌법소원의 대상이 될 수 있는 공권력행사라고 보아야 할 것이다. 한편 국민감사청구기각결정의 처분성 인정 여부에 대한 대법원판례는 물론 하급심 판례도 아직 없으며, 부패방지법상 구체적인 구제절차가 마련되어 있는 것도 아니므로, 청구인들이 행정소송을 거치지 않았다고 하여 보충성요건에 어긋난다고 볼 수 없다(헌재 2006.2.23. 2004헌마414).

단원 마무리

구분	선출·임명	연임·중임	임기 (헌법)	정년 (법률)	구성원수
	국가기관의 구성 비교				
대통령	• 국민에 의한 선출 • 최고득표자가 2인 이상일 경우: 국회선출	중임금지	5년	제한 없음	−
대법원장	인사청문회 ⇨ 국회동의 ⇨ 대통령 임명	중임금지	6년	70세	−
대법관	대법원장 제청 ⇨ 인사청문회 ⇨ 국회동의 ⇨ 대통령 임명	연임가능	6년	70세	• 헌법 규정 없음 • 법원조직법: 대법원장 포함 14인
일반 법관	대법관회의동의 ⇨ 대법원장 임명	연임가능	10년	65세	−
헌법 재판소장	인사청문회 ⇨ 국회동의 ⇨ 대통령 임명	연임가능	6년	70세	−
헌법재판소 재판관	• 3인: 인사청문 ⇨ 대통령 • 3인: 인사청문 ⇨ 대법원장 지명 ⇨ 대통령 임명 • 3인: 인사청문 ⇨ 국회 선출 ⇨ 대통령 임명	연임가능	6년	70세	헌법: 헌법재판소장 포함 9인
중앙선거 관리위원회 위원장	중앙선거관리위원회 위원 중 호선	연임제한 규정 없음	6년	규정 없음	−
중앙선거 관리위원회 위원	• 3인: 국회인사청문 ⇨ 대통령 임명 • 3인: 국회인사청문 ⇨ 대법원장 지명 • 3인: 국회인사청문 ⇨ 국회 선출	연임제한 규정 없음	6년	규정 없음	헌법: 위원장 포함 9인
감사원장	국회인사청문 ⇨ 국회동의 ⇨ 대통령 임명	중임가능	4년	70세	−
감사위원	감사원장 제청 ⇨ 대통령 임명	중임가능	4년	65세	• 헌법: 5 ~ 11인 • 감사원법: 감사원장 포함 7인
국가인권 위원회 위원장	위원 중 대통령 임명	1차에 한하여 연임가능	3년 (법률)	규정 없음	국가인권위원회법: 11인

정부 관련 판례	
적극	소극
국민감사청구를 기각하는 결정이 헌법소원의 대상인지 여부 (헌재 2006.2.23. 2004헌마414)	• 국가안전기획부를 대통령직속기관으로 한 정부조직법 제14 조가 행정각부를 국무총리의 통할하에 두도록 한 헌법 제86 조 제2항에 위반하는지 여부(헌재 1994.4.28. 89헌마86) • 국무회의의 의결이 헌법소원의 대상이 되는지 여부(헌재 2003. 12.18. 2003헌마225) • 국가안전보장회의의 이라크파병결정이 헌법소원의 대상이 되는지 여부(헌재 2004.4.29. 2003헌마814)

제6장 선거관리위원회

1 서설

1. 제도적 의의

진정한 민주정치를 구현하려면 공정한 선거의 실시와 국민투표에 있어 국민의 자유로운 의사의 표명이 전제되어야 하는바, 이를 위하여 선거관리위원회를 두고 있다. 제2공화국 헌법(제3차 개헌)에서는 중앙선거관리위원회를 헌법기관화하였으며, 제3공화국 헌법(제5차 개헌)에서는 각급 선거관리위원회를 헌법기관화하였다. 16. 국회직 8급, 18·19. 입시

2. 헌법상 지위

선거관리위원회는 선거와 국민투표의 공정한 관리와 정당에 관한 사무를 처리하기 위하여 두는 헌법상 필수적 합의제 독립기관(관청)이다.

2 구성

1. 구성과 종류

> 헌법 제114조 ② 중앙선거관리위원회는 **대통령**이 임명하는 3인, 국회에서 선출하는 3인과 **대법원장**이 지명하는 3인의 위원으로 구성한다. 위원장은 위원 중에서 **호선**한다. 02·04. 법무사, 03·12. 법행, 04·07. 국가직
> ⑦ 각급 선거관리위원회의 조직·직무범위 기타 필요한 사항은 법률로 정한다.
>
> 선거관리위원회법 제2조 【설치】 ① 선거관리위원회의 종류와 위원회별 위원의 정수는 다음과 같다.
> 1. 중앙선거관리위원회 9인
> 2. 특별시·광역시·도선거관리위원회 9인
> 3. 구·시·군선거관리위원회 9인
> 4. 읍·면·동선거관리위원회 7인
>
> 공직선거법 제218조 【재외선거관리위원회 설치·운영】 ① 중앙선거관리위원회는 대통령선거와 임기만료에 따른 국회의원선거를 실시하는 때마다 선거일 전 180일부터 선거일 후 30일까지 대한민국재외공관 설치법 제2조에 따른 공관(공관이 설치되지 아니한 지역에서 영사사무를 수행하는 사무소와 같은 법 제3조에 따른 분관 또는 출장소를 포함하고, 영사사무를 수행하지 아니하거나 영사관할구역이 없는 공관 및 영사관할구역 안에 공관사무소가 설치되지 아니한 공관은 제외한다. 이하 이 장에서 "공관"이라 한다)마다 재외선거의 공정한 관리를 위하여 재외선거관리위원회를 설치·운영하여야 한다. 다만, 대통령의 궐위(闕位)로 인한 선거 또는 재선거는 그 선거의 실시사유가 확정된 날부터 10일 이내에 재외선거관리위원회를 설치하여야 한다.

④ 재외선거관리위원회에 위원장과 부위원장 각 1명을 두되, 위원 중에서 호선한다. 다만, 공관의 장과 그가 추천하는 공관원은 위원장이 될 수 없다.

⑤ 재외선거관리위원회는 재외선거의 관리를 위하여 필요한 때에는 해당 공관의 장에게 협조를 요구할 수 있으며, 그 협조를 요구받은 공관의 장은 우선적으로 이에 따라야 한다.

2. 선거관리위원회 위원장

헌법 제114조 ② 중앙선거관리위원회는 **대통령**이 임명하는 3인, 국회에서 선출하는 3인과 **대법원장**이 지명하는 3인의 위원으로 구성한다. 위원장은 위원 중에서 **호선한다.** 04·05·07. 국가직, 12. 법행, 18. 입시

선거관리위원회법 제4조 【위원의 임명 및 위촉】 ⑥ 법관과 법원공무원 및 교육공무원 이외의 공무원은 각급선거관리위원회의 위원이 될 수 없다.

제5조 【위원장】 ① 각급 선거관리위원회에 위원장 1인을 둔다.
② 각급 선거관리위원회의 위원장은 당해 선거관리위원회위원 중에서 **호선한다.**
③ 위원장은 위원회를 대표하고 그 사무를 통할한다.
④ 구·시·군선거관리위원회와 읍·면·동선거관리위원회에 부위원장 1인을 두며 당해 선거관리위원회위원 중에서 호선한다. (단서 생략)
⑤ 위원장이 사고가 있을 때에는 **상임위원** 또는 부위원장이 그 직무를 대행하며 **위원장·상임위원·부위원장이 모두 사고가 있을 때에는 위원 중에서 임시위원장을 호선하여 위원장의 직무를 대행하게 한다.**

3. 선거관리위원회위원

헌법 제114조 ③ 위원의 임기는 6년으로 한다. 04. 법무사
④ 위원은 정당에 가입하거나 정치에 관여할 수 없다.
⑤ 위원은 **탄핵** 또는 금고 이상의 형의 선고에 의하지 아니하고는 파면되지 아니한다.

선거관리위원회법 제6조 【상임위원】 ① 중앙선거관리위원회와 시·도선거관리위원회에 위원장을 보좌하고 그 명을 받아 소속 사무처의 사무를 감독하게 하기 위하여 각 1인의 상임위원을 둔다.
② 중앙선거관리위원회의 상임위원은 위원 중에서 **호선한다.**

제8조 【위원의 임기】 각급 선거관리위원회위원의 임기는 6년으로 한다. 다만, 구·시·군선거관리위원회 위원의 임기는 3년으로 하되, 한 차례만 연임할 수 있다. 19. 지방직

제9조 【위원의 해임사유】 각급 선거관리위원회의 위원은 다음 각 호의 1에 해당할 때가 아니면 해임·해촉 또는 파면되지 아니한다.
1. 정당에 가입하거나 정치에 관여한 때
2. 탄핵결정으로 파면된 때 19. 국가직
3. 금고 이상의 형의 선고를 받은 때
4. 정당추천위원으로서 그 추천정당의 요구가 있거나 추천정당이 국회에 교섭단체를 구성할 수 없게 된 때와 국회의원선거권이 없음이 발견된 때
5. 시·도선거관리위원회의 상임위원인 위원으로서 국가공무원법 제33조 각 호의 1에 해당하거나 상임위원으로서의 근무상한에 달하였을 때

4. 위원회회의

> 선거관리위원회법 제10조【위원회의 의결정족수】① 각급 선거관리위원회는 위원 과반수의 출석으로 개의하고 출석위원 과반수의 찬성으로 의결한다. 16. 국회직 8급, 18. 국가직, 18·19. 지방직
>
> ② 위원장은 표결권을 가지며 가부동수인 때에는 결정권을 가진다. 02·04. 법무사, 03. 법행, 07. 국가직, 16. 국회직 8급, 18·19. 지방직

3 권한과 의무

1. 선거와 국민투표의 관리권

> 헌법 제114조 ① 선거와 국민투표의 공정한 관리 및 정당에 관한 사무를 처리하기 위하여 선거관리위원회를 둔다.
>
> 제115조 ① 각급 선거관리위원회는 선거인명부의 작성 등 선거사무와 국민투표사무에 관하여 관계행정기관에 필요한 지시를 할 수 있다. 06. 법행, 07. 법무사
>
> ② 제1항의 지시를 받은 당해 행정기관은 이에 응하여야 한다.
>
> 선거관리위원회법 제14조의2【선거법 위반행위에 대한 중지·경고 등】각급 선거관리위원회의 위원·직원은 직무수행 중에 선거법 위반행위를 발견한 때에는 중지·경고 또는 시정명령을 하여야 하며, 그 위반행위가 선거의 공정을 현저하게 해치는 것으로 인정되거나 중지·경고 또는 시정명령을 불이행하는 때에는 관할 수사기관에 수사의뢰 또는 고발할 수 있다.
>
> 제17조【법령에 관한 의견표시 등】① 행정기관이 선거(위탁선거를 포함한다. 이하 이 조에서 같다)·국민투표 및 정당관계법령을 제정·개정 또는 폐지하고자 할 때에는 미리 당해 법령안을 중앙선거관리위원회에 송부하여 그 의견을 구하여야 한다.
>
> ② 중앙선거관리위원회는 다음 각 호의 어느 하나에 해당하는 법률의 제정·개정 등이 필요하다고 인정하는 경우에는 국회에 그 의견을 서면으로 제출할 수 있다.
> 1. 선거·국민투표·정당관계법률
> 2. 주민투표·주민소환관계법률. 이 경우 선거관리위원회의 관리 범위에 한정한다.
>
> 공직선거법 제57조의4【당내경선사무의 위탁】① 정치자금법 제27조(보조금의 배분)의 규정에 따라 보조금의 배분대상이 되는 정당은 당내경선사무 중 경선운동, 투표 및 개표에 관한 사무의 관리를 당해 선거의 관할선거구선거관리위원회에 위탁할 수 있다. 18. 국가직
>
> ② 관할선거구선거관리위원회가 제1항에 따라 당내경선의 투표 및 개표에 관한 사무를 수탁관리하는 경우에는 그 비용은 국가가 부담한다. 다만, 투표 및 개표참관인의 수당은 당해 정당이 부담한다. 19. 국가직

📖 판례

1 중앙선거관리위원회 위원장이 대통령에게 통고한 '선거중립의무준수촉구'가 헌법소원의 대상인 공권력행사에 해당하는지 여부: 적극

이 사건 조치는 선거관리위원회법 제14조의2에 근거한 것으로서 청구인의 과거 발언이 공직선거법을 위반하였다고 확인한 후 재발방지를 촉구하는 내용이 주를 이루고 있으므로 위 조항에 열거된 행위유형 중 '경고'에 해당한다고 봄이 상당하므로 이는 기본권침해 가능성이 있는 공권력의 행사라고 할 것이다(헌재 2008.1.17. 2007헌마700).

📕 핵심기출 OX

01 각급 선거관리위원회는 위원 과반수의 출석으로 개의하고 출석위원 과반수의 찬성으로 의결하며, 위원장은 가부동수인 경우 결정권을 행사하지 못한다. 19. 지방직 (○, ×)

답 × (선거관리위원회) 위원장은 표결권을 가지며 가부동수인 때에는 결정권을 가진다(선거관리위원회법 제10조 제2항).

02 각급 선거관리위원회는 위원 과반수의 출석으로 개의하고, 출석위원 과반수의 찬성으로 의결하며, 각급 선거관리 위원장은 표결권을 가질 뿐만 아니라 가부동수인 때에는 결정권도 가진다. 16. 국회직 8급 (○, ×)

답 ○

03 각급 선거관리위원회는 위원 과반수의 출석으로 개의하고 출석위원 과반수의 찬성으로 의결한다. 위원장은 표결권은 없으나, 가부동수인 경우 결정권을 가진다. 03. 법행 (○, ×)

답 × 위원장은 표결권을 가지며 가부동수인 때에는 결정권을 가진다(선거관리위원회법 제10조 제2항).

04 위원장은 표결권을 가지며, 가부동수인 때에는 부결된 것으로 본다. 02·04. 법무사 (○, ×)

답 × 위원장은 표결권을 가지며 가부동수인 때에는 결정권을 가진다(선거관리위원회법 제10조 제2항).

05 각급 선거관리위원회는 선거 및 국민투표사무와 정당관리사무에 관하여 관계 행정기관에 필요한 지시를 할 수 있고, 그 지시를 받은 당해 행정기관은 이에 응할 의무가 있다. 06. 법행 (○, ×)

답 × 헌법 제115조와 선거관리위원회법 제16조의 규정상 '정당관리사무'에 대한 대행정기관지시권은 없다.

2 서울특별시 선거관리위원회 위원장(피청구인)의 '선거법 위반행위에 대한 중지촉구'가 '공권력의 행사'에 해당하는지의 여부: 소극 [각하]

피청구인이 2002.2.1. 발송한 '선거법 위반행위에 대한 중지촉구' 공문은 그 형식에 있어서 '안내' 또는 '협조요청'이라는 표현을 사용하고 있으며, 또한 그 내용에 있어서도 청구인이 계획하는 행위가 공선법에 위반된다는, 현재의 법적 상황에 대한 행정청의 의견을 단지 표명하면서 청구인이 공선법에 위반되는 행위를 하는 경우 피청구인이 취할 수 있는 조치를 통고하고 있을 뿐이다. 따라서 피청구인의 2002.2.1.자 '중지촉구' 공문은 국민에 대하여 직접적인 법률효과를 발생시키지 않는 단순한 권고적·비권력적 행위로서, 헌법소원의 심판대상이 될 수 있는 '공권력의 행사'에 해당하지 않으므로, '선거법 위반행위에 대한 중지촉구'에 대한 이 사건 심판청구는 부적법하다(헌재 2003.2.27. 2002헌마106). 14. 법행

3 각급 선거관리위원회의 의결을 거쳐 행하는 사항에 대하여 행정절차에 관한 규정이 적용되는지 여부: 소극

각급 선거관리위원회의 의결을 거쳐 행하는 사항에 대하여는 원칙적으로 행정절차에 관한 규정이 적용되지 않는바(행정절차법 제3조 제2항 제4호), 이는 권력분립의 원리와 선거관리위원회 의결절차의 합리성을 고려한 것으로 보인다. 18. 국가직 또한 선거운동의 특성상 선거법 위반행위인지 여부와 그에 대한 조치는 가능하면 신속하게 결정되어야 할 뿐 아니라, 선거관리위원회법 제14조의2의 조치가 위반행위자에 대하여 종국적 법률효과를 발생시키는 것도 아니므로, 위반행위자에게 의견진술의 기회를 보장하는 것이 반드시 필요하거나 적절하다고 보기는 어렵다. 이와 같이 선거관리의 특성, 이 사건 조치가 규율하는 행위의 성격, 위 조치의 제재효과 및 기본권침해의 정도 등을 종합하여 볼 때, 청구인에게 위 조치 전에 의견진술의 기회를 부여하지 않은 것이 적법절차원칙에 어긋나서 청구인의 기본권을 침해한다고 볼 수 없다(헌재 2008.1.17. 2007헌마700).

4 각급 선거관리위원회 위원·직원의 선거범죄 조사에 있어서 피조사자에게 자료제출의무를 부과하는 공직선거법 조항이 영장주의의 적용대상인지 여부: 소극

심판대상조항에 의한 자료제출요구는 그 성질상 대상자의 자발적 협조를 전제로 할 뿐이고 물리적 강제력을 수반하지 아니한다. 심판대상조항은 피조사자로 하여금 자료제출요구에 응할 의무를 부과하고, 허위 자료를 제출한 경우 형사처벌하고 있으나, 이는 형벌에 의한 불이익이라는 심리적, 간접적 강제수단을 통하여 진실한 자료를 제출하도록 함으로써 조사권 행사의 실효성을 확보하기 위한 것이다. 심판대상조항은 행정조사의 성격을 가지는 것으로 수사기관의 수사와 근본적으로 그 성격을 달리하며, 청구인에 대하여 직접적으로 어떠한 물리적 강제력을 행사하는 강제처분을 수반하는 것이 아니므로 영장주의의 적용대상이 아니다(헌재 2019.9.26. 2016헌바381).

2. 정당사무관리권과 정치자금배분권

정당의 창당준비위원회결성신고, 등록신청, 등록증교부, 등록의 공고, 정당에 대한 보고·자료 등의 제출요구, 정당의 정기보고접수, 등록취소 등은 선거관리위원회의 관할이다(정당법). 그리고 선거관리위원회는 정치자금의 기탁과 기탁된 정치자금 및 국고보조금을 각 정당에 배분하는 사무를 담당한다(정치자금법).

3. 규칙제정권

> **헌법 제114조** ⑥ 중앙선거관리위원회는 **법령**의 범위 안에서 선거관리·국민투표관리 또는 정당사무에 관한 규칙을 제정할 수 있으며, **법률**에 저촉되지 아니하는 범위 안에서 내부규율에 관한 규칙을 제정할 수 있다. 09. 국가직, 19. 지방직
>
> ☑ **주의** 중앙선거관리위원회는 **법률**의 범위 안에서 선거관리·국민투표관리 또는 정당사무에 관한 규칙을 제정할 수 있다. (×)

4. 예산편성권

> **국가재정법 제40조【독립기관의 예산】** ① 정부는 독립기관의 예산을 편성할 때 해당 독립기관의 장의 의견을 최대한 존중하여야 하며, 국가재정상황 등에 따라 조정이 필요한 때에는 해당 독립기관의 장과 미리 협의하여야 한다. 09·19. 국가직

5. 선거계몽의 의무

> **선거관리위원회법 제14조【선거계도】** ① 각급 선거관리위원회는 선거권자의 주권의지의 앙양을 위하여 상시계도를 실시하여야 한다.
> ② 선거 또는 국민투표가 있을 때에는 각급 선거관리위원회는 그 주관하에 문서·도화·시설물·신문·방송 등의 방법으로 투표방법·기권방지 기타 선거 또는 국민투표에 관하여 필요한 계도를 실시하여야 한다.

4 선거공영제

> **헌법 제116조** ① 선거운동은 각급 선거관리위원회의 관리하에 법률이 정하는 범위 안에서 하되, 균등한 기회가 보장되어야 한다. 19. 국가직
> ② 선거에 관한 경비는 법률이 정하는 경우를 제외하고는 정당 또는 후보자에게 부담시킬 수 없다. 07·20. 법무사, 19. 국가직

선거관리위원회 관련 판례	
적극	소극
중앙선거관리위원회 위원장이 대통령에게 통고한 '선거중립의무준수촉구'가 헌법소원의 대상인 공권력행사에 해당하는지 여부(헌재 2008.1.17. 2007헌마700)	• 서울특별시 선거관리위원회 위원장의 '선거법 위반행위에 대한 중지촉구'가 '공권력의 행사'에 해당하는지의 여부(헌재 2003.2.27. 2002헌마106) • 각급 선거관리위원회의 의결을 거쳐 행하는 사항에 대하여 행정절차에 관한 규정이 적용되는지 여부(헌재 2008.1.17. 2007헌마700)

제7장 법원

제1절 헌법상 지위

1 사법기관

현행헌법에 있어서 법원은 헌법재판소와 함께 사법부를 구성하는 기관으로서 법관으로 구성되고 소송절차에 따라 사법권을 행사하는 국가기관을 말한다.

2 중립적 권력

법원 또는 사법부는 정치적 권력인 입법부와 행정부로부터 분리·독립된 중립적 권력이다. 오늘날 정당국가화 경향에 따라 입법부와 행정부는 사실상 정당에 의하여 통합되고 지배되는 실정이지만, 법원만은 중립적 권력성이 요청되므로 정당의 지배로부터 자유로워야 하며, 정치문제에도 개입하지 않는 것이 바람직하다.

3 기본권보장기관

법원은 재판을 통하여 국민의 자유와 권리를 보장하는 기능을 수행하고 있다. 특히 행정부에 의한 기본권침해시에는 법원이 명령·규칙·처분의 위헌·위법심사를 통하여 국민의 기본권침해를 구제하는 기능을 담당한다.

4 헌법수호기관

일반적으로 법원은 법치국가적 요청에 의해 헌법재판을 통하여 의회의 자의적 입법으로부터 헌법을 수호하며, 행정재판을 통하여 행정부의 자의적인 권력발동을 견제함으로써 헌법을 수호하는 기능을 수행하고 있다. 그러나 우리 현행헌법에서는 원칙적으로 헌법재판을 헌법재판소의 권한으로 하고 있어 헌법의 수호자기능은 주로 헌법재판소가 담당하고 있으나, 법원 역시 명령·규칙·처분의 위헌·위법심사, 위헌법률심판제청, 선거소송심판 등을 통하여 헌법수호기능을 담당하고 있다.

5 국가최고기관성 여부

사법부는 본래 중립적 권력을 의미하며, 국가의 최고기관이라 할 수는 없다.

통치구조론

제3편

해커스공무원 신동욱 헌법 기본서

제2절 사법권의 독립

1 의의

1. 개념

사법권의 독립이란 법관이 재판함에 있어서 누구의 지시나 명령에도 구속받지 아니하고 독자적으로 심판한다는 원리를 말한다. 사법권의 독립은 법원의 독립과 법관의 재판상·신분상 독립을 통하여 궁극적으로 재판독립의 원칙 내지 판결의 자유를 실현하는 것을 목표로 한다. 헌법 제103조는 "법관은 헌법과 법률에 의하여 그 양심에 따라 독립하여 심판한다."라고 규정하여 법관의 직무상 독립을 헌법상의 원칙으로 선언하고 있고, 법관의 직무상 독립에는 외부뿐만 아니라 법원 내부의 압력이나 영향력으로부터 독립하여 자율적으로 재판하는 것도 포함된다. 19. 지방직

2. 연혁과 입법례

(1) 전제군주국가에서는 군주의 관방에 의한 관방사법의 형태로 재판이 행해졌는데 전제군주나 행정기관으로부터 독립한 법원에 의한 재판을 통하여 자유와 권리를 보장하여야 한다는 자각이 싹트기 시작하였다.

(2) 이론적 차원에서 사법권(법원)이 입법권과 집행권으로부터 조직상 및 운영상 분리·독립되어야 한다는 주장은 몽테스키외의 '법의 정신'에서 비롯되었다. 04. 법무사

(3) 버지니아 권리장전과 프랑스인권선언에서 몽테스키외의 권력분립론과 사법권독립론을 헌법의 차원에서 성문화하였다.

2 내용 08. 국회직 8급

1. 법원의 독립

법원의 독립은 권력분립의 원리에 따라 법원이 그 조직·운영 및 기능 면에서 다른 국가권력(입법부와 행정부 등)으로부터 독립하여야 한다는 것을 말한다.

(1) 법원의 독립의 내용

① 입법부로부터의 독립

　㉠ **구성과 기능의 독립**: 법원은 구성·조직·기능에 있어 의회로부터 독립한다. 따라서 의원과 법관의 겸직은 금지되고, 의회는 법률에 의해서만 법원을 조직할 수 있다. 또한 의회는 법률에 의해서만 법원의 기능을 규제할 수 있고 의회가 법원의 재판과정에 개입하거나, 재판의 내용에 간섭하거나, 특정인을 처벌하는 내용의 법률을 제정할 수 없다. 법원의 조직과 구성이 의회입법으로 정해지는 것(헌법 제102조 제3항)과 법관이 법률에 기속되어 재판하는 것(헌법 제103조)은 법치주의의 당연한 소산이며 법원의 국회에의 종속을 뜻하는 것은 아니다. 18. 서울시

ⓛ **양자의 상호 견제 및 균형**: 우리 헌법상 국회는 법관에 대한 탄핵소추권, 04. 법무사 국정감사·조사권, 대법원장 및 대법관에 대한 임명동의권, 법원예산심의확정권 등을 가지고 법원은 위헌법률심사제청권, 국회규칙심사권 및 선거소송관할권 등을 가짐으로써 상호 견제·균형을 유지한다. 여기서 국회의 국정감사·조사권과 사법권독립과의 관계가 특히 문제된다. 법원조직법은 대법원장이 법원의 조직 등 법원업무와 관련된 법률의 제정 또는 개정이 필요하다고 인정하는 경우에는 국회에 서면으로 의견을 제출할 수 있도록 규정하고 있다(법원조직법 제9조 제3항).

② **행정부로부터의 독립**

ⓐ **구성과 기능의 독립**: 법원은 구성·조직·기능에 있어 행정부로부터 독립한다. 법원의 독립은 전제군주국가에서의 관방사법에 대한 투쟁과정에서 쟁취한 것이므로 행정부로부터의 법원의 독립이 사법권의 독립에 있어 본질적 요소이다. 따라서 법관은 행정부의 구성원과의 겸직이 금지되며, 행정부는 재판에 간섭할 수 없다.

ⓛ **양자의 상호 견제 및 균형**: 정부는 법원예산편성권, 사면권을 가지고 법원은 명령규칙심사권, 행정재판권 등을 가짐으로써 상호 견제·균형을 유지한다. 16. 사시. 17. 입시 법원조직법은 법원의 경비는 독립하여 국가의 예산에 계상하도록 하고 정부는 법원의 예산을 편성할 때에는 사법부의 독립성과 자율성을 존중하여야 한다고 규정하고(법원조직법 제82조), 국가재정법은 대법원의 세출예산요구액을 감액할 때에는 대법원장의 의견을 구한 서류의 첨부하도록 하고 있다(국가재정법 제34조).

③ **법원의 자율성**

> **헌법 제108조** 대법원은 법률에서 저촉되지 아니하는 범위 안에서 소송에 관한 절차, 법원의 내부규율과 사무처리에 관한 규칙을 제정할 수 있다.

법원의 독립이 유지되려면 법원의 내부사항을 스스로 처리할 수 있는 사법자치제가 확립되어야 한다. 이를 위하여 헌법 제108조에서는 대법원규칙제정권을 인정하고 있다.

(2) 법원의 독립의 한계

① **사법부의 입법부로부터의 독립의 한계**: 법치국가적 요청상 법원의 조직은 의회가 제정하는 법률에 의거하고, 법관의 재판도 의회가 제정한 법률에 구속된다는 점에서 사법부의 입법부로부터의 독립에는 일정한 한계가 있다. 또한 법원의 예산안을 국회가 심의·확정하는 것도 법원독립의 한계로 볼 수 있다.

② **사법부의 행정부로부터의 독립의 한계**: 대법원장과 대법관을 대통령이 임명하고, 법원의 예산안을 정부가 편성하는 등 사법부가 행정부로부터 독립하는 데에는 일정한 한계가 있다.

2. 법관의 독립

법관의 독립은 법관이 재판을 함에 있어 내외의 간섭으로부터 독립한다는 재판상 독립과 이를 위한 법관의 신분상 독립을 말한다.

🏛 핵심기출 OX

01 입법부로부터 사법권의 독립을 보장하기 위하여 현행헌법상 국회의 법관에 대한 탄핵소추권은 인정되지 아니한다. 04. 법무사 (○, ✕)

🈳 ✕ 헌법 제65조 제1항은 법관을 탄핵소추대상자로 명시하고 있다.

02 대법원은 규칙제정권과 예산안편성권을 가진다. 16. 사시 (○, ✕)

🈳 ✕ 예산안편성권은 정부의 권한이다. 다만, 정부는 법원의 예산을 편성할 때에는 사법부의 독립성과 자율성을 존중하여야 한다(법원조직법 제82조 제2항).

03 법원예산편성권은 법원이 가지고 있으며, 법원의 예산을 편성함에 있어서는 사법부의 독립과 자율성을 존중하여야 한다. 17. 입시 (○, ✕)

🈳 ✕ 법원예산편성권은 법원이 아니라 정부가 가지고 있다.

(1) 재판상 독립

> 헌법 제103조 법관은 헌법과 법률에 의하여 그 양심에 따라 독립하여 심판한다.

① **의의**: 법관의 재판상 독립(직무상 독립, 물적 독립)이란 법관이 재판에 관한 직무를 수행함에 있어서는 오로지 헌법과 법률 및 양심에 따라 내·외부적 작용으로부터 독립하여 심판하여야 한다는 것을 말한다. 신분상 독립(인적 독립)이 사법권의 독립의 수단이라면 재판상 독립은 목적이라고 할 수 있다. 08. 국회직 8급

② **헌법과 법률 및 양심에의 구속**

  ㉠ **헌법과 법률에의 구속**: 법관은 법치국가의 원리상 헌법과 법률에 구속되어 심판한다.

  ㉡ **양심에의 구속**: 법관은 양심에 따라 독립하여 심판한다. 헌법 제103조의 양심은 헌법 제19조의 양심과 달리 공정성과 합리성이 요구되는 법조적·객관적·논리적인 양심을 의미한다. 07. 법원직 9급, 10. 국가직 인간으로서의 양심과 법관으로서의 양심이 충돌할 경우 법관은 법관으로서의 양심을 우선하여야 한다.

③ **심판에 있어서의 독립**

  ㉠ **외부로부터의 독립**

    ⓐ **타 국가기관으로부터의 독립**: 법관은 재판권을 행사함에 있어서 타 국가기관(국회·행정부)의 지시나 간섭을 받지 않아야 하고, 타 국가기관도 법관의 재판에 간섭하여서는 안 된다. 또한 법관 자신도 정치활동에 개입하거나 이권에 관여하는 행위 등을 자제하여야 한다.

    ⓑ **소송당사자로부터의 독립**: 법관은 재판권을 행사함에 있어서 소송당사자로부터도 독립하여야 하는바, 이를 위하여 소송법에는 제척·기피·회피제도를 두고 있다.

    ⓒ **정치적·사회적 세력으로부터의 독립**: 법관은 재판권을 행사함에 있어서 정치적·사회적 세력(매스컴·여론)으로부터도 독립하여야 한다. 재판의 독립이 국민의 비판까지도 배제한다는 절대적 독립설이 있으나, 국민주권의 원리에 비추어 국민은 모든 국가기관의 행위를 비판할 수 있으므로 국민의 비판이 허용된다는 상대적 독립설이 타당하다고 본다(권영성).

개념PLUS+ 정치적·사회적 세력의 허용 여부

허용	불허용
• 청원권의 행사 • 언론매체를 통한 재판 비판 • 법관의 법해석이나 사실인정에 적용된 법칙에 대한 비판 • 재판에 대한 학리적 비판 또는 사법민주화를 위한 비판	• 재판의 내용 그 자체를 간섭하거나 사전에 재판에 영향을 미치기 위한 비판 • 사실인정이나 유·무죄의 판단과 같은 법관의 전속적 권한에 속하는 사항 또는 형사 피고인의 무죄추정의 원칙을 근본적으로 부정하는 비판

ⓛ **내부로부터의 독립**

ⓐ **상급법원이나 소속 법원장 등으로부터의 독립**: 현행법은 대법원을 최고법원으로 하는 심급제를 규정하고 있으나, 법관이 재판을 함에 있어서는 상급법원 또는 소속 법원장 등에 의한 지휘·명령을 받지 아니한다. 사법행정상의 지시·감독은 가능하나, 소송 이외의 방법으로 사전에 지시·간섭하거나 사후에 재판을 취소·변경하여서는 안 된다.

ⓑ **법원조직법 제8조의 위헌 여부**: 법원조직법 제8조는 "상급법원 재판에서의 판단은 '해당 사건'에 관하여 하급심을 기속한다."라고 규정하고 있다. 14. 법무사, 18. 서울시 이 규정은 하급법원이 재판을 함에 있어 상급법원의 지시에 따라야 한다는 의미가 아니라, 파기환송사건의 판결에 있어 상급법원이 행한 법률적 판단에 하급심법원이 기속된다는 의미로 이해하여야 할 것이다. 이러한 기속력은 계층적 상소제도하에서 분쟁을 종국적으로 해결하기 위한 불가피한 요청이므로 법원조직법 제8조는 헌법 제103조에 위반되는 것은 아니라고 본다(통설). 04. 법무사, 08·09. 사시, 10. 국가직, 12. 경정승진, 18. 국회직·서울시

ⓒ **합의제 재판의 경우**: 합의제에 있어서도 법관은 재판장의 사실 및 법률판단에 기속되지 않으며 합의평결이 이루어진 후에는 법관은 그에 따라야 하지만, 합의에 관여한 모든 대법관에게는 의견발표의 권리와 의무가 있다(법원조직법 제15조). 06. 행시, 09. 사시

🔨 판례

1 약식절차에서 피고인이 정식재판을 청구한 경우 약식명령보다 더 중한 형을 선고할 수 없도록 한 형사소송법 제457조의2가 양형결정권을 침해하는지 여부: 소극 09. 사시

[1] 약식절차에서 피고인이 정식재판을 청구한 경우 약식명령보다 더 중한 형을 선고할 수 없도록 한 형사소송법 제457조의2가 피고인의 공정한 재판을 받을 권리를 침해하는지 여부: 소극

약식절차에서는 피고인에게 자신에게 유리한 각종 자료를 제출하고 주장할 기회가 전혀 주어지지 않는 반면, 정식재판절차는 약식절차와 동일 심급의 소송절차로서 당사자인 피고인에게 제1심절차에서 인정되는 모든 공격·방어기회가 주어지며 자신에게 유리한 양형자료를 제출할 충분한 기회가 보장된다. 따라서 이 사건 법률조항은 오히려 피고인의 공정한 재판을 받을 권리를 실질적으로 보장하는 기능을 하며, 그 입법목적이나 효과의 면에서 피고인의 권리를 제한하는 것으로 볼 수 없다. 또한 이 사건 법률조항에 의한 불이익변경금지원칙은 정식재판청구권의 실질적 보장을 위한 정책적 고려에 의하여 명문화한 것이므로 상소심에서 불이익변경금지원칙이 인정되는 논리적·이론적 근거와 크게 다르지 않으므로 불이익변경금지원칙을 약식절차에 확대하는 것이 불합리한 것으로 볼 수 없다.

[2] 이 사건 법률조항이 법관의 양형결정권을 침해하는지 여부: 소극

형사재판에서 법관의 양형결정이 법률에 기속되는 것은 법률에 따라 심판한다는 헌법 제103조에 의한 것으로 법치국가원리의 당연한 귀결이다. 헌법상 어떠한 행위가 범죄에 해당하고 이를 어떻게 처벌할 것인지 여부를 정할 권한은 국회에 부여되어 있고, 그에 대하여는 광범위한 입법재량 내지 형성의 자유가 인정되고 있으므로

형벌에 대한 입법자의 입법정책적 결단은 기본적으로 존중되어야 한다. 따라서 형사법 상 법관에게 주어진 양형권한도 입법자가 만든 법률에 규정되어 있는 내용과 방법에 따라 그 한도 내에서 재판을 통해 형벌을 구체화하는 것으로 볼 수 있다. 또한 검사의 약식명령청구사안이 적당하지 않다고 판단될 경우 법원은 직권으로 통상의 재판절차 로 사건을 넘겨 재판절차를 진행시킬 수 있고, 이 재판절차에서 법관이 자유롭게 형량 을 결정할 수 있으므로 이러한 점들을 종합해보면 이 사건 법률조항에 의하여 법관의 양형결정권이 침해된다고 볼 수 없다(헌재 2005.3.31. 2004헌가27). 09. 사시, 17. 국가직

2 금융기관 임·직원의 수뢰행위에 대하여 공무원으로 의제하여 가중처벌하는 특정 경제범죄 가중처벌 등에 관한 법률 제5조 제4항이 위헌인지 여부: 적극 08. 법행·사시

[1] 이 사건 법률조항 중 제1호 부분은 수수액이 5천만원 이상인 경우에는 법인의 성행, 전과 유무, 범행의 동기, 범행 후의 정황 등 죄질과 상관없이 무기 또는 10년 이상의 징역에 처하도록 규정하고 있어, 법관으로 하여금 작량감경을 하더라도 별도의 법률 상 감경사유가 없는 한 집행유예를 선고할 수 없도록 함으로써 법관의 양형선택과 판단권을 극도로 제한하고 있는바, 이는 살인죄(사형, 무기 또는 5년 이상의 징역)의 경우에도 작량감경의 사유가 있는 경우에는 집행유예가 가능한 것과 비교할 때 매 우 부당하고, 이 사건 법률조항 중 제2호 부분도 수수액이 1천만원 이상 5천만원 미 만인 경우 5년 이상의 유기징역에 처하도록 규정하고 있어 작량감경을 하지 않으면 집행유예를 선고할 수 없어 실무상 작량감경이 일상화되어 있는 실정이다. 이는 결 국 이 사건 법률조항이 수재 행위자에 대한 엄정한 처벌을 통한 일반 예방이라는 당초의 목적을 달성하지 못하고 있음은 물론 오히려 수범자들에게 법의 권위를 떨 어뜨리는 위험을 초래할 수 있어 형사정책적으로도 불합리한 결과를 가져오고 있음 을 의미하는 것이고, 행위 불법의 크기와 행위자 책임의 정도를 훨씬 초과하는 과중 하고 가혹한 형벌을 규정한 것이라는 의심을 가지기에 충분하다.

[2] 현대 사회에서는 국가기관 이외에도 공적인 성격을 가진 기관·단체의 활동이 증대 하고 있고 그 중요성도 커지고 있다. 이처럼 공공의 이익에 직·간접적인 관련을 맺 고 있으며 그 직무의 공정성이 가지는 사회적 의미도 매우 큰 영역의 종사자들에 대하여는 그 직무에 관하여 공무원에 준하는 공정성과 청렴성이 요구되고, 이러한 기관·단체의 종사자들의 직무에 관한 뇌물수수를 금지함으로써 그 직무집행의 공 정을 확보할 필요가 있다. 그런데 이 사건 법률조항의 법정형은 그 죄질과 보호법익 이 유사한 변호사·파산관재인·공인회계사 등의 수재죄의 법정형과 비교하여 지나 치게 과중할 뿐만 아니라, 최근 이 사건 법률조항과 동일하게 수뢰액을 기준으로 가 중처벌할 것을 규정하고 있던 구 특정범죄 가중처벌 등에 관한 법률(2005.12.29. 법 률 제7767호로 개정되기 전의 것) 제2조 제1항이 개정됨에 따라 금융기관의 임·직 원으로서는 일정한 경우에는 오히려 공무원보다도 더 중한 법정형으로 처벌되는 불 합리한 결과가 발생하게 되었다. 따라서 이 사건 법률조항은 다른 범죄와의 관계에 서 형벌체계상 균형성을 상실하여 평등의 원칙에 위반된다 할 것이다.

[3] 그러므로 이와는 달리 특정경제범죄 가중처벌 등에 관한 법률 제5조 제4항 제1호가 헌법에 위반되지 아니한다고 판시한 헌재 2005.6.30. 2004헌바4 등 결정은 이 결정의 견해와 저촉되는 한도 내에서 이를 변경하기로 한다(헌재 2006.4.27. 2006헌가5).

3 공무원 등이 그 직무에 관하여 1억원 이상의 뇌물을 수수하거나 요구·약속한 경우에 무기 또는 10년 이상의 징역으로 처벌하도록 규정한 구 특정범죄 가중 처벌 등에 관한 법률 제2조 제1항 제1호 중 형법 제129조 제1항에 관한 부분 이 헌법에 위반되는지 여부: 소극

헌법재판소는 헌재 1995.4.20. 93헌바40 결정에서 형법 제129조 제1항의 죄를 범한 자가 그 수뢰액이 5천만원 이상인 경우 무기 또는 10년 이상의 징역에 처하도록 한 구 '특정범죄

가중처벌 등에 관한 법률'(1990.12.31. 개정되고, 2005.12.29. 개정되기 전의 것) 제2조 제1항 제1호가 헌법에 위반되지 않는다고 판시한 이래 계속해서 같은 취지로 판단하여 왔는데(헌재 2001.5.31. 2000헌바91 ; 헌재 2004.4.29. 2003헌바118 ; 헌재 2006.12.28. 2005헌바35), 그 이유를 요약하면 다음과 같다.

[1] 법정형의 종류와 범위의 선택은 입법자가 여러 가지 사정을 고려하여 결정할 사항으로서 광범위한 재량이 인정되어야 할 분야이다. 사람의 생명을 보호법익으로 하는 살인죄와 공무원의 직무 순수성 내지 그 직무행위의 불가매수성을 보호법익으로 하는 이 사건 법률조항은 서로 보호법익과 죄질이 다르므로, 살인죄의 법정형을 기준으로 하여 이 사건 법률조항의 경중을 판단할 수는 없다.

[2] 뇌물죄가 국가와 사회에 미치는 병폐는 수뢰액이 많으면 많을수록 가중된다는 점에서 볼 때 수뢰액의 다과를 뇌물죄 경중을 가리는 가장 중요한 기준으로 삼은 것은 합리적 이유가 있는 것이고, 수뢰액이 5,000만원 이상인 경우에만 적용되는 이 사건 법률조항은 수뢰액의 상한에 제한을 두지 아니하면서도 그 법정형에 사형이 없어 살인죄와 비교하여 형벌체계상 균형을 잃었다고 할 정도로 과중하다고는 볼 수 없다.

[3] 입법자가 법정형 책정에 관한 여러 가지 요소의 종합적 고려에 따라 법률 그 자체로 법관에 의한 양형재량의 범위를 좁혀 놓았다고 하더라도 그것이 당해 범죄의 보호법익과 죄질에 비추어 범죄와 형벌간의 비례의 원칙상 수긍할 수 있는 정도의 합리성이 있다면 이러한 법률을 위헌이라고 할 수 없다. 이 사건 법률조항이 작량감경을 하더라도 별도의 법률상 감경사유가 없는 한 집행유예의 선고를 할 수 없도록 그 법정형의 하한을 높여 놓았다 하여 곧 그것이 법관의 양형결정권을 침해하였다거나 법관독립의 원칙에 위배된다고 할 수 없고 법관에 의한 재판을 받을 권리를 침해하는 것이라고도 할 수 없다. 16. 서울시

위와 같은 헌법재판소의 판시는 이를 변경할 만한 새로운 사정이 없을 뿐 아니라, 더욱이 이 이 사건 법률조항은 종전 선례들에서 심판의 대상이 되었던 법률조항[구 '특정범죄 가중처벌 등에 관한 법률' 제2조 제1항 제1호(1990.12.31. 개정되고, 2005.12.29. 개정되기 전의 것) 중 형법 제129조에 관한 부분]과 비교해 볼 때 무기 또는 10년 이상의 징역이라는 가중처벌의 기준이 되는 수뢰액이 5천만원에서 1억원으로 상향된 것이므로, 그와 같은 판시의 요지는 이 사건에서도 그대로 타당하므로 이를 여기에 원용하기로 한다(헌재 2011.6.30. 2009헌바354).

4 근무성적이 현저히 불량하여 판사로서 정상적인 직무를 수행할 수 없는 경우에 연임발령을 하지 않도록 규정한 구 법원조직법 제45조의2 제2항 제2호가 사법의 독립을 침해하는지 여부: 소극

이 사건 연임결격조항은 직무를 제대로 수행하지 못하는 판사를 그 직에서 배제하여 사법부 조직의 효율성을 유지하기 위한 것으로 그 정당성이 인정된다. 판사의 근무성적은 공정한 기준에 따를 경우 판사의 사법운영능력을 판단함에 있어 다른 요소에 비하여 보다 객관적인 기준으로 작용할 수 있고, 이를 통해 국민의 재판청구권의 실질적 보장에도 기여할 수 있다. 나아가 연임심사에 반영되는 판사의 근무성적에 대한 평가는 10년이라는 장기간 동안 반복적으로 실시되어 누적된 것이므로, 특정 가치관을 가진 판사를 연임에서 배제하는 수단으로 남용될 가능성이 크다고 볼 수 없다. 근무성적평정을 실제로 운용함에 있어서는 재판의 독립성을 해칠 우려가 있는 사항을 평정사항에서 제외하는 등 평정사항을 한정하고 있으며, 연임 심사과정에서 해당 판사에게 의견진술권 및 자료제출권이 보장되고, 연임하지 않기로 한 결정에 불복하여 행정소송을 제기할 수 있는 점 등을 고려할 때, 판사의 신분보장과 관련한 예측가능성이나 절차상의 보장이 현저히 미흡하다고 볼 수도 없으므로, 이 사건 연임결격조항은 사법의 독립을 침해한다고 볼 수 없다(헌재 2016.9.29. 2015헌바331).

(2) 신분상 독립

① **의의**: 법관의 신분상 독립(인적 독립)은 재판의 독립이라는 목적을 달성하기 위한 수단으로서 법관의 인사의 독립, 자격의 법정주의, 임기제와 정년제, 신분보장 등을 내용으로 한다. 법관의 신분상 독립은 재판상 독립을 보장하기 위한 전제가 된다.

② **법관인사의 독립**: 법관의 독립성을 확보하기 위해서는 법관의 인사가 객관적이고 공정하게 이루어져야 한다. 현행헌법상 일반 법관은 대법관회의의 동의를 얻어 대법원장이 임명하고(헌법 제104조 제3항), 법관의 보직은 대법원장이 행한다(법원조직법 제44조)고 하여 법원의 자율에 맡기고 있다.

③ **법관자격의 법정주의**: 법관의 자격은 법률로 정하도록 하고 있는데(헌법 제101조 제3항), 법률에 의한 법관의 자격규정은 집행권으로부터 법관의 독립성을 유지하고 정치적 인사를 배제하기 위해 필수적으로 요구된다.

④ **법관의 임기제와 정년제**

> **헌법 제105조** ① 대법원장의 임기는 6년으로 하며, 중임할 수 없다. 16. 법원직
> ② 대법관의 임기는 6년으로 하며, 법률이 정하는 바에 의하여 연임할 수 있다. 17. 행시
> ③ 대법원장과 대법관이 아닌 법관의 임기는 10년으로 하며, 법률이 정하는 바에 의하여 연임할 수 있다.
> ④ 법관의 정년은 법률로 정한다. 16. 변호사
>
> **법원조직법 제45조【임기·연임·정년】** ① 대법원장의 임기는 6년으로 하며, 중임(重任)할 수 없다.
> ② 대법관의 임기는 6년으로 하며, 연임할 수 있다.
> ③ 판사의 임기는 10년으로 하며, 연임할 수 있다.
> ④ 대법원장과 대법관의 정년은 각각 70세, 판사의 정년은 65세로 한다. 17. 법원직·입시, 19. 국가직

법관의 임기제는 법관의 지위가 고정되는 데에서 오는 법관의 보수화와 관료화를 방지할 수 있다는 긍정적인 측면도 있으나, 법관의 신분보장이 그만큼 위협을 받게 되어 사법부의 독립이 약화될 수 있다는 부정적인 측면도 있다(권영성).

🔍 판례

법관정년제 및 정년에서의 차등제가 위헌인지 여부: 소극

헌법 제105조 제4항에서 "법관의 정년은 법률로 정한다."라고 규정하여 '법관정년제' 자체를 헌법에서 명시적으로 채택하고 있으며, 다만 구체적인 정년연령을 법률로 정하도록 위임하고 있을 뿐이다. 따라서 '법관정년제' 자체의 위헌성판단은 헌법 규정에 대한 위헌주장으로, 종전 우리 헌법재판소 판례에 의하면 위헌판단의 대상이 되지 아니한다. … 이 사건 법률조항이 법관의 정년을 직위에 따라 순차적으로 낮게 차등하게 설정한 것은 법관업무의 성격과 특수성, 평균수명, 조직체 내의 질서 등을 고려하여 정한 것으로 그 차별에 합리적인 이유가 있다고 할 것이므로 청구인의 평등권을 침해하였다고 볼 수 없다(헌재 2002.10.31. 2001헌마557). 18. 지방직

⑤ **법관의 신분보장**: 법관의 신분보장은 재판의 독립을 확보하기 위한 가장 중요한 수단이다.

　㉠ **파면의 제한**

> **헌법 제106조** ① 법관은 탄핵 또는 금고 이상의 형의 선고에 의하지 아니하고는 파면되지 아니하며, …. 08. 법행·사시, 17. 행시

　㉡ **불이익한 처분의 제한**

> **헌법 제106조** ① 법관은 … 징계처분에 의하지 아니하고는 정직·감봉 기타 불리한 처분을 받지 아니한다. 06. 법무사, 10. 국가직, 18. 지방직
>
> **법관징계법 제2조 【징계사유】** 법관에 대한 징계사유는 다음 각 호와 같다. 11. 법무사
> 1. 법관이 직무상 의무를 위반하거나 직무를 게을리한 경우
> 2. 법관이 그 품위를 손상하거나 법원의 위신을 떨어뜨린 경우
>
> **제3조 【징계처분의 종류】** ① 법관에 대한 징계처분은 **정직·감봉·견책**의 세 종류로 한다. 09·11. 법무사, 10. 사시, 18. 국회직
>
> **제4조 【법관징계위원회】** ① 법관에 대한 징계사건을 심의·결정하기 위하여 대법원에 법관징계위원회(이하 "위원회"라 한다)를 둔다. 10. 사시
> ② 위원회는 위원장 1명과 위원 6명으로 구성하고, 예비위원 3명을 둔다.
>
> **제5조 【위원장 및 위원】** ① 위원회의 위원장은 대법관 중에서 대법원장이 임명하고, 위원은 법관 3명과 다음 각 호에 해당하는 사람 중 각 1명을 대법원장이 각각 임명하거나 위촉한다.
> 1. 변호사
> 2. 법학교수
> 3. 그 밖에 학식과 경험이 풍부한 사람
> ② 예비위원은 법관 중에서 대법원장이 임명한다.
>
> **제8조 【징계 등 사유의 시효】** ① 징계 등의 사유가 있는 날부터 3년(제7조의2 제1항 각 호의 어느 하나에 해당하는 경우에는 5년)이 지나면 그 사유에 관하여 징계 등을 청구하지 못한다.
> ② 제20조에 따라 징계절차를 진행하지 못하여 제1항의 기간이 지나거나 그 남은 기간이 1개월 미만인 경우에는 제1항의 기간은 제20조에 따른 절차가 완결된 날부터 1개월이 지난 날에 끝나는 것으로 본다.
> ③ 제7조의3 제1항 각 호의 어느 하나에 해당하는 사유로 대법원에서 징계 등 처분의 무효 또는 취소 판결을 한 경우에는 제1항의 기간이 지나거나 그 남은 기간이 3개월 미만인 경우에도 그 판결이 확정된 날부터 3개월 이내에는 다시 징계 등을 청구할 수 있다.
>
> **제13조 【징계의 심의】** ① 위원회는 위원장을 포함한 위원 과반수가 출석한 경우에 심의를 개시한다.
> ④ 징계심의는 공개하지 아니한다.

01 법관은 징계처분에 의하지 아니하고는 파면되지 아니한다. 17. 국가직 5급
(○, ×)

📝 × 법관은 탄핵 또는 금고 이상의 형의 선고에 의하지 아니하고는 파면되지 아니하며, 징계처분에 의하지 아니하고는 정직·감봉 기타 불리한 처분을 받지 아니한다(헌법 제106조 제1항).

02 법관은 징계처분에 의하지 아니하고는 파면·정직·감봉 기타 불리한 처분을 받지 아니한다. 06. 법무사
(○, ×)

📝 × 법관은 탄핵 또는 금고 이상의 형의 선고에 의하지 아니하고는 파면되지 아니하며, 징계처분에 의하지 아니하고는 정직·감봉 기타 불리한 처분을 받지 아니한다(헌법 제106조 제1항).

03 법관은 탄핵, 금고 이상의 형의 선고 또는 징계처분에 의하지 아니하고는 파면되지 아니한다. 08. 법행·사시
(○, ×)

📝 × 징계처분에 의해서는 파면할 수 없다(헌법 제106조 제1항).

04 법관은 법관징계위원회의 의결에 의하여 파면·정직·감봉·견책 처분을 받을 수 있다. 10. 사시 (○, ×)

📝 × 법관은 탄핵 또는 금고 이상의 형의 선고에 의하지 아니하고는 파면되지 아니하며, 징계처분에 의하지 아니하고는 정직·감봉 기타 불리한 처분을 받지 아니한다(헌법 제106조 제1항). 법관에 대한 징계처분은 정직·감봉·견책의 세 종류로 한다(법관징계법 제3조 제1항). 법관에 대한 징계사건을 심의·결정하기 위하여 대법원에 법관징계위원회를 둔다(법관징계법 제4조 제1항).

1 1980년 해직공무원의 보상대상자에서 제외하고 있는 '차관급 이상의 보수를 받는 자'에 법관을 포함시킨 것이 법관의 신분보장규정에 위배되는지 여부: 적극
[한정위헌]

모든 공무원의 신분(보장)은 헌법 제7조 제2항에 의하여 법률이 정하는 바에 의하여 보장되고 있고, 법관도 공무원이므로 당연히 그 신분이 보장되고 있음에도 헌법이 별도의 규정(제106조)을 두어 특별히 가중 보장하고 있는 것은 법관은 일반 공무원에 비하여 그 신분이 더욱 두텁게 보장되어야 하기 때문이다. 이와 같이 법관에 대하여 헌법이 직접적으로 그 신분보장규정을 두고 있는 이유는 사법권의 독립을 실질적으로 보장함으로써 헌법 제27조에 의하여 보장되고 있는 국민의 재판청구권이 올바로 행사될 수 있도록 하기 위한 것임은 의문의 여지가 없다.

장래에 법관의 신분이 함부로 박탈됨과 같은 사태의 재발을 영구히 봉쇄하기 위하여서도 특조법 제2조 제2항의 비적용대상에서 적어도 법관은 제외되어야 헌법의 법관신분보장규정취지에 합당할 것이다. 만일 법관이 위 비적용대상에서 포함된다면 법관의 신분을 직접 가중적으로 보장하고 있는 헌법의 규정취지에 정면으로 배치되게 될 것이다(헌재 1992.11.12. 91헌가2). 06. 법행

2 대법원장에 의한 법관전보발령처분에 대한 헌법소원에 있어서 행정소송을 거치지 아니한 것이 보충성원칙을 충족하는지 여부: 소극

법관은 헌법 제103조가 "법관은 헌법과 법률에 의하여 그 양심에 따라 독립하여 심판한다."라고 규정하여 법관의 독립을 보장하고 있을 뿐만 아니라 헌법과 법률에 의하여 그 신분을 두텁게 보장함으로써 이를 뒷받침하고 있는 터이므로 소청심사위원이나 행정소송의 재판을 담당할 법관에 대한 인사권자와 청구인에 대한 이 사건 인사처분권자가 동일인이라는 이유만으로 소청이나 행정소송절차에 의하여서는 권리구제의 실효성을 기대하기 어렵다고 할 수 없다. … 그렇다면 이 사건 심판청구는 다른 법률에 구제절차가 있는 경우임에도 불구하고 그 절차를 모두 거치지 아니하고 청구한 것이어서 보충성의 요건을 갖추지 못한 부적법한 것이므로 이를 각하하기로 한다(헌재 1993.12.23. 92헌마247). 07. 법행

© **강제퇴직의 제한**: 퇴직사유는 헌법이 직접 정하고 퇴직절차는 법률로 정한다.

> **헌법 제106조** ② 법관이 중대한 심신상의 장해로 직무를 수행할 수 없을 때에는 법률이 정하는 바에 의하여 퇴직하게 할 수 있다. 02. 법무사, 05. 입시, 07. 국가직
>
> **법원조직법 제47조【심신상의 장해로 인한 퇴직】** 법관이 중대한 신체상 또는 정신상의 장해로 직무를 수행할 수 없을 때에는 **대법관인 경우에는** 대법원장의 제청으로 **대통령이** 퇴직을 명할 수 있고, **판사인 경우에는** 인사위원회의 심의를 거쳐 **대법원장이** 퇴직을 명할 수 있다. 07. 법행, 14. 법무사·국회직 8급, 16. 법원직, 18. 국회직, 16·18. 지방직, 19. 서울시

② **파견근무의 제한**: 대법원장은 다른 국가기관으로부터 법관의 파견근무 요청을 받은 경우에 업무의 성질상 법관을 파견하는 것이 타당하다고 인정되고 해당 법관이 파견근무에 동의하는 경우에는 그 기간을 정하여 이를 허가할 수 있다(법원조직법 제50조). 04. 국회직 이러한 법관의 파견근무는 권력분립의 정신에 위배되고 사법부의 신뢰를 해칠 가능성이 있으므로 신중을 기하여야 한다(권영성).

> 법원조직법 제50조의2 【법관의 파견 금지 등】 ① 법관은 대통령비서실에 파견되거나 대통령비서실의 직위를 겸임할 수 없다.
> ② 법관으로서 퇴직 후 2년이 지나지 아니한 사람은 대통령비서실의 직위에 임용될 수 없다.

3 사법권 독립에 대한 문제점

1. 대법원장·대법관에 대한 임명

대법원장은 국회의 동의를 얻어 대통령이 임명하고, 대법관은 대법원장의 제청으로 국회의 동의를 얻어 대통령이 임명하는바, 대법원장의 제청이나 국회의 동의가 형식적인 절차에 머무르게 되는 경우에는 법원의 존립이 대통령에게 의존하게 되어 사법권의 독립이 침해된다는 문제가 있다.

2. 정부의 법원예산편성

법원의 예산을 정부가 편성하는 것은 사법권의 독립을 침해할 가능성이 있으므로 법원이 스스로 예산을 편성하도록 하는 것이 타당하다고 본다.

3. 대통령의 사면권행사

대통령의 사면에는 일반사면과 특별사면이 있다. 일반사면은 형의 선고 그 자체의 효력을 상실시키며, 특별사면은 특정인에 대하여 형의 집행을 면제하여 주는 것이므로 대통령의 사면권행사는 사법권의 독립을 침해할 소지가 있다.

제3절 구성과 조직

> 헌법 제101조 ① 사법권은 법관으로 구성된 법원에 속한다.
> ② 법원은 최고법원인 대법원과 각급 법원으로 조직된다.
> ③ 법관의 자격은 법률로 정한다.
>
> 법원조직법 제3조 【법원의 종류】 ① 법원은 다음의 7종류로 한다. 17. 법행. 20. 국가직
> 1. 대법원
> 2. 고등법원
> 3. 특허법원
> 4. 지방법원
> 5. 가정법원
> 6. 행정법원
> 7. 회생법원

1 대법원

1. 구성과 관할의 변천

구분	대법원의 구성	법관의 선출	대법원의 권한
제1 공화국	대법원장과 대법관	• 대법원장인 법관은 대통령이 임명하되 국회의 승인을 요함 • 대법관의 임명은 법관회의의 제청으로 대통령이 이를 행함	• 대법원규칙제정권 • 법률의 위헌 여부를 헌법위원회에 제청할 권한 • 위헌 · 위법 여부의 최종적 심사권
제2 공화국	대법원장과 대법관	• 법관의 자격이 있는 자로서 구성되는 선거인단이 대법원장과 대법관선거로 선출 • 일반 법관은 대법관회의의 의결에 따라 대법원장이 임명	• 대법원규칙제정권 • 명령 · 규칙 · 처분에 대한 위헌 · 위법심사권
제3 공화국	대법원장과 대법원판사	대법원장과 대법원판사의 임명에 관한 법관추천제도❶ 채택 15. 국회직 8급	• 위헌법률심사권을 비롯한 헌법해석권 • 정당해산심판권
제4 공화국	대법원장과 대법원판사	• 대법원장은 국회의 동의를 얻어 대통령이 임명 • 대법원장 이외의 법관은 대법원장의 제청에 따라 대통령이 임명	• 법원의 명령 · 규칙심사권 • 선거소송 • 법률의 위헌 여부 심사제청권 ▶ 심판은 헌법위원회가 함
제5 공화국	대법원장과 대법원판사❷	• 대법원장은 국회의 동의를 얻어 대통령이 임명 • 대법원판사는 대법원장의 제청으로 대통령이 임명 • 대법원장이 일반 법관의 임면권을 가짐	• 명령 · 규칙심사권 • 선거소송재판권 • 법률의 위헌 여부 심사제청권 ▶ 심판은 헌법위원회가 함

2. 헌법상 지위

헌법은 ① 최고법원으로서의 지위, ② 국민의 기본권보장기관으로서의 지위, ③ 헌법수호기관으로서의 지위, ④ 최고사법행정기관으로서의 지위를 가진다.

3. 구성과 조직

(1) 구성

> 헌법 제102조 ① 대법원에 부를 둘 수 있다.
> ② 대법원에 대법관을 둔다. 다만, 법률이 정하는 바에 의하여 대법관이 아닌 법관을 둘 수 있다. 19. 행시
> ③ 대법원과 각급 법원의 조직은 법률로 정한다.
> 법원조직법 제4조 【대법관】 ① 대법원에 대법관을 둔다.
> ② 대법관의 수는 대법원장을 포함하여 **14명**으로 한다. 09 · 17. 법무사, 12. 국회직 9급

(2) 대법원장

> **헌법 제104조** ① 대법원장은 국회의 동의를 얻어 대통령이 임명한다. 17. 행시. 18. 서울시. 19. 지방직
>
> **제105조** ① 대법원장의 임기는 6년으로 하며, 중임할 수 없다. 08. 국가직
> ④ 법관의 정년은 법률로 정한다.
>
> **법원조직법 제13조【대법원장】** ① 대법원에 대법원장을 둔다.
> ② 대법원장은 대법원의 일반 사무를 관장하며, 대법원의 직원과 각급 법원 및 그 소속 기관의 사법행정사무에 관하여 직원을 지휘·감독한다.
> ③ 대법원장이 궐위되거나 부득이한 사유로 직무를 수행할 수 없을 때에는 **선임대법관**이 그 권한을 대행한다. 11. 지방직. 15·18. 국가직
>
> **제44조【보직】** ① 판사의 보직은 대법원장이 행한다. 18. 서울시
>
> **제45조【임기·연임·정년】** ④ 대법원장과 대법관의 정년은 각각 70세, 판사의 정년은 65세로 한다. 17. 법원직
>
> **제44조의2【근무성적 등의 평정】** ① 대법원장은 판사에 대한 근무성적과 자질을 평정하기 위하여 공정한 평정기준을 마련하여야 한다.
> ② 제1항의 평정기준에는 근무성적평정인 경우에는 사건처리율과 처리 기간, 상소율, 파기율 및 파기사유 등이 포함되어야 하고, 자질평정인 경우에는 성실성, 청렴성 및 친절성 등이 포함되어야 한다.
> ③ 대법원장은 제1항의 평정기준에 따라 판사에 대한 평정을 실시하고 그 결과를 연임, 보직 및 전보 등의 인사관리에 반영한다.
>
> **제70조【행정소송의 피고】** 대법원장이 한 처분에 대한 행정소송의 피고는 법원행정처장으로 한다. 03·04. 법행. 11. 지방직

(3) 대법관

> **헌법 제104조** ② 대법관은 대법원장의 제청으로 **국회의 동의**를 얻어 대통령이 임명한다. 15·18. 서울시. 19. 지방직
>
> **제105조** ② 대법관의 임기는 6년으로 하며, 법률이 정하는 바에 의하여 연임할 수 있다. 09·11. 법무사. 17. 행시
> ④ 법관의 정년은 법률로 정한다.
>
> **법원조직법 제45조【임기·연임·정년】** ④ 대법원장과 대법관의 정년은 각각 70세, 판사의 정년은 65세로 한다. 17. 입시·법원직 9급

(4) 대법관회의

> **헌법 제104조** ③ 대법원장과 대법관이 아닌 법관은 대법관회의의 동의를 얻어 대법원장이 임명한다. 07. 법원직, 09. 법무사, 10. 국가직, 19. 서울시
>
> **법원조직법 제16조【대법관회의의 구성과 의결방법】** ① 대법관회의는 대법관으로 구성되며, 대법원장이 그 의장이 된다. 19. 국가직
> ② 대법관회의는 대법관 전원의 3분의 2 이상의 출석과 출석인원 과반수의 찬성으로 의결한다. 03. 법행. 09·17. 법무사, 13. 국가직, 16. 사시, 18. 지방직
> ③ 의장은 의결에서 **표결권을 가지며**, 가부동수일 때에는 결정권을 가진다. 04. 법행, 09. 법무사. 12. 경정승진, 19. 국가직

제17조【대법관회의의 의결사항】 08. 국가직, 11. 법행 다음 각 호의 사항은 대법관회의의 의결을 거친다.

1. 판사의 임명 및 연임에 대한 동의
2. 대법원규칙의 제정과 개정 등에 관한 사항
3. 판례의 수집·간행에 관한 사항
4. 예산요구, 예비금지출과 결산에 관한 사항
5. 다른 법령에 따라 대법관회의의 권한에 속하는 사항
6. 특히 중요하다고 인정되는 사항으로서 대법원장이 회의에 부친 사항

제41조【법관의 임명】 ③ 판사는 인사위원회의 심의를 거치고 대법관회의의 동의를 받아 대법원장이 임명한다. 19. 서울시

제45조의2【판사의 연임】 ① 임기가 끝난 판사는 인사위원회의 심의를 거치고 대법관회의의 동의를 받아 대법원장의 연임발령으로 연임한다. 08. 국가직, 20. 지방직
② 대법원장은 다음 각 호의 어느 하나에 해당한다고 인정되는 판사에 대해서는 연임발령을 하지 아니한다.
1. 신체상 또는 정신상의 장해로 판사로서 정상적인 직무를 수행할 수 없는 경우
2. 근무성적이 현저히 불량하여 판사로서 정상적인 직무를 수행할 수 없는 경우
3. 판사로서의 품위를 유지하는 것이 현저히 곤란한 경우

개념PLUS+ **대법관회의와 전원합의체 비교** 18. 법행

구분	대법관회의	전원합의체
구성	대법관 전원	대법관 전원
의결방법	대법관 전원의 3분의 2 이상 출석과 출석과반수	대법관 전원의 3분의 2 이상 출석과 출석과반수
대법원장의 지위	의장	재판장
가부동수인 경우 결정권	의장에게 결정권 ○	재판장에게 결정권 ×
의결사항	판사의 임명 및 연임에 대한 동의, 대법원규칙 제·개정, 판례수집·간행, 예산요구·예비금지출과 결산에 관한 사항 11. 법행	명령 또는 규칙이 헌법이나 법률에 위반함을 인정하는 경우, 종전 대법원의 헌법·법률·명령 또는 규칙의 해석적용에 관한 의견을 변경할 때, 부에서 재판함이 적당하지 아니한 사건

☑ **주의 대법원장**
· **전원합의체에서 가부동수인 경우:** 결정권을 가진다. (×)
· **전원합의체:** 결정권이 없다. (○)

법원조직법 제41조의2【대법관후보추천위원회】❶ ③ 위원은 다음 각 호에 해당하는 사람을 대법원장이 임명하거나 위촉한다.
1. 선임대법관
2. 법원행정처장
3. **법무부장관**
4. 대한변호사협회장
5. 사단법인 한국법학교수회 회장

---

❶
사법권의 독립을 위하여 현행법원조직법은 대법관후보추천위원회를 구성하고 있다. 19. 서울시

📖 **핵심기출 OX**

01 대법관회의는 대법관 전원의 과반수 출석과 출석인원 과반수의 찬성으로 의결한다. 16. 사시 (○, ×)

📖 × 대법관회의는 대법관 전원의 3분의 2 이상의 출석과 출석인원 과반수의 찬성으로 의결한다.

02 판사의 임명 및 연임 동의를 위해서는 대법관회의에서 대법관 전원의 3분의 2 이상의 출석과 출석인원 전원의 찬성으로 의결되어야 한다. 17. 법무사 (○, ×)

📖 × 대법관회의는 대법관 전원의 3분의 2 이상의 출석과 출석인원 과반수의 찬성으로 의결한다.

03 대법관회의는 대법관 3분의 2 이상의 출석과 출석인원 과반수의 찬성으로 의결하며, 가부동수인 때에는 부결된 것으로 본다. 04. 법행 (○, ×)

📖 × 의장은 의결에서 표결권을 가지며, 가부동수일 때에는 결정권을 가진다(법원조직법 제16조 제3항).

04 대법원은 지방자치단체 상호간의 권한쟁의에 관한 심판권을 가진다. 04. 법행 (○, ×)

📖 × 지방자치단체 상호간의 권한쟁의에 관한 심판권은 헌법재판소가 가진다(헌법 제111조 제1항 제4호).

6. 사단법인 법학전문대학원협의회 이사장

7. 대법관이 아닌 법관 1명

8. 학식과 덕망이 있고 각계 전문 분야에서 경험이 풍부한 사람으로서 변호사 자격을 가지지 아니한 사람 3명. 이 경우 1명 이상은 여성이어야 한다.

4. 관할

헌법 제107조 ① 법률이 헌법에 위반되는 여부가 재판의 전제가 된 경우에는 법원은 헌법재판소에 제청하여 그 심판에 의하여 재판한다. 18. 지방직

② 명령·규칙 또는 처분이 헌법이나 법률에 위반되는 여부가 재판의 전제가 된 경우에는 대법원은 이를 최종적으로 심사할 권한을 가진다. 18. 지방직

법원조직법 제14조【심판권】 대법원은 다음 각 호의 사건을 종심으로 심판한다.

1. 고등법원 또는 항소법원·특허법원의 판결에 대한 상고사건

2. 항고법원·고등법원 또는 항소법원·특허법원의 결정·명령에 대한 재항고사건

3. 다른 법률에 따라 대법원의 권한에 속하는 사건

다른 법률에 의하여 대법원의 권한에 속하는 사건의 예로는 공직선거법에 의한 선거소송과 당선소송(공직선거법 제222조, 제223조), 지방자치법상의 기관소송(지방자치법 제189조의 제6항, 제120조 제3항, 제192조 제4항) 등이 있다.

5. 심판

법원조직법 제7조【심판권의 행사】 ① 대법원의 심판권은 **대법관 전원의 3분의 2 이상의 합의체**에서 행사하며, 대법원장이 재판장이 된다. 03. 법행, 08. 국가직 다만, 대법관 3명 이상으로 구성된 부에서 먼저 사건을 심리하여 의견이 일치한 경우에 한정하여 다음 각 호의 경우를 제외하고 그 부에서 재판할 수 있다. 01·02. 법무사, 04·07. 법행, 07. 법원직, 13. 국가직, 18. 국회직

1. 명령 또는 규칙이 **헌법에 위반**된다고 인정하는 경우

2. 명령 또는 규칙이 **법률에 위반**된다고 인정하는 경우

3. 종전에 대법원에서 판시한 헌법·법률·명령 또는 규칙의 해석적용에 관한 의견을 변경할 필요가 있다고 인정하는 경우 13. 국가직

4. 부에서 재판하는 것이 적당하지 아니하다고 인정하는 경우

② 대법원장은 필요하다고 인정하는 경우에 특정한 부로 하여금 행정·조세·노동·군사·특허 등의 사건을 전담하여 심판하게 할 수 있다.

제15조【대법관의 의사표시】 대법원재판서에는 합의에 관여한 모든 대법관의 의견을 표시하여야 한다.

제65조【합의의 비공개】 심판의 합의는 공개하지 아니한다. 08. 국가직

제66조【합의의 방법】 ① 합의심판은 헌법 및 법률에 다른 규정이 없으면 과반수로 결정한다. 09. 사시

2 고등법원

> **법원조직법 제28조【심판권】** 고등법원은 다음의 사건을 심판한다. 다만, 제28조의4 제2호에 따라 특허법원의 권한에 속하는 사건은 제외한다.
> 1. 지방법원 합의부, 가정법원 합의부, 회생법원 합의부 또는 행정법원의 제1심 판결·심판·결정·명령에 대한 항소 또는 항고사건
> 2. 지방법원단독판사, 가정법원단독판사의 제1심 판결·심판·결정·명령에 대한 항소 또는 항고사건으로서 형사사건을 제외한 사건 중 대법원규칙으로 정하는 사건
> 3. 다른 법률에 따라 고등법원의 권한에 속하는 사건

3 특허법원

> **법원조직법 제28조의4【심판권】** 특허법원은 다음의 사건을 심판한다.
> 1. 특허법 제186조 제1항, 실용신안법 제33조, 디자인보호법 제166조 제1항 및 상표법 제162조에서 정하는 제1심사건
> 2. 민사소송법 제24조 제2항 및 제3항에 따른 사건의 항소사건
> 3. 다른 법률에 따라 특허법원의 권한에 속하는 사건
>
> **제54조의2【기술심리관】** ① 특허법원에 기술심리관을 둔다.

4 지방법원

> **법원조직법 제31조의2【가정지원의 관할】** 가정지원은 가정법원이 설치되지 아니한 지역에서 가정법원의 권한에 속하는 사항을 관할한다. 다만, 가정법원단독판사의 판결·심판·결정·명령에 대한 항소 또는 항고사건에 관한 심판에 해당하는 사항은 제외한다.
>
> **제33조【시·군법원】** ① 대법원장은 지방법원 또는 그 지원 소속 판사 중에서 그 관할구역에 있는 시·군법원의 판사를 지명하여 시·군법원의 관할 사건을 심판하게 한다. 이 경우 1명의 판사를 둘 이상의 시·군법원의 판사로 지명할 수 있다.
>
> **제34조【시·군법원의 관할】** ① 시·군법원은 다음 각 호의 사건을 관할한다.
> 1. 소액사건심판법을 적용받는 민사사건
> 2. 화해·독촉 및 조정에 관한 사건
> 3. 20만원 이하의 벌금 또는 구류나 과료에 처할 범죄사건
> 4. 가족관계의 등록 등에 관한 법률 제75조에 따른 협의상 이혼의 확인

5 가정법원

> **법원조직법 제40조【합의부의 심판권】** ① 가정법원 및 가정법원지원의 합의부는 다음 각 호의 사건을 제1심으로 심판한다.
> 1. 가사소송법에서 정한 가사소송과 마류 가사비송사건 중 대법원규칙으로 정하는 사건
> 2. 가정법원판사에 대한 제척·기피사건
> 3. 다른 법률에 따라 가정법원합의부의 권한에 속하는 사건

🏛️ 핵심기출 OX

고등법원은 지방의회 지역구의원 자치구·시·군의 장, 비례대표 시·도의원의 선거소송과 당선소송을 담당한다.
08. 국가직 (O, ×)

答 × 비례대표 시·도의원의 선거소송과 당선소송은 대법원에서 단심제로 심판한다. 주의할 것은 지역구 시·도의원의 선거소송과 당선소송은 고등법원을 1심으로 하는 2심제로 심판한다는 점이다(공직선거법 제222조, 제223조).

6 행정법원

> **헌법 제107조** ③ 재판의 전심절차로서 행정심판을 할 수 있다. 행정심판의 절차는 법률로 정하되, 사법절차가 준용되어야 한다. 19. 국가직
>
> **법원조직법 제40조의4【심판권】** 행정법원은 행정소송법에서 정한 행정사건과 다른 법률에 따라 행정법원의 권한에 속하는 사건을 제1심으로 심판한다. 08. 국가직

7 특별법원

> **헌법 제110조** ① 군사재판을 관할하기 위하여 특별법원으로서 군사법원을 둘 수 있다.
> ② 군사법원의 상고심은 대법원에서 관할한다. 20. 국회직 8급
> ③ 군사법원의 조직·권한 및 재판관의 자격은 법률로 정한다.
> ④ 비상계엄하의 군사재판은 군인·군무원의 범죄나 군사에 관한 간첩죄의 경우와 초병·초소·유독음식물공급·포로에 관한 죄 중 법률이 정한 경우에 한하여 단심으로 할 수 있다. 다만, 사형을 선고한 경우에는 그러하지 아니하다.

1. 문제의 소재

헌법은 제101조 제1항에서 "사법권은 법관으로 구성된 법원에 속한다."라고 하고 제2항에서 "법원은 최고법원인 대법원과 각급 법원으로 조직된다."라고 하고 있어, 모든 재판은 법관이 담당하여야 하며 대법원을 최종심으로 하여야 하는 것으로 규정하고 있다. 이러한 헌법 규정과 관련하여 법관이 아닌 자에 의한 재판이 가능한지 또는 대법원을 최종심으로 하지 아니하는 특별법원을 설치할 수 있는지가 문제된다.

2. 특별법원의 설치가능성

(1) 특별법원의 개념

특별법원의 설치가 가능한가의 문제는 특별법원의 의미를 어떻게 이해하느냐에 따라 결정되게 되는바, 이에 관하여 다음과 같은 견해가 대립하고 있다.
① 학설
　㉠ **특수법원설**: 특별법원이란 법관의 자격을 가진 자가 재판을 담당하고 대법원에의 상고도 인정되나, 그 관할 대상이 특수한 범위에 한정되거나 임시적으로만 존립하는 법원을 뜻한다는 견해이다.
　㉡ **예외법원설(다수설)**: 특별법원이란 법관으로 구성되지 않거나 대법원을 최종심으로 하지 않는 법원, 즉 헌법이 규정하는 법관의 자격 내지 그 재판에 대한 최고법원에 상소권이 인정되지 않는 헌법 규정에 대한 예외적인 성격의 법원을 뜻한다는 견해이다.
② **헌법재판소의 입장**: 헌법재판소는 헌법 제110조 제1항 "특별법원으로서 군사법원을 둘 수 있다."의 의미는 군사법원을 일반 법원과 조직권한 및 재판관의 자격을 달리하여 특별법원으로 설치할 수 있다는 뜻으로 해석된다고 판시하며 **예외법원설**의 태도를 취하고 있다(헌재 1996.10.31. 93헌바25).

핵심기출 OX

01 행정심판은 헌법적 근거가 있기 때문에 그 심판에 관하여 정식재판의 길이 열려 있지 않더라도 헌법에 위반되지 않는다. 04. 국회직 8급 (○, ×)

답 × 헌법 제107조 제3항은 "재판의 전심절차로서 행정심판을 할 수 있다. 행정심판의 절차는 법률로 정하되, 사법절차가 준용되어야 한다."고 규정하고 있으므로, 입법자가 행정심판을 전심절차가 아니라 종심절차로 규정함으로써 정식재판의 기회를 배제하거나, 어떤 행정심판을 필요적 전심절차로 규정하면서도 그 절차에 사법절차가 준용되지 않는다면 이는 헌법 제107조 제3항, 나아가 재판청구권을 보장하고 있는 헌법 제27조에도 위반된다(헌재 2000.6.1. 98헌바8).

02 현행헌법은 행정심판에 관하여 규정을 두고 있지 않으나, 재판의 전심절차로서 행정심판을 할 수 있으며, 행정심판의 절차에는 사법절차가 준용되어야 한다. 19. 국가직 (○, ×)

답 × 헌법 제107조 제3항에 규정이 있다.

03 군사법원의 상고심은 고등법원에서 관할한다. 20. 국회직 8급 (○, ×)

답 × 대법원에서 관할한다.

③ **검토**: 어느 법원의 관할 대상이나 존속 기간이 특수한 범위에 한정되는 것은 법원의 관할 배분상 생겨나는 현상으로 일반 법원의 한 형태라고 보아야 할 것이므로 특별법원의 개념은 예외법원설에 따라 이해하여야 할 것이다.

(2) 우리 헌법상 특별법원의 설치가능성

우리 헌법이 명문으로 인정하고 있는 군사법원 이외에 법률로써 예외법원으로서의 특별법원의 설치가 가능한지의 문제이다.

① **학설**

㉠ **긍정설**: 특별법원의 조직 및 그 법관의 자격을 법률로 정하는 경우에는 헌법 제101조 제2항·제3항 및 제102조 제3항이 근거로 인정될 수 있다고 한다.

㉡ **부정설(통설)**: 군사법원 이외에는 헌법에 그 설치에 관한 근거규정이 없고, 헌법 제101조 제2항이 대법원을 최고법원인 동시에 최종심법원으로 규정하고 있으며, 법관의 신분보장 등을 규정한 헌법 제105조와 제106조 등을 근거로 삼더라도 군사법원 이외의 특별법원을 설치할 수 없다고 한다.

② **검토**: 우리 헌법이 법원을 신분이 보장된 법관으로 구성하고 대법원을 최종심으로 하고 있는 것은 사법권의 독립 및 국민의 재판청구권을 보장하기 위한 것이므로 이러한 원칙이 적용되지 아니하는 예외법원의 설치는 부정하는 것이 타당하다.

3. 특별법원으로서의 군사법원

(1) 의의

군사법원은 그 재판이 법관의 자격이 없는 국군장교에 의하여 행하여지고 또 비상계엄하의 일정한 범죄에 대하여 단심으로 재판할 수 있도록 하고 있다는 점에서 특별법원에 해당한다. 10. 법원직 9급, 20. 지방직 그러나 군사법원은 헌법이 직접 그 설치규정을 두고 있으므로 위헌이라고 할 수 없다. 07. 법행

(2) 우리나라의 군사법원의 연혁

① **제2차 개정헌법**: 1954년에 군법회의의 설치근거를 규정하였다.

② **현행헌법**: 군사법원을 규정함에 따라 1962년에 제정된 군법회의법이 1987년 군사법원법으로 개정되었다.

(3) 현행 군사법원법

> **군사법원법 제2조【신분적 재판권】** ① 군사법원은 다음 각 호의 어느 하나에 해당하는 사람이 범한 죄에 대하여 재판권을 가진다.
> 1. 군형법 제1조 제1항부터 제4항까지에 규정된 사람. 다만, 군형법 제1조 제4항에 규정된 사람 중 다음 각 목의 어느 하나에 해당하는 내국인·외국인은 제외한다.
>   가. 군의 공장, 전투용으로 공하는 시설, 교량 또는 군용에 공하는 물건을 저장하는 창고에 대하여 군형법 제66조의 죄를 범한 내국인·외국인
>   나. 군의 공장, 전투용으로 공하는 시설, 교량 또는 군용에 공하는 물건을 저장하는 창고에 대하여 군형법 제68조의 죄를 범한 내국인·외국인
>   다. 군의 공장, 전투용으로 공하는 시설, 교량, 군용에 공하는 물건을 저장하는 창고, 군용에 공하는 철도, 전선 또는 그 밖의 시설에 대하여 군형법 제69조의 죄를 범한 내국인·외국인

라. 가목부터 다목까지의 규정에 따른 죄의 미수범인 내국인·외국인
　　마. 국군과 공동작전에 종사하고 있는 외국군의 군용시설에 대하여 가목부터 다목까지의 규정에 따른 죄를 범한 내국인·외국인
　2. 국군부대의 간수하에 있는 포로
　② 군사법원은 제1항 제1호에 해당하는 사람이 그 **신분취득 전에 범한 죄에 대하여 재판권을 가진다.**

제4조【대법원의 규칙제정권】 대법원은 제4조의2에 따른 군사법원운영위원회의 의결을 거쳐 군사법원의 재판에 관한 내부규율과 사무처리에 관한 사항을 군사법원규칙으로 정한다.

제4조의2【군사법원운영위원회】 ① 군사법원 운영에 관한 다음 각 호의 사항을 심의·의결하기 위하여 국방부에 군사법원운영위원회를 둔다.
　1. 군판사의 임명 및 연임 동의에 관한 사항
　2. 제4조에 따른 군사법원규칙의 제정과 개정 등에 관한 사항
　3. 판례의 수집·간행에 관한 사항
　4. 다른 법령에 따라 군사법원운영위원회의 권한에 속하는 사항
　5. 군사법원 운영과 관련하여 특히 중요하다고 인정되는 사항으로서 국방부장관이 회의에 부치는 사항
　② 제1항에 따른 군사법원운영위원회(이하 "군사법원운영위원회"라 한다)의 위원장은 국방부장관이 되고, 군사법원운영위원회의 위원은 다음 각 호의 사람이 된다.
　1. 국방부장관이 지정하는 변호사 자격이 있는 고위공무원 1명
　2. 군사법원장 5명
　3. 군인사법 제21조에 따라 각 군 참모총장이 임명한 법무병과장 각 1명
　③ 군사법원운영위원회는 재적위원 3분의 2 이상의 출석으로 개의(開議)하고, 출석위원 과반수의 찬성으로 의결한다.
　④ 제1항부터 제3항까지에서 규정한 사항 외에 군사법원운영위원회의 운영에 필요한 사항은 대통령령으로 정한다.

제6조【군사법원의 설치 및 관할구역】 ① 군사법원은 국방부장관 소속으로 하며, 중앙지역군사법원·제1지역군사법원·제2지역군사법원·제3지역군사법원 및 제4지역군사법원으로 구분하여 설치하되, 그 소재지는 별표 1과 같다.
　② 군사법원의 관할구역은 별표 2와 같다.

제7조【군사법원장】 ① 군사법원에 군사법원장을 둔다.
　② 군사법원장은 군판사로 한다.
　③ 중앙지역군사법원장은 국방부장관의 명을 받아 군사법원의 사법행정사무를 총괄하고, 각 군사법원의 사법행정사무에 관하여 직원을 지휘·감독한다.
　④ 군사법원장은 그 군사법원의 사법행정사무를 관장하며, 소속 직원을 지휘·감독한다.
　⑤ 군사법원장이 궐위되거나 부득이한 사유로 직무를 수행할 수 없을 때에는 그 군사법원의 선임(先任) 군판사의 순서로 그 권한을 대행한다.

제24조【군판사의 임용자격】 ① 군사법원장은 군법무관으로서 15년 이상 복무한 영관급 이상의 장교 중에서 임명한다.
　② 군판사는 군법무관으로서 10년 이상 복무한 영관급 이상의 장교 중에서 임명한다. 이 경우 군인사법 제33조에 따른 임시계급을 포함한다.

제25조【군판사의 결격사유】 다음 각 호의 어느 하나에 해당하는 사람은 군판사로 임용할 수 없다.
　1. 군인사법 제10조 제2항의 결격사유에 해당하는 사람
　2. 금고 이상의 형을 선고받은 사람

4. 특수법원의 설치문제

(1) 개념

특수법원이란 법관의 자격을 가진 자가 재판을 담당하고 최고법원에의 상고가 인정되나, 그 관할이 한정되고 그 대상이 특수한 법원을 말한다.

(2) 필요성

① 현대 사회가 복잡화·전문화됨에 따라 재판에 고도의 전문성이 요구되는 경우가 증가하게 되었고 이에 따라 행정법원, 특허법원, 조세법원 등 특정 분야를 전문적으로 담당하는 특수한 법원의 설치필요성이 대두되었다.

② 독일의 경우 연방 민·형사, 행정, 재정, 노동, 사회재판소를 별개로 설치하고 있고 프랑스도 일반 법원, 상사법원, 노사조정법원, 농사법원, 사회보장법원 등을 따로 두고 있다.

(3) 우리 헌법에서의 특수법원

① **설치가능성**: 우리 헌법은 제102조 제1항에서 대법원에 부를 둘 수 있다고 하고 제2항에서 대법원과 각급 법원의 조직은 법률로 정한다고 규정하고 있으므로 현행법하에서도 대법원에 특별전담부를 둘 수 있고 법률에 의하여 대법원의 하급법원으로서 특수법원을 설치할 수 있다.

② **현행법하에서의 특수법원** 10. 법원직 9급

　㉠ **특허법원**: 특허법 제186조 제1항, 실용신안법 제33조, 디자인보호법 제166조 및 상표법 제162조 제2항이 정하는 제1심사건과 다른 법률에 의하여 특허법원의 권한에 속하는 사건을 심판한다.

　㉡ **가정법원**: 가사에 관한 사건과 소년에 관한 사건 등을 전문적으로 처리하기 위하여 1963년 10월 1일에 설치되었다. 가사사건은 법률이 정하는 바에 따라 법관 3인으로 구성된 합의부 또는 단독판사가 처리하고, 소년사건과 가정보호사건은 단독판사가 처리한다.

　㉢ **행정법원**: 행정소송법에서 정한 행정사건과 다른 법률에 의하여 행정법원의 권한에 속하는 사건을 제1심으로 심판한다.

　㉣ **기타 특수법원의 설치문제**: 현행법상 특허법원, 가정법원, 행정법원이 설치되어 있으며, 그 외에도 전문법원으로서 노동법원, 조세법원, 교통법원, 간이법원 등의 설치가 논의되고 있다. 다만, 이들 전문법원을 설치함에 있어서는 법원을 구성할 법관의 전문성확보가 중요한 문제로 대두된다.

개념PLUS+ 　**특수법원과 특별법원의 비교**

구분	특수법원	특별법원
의의	법관의 자격을 가진 자가 재판을 담당하고 상고가 인정되며, 특별한 종류의 사건에 한하여 재판권을 행사하는 법원	법관의 자격을 가지지 않은 자로 구성되거나 대법원이 최종심이 아닌 법원
헌법상 근거 필요 여부	법률로 설치가능	헌법상 근거가 반드시 필요함
예	특허법원, 가정법원, 행정법원	군사법원

5. 행정심판위원회

(1) 헌법 제107조 제3항은 재판의 전심절차로서 행정심판을 할 수 있도록 규정하고 있고, 이에 따라 행정심판을 담당하는 행정심판기관으로 행정심판위원회가 있다.

(2) 행정심판위원회에는 일반행정심판위원회와 특별행정심판위원회(해양안전심판원과 특허심판부 등)가 있으며 법관이 아닌 일반 공무원에 의하여 준사법적 심판이 이루어지기는 하나 헌법에 근거가 있고 재판의 전심절차에 불과하므로 위헌이 아니다.

제4절 사법의 절차와 운영

1 재판의 심급제

> **헌법 제101조** ① 사법권은 법관으로 구성된 법원에 속한다.
> ② 법원은 최고법원인 대법원과 각급 법원으로 조직된다.

1. 3심제의 원칙

(1) 헌법은 심급제도가 몇 개의 심급으로 형성되어야 하는가에 관하여 규정하는 바가 없으므로 이는 입법자의 광범위한 형성권에 맡겨져 있다고 할 수 있다. 07. 법원직 9급, 07·17. 국가직, 11. 법무사

(2) 따라서 입법자는 2심제를 원칙으로 할 수도 있고, 3심제를 원칙으로 할 수도 있는데 법원조직법은 3심제를 원칙으로 규정하고 있다. 06. 국가직 이에 따라 민사·형사·행정소송도 3심제를 채택하고 있다.

📋 **참고 3심제의 진행**
1. 합의부 관할사건: 지방법원·행정법원합의부 ⇨ 고등법원 ⇨ 대법원
2. 단독 판사사건: 지방법원·가정법원(지원)단독부 ⇨ 지방법원·가정법원합의항소부 ⇨ 대법원

---

2. 3심제에 대한 예외

(1) 단심제

① 대통령, 국회의원, 비례대표시·도의원, 시·도지사의 선거 관련 소송 08. 국가직, 09. 사시, 10. 법무사, 11. 지방직, 14. 경정승진

② **비상계엄하의 군사재판**

③ **지방자치단체 기관소송**

제192조【지방의회의결의 재의와 제소】④ 지방자치단체의 장은 제3항에 따라 재의결된 사항이 법령에 위반된다고 판단되면 재의결된 날부터 20일 이내에 대법원에 소를 제기할 수 있다.

지방교육자치에 관한 법률 제28조【시·도의회 등의 의결에 대한 재의와 제소】③ 제2항의 규정에 따라 재의결된 사항이 법령에 위반된다고 판단될 때에는 교육 감은 재의결된 날부터 20일 이내에 대법원에 제소할 수 있다.

④ 국민투표무효확인소송

국민투표법 제92조【국민투표무효의 소송】국민투표의 효력에 관하여 이의가 있 는 투표인은 투표인 10만인 이상의 찬성을 얻어 중앙선거관리위원회 위원장을 피고로 하여 투표일로부터 20일 이내에 대법원에 제소할 수 있다.

⑤ 법관징계처분에 대한 불복소송

법관징계법 제27조【불복절차】① 피청구인의 징계 등 처분에 대하여 불복하려 는 경우에는 징계 등 처분이 있음을 안 날부터 14일 이내에 전심절차를 거치지 아니하고 대법원에 징계 등 처분의 취소를 청구하여야 한다. 19. 서울시
② 대법원은 제1항의 취소청구사건을 단심으로 재판한다. 10. 법행, 18. 국회직

⑥ 주민투표소송

주민투표법 제25조【주민투표소송 등】② 소청인은 제1항에 따른 소청에 대한 결 정에 불복하려는 경우 관할선거관리위원회위원장을 피고로 하여 그 결정서를 받은 날(결정서를 받지 못한 때에는 결정기간이 종료된 날을 말한다)부터 10일 이내에 시·도의 경우에는 대법원에, 시·군·구의 경우에는 관할 고등법원에 소를 제기할 수 있다.

⑦ 주민소환투표소송

주민소환에 관한 법률 제24조【주민소환투표소송 등】② 제1항의 규정에 따른 소 청에 대한 결정에 관하여 불복이 있는 소청인은 관할 선거관리위원회 위원장 을 피고로 하여 그 결정서를 받은 날(결정서를 받지 못한 때에는 공직선거법 제220조 제1항의 규정에 의한 결정 기간이 종료된 날을 말한다)부터 10일 이내에 지역구시·도의원, 지역구자치구·시·군의원 또는 시장·군수·자치구의 구청장을 대상으로 한 주민소환투표에 있어서는 그 선거구를 관할하는 고등법원에, 시·도 지사를 대상으로 한 주민소환투표에 있어서는 대법원에 소를 제기할 수 있다.

(2) 2심제 08. 국가직

① 지역구시·도의원선거, 자치구·시·군의원 및 장선거 관련 소송

공직선거법 제222조【선거소송】② 지방의회의원 및 지방자치단체의 장의 선거 에 있어서 선거의 효력에 관한 제220조의 결정에 불복이 있는 소청인(당선인 을 포함한다)은 해당 소청에 대하여 기각 또는 각하결정이 있는 경우(제220조 제1항의 기간 내에 결정하지 아니한 때를 포함한다)에는 해당 선거구선거관리 위원회 위원장을, 인용결정이 있는 경우에는 그 인용결정을 한 선거관리위원회 위원장을 피고로 하여 그 결정서를 받은 날(제220조 제1항의 기간 내에 결정하 지 아니한 때에는 그 기간이 종료된 날)부터 10일 이내에 비례대표시·도의원

🔖 **핵심기출 OX**

검사에 대한 징계처분의 취소청구를 하는 경우, 비상계엄하의 군사재판 중 군인·군무원의 범죄의 경우, 법관에 대한 징계치분의 취소청구를 하는 경 우는 모두 대법원의 단심제에 해당한 다. 10. 법행 변형　　　　　(○, ×)
답 × 법관에 대한 징계처분의 취소청 구를 하는 경우만 단심제에 해당한다.

• 검사에 대한 징계처분의 취소청구 를 하는 경우: 단심제 ×
⇨ 징계는 해임, 면직, 정직, 감봉 및 견책으로 구분한다. 검사에 대 한 징계처분의 취소청구는 행정소 송의 예에 따라서 한다(행정법원 ⇨ 고등법원 ⇨ 대법원)(검사징계 법 제3조 제1항).
• 비상계엄하의 군사재판 중 군인, 군무원의 범죄인 경우: 단심제 ×
⇨ 비상계엄하의 군사재판은 군인· 군무원의 범죄나 군사에 관한 간 첩죄의 경우와 초병·초소·유독음 식물공급·포로에 관한 죄 중 법률 이 정한 경우에 한하여 단심으로 할 수 있다(헌법 제110조 제4항).
• 법관에 대한 징계처분의 취소청구 를 하는 경우: 단심제 ○
⇨ 피청구인이 징계 등 처분에 대 하여 불복하려는 경우에는 징계 등 처분이 있음을 안 날부터 14일 이내에 전심절차를 거치지 아니하 고 대법원에 징계 등 처분의 취소 를 청구하여야 한다. 대법원은 취 소청구사건을 단심으로 재판한다 (법관징계법 제27조).

선거 및 시·도지사선거에 있어서는 대법원에, 지역구시·도의원선거, 자치구·시·군의원선거 및 자치구·시·군의 장선거에 있어서는 그 선거구를 관할하는 고등법원에 소를 제기할 수 있다.

제223조【당선소송】 ② 지방의회의원 및 지방자치단체의 장의 선거에 있어서 당선의 효력에 관한 제220조의 결정에 불복이 있는 소청인 또는 당선인인 피소청인(제219조 제2항 후단에 따라 선거구선거관리위원회 위원장이 피소청인인 경우에는 당선인을 포함한다)은 해당 소청에 대하여 기각 또는 각하결정이 있는 경우(제220조 제1항의 기간 내에 결정하지 아니한 때를 포함한다)에는 당선인(제219조 제2항 후단을 이유로 하는 때에는 관할 선거구선거관리위원회 위원장을 말한다)을, 인용결정이 있는 경우에는 그 인용결정을 한 선거관리위원회 위원장을 피고로 하여 그 결정서를 받은 날(제220조 제1항의 기간 내에 결정하지 아니한 때에는 그 기간이 종료된 날)부터 10일 이내에 비례대표시·도의원선거 및 시·도지사선거에 있어서는 대법원에, 지역구시·도의원선거, 자치구·시·군의원선거 및 자치구·시·군의 장선거에 있어서는 그 선거구를 관할하는 고등법원에 소를 제기할 수 있다.

공직선거법은 지역구시·도의원선거, 자치구·시·군의원 및 자치구·시·군의 장선거에 관련된 선거소송은 제1심은 고등법원에서 관할하고, 제2심은 대법원에서 관할하도록 하는 2심제를 규정하고 있다. 시·군 및 자치구에 있어서의 주민투표소송, 지역구지방의회의원 또는 시장·군수·자치구의 구청장을 대상으로 한 주민소환투표소송도 제1심의 관할을 고등법원으로 한다.

② **특허소송:** 특허소송에서는 제1심은 특허법원에서 관할하고, 제2심은 대법원에서 관할하는 2심제를 규정하고 있다. 08. 선관위 7급

2 재판의 공개제도

헌법 제109조 재판의 심리와 판결은 공개한다. 다만, 심리는 국가의 안전보장 또는 안녕질서를 방해하거나 선량한 풍속을 해할 염려가 있을 때에는 법원의 결정으로 공개하지 아니할 수 있다. 01·02. 법무사, 05. 입시, 08. 법원직, 11. 지방직, 12. 경정승진

1. 의의

재판의 공개주의란 재판의 심리와 판결이 일반인의 방청이 허용되는 공개법정에서 행해져야 한다는 것을 말한다. 재판의 공개는 재판의 공정성확보, 소송당사자의 인권보호, 재판에 대한 국민의 신뢰를 확보하려는 데 그 제도적 의의가 있다.

2. 원칙

재판의 심리와 판결은 공개한다(헌법 제109조 본문). '심리'는 원·피고가 법관 앞에서 심문을 받으며 변론을 전개하는 것을 말하고, '판결'은 심리의 결과에 대한 법원의 판단을 의미하며, '공개'는 사건과 직접 관계가 없는 일반인에게도 방청을 허용하는 것을 말한다.

(1) 공개대상은 '재판'이므로 민사·형사·행정·선거소송절차는 공개되어야 하나, 가사비송절차나 그 밖의 비송절차는 공개의 대상이 아니다. 05. 입시, 08. 법원직·선관위 7급

(2) 공개대상은 '심리와 판결'이므로 공판준비절차는 공개하지 않아도 된다. 08. 선관위 7급

(3) 공개대상은 '판결'이므로 소송법상의 결정이나 명령은 공개하지 않아도 된다. 05. 입시, 08. 법원직

(4) '공개한다'는 것은 사건과 직접 관계가 없는 일반인에게도 방청을 허용하는 것을 의미하지만, 누구든 언제나 방청이 허용되는 것은 아니다.

3. 예외

재판은 공개함을 원칙으로 하나, 심리는 국가의 안전보장 또는 안녕질서를 방해하거나 선량한 풍속을 해할 염려가 있을 때에는 법원의 결정으로 공개하지 아니할 수 있다(헌법 제109조 단서). 01. 법무사, 14. 경정승진 비공개는 심리에 관해서만 가능하고, 판결은 반드시 공개하여야 한다.

제5절 권한

1 쟁송재판권

1. 민사재판권

민사재판권이란 민사소송을 처리하는 데 필요한 권한을 말하며, 민사소송은 사인간의 생활관계에 관한 분쟁을 재판을 통하여 해결·조정하기 위한 절차이다(협의의 민사소송). 그러나 법원이 담당하는 민사소송에 관한 재판권에는 이러한 협의의 민사소송 외에도 가사소송, 독촉절차, 집행보전절차, 공시최고절차, 파산절차 등의 특별절차와 조정, 비송사건절차 등 넓은 의미의 민사소송에 관한 재판권까지 포함된다.

2. 형사재판권

형사재판권이란 범죄를 인정하고 형벌을 과하는 절차, 즉 형사소송을 처리하는 데 필요한 권한을 말한다. 형사소송에는 검사의 공소제기에 의한 정식재판절차 외에 소년법에 의한 형사절차, 약식절차, 즉심제도 등과 같은 특수한 작용들도 포함된다.

3. 행정재판권

행정재판권이란 행정소송을 처리하는 데 필요한 권한을 말하며, 행정소송이란 행정작용에 관하여 분쟁이 있는 경우에 당사자의 소제기에 의하여 그 분쟁을 해결하는 절차를 의미한다. 행정소송은 그 분쟁의 특수성으로 인하여 일반 법원으로부터 독립한 행정재판소에서 담당하는 행정형과 일반 법원이 담당하는 사법형으로 구분된다. 우리나라는 행정처분에 관한 재판권이 법원에 있다고 규정하고 있어 사법형에 속하지만(헌법 제107조 제2항), 행정소송의 특수성을 감안하여 출소 기간제한 등의 특칙을 두고 있다. 특히 종전에는 행정소송법이 행정심판전치주의를 규정하고 있었으나, 1995년 개정으로 임의적 심판전치주의로 전환되어 행정소송 3심제가 되었다.

4. 선거쟁송재판권

선거쟁송재판권이란 법원이 선거쟁송을 처리하는 데 필요한 권한을 말하며, 선거쟁송이란 선거소송이나 당선소송을 포함하여 선거의 효력에 관한 소송을 총칭한다.

2 명령 · 규칙심사권

> 헌법 제107조 ② 명령·규칙 또는 처분이 헌법이나 법률에 위반되는 여부가 재판의 전제가 된 경우에는 대법원은 이를 최종적으로 심사할 권한을 가진다. 17. 행시, 18. 지방직

1. 의의
(1) 개념
법원의 명령·규칙심사권이란 명령·규칙이 헌법이나 법률에 위반되는지 여부가 재판의 전제가 된 경우 법원이 이를 심사하여 무효라고 판단할 때에는 당해 명령·규칙을 그 사건에 한하여 적용하는 것을 거부하는 권한을 말한다.

(2) 제도적 의의
명령·규칙심사권의 제도적 의의는 위헌 또는 위법한 명령·규칙으로부터 헌법을 수호하고 법률의 실효성을 보장하며, 위헌 또는 위법한 명령·규칙으로 인하여 개인의 기본권이 침해되는 것을 방지하려는 데 있다.

2. 주체
(1) 각급 법원과 대법원
명령·규칙심사권의 주체는 대법원을 비롯한 각급 법원(군사법원 포함)이며, 명령·규칙의 위헌·위법 여부를 최종적으로 심사할 권한은 대법원이 가진다.

05·08. 국가직, 07. 법행, 11. 법무사, 15. 서울시

(2) 헌법재판소가 주체가 될 수 있는지 여부

헌법재판소가 명령·규칙에 대한 위헌심판권을 가지는지에 대하여는 긍정설과 부정설의 대립이 있다. 대법원은 헌법 제107조 제2항을 근거로 명령·규칙의 심사는 법원의 전속적 권한이라는 견해를 표명하였으나, 헌법재판소는 대법원규칙인 법무사법 시행규칙에 대한 헌법소원을 인용함으로써 긍정설의 입장에 서고 있다(헌재 1990.10.15. 89헌마178).

⚖️ 판례

헌법재판소도 명령·규칙심사권의 주체가 될 수 있는지 여부: 적극

헌법 제107조 제2항이 규정한 명령·규칙에 대한 대법원의 최종심사권이란 구체적인 소송사건에서 명령·규칙의 위헌 여부가 재판의 전제가 되었을 경우 법률의 경우와는 달리 헌법재판소에 제청할 것 없이 대법원이 최종적으로 심사할 수 있다는 의미이며, 헌법 제111조 제1항 제1호에서 법률의 위헌 여부 심사권을 헌법재판소에 부여한 이상 통일적인 헌법해석과 규범통제를 위하여 명령·규칙의 위헌 여부 심사권이 헌법재판소의 관할에 속함은 당연한 것으로서 헌법 제107조 제2항의 규정이 이를 배제한 것이라고는 볼 수 없다. 따라서 입법부·행정부·사법부에서 제정한 규칙이 별도의 집행행위를 기다리지 않고 직접 기본권을 침해하는 것일 때에는 모두 헌법소원심판의 대상이 될 수 있는 것이다(헌재 1990.10.15. 89헌마178). 05. 국가직, 09. 법무사, 10. 법행, 12. 변호사

---

3. 내용

(1) 요건

명령 또는 규칙이 헌법이나 법률에 위반되는지 여부가 재판의 전제가 되어야 한다(구체적 규범통제). '재판의 전제가 되는 경우'란 법원에 계속 중인 구체적인 사건에서 문제되는 명령·규칙이 그 사건에 적용되고 그 명령·규칙의 위헌·위법 여부에 따라 다른 내용의 재판을 하는 경우를 말한다.

(2) 기준

명령 또는 규칙의 심사기준은 헌법과 법률이다. 헌법에는 형식적 의미의 헌법뿐만 아니라 헌법적 관습도 포함되고, 법률에는 형식적 의미의 법률뿐만 아니라 긴급명령·긴급재정경제명령과 국회의 비준동의를 얻은 조약도 포함된다(다수설).

(3) 대상

① **명령**: 위헌·위법심사의 대상이 되는 명령은 **법규명령**이며, 위임명령·집행명령과 대통령령·총리령·부령 여부를 불문한다. 명령과 동일한 효력을 가지는 조약이나 협정도 심사의 대상에 포함된다(다수설).

② **규칙**: 위헌·위법심사의 대상이 되는 규칙은 대국민적 구속력을 가지는 규칙으로 국회제정규칙·헌법재판소규칙·대법원규칙·중앙선거관리위원회규칙·지방자치단체의 조례와 규칙 중 법규명령으로서의 규칙이 여기에 해당하며, 대외적 구속력이 없는 일반적인 행정규칙은 여기에 해당하지 않는다. 05. 국가직, 10. 법행 그러나 대외적 구속력을 가지는 행정규칙, 즉 법령보충적 행정규칙과 같이 상위법령의 위임한계를 벗어나지 아니하는 한 법규명령적 효력을 가지는 것 또는 재량권행사의 준칙으로서 자기구속적

행정관행을 이루게 되어 대외적인 구속력을 가지게 되는 것은 위헌·위법심사의 대상이 되는 규칙에 해당된다고 본다(헌재 2004.10.28. 99헌바91).

(4) 범위

법원의 명령·규칙심사에는 **형식적 효력**에 관한 심사(적법한 제정 및 공포절차에 따라 성립된 것인지 여부를 심사하는 것)뿐만 아니라 실질적 효력에 관한 심사(내용이 상위규범에 위반하는지 여부를 심사하는 것)도 포함된다.

4. 방법과 절차

명령·규칙에 대한 최종적인 심판은 대법원이 한다. 대법관 3인으로 구성된 부에서는 명령·규칙이 헌법과 법률에 합치됨을 인정할 수 있으나, 위반됨을 인정할 수는 없다(위헌 또는 위법임을 인정하는 경우에는 전원합의체에서 심판하여야 함).

5. 효력

명령 또는 규칙이 헌법이나 법률에 위반된다고 인정하는 경우 그 명령·규칙의 효력이 문제된다.

(1) 개별적 효력부인설(적용거부설)

법원은 그 명령 또는 규칙을 당해 사건에 적용하는 것을 거부할 수 있을 뿐 그 무효를 선언할 수는 없다고 한다. 법원의 본래 임무는 구체적 사건의 심판이지 명령·규칙의 효력 그 자체를 심사하는 것이 아니라는 점을 논거로 한다(다수설). 05. 국가직, 07·10. 법행

(2) 일반적 효력상실설

행정소송법 제6조❶를 근거로 대법원은 위헌·위법인 명령·규칙에 대하여 무효선언을 할 수 있다는 견해이다.

3 위헌법률심판제청권

> 헌법 제107조 ① 법률이 헌법에 위반되는 여부가 재판의 전제가 된 경우에는 법원은 헌법재판소에 제청하여 그 심판에 의하여 재판한다. 17. 법무사, 18. 지방직
>
> 헌법재판소법 제41조 【위헌 여부 심판의 제청】 ① 법률이 헌법에 위반되는지 여부가 재판의 전제가 된 경우에는 당해 사건을 담당하는 법원(군사법원을 포함한다. 이하 같다)은 직권 또는 당사자의 신청에 의한 결정으로 헌법재판소에 위헌 여부 심판을 제청한다.

1. 의의

(1) 개념

위헌법률심판제청권이란 법률이 헌법에 위반되는지 여부가 재판의 전제가 된 때에 법원이 직권으로 또는 소송당사자의 신청에 의한 결정으로 헌법재판소에 위헌법률심판을 제청할 수 있는 권한을 말한다.

❶ 행정소송법 제6조(명령·규칙의 위헌판결 등 공고)
• 행정소송에 대한 대법원 판결에 의하여 명령·규칙이 헌법 또는 법률에 위반된다는 것이 확정된 경우에는 대법원은 지체 없이 그 사유를 행정안전부장관에게 통보하여야 한다(제1항).
• 제1항의 규정에 의한 통보를 받은 행정안전부장관은 지체 없이 이를 관보에 게재하여야 한다(제2항).

핵심기출 OX

01 대통령이 발한 긴급명령이 헌법이나 법률에 위반되는지 여부에 관하여는 대법원이 최종적으로 심사할 권한을 가진다. 15. 서울시 (○, ×)

답 × 명령·규칙 또는 처분이 헌법이나 법률에 위반되는 여부가 재판의 전제가 된 경우에는 대법원은 이를 최종적으로 심사할 권한을 가진다(헌법 제107조 제2항). '긴급명령'은 법률의 효력을 가지는 규범이므로 대법원이 아닌 헌법재판소의 통제대상이다.

02 법원이 명령·규칙이 헌법에 위반된다고 결정한 경우, 동 명령·규칙은 일반적으로 효력을 상실한다. 07. 법행 (○, ×)

답 × 법원이 명령·규칙이 헌법에 위반된다고 결정한 경우, 동 명령·규칙은 '개별적으로' 효력을 상실한다. 그 결과 당해 사건에서만 효력이 부인된다.

03 대통령령이 헌법에 위반되는지 여부가 재판의 전제가 된 경우에는 법원은 헌법재판소에 제청하여 그 심판에 의하여 재판한다. 17. 법무사 (○, ×)

답 × '법률'이 헌법에 위반되는 여부가 재판의 전제가 된 경우에는 법원은 헌법재판소에 제청하여 그 심판에 의하여 재판한다(헌법 제107조 제1항).

(2) 제도적 의의

법원의 위헌법률심판제청권은 각급 법원에 법률의 위헌심판권을 부여하지 않는 대신 각급 법원이 법률의 위헌 여부에 의심이 있는 때에는 헌법재판소에 위헌 여부 심판을 제청하여 그 심판에 따라 재판하도록 한 것으로 이는 헌법보장제도의 일환인 동시에 헌법의 통일성보장을 위한 제도적 구현이다.

2. 주체

위헌법률심판제청권의 주체는 대법원과 각급 법원(군사법원 포함) 17·18. 국회직 8급 이다. 제청은 당사자의 신청 또는 직권에 의하여 할 수 있으나, 당사자는 법원에 대하여 제청해 줄 것을 신청할 뿐이고, 제청할 것인지 제청신청을 기각할 것인지는 당해 사건을 담당하는 법원이 결정한다.

3. 요건 – 재판의 전제성

(1) 재판

위헌법률심판을 제청하기 위해서는 법률의 위헌 여부가 재판의 전제가 되는 경우이어야 한다. 여기에서 '재판'이란 본안에 관한 것인지 소송절차에 관한 것인지 여부를 불문하므로 증거채부결정, 중간판결, 영장발부 여부에 관한 재판, 보석허가결정 등도 재판의 전제성에서의 재판에 포함된다. 12. 국회직 8급, 19. 지방직

(2) 전제성

'전제성'이란 ① 구체적인 사건이 법원에 계속 중이어야 하고, ② 위헌 여부가 문제되는 법률이 당해 소송사건의 재판에 적용되는 것이어야 하며, ③ 그 법률이 헌법에 위반되는지의 여부에 따라 당해 사건을 담당한 법원이 다른 내용의 재판을 하게 되는 경우를 말한다. 다른 내용의 재판이란 재판의 결론이나 주문이 달라질 경우뿐만 아니라 재판의 주문 자체에는 아무런 영향을 주지 않는다고 하더라도 재판의 결론을 이끌어 내는 이유를 달리하거나 재판의 내용과 효력에 관한 법률적 의미가 전혀 달라지는 경우를 포함한다(헌재 1993.5.13. 92헌가10).

4. 대상

(1) 법률

① **현행법률**: 위헌심판의 대상이 되는 법률은 위헌법률심판 당시를 기준으로 하여 효력을 가지고 있는, 공포되고 효력을 가진 형식적 의미의 법률을 의미한다.

② **폐지되거나 개정된 법률**: 아직 공포되지 않았거나 폐지된 법률은 원칙적으로 위헌심사의 대상이 될 수 없다. 그러나 폐지된 법률이라도 그 위헌 여부가 관련 소송사건의 재판의 전제가 되어 있다면 당연히 헌법재판소의 위헌심판의 대상이 된다(헌재 1994.6.30. 92헌가18). 13. 서울시

③ **입법부작위**

㉠ **진정입법부작위**: 진정입법부작위는 위헌법률심판의 대상이 되지 않는다. 다만, 헌법소원은 헌법에서 명시적 위임입법을 하였거나, 헌법해석상 행위의무 내지 보호의무가 발생하였음이 명백한 경우에는 예외적으로 가능하다.

     ⓒ **부진정입법부작위**: 불완전하나마 입법을 하였으므로 불완전한 법률조항 자체를 대상으로 위헌제청을 하여야 한다.

(2) 긴급명령·긴급재정경제명령

 심판제청의 대상은 법률인바, 이때의 법률에는 형식적 의미의 법률뿐만 아니라 법률과 동일한 효력을 가지는 긴급명령·긴급재정명령도 대상이 된다.

(3) 조약

 헌법은 조약보다 상위규범이라는 점, 사법부는 위헌조약을 적용할 수는 없다는 점, 조약이 국민의 권리·의무를 내용으로 할 경우에는 실질적으로 법규를 의미한다는 점을 근거로 조약의 사법심사를 긍정하는 것이 다수설이다. 헌법재판소도 국회의 동의를 얻어 체결된 조약은 위헌법률심판대상이 된다고 본다(헌재 2001.9.27. 2000헌바20). 16. 국회직 8급

(4) 긴급조치

 긴급조치가 위헌법률심판의 대상이 될 수 있는지에 대하여 헌법재판소는 긍정하는 입장이고, 대법원은 부정하는 입장이다. 11. 변호사, 13. 국가직, 14. 법무사, 16. 국회직 8급

(5) 관습법

 관습법이 위헌법률심판의 대상이 될 수 있는지에 대하여 헌법재판소는 긍정하는 입장이고, 대법원은 부정하는 입장이다. 14. 사시, 16. 지방직

5. 절차

(1) 직권 또는 신청에 의한 제청

> **헌법재판소법 제41조【위헌 여부 심판의 제청】** ① 법률이 헌법에 위반되는지 여부가 재판의 전제가 된 경우에는 당해 사건을 담당하는 법원(군사법원을 포함한다. 이하 같다)은 직권 또는 당사자의 신청에 의한 결정으로 헌법재판소에 위헌 여부 심판을 제청한다.
> ④ 위헌 여부 심판의 제청에 관한 결정에 대하여는 항고할 수 없다. 16·18. 지방직, 19. 국회직 8급

(2) 제청서의 기재사항 16. 지방직

> **헌법재판소법 제43조【제청서의 기재사항】** 법원이 법률의 위헌 여부 심판을 헌법재판소에 제청할 때에는 제청서에 다음 각 호의 사항을 적어야 한다. 16. 지방직
> 1. 제청법원의 표시
> 2. 사건 및 당사자의 표시
> 3. 위헌이라고 해석되는 법률 또는 법률의 조항
> 4. 위헌이라고 해석되는 이유
> 5. 그 밖에 필요한 사항

(3) 대법원 경유

 대법원 외의 법원이 제청을 할 때에는 대법원을 경유하여야 하나(헌법재판소법 제41조 제5항), 이는 단지 형식적인 경유에 불과하므로 **대법원에게 불송부결정권은 인정되지 않는다.** 17. 법원직 9급

6. 효과

> **헌법재판소법 제42조【재판의 정지 등】** ① 법원이 법률의 위헌 여부 심판을 헌법재판소에 제청한 때에는 당해 소송사건의 재판은 헌법재판소의 위헌 여부의 결정이 있을 때까지 정지된다. 다만, 법원이 긴급하다고 인정하는 경우에는 **종국재판 외의** 소송절차를 진행할 수 있다.

4 법정질서유지권

1. 의의

법정질서유지권이란 법정에서 질서를 유지하고, 심판을 방해하는 행위를 배제하기 위하여 법원이 가지는 법정경찰권을 말한다.

2. 주체

법정질서유지권의 주체는 원래 법원이지만, 신속하고 적정하게 수시로 행사되어야 한다는 점에서 법정을 대표하는 재판장을 주체로 인정하고 있다.

3. 내용

> **법원조직법 제58조【법정의 질서유지】** ① 법정의 질서유지는 재판장이 담당한다.
> ② 재판장은 법정의 존엄과 질서를 해칠 우려가 있는 사람의 입정금지 또는 퇴정을 명할 수 있고 그 밖에 법정의 질서유지에 필요한 명령을 할 수 있다.
> **제59조【녹화 등의 금지】** 누구든지 법정 안에서는 **재판장의** 허가 없이 녹화, 촬영, 중계방송 등의 행위를 하지 못한다.

4. 법정질서문란행위에 대한 제재

> **법원조직법 제61조【감치 등】** ① 법원은 직권으로 법정 내외에서 제58조 제2항의 명령 또는 제59조를 위반하는 행위를 하거나, 폭언, 소란 등의 행위로 법원의 심리를 방해하거나, 재판의 위신을 현저하게 훼손한 사람에 대하여 결정으로 20일 이내의 감치에 처하거나 100만원 이하의 과태료를 부과할 수 있다. 이 경우 감치와 과태료는 병과할 수 있다.
> ⑤ 제1항의 재판에 대해서는 항고 또는 특별항고를 할 수 있다. 08. 국가직

5 대법원규칙제정권

> **헌법 제108조** 대법원은 **법률에서 저촉되지 아니하는 범위 안에서** 소송에 관한 절차, 법원의 내부규율과 사무처리에 관한 규칙을 제정할 수 있다. 16. 변호사, 18. 국회직 8급·지방직

1. 의의

(1) 대법원규칙의 개념

대법원규칙이란 법률에서 저촉되지 아니하는 범위 안에서 소송에 관한 절차, 법원의 내부규율과 사무처리를 제정하는 규칙을 말한다.

(2) 인정취지

헌법이 대법원에 규칙제정권을 인정하는 취지는 법원의 내부문제에 대하여 대법원이 재판의 실정에 적합하게 규칙을 제정할 수 있도록 하여 법원의 자주성과 독자성을 확보하기 위함이다.

2. 주체

우리 헌법에서는 **대법원만이** 규칙제정권을 가지며, 하급법원은 규칙제정권을 가지지 않는다. 또한 헌법에 아무런 근거가 없으므로 대법원은 규칙제정권을 하급법원에 위임할 수 없다.

3. 대상

(1) 소송절차에 관한 사항

소송절차란 민사 · 형사 · 행정 · 선거소송 등의 절차 · 조정 · 비송사건 · 강제집행 · 위헌법률심사제청 등에 관한 절차를 말한다. 대법원규칙으로 정할 수 있는 사항은 세부적이고 기술적인 사항이 주된 내용이 될 것이다.

(2) 법원의 내부규율에 관한 사항

법원의 내부규율에 관한 사항이란 사법행정상의 감독사항을 말하며, 여기에는 법원 내에서의 사무처리, 인원배치, 사무감독 등에 관한 사항이 포함된다. 다만, 헌법은 법관의 자격, 법원의 조직, 법관의 임기, 법관의 신분보장 등을 법률사항으로 하고 있으므로 이에 관하여 대법원규칙으로 정할 수 있는 것은 법률을 집행하는 세부적 사항에 한한다.

(3) 법원의 사무처리에 관한 사항

법원의 사무처리에 관한 사항이란 재판사무 자체가 아니라 재판사무의 분배 등 사무처리방법에 관한 사항을 의미한다. 사무처리에는 그 외에도 사법행정사무의 처리, 호적, 등기 등에 관한 사무의 처리 등이 포함된다.

(4) 헌법 제108조 규정 이외의 사항

헌법 제108조가 대법원규칙사항을 한정적으로 열거한 것인지 아니면 예시규정에 불과한 것인지에 관하여 견해가 대립한다. 위 규정은 **예시규정**에 불과하고, 그 밖의 사항도 법원의 권한에 속하는 것은 대법원규칙으로 정할 수 있다고 보아야 할 것이다.

4. 효력

대법원규칙과 법률이 경합할 경우의 효력에 관하여는 법률우위설, 동위설, 대법원규칙우위설 등이 대립하고 있으나, 헌법 제108조는 '법률에서 저촉되지 아니하는 범위 안에서 … 규칙을 제정'이라고 규정하고 있으므로 법률우위설이 타당하다.

🏛️ **핵심기출 OX**

민사소송법 제109조 제1항은 헌법 제108조에서 열거하고 있는 사항은 물론, 열거하고 있지 않은 사항에 대해서도 이를 대법원규칙에서 정하도록 위임할 수 있으므로, 소송비용에 관한 사항이 소송절차에 관련된 사항인지와 관계없이 이를 대법원규칙에 위임하였다 하여 헌법 제108조를 위반한다고 볼 수는 없다. 17. 국가직　　(○, ×)

답 ○

5. 통제

대법원규칙에 대한 위헌심사권이 대법원에 있는지 아니면 헌법재판소에 있는지가 문제된다. 헌법재판소는 "헌법 제107조 제2항의 명령·규칙에 대한 대법원의 최종심사권이란 구체적인 소송사건에서 명령·규칙의 위헌 여부가 재판의 전제가 되었을 경우 대법원이 최종적으로 심사할 수 있다는 의미이며, 명령·규칙 그 자체에 의하여 직접 기본권이 침해되었음을 이유로 헌법소원심판을 청구하는 것은 위 헌법 규정과는 아무런 상관이 없는 문제이다."라고 하여 대법원규칙인 법무사법 시행규칙에 관한 헌법소원사건에서 헌법재판소의 위헌심사권을 긍정한 바 있다(헌재 1990.10.15. 89헌마178).

법원 관련 판례	
적극	**소극**
헌법재판소도 명령·규칙심사권의 주체가 될 수 있는지 여부 (헌재 1990.10.15. 89헌마178)	• 약식절차에서 피고인이 정식재판을 청구한 경우 약식명령보다 더 중한 형을 선고할 수 없도록 한 형사소송법 제457조의2가 양형결정권을 침해하는지 여부(헌재 2005.3.31. 2004헌가27) • 법관정년제 및 정년에서의 차등제가 위헌인지 여부(헌재 2002.10.31. 2001헌마557) • 대법원장에 의한 법관전보발령처분에 대한 헌법소원에 있어서 행정소송을 거치지 아니한 것이 보충성원칙을 충족하는지 여부(헌재 1993.12.23. 92헌마247)

국가기관회의 의사정족수와 의결정족수 비교 14. 국가직, 18. 지방직	
국무회의	구성원 과반수 출석 + 출석 3분의 2 이상
감사원회의	재적 과반수
중앙선거관리위원회회의	재적 과반수 출석 + 출석 과반수
헌법재판소재판관회의	재판관 전원의 3분의 2를 초과하는 인원 출석 + 출석 과반수
대법관회의	대법관 전원의 3분의 2 이상 출석 + 출석 과반수

파면·면직사유 비교	
법관	• 헌법상 파면사유: 탄핵결정, 금고 이상의 형 • 헌법상 퇴직사유: 중대한 심신상의 장해로 직무를 수행할 수 없을 때 18. 지방직
헌법재판소 재판관	헌법상 파면사유: 탄핵결정, 금고 이상의 형
중앙선거관리위원회 위원	헌법상 파면사유: 탄핵결정, 금고 이상의 형
감사위원	감사원법상 면직사유: 탄핵결정, 금고 이상의 형, 장기 심신쇠약으로 직무를 수행할 수 없게 된 때
국가인권위원회 위원	국가인권위원회법상 파면사유: 금고 이상의 형

gosi.Hackers.com

제4편

헌법재판론

제1장 헌법재판 일반론

제2장 위헌법률심판

제3장 탄핵심판

제4장 정당해산심판

제5장 권한쟁의심판

제6장 헌법소원심판

제1장 헌법재판 일반론

1 의의

헌법재판은 헌법을 운용하는 과정에서 헌법의 규범내용이나 기타 헌법문제에 대한 다툼이 생긴 경우 헌법재판기관이 이를 사법적 절차에 따라 유권적으로 해결함으로써 헌법의 규범적 효력을 지키고 헌정생활의 안정을 유지하려는 헌법의 실현작용을 말한다. 협의의 헌법재판은 위헌법률심판을 말하지만 광의의 헌법재판은 헌법에 관한 쟁의나 의문을 사법적 절차에 따라 해결하는 모든 작용을 뜻한다.

2 기능 및 이념적 기초

1. 기능

(1) 민주주의이념 구현
헌법재판은 헌법 규범을 유권적으로 해석함으로써 민주헌법에 내재하는 민주주의이념을 구현하는 기능을 한다.

(2) 헌법질서수호
헌법재판은 헌법침해로부터 헌법을 보호하여 헌법의 규범적 효력을 지킴으로써 헌법질서를 수호하는 기능을 한다.

(3) 기본권보장
헌법재판은 권력통제와 권력균형의 원리를 근거로 하여 국민의 자유와 권리를 보호하는 기능을 한다.

(4) 소수자보호
오늘날 입법부와 행정부가 집권정당으로 통합되는 상황에서 헌법재판은 기능적 권력통제의 한 메커니즘으로 중요한 역할을 수행하며, 공권력행사의 합헌성을 보장함으로써 특히 다수의 횡포로부터 소수자를 보호한다.

(5) 정치적 평화유지
헌법재판은 대립하는 정치세력간의 타협을 촉진시키고 헌법기관간의 권한쟁의 또는 연방국가적 구조에서 오는 헌법적 분쟁을 유권적으로 해결하여 정치적 평화를 유지하는 기능을 한다.

2. 이념적 기초

(1) 성문헌법과 경성헌법

헌법재판은 헌법을 가지는 모든 국가에서 필요하나 특히 성문의 경성헌법을 가진 나라에서 그 제도적 의의가 크다. 따라서 영국과 같은 불문헌법국가에서는 위헌법률심사를 위한 논리적 전제로서 위헌심사의 기준이 되는 형식적인 헌법이 존재하지 않으므로 헌법재판이 별도로 논의되지 않는다.

다만, 성문의 경성헌법을 가진 국가라고 해서 반드시 헌법재판제도를 채택한다고 할 수 없으며 또한 헌법재판제도를 채택하여야만 헌정질서의 안정이 확보된다고는 할 수 없다.

(2) 헌법의 최고규범성

헌법과 법률간에는 그 효력에 차이가 있고 헌법은 한 나라의 최상위규범으로서 최고규범성을 가지는바, 이러한 헌법의 최고규범성을 실현시키기 위하여 헌법재판이 인정된다.

(3) 헌법의 규범력

헌법은 한 나라의 정치적 현실을 반영하는 사실적 측면이 있는 동시에 일단 제정된 헌법은 역으로 정치적 현실을 규제하는 규범적 측면도 지니는바, 헌법재판은 헌법이 정치규범으로서 규범력을 가지고 있다는 데에서 성립한다.

(4) 기본권의 직접적 효력성 및 통치권의 기본권기속성

우리 헌법은 독일기본법과 같이 통치권이 기본권에 기속됨을 명문으로 밝히고 있지 아니하나 우리 헌법에서는 제10조 제2문을 근거로 통치권의 기본권기속성이 인정된다. 이처럼 기본권이 국가권력을 직접 구속하고 통치권의 행사는 언제나 기본권적 가치에 기속되는 헌법질서 내에서 헌법재판은 권력통제 및 기본권보호의 기능을 수행하게 된다.

③ 본질

1. 헌법재판과 국민주권 및 권력분립과의 관계

(1) 국민주권원리와의 관계

주권자인 국민으로부터 주권의 정당한 행사를 위임받아 민주적 정당성을 보유하는 입법부가 제정한 법률을 헌법재판소가 심사한다는 것이 국민주권주의의 원리와 모순되는 것처럼 보이나, 헌법재판기관도 국민의 대표기관으로서 주권자인 국민으로부터 위임받은 헌법재판권에 의하여 헌법에 따라 법률을 심사한다는 점에서 국민주권주의와 모순되지 않는다고 본다.

(2) 권력분립과의 관계

① 의회가 제정한 법률을 심사하여 무효로 선언하는 것이 사실상 입법기능을 행사하는 것이 되어 권력분립의 원리와 모순되는 것이 아닌지가 문제된다.

② 그러나 ㉠ 권력분립의 원리는 단순한 권력의 분리나 분할이 아닌 권력 상호간의 억제와 균형의 원리이므로 헌법재판은 권력의 조정적·통제적 기능을 수행한다는 점, ㉡ 권력분립의 궁극적 목적이 개인의 자유와

권리의 보장에 있는데, 헌법재판도 입법 등에 대한 사법적 통제를 통하여 국민의 기본권을 보장하려는 국가작용이라는 점에서 권력분립의 원리와 모순된다고 할 수 없다.

2. 법적 성격

(1) 학설

① **사법작용설(켈젠):** 헌법재판도 헌법 규범에 대한 해석을 그 본질로 하는 사법적 법인식작용인 만큼 사법작용으로 보아야 한다고 한다. 사법작용설에 따르면 헌법재판의 담당기관은 독립된 헌법재판기관이 아닌 일반법원이어야 한다.

② **정치작용설(슈미트):** 헌법재판의 대상이 되는 분쟁은 법적 분쟁이 아닌 정치적 분쟁이므로 그 해결방법도 사법작용이 아니라 정치작용이라고 한다. 슈미트는 헌법재판을 사법적 형태의 정치적 결단이라고 하였다.

③ **입법작용설(뢰벤슈타인):** 헌법의 규범구조적 특성으로 인하여 헌법재판에 있어서 헌법해석은 일반 법률의 해석과는 달리 헌법의 흠결된 부분을 보충하고 그 내용을 형성하는 기능을 가지므로 헌법재판은 일종의 입법작용이라고 한다.

④ **제4의 국가작용설(크뤼에르):** 헌법재판은 국가의 통치권행사가 헌법정신에 따라 행해질 수 있도록 입법·행정·사법 등의 국가작용을 통제하는 기능을 수행하므로 입법·행정·사법 어느 것에도 속하지 않는 독립된 제4의 국가작용이라고 한다.

⑤ **정치적 사법작용설(우리나라의 다수설):** 헌법재판도 일종의 사법작용이기는 하나, 순수한 사법작용이 아니라 정치적 성격을 아울러 가지고 있는 정치적 사법작용으로 이해하는 견해이다.

(2) 비판 및 검토

헌법재판도 원칙적으로 사법작용의 성질을 가지고 있음을 부인할 수 없다. 다만, 헌법재판의 정치형성적 기능과 강제집행이 곤란하다는 점을 고려할 때 순수한 사법작용은 아니고 정치적 사법작용으로 이해하는 것이 타당하다고 본다.

4 사법소극주의와 사법적극주의

1. 문제점

사법적 심사에 회부된 헌법사안을 판단하는 경우 헌법 규범의 간결성, 개방성, 추상성 등 그 구조적 특질로 인하여 그에 관한 판단이 곤란한 경우가 많다. 이러한 경우 헌법재판기관이 선택하여야 할 헌법해석의 방향과 태도가 문제된다.

2. 사법소극주의

(1) 의의

사법소극주의란 입법부와 행정부의 의사결정이 기존의 판례에 명백하게 위반되거나 국민정서에 근본적으로 배치되는 경우가 아니면 사법부가 그에 대한 가치판단을 자제하는 것이 바람직하다고 인식하는 사법철학을 말한다.

(2) 이론적 근거

① 사법부의 지나친 개입은 사법부의 정치적 중립성을 그 핵심으로 하는 고전적 권력분립원리의 기초를 흔들고 사법의 정치화를 초래할 우려가 있다.

② 사법적극주의는 의회민주주의의 기본질서를 파괴하여 법관에 의한 통치를 낳을 우려가 있다.

③ 그 구성이 비민주적이고 전문적 지식도 소유하지 못한 사법부가 국민의 대표기관인 의회가 제정한 입법이나 전문적이고 기술적인 행정처분을 무효화시키는 것은 바람직하지 못하다.

④ 입법부와 행정부의 행위에 대하여는 합헌성이 추정되므로 그에 대한 헌법재판은 적절하지 못하다.

3. 사법적극주의

(1) 의의

사법적극주의란 사법부도 진보적인 사회정책형성에 기여하기 위해서는 선례에 지나치게 기속될 것이 아니라 시대적 변화에 부응하도록 헌법 규범을 신축적으로 해석함으로써 입법부나 행정부의 행위를 적극적으로 판단하는 것이 바람직하다고 인식하는 사법철학을 말한다.

(2) 이론적 근거

① 사법부의 구성이 비민주적이기는 하나 사법적 심사는 원내 다수파의 횡포를 방지하는 역할을 수행한다는 점에서 사법부도 민주적 성격을 가진다.

② 오늘날 행정부의 강화에 대응하여 기능적 권력분립의 관점에서 그에 대한 견제세력으로 사법부의 적극성이 요구된다.

③ 사법부는 역사적으로 헌법을 수호하는 역할을 수행하여 왔으며 오늘날에도 여전히 도덕적 원리를 객관적으로 담보하는 기능을 수행한다.

④ 사법소극주의에 따르면 그러한 고의의 심사회피 내지 심사거부 자체가 곧 어느 쪽의 정치적 입장을 대변하는 것이 된다.

4. 검토

(1) 사법부에는 권력분립의 원리를 존중하여야 한다는 소극적 측면과 다른 한편으로는 민주주의이념과 국민의 기본권보장이라는 사명을 완수하여야 한다는 적극적 측면이 모두 요구된다. 다만, 그 최종적 판단의 기준은 국민이 기본권적 가치의 실현에 맞추어져야 하므로 이러한 관점에서 소극적 측면과 적극적 측면을 상황에 맞게 적절히 조화시켜 나아가려는 노력이 필요하다(권영성).

(2) 사법의 소극성은 사법의 본질적 속성이나, 사법소극주의는 사법정책의 문제라는 점에서 양자는 별개의 것이다.

1 헌정사

1. 건국헌법(헌법위원회 · 탄핵재판소)

(1) 건국헌법은 헌법위원회에서 위헌법률심사를 담당하였으며, 위헌법률심사는 구체적 규범통제에 한정하였다. 06. 사시 헌법위원회는 대법관 5인과 국회의원 5인으로 구성되었고, 위원장은 부통령이 담당하였다. 07. 법행, 09. 사시

(2) 탄핵심판은 부통령을 재판장으로 하고 대법관 5인과 국회의원 5인으로 구성되는 탄핵재판소에서 담당하였다. 06. 사시, 06 · 08 · 10 · 18. 법행, 12. 법무사 · 국회직, 18. 서울시
  ☑ **주의** 건국헌법에서의 탄핵심판 담당기관: 헌법위원회 ✕, 탄핵재판소 ○

2. 1960년 헌법(헌법재판소)

(1) 1960년 헌법재판소는 대통령 · 대법원 · 참의원이 각 3인씩 선임하는 9인의 심판관으로 구성되었다(1960년 헌법 제83조의4). 06. 사시 대통령이 3인을 임명하고, 대법원은 재적대법관의 과반수의 찬성으로 대법관회의에서 선출한 3인을 심판관으로 선임하였으며, 참의원은 재적의원 과반수의 찬성으로 3인의 심판관을 선임하였다(1960년 헌법재판소법 제3조).

(2) 헌법재판소는 법률의 위헌심판, 헌법에 관한 최종적 해석, 국가기관간의 권한쟁송, 정당의 해산심판, 탄핵재판, 대통령 · 대법원장 · 대법관의 선거에 관한 소송 등을 관할하게 하였으나, 1961년 4월에 헌법재판소법이 제정된 직후 5 · 16군사쿠데타가 발발하여 실제로 설치되지는 못하였다. 07 · 08. 법행, 08. 사시

> 📋 **참고 1960년 헌법상 헌법재판소의 특징**
> 1. 위헌법률심판 · 탄핵재판 · 정당해산 · 권한쟁의심판권은 있으나, 헌법소원심판권은 없었다. 08. 사시, 18. 서울시 법원뿐만 아니라 당사자도 법률의 위헌 여부나 헌법에 관한 최종적 해석을 헌법재판소에 제청할 수 있었다.
> 2. 대통령 · 대법원장 · 대법관의 선거소송을 담당하였다. 그리고 선거에 관한 소송은 모든 사건에 우선하여 심리하도록 규정하였다. 06. 사시
> 3. 대통령 · 대법원 · 참의원이 각각 3인씩 선임한 9인의 재판관으로 구성되었다.
> 4. 추상적 규범통제도 가능하였다.
> 5. 헌법에서 헌법재판소는 국가기관 상호간의 권한쟁의만을 인정하였다. 06. 사시

3. 1962년 헌법(법원 · 탄핵심판위원회)

(1) 1962년 헌법은 위헌법률심사와 위헌정당해산심판은 대법원에, 탄핵심판은 탄핵심판위원회(대법원장을 위원장으로 하고 대법원판사 3인과 국회의원 5인으로 구성)에 권한을 부여하였다. 07 · 08. 법행, 08. 사시, 18. 서울시

(2) 대법원이 한 대표적인 위헌심사는 국가배상법 제2조 제1항 단서의 이중배상금지규정에 대한 위헌결정이다. 이에 대한 위헌 논의를 불식시키고자 박정희 정부는 1972년 10월 유신을 강행하면서 문제가 된 국가배상법 조항을 유신헌법 안에 집어넣게 된다. 그 이후 2차례의 개헌이 더 있었지만 그 조항은 헌법 제29조 제2항에 여전히 살아남아 있다.

---

4. 1972년 헌법(헌법위원회)

(1) 1972년 헌법에서 헌법위원회는 9인의 위원으로 구성되었고, 헌법위원회위원의 자격요건에 법관의 자격을 요하지 않았다. 9인의 위원은 모두 대통령이 임명하였는데, 대통령이 임명하기 전 국회가 3인을 선출하고 대법원장이 3인을 지명하였다. 06. 사시 이러한 방식은 현행헌법에서도 계속되고 있다.

(2) 헌법위원회에서 위헌법률심사·탄핵심판·위헌정당해산결정에 관한 권한을 담당하였고, 법원은 헌법위원회에 위헌법률심사를 제청할 수 있을 뿐이었다. 다만, 대법원에 불송부결정권을 인정한 결과 실제로 헌법위원회에 의한 위헌법률심사는 단 한 건도 없었다. 18. 서울시

5. 1980년 헌법(헌법위원회)

(1) 1980년 헌법도 헌법위원회에 위헌법률심사를 비롯하여 탄핵심판·위헌정당해산심판 등 헌법재판에 관한 원칙적인 권한을 부여하고 법원에 대해서는 위헌법률심사에 대한 전심권을 부여하였다.

(2) 다만, 법원은 법률이 헌법에 위반되는 것으로 인정할 때에만 헌법위원회에 제청할 수 있도록 하였을 뿐만 아니라, 대법원에 불송부결정권까지 인정하였기 때문에 헌법위원회에 의한 위헌법률심사는 단 한 건도 없었다. 08. 법행

6. 1987년 현행헌법(헌법재판소)

현행헌법은 헌법소원심판제도를 처음으로 도입하였고, 위헌법률심판의 활성화를 위하여 대법원의 불송부결정권을 폐지하였다. 권한쟁의심판의 범위도 제2공화국 헌법재판소의 권한쟁의심판범위보다 확대하였다. 즉, 국가기관 상호간의 권한쟁의뿐만 아니라 국가기관과 지방자치단체간, 지방자치단체 상호간의 권한쟁의까지도 심판대상에 포함하였다.

개념PLUS+ 헌법재판제도의 연혁 18. 국회직

구분	위헌법률심판	탄핵심판	위헌정당심판	권한쟁의	헌법소원	기타
제1공화국	헌법위원회	탄핵재판소	×	×	×	–
제2공화국	헌법재판소 (추상적·구체적 통제)	○	○	○	×	대통령·대법원장·대법관선거 소송
제3공화국	일반법원, 대법원	탄핵심판위원회	대법원	×	×	–
제4공화국	헌법위원회			×	×	대법원의 불송부 결정권
제5공화국	헌법위원회			×	×	대법원의 불송부 결정권
제6공화국	헌법재판소					대법원의 불송부 결정권 불인정

2 헌법재판소의 현행헌법상 지위

1. 헌법재판기관

헌법재판소는 헌법재판(예 위헌법률심판, 탄핵심판, 정당해산심판, 권한쟁의심판, 헌법소원심판 등)을 그 고유권한으로 하고 있으므로 헌법재판기관이다. 다만, 헌법재판 중 선거소송과 명령·규칙의 위헌심사는 대법원의 관할로 하고 있다. 03. 법무사

2. 헌법수호기관

헌법재판소는 법원과 함께 사법적 절차에 따라 헌법수호를 그 임무로 하는 기관이다. 헌법수호기관에는 대통령, 국회, 법원, 헌법재판소, 선거관리위원회 등 여러 기관이 있지만, 헌법수호의 가장 실효적인 역할과 기능은 헌법재판소가 담당하고 있다.

3. 기본권보장기관

기본권보장기관으로서의 헌법재판소는 헌법소원심판과 위헌법률심판을 통하여 기본권의 침해를 방지하거나 기본권침해를 구제하는 기관이다. 또한 정당해산심판, 탄핵심판, 권한쟁의심판은 직접적으로는 국가권력의 남용과 자의적인 공권력 행사를 통제하는 작용이지만, 권력에 대한 통제기능을 통하여 간접적으로 기본권의 보장에 기여하게 된다.

4. 권력의 통제·순화기관

헌법재판소는 입법부에 대하여는 위헌법률심판을 통하여, 행정부와 사법부에 대하여는 탄핵심판을 통하여, 정당의 목적이나 활동이 자유민주적 기본질서에 위배될 경우에는 정당해산심판을 통하여 각각 공권력을 감시하고 통제하는 기능을 수행한다. 나아가 헌법재판소는 소수자를 보호하고 정치권력의 합헌성을 담보함으로써 정치권력을 순화하는 기능도 담당한다.

5. 국가의 최고기관성 여부

헌법재판소는 대통령, 국회, 법원과 더불어 헌법이 부여한 통치권의 일부를 권력분립의 원리에 따라 분할하여 행사하는 여러 헌법기관 중의 하나로 이해하는 것이 타당하다.

3 헌법재판소와 법원의 관계

1. 수평적 관계

현행헌법은 이원적 사법부구조를 채택하고 있는바, 헌법재판소는 법원과 함께 사법적 기능을 수행하는 사법기관이라는 점에서 법원과 수평적·병렬적 관계에 있다. 이러한 수평적 관계로 인하여 헌법재판소의 장과 헌법재판관은 대법원장과 대법관에 준하는 대우를 받고 있다.

2. 공화적 관계

헌법재판관 중 3인은 대법원장이 지명한다는 점, 헌법재판소의 위헌법률심판권은 법원의 제청을 요하고 법원은 헌법재판소의 결정에 구속되어 그에 따라 재판을 하여야 한다는 점에 비추어 볼 때 헌법재판소와 대법원은 상호공화적 관계에 있다.

3. 상호독립적 관계

헌법재판소와 대법원은 상호독립의 관계에 있다. 즉, 그 구성에 있어서 헌법재판소의 장은 대통령이 국회의 동의를 얻어 임명하고 재판관은 국회가 선출한 자와 대법원장이 지명한 자 등을 대통령이 임명하지만, 대법원장은 국회의 동의를 얻어 대통령이 임명하고 대법관은 대법원장의 제청으로 국회의 동의를 얻어 대통령이 임명한다. 또한 기능 면에 있어서도 헌법재판소는 헌법재판적 기능을 담당하는 데 반하여, 대법원은 구체적인 법적 분쟁의 해결과 국민의 권익구제 등 비교적 순수한 사법기능을 담당한다. 인사 및 예산 면에서도 헌법재판소와 대법원은 서로 분리·독립되어 있다.

4. 상호통제적 관계

(1) 헌법재판소

① 법률에 대한 위헌결정의 기속력에 의하여 대법원을 비롯한 모든 법원을 통제한다.

② 당사자의 위헌심판제청신청을 법원이 기각하여 당사자가 헌법재판소에 헌법소원을 청구한 경우 그 결정의 기속력에 의하여 대법원을 통제한다.

③ 국회가 법관에 대하여 탄핵소추를 할 경우 이에 대하여 심판함으로써 대법관 등을 통제한다.

④ 대법원규칙이 직접 국민의 기본권을 침해하는 경우에는 그 위헌 여부를 심사함으로써 대법원을 통제한다.

(2) 대법원

① 위헌명령·규칙심사권을 통하여 헌법재판소를 통제한다(재판의 전제가 될 경우 명령·규칙에 대한 최종적인 심사권을 가지는데, 이 '규칙'에는 헌법재판소규칙도 포함된다).

② 대법원장이 헌법재판소 재판관 3인에 대한 지명권을 가지므로 헌법재판소 구성에 관여함으로써 헌법재판소를 통제한다. 16. 서울시

5. 조화와 협력의 추구

헌법재판에 관하여 헌법재판소와 사법부에 권한이 배분되어 있어 양자간 권한관계에 다툼이 생길 여지가 매우 많다. 우리 헌법이 권한을 배분한 취지는 양자를 독립된 국민의 기본권보장기관으로 설치함으로써 양자가 상승·보완작용을 일으켜 국민의 기본권보장을 극대화하려는 데 있을 것이다. 따라서 양자간 권한관계의 문제는 배타적인 권한의 획정보다는 국민의 기본권보장을 극대화할 수 있는 방향에서 조화로운 해결을 모색하여야 할 것이고, 양 기관 역시 상호간의 헌법상 역할과 기능을 존중하고 협력함으로써 사법부의 위상을 드높이기 위하여 노력하여야 할 것이다.

4 관련 쟁점

1. 문제점

현행헌법은 사법작용의 범주에 속하는 민사·형사·행정 등에 관한 일반 재판권과 헌법재판권을 각각 대법원과 헌법재판소에 분할하여 관장하게 하는 이원적인 사법체계를 가지고 있다. 이런 이유로 인하여 두 사법기관 상호간에 헌법해석을 둘러싸고 의견이 대립할 수 있으며, 특히 명령·규칙에 대한 위헌심사권, 변형결정의 기속력, 법원의 재판에 대한 헌법소원 등이 문제가 되고 있다.

2. 명령·규칙에 대한 위헌심사권

(1) 대법원의 입장

헌법 제107조 제2항과 제111조 제1항은 각각 법률의 위헌 여부는 헌법재판소가 심사하며 명령·규칙의 위헌 여부는 법원이 심사한다는 의미로 이해하여야 하고, 명령·규칙이 국민의 권리를 직접 침해하는 경우 행정소송의 대상이 된다는 점에서 명령·규칙에 대한 위헌심사는 법원의 전속적 권한이라고 한다.

(2) 헌법재판소의 입장

명령·규칙이 직접 기본권을 침해하는 경우 헌법소원을 청구하는 것은 헌법 제107조 제2항과는 관계없는 것이므로, 통일적인 헌법해석과 규범통제를 위하여 헌법재판소는 명령·규칙에 대하여 위헌심사를 할 수 있다고 한다.

3. 변형결정의 기속력

(1) 대법원의 입장

이른바 한정위헌결정의 경우 헌법재판소의 결정에도 불구하고 법률이나 법률조항은 그 문언이 전혀 달라지지 않은 채 그냥 존속하고 있는 것이므로 구체적 사건에 있어서 당해 법률 또는 법률조항의 의미·내용과 적용범위가 어떠한 것인지를 정하는 권한, 즉 법령의 해석·적용의 권한은 바로 사법권의 본질적 내용을 이루는 것으로서 전적으로 대법원을 최고법원으로 하는 법원에 전속되어 있는 것이고 한정위헌결정에 표현되어 있는 헌법재판소의 법률해석에 관한 견해는 법원에 어떠한 기속력도 가질 수 없다고 한다. 14. 법무사

(2) 헌법재판소의 입장

헌법재판소의 한정위헌결정은 결코 법률의 해석에 대한 헌법재판소의 단순한 견해가 아니라 헌법에 정한 권한에 속하는 법률에 대한 위헌심사의 한 유형으로 보아야 할 것이고 따라서 한정위헌과 같은 변형결정에도 당연히 기속력이 인정된다고 한다.

4. 법원의 재판에 대한 헌법소원

헌법재판소법 제68조 제1항은 재판에 대한 헌법소원을 제기할 수 없도록 하고 있다. 이에 대하여 헌법재판소는 한정위헌결정을 하였고, 이와 관련하여 대법원과는 견해대립이 있다.

(1) 대법원의 입장

대법원은 한정위헌결정의 기속력을 인정하지 않는 입장에서 예외적으로 법원의 재판이 헌법소원심판의 대상이 될 수 있다는 헌법재판소의 입장을 받아들이지 않고 있다.

(2) 헌법재판소의 입장

헌법재판소는 "법원의 재판도 헌법소원심판의 대상으로 하는 것이 국민의 기본권보호의 실효성 측면에서 바람직하지만, 이는 헌법재판소의 위헌결정을 통하여 이루어질 문제라기보다 입법자가 해결하여야 할 과제이므로, 헌법재판소법 제68조 제1항은 국민의 기본권(예 평등권 및 재판청구권 등)의 관점에서는 입법형성권의 헌법적 한계를 넘는 위헌적인 법률조항이라고 할 수 없다. 그러나 헌법재판소법 제68조 제1항의 '법원의 재판'에 헌법재판소가 위헌으로 결정하여 그 효력을 상실한 법률을 적용함으로써 국민의 기본권을 침해하는 재판도 포함되는 것으로 해석하는 한도 내에서 헌법재판소법 제68조 제1항은 헌법에 위반된다."라고 하여 법원의 재판이라도 예외적으로 헌법소원심판의 대상이 될 수 있음을 인정하고 있다(헌재 1997.12.24. 96헌마172·173).

⚖️ 판례

1 재판이 예외적으로 헌법소원심판의 대상이 될 수 있는지 여부: 적극 12. 법무사

[1] 헌법재판소가 위헌으로 결정한 법령을 적용함으로써 국민의 기본권을 침해한 법원판결이 헌법소원의 대상이 되는지 및 그 취소 여부: 적극

이 사건 대법원판결은 헌법재판소가 이 사건 법률조항에 대하여 한정위헌결정을 선고함으로써 이미 부분적으로 그 효력이 상실된 법률조항을 적용한 것으로서 위헌결정의 기속력에 반하는 재판임이 분명하므로 이에 대한 헌법소원이 허용된다 할 것이고, 또한 이 사건 대법원판결로 말미암아 청구인의 헌법상 보장된 기본권인 재산권 역시 침해되었다 할 것이다. 따라서 이 사건 대법원판결은 헌법재판소법 제75조 제3항에 따라 취소되어야 마땅하다. 03. 법무사, 13. 국회직 8급

[2] 법원의 판결에 대한 헌법소원심판청구가 예외적으로 허용되어 그 재판이 취소되는 경우, 원래의 행정처분에 대한 헌법소원심판의 인용 여부: 적극

행정소송으로 행정처분의 취소를 구한 청구인의 청구를 받아들이지 아니한 법원의 판결에 대한 헌법소원심판의 청구가 예외적으로 허용되어 그 재판이 헌법재판소법 제75조 제3항에 따라 취소되는 경우에는 원래의 행정처분에 대한 헌법소원심판의 청구도 이를 인용하는 것이 상당하다(헌재 1997.12.24. 96헌마172).

2 공소시효 만료로 면소판결을 받은 긴급조치 피해자들의 손해배상청구사건에서 국가채무의 시효가 완성되었다고 본 대법원판결 등에 대한 헌법소원 사건 [기각, 각하]

[사건개요]
김○준과 송○호는 1974년경 '국가안전과 공공질서의 수호를 위한 대통령긴급조치'(이하 '긴급조치'라 한다) 제1호, 제4호 위반죄로 기소되어 1심에서 징역 20년 및 자격정지 15년의 유죄판결을, 2심에서는 징역 15년 및 자격정지 15년의 유죄판결을 선고받았으나, 대법원에서 파기환송 판결을 받은 후 최종적으로 공소시효 완성을 이유로 면소판결이 확정되었다(비상보통군법회의 74비보군형공 제54호, 비상고등군법회의 74비고군형항 제14, 15, 16호, 대법원 74도3323, 서울고등법원 85노608). 나머지 청구인들은 위 송○호의 가족들이다.

청구인들은 2011년경 국가를 상대로 긴급조치 위반으로 수사를 받을 당시에 겪었던 여러 불법적 수사와 고문 등에 대하여 손해배상을 구하는 소를 제기하여, 1심과 항소심에서 일부 인용판결을 받았으나(서울중앙지방법원 2011가합39828, 서울고등법원 2012나21906), 대법원은 이들의 청구에 대한 소멸시효가 완성되었다는 이유로 파기 환송하였다(대법원 2013다35290). 파기 환송심에서 청구인들의 청구는 모두 기각되었고(서울고등법원 2016나209674), 이에 대한 상고 역시 기각되었다(대법원 2017다18583).

청구인들은 2017.9.22. 위 대법원 2017다18583 판결 및 법원의 재판에 대한 헌법소원을 금지한 헌법재판소법 제68조 제1항 본문 중 '법원의 재판을 제외하고는' 부분이 위헌임을 주장하는 이 사건 헌법소원심판을 청구하였다.

[심판대상조항]

> 헌법재판소법(2011.4.5. 법률 제10546호로 개정된 것) 제68조 【청구사유】 ① 공권력의 행사 또는 불행사(不行使)로 인하여 헌법상 보장된 기본권을 침해받은 자는 법원의 재판을 제외하고는 헌법재판소에 헌법소원심판을 청구할 수 있다.

[이유의 요지]

[1] 이 사건 법률조항에 관한 판단

헌법재판소는 이 사건 법률조항에 대하여, '법원의 재판'에 헌법재판소가 위헌으로 결정한 법령을 적용함으로써 국민의 기본권을 침해한 재판이 포함되는 것으로 해석하는 한 헌법에 위반된다는 한정위헌결정(헌재 2016.4.28. 2016헌마33)을 선고함으로써, 그 위헌 부분을 제거하는 한편 그 나머지 부분이 합헌임을 밝힌 바 있다.

이 사건 법률조항은 위헌 부분이 제거된 나머지 부분으로 이미 그 내용이 축소된 것이고, 이 같은 선례와 달리 판단하여야 할 사정변경이나 필요성이 인정되지 아니한다.

[2] 이 사건 대법원 판결에 대한 판단

법원의 재판은 헌법재판소가 위헌으로 결정한 법령을 적용함으로써 국민의 기본권을 침해한 경우에 한하여 예외적으로 헌법소원심판의 대상이 된다.

헌법재판소는 공소시효 만료로 면소판결을 받은 자들의 손해배상청구에서의 소멸시효 혹은 그 중단에 관한 법률조항에 대하여 위헌으로 결정한 바 없으므로, '공소시효 만료로 면소판결을 받은 자들의 손해배상청구 사건에서 청구권을 행사할 수 없는 객관적 사유가 있었다고 보기 어려워 국가의 위자료 채무의 시효가 완성되었다'는 이 사건 대법원 판결은 "헌법재판소가 위헌으로 결정하여 그 효력을 상실한 법률을 적용함으로써 국민의 기본권을 침해하는 재판"에 해당하지 않는다. 따라서 이 사건 대법원 판결은 헌법소원심판의 대상이 되는 예외적인 법원의 재판에 해당하지 아니하므로, 그 취소를 구하는 심판청구는 허용될 수 없어 부적법하다(헌재 2019.2.28. 2017헌마1065).

1 구성

> **헌법 제111조** ② 헌법재판소는 **법관의 자격**을 가진 9인의 재판관으로 구성하며, 재판관은 대통령이 임명한다. 08. 사시·국가직, 07·09. 법무사, 18. 서울시·국가직
> ③ 제2항의 재판관 중 3인은 국회에서 선출하는 자를, 3인은 대법원장이 지명하는 자를 임명한다.
> ④ 헌법재판소의 장은 국회의 동의를 얻어 재판관 중에서 대통령이 임명한다. 07. 법무사, 18. 서울시

2 조직

1. 헌법재판소의 장

> **헌법재판소법 제12조 【헌법재판소장】** ① 헌법재판소에 헌법재판소장을 둔다.
> ② 헌법재판소장은 **국회의 동의**를 받아 **재판관 중에서** 대통령이 임명한다. 18. 서울시·행시
> ③ 헌법재판소장은 헌법재판소를 대표하고, 헌법재판소의 사무를 총괄하며, 소속 공무원을 지휘·감독한다.
> ④ 헌법재판소장이 궐위(闕位)되거나 부득이한 사유로 직무를 수행할 수 없을 때에는 다른 재판관이 **헌법재판소규칙**으로 정하는 순서에 따라 그 권한을 대행한다. 17. 경정승진, 18. 국가직
>
> **제10조의2 【입법의견의 제출】** 헌법재판소장은 헌법재판소의 조직, 인사, 운영, 심판절차와 그 밖에 헌법재판소의 업무와 관련된 법률의 제정 또는 개정이 필요하다고 인정하는 경우에는 국회에 서면으로 그 의견을 제출할 수 있다.
>
> **헌법재판소장의 권한대행에 관한 규칙 제2조 【일시 유고시의 대행】** 헌법재판소장이 일시적인 사고로 인하여 직무를 수행할 수 없을 때에는 헌법재판소 재판관 중 임명일자 순으로 그 권한을 대행한다. 다만, 임명일자가 같을 때에는 연장자 순으로 대행한다. 19. 행시
>
> **제3조 【궐위시 등의 대행】❶** ① 헌법재판소장이 궐위되거나 1개월 이상 사고로 인하여 직무를 수행할 수 없을 때에는 헌법재판소 재판관 중 **재판관회의에서 선출**된 사람이 그 권한을 대행한다. 다만, 그 대행자가 선출될 때까지는 제2조에 해당하는 사람이 헌법재판소장의 권한을 대행한다. 18. 국가직, 19. 행시
> ② 제1항 단서의 대행자는 제1항의 사유가 생긴 날부터 7일 이내에 제1항 본문의 대행자를 선출하기 위한 재판관회의를 소집하여야 한다.
> ③ 제1항 본문의 권한대행자는 재판관 7명 이상의 출석과 출석인원 과반수의 찬성으로 선출한다. 다만, 1차 투표결과 피선자가 없을 때에는 최고득표자와 차점자에 대하여 결선투표를 하여 그중 다수득표자를 피선자로 하되, 다수득표자가 2명 이상일 때에는 연장자를 피선자로 한다.

---

❶ 헌법재판소장의 권한대행

- 일시적인 사고: 헌법재판관 중에서 '임명일자 순'으로 권한을 대행한다.
- 궐위 또는 1월 이상의 사고: 헌법재판관 중에서 재판관회의에서 선출하여 권한을 대행한다.

🏛 핵심기출 OX

01 헌법재판관은 법관의 자격을 가진 사람 중에서 대통령이 국회의 동의를 얻어 임명한다. 07. 법무사 (○, ×)

🅐 × 헌법재판소의 장은 국회의 동의 대상이지만 헌법재판관은 국회의 동의 대상이 아니다(헌법 제111조 참조).

02 헌법재판소의 장은 국회의 동의를 얻어 재판관 중에서 대통령이 임명한다. 18. 서울시 (○, ×)

🅐 ○

03 헌법재판소 재판관은 헌법재판소장의 제청으로 대통령이 임명한다. 18. 서울시 (○, ×)

🅐 × 대법관은 대법원장의 제청을 요하지만, 헌법재판관은 헌법재판소장의 제청을 요하지 않는다(헌법 제111조 제2항 참조).

04 헌법재판소장이 궐위(闕位)되거나 부득이한 사유로 직무를 수행할 수 없을 때에는 다른 재판관이 법률이 정하는 순서에 따라 그 권한을 대행한다. 17. 경정승진 (○, ×)

🅐 × 헌법재판소장이 궐위(闕位)되거나 부득이한 사유로 직무를 수행할 수 없을 때에는 다른 재판관이 '헌법재판소규칙'으로 정하는 순서에 따라 그 권한을 대행한다(헌법재판소법 제12조 제4항).

05 헌법재판소장의 궐위시 임명일자 순으로 권한대행을 하며 임명일자가 같을 시에는 연장자 순으로 한다. 19. 행시 (○, ×)

🅐 × 임명일자 순으로 권한대행을 하는 것은 일시 유고시에 해당한다. 헌법재판소장이 궐위되거나 1개월 이상 사고로 인하여 직무를 수행할 수 없을 때에는 헌법재판소 재판관 중 재판관회의에서 선출된 사람이 그 권한을 대행한다.

개념PLUS+ 헌법기관장 권한대행 순서의 비교	
헌법기관장	권한대행 순서
대통령	국무총리 ⇨ 법률이 정하는 국무위원
국무총리	부총리(기획재정부 ⇨ 교육부) ⇨ 대통령 지명을 받은 국무위원 ⇨ 지명이 없는 경우 정부조직법 순서에 따름
국회의장	의장이 지정하는 부의장 ⇨ 지정이 없는 경우에는 의원수가 많은 교섭단체 소속 부의장
대법원장	선임대법관
헌법재판소장	• 일시적인 사고: 임명일자 순서 • 궐위 또는 1개월 이상 사고: 재판관회의에서 선출
감사원장	최장기간 재직한 감사위원 ⇨ 2인 이상인 때에는 연장자
중선위원장	상임위원 ⇨ 위원장·상임위원이 모두 사고일 때에는 위원 중에서 임시위원장 호선

개념PLUS+ 대법원장과 헌법재판소장의 비교 08. 사시, 18. 행시		
구분	대법원장	헌법재판소장
임기	6년	6년
중임 여부	중임 불가능	연임 가능
정년	70세	70세
국회동의❶	필요	필요
인사청문기관	인사청문특별위원회	인사청문특별위원회
권한대행	선임대법관	헌법재판소규칙으로 정하는 순서

❶ 국회의 동의대상
• 대법원장 ○
• 대법관 ○
• 헌법재판소장 ○
• 헌법재판관 ✕

핵심기출 OX

01 헌법재판소장과 대법원장은 모두 국회의 동의를 얻어 대통령이 임명한다. 18. 행시 (○, ✕)
답 ○

02 법관의 자격을 가지지 않은 자도 헌법재판관이 될 수 있다. 08. 국가직 (○, ✕)
답 ✕ 헌법재판관은 법관의 자격을 가지고 있어야 한다.

03 대통령은 헌법재판관, 대법관, 감사위원을 국회의 동의를 얻어 각각 임명한다. 20. 국가직 (○, ✕)
답 ✕ 헌법재판관은 국회의 동의를 얻지 않고 국회에서 3명의 선출권만 있다. 또한 감사위원은 국회의 동의절차가 없다.

2. 헌법재판관

(1) 헌법재판관의 자격

헌법재판소법 제5조【재판관의 자격】① 재판관은 다음 각 호의 어느 하나에 해당하는 직에 15년 이상 있던 40세 이상인 사람 중에서 임명한다. 다만, 다음 각 호 중 둘 이상의 직에 있던 사람의 재직기간은 합산한다. 08. 국가직
1. 판사, 검사, 변호사
2. 변호사의 자격이 있는 사람으로서 국가기관, 국영·공영기업체, 공공기관 운영에 관한 법률 제4조에 따른 공공기관 또는 그 밖의 법인에서 법률에 관한 사무에 종사한 사람
3. 변호사 자격이 있는 사람으로서 공인된 대학의 법률학 조교수 이상의 직에 있던 사람

제6조【재판관의 임명】① 재판관은 대통령이 임명한다. 이 경우 재판관 중 3명은 국회에서 선출하는 사람을, 3명은 대법원장이 지명하는 사람을 임명한다. 07. 법원직
② 재판관은 국회의 인사청문을 거쳐 임명·선출 또는 지명하여야 한다. 이 경우 대통령은 재판관(국회에서 선출하거나 대법원장이 지명하는 사람은 제외한다)을 임명하기 전에, 대법원장은 재판관을 지명하기 전에 인사청문을 요청한다.

③ 재판관의 임기가 만료되거나 정년이 도래하는 경우에는 임기만료일 또는 정년 도래일까지 후임자를 임명하여야 한다.

④ 임기 중 재판관이 결원된 경우에는 결원된 날부터 30일 이내에 후임자를 임명하여야 한다.

⑤ 제3항 및 제4항에도 불구하고 국회에서 선출한 재판관이 국회의 폐회 또는 휴회 중에 그 임기가 만료되거나 정년이 도래한 경우 또는 결원된 경우에는 국회는 다음 집회가 개시된 후 30일 이내에 후임자를 선출하여야 한다.

개념PLUS+ 대법관과 헌법재판소 재판관 비교 07. 법무사, 08. 사시

구분	대법관	헌법재판소 재판관
자격	45세 이상, 20년 이상의 법조경력을 가진 자	40세 이상, 15년 이상의 법조경력을 가진 자
임기	6년	6년

임명방식	대법원장 제청으로 대통령이 임명	• 지명
		  – 3인은 국회선출
		  – 3인은 대법원장 지명
		  – 3인은 대통령 지명
		• 임명: 모두 대통령이 임명

연임 여부	연임가능	연임가능
재판관 수	대법원장을 포함하여 14명(법원조직법)	9명(헌법)
국회동의요부	필요	필요하지 않음
정년	70세	70세
인사청문기관	인사청문특별위원회	• 국회선출 3인: 인사청문특별위원회 • 대통령 임명 3인, 대법원장 지명 3인: 소관상임위원회
탄핵대상 해당 여부	해당	해당

> **헌법재판소법 제6조【재판관의 임명】** ① 재판관은 대통령이 임명한다. 이 경우 재판관 중 3명은 국회에서 선출하는 사람을, 3명은 대법원장이 지명하는 사람을 임명한다.
> ✓ **주의** 헌법재판관은 9명 모두 대통령이 임명한다. 19. 지방직

(2) 헌법재판관의 임기 · 연임 · 정년

> **헌법 제112조** ① 헌법재판소 재판관의 임기는 6년으로 하며, 법률이 정하는 바에 의하여 연임할 수 있다. 13. 법무사, 18. 입시
>
> **헌법재판소법 제7조【재판관의 임기】** ① 재판관의 임기는 6년으로 하며, 연임할 수 있다. 17. 행시
> ② 재판관의 정년은 **70세**로 한다. 17. 행시

🏛 **핵심기출 OX**

01 헌법재판소장의 정년 연장은 헌법 개정을 하지 않고서도 채택할 수 있다. 13. 법무사, 18. 입시 (O, ×)

답 ○

02 헌법재판소 재판관의 임기는 6년으로 하며, 정년은 65세로 한다. 17. 행시 (O, ×)

답 × 헌법재판소 재판관의 임기는 6년으로 하며, 정년은 70세로 한다(헌법재판소법 제7조).

헌법재판론

제4편

해커스공무원 신동욱 헌법 기본서

제1장 헌법재판 일반론 **1249**

(3) 헌법재판관의 직무와 신분

> 헌법 제112조 ② 헌법재판소 재판관은 정당에 가입하거나 정치에 관여할 수 없다.
> ③ 헌법재판소 재판관은 탄핵 또는 금고 이상의 형의 선고에 의하지 아니하고는 파면되지 아니한다. 17. 행시

3. 재판관회의

> 헌법재판소법 제16조【재판관회의】① 재판관회의는 재판관 전원으로 구성하며, 헌법재판소장이 의장이 된다. 13. 지방직, 17. 경정승진
> ② 재판관회의는 재판관 전원의 3분의 2를 초과하는 인원의 출석과 출석인원 과반수의 찬성으로 의결한다. 09. 법행, 13·18. 지방직
> ③ 의장은 의결에서 표결권을 가진다. 17. 경정승진
> ④ 다음 각 호의 사항은 재판관회의의 의결을 거쳐야 한다.
> 1. 헌법재판소규칙의 제정과 개정, 제10조의2에 따른 입법의견의 제출에 관한 사항
> 2. 예산요구, 예비금지출과 결산에 관한 사항
> 3. 사무처장, 사무차장, 헌법재판연구원장, 헌법연구관 및 3급 이상 공무원의 임면에 관한 사항
> 4. 특히 중요하다고 인정되는 사항으로서 헌법재판소장이 재판관회의에 부치는 사항

개념PLUS+ 대법관회의와 헌법재판관회의의 비교 18. 지방직

구분	대법관회의	헌법재판관회의
구성	대법관 전원	헌법재판관 전원
의결방법	대법관 전원의 3분의 2 이상 출석과 출석인원 과반수 찬성	재판관 전원의 3분의 2 초과하는 인원 출석과 출석인원 과반수 찬성
가부동수인 경우 결정권❶	의장에게 결정권 있음	의장에게 결정권 없음
의결사항	• 판사의 임명 및 연임에 대한 동의 • 대법원규칙 제·개정 • 판례수집·간행 • 예산요구·예비금지출과 결산에 관한 사항 11. 법행	• 헌법재판소규칙 제·개정 • 예산요구·예비금지출과 결산에 관한 사항 • 사무처장 등 3급 이상 공무원 임면에 관한 사항

❶ 가부동수인 경우 비교
1. 헌법재판관회의에서 가부동수인 경우
   • 의장에게 결정권 있음 (×)
   • 의장에게 결정권 없음 (○)
2. 대법관회의에서 가부동수인 경우
   • 의장에게 결정권 있음 (○)

핵심기출 OX

01 헌법재판소 재판관은 탄핵에 의해서만 파면될 수 있다. 17. 행시
(○, ×)

답 × 헌법재판소 재판관은 탄핵 또는 금고 이상의 형의 선고에 의하지 아니하고는 파면되지 아니한다(헌법 제112조 제3항).

02 헌법재판소 재판관회의는 재판관 전원으로 구성하며, 재판관회의는 재판관 7명 이상의 출석과 출석인원 과반수의 찬성으로 의결한다. 13. 지방직
(○, ×)

답 ×

03 재판관회의는 재판관 전원으로 구성하며, 헌법재판소장이 의장이 되고 의결에서 표결권도 가진다. 17. 경정승진
(○, ×)

답 ○

1 재판부

1. 전원재판부

> **헌법재판소법 제22조【재판부】** ① 이 법에 특별한 규정이 있는 경우를 제외하고는 헌법재판소의 심판은 재판관 전원으로 구성되는 재판부에서 관장한다.
> ② 재판부의 재판장은 헌법재판소장이 된다.

2. 지정재판부

> **헌법재판소법 제72조【사전심사】** ① 헌법재판소장은 헌법재판소에 재판관 3명으로 구성되는 지정재판부를 두어 **헌법소원심판의 사전심사**를 담당하게 할 수 있다. 02·11. 법무사, 06. 입시, 08. 법원직
> ③ 지정재판부는 다음 각 호의 어느 하나에 해당되는 경우에는 지정재판부 재판관 **전원의 일치된 의견에 의한 결정으로 헌법소원의 심판청구를 각하**한다.
> 　1. 다른 법률에 따른 구제절차가 있는 경우 그 절차를 모두 거치지 아니하거나 또는 법원의 재판에 대하여 헌법소원의 심판이 청구된 경우
> 　2. 제69조의 청구기간이 지난 후 헌법소원심판이 청구된 경우
> 　3. 제25조에 따른 대리인의 선임 없이 청구된 경우
> 　4. 그 밖에 헌법소원심판의 청구가 부적법하고 그 흠결을 보정할 수 없는 경우
> ④ 지정재판부는 전원의 일치된 의견으로 제3항의 각하결정을 하지 아니하는 경우에는 결정으로 헌법소원을 재판부의 심판에 회부하여야 한다. 헌법소원심판의 청구 후 30일이 지날 때까지 각하결정이 없는 때에는 심판에 회부하는 결정(이하 "심판회부결정"이라 한다)이 있는 것으로 본다. 09. 법행, 15·18. 국회직 8급
>
> **제73조【각하 및 심판회부결정의 통지】** ① 지정재판부는 헌법소원을 각하하거나 심판회부결정을 한 때에는 그 결정일부터 **14일 이내**에 청구인 또는 그 대리인 및 피청구인에게 그 사실을 통지하여야 한다. 제72조 제4항 후단의 경우에도 또한 같다.

지정재판부는 헌법소원심판의 사전심사만을 담당한다. 따라서 위헌법률심판이나 권한쟁의심판, 탄핵심판, 정당해산심판은 적법요건이나 본안심판 모두를 전원재판부에서 담당한다. 02. 법무사 헌법소원심판은 헌법재판소법 제68조 제1항의 헌법소원뿐만 아니라 헌법재판소법 제68조 제2항의 헌법소원심판도 지정재판부의 사전심사를 거쳐야 한다. 16. 지방직 지정재판부는 '각하'결정 또는 전원재판부에 회부하는 결정(심판회부결정)만을 할 수 있을 뿐이고 본안결정인 '기각'결정은 할 수 없다. 09. 법행

☑ **주의 지정재판부의 결정**
　• 기각결정 ×
　• 각하결정·심판회부결정 ○

지정재판부제도가 재판청구권을 침해하여 위헌인지 여부: 소극

전원재판부의 업무부담을 줄여주고 소송의 결과에 대한 관계 당사자들의 공연한 기대를 조기에 차단하여 그들로 하여금 선후책을 강구할 수 있도록 도와주는 이점이 있다. 그러므로 변호사를 선임하지 아니한 채 제기된 헌법소원을 지정재판부에서 각하하도록 법 제72조 제3항이 규정한 것은 합리적인 이유가 있는 것이고 이 규정이 재판청구권의 본질을 침해할 정도로 입법의 재량을 현저히 일탈한 것이라고 볼 수는 없다. 따라서 이 규정은 청구인의 재판청구권을 침해하는 것은 아니다(헌재 2004.4.29. 2003헌마783).

3. 재판관의 제척·기피·회피

헌법재판소법 제24조【제척·기피 및 회피】 ① 재판관이 다음 각 호의 어느 하나에 해당하는 경우에는 그 직무집행에서 제척된다.
1. 재판관이 당사자이거나 당사자의 배우자 또는 배우자였던 경우
2. 재판관과 당사자가 친족관계이거나 친족관계였던 경우
3. 재판관이 사건에 관하여 증언이나 감정을 하는 경우
4. 재판관이 사건에 관하여 당사자의 대리인이 되거나 되었던 경우
5. 그 밖에 재판관이 헌법재판소 외에서 직무상 또는 직업상의 이유로 사건에 관여한 경우
② 재판부는 직권 또는 당사자의 신청에 의하여 제척의 결정을 한다.
③ 재판관에게 공정한 심판을 기대하기 어려운 사정이 있는 경우 당사자는 기피신청을 할 수 있다. 다만, 변론기일에 출석하여 본안에 관한 진술을 한 때에는 그러하지 아니하다. 18. 국회직 8급
④ 당사자는 동일한 사건에 대하여 **2명 이상의 재판관**을 기피할 수 없다. 18. 국회직 8급·서울시
⑤ 재판관은 제1항 또는 제3항의 사유가 있는 경우에는 재판장의 허가를 받아 회피할 수 있다.
⑥ 당사자의 제척 및 기피신청에 관한 심판에는 민사소송법 제44조, 제45조, 제46조 제1항·제2항 및 제48조를 준용한다.

2 대표자·대리인

헌법재판소법 제25조【대표자·대리인】 ① 각종 심판절차에서 정부가 당사자(참가인을 포함한다. 이하 같다)인 경우에는 법무부장관이 이를 대표한다.
② 각종 심판절차에서 당사자인 국가기관 또는 지방자치단체는 변호사 또는 변호사의 자격이 있는 소속 직원을 대리인으로 선임하여 심판을 수행하게 할 수 있다. 11. 법무사
③ 각종 심판절차에서 **당사자인 사인**은 변호사를 대리인으로 선임하지 아니하면 심판청구를 하거나 심판수행을 하지 못한다. 03·09. 법행, 10. 법무사 다만, 그가 변호사의 자격이 있는 경우에는 그러하지 아니하다. 18. 입시

헌법재판소법 제25조 제3항에 의한 변호사강제주의규정은 여러 가지 헌법재판의 종류 가운데 사인이 당사자로 되는 심판청구인 탄핵심판청구와 헌법소원심판청구에 있어서 적용된다(헌재 1990.9.3. 89헌마120 등). 17. 법원직 9급 정당해산심판도 사인이 당사자인 심판절차이므로 변호사강제주의가 적용된다. 따라서 위헌법률심판이나 권한쟁의심판 등의 경우에는 변호사강제주의가 적용되지 않는다는 점을 주의하여야 한다. 10. 법무사

변호사강제주의가 위헌인지 여부: 소극

변호사강제주의는 재판업무에 분업화원리의 도입이라는 긍정적 측면 외에도 재판을 통한 기본권의 실질적 보장, 사법의 원활한 운영과 헌법재판의 질적 개선, 재판심리의 부담경감 및 효율화, 사법운영의 민주화 등 공공복리에 그 기여도가 크다 하겠고, 그 이익은 변호사 선임 비용지출을 하지 않는 이익보다는 크다고 할 것이며, 더욱이 무자력자에 대한 국선대리인제도라는 대상조치가 별도로 마련되어 있는 이상 헌법에 위배된다고 할 수 없다(헌재 1990.9.3. 89헌마120 등).

3 심판청구

1. 심판청구의 의의

헌법재판에서 심판청구는 청구권자가 헌법재판소에 대하여 일정한 내용의 심판을 구하는 신청으로서 이러한 심판청구가 있어야 비로소 헌법재판절차가 개시된다. 위헌법률심판에서는 법원의 위헌심판제청이 있어야 하고, 헌법소원심판·탄핵심판·정당해산심판·권한쟁의심판의 경우에도 심판절차가 개시되기 위해서는 심판청구가 있어야 하는 것은 마찬가지이다.

> **헌법재판소법 제26조【심판청구의 방식】**① 헌법재판소에의 심판청구는 심판절차별로 정하여진 청구서를 헌법재판소에 제출함으로써 한다. 다만, 위헌법률심판에서는 법원의 제청서, 탄핵심판에서는 국회의 소추의결서의 정본으로 청구서를 갈음한다. 12. 국가직
>
> **제27조【청구서의 송달】**① 헌법재판소가 청구서를 접수한 때에는 지체 없이 그 등본을 피청구기관 또는 피청구인(이하 "피청구인"이라 한다)에게 송달하여야 한다.
> ② 위헌법률심판의 제청이 있으면 법무부장관 및 당해 소송사건의 당사자에게 그 제청서의 등본을 송달한다.
>
> **제29조【답변서의 제출】**① 청구서 또는 보정서면을 송달받은 피청구인은 헌법재판소에 답변서를 제출할 수 있다.
> ② 답변서에는 심판청구의 취지와 이유에 대응하는 답변을 적는다.
>
> **제76조【전자문서의 접수】**① 각종 심판절차의 당사자나 관계인은 청구서 또는 이 법에 따라 제출할 그 밖의 서면을 전자문서(컴퓨터 등 정보처리능력을 갖춘 장치에 의하여 전자적인 형태로 작성되어 송수신되거나 저장된 정보를 말한다. 이하 같다)화하고 이를 정보통신망을 이용하여 헌법재판소에서 지정·운영하는 전자정보처리조직(심판절차에 필요한 전자문서를 작성·제출·송달하는 데에 필요한 정보처리능력을 갖춘 전자적 장치를 말한다. 이하 같다)을 통하여 제출할 수 있다.
> ② 제1항에 따라 제출된 전자문서는 이 법에 따라 제출된 서면과 같은 효력을 가진다.

2. 심판청구의 취하

청구의 취하란 청구인이 헌법재판소에 대하여 한 심판청구를 철회하는 의사표시를 말한다. 청구인은 헌법재판소의 결정선고시까지 청구를 취하할 수 있다. 청구가 취하되면 처음부터 소송계속이 없었던 것이 되어 원칙적으로 소송이 종료되고, 헌법재판의 소송절차는 더이상 진행할 수 없다. 17. 법원직

1 헌법소원심판청구의 취하가 허용되는지 여부: 적극

헌법재판소법이나 행정소송법에 헌법소원심판청구의 취하와 이에 대한 피청구인의 동의나 그 효력에 관하여 특별한 규정이 없으므로, 소의 취하에 관한 민사소송법 제239조는 이 사건과 같이 검사가 한 불기소처분의 취소를 구하는 헌법소원심판절차에 준용된다고 보아야 한다. 그렇다면 이 사건 헌법소원심판절차는 청구인들의 심판청구의 취하로 종료되었음이 명백하므로, 헌법재판소로서는 이 사건 헌법소원심판청구가 적법한 것인지 여부와 이유가 있는 것인지 여부에 대하여 판단할 수 없게 되었다(헌재 1995.12.15. 95헌마221 등). 17. 법원직

2 권한쟁의심판청구의 취하가 허용되는지 여부: 적극

[1] 헌법재판소법이나 행정소송법에는 권한쟁의심판청구의 취하와 이에 대한 피청구인의 동의·효력에 관하여 특별한 규정이 없으므로, 소의 취하에 관한 민사소송법 제239조는 이 사건과 같은 권한쟁의심판절차에 준용된다고 보아야 한다. 19. 국회직 8급 그렇다면 이 사건 권한쟁의심판절차는 청구인들의 심판청구의 취하로 종료되었음이 명백하므로, 헌법재판소로서는 이 사건 권한쟁의심판청구가 적법한 것인지 여부와 이유가 있는 것인지 여부에 대하여 더이상 판단할 수 없다.

[2] 비록 권한쟁의심판이 개인의 주관적 권리구제를 목적으로 삼는 것이 아니라 헌법적 가치질서를 보호하는 객관적 기능을 수행하는 것이고, 특히 국회의원의 법률안에 대한 심의·표결권의 침해 여부가 다투어진 이 사건 권한쟁의심판의 경우에는 국회의원의 객관적 권한을 보호함으로써 헌법적 가치질서를 수호·유지하기 위한 쟁송으로서 공익적 성격이 강하다고는 할 것이다. 그러나 법률안에 대한 심의·표결권의 행사 여부가 국회의원 스스로의 판단에 맡겨져 있는 사항일 뿐만 아니라, 그러한 심의·표결권이 침해당한 경우에 권한쟁의심판을 청구할 것인지 여부도 국회의원의 판단에 맡겨져 있어서 심판청구의 자유가 인정되고 있는 만큼, 권한쟁의심판의 공익적 성격만을 이유로 이미 제기한 심판청구를 스스로의 의사에 기하여 자유롭게 철회할 수 있는 심판청구의 취하를 배제하는 것은 타당하지 않다(헌재 2001.5.8. 2000헌라1).

3 헌법소원심판청구 '취하의 취소'가 허용되는지 여부: 소극

헌법소원심판청구의 취하는 청구인이 제기한 심판청구를 철회하여 심판절차의 계속을 소멸시키는 청구인의 헌법재판소에 대한 소송행위이고 소송행위는 일반 사법상의 행위와는 달리 내심의 의사보다 그 표시를 기준으로 하여 그 효력 유무를 판정할 수밖에 없는 것인바, 청구인의 주장대로 청구인이 피청구인의 기망에 의하여 이 사건 헌법소원심판청구를 취하하였다고 가정하더라도 이를 무효라 할 수도 없고, 청구인이 이를 임의로 취소할 수도 없다(헌재 2005.3.31. 2004헌마911).

✅ 주의 헌법소원심판의 청구취하규정
- 헌법재판소법에 명문규정이 있다. (×)
- 청구취하에 관한 명문규정은 없고, 민사소송법을 준용한다. (○)

🏛 핵심기출 OX

01 헌법소원제도에는 객관적인 헌법질서를 수호·유지하는 기능도 있으므로 헌법소원심판청구가 취하되었다고 하더라도 헌법적 해명이 긴요한 때에는 종국결정을 선고할 수 있다.
17. 법원직　　　　　　(○, ×)

📖 × 헌법재판소법이나 행정소송법이나 헌법소원심판청구의 취하와 이에 대한 피청구인의 동의나 그 효력에 관하여 특별한 규정이 없으므로, 소의 취하에 관한 민사소송법 제239조는 검사가 한 불기소처분의 취소를 구하는 헌법소원심판절차에 준용된다고 보아야 한다. 따라서 청구인들이 헌법소원심판청구를 취하하면 헌법소원심판절차는 종료되며, 헌법재판소로서는 헌법소원심판청구가 적법한 것인지 여부와 이유가 있는 것인지 여부에 대하여 판단할 수 없게 된다(헌재 1995.12.15. 95헌마221).

02 권한쟁의심판은 주관적 권리구제뿐만 아니라 객관적인 헌법질서보장의 기능도 겸하고 있으므로, 소의 취하에 관한 민사소송법 제239조는 권한쟁의심판절차에 준용되지 않는다고 보아야 한다. 19. 국회직 8급　　　(○, ×)

📖 × 헌법재판소법 제40조 제1항은 '헌법재판소의 심판절차에 관하여는 이 법에 특별한 규정이 있는 경우를 제외하고는 민사소송에 관한 법령의 규정을 준용한다.'고 규정하고 있다. 그런데 헌법재판소법이나 행정소송법에 권한쟁의심판청구의 취하와 이에 대한 피청구인의 동의나 그 효력에 관하여 특별한 규정이 없으므로, 소의 취하에 관한 민사소송법 제239조는 이 사건과 같은 권한쟁의심판절차에 준용된다고 보아야 한다(헌재 2001.5.8. 2000헌라1).

3. 중복청구의 금지

중복청구가 허용되는지 여부: 소극

헌법재판소법 제40조 제1항에 의하면 민사소송법이 헌법소원심판에 준용되는 것이므로 중복제소를 금지하고 있는 민사소송법 제259조가 헌법소원심판에도 준용된다고 할 것이고, 따라서 이미 우리 재판소에 헌법소원심판이 계속 중인 사건에 대하여 당사자는 다시 동일한 헌법소원심판을 청구할 수 없다고 해석하여야 한다. 그런데 이 사건의 청구인들은 이미 2004.8.14. 공직선거법 제15조 제2항 제1호를 포함한 공직선거법조항들의 위헌확인 여부를 다투는 헌법소원심판(헌재 2007.6.28. 2004헌마644 등)을 청구한 바 있으므로, 2005.11.16. 접수된 청구는 헌법재판소법 제40조 제1항과 민사소송법 제259조에 따라 허용되지 아니하는 중복제소에 해당한다. 따라서 공직선거법 제15조 제2항 제1호에 대한 이 사건 심판청구는 부적법하다(헌재 2007.6.28. 2004헌마643).

4. 병합청구

하나의 심판청구로 헌법재판소법 제68조 제1항에 의한 헌법소원심판청구와 제68조 제2항에 의한 헌법소원심판청구를 병합하여 제기할 수 있는지 여부: 적극

① 헌법재판소법 제68조 제1항에 의한 헌법소원과 헌법재판소법 제68조 제2항에 의한 헌법소원은 비록 그 요건과 대상은 다르더라도 헌법재판소라는 동일한 기관에서 재판을 받고, 개인에 의한 심판청구라는 헌법소원의 측면에서는 그 성질이 동일한 점, ② 헌법재판소 판례 중에는 헌법재판소법 제68조 제2항의 헌법소원절차에서 청구변경의 방법으로 예비적 청구를 헌법재판소법 제68조 제2항에 의한 청구에서 위 법 제68조 제1항에 의한 청구로 변경하는 것을 허용한 예(헌재 2007.10.25. 2005헌바68), 법원에 위헌법률심판제청신청을 한 적이 없는 청구인의 헌법소원심판청구를 헌법재판소법 제68조 제1항에 의한 헌법소원심판청구로 본 예(헌재 2007.11.29. 2005헌바12), 헌법재판소법 제68조 제1항에 의한 헌법소원심판청구와 위 법 제68조 제2항에 의한 헌법소원심판청구를 병합하여 심판한 예(헌재 2003.10.30. 2001헌마700 등)가 있는 점, ③ 헌법재판소가 헌법재판소사건의 접수에 관한 규칙에 의하여 헌법재판소법 제68조 제1항의 헌법소원사건의 사건부호를 '헌마'로, 헌법재판소법 제68조 제2항의 헌법소원사건의 사건부호를 '헌바'로 달리 부여하고 있지만 이는 편의적인 것에 불과한 점, ④ 만약 이를 허용하지 않을 경우 당사자는 관련 청구소송을 하나는 헌법재판소법 제68조 제1항에 의한 헌법소원으로, 다른 하나는 헌법재판소법 제68조 제2항에 의한 헌법소원으로 제기하여야 하는데 이는 소송경제에 반하는 점 등을 살펴볼 때, 하나의 헌법소원으로 헌법재판소법 제68조 제1항에 의한 청구와 헌법재판소법 제68조 제2항에 의한 청구를 함께 병합하여 제기함이 가능하다고 할 것이다(헌재 2010.3.25. 2007헌마933). 11·17. 법원직

4 심리

1. 정족수

> **헌법재판소법 제23조【심판정족수】** ① 재판부는 재판관 7명 이상의 출석으로 사건을 심리한다. 05. 법행, 07. 국회직 8급, 12. 변호사

📖 **핵심기출 OX**

01 헌법재판소법 제68조 제1항 소정의 권리구제형 헌법소원과 같은 조 제2항 소정의 위헌심사형 헌법소원은 별개의 사건부호가 부여되는 등 법적 성격을 달리하므로 하나의 심판청구에 양자를 병합하여 제기하는 것은 허용되지 아니한다. 17. 법원직 (O, ×)

☞ × 하나의 헌법소원으로 헌법재판소법 제68조 제1항에 의한 청구와 헌법재판소법 제68조 제2항에 의한 청구를 함께 병합하여 제기함이 가능하다고 할 것이다(헌재 2010.3.25. 2007헌마933).

02 헌법재판소는 9명의 재판관으로 구성되는 재판부에서 재판관 6명 이상의 출석으로 사건을 심리한다. 17. 국회직 8급 (O, ×)

☞ × 재판부는 재판관 7명 이상의 출석으로 사건을 심리한다(헌법재판소법 제23조 제1항).

01 위헌법률심판과 헌법소원심판은 구두변론을 원칙으로 한다. 04. 국가직
(O, ×)

📖 × 탄핵심판·정당해산심판·권한쟁의심판은 구두변론에 의하나 위헌법률심판·헌법소원심판은 서면심리에 의한다.

02 위헌법률심판·탄핵심판·정당해산심판은 원칙적으로 당사자의 구두변론에 의한다. 17. 국회직 8급 (O, ×)

📖 × 탄핵의 심판, 정당해산의 심판 및 권한쟁의의 심판은 구두변론에 의한다. 위헌법률심판은 서면심리에 의한다.

03 탄핵의 심판, 정당해산의 심판, 헌법소원에 관한 심판은 원칙적으로 구두변론에 의한다. 18. 국회직 8급
(O, ×)

📖 × 헌법소원에 관한 심판은 서면심리에 의한다.

04 헌법재판소 재판부는 결정으로 다른 국가기관 또는 공공단체기관에 심판에 필요한 사실을 조회하거나, 기록의 송부나 자료의 제출을 요구할 수 있다. 다만, 재판·소추 또는 범죄수사가 진행 중인 사건의 기록에 대하여는 송부를 요구할 수 없다. 18. 서울시, 22. 지방직
(O, ×)

📖 ○

05 헌법소원심판에서는 공권력의 행사 또는 불행사에 의한 기본권침해가 있었는지를 규명하여야 하므로 증거조사가 필수적이지만, 위헌법률심판은 법률의 특정 조항이 헌법의 규정이나 객관적 헌법질서에 합치되는지를 심사하는 것이므로 서면심리에 의하고 증거조사를 할 수 없다. 17. 법원직 (O, ×)

📖 × 위헌법률의 심판과 헌법소원에 관한 심판은 서면심리에 의한다. 다만, 재판부는 필요하다고 인정하는 경우에는 변론을 열어 당사자, 이해관계인, 그 밖의 참고인의 진술을 들을 수 있다. 재판부는 사건의 심리를 위하여 필요하다고 인정하는 경우에는 직권 또는 당사자의 신청에 의하여 증거조사를 할 수 있다.

06 심판의 변론과 서면심리, 결정의 선고는 공개한다. 18. 국회직 8급 (O, ×)

📖 × 심판의 변론과 결정의 선고는 공개한다. 다만, 서면심리와 평의(評議)는 공개하지 아니한다.

2. 심리원칙

(1) 심리의 방식

> **헌법재판소법 제30조【심리의 방식】** ① 탄핵의 심판, 정당해산의 심판 및 권한쟁의의 심판은 **구두변론**에 의한다. 10. 법무사, 12. 국가직·변호사, 17·18. 국회직 8급
> ② 위헌법률의 심판과 헌법소원에 관한 심판은 **서면심리**에 의한다. 04. 국가직, 07. 국회직 다만, 재판부는 필요하다고 인정하는 경우에는 변론을 열어 당사자, 이해관계인, 그 밖의 참고인의 진술을 들을 수 있다.
> ③ 재판부가 변론을 열 때에는 기일을 정하여 당사자와 관계인을 소환하여야 한다.
>
> **제31조【증거조사】** ① 재판부는 사건의 심리를 위하여 필요하다고 인정하는 경우에는 **직권 또는 당사자의 신청**에 의하여 다음 각 호의 **증거조사를 할 수 있다.** 17. 법원직
> 1. 당사자 또는 증인을 신문(訊問)하는 일
> 2. 당사자 또는 관계인이 소지하는 문서·장부·물건 또는 그 밖의 증거자료의 제출을 요구하고 영치(領置)하는 일
> 3. 특별한 학식과 경험을 가진 자에게 감정을 명하는 일
> 4. 필요한 물건·사람·장소 또는 그 밖의 사물의 성상(性狀)이나 상황을 검증하는 일
> ② 재판장은 필요하다고 인정하는 경우에는 재판관 중 1명을 지정하여 제1항의 증거조사를 하게 할 수 있다.
>
> **제32조【자료제출 요구 등】** 재판부는 결정으로 다른 국가기관 또는 공공단체의 기관에 심판에 필요한 사실을 조회하거나, 기록의 송부나 자료의 제출을 요구할 수 있다. 다만, 재판·소추 또는 범죄수사가 진행 중인 사건의 기록에 대하여는 송부를 요구할 수 없다. 18. 서울시, 22. 지방직
>
> **제33조【심판의 장소】** 심판의 변론과 종국결정의 선고는 심판정에서 한다. 다만, 헌법재판소장이 필요하다고 인정하는 경우에는 **심판정 외의 장소**에서 변론 또는 종국결정의 선고를 할 수 있다.

(2) 심판의 공개

> **헌법재판소법 제34조【심판의 공개】** ① 심판의 변론과 결정의 선고는 공개한다. 다만, 서면심리와 평의는 공개하지 아니한다. 18. 국회직 8급
>
> **제36조【종국결정】** ③ 심판에 관여한 재판관은 결정서에 의견을 표시하여야 한다.
> 09. 법행, 10. 법무사

노무현 대통령에 대한 탄핵심판사건 당시에는 탄핵심판과 정당해산심판의 경우에는 소수의견을 표시하여야 한다는 특별규정이 없다는 이유로 탄핵사건 판례에서 소수의견을 표시하지 않았었다. 그러나 그 후에 국회는 헌법재판소법을 개정하여 모든 사건에서 심판에 관여한 재판관은 의견을 표시하도록 명문화하였다. 따라서 모든 헌법재판에 있어서 심판에 관여한 재판관은 결정서에 의견을 표시하여야 한다. 11. 법무사

> **🔨 판례**
>
> **노무현 대통령 탄핵심판사건에서 소수의견을 표시하여야 하는지 여부: 소극**
>
> 헌법재판소법 제34조 제1항에 의하면 헌법재판소심판의 변론과 결정의 선고는 공개하여야 하지만, 평의는 공개하지 아니하도록 되어 있다. 이때 헌법재판소 재판관들의 평의를 공개하지 않는다는 의미는 평의의 경과뿐만 아니라 재판관 개개인의 개별적 의견 및 그 의견의 수 등을 공개하지 않는다는 뜻이다. 그러므로 개별 재판관의 의견을 결정문에 표시하기

위해서는 이와 같은 평의의 비밀에 대하여 예외를 인정하는 특별 규정이 있어야만 가능하다. 그런데 법률의 위헌심판, 권한쟁의심판, 헌법소원심판에 대해서는 평의의 비밀에 관한 예외를 인정하는 특별 규정이 헌법재판소법 제36조 제3항에 있으나, 탄핵심판에 관해서는 평의의 비밀에 대한 예외를 인정하는 법률규정이 없다. 따라서 이 탄핵심판사건에 관해서도 재판관 개개인의 개별적 의견 및 그 의견의 수 등을 결정문에 표시할 수는 없다(헌재 2004.5.14. 2004헌나1).**❶** 12. 법행

3. 심판기간과 심판비용

(1) 심판기간 18. 입시, 14. 법행·국회직 8급, 11. 지방직

> **헌법재판소법 제38조【심판기간】** 헌법재판소는 심판사건을 접수한 날부터 180일 이내에 종국결정의 선고를 하여야 한다. 다만, 재판관의 궐위로 7명의 출석이 불가능한 경우에는 그 궐위된 기간은 심판기간에 산입하지 아니한다.

⚖ 판례

헌법재판의 심판기간을 180일로 정한 헌법재판소법 제38조가 신속한 재판을 받을 권리를 침해하는지 여부: 소극 11. 법행

헌법재판이 국가작용 및 사회 전반에 미치는 파급효과 등의 중대성에 비추어 볼 때, 180일의 심판기간은 개별 사건의 특수성 및 현실적인 제반 여건을 불문하고 모든 사건에 있어서 공정하고 적정한 헌법재판을 하는 데 충분한 기간이라고는 볼 수 없고, 심판기간 경과시의 제재 등 특별한 법률효과의 부여를 통하여 심판기간의 준수를 강제하는 규정을 두지 아니하므로, **심판대상조항은 헌법재판의 심판기간에 관하여 지침을 제시하는 훈시적 규정**이라 할 것이다. 신속한 재판을 구현하는 심판기간은 구체적 사건의 개별적 특수성에 따라 달라질 수밖에 없는 것이므로, 종국결정을 하기까지의 심판기간의 일수를 획일적으로 한정하는 것이 신속한 재판을 받을 권리의 내용을 이룬다거나, 심판기간의 일수를 한정한 다음 이를 반드시 준수하도록 강제하는 것이 신속한 재판을 받을 권리의 실현을 위하여 필수적인 제도라고 볼 수는 없다. 모든 헌법재판에 대하여 일정한 기간 내에 반드시 종국결정을 내리도록 일률적으로 강제하는 것은 공정한 절차에 따라 실체적으로 적정한 결론을 도출하는 데 필요한 심리를 과도하게 제한할 수 있어, 오히려 헌법상 재판청구권의 중요한 내용 중 하나인 공정하고 적정한 재판을 받을 권리를 침해할 수 있기 때문이다. 헌법재판의 심판기간을 180일로 하여 종국결정을 선고하여야 할 지침을 제시한 것은 구체적 사건의 공정하고 적정한 재판에 필요한 기간을 넘어 부당하게 종국결정의 선고를 지연하는 것을 허용하는 취지는 아니라 할 것이다. 따라서 헌법 제27조 제3항이 보장하는 '신속한 재판'의 의미와 심판대상조항의 취지 및 효과 등을 종합하여 보면, 심판대상조항이 헌법상 '신속한 재판을 받을 권리'를 침해하는 것이라고는 볼 수 없다 할 것이다(헌재 2009.7.30. 2007헌마732).

(2) 심판비용

> **헌법재판소법 제37조【심판비용 등】** ① 헌법재판소의 심판비용은 **국가부담**으로 한다. 05. 법행 다만, 당사자의 신청에 의한 증거조사의 비용은 헌법재판소규칙으로 정하는 바에 따라 그 신청인에게 부담시킬 수 있다.
> ② 헌법재판소는 헌법소원심판의 청구인에 대하여 헌법재판소규칙으로 정하는 공탁금의 납부를 명할 수 있다.

❶
본 결정례 이후 결정서에 의견을 표시하여야 하는 것으로 개정되었다(헌법재판소법 제36조 제3항).

📕 **핵심기출 OX**

01 헌법재판소는 심판사건을 접수한 날부터 180일 이내에 종국결정의 선고를 하여야 하나, 재판관 1인의 궐위로 8명의 출석이 가능한 경우에는 그 궐위된 기간은 심판기간에 산입하지 아니한다. 22. 지방직 (○, ×)

답 ×

02 무분별한 헌법소원심판청구와 권리남용을 방지하기 위하여 헌법재판소는 헌법소원심판의 청구인에 대하여 공탁금의 납부를 명할 수 있고, 헌법소원심판청구가 각하되는 경우 또는 헌법소원심판청구가 기각되고 그 심판청구가 권리남용이라고 인정되는 경우에는 공탁금의 전부 또는 일부의 국고귀속을 명할 수 있다. 17. 법행 (○, ×)

답 ○

03 헌법재판소의 심판비용은 소정의 인지첩부의무를 제외하고는 국가부담을 원칙으로 한다. 05. 법행 (○, ×)

답 × 헌법재판소의 심판비용은 원칙적으로 국가부담이다. 따라서 청구서나 준비서면 등에 인지(법원에 내는 수수료에 대한 증명서)를 첨부하지 않는다.

4. 일사부재리원칙

> **헌법재판소법 제39조【일사부재리】** 헌법재판소는 이미 심판을 거친 **동일한 사건**에 대하여 는 다시 심판할 수 없다. 07. 국회직
>
> **제39조의2【심판확정기록의 열람·복사】** ① 누구든지 권리구제, 학술연구 또는 공익목적 으로 심판이 확정된 사건기록의 열람 또는 복사를 신청할 수 있다. 다만, 헌법재판소장 은 다음 각 호의 어느 하나에 해당하는 경우에는 사건기록을 열람하거나 복사하는 것을 제한할 수 있다.
> 1. 변론이 비공개로 진행된 경우
> 2. 사건기록의 공개로 인하여 국가의 안전보장, 선량한 풍속, 공공의 질서유지나 공공복리를 현저히 침해할 우려가 있는 경우
> 3. 사건기록의 공개로 인하여 관계인의 명예, 사생활의 비밀, 영업비밀(부정경쟁방지 및 영업비밀보호에 관한 법률 제2조 제2호에 규정된 영업비밀을 말한다) 또는 생명·신 체의 안전이나 생활의 평온을 현저히 침해할 우려가 있는 경우
>
> **제40조【준용규정】** ① 헌법재판소의 심판절차에 관하여는 이 법에 특별한 규정이 있는 경우를 제외하고는 헌법재판의 성질에 반하지 아니하는 한도에서 **민사소송에 관한 법 령**을 준용한다. 이 경우 **탄핵심판**의 경우에는 **형사소송에 관한 법령**을 준용하고, **권한 쟁의심판 및 헌법소원심판**의 경우에는 **행정소송법**을 함께 준용한다. 13. 법무사, 20. 국가직
> ② 제1항 후단의 경우에 형사소송에 관한 법령 또는 행정소송법이 민사소송에 관한 법 령에 저촉될 때에는 민사소송에 관한 법령은 준용하지 아니한다.

헌법재판소는 이미 심판을 거친 동일한 사건에 대하여는 다시 심판할 수 없다 (헌법재판소법 제39조). 여기에서 '동일한 사건'이란 동일 청구인이 동일한 심판 유형에서 동일 심판대상에 대하여 다투는 경우를 전제로 한다. 따라서 심판대상 이 동일한 법률조항이라 하더라도 심판유형이 다르거나(예 하나는 제68조 제1항 의 헌법소원심판사건이고, 다른 하나는 위헌법률심판사건인 경우), 청구인이 다 른 경우에는 '동일한 사건'이 아니다. 또한 청구인과 심판유형, 심판대상이 동일 하더라도 재판의 전제가 되는 당해 사건이 같지 않다면 일사부재리원칙에 위배 되지 않는다(헌재 2006.5.25. 2003헌바115 등). 헌법재판소법 제68조 제2항에 의 한 헌법소원에 있어서 당사자와 심판대상이 동일하더라도 '당해 사건'이 다른 경 우에는 동일한 사건이 아니므로 일사부재리의 원칙이 적용되지 아니한다. 11. 법무 사, 14. 사시

⚖️ 판례

1 헌법재판에서의 일사부재리를 규정한 헌법재판소법 제39조가 청구인의 재판청 구권을 침해하는지 여부: 소극

헌법재판에 있어서 일사부재리규정을 두고 있는 이유는 법적 분쟁을 조기에 종결시켜 법적 안정상태를 조속히 회복하고, 동일 분쟁에 대해 반복적으로 소송이 제기되는 것을 미연에 방지하여 소송경제를 이루기 위함이다. 헌법재판은 일반법원의 재판과는 달리 사 실판단이나 그에 대한 법령 적용을 주된 임무로 하는 것이 아니라 헌법의 해석을 주된 임무로 하고 있고, 그 결정의 효력은 당사자만이 아니라 국가기관은 물론, 일반 국민들에 대해서도 미치기 때문에 헌법재판에 있어 반복적인 소제기의 제한은 중요한 의미를 가 지게 된다. 따라서 법적 안정성의 조기확보나 소송경제를 위하여 일사부재리제도를 두는 것은 지나친 재판청구권의 제약이라고 할 수 없다. 또한 권리구제형 헌법소원의 경우, 절차상 중대하고 명백한 하자가 있거나 구체적 타당성의 이익이 더 큰 경우 등에는 헌법

재판에 대한 재심이 완전히 불가능한 것은 아닐 것이므로 헌법재판소법 제39조 규정이 일사부재리에 관하여 정하고 있다고 하더라도 이것이 지나친 기본권제한규정이라고 볼 수 없으므로, 청구인들의 재판청구권을 침해한다고 볼 수 없다(헌재 2007.6.28. 2006헌마1482).

2 헌법소원심판청구가 부적법하여 각하결정을 한 경우에 보정 없이 동일한 청구를 하는 것이 허용되는지 여부: 소극

헌법소원심판청구가 부적법하다고 하여 헌법재판소가 각하결정을 하였을 경우에는 그 각하결정에서 판시한 요건의 흠결을 보정할 수 있는 때에 한하여 그 요건의 흠결을 보정하여 다시 심판청구를 하는 것은 모르되, 그러한 요건의 흠결을 보완하지 아니한 채로 동일한 내용의 심판청구를 되풀이하는 것은 허용될 수 없고, 헌법재판소는 이미 심판을 거친 동일한 사건에 대하여는 다시 심판할 수 없으므로, 헌법재판소의 결정에 대하여는 원칙적으로 불복신청이 허용되지 아니한다(헌재 2001.6.28. 98헌마485).

3 심판청구유형이 다른 경우에도 동일한 사건인지 여부: 소극

법무부장관 및 서울지방검찰청 검사장은, 이 사건은 헌법재판소가 1992.4.14. 결정을 선고한 90헌마82 사건과 동일한 사건이므로 일사부재리의 원칙에 따라 각하되어야 한다고 주장한다. 살피건대 이 사건 심판대상법률조항은 구법 제19조 중 신·구법 제3조, 제5조, 제8조, 제9조의 죄에 관한 구속기간 연장 부분이고 위 90헌마82 사건의 심판대상법률조항은 신법 제19조(구법 제19조와 같다) 전부로서 양자의 심판대상법률조항이 일부 중복되기는 하나, 90헌마82 사건은 헌법재판소법 제68조 제1항에 의한 헌법소원심판청구사건이고 이 사건은 같은 법 제41조 제1항에 의한 위헌법률심판제청사건으로서 심판청구의 유형이 상이하므로 위 두 사건이 동일한 사건이라고 할 수 없다(헌재 1997.6.26. 96헌가8 등).

4 헌법소원심판에서 민사소송법 제83조 제1항과 같은 공동심판참가신청이 허용되는지 여부: 적극

법령에 대한 헌법소원심판에서 그 목적이 청구인과 제3자에게 합일적으로 확정되어야 할 경우, 헌법재판소법 제40조 제1항에 의하여 준용되는 민사소송법 제83조 제1항에 따라 그 제3자는 공동청구인으로서 심판에 참가할 수 있다. 17. 법원직 다만, 공동심판참가인은 별도의 헌법소원을 제기하는 대신에 계속 중인 심판에 공동청구인으로서 참가하는 것이므로, 그 참가신청은 헌법소원 청구기간 내에 이루어져야 한다(헌재 2013.12.26. 2011헌마499).

5 결정

1. 정족수

> **헌법재판소법 제23조【심판정족수】** ② 재판부는 종국심리에 관여한 **재판관 과반수**의 찬성으로 사건에 관한 결정을 한다. 다만, 다음 각 호의 어느 하나에 해당하는 경우에는 **재판관 6명 이상의 찬성**이 있어야 한다. 03·05·09. 법행, 05. 입시, 07·08. 법원직, 07. 국회직, 12. 국가직·지방직·변호사
> 1. 법률의 위헌결정, 탄핵의 결정, 정당해산의 결정 또는 헌법소원에 관한 인용결정을 하는 경우
> 2. 종전에 헌법재판소가 판시한 헌법 또는 법률의 해석적용에 관한 의견을 변경하는 경우

2. 결정서

> **헌법재판소법 제36조【종국결정】** ① 재판부가 심리를 마쳤을 때에는 종국결정을 한다.
> ② 종국결정을 할 때에는 다음 각 호의 사항을 적은 결정서를 작성하고 심판에 관여한 재판관 전원이 이에 서명날인하여야 한다.
> 1. 사건번호와 사건명
> 2. 당사자와 심판수행자 또는 대리인의 표시
> 3. 주문
> 4. 이유
> 5. 결정일

3. 결정유형

헌법재판은 적법성 심사, 타당성 심사의 순서로 이루어진다. 적법성 심사는 요건심리이고, 타당성 심사는 본안판단이다. 요건심리의 결과 요건이 하나라도 흠결된 경우에는 부적법 각하하게 된다. 본안판단에 있어서는 심판청구가 이유 없는 경우에는 기각결정을, 이유 있는 경우에는 인용결정을 한다. 다만, 위헌법률심판에 있어서는 합헌·위헌결정을 하게 된다. 16. 지방직

4. 가처분제도

(1) 의의

가처분이란 종국결정의 실효성을 확보하고 잠정적인 권리보호를 위하여 일정한 사전조치가 필요한 경우 재판부가 행하는 잠정적 조치를 말한다. 10. 국가직

(2) 요건

① 피청구기관의 처분 등이나 그 집행 또는 절차의 속행으로 인해 생길 회복하기 어려운 손해를 예방할 필요가 있거나 기타 공공복리상 중대한 사유가 있고 그 처분의 효력을 정지시켜야 할 긴급한 필요가 있는 경우, ② 당사자의 신청 또는 직권에 의하여 가처분을 발할 수 있다. 06. 입시

(3) 내용

본안사건이 부적법하거나 이유 없음이 명백하지 않은 한, 가처분을 인용한 뒤 종국결정에서 청구가 기각되었을 때 발생하게 될 불이익과 가처분을 기각한 뒤 청구가 인용되었을 때 발생하게 될 불이익에 대한 비교형량을 하여 행한다. 따라서 승소가능성은 고려의 대상이 되지 않으나, 본안심판이 명백히 부적법하거나 명백히 이유 없는 경우에는 가처분을 명할 수 없다. 05. 입시 한편 현재의 법적 상태를 규율하는 가처분뿐만 아니라 새로운 법적 상태를 형성하는 가처분도 허용된다.

(4) 다른 심판절차에도 가처분이 허용되는지 여부

① **문제점**: 헌법재판소법은 정당해산심판 및 권한쟁의심판에 대해서만 가처분에 관한 규정을 두고 있다. 05·12. 법행, 07. 국회직, 10·12. 국가직 명문규정이 있는 정당해산심판과 권한쟁의심판에만 가처분이 허용되는지(열거설), 아니면 다른 심판절차에도 가처분이 허용되는지(예시설)가 문제된다.

② **헌법재판소의 태도**: 헌법재판소법은 명문의 규정을 두고 있지는 않으나, 같은 법 제68조 제1항 헌법소원심판절차에서도 가처분의 필요성이 있을 수 있고 또 이를 허용하지 아니할 상당한 이유를 찾아볼 수 없으므로, 가처분이 허용된다고 한다(헌재 2000.12.8. 2000헌사471). 06. 입시

☑ **주의** 헌법소원심판의 가처분에 관한 규정
- 명문규정이 있음 (×)
- 명문규정이 없고, 민사소송법을 준용하여 가처분 허용 (○)

⚖ 판례

1 변호사시험의 합격자 명단공고 가처분인용 사건 [인용]

[판시사항]

법무부장관에게 변호사시험의 합격자가 결정되면 즉시 합격자의 성명을 공개하는 방법으로 공고하도록 하는 변호사시험법(2017.12.12. 법률 제15154호로 개정된 것) 제11조 중 '명단을 공고' 가운데 성명 공개에 관한 부분(이하 '심판대상조항'이라 한다)의 효력을 본안 사건의 종국결정 선고시까지 정지할 것인지 여부: 적극

[결정요지]

이 사건 가처분신청의 본안 심판은 전원재판부에 계속 중이므로 명백히 부적법하지 않고 본안 심판에서 심리를 거쳐 기본권의 침해 여부를 판단할 필요가 있다. 제7회 변호사시험 합격자 명단이 법무부 홈페이지 등을 통하여 일반에 일단 공개되면 이를 다시 비공개로 돌리는 것은 불가능하고, 이로써 신청인들은 회복하기 어려운 중대한 손해를 입을 수 있다. 또한, 위 변호사시험의 합격자 발표일이 임박하였으므로 손해를 방지할 긴급한 필요도 인정된다.

가처분을 인용하더라도 법무부장관은 합격자의 응시번호만을 공개하는 방법 등 성명을 공개하지 않는 다른 방법으로 합격자를 공고할 수 있고, 그 후 종국결정에서 청구가 기각된다면 그때 비로소 성명을 추가 공고하면 된다. 반면, 가처분을 기각한 뒤 청구가 인용되었을 때는 이미 합격자 명단이 널리 알려졌을 것이므로 이를 돌이킬 수 없어 신청인들에게 발생하는 불이익이 매우 클 수 있다. 따라서 가처분을 인용한 뒤 종국결정에서 청구가 기각되었을 때 발생하게 될 불이익보다 가처분을 기각한 뒤 청구가 인용되었을 때 발생하게 될 불이익이 더 크다. 따라서 신청인들의 이 사건 가처분신청은 이유 있으므로 이를 인용하기로 한다(헌재 2018.4.6. 2018헌사242 등).

2 헌법소원심판절차에서도 가처분이 허용될 수 있는지 여부: 적극 03. 법행. 10. 법무사

[1] 헌법재판소법 제68조 제1항 헌법소원심판에서 가처분이 허용되는지 여부: 적극

헌법재판소법은 명문의 규정을 두고 있지는 않으나, 12. 법행 같은 법 제68조 제1항 헌법소원심판절차에서도 가처분의 필요성이 있을 수 있고 또 이를 허용하지 아니할 상당한 이유를 찾아볼 수 없으므로 가처분이 허용된다. 06. 입시

[2] 헌법재판소법 제68조 제1항 헌법소원심판의 가처분요건

위 가처분의 요건은 헌법소원심판에서 다투어지는 '공권력의 행사 또는 불행사'의 현상을 그대로 유지시킴으로 인하여 생길 회복하기 어려운 손해를 예방할 필요가 있어야 한다는 것과 그 효력을 정지시켜야 할 긴급한 필요가 있어야 한다는 것 등이 된다. 따라서 본안심판이 부적법하거나 이유 없음이 명백하지 않는 한 위와 같은 가처분의 요건을 갖춘 것으로 인정되면, 가처분을 인용한 뒤 종국결정에서 청구가 기각되었을 때 발생하게 될 불이익과 가처분을 기각한 뒤 청구가 인용되었을 때 발생하게 될 불이익을 비교형량하여 후자가 전자보다 큰 경우에 가처분을 인용할 수 있다.

🏛 **핵심기출 OX**

01 헌법재판소법 제68조 제1항에 의한 헌법소원심판절차에 있어서도 가처분의 필요성은 있을 수 있고, 달리 가처분을 허용하지 아니할 상당한 이유를 찾아볼 수 없으므로 헌법소원심판 청구사건에서도 가처분은 허용된다.
22. 지방직 (○, ×)

☞ ○

02 헌법소원이 제기되어 헌법재판소로부터 그 통지를 받은 법원은 헌법재판소의 결정이 있을 때까지 재판을 정지하여야 한다. 13. 법무사 (○, ×)

☞ × 헌법소원이 제기되어 헌법재판소로부터 그 통지를 받았다고 하더라도 재판의 진행을 정지하여야 하는 것은 아니다(대판 2002.6.25. 2002도45).

03 법령의 위헌확인을 청구하는 헌법소원심판의 가처분에 관하여는 헌법재판의 성질에 반하지 아니하는 한도 내에서 민사소송법의 가처분규정과 행정소송법의 집행정지규정이 준용된다.
18. 입시 (○, ×)

☞ ○

04 헌법재판소가 가처분을 명한 예는 아직 없다. 05. 법행 (○, ×)

☞ × 헌법재판소법 제57조 및 제65조. 헌법재판소는 권한쟁의심판사건(국무총리서리임명행위의 효력정지 및 직무집행정지 가처분신청, 헌재 1999.3.25. 98헌사98)과 헌법소원심판사건(사법시험령 제4조 제3항 효력정지 가처분신청, 헌재 2000.12.8. 2000헌사471)(군사법원법에 따라 재판을 받는 미결수용자의 면회 횟수를 주 2회로 정하고 있는 군행형법 시행령 정지에 대한 가처분신청, 헌재 2002.4.25. 2002헌사129)에서 가처분을 인용한 예가 있다.

5. 종국결정의 선고

헌법재판소는 심판사건을 접수한 날부터 180일 이내에 종국결정의 선고를 하여야 한다(헌법재판소법 제38조).

6. 결정서송달

헌법재판소법 제36조【종국결정】④ 종국결정이 선고되면 서기는 지체 없이 결정서 정본을 작성하여 당사자에게 송달하여야 한다.

7. 공시

헌법재판소법 제36조【종국결정】⑤ 종국결정은 헌법재판소규칙으로 정하는 바에 따라 관보에 게재하거나 그 밖의 방법으로 공시한다.

8. 결정의 효력

(1) 확정력

헌법재판소결정의 효력 중 확정력에 관한 명문의 규정은 없으나, 이견이 없이 확정력을 인정하고 있다. 확정력의 내용으로는 불가변력, 불가쟁력, 기판력을 들 수 있다.

① **불가변력**: 불가변력이란 헌법재판소의 결정이 선고되면 동일한 심판사건에서 자신이 내린 결정을 더 이상 취소하거나 변경할 수 없는 효력을 말한다. 이는 법적 안정성을 위하여 인정되는 효력으로 자기구속력이라고도 한다. 후소와의 관계에서 문제되는 기판력과는 달리 불가변력은 동일한 소송에서의 문제라는 점에 특징이 있다.

② **불가쟁력(형식적 확정력)**: 헌법재판소의 결정에 대해서는 더 이상의 상급심이 존재하지 않으므로 당사자는 그 결정에 대하여 더 이상 다툴 수 없게 되는바, 이를 불가쟁력 또는 형식적 확정력이라고 한다.

③ **기판력(실질적 확정력)**: 기판력이란 재판에 형식적 확정력이 발생하게 되면 심판당사자는 당해 소송뿐만 아니라 후소에서 동일한 사항에 대하여 다시 심판을 청구하지 못하고 헌법재판소 또한 확정재판의 판단내용에 구속되어 선행판단과 모순되는 판단을 할 수 없는 효력을 말하며, 실질적 확정력이라고도 한다.

(2) 기속력

> **헌법재판소법 제47조【위헌결정의 효력】** ① 법률의 **위헌결정**은 법원과 그 밖의 국가기관 및 지방자치단체를 기속한다. 04. 국가직, 19. 지방직
>
> **제75조【인용결정】** ① 헌법소원의 **인용결정**은 모든 국가기관과 지방자치단체를 기속한다.

① 기속력이란 원칙적으로 당사자 사이에서만 미치는 효력인 기판력과는 달리 모든 국가기관을 구속하는 효력으로서 결정준수의무와 반복금지의무를 그 내용으로 한다. 결정준수의무란 모든 국가기관은 헌법재판소의 결정에 따라야 하며, 국가기관이 어떤 처분을 행할 경우 헌법재판소결정을 존중하여야 하는 의무를 말한다.

② 반복금지의무란 모든 국가기관이 헌법재판소의 결정에서 문제된 심판대상뿐만 아니라, 동일한 사정 하에서 동일한 이유에 근거한 동일 내용의 공권력 행사나 불행사를 금지하는 것을 의미한다.

③ 한편, 기속력과 관련하여 헌법재판소법 제47조가 위헌결정의 기속력만을 규정하고 있어서 변형결정에도 과연 기속력이 인정되는지에 관하여는 견해의 대립이 있다.

(3) 법규적 효력

> **헌법재판소법 제47조【위헌결정의 효력】** ② 위헌으로 결정된 법률 또는 법률의 조항은 그 결정이 있는 날부터 효력을 상실한다. 19. 지방직
>
> ③ 제2항에도 불구하고 **형벌에 관한 법률** 또는 법률의 조항은 소급하여 그 효력을 상실한다. 11. 법행 다만, 해당 법률 또는 법률의 조항에 대하여 **종전에 합헌으로 결정한 사건이 있는 경우**에는 그 결정이 있는 날의 다음 날로 소급하여 효력을 상실한다. 19. 지방직

법규범에 대한 **헌법재판소의 위헌결정**은 국가기관뿐만 아니라 일반 사인에게도 그 효력이 미치는 일반적 구속력, 즉 대세효를 가지는바, 이를 법규적 효력이라 한다. 이러한 법규적 효력은 결정주문에 표시된 경우에 한하여 인정되는 효력이므로, 결정이유에는 인정되지 않는다.

단원 마무리

헌법재판 일반론 관련 판례	
적극	소극
• 재판이 예외적으로 헌법소원심판의 대상이 될 수 있는지 여부(헌재 1997.12.24. 96헌마172) • 헌법소원심판청구의 취하가 허용되는지 여부(헌재 1995.12.15. 95헌마221 등) • 권한쟁의심판청구의 취하가 허용되는지 여부(헌재 2001.6.28. 2000헌라1) • 하나의 심판청구로 헌법재판소법 제68조 제1항에 의한 헌법소원심판청구와 제68조 제2항에 의한 헌법소원심판청구를 병합하여 제기할 수 있는지 여부(헌재 2010.3.25. 2007헌마933) • 헌법소원심판절차에서도 가처분이 허용될 수 있는지 여부(헌재 2000.12.8. 2000헌사471)	• 헌법소원심판청구 '취하의 취소'가 허용되는지 여부(헌재 2005. 3.31. 2004헌마911) • 중복청구가 허용되는지 여부(헌재 2007.6.28. 2004헌마643) • 헌법재판의 심판기간을 180일로 정한 헌법재판소법 제38조가 신속한 재판을 받을 권리를 침해하는지 여부(헌재 2009.7.30. 2007헌마732) • 헌법소원심판청구가 부적법하여 각하결정을 한 경우에 보정 없이 동일한 청구를 하는 것이 허용되는지 여부(헌재 2001.6.28. 98헌마485) • 심판청구유형이 다른 경우에 동일한 사건인지 여부(헌재 1997. 6.26. 96헌가8 등)

헌법재판의 비교						
구분	위헌법률심판	위헌심사형 헌법소원	권리구제형 헌법소원	권한쟁의심판	탄핵심판	정당해산심판
심리방식	서면심리	서면심리	서면심리	구두변론	구두변론	구두변론
가처분	헌법재판소법에 규정 없음	헌법재판소법에 규정 없음	헌법재판소법에 규정 없으나, 판례와 학설로 인정	헌법재판소법에 규정 있음	헌법재판소법에 규정 없음	헌법재판소법에 규정 있음
지정재판부 사전심리	×	○	○	×	×	×
청구인	법원 (소송당사자는 아님)	위헌제청신청인	기본권침해를 받은 자	권한쟁의 심판을 청구한 국가기관, 지방자치단체	국회법제사법 위원회 위원장	정부
피청구인	없음	없음	있을 수 있으나 반드시 기재하여야 하는 것은 아님	• 기재필요 • 제소된 국가기관, 지방자치단체	• 기재필요 • 대통령, 국무총리 등 탄핵소추대상자	• 기재필요 • 해당 정당
변호사강제주의	×	○	○	×	○	○

제2장 위헌법률심판

1 의의

> **헌법 제107조** ① 법률이 헌법에 위반되는 여부가 재판의 전제가 된 경우에는 법원은 헌법재판소에 제청하여 그 심판에 의하여 재판한다.
>
> **헌법재판소법 제41조【위헌 여부 심판의 제청】** ① 법률이 헌법에 위반되는지 여부가 재판의 전제가 된 경우에는 당해 사건을 담당하는 **법원(군사법원을 포함한다. 이하 같다)**은 **직권 또는 당사자의 신청**에 의한 결정으로 헌법재판소에 위헌 여부 심판을 제청한다.
> 02·04·05. 법무사, 05·10. 법행, 06. 행시
>
> ④ 위헌 여부 심판의 제청에 관한 결정에 대하여는 **항고할 수 없다.** 04·05·07. 법무사, 06. 법행, 12. 경정승진. 16·18. 지방직
>
> ⑤ 대법원 외의 법원이 제1항의 제청을 할 때에는 **대법원을 거쳐야** 한다. 05. 법행, 06. 행시
>
> **제42조【재판의 정지 등】** ① 법원이 법률의 위헌 여부 심판을 헌법재판소에 제청한 때에는 당해 소송사건의 재판은 헌법재판소의 위헌 여부의 결정이 있을 때까지 **정지**된다. 다만, 법원이 긴급하다고 인정하는 경우에는 **종국재판 외의 소송절차**를 진행할 수 있다. 01·04. 법무사
>
> ② 제1항 본문에 따른 재판정지기간은 형사소송법 제92조 제1항·제2항 및 군사법원법 제132조 제1항·제2항의 구속기간과 민사소송법 제199조의 판결선고기간에 산입하지 아니한다.
>
> **제43조【제청서의 기재사항】** 법원이 법률의 위헌 여부 심판을 헌법재판소에 제청할 때에는 제청서에 다음 각 호의 사항을 적어야 한다.
> 1. 제청법원의 표시
> 2. 사건 및 당사자의 표시
> 3. 위헌이라고 해석되는 법률 또는 법률의 조항
> 4. **위헌이라고 해석되는 이유**
> 5. 그 밖에 필요한 사항
>
> **제44조【소송사건당사자 등의 의견】** 당해 소송사건의 당사자 및 법무부장관은 헌법재판소에 법률의 위헌 여부에 대한 의견서를 제출할 수 있다.

1. 개념

위헌법률심판은 헌법재판기관이 국회가 의결한 법률이 헌법에 위반되는지 여부를 심사하여 그 법률이 헌법에 위반되는 것으로 인정되는 경우에 그 효력을 상실하게 하거나 적용을 거부하는 제도를 말한다.

2. 성질

현행헌법의 위헌법률심사는 사후교정적 위헌심사이며, 그중에서도 구체적 규범통제의 성격을 가진다. 이는 제2공화국 헌법(1960년 헌법)에서의 헌법재판소가 추상적 규범통제를 허용했던 것과는 구별된다. 다만, 위헌으로 결정된 법률을 당해 사건에 한해서 적용을 거부하는 데 그치는 것이 아니라, 일반적으로 효력을 상실하게 하고 있어서 소위 객관적 규범통제라고 한다.

2 요건

헌법재판소가 위헌법률심판을 하는 데 있어서 구체적 규범통제를 채택하고 있으므로, 형식적 요건으로서 법원의 제청, 실질적 요건으로서 재판의 전제성이라는 요건이 구비되어야 한다.

1. 형식적 요건 – 법원의 제청

법원(군사법원 포함)은 직권 또는 당사자의 신청에 의한 결정으로써 헌법재판소에 위헌 여부의 심판을 제청한다. 05. 법행 이때 법원의 제청은 제청서라는 서면으로 하여야 한다. 하급법원은 대법원을 경유하여야 하나, 이는 형식적인 경유로서 대법원이 불송부결정권을 가지는 것은 아니다. 05. 법행, 06. 행시, 12. 경정승진, 13. 서울시

> ### ⚖ 판례
>
> #### 법원이 위헌심판제청을 할 경우 위헌에 대한 확신을 요하는지 여부: 소극
>
> 헌법 제107조 제1항, 헌법재판소법 제41조, 제43조 등의 규정취지는 법원은 문제되는 법률조항이 담당법관 스스로 법적 견해에 의하여 단순한 의심을 넘어선 **합리적인 위헌의 의심이** 있으면 위헌 여부 심판을 제청을 하라는 취지이고, 헌법재판소로서는 제청법원의 이 고유판단을 될 수 있는 대로 존중하여 제청신청을 받아들여 헌법판단을 하는 것이다(헌재 1995.2.23. 92헌바18 ; 헌재 1993.12.23. 93헌가2).❶ 13. 서울시

2. 실질적 요건 – 재판의 전제성

(1) 재판

'재판의 전제성'이라고 할 때의 재판은 판결, 결정, 명령 등 형식 여하를 불문하며, 본안에 관한 재판인지 소송절차(소송비용이나 가집행)에 관한 재판인지 여부를 불문한다. 심급을 종국적으로 종결시키는 종국재판뿐만 아니라 중간판결도 이에 포함된다. 11. 국가직 법관이 법원으로서 어떠한 의사결정을 하여야 하고 그때 일정한 법률조항의 위헌 여부에 따라 그 의사결정의 결론이 달라질 경우에는 우선 헌법재판소에 그 법률에 대한 위헌 여부의 심판을 제청한 뒤 헌법재판소의 심판에 의하여 재판하여야 한다는 것이 법치주의의 원칙과 헌법재판소에 위헌법률심판권을 부여하고 있는 헌법 제111조 제1항 제1호 및 헌법 제107조 제1항의 취지에 부합하기 때문이다(헌재 1996.12.26. 94헌바1). 그러므로 이때의 재판에는 법원이 행하는 구속기간갱신결정은 물론 증거채부결정, 영장발부 여부에 관한 재판, 보석허가결정에 관한 재판도 포함된다. 12·19. 지방직

> ### ⚖ 판례
>
> #### 1 재판의 전제성요건에 있어서 '재판'의 의미에 종국재판뿐만 아니라 중간재판도 포함되는지 여부: 적극
>
> 헌법재판소법 제68조 제2항에 의한 헌법소원심판은 심판대상이 된 법률조항이 헌법에 위반되는 여부가 재판의 전제가 된 경우에 한하여 청구될 수 있는데, 여기서 '재판'이라 함은 판결·결정·명령 등 그 형식 여하와 본안에 관한 재판이거나 소송절차에 관한 재판이거나를 불문하며, 심급을 종국적으로 종결시키는 종국재판뿐만 아니라 **중간재판도 이에 포함된다**(헌재 1996.12.26. 94헌바1). 12. 변호사, 14. 국가직

형사소송법 제295조에 의하여 법원이 행하는 증거채부결정은 당해 소송사건을 종국적으로 종결시키는 재판은 아니라고 하더라도, 그 자체가 법원의 의사결정으로서 헌법 제107조 제1항과 헌법재판소법 제41조 제1항 및 제68조 제2항에 규정된 재판에 해당된다.

2 영장발부에 관한 재판이 재판의 전제성에 있어서 '재판'에 해당하는지 여부: 적극

헌법재판소법 제41조 제1항의 '재판'에는 종국판결뿐만 아니라 형사소송법 제201조에 의한 지방법원판사의 영장발부 여부에 관한 재판도 포함된다(헌재 1993.3.11. 90헌가70).
12. 지방직

3 인지첩부를 명하는 보정명령이 재판의 전제성에 있어서 '재판'에 해당하는지 여부: 적극

헌법재판소법 제41조 제1항에서 말하는 '재판'이라 함은 원칙적으로 그 형식 여하와 본안에 관한 재판이거나 소송절차에 관한 것이거나를 불문하며 판결과 결정 그리고 명령이 여기에 포함되므로, 민사소송법 제368조의2에 의하여 인지첩부를 명하는 보정명령은 당해 소송사건의 본안에 관한 판결주문에 직접 관련된 것이 아니라고 하여도 위에서 말한 '재판'에 해당된다(헌재 1994.2.24. 91헌가3).

4 보석허가결정이 재판의 전제성에 있어서 '재판'에 해당하는지 여부: 적극

보석허가결정에 대한 검사의 즉시항고권을 인정한 형사소송법 제97조 제3항의 위헌 여부는 보석허가결정을 한 위헌심판제청법원이 즉시항고에 대한 조치의 주문이 달라지거나 그 재판 등의 기초적인 이유, 직접적인 내용과 효력의 법률적 의미 등에 차이가 있게 되므로 원심법원이 한 위헌심판제청은 재판의 전제성이 있다(헌재 1993.12.23. 93헌가2).

(2) 전제성

재판의 전제성이란 첫째, 구체적인 사건이 법원에 계속 중이어야 하고, 둘째, 위헌 여부가 문제되는 법률이 당해 소송사건의 재판과 관련하여 적용되는 것이어야 하며, 셋째, 그 법률이 헌법에 위반되는지의 여부에 따라 당해 사건을 담당한 법원이 다른 내용의 재판을 하게 되는 경우를 말한다. 법률의 위헌 여부에 따라 법원이 '다른 내용의' 재판을 하게 되는 경우란 원칙적으로 제청법원이 심리 중인 당해 사건의 재판의 결론이나 주문에 어떠한 영향을 주는 것뿐만이 아니라, 문제된 법률의 위헌 여부가 비록 재판의 주문 자체에는 아무런 영향을 주지 않는다고 하더라도 재판의 결론을 이끌어내는 이유를 달리하는 데 관련되어 있거나 또는 재판의 내용과 효력에 관한 법률적 의미가 전혀 달라지는 경우에는 재판의 전제성이 있는 것으로 보아야 한다(헌재 1992.12.24. 92헌가8). 09·11. 국가직 그리고 위 재판의 전제성은 법률의 위헌 여부 심판제청시만 아니라 심판시에도 갖추어져야 함이 원칙이다. 12. 변호사, 17. 법행 그러나 예외적으로 위헌제청된 법률조항에 의하여 침해되는 기본권이 중요하여 **위헌 여부의 해명이 헌법적으로 중요성이 있는데도** 그 해명이 없거나, 기본권침해의 반복 위험성이 있는데도 좀처럼 그 법률조항에 대한 위헌심판의 기회를 가지기 어려운 경우에는 위헌제청 당시 재판의 전제성이 인정되는 한 당해 소송이 종료되었더라도 예외적으로 객관적인 헌법질서의 수호·유지를 위하여 심판의 필요성이 인정된다(헌재 1993.12.23. 93헌가2). 12. 법원직, 13. 경정승진

다만, 위헌법률심판 '제청 당시부터 재판의 전제성이 없는 경우'라면 예외적인 경우에 해당하지 않는다(헌재 2006.11.30. 2005헌바55). 12·13. 경정승진, 12. 법원직

⚖ 판례

당해 사건에 간접 적용되는 법률조항에 대해서도 재판의 전제성이 인정되는지 여부: 적극

헌법재판소에 의하면 제청 또는 심판청구된 법률조항이 법원의 당해 사건의 재판에 직접 적용되지는 않더라도 그 위헌 여부에 따라 당해 사건의 재판에 직접 적용되는 법률조항의 위헌 여부가 결정되거나, 당해 재판의 결과가 좌우되는 경우 또는 당해 사건의 재판에 직접 적용되는 규범(시행령 등 하위규범)의 의미가 달라짐으로써 재판에 영향을 미치는 경우 등에는 간접 적용되는 법률규정에 대하여도 재판의 전제성을 인정할 수 있다(헌재 1998.10.15. 96헌바77). 09. 사시, 12. 국회직

(3) 재판의 전제성요건에 대한 판단❶

법률이 재판의 전제가 되는 요건을 갖추고 있는지의 여부는 법원의 견해를 존중하는 것이 원칙이나, 재판의 전제와 관련된 법률적 견해가 유지될 수 없는 것으로 보이면 헌법재판소가 직권으로 조사할 수도 있는 것이다(헌재 1996.10.4. 96헌가6). 09. 국가직, 16. 변호사

⚖ 판례

1 재판의 전제성에 대한 제청법원의 견해가 헌법재판소를 구속하는지 여부: 소극

법원의 위헌 여부 심판제청에 있어서 위헌 여부가 문제되는 법률 또는 법률조항이 재판의 전제성요건을 갖추고 있는지 여부는 되도록 제청법원의 법률적 견해를 존중하여야 할 것이며, 다만 그 전제성에 관한 법률적 견해가 명백히 유지될 수 없을 때에만 헌법재판소가 그 제청을 부적법하다 하여 각하할 수 있다(헌재 1996.10.4. 96헌가6). 06. 입시, 08. 사시, 09·11. 국가직, 16. 변호사

2 재판의 전제성은 법률의 위헌 여부 심판제청시만 아니라 심판시에도 갖추어져야 하는지 여부: 적극

재판의 전제성이라 함은 원칙적으로 ① 구체적인 사건이 법원에 계속 중이어야 하고, ② 위헌 여부가 문제되는 법률이 당해 소송사건의 재판에 적용되는 것이어야 하며, ③ 그 법률이 헌법에 위반되는지의 여부에 따라 당해 사건을 담당하는 법원이 다른 내용의 재판을 하게 되는 경우를 말한다. 여기서 다른 내용의 재판을 하게 되는 경우라 함은 원칙적으로 법원이 심리 중인 당해 사건의 재판의 결론이나 주문에 어떤 영향을 주는 경우뿐만 아니라 문제된 법률의 위헌 여부가 비록 재판의 주문 자체에는 아무런 영향을 주지 않는다고 하더라도 재판의 결론을 이끌어 내는 이유를 달리하는 데 관련되어 있거나 또는 재판의 내용과 효력에 관한 법률적 의미가 달라지는 경우도 포함된다고 할 것이다. 그리고 위 재판의 전제성은 법률의 위헌 여부 심판제청시만 아니라 심판시에도 갖추어져야 함이 원칙이다(헌재 1993.12.23. 93헌가2). 05·10. 법무사, 12. 변호사

---

❶ **재판의 전제성요건에 대한 판단**
- 재판의 전제성은 법원에 의한 법률의 위헌제청시뿐만 아니라 헌법재판소의 위헌법률심판의 시점에도 충족되어야 한다.
- 전제성 유무에 대한 판단은 재판관 과반수의 찬성이 있으면 충분하다.

🏛 핵심기출 OX

01 위헌법률심판의 대상이 되는 법률은 법원의 당해 사건에 직접 적용되는 법률을 의미하며 간접 적용되는 법률은 포함되지 아니한다. 09. 사시
(O, ×)

답 × 당해 재판의 결과가 좌우되는 경우 등과 같이 양 규범 사이에 내적 관련이 있는 경우에는 간접 적용되는 법률규정에 대하여도 재판의 전제성을 인정할 수 있다(헌재 2001.10.25. 2000헌바5).

02 법원이 당해 사건에 적용되는 법률에 대하여 헌법재판소에 위헌법률심판을 제청한 경우 헌법재판소는 해당 법률이 재판의 전제성이 있는지 여부에 관하여 당해 법원과 달리 판단할 수 없다. 16. 변호사 (O, ×)

답 × 법률이 재판의 전제가 되는 요건을 갖추고 있는지의 여부는 제청법원의 견해를 존중하는 것이 원칙이나, 재판의 전제와 관련된 법률적 견해가 유지될 수 없는 것으로 보이면 헌법재판소가 직권으로 조사할 수도 있다(헌재 1997.9.25. 97헌가4).

03 법원이 재판의 전제성이 없다는 이유로 위헌법률심판제청의 신청을 각하한 경우 신청인이 헌법재판소법 제68조 제2항에 의한 헌법소원을 청구하면 헌법재판소는 재판의 전제성 유무에 대한 법원의 판단을 번복할 수 없다. 17. 국가직 (O, ×)

답 × 그 전제성에 관한 법률적 견해가 명백히 유지될 수 없을 때에만 헌법재판소는 이를 직권으로 조사할 수 있다 할 것이다(헌재 1999.6.24. 98헌바42).

3 위헌법률심판 계속 중 '재판전제성'이 소멸되었으나, 심판의 필요성이 인정되는 경우에는 본안심판이 가능한지 여부: 적극

위헌제청된 법률조항에 의하여 침해되는 기본권이 중요하여 위헌 여부의 해명이 헌법적으로 중요성이 있는데도 그 해명이 없거나, 기본권침해의 반복 위험성이 있는데도 좀처럼 그 법률조항에 대한 위헌심판의 기회를 가지기 어려운 경우에는 위헌제청 당시 재판의 전제성이 인정되는 한 당해 소송이 종료되었더라도 예외적으로 객관적인 헌법질서의 수호·유지를 위하여 심판의 필요성이 인정된다(헌재 1993.12.23. 93헌가2). 08. 사시

4 폐지된 법률조항이라도 재판의 전제성을 인정하여 위헌법률심판이 가능한지 여부: 적극

심판대상법률은 1996년부터 시행된 영화진흥법에 의하여 이미 폐지되었다. 그러나 영화진흥법은 제12조 및 제13조에 이 사건 심판대상법률조항과 같은 내용을 그대로 규정하고 있고, 같은 법 부칙 제6조에는 " … 벌칙의 적용에 있어서는 종전의 영화법의 규정에 의한다."라고 규정하고 있는바, 이 사건 법률조항은 비록 법이 폐지되었음에도 불구하고 아직도 재판의 전제성을 갖추고 있다 할 것이다(헌재 1996.10.4. 93헌가13). 06. 국가직

5 헌법불합치결정에서 정한 잠정적용기간 동안 헌법불합치결정을 받은 법률조항에 따라 퇴직연금 환수처분이 이루어졌고, 환수처분의 후행처분으로 압류처분이 내려진 경우에, 압류처분의 무효확인을 구하는 당해 소송에서 헌법불합치결정에 따라 개정된 법률조항이 당해 소송의 재판의 전제가 되는지 여부: 소극

구 공무원연금법(1995.12.29. 법률 제5117호로 개정되고, 2009.12.31. 법률 제9905호로 개정되기 전의 것. 이하 '구 공무원연금법'이라 한다) 제64조 제1항 제1호에 대하여 헌법재판소가 헌법불합치결정(2005헌바33)을 하면서, 2008.12.31.까지 잠정적용을 명하였는데, 청구인에 대한 공무원 퇴직연금 환수처분은 위 조항에 근거하여 잠정적용 기간 내인 2008.9.12.에 이루어졌으므로 법률상 근거가 있는 처분이다. 그리고 청구인에 대한 압류처분은 위와 같이 유효한 환수처분을 선행처분으로 한 것이므로, 압류처분의 무효확인을 구하는 당해 소송에서는 개정된 공무원연금법(2009.12.31. 법률 제9905호로 개정된 것) 제64조 제1항 제1호가 적용될 여지가 없다. 따라서 개정된 공무원연금법 제64조 제1항 제1호는 당해 사건의 재판에 적용되지 아니하므로, 재판의 전제성이 인정되지 아니한다(헌재 2013.8.29. 2010헌바241).

6 당해 소송사건이 각하될 것이 불분명한 경우에는 당해 소송사건에 관한 '재판의 전제성' 요건이 흠결된 것으로 보는지 여부: 소극

법원에서 당해 소송사건에 적용되는 재판규범 중 위헌제청신청대상이 아닌 관련 법률에서 규정한 소송요건을 구비하지 못하였기 때문에 부적법하다는 이유로 소각하 판결을 선고하고 그 판결이 확정되거나, 소각하 판결이 확정되지 않았더라도 당해 소송사건이 부적법하여 각하될 수밖에 없는 경우에는 당해 소송사건에 관한 '재판의 전제성' 요건이 흠결되어 헌법재판소법 제68조 제2항의 헌법소원심판청구가 부적법하다 할 것이나, 이와는 달리 당해 소송사건이 각하될 것이 불분명한 경우에는 '재판의 전제성'이 흠결되었다고 단정할 수 없는 것이다(헌재 2013.11.28. 2011헌바36).

7 법원이 심판대상조항을 적용함이 없이 다른 법리를 통하여 재판을 한 경우 심판대상조항의 위헌 여부가 재판의 전제성이 인정되는지 여부: 소극

구 국세징수법 제47조 제2항은 부동산등에 대한 압류는 압류의 등기 또는 등록을 한 후에 발생한 체납액에 대하여도 효력이 미친다는 내용임에 반하여, 당해사건의 법원은 압류등기 후에 압류부동산을 양수한 소유자에게 압류처분의 취소를 구할 당사자적격이 있는지에 관한 법리 및 압류해제, 결손처분에 관한 법리를 통하여 당해사건을 판단하였고, 그러한 당해사건법원의 판단은 그대로 대법원에 의하여 최종적으로 확정되었는 바, 그렇다면 위 법률조항의 위헌여부는 당해사건법원의 재판에 직접 적용되거나 관련되는 것이 아니어서 그 재판의 전제성이 없다(헌재 2001.11.29. 2000헌바49).

8 공소장에 적용법조로 기재되었다는 이유만으로 재판의 전제성을 인정할 수 있는지 여부: 소극

형사사건에 있어서는, 원칙적으로 공소가 제기되지 아니한 법률조항의 위헌 여부는 당해 형사사건의 재판의 전제가 될 수 없으나, 공소장에 적용법조로 기재되었다는 이유만으로 재판의 전제성을 인정할 수도 없다. 즉, 공소장의 변경 없이 법원이 직권으로 공소장 기재와는 다른 법조를 적용할 수 있는 경우가 있으므로 공소장에 적시되지 않은 법률조항이라 하더라도 법원이 공소장변경 없이 실제 적용한 법률조항은 재판의 전제성이 인정되는 반면, 비록 공소장에 적시된 법률조항이라 하더라도 법원이 적용하지 않은 법률조항은 재판의 전제성이 부인되는 것이다(헌재 2002.4.25. 2001헌가27).

9 항소심에서 당사자들 간에 임의조정이 성립되어 소송이 종결된 경우 1심 판결에 적용된 법률조항에 대해서 재판의 전제성을 인정할 수 있는지 여부: 소극

당해사건의 당사자들에 의해 그 소송이 종결되었다면 구체적인 사건이 법원에 계속 중인 경우라 할 수 없을 뿐 아니라, 조정의 성립에 이 사건 법률조항이 적용된 바도 없으므로 위 법률조항에 대하여 위헌 결정이 있다 하더라도 청구인으로서는 당해사건에 대하여 재심을 청구할 수 없어 종국적으로 당해사건의 결과에 대하여 이를 다툴 수 없게 되었다 할 것이므로, 이 사건 법률조항이 헌법에 위반되는지 여부는 당해사건과의 관계에서 재판의 전제가 되지 못한다 할 것이다(헌재 2010.2.25. 2007헌바34).

10 당해 사건 재판에서 승소판결을 받았으나 그 판결이 확정되지 아니한 경우 재판의 전제성이 부정되는지 여부: 소극

당해 사건 재판에서 청구인이 승소판결을 받아 그 판결이 확정된 경우 청구인은 재심을 청구할 법률상 이익이 없고, 심판대상조항에 대하여 위헌결정이 선고되더라도 당해 사건 재판의 결론이나 주문에 영향을 미칠 수 없으므로 그 심판청구는 재판의 전제성이 인정되지 아니하나, 파기환송 전 항소심에서 승소판결을 받았다고 하더라도 그 판결이 확정되지 아니한 이상 상소절차에서 그 주문이 달라질 수 있으므로, 심판대상조항의 위헌 여부에 관한 재판의 전제성이 인정된다(헌재 2013.6.27. 2011헌바247).

3 심판대상

1. 법률

(1) 현행법률

위헌법률심판의 대상이 되는 법률은 대한민국국회가 제정한 법률로서, 공포되고 효력을 가진 형식적 의미의 법률을 의미한다.

(2) 폐지되거나 개정된 법률

① 폐지되거나 개정된 법률은 위헌법률심판의 대상이 되지 않는 것이 원칙이나, 폐지되거나 개정된 법률로 인하여 권리침해가 발생하고 그 권리침해상태가 재판시까지 계속되어 재판의 전제가 되는 경우에는 위헌법률심판의 대상성을 인정할 수 있다. 06. 국가직

② 헌법재판소도 폐지된 법률의 그 위헌 여부가 관련 소송사건 재판의 전제가 되어 있다면 당연히 헌법재판소 위헌심판의 대상이 된다는 입장이다 (헌재 1994.6.30. 92헌가18). 06·08. 국가직

(3) 입법의 부작위

① 진정입법부작위
  ㉠ 진정입법부작위란 입법자에게 헌법상 입법의무가 존재함에도 불구하고 입법자가 전혀 입법을 하지 않음으로써 '입법의 흠결'이 있는 경우를 말한다.
  ㉡ 이러한 진정입법부작위는 위헌법률심판의 대상이 되지 않는다. 17. 법행

② 부진정입법부작위
  ㉠ 부진정입법부작위란 입법자가 어떤 사항에 대하여 입법을 하였으나 그 입법의 내용이나 범위 등이 불완전하여 '입법의 결함'이 있는 경우를 말한다.
  ㉡ 이러한 부진정입법부작위의 경우에는 불완전한 법률조항 자체를 대상으로 위헌제청을 하여야 한다는 것이 헌법재판소의 입장이다(헌재 1996.3.28. 93헌바27).
  ✔ **주의** 진정입법부작위도 위헌법률심판의 대상이 된다. (×)

2. 긴급명령·긴급재정경제명령

긴급명령과 긴급재정경제명령은 법률과 동일한 효력을 가지므로, 위헌법률심판의 대상이 된다. 15·18. 서울시

3. 조약

조약도 법률적 효력을 가지는 조약이면 위헌법률심판의 대상이 된다. 헌법재판소도 "국제통화기금조약은 국회의 동의를 얻어 체결된 것으로서 헌법 제6조 제1항에 따라 국내법적·법률적 효력을 가지는바, 가입국의 재판권면제에 관한 것이므로 성질상 국내에 바로 적용될 수 있는 법규범으로서 위헌법률심판의 대상이 된다." 라고 판시하여 긍정하고 있다(헌재 2001.9.27. 2000헌바20). 04·05. 법행, 08·12. 국가직

4. 헌법 규정

(1) 견해의 대립

① **제한적 긍정설**: 헌법개정한계설과 헌법 규범 상호간의 위계질서를 긍정하는 입장에서는 헌법핵에 위반되는 헌법률은 위헌·무효로서 위헌심사가 가능하다고 한다.

② **부정설**: 헌법 규정에 대하여 위헌심판을 하는 것은 국민주권의 원리에 반하고, 헌법 규정으로 헌법 규정을 심사하는 것은 논리적으로 불가능하다고 하는 견해이다.

(2) 헌법재판소의 입장

헌법 제111조 제1항 제1호 및 헌법재판소법 제41조 제1항은 위헌법률심판의 대상에 관하여 법률임을 명문으로 규정하고 있으므로 헌법의 개별규정 자체는 헌법재판소법 제68조 제2항의 헌법소원에 의한 위헌심사의 대상이 아니며, 또한 이념적·논리적으로는 헌법 규범 상호간의 우열을 인정할 수 있는 것이 사실이지만 이러한 규범 상호간의 우열이 어느 헌법 규정이 다른 규정의 효력을 전면적으로 부인할 수 있을 정도의 효력상 차등을 의미하는 것이라고는 볼 수 없다(헌재 1995.12.28. 95헌바3). 06. 법행, 07. 사시, 11. 경정승진

5. 법률해석(한정위헌청구)

종전 판례는 법률해석 및 적용에 대한 한정위헌의 판단을 구하는 청구는 원칙적으로 부적법하다고 하였다(헌재 1995.7.21. 92헌바40). 그러나 헌법재판소는 판례를 변경하여 한정위헌을 구하는 청구도 원칙적으로 적법하다고 본다(헌재 2012.12.27. 2011헌바117). 10. 법무사, 11. 법원직, 13·17. 국가직, 15. 사시·국회직 8급, 18·19. 서울시, 19. 지방직

6. 긴급조치 13. 국가직, 14. 사시·법무사, 18. 서울시

(1) 유신헌법 제53조 제4항에 따라 발동된 '긴급조치'가 법률의 효력을 가지는 규범이라면 위헌법률심판의 대상이 될 수 있는데, 이에 대하여 대법원은 "유신헌법에 근거한 긴급조치는 국회의 입법권행사라는 실질을 전혀 가지지 못한 것으로서 헌법재판소의 위헌심판대상이 되는 '법률'에 해당한다고 할 수 없고, 긴급조치의 위헌 여부에 대한 심사권은 최종적으로 대법원에 속한다."라는 입장이다(대판 2010.12.16. 2010도5986). 12. 변호사

(2) 그러나 헌법재판소는 "긴급조치들은 유신헌법 제53조에 근거한 것으로서 그에 정해진 요건과 한계를 준수하여야 한다는 점에서 헌법과 동일한 효력을 가지는 것으로 보기는 어렵지만, 표현의 자유 등 기본권을 제한하고 형벌로 처벌하는 규정을 두고 있으며, 영장주의나 법원의 권한에 대한 특별한 규정 등을 두고 있는 점에 비추어 보면, 이 사건 긴급조치들은 최소한 법률과 동일한 효력을 가지는 것으로 보아야 하므로, 그 위헌 여부 심사권한은 헌법재판소에 전속한다."라는 입장으로 견해가 대립한다(헌재 2013.3.21. 2010헌바132).

7. 관습법 14. 사시, 15. 법원직, 16. 지방직, 18. 서울시

(1) 관습법이 위헌법률심판대상이 될 수 있는지 여부에 대해서도 대법원과 헌법재판소는 견해 대립을 보이고 있다.

(2) 대법원은 "관습법은 법원(法院)에 의하여 발견되고 성문의 법률에 반하지 아니하는 경우에 한하여 보충적인 법원(法源)이 되는 것에 불과하여 관습법이 헌법에 위반되는 경우 법원이 그 관습법의 효력을 부인할 수 있으므로, 결국 관습법은 헌법재판소의 위헌법률심판의 대상이 아니라 할 것이다."라고 하였고, 헌법재판소는 "법률과 같은 효력을 가지는 이 사건 관습법도 당연히 헌법소원심판의 대상이 되고, 단지 형식적인 의미의 법률이 아니라는 이유로 그 예외가 될 수는 없다."라는 입장이다(헌재 2013.2.28. 2009헌바129).

1 헌법 규정이 위헌심사의 대상이 될 수 있는지 여부: 소극

헌법 제111조 제1항 제1호 및 헌법재판소법 제41조 제1항은 위헌법률심판의 대상에 관하여 헌법 제111조 제1항 제5호 및 헌법재판소법 제68조 제2항, 제41조 제1항은 헌법소원심판의 대상에 관하여 그것이 법률임을 명문으로 규정하고 있으며, 여기서 위헌심사의 대상이 되는 법률이 국회의 의결을 거친 이른바 **형식적 의미의 법률**을 의미하는 것에 아무런 의문이 있을 수 없으므로, 헌법의 개별규정 자체는 헌법소원에 의한 위헌심사의 대상이 아니다(헌재 1995.12.28. 95헌바3). 10. 국가직

2 폐지된 법률이 위헌법률심판대상인지 여부: 적극

법률이 폐지된 경우라 할지라도 그 법률의 시행 당시에 발생한 구체적 사건에 대하여서는 원칙적으로 폐지된 법률이 적용되어 재판이 행하여질 수밖에 없는 것이므로, 만일 헌법재판소가 폐지된 법률이라는 이유로 위헌심사를 거부하면 법원으로서는 법률에 대한 위헌 여부 결정권이 없다는 것을 이유로 하여 위헌문제가 제기된 법률을 그대로 적용할 수밖에 없는 불합리한 결과가 생겨나게 되기 때문에 이러한 경우 그 위헌 여부 심판은 헌법재판소가 할 수밖에 없는 것이다(헌재 1989.12.18. 89헌마32). 02. 법무사, 15. 법원직

3 조약이 위헌법률심판대상인지 여부: 적극

국제통화기금협정 제9조(지위, 면제 및 특권) 제3항(사법절차의 면제) 및 제8항(직원 및 피용자의 면제와 특권), 전문기구의 특권과 면제에 관한 협약 제4절, 제19절(a)은 각 국회의 동의를 얻어 체결된 것으로서 헌법 제6조 제1항에 따라 **국내법적·법률적 효력을** 가지는바, 가입국의 재판권면제에 관한 것이므로 성질상 국내에 바로 적용될 수 있는 **법규범으로서 위헌법률심판의 대상**이 된다(헌재 2001.9.27. 2000헌바20). 15. 법원직

4 이미 위헌결정이 선고된 법률에 대한 위헌법률심판제청이 적법한지 여부: 소극
[각하]

법률의 위헌결정은 법원 기타 국가기관 및 지방자치단체를 기속하는 기속력이 있어(헌법재판소법 제47조 제1항) 헌법재판소에서 이미 위헌결정이 선고된 법률조항에 대한 위헌법률심판제청은 부적법하다(헌재 2009.3.26. 2007헌가5). 10. 지방직, 15. 법원직

5 대통령령이 위헌법률심판대상인지 여부: 소극

법원의 위헌 여부 심판제청은 '법률'이 헌법에 위반되는지 여부가 재판의 전제가 된 경우에 할 수 있는 것이고, 명령이나 규칙이 헌법에 위반되는지 여부는 법원 스스로 이를 판단할 수 있는 것이므로 이 사건 위헌 여부 심판제청 중 국민연금법 시행령 제54조 제1항에 대한 부분은 법률이 아닌 대통령령에 대한 것으로서 부적법하다(헌재 1996.10.4. 96헌가6).

6 대통령령이 헌법재판소법 제68조 제2항에 의한 헌법소원의 대상이 되는지 여부: 소극

헌법재판소법 제68조 제2항의 규정에 의한 헌법소원심판의 대상은 재판의 전제가 되는 법률인 것이지 대통령령은 그 대상이 될 수 없다고 할 것이므로, 10. 법행 이 사건 심판청구 중 조세범처벌절차법 시행령 제6조 제1항에 관한 부분은 부적법하다(헌재 1999.1.28. 97헌바90).

01 위헌심사의 대상이 되는 규범으로서의 '법률'이라 함은 국회의 의결을 거쳐 제정된 이른바 형식적 의미의 법률을 의미하므로, 헌법의 개별규정 자체는 헌법소원에 의한 위헌심사의 대상이 아니다. 10. 국가직 (○, ×)

답 ○

02 폐지된 법률에 대한 헌법소원은 원칙적으로 부적법하나, 폐지된 법률의 위헌 여부가 관련 소송사건의 재판의 전제가 되어 있다면 위헌심판의 대상이 된다. 22. 국회직 8급 (○, ×)

답 ○

03 위헌법률심판은 현행법률을 대상으로 하므로 폐지되거나 개정된 법률은 어떤 경우에도 심판의 대상이 되지 아니한다는 것이 헌법재판소의 견해이다. 02. 법무사 (○, ×)

답 × 폐지된 법률(실효된 법률)이라도 헌법재판소법 제68조 제2항의 헌법소원심판청구인들의 침해된 법익을 보호하기 위하여 그 위헌 여부가 가려져야 할 필요가 있는 때에는 심판의 대상이 된다(헌재 1989.12.18. 89헌마32).

04 이미 위헌결정된 법률에 대하여 법원의 위헌법률심판제청이 있는 경우, 형식적으로 법률조항이 존재하므로 헌법재판소는 이를 각하하지 않고 동일한 취지의 위헌확인결정을 한다. 10. 지방직 (○, ×)

답 × 헌법재판소에서 이미 위헌결정이 선고된 법률조항에 대한 위헌법률심판제청에 대해서는 '각하'결정을 한다(헌재 2009.3.26. 2007헌가5).

05 헌법 제107조 제2항의 취지상 대통령령의 위헌 여부가 재판의 전제가 된 때는 해당 대통령령 조항에 대하여 위헌제청신청을 하거나, 그 기각을 전제로 헌법재판소법 제68조 제2항에 의한 헌법소원심판을 제기하는 것은 부적법하다. 10. 법행 (○, ×)

답 ○

7 조례가 헌법재판소법 제68조 제2항에 의한 헌법소원의 대상이 될 수 있는지 여부: 소극

헌법재판소법 제68조 제2항에 의한 헌법소원의 대상은 당해 사건의 재판의 전제가 되는 '법률'인 것이므로 지방자치단체의 조례는 그 대상이 될 수 없다(헌재 1998.10.15. 96헌바77).

✔ **주의** 원칙적으로 조례는 법률이 아니기 때문에 위헌법률심판이나 위헌심사형 헌법소원의 대상이 될 수 없다. 다만, 조례가 그 자체로 기본권을 침해할 경우에는 권리구제형 헌법소원을 제기할 수 있다.

8 유신헌법에 근거한 대통령의 긴급조치가 위헌법률심판대상이 되는지 여부: 소극 [위헌] 12. 변호사, 13. 국가직, 14. 사시·법무사

[1] 긴급조치의 위헌심판기관

현행헌법 제107조 제1항은 "법률이 헌법에 위반되는 여부가 재판의 전제가 된 경우에는 법원은 헌법재판소에 제청하여 그 심판에 의하여 재판한다."라고 규정하고, 현행헌법 제111조 제1항 제1호는 헌법재판소의 관장사무로 법원의 제청에 의한 법률의 위헌 여부 심판을 규정하고 있다. 위 각 헌법 규정에 의하면 위헌심사의 대상이 되는 '법률'이라 함은 '국회의 의결을 거친 이른바 형식적 의미의 법률'을 의미하고(헌재 1996.6.13. 94헌바20 ; 대판 2008.12.24. 2006도1427), **위헌심사의 대상이 되는 규범이 형식적 의미의 법률이 아닌 때에는 그와 동일한 효력을 갖는 데에 국회의 승인이나 동의를 요하는 등 국회의 입법권행사라고 평가할 수 있는 실질을 갖춘 것이어야 한다.**
유신헌법 제53조 제3항은 대통령이 긴급조치를 한 때에는 지체 없이 국회에 통고하여야 한다고 규정하고 있을 뿐, 사전적으로는 물론이거니와 사후적으로도 긴급조치가 그 효력을 발생 또는 유지하는 데 국회의 동의 내지 승인 등을 얻도록 하는 규정을 두고 있지 아니하고, 실제로 국회에서 긴급조치를 승인하는 등의 조치가 취하여진 바도 없다. 따라서 유신헌법에 근거한 긴급조치는 국회의 입법권행사라는 실질을 전혀 가지지 못한 것으로서, 헌법재판소의 위헌심판대상이 되는 '법률'에 해당한다고 할 수 없고, 긴급조치의 위헌 여부에 대한 심사권은 최종적으로 대법원에 속한다. 17. 국가직

[2] 긴급조치 제1호의 위헌 여부

① 국가긴급권은 국가가 중대한 위기에 처하였을 때 그 위기의 직접적 원인을 제거하는 데 필수불가결한 최소의 한도 내에서 행사되어야 하는 것으로서 국가긴급권을 규정한 헌법상의 발동요건 및 한계에 부합하여야 하고, 이 점에서 유신헌법 제53조에 규정된 긴급조치권 역시 예외가 될 수는 없다.
② 유신헌법도 제53조 제1항·제2항에서 긴급조치권행사에 관하여 '천재·지변 또는 중대한 재정·경제상의 위기에 처하거나, 국가의 안전보장 또는 공공의 안녕질서가 중대한 위협을 받거나 받을 우려가 있어 신속한 조치를 할 필요'가 있을 때 그 극복을 위한 것으로 한정하고 있다. 그러나 이에 근거하여 발령된 긴급조치 제1호의 내용은 대한민국헌법을 부정·반대·왜곡 또는 비방하는 일체의 행위, 대한민국헌법의 개정 또는 폐지를 주장·발의·제안 또는 청원하는 일체의 행위와 유언비어를 날조·유포하는 일체의 행위 및 이와 같이 금지된 행위를 권유·선동·선전하거나, 방송·보도·출판 기타 방법으로 이를 타인에게 알리는 일체의 언동을 금하고(제1항 내지 제4항), 이 조치를 위반하거나 비방한 자는 법관의 영장 없이 체포·구속·압수·수색하며 15년 이하의 징역에 처한다(제5항)는 것으로, 유신헌법 등에 대한 논의 자체를 전면금지함으로써 이른바 유신체제에 대한 국민적 저항을 탄압하기 위한 것임이 분명하여 긴급조치권의

🌸 **핵심기출 OX**

01 조례 자체로 인하여 직접 그리고 현재 자기의 기본권을 침해받은 자는 그 권리구제의 수단으로서 조례에 대한 헌법소원을 제기할 수 있다. 19. 법행
(○, ×)

📖 ○

02 대법원은 유신헌법에 근거한 긴급조치가 입법권의 행사라는 실질을 갖추지 못하여 '법률'에 해당하지 않으므로, 그 위헌 여부에 대한 심사권은 최종적으로 대법원에 속한다고 보았으나, 헌법재판소는 긴급조치가 법률과 동일한 효력을 갖는 것으로서 그에 대한 위헌심사권은 헌법재판소가 가진다고 판단하였다. 17. 국가직 (○, ×)

📖 ○

1274 해커스공무원 학원·인강 gosi.Hackers.com

목적상 한계를 벗어난 것일 뿐만 아니라, 위 긴급조치가 발령될 당시의 국내외 정치상황 및 사회상황이 긴급조치권발동의 대상이 되는 비상사태로서 국가의 중대한 위기상황 내지 국가적 안위에 직접 영향을 주는 중대한 위협을 받을 우려가 있는 상황에 해당한다고 할 수 없으므로, 그러한 상황에서 발령된 긴급조치 제1호는 유신헌법 제53조가 규정하고 있는 요건을 결여한 것이다.

③ 한편 긴급조치 제1호의 내용은 민주주의의 본질적 요소인 표현의 자유 내지 신체의 자유와 헌법상 보장된 청원권을 심각하게 제한하는 것으로서 국가가 국민의 기본적 인권을 최대한으로 보장하도록 한 유신헌법 제8조(현행헌법 제10조)의 규정에도 불구하고, 유신헌법 제18조(현행헌법 제21조)가 규정한 표현의 자유를 제한하고, 영장주의를 전면 배제함으로써 법치국가원리를 부인하여 유신헌법 제10조(현행헌법 제12조)가 규정하는 신체의 자유를 제한하며, 명시적으로 유신헌법을 부정하거나 폐지를 청원하는 행위를 금지시킴으로써 유신헌법 제23조(현행헌법 제26조)가 규정한 청원권 등을 제한한 것이다.

이와 같이 긴급조치 제1호는 그 발동요건을 갖추지 못한 채 목적상 한계를 벗어나 국민의 자유와 권리를 지나치게 제한함으로써 헌법상 보장된 국민의 기본권을 침해한 것이므로, 긴급조치 제1호가 해제 내지 실효되기 이전부터 유신헌법에 위반되어 위헌이고, 나아가 긴급조치 제1호에 의하여 침해된 위 각 기본권의 보장규정을 두고 있는 현행헌법에 비추어 보더라도 위헌이다.

④ 결국 이 사건 재판의 전제가 된 긴급조치 제1호 제1항·제3항·제5항을 포함하여 긴급조치 제1호는 헌법에 위반되어 무효이다.

이와 달리 유신헌법 제53조에 근거를 둔 긴급조치 제1호가 합헌이라는 취지로 판시한 74도3492, 74도3498, 74도3323 판결과 그 밖에 이 판결의 견해와 다른 대법원판결들은 모두 폐기한다(대판 2010.12.16. 2010도5986).

9 긴급조치가 위헌법률심판대상인지 여부: 적극 13. 국가직, 14. 법무사

[1] 이 사건 긴급조치들에 대한 위헌심사권한

① 헌법은 당해 사건에 적용될 법률(조항)의 위헌 여부를 심사하는 구체적 규범통제의 경우에 '법률'의 위헌 여부는 헌법재판소가, 법률의 하위규범인 '명령·규칙 또는 처분' 등의 위헌 또는 위법 여부는 대법원이 그 심사권한을 가지는 것으로 그 권한을 분배하고 있다(헌법 제107조 제1항·제2항, 헌법재판소법 제111조 제1항 제1호).

② 일정한 규범이 위헌법률심판 또는 헌법재판소법 제68조 제2항에 의한 헌법소원심판의 대상이 되는 '법률'인지 여부는 그 제정형식이나 명칭이 아니라 그 규범의 효력을 기준으로 판단하여야 한다. 따라서 헌법이 법률과 동일한 효력을 가진다고 규정한 긴급재정경제명령(제76조 제1항) 및 긴급명령(제76조 제2항)은 물론, 헌법상 형식적 의미의 법률은 아니지만 국내법과 동일한 효력이 인정되는 '헌법에 의하여 체결·공포된 조약과 일반적으로 승인된 국제법규'(제6조)의 위헌 여부의 심사권한은 헌법재판소에 전속한다.

③ 이 사건 긴급조치들은 유신헌법 제53조에 근거한 것으로서 그에 정해진 요건과 한계를 준수하여야 한다는 점에서 헌법과 동일한 효력을 가지는 것으로 보기는 어렵지만, 표현의 자유 등 기본권을 제한하고 형벌로 처벌하는 규정을 두고 있으며, 영장주의나 법원의 권한에 대한 특별한 규정 등을 두고 있는 점에 비추어 보면 이 사건 긴급조치들은 최소한 법률과 동일한 효력을 가지는 것으로 보아야 하므로, 그 위헌 여부 심사권한은 헌법재판소에 전속한다. 17. 국가직

[2] 이 사건 긴급조치들에 대한 위헌심사 준거규범

① 현행헌법은 전문에서 "1948.7.12.에 제정되고 8차에 걸쳐 개정된 헌법을 이제 국회의 의결을 거쳐 국민투표에 의하여 개정한다."라고 하여 제헌헌법 이래 현행헌법에 이르기까지 헌법의 동일성과 연속성을 선언하고 있으므로 헌법으로서의

규범적 효력을 가지고 있는 것은 오로지 현행헌법이다. 이미 폐기된 유신헌법에 따라 이 사건 긴급조치들의 위헌 여부를 판단하는 것은 유신헌법 일부 조항과 긴급조치 등이 기본권을 과도하게 침해하고 자유민주적 기본질서를 훼손한다는 반성에 기초하여 헌법개정을 결단한 주권자인 국민의 의사와 기본권의 강화와 확대라는 헌법의 역사성에 반하는 것으로 허용할 수 없다. 그러므로 이 사건 긴급조치들의 위헌성을 심사하는 준거규범은 유신헌법이 아니라 현행헌법이라고 봄이 타당하다. 15. 사시

② 유신헌법 제53조 제4항은 "긴급조치는 사법적 심사의 대상이 되지 아니한다."라고 규정하고 있었다. 그러나 비록 고도의 정치적 결단에 의하여 행해지는 국가긴급권의 행사라고 할지라도 그것이 국민의 기본권침해와 직접 관련되는 경우에는 헌법재판소의 심판대상이 될 수 있고, 이러한 사법심사 배제조항은 근대입헌주의에 대한 중대한 예외로 기본권보장규정이나 위헌법률심판제도에 관한 규정 등 다른 헌법조항들과 정면으로 모순·충돌되며, 현행헌법이 반성적 견지에서 긴급재정경제명령·긴급명령에 관한 규정(제76조)에서 사법심사 배제규정을 삭제하여 제소금지조항을 승계하지 아니하였으므로, 이 사건에서 유신헌법 제53조 제4항의 적용은 배제되고, 현행헌법에 따라 이 사건 긴급조치들의 위헌성을 다툴 수 있다(헌재 2013.3.21. 2010헌바132).

☑ 주의
유신헌법하에서 발령된 대통령긴급조치는 유신헌법 제53조에 근거하여 이루어진 것이므로 그 위헌성을 심사하는 준거규범은 원칙적으로 유신헌법이라 할 수 있다. (×)
⇨ 긴급조치들의 위헌성을 심사하는 준거규범은 유신헌법이 아니라 현행헌법이다. (○)

10 한정위헌청구도 원칙적으로 적법한지 여부: 적극 [판례변경]

종래 헌법재판소의 선례는 한정위헌청구는 원칙적으로 부적법하고, 예외적으로 법률조항 자체의 불명확성을 다투는 것으로 볼 수 있는 경우 일정한 해석이 법원에 의하여 형성·집적된 경우 등에는 적법성을 인정하였다. 그러나 법률의 의미는 결국 개별·구체화된 법률해석에 의하여 확인될 것이므로 이는 동전의 양면과 같아 법률과 법률의 해석을 구분할 수는 없고 결국 재판의 전제가 된 법률에 대한 규범통제는 결국 해석에 의하여 구체화된 법률의 의미와 내용에 대한 헌법적 통제로서 헌법재판소의 고유권한이다. … 헌법합치적 법률해석의 원칙상 한정적으로 위헌성이 있는 부분에 대한 한정위헌결정은 입법권에 대한 자제와 존중으로서 당연하면서도 불가피한 결론이고, 이러한 한정위헌결정을 구하는 한정위헌청구 또한 인정되는 것이 합당하다(헌재 2012.12.27. 2011헌바117). 10. 법무사, 11. 법원직, 13·17. 국가직, 15. 사시·국회직 8급, 18·19. 서울시, 19. 지방직

☑ 주의 한정위헌청구의 적법성에 관한 종래의 선례를 변경하여 원칙적으로 한정위헌청구가 적법하다고 결정한 사례이다.

11 민법 시행 이전의 분재청구권에 관한 구 관습법이 위헌법률심사대상이 되는지 여부: 적극 14. 사시, 15. 법원직, 18. 서울시

[1] 관습법은 사회의 거듭된 관행으로 생성된 사회생활규범이 사회의 법적 확신과 인식에 따라 법적 규범으로 승인되고 강행되기에 이르러 법원(法源)으로 기능하게 된 것이다. 법원(法院)은 여러 차례 위와 같은 분재청구권에 관한 관습이 우리 사회에서 관습법으로 성립하여 존재하고 있음을 확인하고(대판 2007.1.25. 2005다26284 등) 상속 등에 관한 재판규범으로 적용하여 왔다. 그런데 이 사건 관습법은 민법 시행 이전에 상속을 규율하는 법률이 없는 상황에서 재산상속에 관하여 적용된 규범으로서 비록 형식적 의미의 법률은 아니지만 실질적으로는 법률과 같은 효력을 갖는다.

[2] 헌법 제111조 제1항 제1호·제5호 및 헌법재판소법 제41조 제1항, 제68조 제2항에 의하면 위헌심판의 대상을 '법률'이라고 규정하고 있는데, 여기서 '법률'이라고 함은 국회의 의결을 거친 이른바 형식적 의미의 법률뿐만 아니라 법률과 동일한 효력을 가지는 조약 등도 포함된다. 이처럼 법률과 동일한 효력을 가지는 조약 등을 위헌심판의 대상으로 삼음으로써 헌법을 최고규범으로 하는 법질서의 통일성과 법적 안정성을 확보할 수 있을 뿐만 아니라, 합헌적인 법률에 의한 재판을 가능하게 하여 궁극적으로는 국민의 기본권보장에 기여할 수 있게 된다. 그렇다면 법률과 같은 효력을 가지는 이 사건 관습법도 당연히 헌법소원심판의 대상이 되고, 단지 형식적인 의미의 법률이 아니라는 이유로 그 예외가 될 수는 없다(헌재 2013.2.28. 2009헌바29).

12 관습법이 위헌법률심판의 대상인지 여부: 소극 16. 지방직

헌법 제111조 제1항 제1호 및 헌법재판소법 제41조 제1항에서 규정하는 위헌심사의 대상이 되는 법률은 국회의 의결을 거친 이른바 형식적 의미의 법률을 의미하고, 또한 민사에 관한 관습법은 법원(法院)에 의하여 발견되고 성문의 법률에 반하지 아니하는 경우에 한하여 보충적인 법원(法源)이 되는 것에 불과하여(민법 제1조) 관습법이 헌법에 위반되는 경우 법원이 그 관습법의 효력을 부인할 수 있으므로(대판 2003.7.24. 2001다48781), 결국 관습법은 헌법재판소의 위헌법률심판의 대상이 아니라 할 것이다(대결 2009.5.28. 2007카기134).❶ 14. 사시, 16. 지방직, 17. 국가직

4 기준과 내용

1. 기준

(1) 헌법

형식적 의미의 헌법이 위헌법률심판의 기준이 되는 것은 의문이 없다. 다만, 위헌법률심판의 기준에 실질적 의미의 헌법(헌법적 관습 등)도 포함되는지에 대해서는 견해가 대립한다. 헌법재판소는 관습헌법(불문헌법)을 성문헌법과 동일한 헌법적 효력을 인정함으로써 위헌심판의 기준으로 인정하고 있다(헌재 2004.10.21. 2004헌마554·556).

(2) 자연법과 정의

자연법 또는 정의가 위헌법률심판의 기준이 될 수 있는지에 대하여 견해가 대립하고 있다. 독일연방헌법법원은 헌법제정권자를 구속하고 헌법에 선행하는 초실정법적 규범의 존재를 인정하면서, 그것을 기준으로 하여 실정법률을 심사할 수 있다고 보고 있다.

🔍 판례

헌법의 기본원리가 위헌법률심판의 심사기준이 될 수 있는지 여부: 적극

헌법의 기본원리는 헌법의 이념적 기초인 동시에 헌법을 지배하는 지도원리로서 입법이나 정책결정의 방향을 제시하며 공무원을 비롯한 모든 국민·국가기관이 헌법을 존중하고 수호하도록 하는 지침이 되며, **구체적 기본권을 도출하는 근거로 될 수는 없으나 기본권의 해석 및 기본권제한입법의 합헌성 심사에 있어 해석기준의 하나로서 작용한다.** 그러므로 이 사건 심판대상조항의 위헌 여부를 심사함에 있어서도 우리 헌법의 기본원리를 그 기준으로 삼아야 할 것이다(헌재 1996.4.25. 92헌바47). 10. 지방직, 20. 경정승진

❶ 관습법이 위헌법률심판대상인지 여부
• 헌법재판소 입장: ○(긍정)
• 대법원 입장: ×(부정)

🏛 핵심기출 OX

01 헌법재판소는 호주가 사망한 경우 딸에게는 분재청구권을 인정하지 아니하는 내용의 구 관습법에 대하여 실질적으로 법률과 같은 효력을 갖는 것으로서 헌법재판소법 제68조 제2항에 의한 헌법소원심판의 대상이 된다고 판단한 바 있다. 14. 사시 (○, ×)

답 ○

02 법률의 효력을 갖는 관습법도 위헌법률심판의 대상이 될 수 있다는 것이 헌법재판소의 입장이다. 17. 국가직 (○, ×)

답 ○

03 헌법의 기본원리는 헌법의 이념적 기초인 동시에 헌법을 지배하는 지도원리로서 입법이나 정책결정의 방향을 제시하며, 구체적 기본권을 도출하는 근거가 되고 기본권의 해석 및 기본권제한 입법의 합헌성 심사에 있어 해석기준의 하나로 작용한다. 20. 경정승진 (○, ×)

답 × 헌법의 기본원리는 헌법의 이념적 기초인 동시에 지도원리인 것은 맞지만 구체적 기본권을 도출하는 근거는 아니다.

2. 내용

(1) 합헌성의 판단

위헌법률심판에서 법률의 합헌성 여부의 판단에는 성립절차와 같은 형식적 합헌성은 물론 내용과 같은 실질적 합헌성 판단도 포함된다.

(2) 판단의 범위

> 헌법재판소법 제45조 【위헌결정】 헌법재판소는 제청된 법률 또는 법률조항의 위헌 여부만을 결정한다. 다만, 법률조항의 위헌결정으로 인하여 해당 법률 전부를 시행할 수 없다고 인정될 때에는 그 전부에 대하여 위헌결정을 할 수 있다.

① **원칙**: 위헌법률심판에 있어서 심판대상은 당해 사건에서 효력에 의문이 제기된 법률 또는 법률조항에 한정되는 것이 원칙이다.

② **예외 - 심판범위의 확장**: 헌법재판은 단순히 제청신청인이나 헌법소원청구인의 주관적 권리구제만을 위한 제도가 아니고, 객관적 헌법질서를 수호·유지하기 위한 제도이기도 하다. 헌법재판소는 피청구인 또는 심판대상을 직권으로 확정하기도 하고, 위헌제청되지 않은 법률조항이라 하더라도 체계적으로 밀접불가분의 관계에 있거나 동일한 심사척도가 적용되는 등의 경우에는 그 법률조항도 심판대상에 포함시켜 위헌제청된 법률조항과 함께 그 위헌 여부를 판단하기도 하였다. 이는 모두 헌법재판의 객관적 기능을 충실히 구현하고자 하는 취지에서 비롯된 것이다(헌재 2005.2.3. 2004헌가5). 11. 국가직

㉠ **당해 법률 전부를 시행할 수 없다고 인정될 경우**: 법률조항의 위헌결정으로 인하여 당해 법률 전부를 시행할 수 없다고 인정될 때에는 그 전부에 대하여 위헌의 결정을 할 수 있다(헌법재판소법 제45조 단서). 01·09. 법무사 헌법재판소는 토지초과이득세법 제10조 등 위헌사건(헌재 1994.7.29. 92헌바49·52), 반국가행위자의 처벌에 관한 특별조치법 제2조 제1항 제2호 등 사건(헌재 1996.1.25. 95헌가5), 택지소유상한에 관한 법률 제2조 제1호 나목 등 위헌사건(헌재 1999.4.29. 94헌바37)에서 법 전체에 대한 위헌결정을 한 바 있다.

㉡ **위헌제청된 법률조항과 일체를 형성하는 경우**: 헌법심판의 대상이 된 법률조항 중에서 일정한 법률조항이 위헌선언된 경우와 같은 법률의 그렇지 아니한 다른 법률조항들은 효력을 그대로 유지하는 것이 원칙이다.

그러나 예외적으로 위헌으로 선언된 법률조항을 넘어서 다른 법률조항 내지 법률 전체를 위헌선언하여야 할 경우가 있다. 합헌으로 남아있는 나머지 법률조항만으로는 법적으로 독립된 의미를 가지지 못하거나, 위헌인 법률조항이 나머지 법률조항과 극히 밀접한 관계에 있어서 전체적·종합적으로 양자가 분리될 수 없는 일체를 형성하고 있는 경우, 위헌인 법률조항만을 위헌선언하게 되면 전체 규정의 의미와 정당성이 상실되는 때가 이에 해당된다(헌재 1996.12.26. 94헌바1).

ⓒ **동일한 심사척도가 적용되는 경우**: 법률조항 중 관련 사건의 재판에서 적용되지 않는 내용이 들어 있는 경우에도 제청법원이 단일 조문 전체를 위헌제청하고 그 조문 전체가 같은 심사척도가 적용될 위헌심사대상인 때에는 그 조문 전체가 심판대상이 된다고 할 것이며, 관세법 제182조 제2항과 같이 병렬적으로 적용대상이 규정되어 있는 경우라도 그 내용이 서로 밀접한 관련이 있어 같은 심사척도가 적용될 위헌심사대상인 경우 그 내용을 분리하여 따로 판단하는 것은 적절하지 아니하다(헌재 1996.11.28. 96헌가13).

ⓔ **소위 병행규범의 심판대상 여부(소극)**: 헌법재판소는 법률을 위헌선언함에 있어서 동일한 입법취지를 가진 다른 법률(소위 병행규범)에 대하여도 위헌선언을 할 수 있는지에 관하여 "그것은 헌법 제111조 제1항 제1호와 헌법재판소법 제41조 제1항, 제45조 본문이 법률의 위헌 여부 심판에 있어서 구체적 규범통제절차를 채택하고 있는 데서 비롯되는 부득이한 현상으로서, 관련성이 있는 다른 법률과 동시에 해결되어야 한다는 주장은 이론상으로는 비록 경청할 가치가 있고 또 장차 그러한 방향으로 법률이 개정될 수도 있다고 할 것이나, 현행 법제하에서는 이에 관한 명문규정이 없어 일괄처리하기에는 현재로서 문제가 있기 때문에 이 주장도 수긍하기 어려운 것이다."라고 판시하여 **부정**적인 입장이다(헌재 1990.9.3. 89헌가95).

(3) 판단의 관점

헌법재판소는 헌법 제107조 제1항, 제111조 제1항 제1호에 의한 위헌법률심판 절차에 있어서 규범의 위헌성을 제청법원이나 제청신청인이 주장하는 법적 관점에서만이 아니라 심판대상규범의 법적 효과를 고려하여 모든 헌법적인 관점에서 심사한다. 05. 법무사 법원의 위헌제청을 통하여 제한되는 것은 오로지 심판의 대상인 법률조항이지 위헌심사의 기준이 아니다(헌재 1996.12.26. 96헌가18). 19. 지방직·서울시

✅ **주의**
- 위헌법률심판에서의 위헌심사기준과 관련하여, 헌법재판소는 위헌법률심판의 계기를 마련한 제청법원의 견해를 존중한다는 의미에서 원칙적으로 제청법원이 주장하는 법적 관점에서 심사를 하여야 한다. (×)
- 제청법원이나 제청신청인이 주장하는 법적 관점에서만이 아니라, 심판대상규범의 모든 법적 효과를 고려하여 모든 헌법적인 관점에서 심사한다. (○)

5 결정

1. 의결정족수

헌법재판소법 제23조【심판정족수】 ② 재판부는 종국심리에 관여한 재판관 과반수의 찬성으로 사건에 관한 결정을 한다. 다만, 다음 각 호의 어느 하나에 해당하는 경우에는 재판관 6명 이상의 찬성이 있어야 한다. 20. 법원직
1. 법률의 위헌결정, 탄핵의 결정, 정당해산의 결정 또는 헌법소원에 관한 인용결정을 하는 경우
2. 종전에 헌법재판소가 판시한 헌법 또는 법률의 해석적용에 관한 의견을 변경하는 경우

2. 결정유형 16. 지방직

(1) 합헌결정

헌법재판소가 법률의 위헌 여부를 심리한 결과 합헌이라고 판단되는 경우에 내리는 결정유형으로 주문형식은 "법률은 헌법에 위반되지 아니한다."라고 표현한다.

(2) 위헌결정

헌법재판소 재판관 9명 중 6명 이상의 찬성으로 심판대상법률에 대하여 위헌선언을 하는 주문유형으로 "법률은 헌법에 위반된다."라고 표현한다.

(3) 변형결정

① 헌법불합치결정

  ㉠ 의의: 헌법재판소가 법률의 실질적 위헌성은 인정하면서도 입법형성 자유의 존중, 법적 공백과 혼란의 방지를 위하여 법률의 효력을 일정기간 지속시키는 주문유형으로 " … 는 헌법에 합치되지 아니한다."라고 표현한다.

  ㉡ 헌법불합치결정 주문의 유형

   ⓐ 잠정적용헌법불합치: 헌법불합치선언을 하면서도 합헌적인 개정법률이 시행될 때까지는 이를 잠정적으로 적용하거나 효력을 유지할 것을 명하는 주문유형으로, 입법기한이 있는 경우와 없는 경우가 있다.

   ⓑ 단순헌법불합치(적용중지): 헌법불합치선언을 하면서 새로이 법률을 개정할 때까지 더이상 적용할 수 없도록 중지하되, 그 형식적 효력만을 잠정적으로 유지시키는 주문유형으로, 마찬가지로 입법기한이 있는 경우와 없는 경우가 있다.

② 한정합헌결정

  ㉠ 의의

   ⓐ 한정합헌결정은 해석 여하에 따라서는 위헌이 되는 부분을 포함하고 있는 법령의 의미를 헌법의 정신에 합치하도록 한정적으로 해석하여 위헌판단을 회피하는 주문유형으로 " … 이러한 해석하에" 또는 " … 하는 것으로 해석하는 한 헌법에 위반되지 아니한다."라고 표현한다.

   ⓑ 한정합헌결정은 당해 법률이 다양한 해석가능성을 가지고 있고 그중에서 최소한 하나의 해석방법이 헌법에 합치되는 경우에 법조문 문언의 범위나 입법목적을 벗어나지 아니하는 범위 내에서 가능하며, 한정합헌결정을 하는 경우 당해 법률은 합헌으로 선언되어 그대로 유효하다.

  ㉡ 결정례

   ⓐ 국가보안법 제7조(찬양·고무): 반국가단체에 대한 찬양·고무죄는 소정의 행위가 국가의 존립·안전을 위태롭게 하거나 자유민주적 기본질서에 위해를 줄 명백한 위험이 있을 경우에만 축소적용되는 것으로 해석한다면 합헌이다(헌재 1990.4.2. 89헌가113).

ⓑ **군사기밀보호법 제6조, 제7조, 제10조(군사기밀의 개념):** '군사상의 기밀'이 비공지의 사실로서 적법절차에 따라 군사기밀로서의 표지를 갖추고 그 누설이 국가의 안전보장에 명백한 위험을 초래한다고 볼 만큼의 실질가치를 지닌 것으로 인정되는 경우에 한하여 적용된다고 해석하는 한 합헌이다(헌재 1992.2.5. 89헌가104).

③ 한정위헌결정

ⓐ **의의:** 한정위헌결정은 불확정개념이거나 다의적인 해석가능성이 있는 조문에 대하여 특히 헌법과 조화될 수 없는 내용을 한정하여 밝힘으로써 그러한 해석의 법적용을 배제하려는 주문유형으로 "… 으로 해석하는 한 헌법에 위반된다."라고 표시한다. 한정위헌결정도 위헌결정의 범주에 드는 것이므로 재판관 6명 이상의 찬성을 요한다.

ⓑ **결정례 – 헌법재판소법 제68조 제1항 위헌확인 등:** 헌법재판소법 제68조 제1항은 법원이 헌법재판소의 기속력 있는 위헌결정에 반하여 그 효력을 상실한 법률을 적용함으로써 국민의 기본권을 침해하는 경우에는 예외적으로 그 재판도 헌법소원심판의 대상이 된다고 해석하여야 한다. 따라서 헌법재판소법 제68조 제1항의 '법원의 재판'에 헌법재판소가 위헌으로 결정하여 그 효력을 상실한 법률을 적용함으로써 국민의 기본권을 침해하는 재판도 포함되는 것으로 해석하는 한도 내에서 헌법재판소법 제68조 제1항은 헌법에 위반된다(헌재 1997.12.24. 96헌마172·173).

✎ 판례

한정합헌결정과 한정위헌결정의 관계

한정합헌결정과 한정위헌결정은 서로 표리관계에 있는 것이어서 실제적으로는 차이가 있는 것이 아니다. **합헌적인 한정축소해석은** 위헌적인 해석 가능성과 그에 따른 법적용을 **소극적으로 배제**한 것이고, 적용범위의 축소에 의한 **한정적 위헌선언은** 위헌적인 법적용영역과 그에 상응하는 해석가능성을 **적극적으로 배제**한다는 뜻에서 차이가 있을 뿐, 본질적으로는 다 같은 부분위헌결정이다(헌재 1997.12.24. 96헌마172·173).

---

④ **변형결정의 기속력**

ⓐ **문제점:** 독일연방헌법재판소법과 달리 우리 헌법재판소법 제47조 제1항은 법률에 대한 위헌결정의 기속력만을 규정하고 있어서 변형결정의 경우 그 기속력을 인정할 수 있을지 문제된다.

ⓑ **대법원의 입장:** "이른바 한정위헌결정의 경우에는 헌법재판소의 결정에도 불구하고 법률이나 법률조항은 그 문언이 전혀 달라지지 않은 채 그냥 존속하고 있는 것이므로 이와 같이 법률이나 법률조항의 문언이 변경되지 아니한 이상 이러한 한정위헌결정은 법률 또는 법률조항의 의미·내용 및 그 적용범위를 정하는 법률해석이라고 이해하지 않을 수 없고, 이에 따라 헌법 제101조, 제103조 등에 비추어 볼 때 법령의 해석적용 권한은 바로 사법권의 본질적 내용을 이루는 것으로서 전적으로 대법원에 전속하는 것이며 따라서 한정위헌결정은 당해 법령에 대한 헌법재판소의 견해를 일응 표명한 것에 불과하여

🏛 핵심기출 OX

대법원의 판례에 따르면, 한정위헌결정에 의하여 법률이나 법률조항이 폐지되는 것이 아니라 그 문언이 전혀 달라지지 않은 채 그대로 존속하고 있는 것이므로 이는 법률 또는 법률조항의 의미, 내용과 그 적용범위를 정하는 법률해석이라 할 수 있으며, 헌법재판소의 견해를 일응 표명한 것에 불과하여 법원에 전속되어 있는 법령의 해석·적용 권한에 대하여 어떠한 영향을 미치거나 기속력을 가질 수 없다.
14. 변호사   (○, ✕)

🖺 ○

법원에 전속되어 있는 법령의 해석적용 권한에 대하여 어떠한 영향을 미치거나 기속력도 가질 수 없다."라고 판시하여 변형결정의 기속력을 부인하고 있다(대판 1996.4.9. 95누11405). 14. 변호사

© **헌법재판소의 입장**: "법률에 대한 위헌심사는 당연히 당해 법률 또는 법률조항에 대한 해석이 전제되는 것이고 헌법재판소의 한정위헌결정은 단순히 법률을 구체적인 사실관계에 적용함에 있어 그 법률의 의미와 내용을 밝히는 것이 아니라 법률에 대한 위헌심사의 결과로서 … 헌법재판소의 한정위헌결정은 결코 법률의 해석에 대한 헌법재판소의 단순한 견해가 아니라 헌법이 정한 권한에 속하는 법률에 대한 위헌심사의 한 유형인 것이다."라고 판시하여 변형결정의 기속력을 명백히 인정하고 있다(헌재 1997.12.24. 96헌마172·173).

⊘ **주의**
- **헌법재판소**: 한정위헌결정은 위헌결정이고 국가기관을 기속하는 변형결정으로 인정한다.
- **대법원**: 한정위헌결정은 위헌결정이 아니다.

⚖ 판례

변형결정의 기속력

헌법재판소의 법률에 대한 위헌결정에는 단순위헌결정은 물론 한정합헌·한정위헌결정과 헌법불합치결정도 포함되고 이들은 모두 당연히 기속력을 가진다(헌재 1997.12.24. 96헌마 172·173). 08. 법행·지방직

3. 결정서와 공시

헌법재판소법 제36조【종국결정】 ② 종국결정을 할 때에는 다음 각 호의 사항을 적은 결정서를 작성하고 심판에 관여한 재판관 전원이 이에 서명날인하여야 한다.
1. 사건번호와 사건명
2. 당사자와 심판수행자 또는 대리인의 표시
3. 주문
4. 이유
5. 결정일
③ 심판에 관여한 재판관은 결정서에 의견을 표시하여야 한다.
④ 종국결정이 선고되면 서기는 지체 없이 결정서 정본을 작성하여 당사자에게 송달하여야 한다.
⑤ 종국결정은 헌법재판소규칙으로 정하는 바에 따라 관보에 게재하거나 그 밖의 방법으로 공시한다.

4. 위헌결정의 효력

(1) 위헌결정의 기속력

헌법재판소법 제47조【위헌결정의 효력】 ① 법률의 위헌결정은 법원과 그 밖의 국가기관 및 지방자치단체를 기속한다. 07. 국가직, 13. 변호사

① 법률의 '위헌결정'은 기속력이 있으나, 합헌결정은 기속력이 없다. 따라서 합헌결정한 법률에 대해서는 또다시 위헌법률심판제청이 있더라도 각하하지 않고 다시 심판한다. 12·13. 국회직 다만, 이 '위헌결정'의 의미에 단순위헌결정뿐만 아니라 '변형결정'도 포함되는지에 대해서는 견해대립이 있다. 변형결정의 기속력에 대해서는 명문규정이 없으므로, 특히 변형결정인 한정위헌결정의 기속력 여부(위헌결정인지 여부)를 놓고 헌법재판소와 대법원간의 견해가 대립하고 있는 것이다.

② 헌법재판소는 "법률에 대한 위헌결정에는 단순위헌결정은 물론 한정합헌·한정위헌결정과 헌법불합치결정도 포함되고 이들은 모두 당연히 기속력을 가진다."라는 입장이다(헌재 1997.12.24. 96헌마172·173). 이에 대하여 대법원은 "한정위헌결정은 당해 법령에 대한 헌법재판소의 견해를 일응 표명한 것에 불과하여 법원에 전속되어 있는 법령의 해석적용 권한에 대하여 어떠한 영향을 미치거나 기속력도 가질 수 없다."라고 판시하여 변형결정의 기속력을 부인하고 있다(대판 1996.4.9. 95누11405).

(2) 일반적 효력의 부인

> 헌법재판소법 제47조 【위헌결정의 효력】 ② 위헌으로 결정된 법률 또는 법률의 조항은 그 결정이 있는 날부터 효력을 상실한다. 02. 법무사, 07. 국가직, 08. 법원직, 17. 경정승진

현행 위헌법률심사제는 구체적 규범통제의 형식을 취하면서도 법률의 효력을 개별적으로 부인하는 것이 아니라 일반적으로 상실시키고 있어서 이를 객관적 규범통제라고 한다.

(3) 위헌결정의 효력발생시기

> 헌법재판소법 제47조 【위헌결정의 효력】 ② 위헌으로 결정된 법률 또는 법률의 조항은 그 결정이 있는 날부터 효력을 상실한다.
> ③ 제2항에도 불구하고 형벌에 관한 법률 또는 법률의 조항은 소급하여 그 효력을 상실한다. 다만, 해당 법률 또는 법률의 조항에 대하여 종전에 합헌으로 결정한 사건이 있는 경우에는 그 결정이 있는 날의 다음 날로 소급하여 효력을 상실한다. 14. 지방직, 15. 서울시, 16. 국회직 9급·변호사·국가직
> ④ 제3항의 경우에 위헌으로 결정된 법률 또는 법률의 조항에 근거한 유죄의 확정판결에 대하여는 재심을 청구할 수 있다. 02. 법무사
> ⑤ 제4항의 재심에 대하여는 형사소송법을 준용한다.

🔨 판례

종전에 합헌으로 결정한 사건이 있는 형벌조항에 대하여 위헌결정이 선고된 경우 그 합헌결정이 있는 날의 다음 날로 소급하여 효력을 상실하도록 한 헌법재판소법 제47조 제3항 단서가 헌법에 위반되는지 여부: 소극 [합헌]

[1] 법률의 합헌성에 관한 최종 판단권이 있는 헌법재판소가 당대의 법 감정과 시대상황을 고려하여 합헌이라는 유권적 확인을 하였다면, 그러한 사실 자체에 법적 의미를 부여하고 존중할 필요가 있다. 헌법재판소가 특정 형벌법규에 대하여 과거에 합헌결정을 하였다는 것은 적어도 그 당시에는 당해 행위를 처벌할 필요성에 대한 사회구성원의

합의가 유효하다는 것을 확인한 것이므로, 합헌결정이 있었던 시점 이전까지로 위헌결정의 소급효를 인정할 근거가 없다.

[2] 해당 형벌조항이 성립될 당시에는 합헌적이며 적절한 내용이었다고 하더라도 시대 상황이 변화하게 되면 더이상 효력을 유지하기 어렵거나 새로운 내용으로 변경되지 않으면 안 되는 경우가 발생할 수 있다. 그런데 합헌으로 평가되던 법률이 사후에 시대적 정의의 요청을 담아내지 못하게 되었다고 하여 그동안의 효력을 전부 부인해 버린다면, 끊임없이 개별 규범의 소멸과 생성이 반복되고 효력이 재검토되는 상황에서 법집행의 지속성과 안정성이 깨지고 국가형벌권에 대한 신뢰가 무너져 버릴 우려가 있다. 그러므로 현재의 상황에서는 위헌이라 하더라도 과거의 어느 시점에서 합헌결정이 있었던 형벌조항에 대하여는 위헌결정의 소급효를 제한함으로써 그동안 쌓아 온 규범에 대한 사회적인 신뢰와 법적 안정성을 확보하는 것이 중요하다는 입법자의 결단에 따라, 심판대상조항에서 위헌결정의 소급효를 제한한 것이므로 이러한 소급효 제한이 불합리하다고 보기는 어렵다. 결국 심판대상조항이 종전에 합헌결정이 있었던 형벌법규의 경우 위헌결정의 소급효를 제한하여 합헌결정이 없었던 경우와 달리 취급하는 것에는 합리적 이유가 있으므로 평등원칙에 반한다고 보기 어렵다(헌재 2016.4.28. 2015헌바216).

① 입법유형
  ㉠ **소급무효설**: 법적 안정성보다는 구체적 타당성을 중시하여 소급효를 원칙적으로 인정하면서 이를 부분적으로 제한하는 유형이다(예 독일, 스페인, 포르투갈 등).
  ㉡ **폐지무효설**: 구체적 타당성보다는 법적 안정성을 중시하여 장래효를 원칙으로 하면서 부분적으로 소급효를 인정하는 유형이다(예 오스트리아, 터키 등).
  ㉢ **선택적 무효설**: 소급효의 인정 여부를 구체적인 사건에 따라 결정하는 유형이다(예 미국).
  ㉣ **우리 헌법재판소법상 위헌결정의 효력발생시기**
    ⓐ 헌법재판소법 제47조 제2항은 폐지무효설의 입장에서 원칙적으로 장래효를 택하고 있다. 다만, 형벌에 관한 법률 또는 법률의 조항은 소급하여 그 효력을 상실하도록 하고 있으나, 이때 **형사실체법규정에 대한 위헌선언만이 소급효를 가지고 형사소송법 등 절차법규정에 대한 위헌결정의 경우 원칙적으로 소급효가 없다.** 14. 지방직
    ⓑ 헌법재판소는 "위헌결정의 효력발생시기에 관한 문제는 특단의 사정이 없는 한 헌법적합성의 문제라기보다는 입법자가 법적 안정성과 개인의 권리구제 등 제반이익을 비교형량하면서 결정할 입법정책의 문제이고 따라서 우리의 입법자가 원칙적으로 장래효를 인정하되 형벌법규에 한하여 소급효를 인정하는 입법을 한 것을 두고 헌법을 침해하는 것이라고는 할 수 없다."라고 판시하였다(헌재 1993.5.13. 92헌가10).

1 위헌결정의 효력발생시기를 장래효로 할 것인지 소급효를 원칙으로 할 것인지가 입법정책의 문제인지 여부: 적극

헌법재판소에 의하여 위헌으로 선고된 법률 또는 법률의 조항이 제정 당시로 소급하여 효력을 상실하는가, 아니면 장래에 향하여 효력을 상실하는가의 문제는 특단의 사정이 없는 한 헌법적합성의 문제라기보다는 입법자가 법적 안정성과 개인의 권리구제 등 제반이익을 비교형량하여 가면서 결정할 **입법정책의 문제**인 것으로 보인다(헌재 1993.5.13. 92헌가10). 08. 법행, 11. 경정승진, 14. 지방직

2 장래효가 원칙이지만 예외적으로 소급효를 인정할 수 있는지 여부: 적극 06. 법무사, 09. 국가직, 10. 법행, 14. 지방직

[1] 효력이 다양할 수밖에 없는 위헌결정의 특수성 때문에 예외적으로 부분적인 소급효의 인정을 부인해서는 안 될 것이다.

[2] 구체적 규범통제의 실효성 보장의 견지에서 ① 법원의 제청·헌법소원청구 등을 통하여 헌법재판소에 법률의 위헌결정을 위한 계기를 부여한 당해 사건, ② 위헌결정이 있기 전에 이와 동종의 위헌 여부에 관하여 헌법재판소에 위헌제청을 하였거나 법원에 위헌제청신청을 한 경우의 당해 사건, ③ 따로 위헌제청신청을 아니하였지만 당해 법률 또는 법률의 조항이 재판의 전제가 되어 법원에 계속 중인 사건에 대하여는 소급효를 인정하여야 할 것이다.

[3] 당사자의 권리구제를 위한 구체적 타당성의 요청이 현저한 반면에 소급효를 인정하여도 법적 안정성을 침해할 우려가 없고 나아가 구법에 의하여 형성된 기득권자의 이득이 해쳐질 사안이 아닌 경우로서 소급효의 부인이 오히려 정의와 평등 등 헌법적 이념에 심히 배치되는 때에도 소급효를 인정할 수 있다(헌재 1993.5.13. 92헌가10).

▶ 어떤 사안이 소급효를 적용하여야 할 대상인지에 관하여는 본래적으로 규범통제를 담당하는 헌법재판소가 위헌선언을 하면서 직접 그 결정주문에서 밝혀야 할 것이나, 직접 밝힌 바 없으면 일반법원이 구체적 사건에서 해당 법률의 연혁·성질·보호법익 등을 검토하고 제반이익을 형량해서 합리적·합목적적으로 정하여 대처할 수밖에 없을 것이라고 한다.

☑ **주의 이 사건의 다른 쟁점**
위헌법률심판이나 헌법재판소법 제68조 제2항의 규정에 의한 헌법소원심판에 있어서 위헌여부가 문제되는 법률이 재판의 전제성 요건을 갖추고 있는지의 여부는 헌법재판소가 별도로 독자적인 심사를 하기보다는 되도록 법원의 이에 관한 법률적 견해를 존중해야 할 것이며, 다만 그 전제성에 관한 법률적 견해가 명백히 유지될 수 없을 때에만 헌법재판소는 이를 직권으로 조사할 수 있다 할 것이다.

3 불처벌의 특례조항에 대해서도 소급효가 인정되는지 여부: 소극

이 사건 법률조항인 특례법 제4조 제1항은 비록 형벌에 관한 것이기는 하지만 불처벌의 특례를 규정한 것이어서 위 법률조항에 대한 위헌결정의 소급효를 인정할 경우 오히려 그 조항에 의거하여 형사처벌을 받지 않았던 자들에게 형사상의 불이익이 미치게 되므로 이와 같은 경우까지 헌법재판소법 제47조 제2항 단서의 적용범위에 포함시키는 것은 그 규정취지에 반한다(헌재 1997.1.16. 90헌마110·136). 09. 국가직, 11. 경정승진, 15. 서울시

4 장래효를 원칙으로 하고 있는 헌법재판소법 제47조 제2항 본문이 위헌인지 여부: 소극

[1] 헌법재판소에 의하여 위헌으로 선고된 법률 또는 법률의 조항이 제정 당시로 소급하여 효력을 상실하는가 아니면 장래에 향하여 효력을 상실하는가의 문제는 특단의 사정이 없는 한 헌법적합성의 문제라기보다는 입법자가 법적 안정성과 개인의 권리구제 등 제반이익을 비교형량하여 가면서 결정할 입법정책의 문제인 것으로 보인다.

우리의 입법자는 헌법재판소법 제47조 제2항 본문의 규정을 통하여 형벌법규를 제외하고는 법적 안정성을 더 높이 평가하는 방안을 선택하였는바, 이에 의하여 구체적 타당성이나 평등의 원칙이 완벽하게 실현되지 않는다고 하더라도 헌법상 법치주의의 원칙의 파생인 법적 안정성 내지 신뢰보호의 원칙에 의하여 이러한 선택은 정당화된다 할 것이고, 특단의 사정이 없는 한 이로써 헌법이 침해되는 것은 아니라 할 것이다.

[2] 그렇지만 효력이 다양할 수밖에 없는 위헌결정의 특수성 때문에 예외적으로 부분적인 소급효의 인정을 부인해서는 안 될 것이다. 첫째, 구체적 규범통제 실효성의 보장의 견지에서 법원의 제청, 헌법소원청구 등을 통하여 헌법재판소에 법률의 위헌결정을 위한 계기를 부여한 당해 사건, 위헌결정이 있기 전에 이와 동종의 위헌 여부에 관하여 헌법재판소에 위헌제청을 하였거나 법원에 위헌제청신청을 한 경우의 당해 사건 그리고 따로 위헌제청신청을 아니하였지만 당해 법률 또는 법률의 조항이 재판의 전제가 되어 법원에 계속 중인 사건에 대하여는 소급효를 인정하여야 할 것이다. 둘째, 당사자의 권리구제를 위한 구체적 타당성의 요청이 현저한 반면에 소급효를 인정하여도 법적 안정성을 침해할 우려가 없고 나아가 구법에 의하여 형성된 기득권자의 이득이 해쳐질 사안이 아닌 경우로서 소급효의 부인이 오히려 정의와 평등 등 헌법적 이념에 심히 배치되는 때에도 소급효를 인정할 수 있다(헌재 2008.9.25. 2006헌바108).

② 소급효의 인정 여부와 그 범위

㉠ **문제점**: 헌법재판소법 제47조 제2항에 따르면 형벌법규 이외의 법규는 위헌결정이 있더라도 그 결정이 있기 전까지 여전히 합헌적인 법률로 취급되므로, 그 결정 전에 생긴 사안에 대하여는 그 규정이 그대로 적용되고 위헌제청을 한 당해 사건에서도 그 법률은 유효하게 적용되는 모순이 발생한다. 그러므로 위헌결정은 어느 정도 소급적 효력을 가질 수밖에 없는바, 다만 그 범위에 관하여 견해가 대립하고 있다.

㉡ **소급효의 범위**

ⓐ **대법원의 입장**: 소급효의 범위에 관하여 대법원은 위헌결정을 한 당해 사건, 위헌결정이 있기 전에 이와 동종의 위헌 여부에 관하여 헌법재판소에 위헌제청을 하였거나 법원에 위헌제청신청을 한 경우의 당해 사건, 따로 위헌제청신청을 하지 아니하였지만 당해 법률 또는 법률의 조항이 재판의 전제가 되어 법원에 계속 중인 사건과 위헌결정 이후에 같은 이유로 제소된 일반 사건에까지 소급효의 범위를 확대하였다(대판 1993.1.15. 92다12377). 08. 법행 대법원은 한편, 위헌결정의 효력은 그 미치는 범위가 무한정일 수는 없고 법원이 위헌으로 결정된 법률 또는 법률의 조항을 적용하지는 않더라도 확정판결의 기판력과 행정처분의 확정력 등 다른 법리에 의하여 그 소급효를 제한하는 것까지 부정되는 것은 아니라 할 것이며 법적 안정성의 유지나 당사자의 신뢰보호를 위하여 불가피한 경우에 위헌결정의 소급효를 제한하는 것은 오히려 법치주의의 원칙상 요청된다고 하였다(대판 1994.10.25. 93다42740). 08. 법원직, 08·10. 법행, 09. 국회직, 11. 경정승진

ⓑ **헌법재판소의 입장**: 헌법재판소는 이에 대하여 "첫째, 구체적 규범 통제의 실효성을 보장한다는 견지에서 법원의 제청, 헌법소원의 청구 등을 통하여 헌법재판소에 법률의 위헌결정을 위한 계기를 부여한 당해 사건, 위헌결정이 있기 전에 이와 동종의 위헌 여부에 관하여 헌법재판소에 위헌제청을 하였거나 법원에 위헌제청신청을 한 경우의 당해 사건, 따로 위헌제청신청을 아니하였지만 당해 법률 또는 법률의 조항이 재판의 전제가 되어 법원에 계속 중인 사건에는 소급효를 인정하여야 한다. 둘째, 위헌결정 이후 제소한 일반 사건 중에서 당사자의 권리구제를 위한 구체적 타당성의 요청이 현저한 반면에 소급효를 인정하여도 법적 안정성을 침해할 우려가 없고 나아가 구법에 의하여 형성된 기득권자의 이득이 해쳐질 사안이 아닌 경우로서 소급효의 부인이 오히려 정의와 형평 등 헌법적 이념에 심히 배치되는 때에도 소급효를 인정할 수 있다."라고 판시하였다(헌재 1993.5.13. 92헌가10).

③ **위헌법률에 근거한 행정처분의 효력**: 위헌결정의 소급효와 관련하여 법률에 기하여 행정처분이 행하여지고 후에 헌법재판소가 당해 법률을 위헌으로 결정한 경우 위헌인 법률에 근거한 행정처분이 당연무효가 되는지 문제된다. 헌법재판소와 대법원은 대체로 위헌으로 결정된 법률에 근거한 행정처분은 중대한 하자이기는 하나 명백한 하자로까지는 볼 수 없다 하여 취소사유로 보고 있다(대판 1994.10.28. 92누9463 등). 12. 변호사

단원 마무리

위헌법률심판 관련 판례	
적극	소극
• 재판의 전제성요건에 있어서 '재판'의 의미에 종국재판뿐만 아니라 중간재판도 포함되는지 여부(헌재 1996.12.26. 94헌바1) • 영장발부에 관한 재판이 재판의 전제성에 있어서 '재판'에 해당하는지 여부(헌재 1993.3.11. 90헌가70) • 인지첩부를 명하는 보정명령이 재판의 전제성에 있어서 '재판'에 해당하는지 여부(헌재 1994.2.24. 91헌가3) • 보석허가결정이 재판의 전제성에 있어서 '재판'에 해당하는지 여부(헌재 1993.12.23. 93헌가2) • 당해 사건에 간접 적용되는 법률조항에 대해서도 재판의 전제성이 인정되는지 여부(헌재 1998.10.15. 96헌바77) • 재판의 전제성은 법률의 위헌 여부 심판제청시만이 아니라 심판시에도 갖추어져야 하는지 여부(헌재 1993.12.23. 93헌가2) • 위헌법률심판 계속 중 '재판전제성'이 소멸되었으나, 심판의 필요성이 인정되는 경우에는 본안심판이 가능한지 여부(헌재 1993.12.23. 93헌가2) • 폐지된 법률조항이라도 재판의 전제성을 인정하여 위헌법률심판이 가능한지 여부(헌재 1996.10.4. 93헌가13) • 조약이 위헌법률심판대상인지 여부(헌재 2001.9.27. 2000헌바20) • 긴급조치가 위헌법률심판대상인지 여부(헌재 2013.3.21. 2010헌바132) • 한정위헌청구도 원칙적으로 적법한지 여부(헌재 2012.12.27. 2011헌바117) • 관습법이 위헌법률심사의 대상이 되는지 여부(헌재 2013.2.28. 2009헌바129) • 헌법의 기본원리가 위헌법률심판의 심사기준이 될 수 있는지 여부(헌재 1996.4.25. 92헌바47) • 위헌결정의 효력발생시기를 장래효로 할 것인지 소급효를 원칙으로 할 것인지가 입법정책의 문제인지 여부(헌재 1993.5.13. 92헌가10) • 장래효가 원칙이지만 예외적으로 소급효를 인정할 수 있는지 여부(헌재 1993.5.13. 92헌가10) • 당해 소송사건이 각하될 것이 불분명한 경우에는 당해 소송사건에 관한 '재판의 전제성' 요건이 인정되는지 여부(헌재 2013.11.28. 2011헌바36) • 당해 사건 재판에서 승소판결을 받았으나 그 판결이 확정되지 아니한 경우 재판의 전제성이 인정되는지 여부(헌재 2013.6.27. 2011헌바247)	• 법원이 위헌심판제청을 할 경우 위헌에 대한 확신을 요하는지 여부(헌재 1993.12.23. 93헌가2 ; 헌재 1995.2.23. 92헌바18) • 재판의 전제성에 대한 제청법원의 견해가 헌법재판소를 구속하는지 여부(헌재 1996.10.4. 96헌가6) • 헌법 규정이 위헌심사의 대상이 될 수 있는지 여부(헌재 1995.12.28. 95헌바3) • 이미 위헌결정이 선고된 법률에 대한 위헌법률심판제청이 적법한지 여부(헌재 2009.3.26. 2007헌가5) [각하] • 대통령령이 위헌법률심판대상인지 여부(헌재 1996.10.4. 96헌가6) • 대통령령이 헌법재판소법 제68조 제2항에 의한 헌법소원의 대상이 되는지 여부(헌재 1999.1.28. 97헌바90) • 조례가 헌법재판소법 제68조 제2항에 의한 헌법소원의 대상이 될 수 있는지 여부(헌재 1998.10.15. 96헌바77) • 유신헌법에 근거한 대통령의 긴급조치가 위헌법률심판의 대상이 되는지 여부(대판 2010.12.16. 2010도5986) • 관습법이 위헌법률심판의 대상인지 여부(대결 2009.5.28. 2007카기134) • 불처벌의 특례조항에 대해서도 소급효가 인정되는지 여부(헌재 1997.1.16. 90헌마110 · 136) • 법원이 심판대상조항을 적용함이 없이 다른 법리를 통하여 재판을 한 경우 심판대상조항의 위헌 여부가 재판의 전제성이 인정되는지 여부(헌재 2001.11.29. 2000헌바49) • 공소장에 적용법조로 기재되었다는 이유만으로 재판의 전제성을 인정할 수 있는지 여부(헌재 2002.4.25. 2001헌가27) • 항소심에서 당사자들 간에 임의조정이 성립되어 소송이 종결된 경우 1심 판결에 적용된 법률조항에 대해서 재판의 전제성을 인정할 수 있는지 여부(헌재 2010.2.25. 2007헌바34)

제3장 탄핵심판

1 탄핵제도의 의의

1. 의의

> 헌법 제65조 ④ 탄핵결정은 공직으로부터 파면함에 그친다. 그러나 이에 의하여 민사상 이나 형사상의 책임이 면제되지는 아니한다. 11. 법무사

(1) 탄핵제도란 일반 사법절차에 의해서는 책임을 추궁하기가 곤란한 고위직 공무원이 직무상 위법행위를 한 경우에 이를 의회가 소추하는 제도를 말한다.

(2) 우리나라의 탄핵제도는 미국, 독일 등과 마찬가지로 징계적 처벌의 성질을 가지므로, 공직만을 박탈할 뿐이다.

2. 연혁

(1) 근대적 의미의 탄핵제도는 14세기 영국에서 출발하였다.

(2) 1805년 멜빌(Melville) 사건에 이르기까지 70여 건에 달하는 탄핵소추가 이루어졌다.

(3) 미국에서 여러차례의 탄핵소추가 이루어졌지만, 탄핵결정까지 이루어진 예는 아직 없다. 존슨, 클린턴, 트럼프 대통령 모두 하원에서 탄핵소추안에 의결되었으나 상원에서 모두 부결되었다.

(4) 우리나라에서는 2004년 노무현대통령 탄핵사건이 기각결정이 된 바 있으며, 2017년 박근혜대통령 탄핵사건에서 최초로 파면결정까지 된 바 있다.

2 국회의 탄핵소추권

> 헌법 제65조 ① 대통령, 국무총리, 국무위원, 행정각부의 장, 헌법재판소 재판관, 법관, 중앙선거관리위원회위원, 감사원장, 감사위원 기타 법률이 정한 공무원이 그 직무집행에 있어서 헌법이나 법률을 위배한 때에는 국회는 탄핵의 소추를 의결할 수 있다. 04. 법행, 19. 지방직

1. 소추기관

(1) 현행헌법상 탄핵소추기관은 국회이다(헌법 제65조 제1항).

(2) 헌법재판소제도가 없는 양원제 국가에서는 보통 하원이 소추기관이 되고 상원이 심판기관이 된다(예 미국, 영국). 17. 국회직 8급 일본은 탄핵심판소가 심판기관이다.

(3) 헌법재판소제도가 있는 양원제 국가에서는 양원이 소추기관이 되고 헌법재판소가 심판기관이 된다.

헌법재판론

제4편 해커스공무원 신동욱 헌법 기본서

2. 소추대상자

(1) 헌법 제65조 제1항은 탄핵소추대상자로 대통령, 국무총리, 국무위원, 행정각부의 장, 헌법재판소 재판관, 법관, 중앙선거관리위원회 위원, 감사원장, 감사위원 기타 법률이 정한 공무원을 들고 있다.

(2) 이때 기타 법률이 정한 공무원의 범위는 입법에 의하여 정해지겠지만, 현행법상 검사, 06.법행 **경찰청장**, 방송통신위원회 위원장, 원자력안전위원회 위원장, 17.국회직 8급 각급 선거관리위원회의 위원, 국가수사본부장, 특별검사 및 특별검사보, 고위공직자범죄수사처 처장 및 차장과 수사처검사 등이 있다. 국회의원은 탄핵대상이 되지 않는다. 09.국회직 9급

3. 소추사유

(1) 직무집행과 관련될 것

탄핵소추의 사유는 직무집행과 관련된 것임을 요한다. '직무집행에 있어서'의 '직무'란 법제상 소관 직무에 속하는 고유 업무 및 통념상 이와 관련된 업무를 말한다. 따라서 직무상의 행위란 법령·조례 또는 행정관행·관례에 의하여 그 지위의 성질상 필요로 하거나 수반되는 모든 행위나 활동을 의미한다(헌재 2004.5.14. 2004헌나1). 09.사시 그러나 직무집행과 관계가 없는 사생활에 관한 사항이나 취임 전 또는 퇴직 후의 행위는 탄핵소추의 사유가 될 수 없다.

> **판례**
>
> **대통령의 직무상 행위에 '대통령당선자'의 지위에서의 행위도 포함되는지 여부:**
> **소극**
>
> [1] 대통령의 직무상 행위는 법령에 근거한 행위뿐만 아니라 '대통령의 지위에서 국정수행과 관련하여 행하는 모든 행위'를 포괄하는 개념으로서, 예컨대 각종 단체·산업현장 등 방문행위, 준공식·공식만찬 등 각종 행사에 참석하는 행위, 대통령이 국민의 이해를 구하고 국가정책을 효율적으로 수행하기 위하여 방송에 출연하여 정부의 정책을 설명하는 행위, 기자회견에 응하는 행위 등을 모두 포함한다.
> [2] 탄핵사유의 요건을 '직무'집행으로 한정하고 있으므로, 규정의 해석상 대통령의 직위를 보유하고 있는 상태에서 범한 법 위반행위만이 소추사유가 될 수 있다고 보아야 한다. 따라서 당선 후 취임시까지의 기간에 이루어진 대통령의 행위도 소추사유가 될 수 없다. … 대통령당선자의 지위와 권한은 대통령의 직무와는 근본적인 차이가 있고, 이 시기 동안의 불법정치자금수수 등의 위법행위는 형사소추의 대상이 되므로, 헌법상 탄핵사유에 대한 해석을 달리할 근거가 없다(헌재 2004.5.14. 2004헌나1). 08.사시

(2) 헌법과 법률에 위배될 것

헌법과 법률에 위배된다고 할 때의 헌법에는 형식적 의미의 헌법뿐만 아니라 헌법적 관행도 포함되며, 법률에는 형식적 의미의 법률뿐만 아니라 법률과 동등한 효력을 가지는 국제조약, 일반적으로 승인된 국제법규, 긴급명령 등이 포함된다(통설). 다만, 해임건의사유와는 달리 단순한 부도덕이나 정치적 무능력 또는 정책결정상의 과오는 탄핵사유가 될 수 없다. 헌법재판소도 "헌법 제65조 제1항은 탄핵사유를 '헌법이나 법률에 위배한 때'로 제한하고 있고, 헌법재판소의 탄핵심판절차는 법적인 관점에서 단지 탄핵사유의 존부만을

판단하는 것이므로, 정치적 무능력이나 정책결정상의 잘못 등 직책수행의 성실성 여부는 그 자체로서 소추사유가 될 수 없어 탄핵심판절차의 판단대상이 되지 아니한다."라고 하였다(헌재 2004.5.14. 2004헌나1). 13. 변호사, 16. 국가직

📚 판례

'헌법이나 법률에 위배한 때'의 의미

헌법은 탄핵사유를 '헌법이나 법률에 위배한 때'로 규정하고 있는데, '헌법'에는 명문의 헌법 규정뿐만 아니라 헌법재판소의 결정에 의하여 형성되어 확립된 **불문헌법도 포함**된다. '법률' 이란 단지 형식적 의미의 법률 및 그와 동등한 효력을 가지는 국제조약, 일반적으로 승인된 국제법규 등을 의미한다(헌재 2004.5.14. 2004헌나1). 09. 법행·사시, 14. 국회직, 16. 국회직 8급

4. 발의와 의결

헌법 제65조 ② 제1항의 탄핵소추는 국회재적의원 3분의 1 이상의 발의가 있어야 하며, 그 의결은 국회**재적의원** 과반수의 찬성이 있어야 한다. 08. 법무사 다만, 대통령에 대한 탄핵소추는 국회재적의원 과반수의 발의와 국회재적의원 3분의 2 이상의 찬성이 있어야 한다. 13. 국가직

국회법 제130조 【탄핵소추의 발의】 ① 탄핵소추가 발의되었을 때에는 의장은 **발의된 후 처음 개의하는 본회의에 보고**하고, 본회의는 의결로 법제사법위원회에 회부하여 조사하게 할 수 있다. 11. 법무사
② 본회의가 제1항에 따라 법제사법위원회에 회부하기로 의결하지 아니한 경우에는 본회의에 보고된 때부터 **24시간 이후 72시간 이내**에 탄핵소추 여부를 무기명투표로 표결한다. 이 기간 내에 표결하지 아니한 탄핵소추안은 폐기된 것으로 본다. 08·10. 법행, 10. 사시

📚 판례

1 탄핵소추절차에도 적법절차원칙이 적용되는지 여부: 소극

국가기관이 국민과의 관계에서 공권력을 행사함에 있어서 준수하여야 할 법원칙으로서 형성된 적법절차의 원칙을 국가기관에 대하여 헌법을 수호하고자 하는 탄핵소추절차에는 직접 적용할 수 없다(헌재 2004.5.14. 2004헌나1). 08. 법행·법무사

2 탄핵소추를 하기 전에 법제사법위원회에 회부하여 조사하게 하는 것이 의무인지 여부: 소극

[1] 국회가 탄핵소추를 하기 전에 소추사유에 관하여 충분한 조사를 하는 것이 바람직하나, 국회법 제130조 제1항에 의하면 "탄핵소추의 발의가 있은 때에 … 본회의는 의결로 법제사법위원회에 회부하여 조사하게 할 수 있다."라고 하여 조사의 여부를 국회의 재량으로 규정하고 있으므로, 이 사건에서 국회가 별도의 조사를 하지 않았다 하더라도 헌법이나 법률을 위반하였다고 할 수 없다.
[2] 법제사법위원회에 회부되지 않은 탄핵소추안에 대하여 "본회의에 보고된 때로부터 24시간 이후 72시간 이내에 탄핵소추의 여부를 무기명투표로 표결한다."라고 규정하고 있는 국회법 제130조 제2항을 탄핵소추에 관한 특별규정인 것으로 보아 '탄핵소추의 경우에는 질의와 토론 없이 표결할 것을 규정한 것'으로 해석할 여지가 있기 때문에 국회의 자율권과 법해석을 존중한다면, 이러한 법해석이 자의적이거나 잘못되었다고 볼 수 없다(헌재 2004.5.14. 2004헌나1).

5. 소추의 효과

> 헌법 제65조 ③ 탄핵소추의 의결을 받은 자는 탄핵심판이 있을 때까지 그 권한행사가 정지된다. 11. 법행
>
> 국회법 제134조 【소추의결서의 송달과 효과】① 탄핵소추가 의결되었을 때에는 의장은 지체 없이 소추의결서 정본을 법제사법위원장인 소추위원에게 송달하고, 17. 입시 그 등본을 헌법재판소, 소추된 사람과 그 소속 기관의 장에게 송달한다.
> ② 소추의결서가 송달되었을 때에는 소추된 사람의 권한행사는 정지되며, 임명권자는 소추된 사람의 사직원을 접수하거나 소추된 사람을 해임할 수 없다. 06. 사시, 06·09·12. 법행, 11. 법무사, 17. 입시

탄핵소추가 '발의'된 것만으로 권한행사가 정지되는 것이 아님을 주의하여야 한다. 03. 법무사 탄핵소추의 '의결'을 받은 경우에 권한행사가 정지된다. 또한 구체적으로 권한이 정지되는 시점은 '소추의결서가 소추된 사람에게 송달되었을 때'라는 점을 주의하여야 한다(국회법 제134조 제2항).

3 헌법재판소에 의한 탄핵심판

1. 심판기관

> 헌법 제111조 ① 헌법재판소는 다음 사항을 관장한다.
> 2. 탄핵의 심판

2. 심판개시

> 국회법 제134조 【소추의결서의 송달과 효과】① 탄핵소추가 의결되었을 때에는 의장은 지체 없이 소추의결서 정본을 법제사법위원장인 소추위원에게 송달하고, 그 등본을 헌법재판소, 소추된 사람과 그 소속 기관의 장에게 송달한다. 17. 입시
>
> 헌법재판소법 제49조 【소추위원】① 탄핵심판에 있어서는 국회법제사법위원회의 위원장이 소추위원이 된다. 10. 법행·사시, 18. 경정승진
> ② 소추위원은 헌법재판소에 소추의결서의 정본을 제출하여 탄핵심판을 청구하며, 심판의 변론에서 피청구인을 신문할 수 있다.

3. 심판절차

> 헌법재판소법 제30조 【심리의 방식】① 탄핵의 심판, 정당해산의 심판 및 권한쟁의의 심판은 구두변론에 의한다. 11. 법무사, 12. 국가직
>
> 제51조 【심판절차의 정지】 피청구인에 대한 탄핵심판청구와 동일한 사유로 형사소송이 진행되고 있는 경우에는 재판부는 심판절차를 정지할 수 있다. 03. 법행, 04. 국회직, 11. 법무사
>
> 제52조 【당사자의 불출석】① 당사자가 변론기일에 출석하지 아니하면 다시 기일을 정하여야 한다.
> ② 다시 정한 기일에도 당사자가 출석하지 아니하면 그의 출석 없이 심리할 수 있다.
>
> 제40조 【준용규정】① 헌법재판소의 심판절차에 관하여는 이 법에 특별한 규정이 있는 경우를 제외하고는 헌법재판의 성질에 반하지 아니하는 한도에서 민사소송에 관한

법령을 준용한다. 이 경우 탄핵심판의 경우에는 **형사소송에 관한 법령**을 준용하고, 권한쟁의심판 및 헌법소원심판의 경우에는 **행정소송법**을 함께 준용한다.

② 제1항 후단의 경우에 형사소송에 관한 법령 또는 행정소송법이 민사소송에 관한 법령에 저촉될 때에는 민사소송에 관한 법령은 준용하지 아니한다.

⚖ 판례

국회의 탄핵소추사유에 헌법재판소가 구속을 받는지 여부: 적극

헌법재판소는 사법기관으로서 원칙적으로 탄핵소추기관인 국회의 탄핵소추의결서에 기재된 소추사유에 의하여 구속을 받는다. 따라서 헌법재판소는 탄핵소추의결서에 기재되지 아니한 소추사유를 판단의 대상으로 삼을 수 없다. 17. 서울시 그러나 탄핵소추의결서에서 그 위반을 주장하는 '법규정의 판단'에 관하여 헌법재판소는 원칙적으로 구속을 받지 않으므로, 청구인이 그 위반을 주장한 법규정 외에 다른 관련 법규정에 근거하여 탄핵의 원인이 된 사실관계를 판단할 수 있다. 또한 헌법재판소는 소추사유의 판단에 있어서 국회의 탄핵소추의결서에서 분류된 소추사유의 체계에 의하여 구속을 받지 않으므로, 소추사유를 어떠한 연관관계에서 법적으로 고려할 것인가의 문제는 전적으로 헌법재판소의 판단에 달려 있다(헌재 2004.5.14. 2004헌나1). 09. 법행·사시

☑ **주의 헌법재판소가 구속을 받는 사유**
- 소추사유 ○
- 법규정의 판단 ×

4 탄핵의 결정

1. 의결정족수

헌법 제113조 ① 헌법재판소에서 법률의 위헌결정, 탄핵의 결정, 정당해산의 결정 또는 헌법소원에 관한 인용결정을 할 때에는 재판관 6인 이상의 찬성이 있어야 한다.

헌법재판소법 제53조【결정의 내용】 ① 탄핵심판청구가 **이유 있는** 경우에는 헌법재판소는 피청구인을 해당 공직에서 파면하는 결정을 선고한다.

② 피청구인이 **결정선고 전에 해당 공직에서 파면되었을 때에는** 헌법재판소는 심판청구를 **기각하여야** 한다. 03. 법행, 04·08. 국회직, 09. 법무사, 17. 법원직

탄핵심판사건에서 소수의견을 표시하여야 하는지에 대하여 노무현 대통령에 대한 탄핵심판사건에서는 명문규정이 없다는 이유로 소수의견을 표시하지 않았지만, 이후 법이 개정되어 이제는 탄핵심판사건을 포함한 모든 헌법재판에서 개별의견을 표시하여야 한다(헌법재판소법 제36조 제3항). 05. 법무사, 10. 법행·법원직

⚖ 판례

'탄핵심판청구가 이유 있는 때'의 의미

헌법재판소법 제53조 제1항의 '탄핵심판청구가 이유 있는 때'란 모든 법 위반의 경우가 아니라 단지 공직자의 파면을 정당화할 정도로 '중대한' 법 위반의 경우를 말한다. 18. 입시·경정승진 … 대통령의 경우 국민의 선거에 의하여 부여받은 '직접적 민주적 정당성' 및 '직무수행의 계속성에 관한 공익'의 관점이 파면결정을 함에 있어서 중요한 요소로서 고려되어야 하며, 대통령에 대한 파면효과가 이와 같이 중대하다면 파면결정을 정당화하는 사유도 이에

상응하는 중대성을 가져야 한다. **대통령을 제외한 다른 공직자의 경우**에는 파면결정으로 인한 효과가 일반적으로 적기 때문에 상대적으로 **경미한 법 위반행위**에 의해서도 파면이 정당화될 가능성이 큰 반면, **대통령의 경우**에는 파면결정의 효과가 지대하기 때문에 파면 결정을 하기 위해서는 이를 압도할 수 있는 **중대한 법 위반**이 존재하여야 한다. 구체적으로 대통령의 파면을 요청할 정도로 '헌법수호의 관점에서 중대한 법 위반'이란 자유민주적 기본질서를 위협하는 행위로서 법치국가원리와 민주국가원리를 구성하는 기본원칙에 대한 적극적인 위반행위를 뜻하는 것이고, '국민의 신임을 배반한 행위'란 '헌법수호의 관점에서 중대한 법 위반'에 해당하지 않는 그 외의 행위유형까지도 모두 포괄하는 것으로서 자유민주적 기본질서를 위협하는 행위 외에도, 예컨대 뇌물수수·부정부패, 국가의 이익을 명백히 해하는 행위가 그의 전형적인 예라 할 것이다(헌재 2004.5.14. 2004헌나1). 05. 법무사, 06·09. 법행

2. 효과

(1) 일반적 효과

> **헌법 제65조** ④ 탄핵결정은 공직으로부터 파면함에 그친다. 그러나 이에 의하여 민사상이나 형사상의 책임이 면제되지는 아니한다. 05. 법무사, 13. 경정승진, 19. 지방직

(2) 일정 기간 공직취임금지

> **헌법재판소법 제54조 【결정의 효력】** ① 탄핵결정은 피청구인의 민사상 또는 형사상의 책임을 면제하지 아니한다. 08. 지방직, 11. 법무사
>
> ② 탄핵결정에 의하여 파면된 사람은 결정선고가 있은 날부터 5년을 지나지 아니하면 공무원이 될 수 없다. 03. 법행, 08. 지방직

(3) 탄핵결정에 대한 사면의 가부

① 미국헌법은 명문으로 탄핵결정에 대한 사면을 금지하고 있다.

② 현행헌법에는 명문의 규정은 없으나, 탄핵결정의 실효성 확보를 위하여 탄핵결정에 대해서는 사면이 인정되지 아니한다고 보아야 한다(통설).

🔨 판례

1 노무현 대통령에 대한 탄핵심판사건 [기각]

> 국회는 2004.3.12. 제246회 국회(임시회) 제2차 본회의에서 유용태·홍사덕 의원 외 157인이 발의한 '대통령(노무현)탄핵소추안'을 상정하여 재적의원 271인 중 193인의 찬성으로 가결하였다. 소추위원인 국회 법제사법위원회 위원장 김기춘은 헌법재판소법 제49조 제2항에 따라 소추의결서의 정본을 같은 날 헌법재판소에 제출하여 피청구인에 대한 탄핵심판을 청구하였다.

[1] 탄핵소추의 적법 여부

① 국회의 의사절차자율권

국회는 국민의 대표기관이자 입법기관으로서 의사(議事)와 내부규율 등 국회운영에 관하여 폭넓은 자율권을 가지므로 국회의 의사절차나 입법절차에 **헌법**이나 **법률의 규정**을 명백히 위반한 흠이 있는 경우가 아닌 한, 그 자율권은 존중되어야 한다.

② 의사절차상 명백한 흠이 있는지 여부

　⊙ 국회에서의 충분한 조사 및 심사가 결여되었다는 주장에 관하여

　　국회법 제130조 제1항에 의하면 "탄핵소추의 발의가 있은 때에는 … 본회의는 의결로 법제사법위원회에 회부하여 조사하게 할 수 있다."고 하여 조사의 여부를 국회의 재량으로 규정하고 있으므로, 이 사건에서 국회가 별도의 조사를 하지 않았다 하더라도 헌법이나 법률을 위반하였다고 할 수 없다. 05. 행시, 20. 국가직

　ⓛ 투표의 강제, 국회의장의 대리투표가 이루어졌다는 주장에 관하여

　　ⓐ 한나라당과 민주당이 "탄핵소추안의 의결에 참여하지 않는 소속 국회의원들을 출당시키겠다."고 공언하였다 하더라도 그것이 오늘날의 정당민주주의하에서 허용되는 국회의원의 정당기속의 범위를 넘어 국회의원의 양심에 따른 표결권행사를 실질적으로 방해할 정도의 압력 또는 협박이었다고 볼 수 없다.

　　ⓑ 대리투표라 함은 '본인이 기표를 하지 않고 제3자로 하여금 대신하여 투표용지에 기표하도록 하는 것'을 말하는 것이나, 국회의장이 국회의 관례에 따라 의장석에서 투표용지에 직접 기표를 하고 기표내용을 다른 사람들이 알지 못하도록 투표용지를 접은 후 의사직원에게 전달하여 그로 하여금 투표함에 넣게 한 사실이 인정될 뿐이므로 대리투표에 해당하지 않는다. 05. 행시

　ⓒ 본회의 개의시각이 무단 변경되었다는 주장에 관하여

　　국회법은 개의시각과 관련하여 제72조에서 "본회의는 오후 2시(토요일은 오전 10시)에 개의한다. 다만, 의장은 각 교섭단체 대표의원과 협의하여 그 개의시를 변경할 수 있다."고 하여 개의시각을 변경하는 경우에는 각 교섭단체 대표의원과 협의하도록 규정하고 있다. 여기서 '협의'는 의견을 교환하고 수렴하는 절차라는 그 성질상 다양한 방식으로 이루어질 수 있으며, 그에 대한 판단과 결정은 종국적으로 국회의장에게 맡겨져 있다.

　ⓔ 질의 및 토론절차가 생략되었다는 주장에 관하여

　　법제사법위원회에 회부되지 않은 탄핵소추안에 대하여 "본회의에 보고된 때로부터 24시간 이후 72시간 이내에 탄핵소추의 여부를 무기명투표로 표결한다."고 규정하고 있는 국회법 제130조 제2항을 탄핵소추에 관한 특별규정인 것으로 보아 '탄핵소추의 경우에는 질의와 토론 없이 표결할 것을 규정한 것'으로 해석할 여지가 있기 때문에 국회의 자율권과 법해석을 존중한다면 이러한 법해석이 자의적이거나 잘못되었다고 볼 수 없다.

　ⓜ 탄핵소추사유별로 의결하지 않았다는 주장에 관하여

　　탄핵소추의결은 개별 사유별로 이루어지는 것이 국회의원들의 표결권을 제대로 보장하기 위해서 바람직하나, 우리 국회법상 이에 대한 명문규정이 없으며, 여러 소추사유들을 하나의 안건으로 표결할 것인지 여부는 기본적으로 표결할 안건의 제목설정권을 가진 국회의장에게 달려있다고 판단된다. 그렇다면 이 부분 피청구인의 주장은 이유가 없다고 할 것이다. 05. 행시, 18. 서울시

　ⓗ 적법절차원칙에 위배되었다는 주장에 관하여

　　피청구인은 이 사건 탄핵소추를 함에 있어서 피청구인에게 혐의사실을 정식으로 고지하지도 않았고 의견제출의 기회도 부여하지 않았으므로 적법절차원칙에 위반된다고 주장한다.

　　여기서 피청구인이 주장하는 적법절차원칙이란 국가공권력이 국민에 대하여 불이익한 결정을 하기에 앞서 국민은 자신의 견해를 진술할 기회를 가짐으로써 절차의 진행과 그 결과에 영향을 미칠 수 있어야 한다는 법원리를 말한다.

그런데 이 사건의 경우 국회의 탄핵소추절차는 국회와 대통령이라는 헌법기관 사이의 문제이고, 국회의 탄핵소추의결에 의하여 사인으로서의 대통령의 기본권이 침해되는 것이 아니라, 국가기관으로서의 대통령의 권한행사가 정지되는 것이다. 따라서 **국가기관이 국민과의 관계에서 공권력을 행사함에 있어서 준수하여야 할 법원칙으로서 형성된 적법절차의 원칙을 국가기관에 대하여 헌법을 수호하고자 하는 탄핵소추절차에는 직접 적용할 수 없다**고 할 것이고, 따라서 국회의 탄핵소추절차가 적법절차원칙에 위배되었다는 주장은 이유 없다. 06·07. 사시, 07·08. 법행, 08. 법무사, 09. 지방직, 18. 국회직 8급·법원직

[2] 헌법 제65조의 탄핵심판절차의 본질 및 탄핵사유

① 탄핵심판절차의 본질

㉠ 탄핵심판절차는 행정부와 사법부의 고위공직자에 의한 헌법침해로부터 헌법을 수호하고 유지하기 위한 제도이다. 특히 헌법 제65조는 대통령도 탄핵대상 공무원에 포함시킴으로써, 비록 국민에 의하여 선출되어 직접적으로 민주적 정당성을 부여받은 대통령이라 하더라도 헌법질서의 수호를 위해서는 파면될 수 있으며, 파면결정으로 인하여 발생하는 상당한 정치적 혼란조차도 국가공동체가 자유민주적 기본질서를 수호하기 위하여 불가피하게 치러야 하는 민주주의 비용으로 간주하는 결연한 자세를 보이고 있다. 대통령에 대한 탄핵제도는 누구든지 법 아래에 있고, 아무리 강한 국가권력의 소유자라도 법 위에 있지 않다는 법의 지배 내지 법치국가원리를 구현하고자 하는 것이다.

㉡ 헌법은 탄핵사유를 헌법 위반에 제한하지 아니하고 헌법과 법률에 대한 위반으로 규정하고 있다. 행정부·사법부가 입법자에 의하여 제정된 법률을 준수하는가의 문제는 헌법상의 권력분립원칙을 비롯하여 법치국가원리을 준수하는지의 문제와 직결되기 때문에 행정부와 사법부에 의한 법률의 준수는 곧 헌법질서에 대한 준수를 의미하는 것이다.

② 탄핵사유

㉠ **직무집행**

헌법 제65조에 규정된 '직무집행에 있어서'의 '직무'란 **법제상 소관 직무에 속하는 고유 업무 및 통념상 이와 관련된 업무**를 말한다. 따라서 직무상의 행위란 **법령·조례 또는 행정관행·관례에 의하여 그 지위의 성질상 필요로 하거나 수반되는 모든 행위나 활동**을 의미한다. 09. 사시, 20. 지방직 이에 따라 대통령의 직무상 행위는 법령에 근거한 행위뿐만 아니라, '**대통령의 지위에서 국정수행과 관련하여 행하는 모든 행위**'를 포괄하는 개념으로서, 예컨대 각종 단체·산업현장 등 방문행위, 준공식·공식만찬 등 각종 행사에 참석하는 행위, 대통령이 국민의 이해를 구하고 국가정책을 효율적으로 수행하기 위하여 방송에 출연하여 정부의 정책을 설명하는 행위, 기자회견에 응하는 행위 등을 모두 포함한다. 18. 입시

㉡ **헌법이나 법률에 위배**

헌법은 탄핵사유를 '헌법이나 법률에 위배한 때'로 규정하고 있는데, '헌법'에는 **명문의 헌법 규정**뿐만 아니라 헌법재판소의 결정에 의하여 형성되어 확립된 **불문헌법도 포함**된다. '**법률**'이란 단지 **형식적 의미의 법률** 및 그와 동등한 효력을 가지는 **국제조약, 일반적으로 승인된 국제법규** 등을 의미한다. 09. 법행·사시

[3] 피청구인이 직무집행에 있어서 헌법이나 법률에 위반했는지의 여부

① **기자회견에서 특정 정당을 지지한 행위**

　　㉠ **선거에서의 공무원의 정치적 중립의무**

　　　선거에서의 공무원의 정치적 중립의무는 공무원의 지위를 규정하는 헌법 제7조 제1항, 자유선거원칙을 규정하는 헌법 제41조 제1항 및 제67조 제1항 및 정당의 기회균등을 보장하는 헌법 제116조 제1항으로부터 나오는 헌법적 요청이다.

　　　첫째, 국가기관은 모든 국민에 대하여 봉사하여야 하며, 이에 따라 정당이나 정치적 세력간의 경쟁에서 중립적으로 행동해야 한다. 둘째, 자유선거원칙에 따라 유권자는 자유롭고 개방적인 의사형성과정에서 외부로부터의 부당한 영향력의 행사 없이 자신의 판단을 형성하고 결정을 내릴 수 있어야 한다. 셋째, 정당의 기회균등의 원칙은 국가기관에 대하여 선거에서의 정당간의 경쟁에서 중립적으로 행동할 것을 요청하므로, 국가기관이 특정 정당이나 후보자에게 유리하게 또는 불리하게 선거운동에 영향을 미치는 행위를 금지한다.

　　㉡ **공직선거법 제9조(공무원의 중립의무 등)의 위반 여부**

　　　공직선거법(이하 '공선법'이라 한다)은 제9조에서 "공무원 기타 정치적 중립을 지켜야 하는 자는 선거에 대한 부당한 영향력의 행사 기타 선거결과에 영향을 미치는 행위를 하여서는 아니 된다."고 하여 '선거에서의 공무원의 중립의무'를 규정하고 있다.

　　　ⓐ **대통령이 공선법 제9조의 '공무원'에 해당하는지의 문제**

　　　　공선법 제9조는 '선거에서의 공무원의 중립의무'를 구체화하고 실현하는 법규정이다. 따라서 공선법 제9조의 '공무원'이란 위 헌법적 요청을 실현하기 위하여 선거에서의 중립의무가 부과되어야 하는 모든 공무원, 즉 구체적으로 '자유선거원칙'과 '선거에서의 정당의 기회균등'을 위협할 수 있는 모든 공무원을 의미한다. 그런데 사실상 모든 공무원이 그 직무의 행사를 통하여 선거에 부당한 영향력을 행사할 수 있는 지위에 있으므로, 여기서의 공무원이란 원칙적으로 국가와 지방자치단체의 모든 공무원, 즉 좁은 의미의 직업공무원은 물론이고, 적극적인 정치활동을 통하여 국가에 봉사하는 **정치적 공무원(예컨대 대통령, 국무총리, 국무위원, 도지사, 시장, 군수, 구청장 등 지방자치단체의 장)을 포함**한다. 10. 국회직 더욱이 대통령은 행정부의 수반으로서 공정한 선거가 실시될 수 있도록 총괄·감독하여야 할 의무가 있으므로, 당연히 선거에서의 중립의무를 지는 공직자에 해당하는 것이고, 이로써 공선법 제9조의 '공무원'에 포함된다. 다만, 정당의 대표자이자 선거운동의 주체로서의 지위로 말미암아 선거에서의 정치적 중립성이 요구될 수 없는 **국회의원과 지방의회의원은 공선법 제9조의 '공무원'에 해당하지 않는다.** 08·10. 국회직

　　　ⓑ **'정치적 헌법기관'으로서의 대통령과 '선거에서의 정치적 중립의무'**

　　　　대통령은 여당의 정책을 집행하는 기관이 아니라, 행정권을 총괄하는 행정부의 수반으로서 공익실현의 의무가 있는 헌법기관이다. 대통령은 지난 선거에서 자신을 지지한 국민 일부나 정치적 세력의 대통령이 아니라, 국가로서 조직된 공동체의 대통령이고 국민 모두의 대통령이다. 대통령은 자신을 지지하는 국민의 범위를 초월하여 국민 전체에 대하여 봉사함으로써 사회공동체를 통합시켜야 할 책무를 지고 있는 것이다. 따라서 대통령이 정당의 추천과 지원을 통하여 선거에 의하여 선출되는 정무직 공무원이라는 사실, 대통령에게 정치활동과 정당활동이 허용되어 있다는 사실도 선거에서의 대통령의 정당정치적 중립의무를 부인하는 논거가 될 수 없는 것이다.

© **선거에서의 대통령의 '정치적 중립의무'와 '정치적 의견표명의 자유'**

모든 공직자는 선거에서의 정치적 중립의무를 부과받고 있으며, 다른 한편으로는 동시에 국가에 대하여 자신의 기본권을 주장할 수 있는 국민이자 기본권의 주체이다. 마찬가지로 대통령의 경우에도 소속 정당을 위하여 정당활동을 할 수 있는 사인으로서의 지위와 국민 모두에 대한 봉사자로서 공익실현의 의무가 있는 헌법기관으로서의 대통령의 지위는 개념적으로 구분되어야 한다. 따라서 대통령은 국가의 원수 및 행정부 수반으로서의 지위에서 직무를 수행하는 때에는 원칙적으로 정당정치적 의견표명을 삼가야 하며, 나아가 대통령이 정당인이나 정치인으로서가 아니라 국가기관인 대통령의 신분에서 선거 관련 발언을 하는 경우에는 선거에서의 정치적 중립의무의 구속을 받는다. 09. 지방직

ⓓ **대통령의 발언이 공무원의 정치적 중립의무에 위반되는지의 여부**

여기서 문제되는 기자회견에서의 대통령의 발언은 공직자의 신분으로서 직무수행의 범위 내에서 또는 직무수행과 관련하여 이루어진 것으로 보아야 한다. 위 기자회견들은 대통령이 사인이나 정치인으로서가 아니라 대통령의 신분으로서 가진 것이며, 대통령은 이 과정에서 대통령의 지위가 부여하는 정치적 비중과 영향력을 이용하여 특정 정당을 지지하는 발언을 한 것이다. 따라서 위 기자회견에서의 대통령의 발언은 헌법 제65조 제1항의 의미에서의 '그 직무집행에 있어서' 한 행위에 해당한다.

이 부분 대통령의 발언은 그 직무집행에 있어서 반복하여 특정 정당에 대한 자신의 지지를 적극적으로 표명하고, 나아가 국민들에게 직접 그 정당에 대한 지지를 호소하는 내용이라 할 수 있다. 따라서 대통령이 위와 같은 발언을 통하여 특정 정당과 일체감을 가지고 자신의 직위에 부여되는 정치적 비중과 영향력을 특정 정당에 유리하게 사용한 것은 국가기관으로서의 지위를 이용하여 국민 모두에 대한 봉사자로서의 그의 과제와 부합하지 않는 방법으로 선거에 영향력을 행사한 것이고, 이로써 **선거에서의 중립의무를 위반**하였다. 05. 사시

선거에 대한 영향력 행사가 인정될 수 있는지의 판단은 또한 특정 정당을 지지하는 발언이 행해진 시기에 따라 다르다. 선거에 임박한 시기이기 때문에 공무원의 정치적 중립성이 어느 때보다도 요청되는 때에 공정한 선거관리의 궁극적 책임을 지는 대통령이 기자회견에서 전 국민을 상대로 대통령직의 정치적 비중과 영향력을 이용하여 특정 정당을 지지하는 발언을 한 것은 대통령의 지위를 이용하여 선거에 대한 부당한 영향력을 행사하고 이로써 선거의 결과에 영향을 미치는 행위를 한 것이므로 선거에서의 중립의무를 위반하였다. 18. 국회직 8급

© **공직선거법 제60조(공무원의 선거운동금지) 위반 여부: 소극** 18. 국회직 8급

ⓐ **선거운동의 개념**

공선법 제58조 제1항은 '당선'의 기준을 사용하여 '선거운동'의 개념을 정의함으로써, '후보자를 특정할 수 있는지의 여부'를 선거운동의 요건으로 삼고 있다. 따라서 선거운동의 개념은 '특정한' 또는 적어도 '특정될 수 있는' 후보자의 당선이나 낙선을 위한 행위여야 한다는 것을 전제로 하고 있다. 물론 특정 정당의 득표를 목적으로 하는 행위도 필연적으로 그 정당의 추천을 받은 지역구후보자의 당선을 목표로 하는 행위를 의미한다는 점에서 특정 정당을 지지하는 발언도 선거운동의 개념을 충족시킬 수 있으나, 이 경우에도 특정 정당에 대한 지지발언을 통하여 당선시키고자 하는 정당후보자가 특정될 수 있어야 한다.

ⓑ 대통령의 발언이 선거운동에 해당하는지 여부

그러나 이 사건의 발언이 이루어진 시기인 2004.2.18.과 2004.2.24.에는 아직 정당의 후보자가 결정되지 아니하였으므로, **후보자의 특정이 이루어지지 않은 상태에서 특정 정당에 대한 지지발언을 한 것은 선거운동에 해당한다고 볼 수 없다.** 05. 사시

또한 선거운동에 해당하기 위해서는 특정 후보자의 당선이나 낙선을 목적으로 한다는 행위의 '목적성'이 인정되어야 하는데, 이 사건 발언에 대해서는 그러한 목적의사가 인정될 수 없다. 이 사건에서 문제되는 **대통령의 발언들은 기자회견에서 기자의 질문에 대한 답변의 형식으로 수동적이고 비계획적으로 행해진 점을 감안한다면, 대통령의 발언에 선거운동을 향한 능동적 요소와 계획적 요소를 인정할 수 없고, 이에 따라 선거운동의 성격을 인정할 정도로 상당한 목적의지가 있다고 볼 수 없다.**

② 헌법을 준수하고 수호하여야 할 의무와 관련하여 문제되는 행위

㉠ 헌법을 준수하고 수호하여야 할 대통령의 의무

대통령은 국민 모두에 대한 '법치와 준법의 상징적 존재'인 것이다. 이에 따라 대통령은 헌법을 수호하고 실현하기 위한 모든 노력을 기울여야 할 뿐만 아니라, 법을 준수하여 현행법에 반하는 행위를 해서는 안 되며, 나아가 입법자의 객관적 의사를 실현하기 위한 모든 행위를 하여야 한다.

행정부의 법존중의무와 법집행의무는 행정부가 위헌적인 것으로 간주하는 법률에 대해서도 마찬가지로 적용된다. 위헌적인 법률을 법질서로부터 제거하는 권한은 헌법상 단지 헌법재판소에 부여되어 있으므로, 설사 행정부가 특정 법률에 대하여 위헌의 의심이 있다 하더라도 헌법재판소에 의하여 법률의 위헌성이 확인될 때까지는 법을 존중하고 집행하기 위한 모든 노력을 기울여야 한다.

㉡ 중앙선거관리위원회의 선거법 위반결정에 대한 대통령의 행위

ⓐ 2004.3.4. 노무현 대통령은 이병완 청와대 홍보수석을 통하여 자신의 선거개입을 경고하는 중앙선거관리위원회의 결정에 대하여 "이번 선거관리위원회의 결정은 납득하기 어렵다는 점을 분명히 밝혀두고자 한다.", "이제 우리도 선진민주사회에 걸맞게 제도와 관행이 바뀌어야 한다.", "과거 대통령이 권력기관을 … 동원하던 시절의 선거 관련법은 이제 합리적으로 개혁되어야 한다.", "선거법의 해석과 결정도 이러한 달라진 권력문화와 새로운 시대흐름에 맞게 맞춰져야 한다."고 청와대의 입장을 밝힌 사실이 인정된다.

ⓑ 대통령이 현행법을 '관권선거시대의 유물'로 폄하하고 법률의 합헌성과 정당성에 대하여 대통령의 지위에서 공개적으로 의문을 제기하는 것은 헌법과 법률을 준수하여야 할 의무와 부합하지 않는다. 대통령이 국회에서 의결된 법률안에 대하여 위헌의 의심이나 개선의 여지가 있다면, 법률안을 국회로 환부하여 재의를 요구해야 하며(제53조 제2항), 대통령이 현행 법률의 합헌성에 대하여 의문을 가진다면, 정부로 하여금 당해 법률의 위헌성 여부를 검토하게 하고 그 결과에 따라 합헌적인 내용의 법률개정안을 제출하도록 하거나 또는 국회의 지지를 얻어 합헌적으로 법률을 개정하는 방법(제52조) 등을 통하여 헌법을 실현하여야 할 의무를 이행해야지, 국민 앞에서 법률의 유효성 자체를 문제 삼는 것은 헌법을 수호하여야 할 의무를 위반하는 행위이다.

ⓒ 결론적으로 **대통령이 국민 앞에서 현행법의 정당성과 규범력을 문제 삼는 행위는 법치국가의 정신에 반하는 것이자 헌법을 수호하여야 할 의무를 위반한 것이다.** 07. 사시, 18. 국회직 8급

🏛️ **핵심기출 OX**

중앙선거관리위원회의 선거법 위반결정에 대한 대통령의 선거법 폄하 발언은 대통령의 헌법수호의무 위반은 아니다. 18. 국회직 8급　　(○, ✕)

📖 ✕ 대통령도 정치인으로서 현행법률의 개선방향에 관한 입장과 소신을 피력할 수는 있으나, … 이 사건의 경우와 같이, 대통령이 선거법 위반행위로 말미암아 중앙선거관리위원회로부터 경고를 받는 상황에서 그에 대한 반응으로서 현행선거법을 폄하하는 발언을 하는 것은 법률을 존중하는 태도라고 볼 수 없는 것이다. … 결론적으로, 대통령이 국민 앞에서 현행법의 정당성과 규범력을 문제삼는 행위는 법치국가의 정신에 반하는 것이자, 헌법을 수호해야 할 의무를 위반한 것이다.

ⓒ **2003.10.13. 재신임 국민투표를 제안한 행위**

ⓐ 대통령이 2003.10.13. 국회에서 행한 '2004년도 예산안 시정연설'에서 같은 해 12월 중 재신임 국민투표를 실시할 것을 제안하였고, 이로 인하여 재신임 국민투표의 헌법적 허용 여부에 관한 논란이 야기되었다.

ⓑ 헌법 제72조는 대통령에게 국민투표발의권을 독점적으로 부여함으로써 국민투표를 정치적 무기화하고 정치적으로 남용할 수 있는 위험성을 안고 있다. 이러한 점을 고려할 때 대통령의 부의권을 부여하는 헌법 제72조는 가능하면 대통령에 의한 국민투표의 정치적 남용을 방지할 수 있도록 엄격하고 축소적으로 해석되어야 한다.

ⓒ 이러한 관점에서 볼 때 헌법 제72조의 국민투표의 대상인 '중요정책'에는 대통령에 대한 '국민의 신임'이 포함되지 않는다.
선거는 '인물에 대한 결정', 즉 대의제를 가능하게 하기 위한 전제조건으로서 국민의 대표자에 관한 결정이며, 이에 대하여 국민투표는 직접민주주의를 실현하기 위한 수단으로서 '사안에 대한 결정', 즉 특정한 국가정책이나 법안을 그 대상으로 한다. 따라서 국민투표의 본질상 '대표자에 대한 신임'은 국민투표의 대상이 될 수 없으며, 우리 헌법에서 대표자의 선출과 그에 대한 신임은 단지 선거의 형태로써 이루어져야 한다. 대통령이 이미 지난 선거를 통하여 획득한 자신에 대한 신임을 국민투표의 형식으로 재확인하고자 하는 것은 헌법 제72조의 국민투표제를 헌법이 허용하지 않는 방법으로 위헌적으로 사용하는 것이다. 대통령은 헌법상 국민에게 자신에 대한 신임을 국민투표의 형식으로 물을 수 없을 뿐만 아니라, 특정 정책을 국민투표에 부치면서 이에 자신의 신임을 결부시키는 대통령의 행위도 위헌적인 행위로서 헌법적으로 허용되지 않는다. 물론 대통령이 특정 정책을 국민투표에 부친 결과 그 정책의 실시가 국민의 동의를 얻지 못한 경우, 이를 자신에 대한 불신임으로 간주하여 스스로 물러나는 것은 어쩔 수 없는 일이나, 정책을 국민투표에 부치면서 "이를 신임투표로 간주하고자 한다."는 선언은 국민의 결정행위에 부당한 압력을 가하고 국민투표를 통하여 간접적으로 자신에 대한 신임을 묻는 행위로서 대통령의 헌법상 권한을 넘어서는 것이다. 헌법은 대통령에게 국민투표를 통하여 직접적이든 간접적이든 자신의 신임 여부를 확인할 수 있는 권한을 부여하지 않는다. 18. 국가직

ⓓ 뿐만 아니라 헌법은 명시적으로 규정된 국민투표 외에 다른 형태의 재신임 국민투표를 허용하지 않는다. 이는 주권자인 국민이 원하거나 또는 국민의 이름으로 실시하더라도 마찬가지이다. 국민은 선거와 국민투표를 통하여 국가권력을 직접 행사하게 되며, 국민투표는 국민에 의한 국가권력의 행사방법의 하나로서 명시적인 헌법적 근거를 필요로 한다. 따라서 **국민투표의 가능성**은 국민주권주의나 민주주의원칙과 같은 일반적인 헌법원칙에 근거하여 인정될 수 없으며, **헌법에 명문으로 규정되지 않는 한 허용되지 않는다.**

ⓔ 결론적으로 대통령이 자신에 대한 재신임을 국민투표의 형태로 묻고자 하는 것은 헌법 제72조에 의하여 부여받은 국민투표부의권을 위헌적으로 행사하는 경우에 해당하는 것으로, 국민투표제도를 자신의 정치적 입지를 강화하기 위한 정치적 도구로 남용해서는 안 된다는 헌법적 의무를 위반한 것이다. 물론 대통령이 위헌적인 재신임 국민투표를 단지 제안만 하였을 뿐 강행하지는 않았으나, 헌법상 허용되지 않는 **재신임 국민투표를 국민들에게 제안한 것은** 그 자체로서 **헌법 제72조에 반하는 것으로** 헌법을 실현하고 수호하여야 할 **대통령의 의무를 위반한 것이다.** 07. 사시
08. 선관위 7급, 15. 국가직, 17. 서울시

ⓔ 국회의 견해를 수용하지 않은 행위

대통령이 2003.4.25. 국회 인사청문회가 고영구 국가정보원장에 대하여 부적격판정을 하였음에도 이를 수용하지 아니한 사실, 2003.9.3. 국회가 행정자치부장관 해임결의안을 의결하였음에도 이를 즉시 수용하지 아니한 사실이 인정된다.

  ⓐ 대통령은 그의 지휘·감독을 받는 행정부 구성원을 임명하고 해임할 권한(제78조)을 가지고 있으므로, 국가정보원장의 임명행위는 헌법상 **대통령의 고유권한으로서 법적으로 국회 인사청문회의 견해를 수용하여야 할 의무를 지지는 않는다.** 07. 사시, 12. 법행

  ⓑ 국회는 국무총리나 국무위원의 해임을 건의할 수 있으나(제63조), **국회의 해임건의는 대통령을 기속하는 해임결의권이 아니라 아무런 법적 구속력이 없는 단순한 해임건의에 불과하다.** 07. 사시 우리 헌법 내에서 '해임건의권'의 의미는 임기 중 아무런 정치적 책임을 물을 수 없는 대통령 대신에 그를 보좌하는 국무총리·국무위원에 대하여 정치적 책임을 추궁함으로써 대통령을 간접적이나마 견제하고자 하는 것에 지나지 않는다. **헌법 제63조의 해임건의권을 법적 구속력 있는 해임결의권으로 해석하는 것은 법문과 부합할 수 없을 뿐만 아니라, 대통령에게 국회해산권을 부여하고 있지 않는 현행헌법상의 권력분립질서와도 조화될 수 없다.**

  ⓒ 결국 대통령이 국회 인사청문회의 결정이나 국회의 해임건의를 수용할 것인지의 문제는 대의기관인 국회의 결정을 정치적으로 존중할 것인지의 문제이지 법적인 문제가 아니다. **따라서 대통령의 이러한 행위는 헌법이나 법률에 위반되지 아니한다.**

③ **대통령 측근의 권력형 부정부패**

헌법 제65조 제1항은 '대통령 … 이 그 직무집행에 있어서'라고 하여 탄핵사유의 요건을 '직무'집행으로 한정하고 있으므로, 위 규정의 해석상 대통령의 직위를 보유하고 있는 상태에서 범한 법 위반행위만이 소추사유가 될 수 있다고 보아야 한다. 따라서 당선 후 취임시까지의 기간에 이루어진 대통령의 행위도 소추사유가 될 수 없다. 05. 사시 비록 이 시기 동안 대통령직 인수에 관한 법률에 따라 법적 신분이 '대통령당선자'로 인정되어 대통령직의 인수에 필요한 준비작업을 할 수 있는 권한을 가지게 되나, 이러한 대통령당선자의 지위와 권한은 대통령의 직무와는 근본적인 차이가 있고, 이 시기 동안의 불법정치자금수수 등의 위법행위는 형사소추의 대상이 되므로, 헌법상 탄핵사유에 대한 해석을 달리할 근거가 없다.

④ **불성실한 직책수행과 경솔한 국정운영으로 인한 정국의 혼란 및 경제파탄**

헌법 제69조는 대통령의 취임선서의무를 규정하면서, 대통령으로서 '직책을 성실히 수행할 의무'를 언급하고 있다. 비록 대통령의 '**성실한 직책수행의무**'는 헌법적 의무에 해당하나, '헌법을 수호하여야 할 의무'와는 달리 규범적으로 그 이행이 관철될 수 있는 성격의 의무가 아니므로, 원칙적으로 **사법적 판단의 대상이 될 수 없다**고 할 것이다. 05·07·11. 사시, 12. 지방직, 12·17. 국가직, 18. 서울시 대통령이 임기 중 성실하게 의무를 이행하였는지의 여부는 주기적으로 돌아오는 다음 선거에서 국민의 심판의 대상이 될 수 있을 것이다. 그러나 대통령 단임제를 채택한 현행헌법하에서는 대통령은 법적으로뿐만 아니라 정치적으로도 국민에 대하여 직접적으로는 책임을 질 방법이 없고, 다만 대통령의 성실한 직책수행의 여부가 간접적으로 그가 소속된 여당에 대하여 정치적인 반사적 이익 또는 불이익을 가져다 줄 수 있을 뿐이다.

헌법 제65조 제1항은 탄핵사유를 '헌법이나 법률에 위배한 때'로 제한하고 있고, 헌법재판소의 탄핵심판절차는 법적인 관점에서 단지 탄핵사유의 존부만을 판단하는 것이므로, 이 사건에서 청구인이 주장하는 바와 같은 **정치적 무능력**이나 **정책결정상의 잘못 등 직책수행의 성실성 여부는 그 자체로서 소추사유가 될 수 없어 탄핵심판절차의 판단대상이 되지 아니한다.**

⑤ 소결론
　㉠ 대통령의 2004.2.18. 경인지역 6개 언론사와의 기자회견에서의 발언, 2004.2.24. 한국방송기자클럽 초청 대통령 기자회견에서의 발언은 공선법 제9조의 공무원의 중립의무에 위반하였다.
　㉡ 2004.3.4. 중앙선거관리위원회의 선거법 위반결정에 대한 대통령의 행위는 법치국가이념에 위반되어 대통령의 헌법수호의무에 위반하였고, 2003.10.13. 대통령의 재신임 국민투표 제안행위는 헌법 제72조에 반하는 것으로 헌법수호의무에 위반하였다.

[4] 피청구인을 파면할 것인지의 여부

① 헌법재판소법 제53조 제1항의 해석

헌법재판소법은 제53조 제1항에서 "탄핵심판청구가 이유 있는 때에는 헌법재판소는 피청구인을 당해 공직에서 파면하는 결정을 선고한다."고 규정하고 있는데, 여기서 '탄핵심판청구가 이유 있는 때'를 어떻게 해석할 것인지의 문제가 발생한다.

헌법재판소법 제53조 제1항은 헌법 제65조 제1항의 탄핵사유가 인정되는 모든 경우에 자동적으로 파면결정을 하도록 규정하고 있는 것으로 문리적으로 해석할 수 있으나, 이러한 해석에 의하면 피청구인의 법 위반행위가 확인되는 경우 법 위반의 경중을 가리지 아니하고 헌법재판소가 파면결정을 하여야 하는바, 직무행위로 인한 모든 사소한 법 위반을 이유로 파면을 해야 한다면 이는 피청구인의 책임에 상응하는 헌법적 징벌의 요청, 즉 법익형량의 원칙에 위반된다. 따라서 헌법재판소법 제53조 제1항의 '탄핵심판청구가 이유 있는 때'란 모든 법 위반의 경우가 아니라, 단지 공직자의 파면을 정당화할 정도로 '중대한' 법 위반의 경우를 말한다. 06·09. 법행, 09. 사시, 10. 국가직

② '법 위반의 중대성'에 관한 판단기준

　㉠ '법 위반이 중대한지' 또는 '파면이 정당화되는지'의 여부는 그 자체로서 인식될 수 없는 것이므로, 결국 파면결정을 할 것인지의 여부는 공직자의 '법 위반행위의 중대성'과 '파면결정으로 인한 효과' 사이의 법익형량을 통하여 결정된다고 할 것이다. 그런데 탄핵심판절차가 헌법의 수호와 유지를 그 본질로 하고 있다는 점에서 '법 위반의 중대성'이란 '헌법질서의 수호의 관점에서의 중대성'을 의미하는 것이다. 따라서 한편으로는 '법 위반이 어느 정도로 헌법질서에 부정적 영향이나 해악을 미치는지의 관점'과 다른 한편으로는 '피청구인을 파면하는 경우 초래되는 효과'를 서로 형량하여 탄핵심판청구가 이유 있는지의 여부, 즉 파면 여부를 결정하여야 한다.

　㉡ 그런데 대통령에 대한 파면결정은 국민이 선거를 통하여 대통령에게 부여한 '민주적 정당성'을 임기 중 다시 박탈하는 효과를 가지며, 직무수행의 단절로 인한 국가적 손실과 국정 공백은 물론이고 국론의 분열현상, 즉 대통령을 지지하는 국민과 그렇지 않은 국민간의 분열과 반목으로 인한 정치적 혼란을 가져올 수 있다. 따라서 대통령의 경우 국민의 선거에 의하여 부여받은 '직접적 민주적 정당성' 및 '직무수행의 계속성에 관한 공익'의 관점이 파면결정을 함에 있어서 중요한 요소로서 고려되어야 하며, 대통령에 대한 파면효과가 이와 같이 중대하다면 파면결정을 정당화하는 사유도 이에 상응하는 중대성을 가져야 한다. 10·17. 국가직, 16. 경정승진

그 결과 대통령을 제외한 다른 공직자의 경우에는 파면결정으로 인한 효과가 일반적으로 적기 때문에 상대적으로 경미한 법 위반행위에 의해서도 파면이 정당화될 가능성이 큰 반면, 대통령의 경우에는 파면결정의 효과가 지대하기 때문에 파면결정을 하기 위해서는 이를 압도할 수 있는 중대한 법 위반이 존재해야 한다.

© '대통령을 파면할 정도로 중대한 법 위반이 어떠한 것인지'에 관하여 일반적으로 규정하는 것은 매우 어려운 일이나, 탄핵심판절차가 궁극적으로 헌법의 수호에 기여하는 절차라는 관점에서 본다면 파면결정을 통하여 헌법을 수호하고 손상된 헌법질서를 다시 회복하는 것이 요청될 정도로 대통령의 법 위반행위가 헌법수호의 관점에서 중대한 의미를 가지는 경우에 비로소 파면결정이 정당화되며, 대통령이 국민으로부터 선거를 통하여 직접 민주적 정당성을 부여받은 대의기관이라는 관점에서 본다면, 대통령에게 부여한 국민의 신임을 임기 중 다시 박탈하여야 할 정도로 대통령이 법 위반행위를 통하여 국민의 신임을 저버린 경우에 한하여 대통령에 대한 탄핵사유가 존재하는 것으로 판단된다.

구체적으로 대통령의 파면을 요청할 정도로 '헌법수호의 관점에서 중대한 법 위반'이란 자유민주적 기본질서를 위협하는 행위로서 법치국가원리와 민주국가원리를 구성하는 기본원칙에 대한 적극적인 위반행위를 뜻하는 것이고, '국민의 신임을 배반한 행위'란 '헌법수호의 관점에서 중대한 법 위반'에 해당하지 않는 그 외의 행위유형까지도 모두 포괄하는 것으로서 자유민주적 기본질서를 위협하는 행위 외에도, 예컨대 뇌물수수·부정부패, 국가의 이익을 명백히 해하는 행위가 그의 전형적인 예라 할 것이다.

결국 대통령의 직을 유지하는 것이 더이상 헌법수호의 관점에서 용납될 수 없거나 대통령이 국민의 신임을 배신하여 국정을 담당할 자격을 상실한 경우에 한하여 대통령에 대한 파면결정은 정당화되는 것이다. 05. 사시

③ 이 사건의 경우 파면결정을 할 것인지의 여부
   ㉠ 법 위반의 중대성에 관한 판단
      ⓐ 기자회견에서 특정 정당을 지지한 행위
         대통령은 특정 정당을 지지하는 발언을 함으로써 '선거에서의 중립의무'를 위반하였다. 그러나 이와 같은 위반행위가 기자회견의 자리에서 기자들의 질문에 응하여 소극적·수동적·부수적으로 이루어진 점, 정치활동과 정당활동을 할 수 있는 대통령에게 헌법적으로 허용되는 '정치적 의견표명'과 허용되지 않는 '선거에서의 중립의무 위반행위' 사이의 경계가 불분명하며, 종래 '어떠한 경우에 선거에서 대통령에게 허용되는 정치적 활동의 한계를 넘은 것인지'에 관한 명확한 법적 해명이 이루어지지 않은 점 등을 감안한다면, 자유민주적 기본질서를 구성하는 '의회제'나 '선거제도'에 대한 적극적인 위반행위에 해당한다고 할 수 없으며, 이에 따라 공선법 위반행위가 헌법질서에 미치는 부정적 영향은 크다고 볼 수 없다.
      ⓑ 현행선거법에 대한 대통령의 폄하발언
         대통령이 현행 선거법을 '관권선거시대의 유물'로 폄하하는 취지의 발언을 한 것은 현행법에 대한 적극적인 위반행위에 해당하는 것이 아니라, 중앙선거관리위원회의 결정에 대하여 소극적·수동적으로 반응하는 과정에서 발생한 법 위반행위이다. 이러한 발언이 자유민주적 기본질서에 역행하고자 하는 적극적인 의사를 가지고 있다거나 법치국가원리를 근본적으로 문제 삼는 중대한 위반행위라 할 수 없다.
      ⓒ 재신임 국민투표의 제안행위
         이 경우에도 대통령이 단지 위헌적인 재신임 국민투표의 제안만을 하였을 뿐, 이를 강행하려는 시도를 하지 않았고, 한편으로는 헌법 제72조의 '국가안위에 관한 중요정책'에 재신임의 문제가 포함되는지 등 그 해석과 관련하여 학계에서도 논란이 있다는 점을 감안한다면, 민주주의원리를 구성하는 헌법상 기본원칙에 대한 적극적인 위반행위라 할 수 없고, 이에 따라 헌법질서에 미치는 부정적인 영향이 중대하다고 볼 수 없다.

㉡ 소결론

결국 대통령의 법 위반이 헌법질서에 미치는 효과를 종합하여 본다면, 대통령의 구체적인 법 위반행위에 있어서 헌법질서에 역행하고자 하는 적극적인 의사를 인정할 수 없으므로, 자유민주적 기본질서에 대한 위협으로 평가될 수 없다. 따라서 파면결정을 통하여 헌법을 수호하고 손상된 헌법질서를 다시 회복하는 것이 요청될 정도로 대통령의 법 위반행위가 헌법수호의 관점에서 중대한 의미를 가진다고 볼 수 없고, 또한 대통령에게 부여한 국민의 신임을 임기 중 다시 박탈하여야 할 정도로 국민의 신임을 저버린 경우에 해당한다고도 볼 수 없으므로, 대통령에 대한 파면결정을 정당화하는 사유가 존재하지 않는다.

[5] 결론

① 이 심판청구는 헌법재판소법 제23조 제2항에서 요구하는 탄핵결정에 필요한 재판관수의 찬성을 얻지 못하였으므로 이를 기각하기로 하여 헌법재판소법 제34조 제1항, 제36조 제3항에 따라 주문과 같이 결정한다.

② 헌법재판소법 제34조 제1항에 의하면 헌법재판소 심판의 변론과 결정의 선고는 공개하여야 하지만, 평의는 공개하지 아니하도록 되어 있다. 이때 **헌법재판소 재판관들의 평의를 공개하지 않는다는 의미는 평의의 경과뿐만 아니라 재판관 개개인의 개별적 의견 및 그 의견의 수 등을 공개하지 않는다는 뜻이다.** 그러므로 개별 재판관의 의견을 결정문에 표시하기 위해서는 이와 같은 평의의 비밀에 대하여 예외를 인정하는 특별 규정이 있어야만 가능하다. 그런데 법률의 위헌심판, 권한쟁의심판, 헌법소원심판에 대해서는 평의의 비밀에 관한 예외를 인정하는 특별 규정이 헌법재판소법 제36조 제3항에 있으나, 탄핵심판에 관해서는 평의의 비밀에 대한 예외를 인정하는 법률규정이 없다. 따라서 이 탄핵심판사건에 관해서도 재판관 개개인의 개별적 의견 및 그 의견의 수 등을 결정문에 표시할 수는 없다고 할 것이다(헌재 2004.5.14. 2004헌나1). 12. 법행, 19. 지방직

2 대통령(박근혜) 탄핵사건 [인용(파면)]

[1] 소추사유의 특정 여부: 적극

탄핵소추사유는 그 대상 사실을 다른 사실과 명백하게 구분할 수 있을 정도의 구체적 사실이 기재되면 충분하다. 이 사건 소추의결서의 헌법 위배행위 부분은 소추사유가 분명하게 유형별로 구분되지 않은 측면이 있지만, 소추사유로 기재된 사실관계는 법률 위배행위 부분과 함께 보면 다른 소추사유와 명백하게 구분할 수 있을 정도로 충분히 구체적으로 기재되어 있다.

[2] 국회 의결절차의 위법 여부: 소극 18. 서울시

① 국회의 의사절차에 헌법이나 법률을 명백히 위반한 흠이 있는 경우가 아니면 국회 의사절차의 자율권은 권력분립의 원칙상 존중되어야 하고, 국회법 제130조 제1항은 탄핵소추의 발의가 있을 때 그 사유 등에 대한 조사 여부를 국회의 재량으로 규정하고 있으므로, 국회가 탄핵소추사유에 대하여 별도의 조사를 하지 않았다거나 국정조사결과나 특별검사의 수사결과를 기다리지 않고 탄핵소추안을 의결하였다고 하여 그 의결이 헌법이나 법률을 위반한 것이라고 볼 수 없다. 17. 서울시, 18. 입시·법무사, 19. 법원직 9급

② 국회법에 탄핵소추안에 대하여 표결 전에 반드시 토론을 거쳐야 한다는 명문 규정은 없다. 또 이 사건 소추의결 당시 토론을 희망한 의원이 없었기 때문에 탄핵소추안에 대한 제안 설명만 듣고 토론 없이 표결이 이루어졌을 뿐, 의장이 토론을 희망하는 의원이 있었는데도 토론을 못하게 하거나 방해한 사실은 없다.

③ 탄핵소추안을 각 소추사유별로 나누어 발의할 것인지, 아니면 여러 소추사유를 포함하여 하나의 안으로 발의할 것인지는 소추안을 발의하는 의원들의 자유로운 의사에 달린 것이고, 표결방법에 관한 어떠한 명문규정도 없다.

④ 탄핵소추절차는 국회와 대통령이라는 헌법기관 사이의 문제이고, 국회의 탄핵소추 의결에 따라 사인으로서 대통령 개인의 기본권이 침해되는 것이 아니다. **국가기관이 국민에 대하여 공권력을 행사할 때 준수하여야 하는 법원칙으로 형성된 적법절차의 원칙을 국가기관에 대하여 헌법을 수호하고자 하는 탄핵소추절차에 직접 적용할 수 없다.** 19. 법원직 9급

[3] 8인 재판관에 의한 탄핵심판 결정 가부: 적극

헌법재판은 9인의 재판관으로 구성된 재판부에 의하여 이루어지는 것이 원칙이다. 그러나 현실적으로는 일부 재판관이 재판에 참여할 수 없는 경우가 발생할 수밖에 없다. 이에 헌법과 헌법재판소법은 재판관 중 결원이 발생한 경우에도 헌법재판소의 헌법 수호 기능이 중단되지 않도록 7명 이상의 재판관이 출석하면 사건을 심리하고 결정할 수 있음을 분명히 하고 있다. 그렇다면 **헌법재판관 1인이 결원이 되어 8인의 재판관으로 재판부가 구성되더라도 탄핵심판을 심리하고 결정하는 데 헌법과 법률상 아무런 문제가 없다.** 18. 입시

[4] 탄핵의 요건

헌법 제65조는 대통령이 '그 직무집행에 있어서 헌법이나 법률을 위배한 때'를 탄핵사유로 규정하고 있다. 여기에서 '직무'란 법제상 소관 직무에 속하는 고유 업무와 사회통념상 이와 관련된 업무를 말하고, 법령에 근거한 행위뿐만 아니라 대통령의 지위에서 국정수행과 관련하여 행하는 모든 행위를 포괄하는 개념이다. 또 '헌법'에는 명문의 헌법 규정뿐만 아니라 헌법재판소의 결정에 따라 형성되어 확립된 불문헌법도 포함되고, '법률'에는 형식적 의미의 법률과 이와 동등한 효력을 가지는 국제조약 및 일반적으로 승인된 국제법규 등이 포함된다. 18. 법무사

헌법재판소법 제53조 제1항은 '탄핵심판청구가 이유 있는 경우' 피청구인을 파면하는 결정을 선고하도록 규정하고 있다. 대통령을 탄핵하기 위해서는 대통령의 법 위배 행위가 헌법질서에 미치는 부정적 영향과 해악이 중대하여 대통령을 파면함으로써 얻는 헌법 수호의 이익이 대통령 파면에 따르는 국가적 손실을 압도할 정도로 커야 한다. 즉, '탄핵심판청구가 이유 있는 경우'란 대통령의 파면을 정당화할 수 있을 정도로 중대한 헌법이나 법률 위배가 있는 때를 말한다.

[5] 최○원의 국정개입을 허용하고 권한을 남용한 행위가 공익실현의무에 위배되는지 여부: 적극 18. 국회직 8급

헌법 제7조 제1항은 국민주권주의와 대의민주주의를 바탕으로 공무원을 '국민 전체에 대한 봉사자'로 규정하고 공무원의 공익실현의무를 천명하고 있고, 헌법 제69조는 대통령의 공익실현의무를 다시 한 번 강조하고 있다. 대통령은 '국민 전체'에 대한 봉사자이므로 특정 정당, 자신이 속한 계급·종교·지역·사회단체, 자신과 친분 있는 세력의 특수한 이익 등으로부터 독립하여 국민 전체를 위하여 공정하고 균형 있게 업무를 수행할 의무가 있다. 대통령의 공익실현의무는 국가공무원법 제59조, 공직자윤리법 제2조의2 제3항, '부패방지 및 국민권익위원회의 설치와 운영에 관한 법률'(다음부터 '부패방지권익위법'이라 한다) 제2조 제4호 가목, 제7조 등 법률을 통하여 구체화되고 있다.

피청구인은 최○원이 추천한 인사를 다수 공직에 임명하였고 이렇게 임명된 일부 공직자는 최○원의 이권 추구를 돕는 역할을 하였다. 피청구인은 사기업으로부터 재원을 마련하여 재단법인 미르와 재단법인 케이스포츠(다음부터 '미르'와 '케이스포츠'라고 한다)를 설립하도록 지시하였고, 대통령의 지위와 권한을 이용하여 기업들에게 출연을 요구하였다. 이어 최○원이 추천하는 사람들을 미르와 케이스포츠의 임원진이 되도록 하여 최○원이 두 재단을 실질적으로 장악할 수 있도록 해 주었다. 그 결과 최○원은 자신이 실질적으로 운영하는주식회사플레이그라운드커뮤니케이션즈와 주식회사더블루케이(다음부터 '더블루케이'라고 한다)를 통하여 위 재단을

📖 **핵심기출 OX**

01 국회의 탄핵소추의결에 따라 대통령 개인의 기본권이 침해되므로 적법절차의 원칙은 탄핵소추절차에도 직접 적용된다. 19. 법원직 9급 (O, ×)

답 × 탄핵소추는 국가기관에 대해서만 이루어지는 것이므로, 공권력에 대응하여 국민의 기본권을 보장하기 위해 마련된 적법절차원칙은 탄핵소추절차에 직접 적용되지 않는다.

02 헌법재판은 9인의 재판관으로 구성된 재판부에 의하여 이루어지는 것이 원칙이나, 헌법재판관 1인이 결원이 되어 8인의 재판관으로 재판부가 구성되더라도 탄핵심판을 심리·결정하는 데 헌법과 법률상 아무런 문제가 없다. 18. 입시 (O, ×)

답 O

03 헌법 제65조는 대통령이 '그 직무집행에 있어서 헌법이나 법률을 위배한 때'를 탄핵사유로 규정하고 있다. 여기에서 '직무'란 법제상 소관 직무에 속하는 고유 업무와 사회통념상 이와 관련된 업무를 말하고, 법령에 근거한 행위뿐만 아니라 대통령의 지위에서 국정수행과 관련하여 행하는 모든 행위를 포괄하는 개념이다. 23. 국회직 8급 (O, ×)

답 O

04 대통령이 특정인의 국정개입을 허용하고 그 특정인의 이익을 위해 대통령으로서의 지위와 권한을 남용한 행위는 공무원의 공익실현의무 위반이다. 18. 국회직 8급 (O, ×)

답 O

05 헌법 제65조는 대통령이 '그 직무집행에 있어서 헌법이나 법률을 위배한 때'를 탄핵사유로 규정하고 있는데, 그중 '헌법'은 명문의 헌법 규정을, '법률'은 형식적 의미의 법률을 지칭한다고 해석하는 것이 명확성원칙에 부합한다. 18. 법무사 (O, ×)

답 × '직무'란 법제상 소관 직무에 속하는 고유 업무와 사회통념상 이와 관련된 업무를 말하고, 법령에 근거한 행위뿐만 아니라 대통령의 지위에서 국정수행과 관련하여 행하는 모든 행위를 포괄하는 개념이다. 또 '헌법'에는 명문의 헌법 규정뿐만 아니라 헌법재판소의 결정에 따라 형성되어 확립된 불문헌법도 포함되고, '법률'에는 형식적 의미의 법률과 이와 동등한 효력을 가지는 국제조약 및 일반적으로 승인된 국제법규 등이 포함된다.

이권 창출의 수단으로 활용할 수 있었다. 피청구인은 기업에 대하여 특정인을 채용하도록 요구하고 특정 회사와 계약을 체결하도록 요청하는 등 대통령의 지위와 권한을 이용하여 사기업 경영에 관여하였다. 그 밖에도 피청구인은 스포츠클럽 개편과 같은 최○원의 이권과 관련된 정책 수립을 지시하였고, 롯데그룹으로 하여금 5대 거점 체육인재 육성사업을 위한 시설 건립과 관련하여 케이스포츠에 거액의 자금을 출연하도록 하였다.

피청구인의 이러한 일련의 행위는 최○원 등의 이익을 위하여 대통령으로서의 지위와 권한을 남용한 것으로서 공정한 직무수행이라 할 수 없다. 피청구인은 헌법 제7조 제1항, 국가공무원법 제59조, 공직자윤리법 제2조의2 제3항, 부패방지권익위법 제2조 제4호 가목, 제7조를 위반하였다.

[6] 최○원의 국정개입을 허용하고 권한을 남용한 행위가 기업의 자유와 재산권을 침해하는지 여부: 적극

피청구인은 직접 또는 경제수석비서관을 통하여 대기업 임원 등에게 미르와 케이스포츠에 출연할 것을 요구하였다. 대통령의 재정·경제 분야에 대한 광범위한 권한과 영향력, 비정상적 재단 설립 과정과 운영 상황 등을 종합하여 보면, 피청구인의 요구는 임의적 협력을 기대하는 단순한 의견제시나 권고가 아니라 사실상 구속력 있는 행위라고 보아야 한다. 공권력 개입을 정당화할 수 있는 기준과 요건을 법률로 정하지 않고 대통령의 지위를 이용하여 기업으로 하여금 재단법인에 출연하도록 한 피청구인의 행위는 해당 기업의 재산권 및 기업경영의 자유를 침해한 것이다. 피청구인은 롯데그룹에 최○원의 이권 사업과 관련 있는 하남시 체육시설 건립 사업 지원을 요구하였고, 안○범으로 하여금 사업 진행 상황을 수시로 점검하도록 하였다. 피청구인은 현대자동차그룹에 최○원의 지인이 경영하는 회사와 납품계약을 체결하도록 요구하였고, 주식회사 케이티에는 최○원과 관계있는 인물의 채용과 보직 변경을 요구하였다. 그 밖에도 피청구인은 기업에 스포츠팀 창단 및 더블루케이와의 계약 체결을 요구하였고, 그 과정에서 고위공직자인 안○범이나 김○을 이용하여 영향력을 행사하였다. 피청구인의 이와 같은 일련의 행위들은 기업의 임의적 협력을 기대하는 단순한 의견제시나 권고가 아니라 구속적 성격을 지닌 것으로 평가된다. **아무런 법적 근거 없이 대통령의 지위를 이용하여 기업의 사적 자치 영역에 간섭한 피청구인의 행위는 해당 기업의 재산권 및 기업경영의 자유를 침해한 것이다.**

[7] 최○원의 국정개입을 허용하고 권한을 남용한 행위가 비밀엄수의무에 위배되는지 여부: 적극

피청구인의 지시와 묵인에 따라 최○원에게 많은 문건이 유출되었고, 여기에는 대통령의 일정·외교·인사·정책 등에 관한 내용이 포함되어 있다. 이런 정보는 대통령의 직무와 관련된 것으로, 일반에 알려질 경우 행정 목적을 해할 우려가 있고 실질적으로 비밀로 보호할 가치가 있으므로 직무상 비밀에 해당한다. 피청구인이 최○원에게 위와 같은 문건이 유출되도록 지시 또는 방치한 행위는 국가공무원법 제60조의 비밀엄수의무를 위반한 것이다.

[8] 공무원 임면권 남용 여부: 소극

피청구인이 문화체육관광부 소속 공무원인 노○강과 진○수에 대하여 문책성 인사를 하도록 지시한 이유가 이들이 최○원의 사익 추구에 방해가 되기 때문이었다고 볼 증거가 부족하고, 피청구인이 유○룡을 면직한 이유나 대통령비서실장이 1급 공무원 6인으로부터 사직서를 제출받도록 지시한 이유도 분명하지 않다.

[9] 언론의 자유 침해 여부: 소극

피청구인의 청와대 문건 유출에 대한 비판 발언 등을 종합하면 피청구인이 세계일보의 정○회 문건 보도에 비판적 입장을 표명하였다고 볼 수 있으나, 이러한 입장 표명만으로 세계일보의 언론의 자유를 침해하였다고 볼 수는 없고, 조○규의 대표이사직 해임에 피청구인이 관여하였다고 인정할 증거가 부족하다.

[10] 생명권보호의무 위반 여부: 소극

피청구인은 행정부의 수반으로서 국가가 국민의 생명과 신체의 안전보호의무를 충실하게 이행할 수 있도록 권한을 행사하고 직책을 수행하여야 하는 의무를 부담한다. 하지만 국민의 생명이 위협받는 재난상황이 발생하였다고 하여 피청구인이 직접 구조 활동에 참여하여야 하는 등 구체적이고 특정한 행위의무까지 바로 발생한다고 보기는 어렵다. 20. 법행

세월호 참사에 대한 피청구인의 대응조치에 미흡하고 부적절한 면이 있었다고 하여 곧바로 피청구인이 생명권보호의무를 위반하였다고 인정하기는 어렵다. 18. 국회직 8급

[11] 불성실한 직책수행이 탄핵심판절차의 판단대상이 되는지 여부: 소극

대통령의 '직책을 성실히 수행할 의무'는 헌법적 의무에 해당하지만, '헌법을 수호하여야 할 의무'와는 달리 규범적으로 그 이행이 관철될 수 있는 성격의 의무가 아니므로 원칙적으로 사법적 판단의 대상이 되기는 어렵다. 17·18. 지방직, 18. 국회직 8급 세월호 참사 당일 피청구인이 직책을 성실히 수행하였는지 여부는 그 자체로 소추사유가 될 수 없어, 탄핵심판절차의 판단대상이 되지 아니한다.

[12] 피청구인을 파면할 것인지 여부: 적극

피청구인은 최○원에게 공무상 비밀이 포함된 국정에 관한 문건을 전달하였고, 공직자가 아닌 최○원의 의견을 비밀리에 국정 운영에 반영하였다. 피청구인의 이러한 위법행위는 피청구인이 대통령으로 취임한 때부터 3년 이상 지속되었다. 피청구인은 국민으로부터 위임받은 권한을 사적 용도로 남용하여 적극적·반복적으로 최○원의 사익추구를 도와주었고, 그 과정에서 대통령의 지위를 이용하거나 국가의 기관과 조직을 동원하였다는 점에서 법 위반의 정도가 매우 중하다. 대통령은 공무 수행을 투명하게 공개하여 국민의 평가를 받아야 한다. 그런데 피청구인은 최○원의 국정 개입을 허용하면서 이 사실을 철저히 비밀에 부쳤고, 그에 관한 의혹이 제기될 때마다 이를 부인하며 의혹 제기 행위만을 비난하였다.

따라서 권력분립원리에 따른 국회 등 헌법기관에 의한 견제나 언론 등 민간에 의한 감시 장치가 제대로 작동될 수 없었다. 이와 같은 피청구인의 일련의 행위는 대의민주제의 원리와 법치주의의 정신을 훼손한 것으로서 대통령으로서의 공익실현의무를 중대하게 위반한 것이다.

결국 피청구인의 이 사건 헌법과 법률 위배행위는 국민의 신임을 배반한 행위로서 헌법수호의 관점에서 용납될 수 없는 중대한 법 위배행위라고 보아야 한다. 그렇다면 피청구인의 법 위배행위가 헌법질서에 미치게 된 부정적 영향과 파급효과가 중대하므로, 피청구인을 파면함으로써 얻는 헌법수호의 이익이 대통령 파면에 따르는 국가적 손실을 압도할 정도로 크다고 인정된다(헌재 2017.3.10. 2016헌나1).

🏛 **핵심기출 OX**

01 대통령은 행정부의 수반으로서 국가가 국민의 생명과 신체의 안전보호의무를 충실하게 이행할 수 있도록 권한을 행사하고 직책을 수행하여야 하는 의무를 부담한다. 하지만 국민의 생명이 위협받는 재난상황이 발생하였다고 하여 대통령이 직접 구조 활동에 참여하여야 하는 등 구체적이고 특정한 행위의무까지 바로 발생한다고 보기는 어렵다. 20. 법행 (O, ×)

📖 O

02 세월호 참사에 대한 대통령의 대응조치에 미흡하고 부적절한 면이 있었기에 대통령은 생명권보호의무를 위반하였다. 18. 국회직 8급 (O, ×)

📖 × 세월호 참사로 많은 국민이 사망하였고 그에 대한 피청구인의 대응조치에 미흡하고 부적절한 면이 있었다고 하여 곧바로 피청구인이 생명권보호의무를 위반하였다고 인정하기는 어렵다(헌재 2017.3.10. 2016헌나1).

03 대통령의 '직책을 성실히 수행할 의무'는 헌법적 의무에 해당하고 규범적으로 그 이행이 관철될 수 있는 성격의 의무이므로 원칙적으로 사법적 판단의 대상이 된다. 18. 지방직·국회직 8급 (O, ×)

📖 × 원칙적으로 사법적 판단의 대상이 될 수 없다.

04 대통령의 '직책을 성실히 수행할 의무'는 헌법적 의무로서 '헌법을 수호해야 할 의무'와 마찬가지로 그 이행이 관철될 수 있는 규범적 성격의 의무이므로 사법적 판단의 대상이 된다. 17. 지방직 (O, ×)

📖 × 원칙적으로 사법적 판단의 대상이 아니다.

3 법관에 대한 헌법재판소의 탄핵심판 계속 중 피청구인이 임기만료로 퇴직한 경우, 탄핵심판청구가 적법한지 여부: 소극 [각하]

헌법 제65조는 행정부와 사법부의 고위공직자에 의한 헌법·법률위반에 대하여 탄핵소추의 가능성을 규정함으로써 그들에 의한 헌법위반을 경고하고 방지하는 기능을 하며, 국민으로부터 국가권력을 위임받은 국가기관이 권한을 남용하여 헌법을 위반하는 경우 그 권한을 박탈하는 기능을 한다. 이러한 공직박탈은 국회의 탄핵소추절차와 헌법재판소의 탄핵심판절차를 통해 단계적으로 구현된다. 탄핵소추절차는 국가기관 사이의 권력분립원칙에 따른 견제의 성격을 가진다. 반면 탄핵심판절차는 '사법절차'에 의하여 '법치주의'에 따라 파면하는 결정을 선고하는 '규범적 심판절차'이다.

탄핵심판의 이익을 인정하기 위해서는 탄핵결정 선고 당시까지 피청구인이 '해당 공직을 보유하는 것'이 필요하다. 그런데, 이 사건에서, 국회는 2021.2.4. 피청구인에 대한 탄핵소추를 의결한 후 같은 날 헌법재판소에 탄핵심판청구를 하였고, 피청구인은 2021.2.28. 임기만료로 2021.3.1. 법관의 직에서 퇴직하여 더 이상 해당 공직을 보유하지 않게 되었다. 피청구인이 임기만료 퇴직으로 법관직을 상실함에 따라 본안심리를 마친다 해도 파면결정이 불가능해졌으므로, 공직 박탈의 관점에서 심판의 이익을 인정할 수 없다. 임기만료라는 일상적 수단으로 민주적 정당성이 상실되었으므로, 민주적 정당성의 박탈의 관점에서도, 탄핵이라는 비상적인 수단의 역할 관점에서도 심판의 이익을 인정할 수 없다. 결국 이 사건 심판청구는 탄핵심판의 이익이 인정되지 아니하여 부적법하므로 각하해야 한다 (헌재 2021.10.28. 2021헌나1).

4 행정안전부장관(이상민) 탄핵사건 [기각]

[1] 헌법재판소법 제53조 제1항이 규정한 '탄핵심판 청구가 이유 있는 경우'란 피청구인의 파면을 정당화할 수 있을 정도로 중대한 헌법이나 법률 위반이 있는 경우를 말한다. 행정각부의 장에 대한 파면 결정이 가져오는 국가적 손실이 경미하다고 보기는 어렵다. 다만 대통령과 비교할 때, 파면의 효과에 근본적인 차이가 있으므로, '법 위반 행위의 중대성'과 '파면 결정으로 인한 효과' 사이의 법익형량을 함에 있어 이 점이 고려되어야 한다.

[2] '재난 및 안전관리 기본법'(이하 '재난안전법'이라 한다) 시행령은 재난관리주관기관이 없는 경우 행정안전부장관이 사후에 이를 지정할 수 있도록 한 것으로, 재난관리주관기관을 이 사건 참사 발생 전에 미리 지정하지 않았다고 하여 재난안전법을 위반한 것으로 보기 어렵다. 또 이 사건 참사 당시 적용된 '제4차 국가안전관리기본계획'과 '2022년 행정안전부 집행계획'은 법령에 따라 피청구인이 행정안전부장관으로 임명되기 전에 이미 작성된 것으로, 피청구인이 위 계획을 수정·변경하지 않았다는 이유로 위법하다고 볼 수 없다. 결국, 피청구인이 사전 재난예방과 관련하여, 헌법 제34조 제6항, 재난안전법 제4조 제1항, 제6조, 제22조, 제23조, 제25조의2, 제34조의8, 재난안전통신망법 제7조, 제8조를 위반하였다고 보기 어렵고, 나아가 헌법 제7조 제1항, 제10조, 국가공무원법 제56조를 위반하였다고 볼 수 없다.

[3] 피청구인이 이 사건 참사 발생 사실을 인지한 후 처음 보고받은 내용에만 기초하여 재난의 원인과 유형, 피해 상황 및 규모 등을 제대로 파악하고 재난대응 방안을 결정하기에는 한계가 있었고, 현장지휘소에서 소방재난본부장으로부터 상황 보고를 받았을 당시에는 긴급구조가 마무리되지 않아서 여전히 재난 원인과 유형, 피해 상황 및 규모 등이 명확히 파악되지 않았다. 이 사건 참사 발생 후 이루어진 초동조치를 살펴보면 중대본과 중수본이 수행하는 역할 내지 기능이 일정 부분은 실질적으로 수행되었고 중수본에서 할 수 있었던 재난대응이 중대본 운영의 형태로 이행되었다. 따라서 중대본과 중수본의 설치·운영에 관한 피청구인의 판단이 현저히 불합리하여 사회적 타당성을 잃은 정도에 이르렀다고 보기 어렵다. 이 사건 참사 발생 당시 주최자 있는 지역축제에 적용되는 안전관리계획의 수립·점검, 매뉴얼 등을 유추

적용할 수 있는지에 관한 확립된 기준이 없어 체계적 대응이 어려웠으며, 피청구인이 참사 현장으로 이동하는 과정에서 지시 및 협력요청을 계속한 점을 고려할 때, 피청구인이 성실의무를 위반하였다고 보기 어렵다. 그 밖에 국민의 생명·신체의 안전을 보호하기 위한 조치가 필요한 상황이었음에도 피청구인이 아무런 보호조치를 취하지 않거나, 적절하고 효율적인 보호조치가 분명히 존재하는 상황에서 피청구인이 이를 이행하지 않은 것이 명백한 경우에 해당하지 않으므로, 헌법상 기본권 보호의무를 위반하였다고 볼 수도 없다. 결국 피청구인의 사후 재난대응 조치가 헌법 제34조 제6항, 재난안전법 제4조 제1항, 제6조, 제14조, 제15조, 제15조의2, 제18조, 제74조를 위반하였다고 보기는 어렵고, 나아가 헌법 제7조 제1항, 제10조, 국가공무원법 제56조를 위반하였다고 볼 수 없다(헌재 2023.7.25. 2023헌나1).

5 검사(안동완) 탄핵사건 [기각]

[1] 재판관 이영진, 재판관 김형두, 재판관 정형식의 기각의견

피청구인은 유○○의 외국환거래법위반 혐의에 관한 재수사가 필요하다고 판단하여 수사를 개시하였고, 유○○이 외당숙과 공모하여 적극적으로 '환치기' 범행에 가담한 점, 사실은 중국 국적의 화교임에도 이를 숨기고 북한이탈주민으로 인정받은 후 각종 범행을 저지른 점 등 종전 기소유예처분을 번복하고 유○○을 기소할 만한 사정이 밝혀져 이 사건 공소제기를 하였으므로, 이 사건 공소제기가 형법 제123조, 구 검찰청법 제4조 제2항, 국가공무원법 제56조를 위반한 것으로 볼 수 없다.

[2] 재판관 이종석, 재판관 이은애의 기각의견

종전 기소유예처분과 비교할 때 외국환거래법위반 범행의 총 거래액수가 오히려 줄어들었고, 주요 범행 가담 내용은 동일한 점 등을 고려하면, 피청구인의 수사 결과 종전 기소유예처분을 번복하고 유○○을 기소할 만한 사정이 밝혀졌다고 보기 어려우므로, 이 사건 공소제기는 구 검찰청법 제4조 제2항 및 국가공무원법 제56조를 위반한 것이다. 다만, 이 사건 공소제기의 위법·부당의 정도가 직무 본래의 수행이라고 평가할 수 없을 정도에 이르러 형법 제123조가 규정한 직권남용에 해당한다고 보기는 어렵고, 피청구인에게 직권남용의 고의도 인정할 수 없으므로, 이 사건 공소제기가 형법 제123조를 위반한 것이라고 볼 수 없다. 피청구인이 법질서에 역행하고자 하는 적극적인 의도로 법률을 위반하였다고 보기 어렵고, 실체적 진실에 반하는 국가형벌권의 행사를 도모한 것도 아닌 점, 이 사건 공소제기가 공소권남용에 해당한다고 판단한 법원의 판결 등이 존재하는 이상 검사의 공소권남용이 반복될 가능성이 높다고 보기 어려운 점, 이 사건 공소제기 이후 피청구인은 9년이 넘는 기간 동안 공직을 수행해 왔으므로 이 사건 공소제기가 헌법질서에 미친 부정적인 영향은 상당 부분 희석된 점 등을 고려하면, 피청구인에 대한 파면 결정을 정당화하는 사유가 인정된다고 보기 어렵다.

[3] 재판관 김기영, 재판관 문형배, 재판관 이미선, 재판관 정정미의 인용의견

피청구인은 유○○의 외국환거래법위반 혐의를 재수사할 이유가 없는 상황에서 충분한 검토 없이 본격적인 수사에 착수하였고, 수사 결과 종전 기소유예처분을 번복하고 유○○을 기소할 만한 사정이 밝혀지지 않았음에도 이 사건 공소제기를 하였는데, 이는 검찰이 제출한 증거가 위조된 것으로 밝혀져 국가보안법위반(간첩) 등 혐의에 관하여 무죄가 선고된 유○○에게 실질적인 불이익을 가할 의도에서 비롯된 것이다. 따라서 이 사건 공소제기는 구 검찰청법 제4조 제2항, 국가공무원법 제56조 및 형법 제123조를 위반한 것이다. 이 사건 공소제기는 공익의 대표자이자 인권옹호기관인 검사가 오히려 그 권한을 남용하여 소추의 공정성을 해하고 피의자의 정당한 이익을 침해한 것이므로, 그 법위반의 정도가 매우 중대하다. 피청구인을 파면함으로써 얻는 헌법수호의 이익이 파면에 따르는 국가적 손실을 압도할 정도로 크므로, 피청구인에 대한 파면 결정을 정당화하는 사유가 인정된다(헌재 2024.5.30. 2023헌나2).

노무현 대통령 탄핵사건 쟁점정리(헌재 2004.5.14. 2004헌나1)	
적극	소극
• 국회의 탄핵소추사유에 헌법재판소가 구속을 받는지 여부 • 후보자의 특정이 이루어지지 않은 상태에서 특정 정당에 대한 지지발언을 한 것이 공무원의 중립의무에 위배되는지 여부 • 대통령이 국민 앞에서 현행법의 정당성과 규범력을 문제 삼는 행위가 법치국가의 정신에 반하는 것이자 헌법을 수호하여야 할 의무를 위반한 것인지 여부 • 재신임 국민투표를 제안한 행위가 위헌인지 여부 • 대통령에 대한 파면결정을 하기 위해서는 '법 위반의 중대성'을 요하는지 여부	• 대통령의 직무상 행위에 '대통령당선자'의 지위에서의 행위도 포함되는지 여부 • 탄핵소추절차에도 적법절차원칙이 적용되는지 여부 • 탄핵소추를 하기 전에 법제사법위원회에 회부하여 조사하게 하는 것이 의무인지 여부 • 후보자의 특정이 이루어지지 않은 상태에서 특정 정당에 대한 지지발언을 한 것이 선거운동인지 여부 • 국회 인사청문회가 국가정보원장에 대하여 부적격 판정을 하였음에도 이를 수용하지 아니한 사실, 국회가 행정자치부장관 해임결의안을 의결하였음에도 이를 즉시 수용하지 아니한 사실이 위헌인지 여부 • 대통령의 '성실한 직책수행의무'가 사법적 판단의 대상이 되는지 여부 • 기자회견에서 특정 정당을 지지한 행위, 현행선거법에 대한 대통령의 폄하발언, 재신임 국민투표의 제안행위가 중대한 법 위반인지 여부

박근혜 대통령 탄핵사건 쟁점정리(헌재 2017.3.10. 2016헌나1)	
적극	소극
• 소추사유의 특정 여부 • 8인 재판관에 의한 탄핵심판결정 가부 • 최○원의 국정개입을 허용하고 권한을 남용한 행위가 공익실현의무에 위배되는지 여부 • 최○원의 국정개입을 허용하고 권한을 남용한 행위가 기업의 자유와 재산권을 침해하는지 여부 • 최○원의 국정개입을 허용하고 권한을 남용한 행위가 비밀엄수의무에 위배되는지 여부 • 피청구인을 파면할 것인지 여부	• 국회 의결절차의 위법 여부 • 공무원 임면권의 남용 여부 • 언론의 자유침해 여부 • 생명권보호의무 위반 여부 • 불성실한 직책수행이 탄핵심판절차의 판단대상이 되는지 여부

1 정당해산의 제소

1. 제소권자

> **헌법재판소법 제55조【정당해산심판의 청구】** 정당의 목적이나 활동이 민주적 기본질서에 위배될 때에는 정부는 국무회의의 심의를 거쳐 헌법재판소에 정당해산심판을 청구할 수 있다. 15. 사시

⚠ **주의 정당해산심판을 청구할 수 있는 경우**
- 정당의 '목적'이나 '활동'이 민주적 기본질서에 위배될 때 ○
- 정당의 '조직'이 민주적 기본질서에 위배될 때 ×

2. 청구서의 기재사항

> **헌법재판소법 제56조【청구서의 기재사항】** 정당해산심판의 청구서에는 다음 각 호의 사항을 적어야 한다.
> 1. 해산을 요구하는 정당의 표시
> 2. 청구 이유

3. 청구 등의 통지

> **헌법재판소법 제58조【청구 등의 통지】** ① 헌법재판소장은 정당해산심판의 청구가 있는 때, 가처분결정을 한 때 및 그 심판이 종료한 때에는 그 사실을 국회와 중앙선거관리위원회에 통지하여야 한다.

4. 일사부재리의 원칙

> **헌법재판소법 제39조【일사부재리】** 헌법재판소는 이미 심판을 거친 동일한 사건에 대하여는 다시 심판할 수 없다. 13. 서울시, 14. 경정승진

2 정당해산의 심판

> **헌법재판소법 제23조【심판정족수】** ① 재판부는 재판관 7명 이상의 출석으로 사건을 심리한다.
> **제30조【심리의 방식】** ① 탄핵의 심판, 정당해산의 심판 및 권한쟁의의 심판은 구두변론에 의한다.
> **제57조【가처분】** 헌법재판소는 정당해산심판의 청구를 받은 때에는 직권 또는 청구인의 신청에 의하여 종국결정의 선고시까지 피청구인의 활동을 정지하는 결정을 할 수 있다.
> 15. 국회직 8급

🏛 **핵심기출 OX**

01 대통령은 정당의 목적과 활동이 민주적 기본질서에 위배될 때에는 국무회의의 심의를 거쳐 그 해산을 헌법재판소에 제소할 수 있고 헌법재판소는 재판관 6명 이상의 찬성으로 정당해산을 결정한다. 15. 사시 (O, ×)

📝 × 정당의 '목적이나 활동이' 민주적 기본질서에 위배될 때에는 정부는 국무회의의 심의를 거쳐 헌법재판소에 정당해산심판을 청구할 수 있고, 헌법재판소는 재판관 6명 이상의 찬성으로 정당해산을 결정한다(헌법재판소법 제55조 및 제23조 제2항 참조).

02 일사부재리의 원칙은 형벌간에 적용되므로 정부는 동일한 정당에 대하여 동일한 사유로 다시 위헌정당의 해산을 제소할 수 있다.
13. 서울시, 14. 경정승진 (O, ×)

📝 × 정당해산에도 일사부재리의 원칙이 적용된다.

03 헌법과 헌법재판소법은 재판관 중 결원이 발생한 경우에도 헌법재판소의 헌법 수호 기능이 중단되지 않도록 8명 이상의 재판관이 출석하면 사건을 심리하고 결정할 수 있음을 분명히 하고 있다. 23. 국회직 8급 (O, ×)

📝 ×

04 정당해산심판청구가 있는 때에 헌법재판소는 직권으로 종국결정의 선고시까지 피청구인 정당의 활동을 정지하는 결정을 할 수 없다. 15. 국회직 8급 (O, ×)

📝 × 헌법재판소는 정당해산심판의 청구를 받은 때에는 직권 또는 청구인의 신청에 의하여 종국결정의 선고시까지 피청구인의 활동을 정지하는 결정을 할 수 있다(헌법재판소법 제57조).

3 정당해산의 결정·집행 및 효과

1. 정당해산의 결정

> **헌법 제113조** ① 헌법재판소에서 법률의 위헌결정, 탄핵의 결정, 정당해산의 결정 또는 헌법소원에 관한 인용결정을 할 때에는 재판관 6인 이상의 찬성이 있어야 한다. 16. 법원직

2. 해산결정의 집행

> **헌법재판소법 제58조 【청구 등의 통지】** ② 정당해산을 명하는 결정서는 피청구인 외에 국회, 정부 및 중앙선거관리위원회에도 송달하여야 한다. 14. 국회직
>
> **제60조 【결정의 집행】** 정당의 해산을 명하는 헌법재판소의 결정은 중앙선거관리위원회가 정당법에 따라 집행한다. 12. 법행, 14. 사시

3. 해산결정의 효과

(1) 정당의 자동해산

> **헌법재판소법 제59조 【결정의 효력】** 정당의 해산을 명하는 결정이 선고된 때에는 그 정당은 해산된다.

(2) 잔여재산의 국고귀속

> **정당법 제48조 【해산된 경우 등의 잔여재산처분】** ② 제1항의 규정에 의하여 처분되지 아니한 정당의 잔여재산 및 헌법재판소의 해산결정에 의하여 해산된 정당의 잔여재산은 국고에 귀속한다.

(3) 대체정당의 창당금지

> **정당법 제40조 【대체정당의 금지】** 정당이 헌법재판소의 결정으로 해산된 때에는 해산된 정당의 강령(또는 기본정책)과 동일하거나 유사한 것으로 정당을 창당하지 못한다.

(4) 같은 명칭 사용금지

> **정당법 제41조 【유사명칭 등의 사용금지】** ② 헌법재판소의 결정에 의하여 해산된 정당의 명칭과 **같은 명칭**은 정당의 명칭으로 다시 사용하지 못한다.

(5) 소속 국회의원의 의원직 상실 여부

① **문제점:** 우리나라 제3공화국 헌법은 소속 정당이 해산된 때 소속 국회의원의 자격상실규정을 두고 있었으나, 현행헌법에서는 이러한 규정을 두고 있지 아니하여 학설이 대립하고 있다.

> ✅ **주의** 정당이 강제해산되면 소속 의원의 의원직도 상실된다는 명문의 규정
> - **제3공화국헌법:** 규정 ○
> - **현행헌법:** 규정 ×

② 학설

⊙ **소속 의원의 국회의원 자격은 유지된다는 견해**: 대의제 민주주의에서 국회의원은 자유위임이고 정당과는 별도로 정당성을 가진다는 것이 이유이다(김철수).

ⓒ **소속 의원의 국회의원 자격은 상실된다는 견해**: 오늘날의 정당제 민주주의에서 유권자는 선거에서 후보자 개인보다는 정당을 투표의 기준으로 하는 것이 일반적이라는 점과 위헌정당으로 해산된 정당의 소속 국회의원의 의원직을 계속 보유하게 한다면 정당제 민주주의 및 방어적 민주주의의 원리에 위배되고 위헌결정 자체가 무의미하게 된다는 점이 이유이다(다수설).

ⓒ **독일연방헌법재판소 판례 및 독일의 입법례**: 독일연방헌법재판소는 SRP판결에서 "정당의 위헌성이 확인되면 당해 정당의 소속 의원의 연방의회·주의회의원직은 상실된다."라고 판시하였다. 독일의 연방선거법은 위헌정당해산시 의원직을 상실한다는 명문규정(동법 제46조, 제47조)을 두어 입법적으로 이를 해결하고 있다.

🔍 판례

1 통합진보당 해산사건 [인용(해산)] 15. 법원직, 19. 서울시

[1] 민주노동당의 목적과 활동이 이 사건의 심판대상이 되는지 여부: 소극

피청구인은 민주노동당이 국민참여당 등과 함께 신설합당형식으로 창당한 정당이므로, 민주노동당의 목적과 활동은 피청구인의 목적이나 활동과의 관련성이 인정되는 범위에서 이 사건의 판단자료로 삼을 수 있을 뿐이고, 민주노동당의 목적이나 활동 그 자체가 이 사건의 심판대상이 되는 것은 아니다.

[2] 대통령의 해외 순방 중 국무총리가 주재한 국무회의에서 이루어진 정당해산심판청구서 제출안에 대한 의결이 위법한지 여부: 소극 19. 지방직

대통령은 국무회의의 의장으로서 회의를 소집하고 이를 주재하지만 대통령이 사고로 직무를 수행할 수 없는 경우에는 국무총리가 그 직무를 대행할 수 있는데, **대통령이 해외 순방 중인 경우는 '사고'에 해당되므로, 대통령의 직무상 해외 순방 중 국무총리가 주재한 국무회의에서 이루어진 정당해산심판청구서 제출안에 대한 의결은 위법하지 아니하다.** 17. 국가직

[3] 정당해산심판절차에 적용되는 법령

정당해산심판절차에 관하여 민사소송에 관한 법령을 준용하도록 한 헌법재판소법 제40조 제1항은 헌법상 재판을 받을 권리를 침해하지 아니하므로(헌재 2014.2.27. 2014헌마7), 15. 사시 정당해산심판절차에는 헌법재판소법과 헌법재판소 심판규칙, 그리고 헌법재판의 성질에 반하지 않는 한도 내에서 민사소송에 관한 법령이 적용된다. 14. 사시, 14·15. 국회직 8급

[4] 정당해산심판제도의 의의

정당해산심판제도는 정부의 일방적인 행정처분에 의하여 진보적 야당이 등록취소되어 사라지고 말았던 우리 현대사에 대한 반성의 산물로서 제3차 헌법개정을 통하여 헌법에 도입된 것이다. 우리나라의 경우 이 제도는 발생사적 측면에서 정당을 보호하기 위한 절차로서의 성격이 부각된다. 따라서 모든 정당의 존립과 활동은 최대한 보장되며, 설령 **어떤 정당이 민주적 기본질서를 부정하고 이를 적극적으로 공격**

01 정당해산심판절차에서는 정당해산 심판의 성질에 반하지 않는 한도에서 헌법재판소법 제40조에 따라 민사소송에 관한 법령이 준용될 수 있지만, 민사소송에 관한 법령이 준용되지 않아 법률의 공백이 생기는 부분에 대하여는 헌법재판소가 정당해산심판의 성질에 맞는 절차를 창설할 수 있다.
16. 변호사 (○, ×)

답 ○

02 민주적 기본질서 위배란 민주적 기본질서에 대한 단순한 위반이나 저촉을 의미하는 것이 아니라 정당의 목적이나 활동이 민주적 기본질서에 대한 실질적 해악을 끼칠 수 있는 추상적·구체적 위험성을 초래하는 경우를 가리킨다. 15. 서울시 (○, ×)

답 × 헌법 제8조 제4항에서 말하는 민주적 기본질서의 위배란, 민주적 기본질서에 대한 단순한 위반이나 저촉을 의미하는 것이 아니라, 민주사회의 불가결한 요소인 정당의 존립을 제약해야 할 만큼 그 정당의 목적이나 활동이 우리 사회의 민주적 기본질서에 대하여 실질적인 해악을 끼칠 수 있는 '구체적' 위험성을 초래하는 경우를 가리킨다(헌재 2014.12.19. 2013헌다1).

03 헌법 제8조 제4항에 의하면 정당의 목적이나 활동이 민주적 기본질서에 위배되기만 하면 정당해산의 사유가 된다고 해석되므로, 헌법재판소가 정당해산결정을 내리기 위해서는 그 해산이 비례원칙에 부합하는지를 별도로 검토할 필요는 없다. 15. 법무사 (○, ×)

답 × 강제적 정당해산은 헌법상 핵심적인 정치적 기본권인 정당활동의 자유에 대한 근본적 제한이므로, 헌법재판소는 이에 관한 결정을 할 때 헌법 제37조 제2항이 규정하고 있는 비례원칙을 준수해야만 한다(헌재 2014.12.19. 2013헌다1).

04 헌법재판소가 정당해산결정을 내리기 위해서는 그 해산결정이 비례원칙에 부합하는지를 숙고해야 하는바, 이 경우의 비례원칙 준수 여부는 통상적으로 기능하는 위헌심사의 척도에 의한다. 22. 국가직 (○, ×)

답 ×

하는 것으로 보인다 하더라도 국민의 정치적 의사형성에 참여하는 정당으로서 존재하는 한 헌법에 의하여 최대한 두텁게 보호되므로, 단순히 행정부의 통상적인 처분에 의해서는 해산될 수 없고, 오직 헌법재판소가 그 정당의 위헌성을 확인하고 해산의 필요성을 인정한 경우에만 정당정치의 영역에서 배제된다. 그러나 한편 이 제도로 인해서 정당활동의 자유가 인정된다 하더라도 민주적 기본질서를 침해해서는 아니 된다는 헌법적 한계 역시 설정된다.

[5] 정당해산의 사유

① '정당의 목적이나 활동'의 의미

'정당의 목적'이란 어떤 정당이 추구하는 정치적 방향이나 지향점 혹은 현실 속에서 구현하고자 하는 정치적 계획 등을 통칭한다. 이는 주로 정당의 공식적인 강령이나 당헌의 내용을 통하여 드러나겠지만, 그 밖에 정당대표나 주요 당직자 등의 공식적 발언, 정당의 기관지나 선전자료와 같은 간행물, 정당의 의사결정과정에서 일정한 영향력을 가지거나 정당의 이념으로부터 영향을 받은 당원들의 행위 등도 정당의 목적을 파악하는 데에 도움이 될 수 있다. 만약 정당의 진정한 목적이 숨겨진 상태라면 이 경우에는 강령 이외의 자료를 통하여 진정한 목적을 파악하여야 한다. 한편 '정당의 활동'이란 정당기관의 행위나 주요 정당관계자, 당원 등의 행위로서 그 정당에 귀속시킬 수 있는 활동 일반을 의미한다.

② '민주적 기본질서'의 의미

헌법 제8조 제4항이 의미하는 '민주적 기본질서'는 개인의 자율적 이성을 신뢰하고 모든 정치적 견해들이 각각 상대적 진리성과 합리성을 지닌다고 전제하는 다원적 세계관에 입각한 것으로서 모든 폭력적·자의적 지배를 배제하고, 다수를 존중하면서도 소수를 배려하는 민주적 의사결정과 자유·평등을 기본원리로 하여 구성되고 운영되는 정치적 질서를 말하며, 구체적으로는 국민주권의 원리, 기본적 인권의 존중, 권력분립제도, 복수정당제도 등이 현행헌법상 주요한 요소라고 볼 수 있다.

③ 정당의 목적이나 활동이 민주적 기본질서에 '위배될 때'의 의미

헌법 제8조 제4항은 정당해산심판의 사유를 '정당의 목적이나 활동이 민주적 기본질서에 위배될 때'로 규정하고 있는데, 여기서 말하는 민주적 기본질서의 '위배'란 민주적 기본질서에 대한 단순한 위반이나 저촉을 의미하는 것이 아니라, 민주사회의 불가결한 요소인 정당의 존립을 제약하여야 할 만큼 그 정당의 목적이나 활동이 우리 사회의 민주적 기본질서에 대하여 실질적인 해악을 끼칠 수 있는 구체적 위험성을 초래하는 경우를 가리킨다. 15. 서울시

④ 정당해산의 헌법적 정당화사유로서 '비례원칙'의 준수

강제적 정당해산은 헌법상 핵심적인 정치적 기본권인 정당활동의 자유에 대한 근본적 제한이므로, 헌법재판소는 이에 관한 결정을 할 때 헌법 제37조 제2항이 규정하고 있는 비례원칙을 준수하여야만 한다. 따라서 헌법 제8조 제4항의 명문규정상 요건이 구비된 경우에도 해당 정당의 위헌적 문제성을 해결할 수 있는 다른 대안적 수단이 없고, 정당해산결정을 통하여 얻을 수 있는 사회적 이익이 정당해산결정으로 인하여 초래되는 정당활동 자유제한으로 인한 불이익과 민주주의사회에 대한 중대한 제약이라는 사회적 불이익을 초과할 수 있을 정도로 큰 경우에 한하여 정당해산결정이 헌법적으로 정당화될 수 있다. 15. 법무사 일반적으로 비례원칙은 우리 재판소가 법률이나 기타 공권력 행사의 위헌 여부를 판단할 때 사용하는 위헌심사 척도의 하나이다. 그러나 정당해산심판제도에서는 헌법재판소의 정당해산결정이 정당의 자유를 침해할 수 있는 국가권력에 해당하므로 헌법재판소가 정당해산결정을 내리기 위해서는 그 해산결정이 비례원칙에 부합하는지를 숙고해야 하는바, 이 경우의 비례원칙 준수 여부는 그것이 통상적으로 기능하는 위헌심사의 척도가 아니라 헌법재판소의 정당해산결정이

충족해야 할 일종의 헌법적 요건 혹은 헌법적 정당화 사유에 해당한다. 이와 같이 강제적 정당해산은 우리 헌법상 핵심적인 정치적 기본권인 정당 활동의 자유에 대한 근본적 제한이므로 헌법재판소는 이에 관한 결정을 할 때 헌법 제37조 제2항이 규정하고 있는 비례원칙을 준수해야만 하는 것이다.

[6] 한국사회의 특수성으로서 남북한 대립상황에 대한 고려의 필요성

대한민국은 북한이라는 현실적인 적으로부터 공격의 대상으로 선포되어 있고 그로부터 체제 전복의 시도가 상시적으로 존재하는 상황인데, 우리의 민주적 기본질서도 궁극적으로 대한민국과 동일한 운명에 있다. 따라서 남북이 대립되어 있는 현재 한반도의 상황과 무관하지 않은 이 사건에서 우리는 입헌주의의 보편적 원리에 더하여 우리 사회가 처해 있는 여러 현실적 측면들, 대한민국의 특수한 역사적 상황 그리고 우리 국민들이 공유하는 고유한 인식과 법 감정들의 존재를 동시에 숙고할 수밖에 없다.

[7] 피청구인의 목적이나 활동이 민주적 기본질서에 위배되는지 여부: 적극

① 피청구인이 추구하는 가치 내지 이념적 지향점은 '진보적 민주주의'이다. 그런데 '진보적 민주주의'의 개념은 시대적 상황 등에 따라 다양하게 해석되어 왔고, 정당이 추구하는 바는 사실상 정당을 주도적으로 이끄는 세력의 이념적 성향 및 지향점과 상통할 수밖에 없으므로, 피청구인이 추구하는 '진보적 민주주의'의 진정한 의미를 파악하기 위해서는 강령 등의 문언적 의미 외에 그 도입경위, 현재 피청구인을 주도하고 있는 세력의 이에 대한 인식 및 이념적 지향점이 무엇인지를 살펴볼 필요가 있다.

피청구인은 민주노동당과 국민참여당 그리고 진보신당에서 탈당한 당원들로 구성된 '새로운 진보정당 건설을 위한 통합연대'가 통합하여 창당되었는데, '민주주의민족통일전국연합' 내 지역조직이었던 경기동부연합, 부산울산연합, 광주전남연합 등을 대표하는 이른바 자주파 계열의 사람들이 진보적 민주주의 도입을 주장하거나 지지하였고, 피청구인 창당도 주도하였다. 진보적 민주주의의 실현을 추구하는 경기동부연합과 광주전남연합, 부산울산연합의 주요 구성원 및 이들과 이념적 지향점을 같이하는 당원들(이하 '피청구인 주도세력'이라 한다)은 국민참여당계 등 자신들을 견제하던 세력들이 비례대표 부정경선사건 및 중앙위원회 폭력사건 등을 원인으로 탈당한 후 그들의 방침대로 당직자결정 등 주요 사안을 결정하면서 당을 주도하여 왔는데, 과거 민족민주혁명당, 남북공동선언실천연대, 일심회 등에서 주체사상을 지도이념으로 하여 활동한 사람들을 주축으로 한 피청구인 주도세력의 형성과정, 대북자세, 활동경력, 이념적 동일성 등을 종합해 볼 때 피청구인 주도세력은 북한을 추종하고 있다.

피청구인 주도세력이 피청구인의 강령상 '진보적 민주주의'를 어떻게 인식하고 이해하고 있는지를 살펴보건대, 피청구인 주도세력은 우리 사회를 외세에 예속된 천민적 자본주의 또는 식민지반자본주의사회로 보고, 이러한 모순이 국가의 주권을 말살하고 민중들의 삶을 궁핍에 빠뜨리고 있다고 주장하면서 새로운 대안체제이자 사회주의로 이행하기 위한 과도기단계로서 '진보적 민주주의체제'를 제시하고 있다. 피청구인 주도세력은 강령적 과제로 민족자주(자주), 민주주의(민주), 민족화해(통일)를 제시하면서 최종적인 강령적 과제인 연방제 통일을 통한 사회주의 실현을 위해서는 먼저 남한에서 민중민주주의변혁이 이루어져야 하고, 이러한 '통일'과 '민주'라는 과제를 달성하기 위해서는 '자주'를 선차적으로 달성하여야 한다고 인식하고 있다.

그리고 피청구인 주도세력은 진보적 민주주의 실현방안으로 선거에 의한 집권과 저항권에 의한 집권을 설정하면서, 필요한 때에는 폭력을 행사하여 기존의 우리 자유민주주의체제를 전복하고 새로운 진보적 민주주의체제를 구축하여 집권할 수 있다고 한다. 이를 종합하면 피청구인 주도세력의 강령상 목표는 1차적으로 폭력에 의하여 진보적 민주주의를 실현하고, 이를 기초로 통일을 통하여 최종적으로는 사회주의를 실현하는 것이다.

② 한편 피청구인 소속 국회의원 이○기를 비롯한 ○○연합의 주요 구성원들은 2013.5.10. 및 5.12. 당시 정세를 전쟁 국면으로 인식하고 그 수장인 이○기의 주도 하에 전쟁 발발시 북한에 동조하여 대한민국 내 국가기간시설의 파괴, 무기 제조 및 탈취, 통신 교란 등 폭력을 실행하고자 내란 관련 회합들을 개최하였는데, 위 회합들의 개최 경위, 참석자들의 피청구인 당내 지위, 이 사건에 대한 피청구인의 옹호 태도 등을 종합할 때 위 회합들은 피청구인의 활동으로 귀속된다.

또한 비례대표 부정경선, 중앙위원회 폭력사건 및 관악을 지역구 여론조작사건은 피청구인의 당원들이 토론과 표결에 기반하지 않고 폭력적 수단으로 자신들이 지지하는 후보의 당선을 관철시키려 한 것으로서 당내 민주적 의사형성을 왜곡하고 선거제도를 형해화하여 민주주의원리를 훼손하는 것이다.

③ 앞서 본 바와 같이 **피청구인 주도세력은 폭력에 의하여 진보적 민주주의를 실현하고 이를 기초로 통일을 통하여 최종적으로 사회주의를 실현한다는 목적을 가지고 있다.** 피청구인 주도세력은 북한을 추종하고 있고, 그들이 주장하는 진보적 민주주의는 북한의 대남혁명전략과 거의 모든 점에서 전체적으로 같거나 매우 유사하다. 한편 피청구인 주도세력은 민중민주주의 변혁론에 따라 혁명을 추구하면서 북한의 입장을 옹호하고 대한민국의 정통성을 부정하고 있는데, 이러한 경향은 위와 같은 내란 관련 사건에서 극명하게 드러났다.

위와 같은 사정과 피청구인 주도세력이 피청구인을 장악하고 있음에 비추어 그들의 목적과 활동은 피청구인의 목적과 활동으로 귀속되는 점 등을 종합하여 보면, 피청구인의 진정한 목적과 활동은 1차적으로 폭력에 의하여 진보적 민주주의를 실현하고 최종적으로는 북한식 사회주의를 실현하는 것으로 판단된다.

④ 피청구인이 추구하는 북한식 사회주의체제는 조선노동당이 제시하는 정치 노선을 절대적인 선으로 받아들이고 그 정당의 특정한 계급노선과 결부된 인민민주주의 독재방식과 수령론에 기초한 1인 독재를 통치의 본질로 추구하는 점에서 민주적 기본질서와 근본적으로 충돌한다. 또한 **피청구인은 진보적 민주주의를 실현하기 위해서는 전민항쟁 등 폭력을 행사하여 자유민주주의체제를 전복할 수 있다고 하는데 이 역시 민주적 기본질서에 정면으로 저촉된다.** 한편 내란 관련 사건, 비례대표 부정경선사건, 중앙위원회 폭력사건 및 관악을 지역구 여론조작사건 등 피청구인의 활동들은 내용적 측면에서는 국가의 존립, 의회제도, 법치주의 등을 부정하는 것이고, 수단이나 성격의 측면에서는 자신의 의사를 관철하기 위하여 폭력 등을 적극적으로 사용하여 민주주의 이념에 반하는 것이다. 내란 관련 사건 등 앞서 본 피청구인의 여러 활동들은 그 경위, 양상, 피청구인 주도세력의 성향, 구성원의 활동에 대한 피청구인의 태도 등에 비추어 보면 피청구인의 진정한 목적에 기초하여 일으킨 것으로서, 향후 유사상황에서 반복될 가능성이 크다. 더욱이 피청구인이 폭력에 의한 집권가능성을 인정하고 있는 점에 비추어 피청구인의 여러 활동들은 민주적 기본질서에 대하여 실질적인 해악을 끼칠 구체적 위험성이 발현된 것으로 보인다. 특히 내란 관련 사건에서 피청구인 주도세력이 북한에 동조하여 대한민국의 존립에 위해를 가할 수 있는 방안을 구체적으로 논의한 것은 피청구인의 진정한 목적을 단적으로 드러낸 것으로서, 표현의 자유의 한계를 넘어 민주적 기본질서에 대한 구체적 위험성을 배가한 것이다.

결국 피청구인의 이와 같은 진정한 목적이나 그에 기초한 활동은 우리 사회의 민주적 기본질서에 대해 실질적 해악을 끼칠 수 있는 구체적 위험성을 초래하였다고 판단되므로, 민주적 기본질서에 위배된다.

[8] 피청구인에 대한 해산결정이 비례원칙에 위배되는지 여부: 소극

북한식 사회주의를 실현하고자 하는 피청구인의 목적과 활동에 내포된 중대한 위헌성, 대한민국체제를 파괴하려는 북한과 대치하고 있는 특수한 상황, 피청구인 구성원에 대한 개별적인 형사처벌로는 정당 자체의 위험성이 제거되지 않는 등 해산결정 외에는 피청구인의 고유한 위험성을 제거할 수 있는 다른 대안이 없는 점 그리고 민주적 기본질서의 수호와 민주주의의 다원성보장이라는 사회적 이익이 정당해산결정으로 인한 피청구인의 정당활동의 자유에 대한 근본적 제약이나 다원적 민주주의에 대한 일부 제한이라는 불이익에 비하여 월등히 크고 중요하다는 점을 고려하면, 피청구인에 대한 해산결정은 민주적 기본질서에 가해지는 위험성을 실효적으로 제거하기 위한 부득이한 해법으로서 비례원칙에 위배되지 아니한다.

[9] 정당해산결정이 선고되는 경우 그 정당 소속 국회의원이 의원직을 상실하는지 여부: 적극

헌법재판소의 해산결정으로 정당이 해산되는 경우에 그 정당 소속 국회의원이 의원직을 상실하는지에 대하여 명문의 규정은 없으나, 정당해산심판제도의 본질은 민주적 기본질서에 위배되는 정당을 정치적 의사형성과정에서 배제함으로써 국민을 보호하는 데에 있는데 해산정당 소속 국회의원의 의원직을 상실시키지 않는 경우 정당해산결정의 실효성을 확보할 수 없게 되므로, 이러한 **정당해산제도의 취지 등에 비추어 볼 때 헌법재판소의 정당해산결정이 있는 경우 그 정당 소속 국회의원의 의원직은 당선방식을 불문하고 모두 상실되어야 한다**(헌재 2014.12.19. 2013헌다1).
15. 법무사, 16. 변호사, 17. 지방직

2 통합진보당 재심사건 [각하]

[1] 정당해산결정에 대한 재심 허용 여부

정당해산심판은 일반적 기속력과 대세적·법규적 효력을 가지는 법령에 대한 헌법재판소의 결정과 달리 원칙적으로 해당 정당에게만 그 효력이 미친다. 또 정당해산결정은 해당 정당의 해산에 그치지 않고 대체정당이나 유사정당의 설립까지 금지하는 효력을 가지므로, 오류가 드러난 결정을 바로잡지 못한다면 현 시점의 민주주의가 훼손되는 것에 그치지 않고 장래 세대의 정치적 의사결정에까지 부당한 제약을 초래할 수 있다. 따라서 정당해산심판절차에서는 재심을 허용하지 아니함으로써 얻을 수 있는 법적 안정성의 이익보다 재심을 허용함으로써 얻을 수 있는 구체적 타당성의 이익이 더 크므로 재심을 허용하여야 한다. 한편, 이 재심절차에서는 원칙적으로 민사소송법의 재심에 관한 규정이 준용된다(헌법재판소법 제40조 제1항). 19. 국가직

[2] 적법한 재심사유의 존재 여부

이 사건에서 보면, 재심대상결정의 심판대상은 재심청구인의 목적이나 활동이 민주적 기본질서에 위배되는지, 재심청구인에 대한 해산결정을 선고할 것인지, 해산결정을 할 경우 그 소속 국회의원에 대하여 의원직 상실을 선고할 것인지 여부이다. 재심대상결정은 재심청구인 소속 국회의원과 당원 일부가 남북 대치상황에서 국내 주요시설을 파괴하여 유사시 북한을 돕는다는 등의 논의를 한 행위를 민주적 기본질서에 위배되는 행위유형의 하나로 보았다. 그러나 재심대상결정은 이런 행위가 형법상 내란음모에 해당하는지 여부에 대하여는 판단하지 않았다. 내란음모 등 형사사건에서 내란음모 혐의에 대한 유·무죄 여부는 재심대상결정의 심판대상이 아니었고 논리적 선결문제도 아니다. 따라서 재심대상결정에 민사소송법 제451조 제1항 제8호의 재심사유가 있다고 할 수 없다(헌재 2016.5.26. 2015헌아20).

⊘ 주의
- 통합진보당사건에 대한 재심청구사건에서 헌법재판소는 정당해산심판에서는 재심이 허용될 수 없다는 입장이다. (×)
  ⇨ 재심이 허용되지만 재심사유가 없으므로 각하결정을 하였다. (○)
- 정당해산결정이 선고되는 경우 그 정당 소속 지방의원도 모두 의원직을 상실한다. (×)
  ⇨ '국회의원'은 모두 상실되지만, '지방의원'의 상실 여부는 판단하지 않았다. (○)

단원 마무리

위헌정당해산제도 관련 정리	
연혁	제3차 개정헌법
강제해산사유	정당의 목적과 활동이 민주적 기본질서에 위배될 때
제소권자	정부(국무회의 필요적 심의사항)
가처분허용 여부	허용(헌법재판소법에 명문규정)
심리방식	구두변론(공개)
해산결정 정족수	헌법재판관 6인 이상의 찬성
집행기관	중앙선거관리위원회
정당해산의 효력발생시기	헌법재판소에서 해산을 명하는 결정이 선고된 때
잔여재산의 처리	국고귀속
대체정당의 창당 여부	동일하거나 유사정당 창당금지
명칭 사용 여부	해산된 정당의 명칭 사용금지(해산된 정당과 '같은 명칭' 사용 ×, '유사 명칭' 사용 ○)
해산된 정당을 위한 집회 여부	헌법재판소의 결정에 따라 해산된 정당의 목적을 달성하기 위한 집회 또는 시위금지
소속 의원의 의원직 상실 여부	명문규정은 없지만, 상실된다고 봄(다수설·판례)

제5장 권한쟁의심판

1 의의

> **헌법 제111조** ① 헌법재판소는 다음 사항을 관장한다.
> 4. 국가기관 상호간, 국가기관과 지방자치단체간 및 지방자치단체 상호간의 권한쟁의에 관한 심판
>
> **헌법재판소법 제61조 【청구사유】** ① 국가기관 상호간, 국가기관과 지방자치단체간 및 지방자치단체 상호간에 권한의 유무 또는 범위에 관하여 다툼이 있을 때에는 해당 국가기관 또는 지방자치단체는 헌법재판소에 권한쟁의심판을 청구할 수 있다. 15. 법원직
> ② 제1항의 심판청구는 피청구인의 처분 또는 부작위가 **헌법** 또는 **법률**에 의하여 부여받은 청구인의 권한을 침해하였거나 침해할 현저한 위험이 있는 경우에만 할 수 있다. 15. 법원직, 18. 서울시
>
> **제62조 【권한쟁의심판의 종류】** ① 권한쟁의심판의 종류는 다음 각 호와 같다. 17. 법행
> 1. 국가기관 상호간의 권한쟁의심판
>   국회, 정부, 법원 및 중앙선거관리위원회 상호간의 권한쟁의심판
> 2. 국가기관과 지방자치단체간의 권한쟁의심판
>   가. 정부와 특별시·광역시·특별자치시·도 또는 특별자치도간의 권한쟁의심판
>   나. 정부와 시·군 또는 지방자치단체인 구(이하 "자치구"라 한다)간의 권한쟁의심판
> 3. 지방자치단체 상호간의 권한쟁의심판
>   가. 특별시·광역시·특별자치시·도 또는 특별자치도 상호간의 권한쟁의심판
>   나. 시·군 또는 자치구 상호간의 권한쟁의심판
>   다. 특별시·광역시·특별자치시·도 또는 특별자치도와 시·군 또는 자치구간의 권한쟁의심판
> ② 권한쟁의가 지방교육자치에 관한 법률 제2조에 따른 교육·학예에 관한 지방자치단체의 사무에 관한 것인 경우에는 교육감이 제1항 제2호 및 제3호의 당사자가 된다.

권한쟁의란 국가기관이나 지방자치단체 등 상호간에 헌법적 권한과 의무의 존부나 범위에 관하여 분쟁이 발생한 경우에 독립적 지위를 가진 제3의 기관이 그 권한의 존부, 내용, 범위 등을 명백히 함으로써 기관간 분쟁을 해결하는 제도이다.

2 종류

1. 국가기관 상호간의 권한쟁의심판

(1) 개념

국가기관 상호간의 권한쟁의심판이란 국회, 정부, 법원 및 중앙선거관리위원회 상호간의 권한쟁의심판을 말한다.

(2) 당사자능력

① **문제점**: 헌법재판소법에서 당사자로 규정된 국회, 정부, 법원 및 중앙선거관리위원회 이외에도 국회의원 또는 국회상임위원회 등이 국가기관으로서 권한쟁의심판의 당사자가 될 수 있는지 문제된다. 이는 동 규정을 열거규정으로 볼 것인지 예시규정으로 볼 것인지의 문제와 관련된다.

② **국회의원의 당사자능력**

  ㉠ **종전 판례(부정)**: 과거 헌법재판소는 국회의장의 변칙적인 의안처리행위에 대한 야당의원들의 권한쟁의심판제기에 대하여 "헌법 및 헌법재판소법은 헌법재판소가 관장하는 국가기관 상호간의 권한쟁의심판을 국회, 정부, 법원 및 중앙선거관리위원회 상호간의 권한쟁의심판으로 한정하고 있으므로 그에 열거되지 아니한 기관이나 또는 열거된 국가기관 내의 각급 기관은 비록 그들이 공권적 처분을 할 수 있는 지위에 있을지라도 권한쟁의심판의 당사자가 될 수 없으며 또 위에 열거된 국가기관 내부의 권한에 관한 다툼은 권한쟁의심판의 대상이 되지 않는다. 따라서 국회의 구성원이거나 국회 내의 일부기관인 국회의원 및 교섭단체 등이 국회 내의 다른 기관인 국회의장을 상대로 권한쟁의심판을 청구할 수 없다."라고 하여 국회의원의 당사자능력을 부정하였다(헌재 1995.5.23. 90헌라1).

  ㉡ **변경 후 판례(긍정)**: 헌법재판소는 법률안에 대한 여당의 단독 날치기 처리가 국회의원의 법률안에 대한 심의·표결권을 침해한 것이라며 야당 국회의원들이 국회의장을 상대로 제기한 권한쟁의심판사건에서 "헌법 제111조 제1항 제4호에서 말하는 국가기관의 의미와 권한쟁의심판의 당사자가 될 수 있는 국가기관의 범위는 헌법해석을 통하여 확정하여야 할 문제라고 전제한 뒤, 헌법재판소법 제62조 제1항 제1호의 규정은 한정적·열거적인 조항이 아니라 **예시적인 조항이라고 해석하는 것이 헌법에 합치되므로** 11. 국회직 8급, 15. 서울시 이들 기관 외에는 권한쟁의심판의 당사자가 될 수 없다고 단정할 수 없고 헌법 제111조 제1항 제4호 소정의 국가기관에 해당하는지 여부는 그 국가기관이 헌법에 의하여 설치되고 헌법과 법률에 의하여 독자적인 권한을 부여받고 있는지 여부, 헌법에 의하여 설치된 국가기관 상호간의 권한쟁의를 해결할 수 있는 적당한 기관이나 방법이 있는지 여부 등을 종합적으로 고려하여 판단하여야 하는 것으로 이러한 의미에서 국회의원과 국회의장은 위 헌법조항 소정의 국가기관에 해당하여 권한쟁의심판의 당사자가 될 수 있다."라고 하여 국회의원과 국회의장의 당사자능력을 인정하였다(헌재 1997.7.16. 96헌라2). 18. 서울시

🔍 **한 눈에 쏙**

권한쟁의능력 있는
국가기관의 판단기준

▼

헌법재판소법 제62조 제1항 제1호가
기준이 됨

▼

초기판례: 열거규정

▼

판례변경: 예시규정

📕 **핵심기출 OX**

01 헌법재판소법 제62조 제1항 제1호는 열거조항으로서 국가기관 상호간의 권한쟁의심판의 당사자로 국회, 정부, 법원 및 중앙선거관리위원회를 열거하고 있다. 11. 국회직 8급 (O, ×)

답 × 종전에는 열거규정으로 보았으나, 현재는 판례를 변경하여 예시적 조항으로 보고 있다.

02 헌법재판소법 제62조 제1항 제1호의 규정은 한정적 열거조항이므로, 국회의원과 국회의장은 권한쟁의심판의 당사자가 될 수 없다. 15. 서울시 (O, ×)

답 × 한정적·열거적인 조항이 아니라 예시적인 조항으로 해석하는 것이 헌법에 합치된다고 할 것이다(헌재 1997.7.16. 96헌라2).

03 국회의원이 자신의 심의·표결권이 침해되었음을 이유로 국회의장을 상대로 권한쟁의심판을 청구하는 것은 허용되지 않는다. 12. 경정승진 (O, ×)

답 × 이와 같은 분쟁은 단순히 국회의 구성원인 국회의원과 국회의장간의 국가기관 내부문제가 아니라 헌법상 별개의 국가기관이 각자 그들의 권한의 존부 또는 범위를 둘러싼 분쟁인 것이다(헌재 2000.2.24. 99헌라1).

04 국가기관 상호간의 권한쟁의심판에서 국회뿐만 아니라 국회의장, 국회의원, 국회위원회 등도 당사자능력을 가질 수 있다. 18. 서울시 (O, ×)

답 O

1 각급 시·군·구 선거관리위원회가 헌법에 의하여 설치된 기관으로서 권한쟁의 심판에 있어서 당사자능력이 인정되는지 여부: 적극

헌법은 제114조 제1항에서 선거와 국민투표의 공정한 관리 및 정당에 관한 사무를 처리하기 위하여 선거관리위원회를 둔다고 하면서, 제2항에서 제5항까지 중앙선거관리위원회에 대하여 규정하고 있는 외에 제6항에서 각급 선거관리위원회의 조직·직무범위 기타 필요한 사항은 법률로 정한다고 규정하여 각급 선거관리위원회의 헌법적 근거규정을 마련하고 있다. 또한 헌법 제115조 제1항은 각급 선거관리위원회는 선거인명부의 작성 등 선거사무와 국민투표사무에 관하여 관계행정기관에 필요한 지시를 할 수 있다고 규정하고 있으며, 제2항은 제1항의 지시를 받은 당해 행정기관은 이에 응하여야 한다고 규정하고, 제116조 제1항은 선거운동은 각급 선거관리위원회의 관리하에 법률이 정하는 범위 안에서 하되 균등한 기회가 보장되어야 한다고 규정하여 각급 선거관리위원회의 직무 등을 정하고 있다. … 그렇다면 중앙선거관리위원회 외에 각급 시·군·구 선거관리위원회도 헌법에 의하여 설치된 기관으로서 헌법과 법률에 의하여 독자적인 권한을 부여받은 기관에 해당하고, 따라서 피청구인 강남구선거관리위원회도 당사자능력이 인정된다(헌재 2008.6.26. 2005헌라7). 12. 경정승진, 15. 국가직

2 헌법에 근거하지 아니하고 오로지 법률에 의하여 설치된 국가기관인 국가인권 위원회가 권한쟁의심판의 당사자능력이 인정되는지 여부: 소극

권한쟁의심판은 국회의 입법행위 등을 포함하여 권한쟁의 상대방의 처분 또는 부작위가 헌법 또는 법률에 의하여 부여받은 청구인의 권한을 침해하였거나 침해할 현저한 위험이 있는 때 제기할 수 있는 것인데, 헌법상 국가에 부여된 임무 또는 의무를 수행하고 그 독립성이 보장된 국가기관이라고 하더라도, 오로지 법률에 설치근거를 둔 국가기관이라면 국회의 입법행위에 의하여 존폐 및 권한범위가 결정될 수 있으므로, 이러한 국가기관은 '헌법에 의하여 설치되고 헌법과 법률에 의하여 독자적인 권한을 부여받은 국가기관'이라고 할 수 없다. 즉, 청구인이 수행하는 업무의 헌법적 중요성, 기관의 독립성 등을 고려한다고 하더라도, 국회가 제정한 국가인권위원회법에 의하여 비로소 설립된 청구인은 국회의 위 법률 개정행위에 의하여 존폐 및 권한범위 등이 좌우되므로, 헌법 제111조 제1항 제4호 소정의 헌법에 의하여 설치된 국가기관에 해당한다고 할 수 없다. 결국 권한쟁의심판의 당사자능력은 헌법에 의하여 설치된 국가기관에 한정하여 인정하는 것이 타당하므로, 법률에 의하여 설치된 청구인에게는 권한쟁의심판의 당사자능력이 인정되지 아니한다(헌재 2010.10.28. 2009헌라6). 11. 사시·국가직, 12. 법행, 13. 국회직, 16. 지방직

3 지방의원이 지방의회의장을 상대로 권한쟁의심판을 청구할 수 있는지 여부: 소극 [각하]

헌법 제111조 제1항 제4호는 지방자치단체 상호간의 권한쟁의에 관한 심판을 헌법재판소가 관장하도록 규정하고 있고, 헌법재판소법 제62조 제1항 제3호는 이를 구체화하여 헌법재판소가 관장하는 지방자치단체 상호간의 권한쟁의심판의 종류를 ① 특별시·광역시 또는 도 상호간의 권한쟁의심판, ② 시·군 또는 자치구 상호간의 권한쟁의심판, ③ 특별시·광역시 또는 도와 시·군 또는 자치구간의 권한쟁의심판 등으로 규정하고 있으므로, 이 사건과 같이 지방자치단체의 의결기관인 지방의회를 구성하는 지방의회 의원과 그 지방의회의 대표인 지방의회의장간의 권한쟁의심판은 헌법 및 헌법재판소법에 의하여 헌법재판소가 관장하는 지방자치단체 상호간의 권한쟁의심판의 범위에 속한다고 볼 수 없다(헌재 2010.4.29. 2009헌라11). 10. 법행, 11. 사시·국가직, 13. 법무사, 16. 지방직, 17. 입시

4 교육감과 해당 지방자치단체 사이의 내부적 분쟁과 관련한 권한쟁의심판청구의 적법 여부: 소극

헌법 제111조 제1항 제4호는 지방자치단체 상호간의 권한쟁의에 관한 심판을 헌법재판소가 관장하도록 규정하고 있고, 지방자치단체 '상호간'의 권한쟁의심판에서 말하는 '상호간'이란 '서로 상이한 권리주체간'을 의미한다. 그런데 '지방교육자치에 관한 법률'은 교육감을 시·도의 교육·학예에 관한 사무의 '집행기관'으로 규정하고 있으므로, 교육감과 해당 지방자치단체 상호간의 권한쟁의심판은 '서로 상이한 권리주체간'의 권한쟁의심판청구로 볼 수 없다. 17. 국가직

나아가 헌법은 '국가기관'과는 달리 '지방자치단체'의 경우에는 그 종류를 법률로 정하도록 규정하고 있으며(헌법 제117조 제2항), 지방자치법은 지방자치단체의 종류를 특별시, 광역시, 특별자치시, 도, 특별자치도와 시, 군, 구로 정하고 있고(지방자치법 제2조 제1항), 헌법재판소법은 이를 감안하여 권한쟁의심판의 종류를 정하고 있다. 즉, 지방자치법은 헌법의 위임을 받아 지방자치단체의 종류를 규정하고 있으므로, **지방자치단체 상호간의 권한쟁의심판을 규정하는 헌법재판소법 제62조 제1항 제3호를 예시적으로 해석할 필요성 및 법적 근거가 없다.** 따라서 시·도의 교육·학예에 관한 집행기관인 교육감과 해당 지방자치단체 사이의 내부적 분쟁과 관련된 심판청구는 헌법재판소가 관장하는 권한쟁의심판에 속하지 아니한다(헌재 2016.6.30. 2014헌라1). 18. 서울시

5 국회의원이 국회의장의 직무를 대리하여 법률안 가결선포행위를 한 국회부의장을 상대로 위 가결선포행위가 자신의 법률안 심의·표결권을 침해하였음을 주장하여 권한쟁의심판을 청구할 수 있는지 여부: 소극

권한쟁의심판에서는 처분 또는 부작위를 야기한 기관으로서 법적 책임을 지는 기관만이 피청구인적격을 가지므로, 이 사건 심판은 의안의 상정·가결선포 등의 권한을 갖는 국회의장을 상대로 제기되어야 한다. 국회부의장은 국회의장의 직무를 대리하여 법률안을 가결선포할 수 있을뿐(국회법 제12조 제1항), 법률안 가결선포행위에 따른 법적 책임을 지는 주체가 될 수 없으므로, 국회부의장에 대한 이 사건 심판청구는 피청구인적격이 인정되지 아니한 자를 상대로 제기되어 부적법하다(헌재 2009.10.29. 2009헌라8 등). 17. 지방직

6 대한민국 국회가 국회법 제85조 제1항 및 제85조의2 제1항을 개정한 행위에 대해 국회의장이 피청구인 적격이 있는지 여부: 소극

권한쟁의심판에 있어서는 처분 또는 부작위를 야기한 기관으로서 법적 책임을 지는 기관만이 피청구인적격을 가지므로 권한쟁의심판청구는 이들 기관을 상대로 제기하여야 하고, **법률의 제·개정행위를 다투는 권한쟁의심판의 경우에는 국회가 피청구인적격을 가진다.** 18. 국회직 8급 따라서 청구인들이 국회의장 및 기재위 위원장에 대하여 제기한 이 사건 국회법 개정행위에 대한 심판청구는 피청구인적격이 없는 자를 상대로 한 청구로서 부적법하다(헌재 2016.5.26. 2015헌라1).

7 국회 소위원회 위원장과 그 소속 국회 위원회 위원장간의 권한쟁의심판에 있어 국회 소위원회 위원장에게 청구인능력이 인정되는지 여부: 소극 [각하]

헌법 제62조는 '국회의 위원회'(이하 '위원회'라 한다)를 명시하고 있으나 '국회의 소위원회'(이하 '소위원회'라 한다)는 명시하지 않고 있는 점, 국회법 제57조는 위원회로 하여금 소위원회를 둘 수 있도록 하고, 소위원회의 활동을 위원회가 의결로 정하는 범위로 한정하고 있으므로, 소위원회는 위원회의 의결에 따라 그 설치·폐지 및 권한이 결정될 뿐인 위원회의 부분기관에 불과한 점 등을 종합하면, 소위원회 및 그 위원장은 헌법에 의하여 설치된 국가기관에 해당한다고 볼 수 없다. 소위원회 위원장이 그 소위원회를 설치한 위원회의 위원장과의 관계에서 어떠한 법률상 권한을 가진다고 보기도 어렵다.

또한, 위원회와 그 부분기관인 소위원회 사이의 쟁의 또는 위원회 위원장과 소속 소위원회 위원장과의 쟁의가 발생하더라도 이는 위원회에서 해결될 수 있으므로, 이러한 쟁의를 해결할 적당한 기관이나 방법이 없다고 할 수 없다. 이상과 같은 점들을 종합하면, 소위원회 위원장은 헌법 제111조 제1항 제4호 및 헌법재판소법 제62조 제1항 제1호의 '국가기관'에 해당한다고 볼 수 없으므로, 권한쟁의심판에서의 청구인능력이 인정되지 않는다(헌재 2020.5.27. 2019헌라4).

8 교섭단체가 권한쟁의심판을 청구할 수 있는지 여부: 소극

국회법 제33조 제1항 본문은 정당이 교섭단체가 될 수 있다고 규정하고 있다. 그러나 헌법은 권한쟁의심판청구의 당사자로 국회의원들의 모임인 교섭단체에 대해서 규정하고 있지 않다. 또한 교섭단체의 권한 침해는 교섭단체에 속한 국회의원 개개인의 심의·표결권 등 권한 침해로 이어질 가능성이 높은바, 교섭단체와 국회의장 등 사이에 쟁의가 발생하더라도 국회의원과 국회의장 등 사이의 권한쟁의심판으로 해결할 수 있어, 위와 같은 쟁의를 해결할 적당한 기관이나 방법이 없다고 할 수 없다. 이러한 점을 종합하면, 교섭단체는 그 권한침해를 이유로 권한쟁의심판을 청구할 수 없다(헌재 2020.5.27. 2020헌라1).

9 국회상임위원회 위원장이 위원회를 대표해서 의안을 심의하는 권한이 국회의장으로부터 위임된 것이 아니어서 국회의장의 피청구인 적격을 부인한 사례

상임위원회는 그 소관에 속하는 의안, 청원 등을 심사하므로, 국회의장이 안건을 위원회에 회부함으로써 상임위원회에 심사권이 부여되는 것이 아니고, 심사권 자체는 법률상 부여된 위원회의 고유한 권한으로 볼 수 있다. 따라서 국회 상임위원회 위원장이 위원회를 대표해서 의안을 심사하는 권한이 국회의장으로부터 위임된 것임을 전제로 한 국회의장에 대한 이 사건 심판청구는 피청구인적격이 없는 자를 상대로 한 청구로서 부적법하다(헌재 2010.12.28. 2008헌라7 등).

10 국가경찰위원회에 권한쟁의심판의 당사자능력이 인정되는지 여부: 소극 [각하]

국회가 제정한 경찰법에 의하여 비로소 설립된 청구인은 국회의 경찰법 개정행위에 의하여 존폐 및 권한범위 등이 좌우되므로, 헌법 제111조 제1항 제4호 소정의 헌법에 의하여 설치된 국가기관에 해당한다고 할 수 없다. 국가경찰위원회 제도를 채택하느냐의 문제는 우리나라 치안여건의 실정이나 경찰권에 대한 민주적 통제의 필요성 등과 관련하여 입법 정책적으로 결정되어야 할 사항이다. 정부조직법상 합의제 행정기관을 포함한 정부의 부분기관 사이의 권한에 관한 다툼은 정부조직법상의 상하 위계질서나 국무회의, 대통령에 의한 조정 등을 통하여 자체적으로 해결될 가능성이 있고 청구인의 경우도 정부 내의 상하관계에 의한 권한질서에 의하여 권한쟁의를 해결하는 것이 불가능하지 않다. 따라서 권한쟁의심판의 당사자능력은 헌법에 의하여 설치된 국가기관에 한정하여 인정하는 것이 타당하므로, 법률에 의하여 설치된 청구인에게는 권한쟁의심판의 당사자능력이 인정되지 아니한다(헌재 2022.12.22. 2022헌라5).

11 문화재청장에게 권한쟁의심판의 당사자능력이 인정되는지 여부: 소극 [각하]

문화재청 및 문화재청장은 정부조직법 제36조 제3항, 제4항에 의하여 행정각부 장의 하나인 문화체육관광부장관 소속으로 설치된 기관 및 기관장으로서, 오로지 법률에 그 설치 근거를 두고 있으며 그 결과 국회의 입법행위에 의하여 그 존폐 및 권한범위가 결정된다. 따라서 이 사건 피청구인인 문화재청장은 '헌법에 의하여 설치되고 헌법과 법률에 의하여 독자적인 권한을 부여받은 국가기관'이라고 할 수 없다. 결국, 법률에 의하여 설치된 피청구인에게는 권한쟁의심판의 당사자능력이 인정되지 아니한다(헌재 2023.12.21. 2023헌라1).

(3) 제3자 소송담당의 문제

독일연방헌법재판소법은 제3자 소송담당을 명시적으로 허용하고 있는데, 헌법재판소법에는 명문의 규정이 없어 어느 기관의 부분기관이 그 기관의 권한침해를 주장하며 권한쟁의심판을 청구할 수 있는지가 문제된다. 최근 헌법재판소는 권한쟁의심판에서 제3자 소송담당이 허용되는지 여부에 관하여 명시적으로 허용될 수 없다는 부정설의 입장을 분명히 하였다.

⚖️ 판례

1 권한쟁의심판에서 '제3자 소송담당'이 허용되는지 여부: 소극 [각하] 08·09·12·16. 사시, 11. 법행, 12·13. 변호사, 16. 지방직, 18. 서울시

[1] 국회의 구성원인 국회의원이 국회를 위하여 국회의 권한침해를 주장하는 권한쟁의심판을 청구할 수 있는지, 즉 권한쟁의심판에 있어서 이른바 '제3자 소송담당'이 허용되는지 여부: 소극

국회의 의사가 다수결에 의하여 결정되었음에도 다수결의 결과에 반대하는 소수의 국회의원에게 권한쟁의심판을 청구할 수 있게 하는 것은 다수결의 원리와 의회주의의 본질에 어긋날 뿐만 아니라, 국가기관이 기관 내부에서 민주적인 방법으로 토론과 대화에 의하여 기관의 의사를 결정하려는 노력 대신 모든 문제를 사법적 수단에 의하여 해결하려는 방향으로 남용될 우려도 있으므로, 국가기관의 부분기관이 자신의 이름으로 소속 기관의 권한을 주장할 수 있는 '제3자 소송담당'을 명시적으로 허용하는 법률의 규정이 없는 현행법 체계하에서는 국회의 구성원인 국회의원이 국회의 조약에 대한 체결·비준 동의권의 침해를 주장하는 권한쟁의심판을 청구할 수 없다. 11. 사시, 17. 지방직

[2] 국회의원의 심의·표결권한이 국회의장이나 다른 국회의원이 아닌 국회 외부 국가기관에 의하여 침해될 수 있는지 여부: 소극

국회의원의 심의·표결권은 국회의 대내적인 관계에서 행사되고 침해될 수 있을 뿐 다른 국가기관과의 대외적인 관계에서는 침해될 수 없는 것이므로, 17. 지방직 국회의원들 상호간 또는 국회의원과 국회의장 사이와 같이 국회 내부적으로만 직접적인 법적 연관성을 발생시킬 수 있을 뿐이고 대통령 등 국회 이외의 국가기관 사이에서는 권한침해의 직접적인 법적 효과를 발생시키지 아니한다. 따라서 피청구인인 대통령이 국회의 동의 없이 조약을 체결·비준하였다 하더라도 국회의원인 청구인들의 심의·표결권이 침해될 가능성은 없다(헌재 2007.7.26. 2005헌라8). 12. 법원직, 13·17. 국가직, 18. 서울시

2 교섭단체나 그에 준하는 지위에 있는 국회의원들에게 제3자 소송담당이 허용되는지 여부: 소극

권한쟁의심판에서 '제3자 소송담당'을 허용하는 명문의 규정이 없고, 준용을 통해서 이를 인정하기도 어려운 현행법 체계하에서, 국회의 의사가 다수결로 결정되었음에도 다수결의 결과에 반하는 소수의 국회의원에게 권한쟁의심판을 청구할 수 있게 하는 것은 다수결의 원리와 의회주의의 본질에 어긋날 뿐만 아니라, 국가기관이 기관 내부에서 민주적인 토론을 통하여 기관의 의사를 결정하는 대신 모든 문제를 사법적 수단에 의하여 해결하려는 방향으로 남용될 우려도 있다. 교섭단체를 구성하는 국회의원 집단에 '제3자 소송담당'을 인정할 경우에는 위 문제점을 방지할 수 있다는 견해도 있으나, 국회 내 소수자 보호라는 목적에 충실하기 위해서는 교섭단체를 구성하지 못하는 국회의원 집단에 대하여도 이를 인정할 필요가 있음에도, '제3자 소송담당'이라는 법적 지위를 교섭단체로 한정할 근거와 명분을 찾기 어렵다. 나아가 국회 외 다른 기관들이 당사자가 되는 권한

쟁의심판이 허용되는 현 상황에서 '제3자 소송담당'을 해석으로 인정하게 되면 다른 국가기관과 지방자치단체의 경우 어떠한 범위와 요건에서 '제3자 소송담당'이 인정될지 확정할 수 없다는 문제도 있다. 따라서 '제3자 소송담당'이 허용되지 않는 현행법 체계하에서 국회의 구성원인 국회의원이 국회의 조약 체결·비준 동의권침해를 주장하는 권한쟁의심판을 청구할 수 없다(헌재 2015.11.26. 2013헌라3).

2. 국가기관과 지방자치단체 상호간의 권한쟁의

(1) 개념

국가기관과 지방자치단체 상호간의 권한쟁의란 정부와 특별시·광역시 또는 도간의 권한쟁의와 정부와 시·군 또는 지방자치단체인 구간의 권한쟁의를 말한다.

(2) 당사자

헌법재판소법 제62조는 국가기관으로 정부만 규정하여 국가기관의 해석상 문제의 소지가 있으나 이는 예시적인 것으로 이해함이 타당하고 국회, 법원 등 다른 국가기관도 당사자가 될 수 있다고 할 것이다. 지방자치단체는 각 그 장이 대표하며 권한쟁의가 교육·학예에 관한 지방자치단체의 사무에 관한 것인 때에는 교육감이 당사자가 된다.

3. 지방자치단체 상호간의 권한쟁의심판

(1) 개념

지방자치단체 상호간의 권한쟁의심판이란 특별시·광역시·도 및 시·군·자치구 상호간의 권한쟁의심판을 말한다.

(2) 당사자

당사자는 특별시·광역시·도 및 시·군·자치구이며, 각 지방자치단체장이 대표한다. 권한쟁의가 교육·학예에 관한 지방자치단체의 사무에 관한 것인 때에는 교육감이 당사자가 된다.

⚖ 판례

1 기관위임사무에 관하여 권한쟁의심판을 청구할 수 있는지 여부: 소극

도시계획사업실시계획 인가사무는 건설교통부장관으로부터 시·도지사에게 위임되었고, 다시 시장·군수에게 재위임된 **기관위임사무로서 국가사무**라고 할 것이므로, 청구인의 이 사건 심판청구 중 도시계획사업실시계획 인가처분에 대한 부분은 지방자치단체의 권한에 속하지 아니하는 사무에 관한 것으로서 부적법하다(헌재 1999.7.22. 98헌라4). 12. 사시·법행, 15. 법원직

2 권한쟁의심판절차에 '소의 취하'에 관한 민사소송법 제239조가 준용되는지 여부: 적극

헌법재판소법이나 행정소송법에 권한쟁의심판청구의 취하와 이에 대한 피청구인의 동의나 그 효력에 관하여 특별한 규정이 없으므로, 소의 취하에 관한 민사소송법 제239조는 권한쟁의심판절차에 준용된다고 보아야 한다(헌재 2001.5.8. 2000헌라1). 18. 서울시, 19. 국회직 8급

3 '정부가 법률안을 제출한 행위'가 권한쟁의심판대상이 되는지 여부: 소극 [각하]

권한쟁의심판을 청구하려면 피청구인의 처분 또는 부작위가 존재하여야 한다. 여기서 '처분'이란 법적 중요성을 지닌 것에 한하므로, 청구인의 법적 지위에 구체적으로 영향을 미칠 가능성이 없는 행위는 '처분'이라 할 수 없어 이를 대상으로 하는 권한쟁의심판 청구는 허용되지 않는다. 따라서 정부가 법률안을 제출하는 행위는 입법을 위한 하나의 사전준비행위에 불과하고, 권한쟁의심판의 독자적 대상이 되기 위한 법적 중요성을 지닌 행위로 볼 수 없다(헌재 2005.12.22. 2004헌라3). 11. 사시·국회직

4 국회의 법률제정행위가 권한쟁의심판의 대상이 될 수 있는 '처분'에 해당하는지 여부: 적극

헌법재판소법 제61조 제2항에 따라 권한쟁의심판을 청구하려면 피청구인의 처분 또는 부작위가 존재하여야 한다. 여기서의 처분은 입법행위와 같은 법률의 제정과 관련된 권한의 존부 및 행사상의 다툼, 행정처분은 물론 행정입법과 같은 모든 행정작용 그리고 법원의 재판 및 사법행정작용 등을 포함하는 넓은 의미의 공권력 처분을 의미하는 것으로 보아야 할 것이므로 법률에 대한 권한쟁의심판도 허용된다고 봄이 일반적이나, 다만 '법률 그 자체'가 아니라 '법률제정행위'를 그 심판대상으로 하여야 할 것이다(헌재 2006.5.25. 2005헌라4). 06. 법행·입시

5 장래처분에 대하여 권한쟁의심판을 청구할 수 있는지 여부: 적극

피청구인의 장래처분에 의해서 청구인의 권한침해가 예상되는 경우에 청구인은 원칙적으로 이러한 장래처분이 행사되기를 기다린 이후에 이에 대한 권한쟁의심판청구를 통해서 침해된 권한의 구제를 받을 수 있으므로, 피청구인의 장래처분을 대상으로 하는 심판청구는 원칙적으로 허용되지 아니한다.

그러나 피청구인의 장래처분이 확실하게 예정되어 있고, 피청구인의 장래처분에 의해서 청구인의 권한이 침해될 위험성이 있어서 청구인의 권한을 사전에 보호해 주어야 할 필요성이 매우 큰 예외적인 경우에는 피청구인의 장래처분에 대해서도 헌법재판소법 제61조 제2항에 의거하여 권한쟁의심판을 청구할 수 있다(헌재 2004.9.23. 2000헌라2). 18. 서울시

6 특별시의 관할구역 안에 있는 구의 재산세를 특별시 및 구(區)세로 분리하여 특별시와 자치구가 100분의 50씩 공동과세하도록 하는 지방세법 제6조의2와 특별시분 재산세 전액을 관할구역 안의 자치구에 교부하도록 하는 지방세법 제6조의3을 국회가 제정한 행위가 헌법상 보장된 청구인들의 지방자치권을 침해하는지 여부: 소극

입법자는 헌법 제59조에 근거하여 국가가 국민에게 어떠한 종류의 조세를 부과할 것인지, 그 조세를 국세나 지방세 중 어떤 것으로 할 것인지 그리고 지방세로 할 조세를 광역자치단체나 기초자치단체 중 어디에 귀속시킬 것인지 등을 결정할 권한이 있고, 이러한 입법자의 결단이 자의적인 것이 아닌 한 존중되어야 한다.

한편 이 사건 법률조항들은 종래 구세였던 재산세를 구와 특별시의 공동세로 변경한 규정인데, 재산세를 반드시 기초자치단체에 귀속시켜야 할 헌법적 근거나 논리적 당위성이 있다고 할 수 없으므로 이와 같이 종래 기초자치단체에 귀속되던 조세를 기초자치단체와 광역자치단체에 공동으로 귀속시키도록 변경하는 것도 입법자의 권한에 속하는 것이다. 따라서 이 사건 법률조항들에 의하여 청구인들의 수입이 감소함으로써 청구인들의 자치재정권에 제한이 가해진다고 하더라도, 그로 인하여 청구인의 자치재정권이 유명무실하게 될 정도로 지나친 제한이어서 자치재정권의 본질적 내용을 침해한다고 볼 수 없는 한, 그러한 법률조항을 제정한 피청구인의 행위는 정당하다고 할 것이다(헌재 2010.10.28. 2007헌라4). 13. 국가직

7 교육부의 수도권 사립대학의 정원규제를 경기도가 자치권침해를 이유로 권한쟁의를 청구할 수 있는지 여부: 소극 [각하]

고등교육법 및 같은 법 시행령, 사립학교법, 지방자치법의 관련 규정을 종합하면 청구인의 학교 설치·운영 및 지도에 관한 사무는 지역적 특성에 따라 달리 다루어야 할 필요성이 있는 사무로서 유아원부터 고등학교 및 이에 준하는 학교에 관한 사무에 한하여 이를 자치사무로 보아야 할 것이고, 대학의 설립 및 대학생정원 증원 등 운영에 관한 사무는 국가적 이익에 관한 것으로서 전국적인 통일을 기할 필요성이 있는 국가사무로 보아야 할 것이다.

따라서 국가사무인 사립대학의 신설이나 학생정원 증원에 관한 이 사건 수도권 사립대학 정원규제는 청구인의 권한을 침해하거나 침해할 현저한 위험이 있다고 할 수 없으므로, 이 사건 심판청구는 부적법하다(헌재 2012.7.26. 2010헌라3). 13. 국가직

8 국가기본도상의 해상경계선을 공유수면에 대한 불문법상 해상경계선으로 보아온 선례를 변경한 판례

국가기본도상의 해상경계선은 국토지리정보원이 국가기본도상 도서 등의 소속을 명시할 필요가 있는 경우 해당 행정구역과 관련하여 표시한 선으로서, 여러 도서 사이의 적당한 위치에 각 소속이 인지될 수 있도록 실지측량 없이 표시한 것에 불과하므로, 이 해상경계선을 공유수면에 대한 불문법상 행정구역에 경계로 인정해 온 종전의 결정은 이 결정의 견해와 저촉되는 범위 내에서 이를 변경하기로 한다(헌재 2015.7.30. 2010헌라2). 16. 국가직

9 화성시가 국방부장관의 군 공항 예비이전후보지 선정한 것을 대상으로 권한쟁의심판을 청구할 수 있는지 여부: 소극 [각하]

이 사건 공항의 예비이전후보지 선정사업은 국방에 관한 사무이므로 그 성격상 국가사무임이 분명하다. 군공항이전법도 이 사건 공항의 예비이전후보지 선정사업이 국가사무임을 전제로 하고 있다. 따라서 국가사무인 군 공항 이전사업이 청구인의 의사를 고려하지 않고 진행된다고 하더라도 이로써 지방자치단체인 청구인의 자치권한을 침해하였다거나 침해할 현저한 위험이 있다고 보기 어렵다(헌재 2017.12.28. 2017헌라2). 18. 국회직 8급·서울시

10 지방자치단체의 기관 상호간의 권한쟁의심판이 헌법재판소의 관장사항에 해당하는지 여부 – 거제시의회와 거제시장간의 권한쟁의사건: 소극 [각하]

[1] 헌법 제111조 제1항 제4호는 지방자치단체 상호간의 권한쟁의에 관한 심판을 헌법재판소가 관장하도록 규정하고 있고, 헌법재판소법 제62조 제1항 제3호는 이를 구체화하여 헌법재판소가 관장하는 지방자치단체 상호간의 권한쟁의심판을 ① 특별시·광역시·도 또는 특별자치도 상호간의 권한쟁의심판, ② 시·군 또는 자치구 상호간의 권한쟁의심판, ③ 특별시·광역시·도 또는 특별자치도와 시·군 또는 자치구간의 권한쟁의심판 등으로 규정하고 있다. 이처럼 헌법재판소가 담당하는 지방자치단체 상호간의 권한쟁의심판의 종류는 헌법 및 법률에 의하여 명확하게 규정되어 있는바, 지방자치단체 '상호간'의 권한쟁의심판에서 말하는 '상호간'이란 '서로 상이한 권리주체간'을 의미한다.

[2] 위와 같은 규정에 비추어 보면, 이 사건과 같이 지방자치단체의 의결기관인 지방의회와 지방자치단체의 집행기관인 지방자치단체장간의 내부적 분쟁은 헌법재판소법에 의하여 헌법재판소가 관장하는 지방자치단체 상호간의 권한쟁의심판의 범위에 속하지 아니하고, 달리 헌법재판소법 제62조 제1항 제1호의 국가기관 상호간의 권한쟁의심판이나 같은 법 제62조 제1항 제2호의 국가기관과 지방자치단체 상호간의 권한쟁의심판에 해당한다고 볼 수도 없다(헌재 2018.7.26. 2018헌라1). 19. 국가직

11 국회의원이 특정 정보(전교조 명단)를 인터넷 홈페이지에 게시하여 공개하는 행위가 헌법과 법률이 국회의원에게 독자적으로 부여한 권능인지 여부: 소극 [각하]

[1] 국회의원의 법률안 심의·표결권과 법률안제출권

국회의원의 심의·표결권은 대내적인 관계에서 행사되고 침해될 수 있고 다른 국가기관과의 대외적인 관계에서는 침해될 수 없으므로, 이 사건 가처분재판과 이 사건 간접강제재판이 청구인의 법률안에 대한 심의·표결권을 침해할 수 없음은 명백할 뿐 아니라, 이 사건 가처분재판과 이 사건 간접강제재판에도 불구하고 청구인으로서는 얼마든지 법률안을 만들어 국회에 제출할 수 있고 국회에 제출된 법률안을 심의하고 표결할 수 있으므로, 청구인의 법률안제출권이나 심의·표결권이 침해될 가능성은 없다.

[2] 국회의 국정감사 또는 조사와 관련된 국회의원의 권한 18. 국회직

국정감사 또는 조사와 관련된 국회의원의 권한으로는 재적 국회의원 4분의 1 이상에 의한 국정조사요구권(국정감사 및 조사에 관한 법률 제3조), 감사 또는 조사를 행하는 위원회에 속한 국회의원의 3분의 1 이상의 요구에 의한 서류제출요구권(같은 법 제10조 제1항), 본회의의결권(같은 법 제16조)을 비롯한 각 위원회와 본회의에서의 감사 또는 조사결과에 대한 심의·의결권 등을 상정할 수 있으나, **이 사건 가처분재판과 이 사건 간접강제재판은 위와 같은 국회의원의 권한에 대해서는 아무런 제한을 가하고 있지 않아, 이 사건 가처분재판과 이 사건 간접강제재판으로 인하여 국정감사 또는 조사와 관련된 국회의원으로서의 권한이 침해될 가능성도 없다.**

특정 정보를 인터넷 홈페이지에 게시하거나 언론에 알리는 것과 같은 행위는 헌법과 법률이 특별히 국회의원에게 부여한 국회의원의 독자적인 권능이라고 할 수 없고 16. 국회직 8급 국회의원 이외의 다른 국가기관은 물론 일반 개인들도 누구든지 할 수 있는 행위로서, 그러한 행위가 제한된다고 해서 국회의원의 권한이 침해될 가능성은 없다. 청구인은 법원이 국회의원에 대하여 특정한 법률안발의를 금지하는 내용의 가처분을 한다면 국회의원의 권한을 침해하는 것과 마찬가지로 이 사건 가처분재판이나 이 사건 간접강제재판 역시 국회의원인 청구인으로 하여금 일정한 행위의 금지를 명하고 있으므로 국회의원으로서의 권한을 침해한다는 취지로 주장하나, 특정 법률안발의를 금지하는 내용의 가처분이 국회의원의 권한을 침해할 수 있는지에 대한 판단은 별론으로 하고, 이 사건 가처분재판이나 이 사건 간접강제재판이 청구인으로 하여금 특정 법률안의 발의를 금지하거나 특정 법률안에 대한 심의와 표결을 금지하지 않고 있음은 명백하므로 청구인이 주장하는 바와 같은 권한침해의 가능성은 존재하지 않는다. 12. 사시, 17. 국가직

결국 이 사건 가처분재판과 이 사건 간접강제재판은 청구인의 국회의원으로서의 권한을 침해할 가능성이 없어 부적법하고 그 흠결을 보정할 수 없는 경우에 해당하므로, 헌법재판소법 제40조, 민사소송법 제219조에 의하여 변론 없이 각하한다 (헌재 2010.7.29. 2010헌라1).

12 교육감 소속 교육장·장학관 등에 대한 징계요구를 교육감이 권한쟁의로 다툴 수 있는지 여부: 소극 [각하]

교육부에 설치되어 있는 특별징계위원회의 징계대상자는 교육장 및 교육청에 근무하는 국장 이상의 장학관 등이라 할 것인데, 교육감 소속 교육장·장학관 등은 모두 국가공무원이고, 그 임용권자는 대통령 내지 교육부장관인 점, 국가공무원의 임용 등 신분에 관한 사항이 지방공무원의 경우와 같이 해당 지방자치단체의 특성을 반영하여 각기 다르게 처리된다면 국가공무원이라는 본래의 신분적 의미는 상당 부분 몰각될 수 있는 점

등에 비추어 보면, 국가공무원인 교육장·장학관 등에 대한 징계사무는 국가사무라고 보아야 한다. … 이처럼 교육감 소속 교육장·장학관 등에 대한 징계사무는 교육감에게 위임된 기관위임사무로서 국가사무이고 15. 국회직 8급 지방자치단체의 사무가 아니므로, 그 징계사무에 관하여 행하여진 피청구인의 이 사건 처분이 헌법과 법률이 청구인들에게 부여한 권한을 침해하거나 침해할 현저한 위험이 있다고 볼 수 없다(헌재 2013.12.26. 2012헌라3).

13 경상남도 등과 전라남도 등 간의 권한쟁의 [기각]

[1] 공유수면에 대한 지방자치단체의 관할구역 경계획정 원리

공유수면에 대한 지방자치단체의 관할구역 경계획정은 명시적인 법령상의 규정이 존재한다면 그에 따르고, 명시적인 법령상의 규정이 존재하지 않는다면 불문법상 해상경계에 따라야 한다. 불문법상 해상경계마저 존재하지 않는다면, 주민·구역·자치권을 구성요소로 하는 지방자치단체의 본질에 비추어 지방자치단체의 관할구역에 경계가 없는 부분이 있다는 것은 상정할 수 없으므로, 권한쟁의심판권을 가지고 있는 헌법재판소가 형평의 원칙에 따라 합리적이고 공평하게 해상경계선을 획정하여야 한다.

[2] 불문법상 해상경계의 성립기준

지방자치단체 사이의 불문법상 해상경계가 성립하기 위해서는 관계 지방자치단체·주민들 사이에 해상경계에 관한 일정한 관행이 존재하고, 그 해상경계에 관한 관행이 장기간 반복되어야 하며, 그 해상경계에 관한 관행을 법규범이라고 인식하는 관계 지방자치단체·주민들의 법적 확신이 있어야 한다. **국가기본도에 표시된 해상경계선은 그 자체로 불문법상 해상경계선으로 인정되는 것은 아니나, 관할 행정청이 국가기본도에 표시된 해상경계선을 기준으로 하여 과거부터 현재에 이르기까지 반복적으로 처분을 내리고, 지방자치단체가 허가, 면허 및 단속 등의 업무를 지속적으로 수행하여 왔다면 국가기본도상의 해상경계선은 여전히 지방자치단체 관할경계에 관하여 불문법으로서 그 기준이 될 수 있다.**

[3] 불문법상 해상경계의 성립을 인정한 사례

쟁송해역에 대하여 1948.8.15. 당시 존재하던 불문법상 해상경계를 확인할 수 있는 주요한 근거가 되는 조선총독부 육지측량부 간행의 1918년 지형도에 표시된 경계선은 국립지리원 발행의 1956년 국가기본도를 거쳐 1973년 국가기본도에 이르기까지 대체로 일관되게 표시되어 있고, 피청구인들은 1973년 국가기본도상 해상경계선을 기준으로 관할권한을 행사하여 왔으며, 해양수산부장관 역시 피청구인들의 관할권한행사를 승인하여 왔다. 또한 수산업법 위반행위에 대한 단속 역시 1973년 국가기본도상 해상경계선을 기준으로 이루어졌음이 인정되는바, 이 사건 쟁송해역이 피청구인들의 관할구역에 속한다는 점을 전제로 장기간 반복된 관행이 존재하는 것으로 보이고, 그에 대한 각 지방자치단체와 주민들의 법적 확신이 존재한다는 점 역시 인정된다. 이상의 사정들을 종합하여 보면 쟁송해역에 대한 관할권한이 청구인들에게 귀속된다고 볼 수 없고, 따라서 피청구인들이 이 사건 쟁송해역에서 행사할 장래처분으로 인하여 헌법상 및 법률상 부여받은 청구인들의 자치권한이 침해될 현저한 위험성이 존재한다고 볼 수 없다(헌재 2021.2.25. 2015헌라7).

14 국무총리 소속 기관인 사회보장위원회가 '지방자치단체 유사·중복 사회보장 사업 정비 추진방안'을 의결한 행위에 대한 기초지방자치단체의 권한쟁의심판 청구가 적법한지 여부: 소극

이 사건 의결행위는 보건복지부장관이 광역지방자치단체의 장에게 통보한 '지방자치단체 유사·중복 사회보장사업 정비지침'의 근거가 되는 '지방자치단체 유사·중복 사회보장사업 정비 추진방안'을 사회보장위원회가 내부적으로 의결한 행위에 불과하므로, 이 사건 의결행위가 청구인들의 법적 지위에 직접 영향을 미친다고 보기 어렵다. 따라서 이 사건 의결행위는 권한쟁의심판의 대상이 되는 '처분'이라고 볼 수 없으므로, 이 부분 심판청구는 부적법하다(헌재 2018.7.26. 2015헌라4). 19. 국가직

15 국회의원이 행정자치부장관(현 행정안전부장관)을 상대로 하여 국회의원의 법률안 심의·표결권을 침해하였다는 이유로 권한쟁의심판을 청구하여 절차가 계속 중 국회의원직을 상실하더라도 권한쟁의심판청구는 청구인의 국회의원직 상실과 동시에 당연히 그 심판절차가 종료되는지 여부: 적극

청구인 박○은은 권한쟁의심판절차가 계속 중이던 2015.12.24. 국회의원직을 상실하였는바, 국회의원의 법률안 심의·표결권 등은 성질상 일신전속적인 것으로서 승계되거나 상속될 수 있는 것이 아니므로 이 사건 심판청구는 위 청구인의 국회의원직 상실과 동시에 당연히 그 심판절차가 종료되었다(헌재 2016.4.28. 2015헌라5). 19. 국가직

3 심판

1. 청구사유

> **헌법재판소법 제61조【청구사유】①** 국가기관 상호간, 국가기관과 지방자치단체간 및 지방자치단체 상호간에 권한의 유무 또는 범위에 관하여 다툼이 있을 때에는 해당 국가기관 또는 지방자치단체는 헌법재판소에 권한쟁의심판을 청구할 수 있다. 15. 법원직
> **②** 제1항의 심판청구는 피청구인의 처분 또는 부작위가 헌법 또는 **법률**에 의하여 부여받은 청구인의 권한을 침해하였거나 침해할 현저한 위험이 있는 경우에만 할 수 있다.
> 11. 지방직, 11·15. 법원직, 13·14·18. 서울시

2. 청구서의 기재사항

> **헌법재판소법 제64조【청구서의 기재사항】** 권한쟁의심판의 청구서에는 다음 각 호의 사항을 적어야 한다.
> 1. 청구인 또는 청구인이 속한 기관 및 심판수행자 또는 대리인의 표시
> 2. 피청구인의 표시
> 3. 심판대상이 되는 피청구인의 처분 또는 부작위
> 4. 청구이유
> 5. 그 밖에 필요한 사항

01 권한쟁의심판은 그 사유가 있음을 안 날부터 60일 이내에, 그 사유가 있은 날부터 1년 이내에 청구하여야 하며, 이 기간은 불변기간이다.
14. 서울시, 15. 국회직·경정승진, 16. 지방직
(○, ×)

🔒 × 권한쟁의의 청구기간은 그 사유가 있음을 안 날부터 60일, 그 사유가 있은 날부터 180일 이내이다.

03 국회의원의 법률안 심의·표결권은 국회의 동의권을 구성하는 것으로 성질상 일신전속적인 것이라고 볼 수 없으므로 이에 관련된 권한쟁의심판절차는 수계될 수 있다. 따라서 국회의원이 입법권의 주체인 국회의 구성원으로서, 또한 법률안 심의·표결권의 주체인 국회의원 자격으로서 권한쟁의심판을 청구하였다가 그 심판계속 중 국회의원직을 상실하였다고 할지라도 당연히 그 심판절차가 종료되는 것은 아니다. 17. 변호사
(○, ×)

🔒 × 국회의원의 법률안 심의·표결권은 일신전속적인 것이므로 청구인의 국회의원직 상실과 동시에 당연히 그 심판절차가 종료된다.

04 권한쟁의심판에서 국가기관 또는 지방자치단체의 처분을 취소하는 결정은 재판관 6명 이상의 찬성이 있어야 하며, 그 처분의 상대방에 대하여 이미 생긴 효력에 영향을 미치지 아니한다.
16. 사시
(○, ×)

🔒 × 권한쟁의심판에서 국가기관 또는 지방자치단체의 처분을 취소하는 결정은 재판관 과반수의 찬성이면 된다. 국가기관 또는 지방자치단체의 처분을 취소하는 결정은 그 처분의 상대방에 대하여 이미 생긴 효력에 영향을 미치지 아니한다.

05 전원재판부는 종국심리에 관여한 재판관 과반수의 찬성으로 사건에 관한 결정을 한다. 다만, 법률의 위헌결정, 탄핵의 결정, 정당해산의 결정, 헌법소원의 인용결정, 권한쟁의심판 청구의 인용결정을 하는 경우에는 재판관 6명 이상의 찬성이 있어야 한다.
12. 변호사
(○, ×)

🔒 × 권한쟁의심판에서 인용결정은 종국결정에 관여한 재판관 과반수의 찬성이 있으면 된다.

3. 청구기간

> **헌법재판소법 제63조【청구기간】**① 권한쟁의의 심판은 그 사유가 있음을 안 날부터 60일 이내에, 그 사유가 있은 날부터 180일 이내에 청구하여야 한다. 10. 법원직, 11. 법행, 14. 서울시, 15. 경정승진, 15·18. 국회직, 16. 지방직
>
> ② 제1항의 기간은 불변기간으로 한다.
>
> ☑ **주의** 권한쟁의심판의 청구기간
> • **작위의 경우**: 사유가 있음을 안 날로부터 60일, 사유가 있은 날로부터 180일 이내
> • **부작위의 경우**: 기간의 제한이 없음

4. 심리

> **헌법재판소법 제30조【심리의 방식】**① 탄핵의 심판, 정당해산의 심판 및 권한쟁의의 심판은 구두변론에 의한다.
>
> **제34조【심판의 공개】**① 심판의 변론과 결정의 선고는 공개한다. 다만, 서면심리와 평의는 공개하지 아니한다.
>
> **제65조【가처분】** 헌법재판소가 권한쟁의심판의 청구를 받았을 때에는 직권 또는 청구인의 신청에 의하여 종국결정의 선고시까지 심판대상이 된 피청구인의 처분의 효력을 정지하는 결정을 할 수 있다. 13. 법원직

⚖ **판례**

국회의원이 법률안 심의·표결권침해를 이유로 권한쟁의심판을 청구하였다가 심판절차 계속 중 사망한 경우, 심판절차가 종료되는지 여부: 적극

청구인은 법률안 심의·표결권의 주체인 국가기관으로서의 국회의원 자격으로 이 사건 권한쟁의심판을 청구한 것인바, 국회의원의 법률안 심의·표결권은 성질상 일신전속적인 것으로 당사자가 사망한 경우 승계되거나 상속될 수 있는 것이 아니다. 따라서 그에 관련된 이 사건 권한쟁의심판절차 또한 수계될 수 있는 성질의 것이 아니므로, 위 청구인의 이 사건 심판청구는 위 청구인의 사망과 동시에 당연히 그 심판절차가 종료되었다고 할 것이다 (헌재 2010.11.25. 2009헌라12). 11. 국가직, 16. 지방직, 17. 변호사

---

4 결정

1. 정족수

권한쟁의의 결정은 재판관 7명 이상 참석하고, 참석재판관 중 과반수의 찬성으로써 한다. 주의할 것은 권한쟁의심판청구의 '인용'결정을 하는 경우에도 재판관 6명 이상의 찬성이 아니라 종국결정에 관여한 **재판관 과반수의 찬성**이 있으면 된다. 03·05·09. 법행, 07. 국회직, 07·08. 법원직, 12. 국가직·지방직·변호사, 16. 사시

2. 결정의 내용

> **헌법재판소법 제66조【결정의 내용】** ① 헌법재판소는 심판의 대상이 된 국가기관 또는 지방자치단체의 권한의 유무 또는 범위에 관하여 판단한다.
> ② 제1항의 경우에 헌법재판소는 권한침해의 원인이 된 피청구인의 처분을 취소하거나 그 무효를 확인할 수 있고, 헌법재판소가 부작위에 대한 심판청구를 인용하는 결정을 한 때에는 피청구인은 결정취지에 따른 처분을 하여야 한다. 15. 국회직 8급

3. 결정의 효력

> **헌법재판소법 제67조【결정의 효력】** ① 헌법재판소의 권한쟁의심판의 결정은 모든 국가기관과 지방자치단체를 기속한다. 15. 서울시
> ② 국가기관 또는 지방자치단체의 처분을 취소하는 결정은 그 처분의 상대방에 대하여 이미 생긴 효력에 영향을 미치지 아니한다. 11. 법행, 13. 서울시, 16. 사시

주의할 것은 권한쟁의심판의 '결정'은 모든 국가기관과 지방자치단체를 기속한다는 점이다. 따라서 '인용'결정뿐만 아니라 '기각'결정도 기속력이 있다. 10. 법원직, 12. 변호사
위헌법률심판은 법률의 '위헌'결정은 기속력이 있지만, 합헌결정은 기속력이 없다.
헌법소원심판에서도 '인용'결정은 기속력이 있으나, '기각'결정은 기속력이 없다.

개념PLUS+ 헌법재판의 기속력 여부

권한쟁의심판	인용결정	○
	기각결정	○
위헌법률심판	위헌결정	○
	합헌결정	×
헌법소원심판	인용결정	○
	기각결정	×

4. 결정의 통지

헌법재판소장은 시·군 또는 지방자치단체인 구를 당사자로 하는 권한쟁의심판이 청구된 경우에는 그 지방자치단체가 소속된 특별시·광역시 또는 도에게 그 사실을 바로 통지하여야 한다. 19. 국가직

> **헌법재판소심판규칙 제67조【권한쟁의심판청구의 통지】** 헌법재판소장은 권한쟁의심판이 청구된 경우에는 다음 각 호의 국가기관 또는 지방자치단체에게 그 사실을 바로 통지하여야 한다.
> 1. 법무부장관
> 2. 지방자치단체를 당사자로 하는 권한쟁의심판인 경우에는 행정안전부장관. 다만, 법 제62조 제2항에 의한 교육·학예에 관한 지방자치단체의 사무에 관한 것일 때에는 행정안전부장관 및 교육과학기술부장관
> 3. 시·군 또는 지방자치단체인 구를 당사자로 하는 권한쟁의심판인 경우에는 그 지방자치단체가 소속된 특별시·광역시 또는 도
> 4. 그 밖에 권한쟁의심판에 이해관계가 있다고 인정되는 국가기관 또는 지방자치단체

권한쟁의심판 관련 판례	
적극	소극
• 각급 시·군·구 선거관리위원회가 헌법에 의하여 설치된 기관으로서 권한쟁의심판에 있어서 당사자능력이 인정되는지 여부(헌재 2008.6.26. 2005헌라7) • 권한쟁의심판절차에 '소의 취하'에 관한 민사소송법 제239조가 준용되는지 여부(헌재 2001.5.8. 2000헌라1) • 국회의 법률제정행위가 권한쟁의심판의 대상이 될 수 있는 '처분'에 해당하는지 여부(헌재 2006.5.25. 2005헌라4) • 장래처분에 대하여 권한쟁의심판을 청구할 수 있는지 여부(헌재 2004.9.23. 2000헌라2) • 국회의원이 법률안 심의·표결권침해를 이유로 권한쟁의심판을 청구하였다가 심판절차 계속 중 사망한 경우, 심판절차가 종료되는지 여부(헌재 2010.11.25. 2009헌라12)	• 헌법에 근거하지 아니하고 오로지 법률에 의하여 설치된 국가기관인 국가인권위원회가 권한쟁의심판의 당사자능력이 인정되는지 여부(헌재 2010.10.28. 2009헌라6) • 지방의원이 지방의회의장을 상대로 권한쟁의심판을 청구할 수 있는지 여부(헌재 2010.4.29. 2009헌라11) • 권한쟁의심판에서 '제3자 소송담당'이 허용되는지 여부(헌재 2007.7.26. 2005헌라8) • 기관위임사무에 관하여 권한쟁의심판을 청구할 수 있는지 여부(헌재 1999.7.22. 98헌라4) • '정부가 법률안을 제출한 행위'가 권한쟁의심판대상이 되는지 여부(헌재 2005.12.22. 2004헌라3) • 특별시의 관할구역 안에 있는 구의 재산세를 특별시 및 구세로 분리하여 특별시와 자치구가 100분의 50씩 공동과세하도록 하는 지방세법 제6조의2와 특별시분 재산세 전액을 관할구역 안의 자치구에 교부하도록 하는 지방세법 제6조의3을 국회가 제정한 행위가 헌법상 보장된 청구인들의 지방자치권을 침해하는지 여부(헌재 2010.10.28. 2007헌라4) • 교육부의 수도권 사립대학의 정원규제를 경기도가 자치권침해를 이유로 권한쟁의를 청구할 수 있는지 여부(헌재 2012.7.26. 2010헌라3)

1 의의

> **헌법재판소법 제68조 【청구사유】** ① 공권력의 행사 또는 불행사로 인하여 헌법상 보장된 기본권을 침해받은 자는 법원의 재판을 제외하고는 헌법재판소에 헌법소원심판을 청구할 수 있다. 13. 법무사 다만, 다른 법률에 구제절차가 있는 경우에는 그 절차를 모두 거친 후에 청구할 수 있다.
> ② 제41조 제1항에 따른 법률의 위헌 여부 심판의 제청신청이 기각된 때에는 그 신청을 한 당사자는 헌법재판소에 헌법소원심판을 청구할 수 있다. 06. 국가직 이 경우 그 당사자는 당해 사건의 소송절차에서 동일한 사유를 이유로 다시 위헌 여부 심판의 제청을 신청할 수 없다. 18. 국가직
>
> **제69조 【청구기간】** ① 제68조 제1항에 따른 헌법소원의 심판은 그 사유가 있음을 안 날부터 90일 이내에, 그 사유가 있는 날부터 1년 이내에 청구하여야 한다. 05. 입시 다만, 다른 법률에 따른 구제절차를 거친 헌법소원의 심판은 그 최종결정을 통지받은 날부터 30일 이내에 청구하여야 한다. 11. 법무사, 13. 국가직, 19. 경정승진
> ② 제68조 제2항에 따른 헌법소원심판은 위헌 여부 심판의 제청신청을 기각하는 결정을 통지받은 날부터 30일 이내에 청구하여야 한다. 05. 입시, 18. 행시
>
> **제75조 【인용결정】** ① 헌법소원의 인용결정은 모든 국가기관과 지방자치단체를 기속한다. 11. 법무사
> ② 제68조 제1항에 따른 헌법소원을 인용할 때에는 인용결정서의 주문에 침해된 기본권과 침해의 원인이 된 공권력의 행사 또는 불행사를 특정하여야 한다.
> ③ 제2항의 경우에 헌법재판소는 기본권침해의 원인이 된 공권력의 행사를 취소하거나 그 불행사가 위헌임을 확인할 수 있다. 11. 법무
> ④ 헌법재판소가 공권력의 불행사에 대한 헌법소원을 인용하는 결정을 한 때에는 피청구인은 결정취지에 따라 새로운 처분을 하여야 한다. 11. 법무
> ⑤ 제2항의 경우에 헌법재판소는 공권력의 행사 또는 불행사가 위헌인 법률 또는 법률의 조항에 기인한 것이라고 인정될 때에는 인용결정에서 해당 법률 또는 법률의 조항이 위헌임을 선고할 수 있다. 11. 법무사·지방직
> ⑥ 제5항의 경우 및 제68조 제2항에 따른 헌법소원을 인용하는 경우에는 제45조 및 제47조를 준용한다.
> ⑦ 제68조 제2항에 따른 헌법소원이 인용된 경우에 해당 헌법소원과 관련된 소송사건이 이미 확정된 때에는 당사자는 재심을 청구할 수 있다. 15. 서울시
> ⑧ 제7항에 따른 재심에서 형사사건에 대하여는 형사소송법을 준용하고, 그 외의 사건에 대하여는 민사소송법을 준용한다.
>
> ☑ **주의 헌법소원심판대상규정**
> • 헌법소원심판의 대상에서 법원의 재판을 제외하는 것은 '헌법'에 규정된 사항이다. (×)
> • 헌법소원심판의 대상에서 법원의 재판을 제외하는 것은 '헌법재판소법'에 규정된 사항이다. (○)

1. 개념

헌법소원이란 공권력의 행사 또는 불행사로 인하여 헌법상 보장된 기본권을 직접·현재 침해당한 자가 헌법재판기관에 당해 공권력의 위헌 여부의 심사를 청구하여 기본권을 구제받는 제도를 말한다.

2. 기능

헌법소원제도는 주관적 기본권보장기능과 객관적 헌법질서수호기능의 이중적 기능을 수행한다. 12.법무사 따라서 헌법소원대상이 된 침해행위가 이미 종료하여 이를 취소할 여지가 없어 헌법소원이 주관적 권리구제에는 별 도움이 되지 않더라도 그러한 침해행위가 앞으로도 반복될 위험이 있거나 당해 분쟁의 해결이 헌법질서의 수호·유지를 위해 긴요한 사항이어서 헌법적으로 그 해명이 중대한 의미를 지니고 있는 경우, 심판청구이익을 인정하여 이미 종료한 침해행위가 위헌이었음을 선언적 의미에서 확인할 필요가 있다.

2 종류 04.법무사

1. 권리구제형 헌법소원

권리구제형 헌법소원이란 공권력의 행사 또는 불행사로 말미암아 헌법상 보장된 기본권을 침해당한 자가 청구하는 헌법소원으로서, 본래적 의미의 헌법소원을 말한다(헌법재판소법 제68조 제1항).

2. 위헌심사형 헌법소원

(1) 개념

위헌심사형 헌법소원이란 위헌법률심판의 제청신청이 법원에 의하여 기각된 경우에 제청신청을 한 당사자가 청구하는 헌법소원을 말한다(헌법재판소법 제68조 제2항).

(2) 법적 성격

① **학설**: 위헌심사형 헌법소원의 성격에 대하여 헌법소원이라는 견해와 위헌법률심판이라는 견해 및 헌법소원과 위헌법률심판의 성격을 동시에 지닌다고 보는 견해의 대립이 있다.

② **헌법재판소의 입장**: 헌법재판소는 초기에 헌법소원의 한 유형으로 보아 '헌마'사건으로 분류하였으나 1990년부터는 별도로 '헌바'사건으로 분류하여 재판의 전제성 유무를 검토함으로써 위헌법률심판설●의 입장을 취하고 있다(헌재 1993.7.29. 92헌바48 등). 18.국가직

③ **검토**: 위헌심사형 헌법소원은 법원의 제청신청기각에 대하여 항소나 상고를 통하여 구제받도록 하고 있는 독일과 달리 바로 헌법소원을 청구할 수 있도록 하는 우리나라의 특유한 제도이다. 이는 권리구제형 헌법소원과는 그 본질이 다른 것으로서 사실상 위헌법률심판으로 보는 것이 타당하다. 헌법재판소법 제75조 제6항에서도 위헌심사형 헌법소원 인용결정의 효력에 대해 위헌법률심판의 규정들을 준용하도록 하고 있는바, 심판요건과 결정형식에 있어서도 헌법재판소법 제68조 제1항의 헌법소원과는 달리 위헌법률심판을 준용하는 것이 타당하다고 본다.

③ 위헌심사형 헌법소원(헌법재판소법 제68조 제2항의 헌법소원심판)

> **헌법재판소법 제68조 【청구사유】** ② 제41조 제1항에 따른 법률의 위헌 여부 심판의 제청신청이 기각된 때에는 그 신청을 한 당사자는 헌법재판소에 헌법소원심판을 청구할 수 있다. 이 경우 그 당사자는 당해 사건의 소송절차에서 동일한 사유를 이유로 다시 위헌 여부심판의 제청을 신청할 수 없다.
>
> **제69조 【청구기간】** ② 제68조 제2항에 따른 헌법소원심판은 위헌 여부 심판의 제청신청을 기각하는 결정을 통지받은 날부터 30일 이내에 청구하여야 한다.
>
> **제75조 【인용결정】** ⑥ 제5항의 경우 및 제68조 제2항에 따른 헌법소원을 인용하는 경우에는 제45조 및 제47조를 준용한다.
> ⑦ 제68조 제2항에 따른 헌법소원이 인용된 경우에 해당 헌법소원과 관련된 소송사건이 이미 확정된 때에는 당사자는 재심을 청구할 수 있다.
> ⑧ 제7항에 따른 재심에서 형사사건에 대하여는 형사소송법을 준용하고, 그 외의 사건에 대하여는 민사소송법을 준용한다.

1. 위헌심사형 헌법소원의 요건

위헌심사형 헌법소원은 실질적으로 위헌법률심판이므로, 기본권침해를 다투는 권리구제형 헌법소원과 심판청구의 적법요건은 다를 수밖에 없다. 따라서 청구인이 기본권주체이어야 할 필요도 없고, 소의 이익유무가 적법요건인 것도 아니다. 심판대상이 법률이어야 하고 당해 소송에서 재판의 전제성을 가지는지의 여부가 중요한 요건이 된다.

☑ **주의** 헌법재판소법 제68조 제2항의 헌법소원심판의 요건
  • 재판의 전제성
  • 위헌제청신청과 기각결정

(1) 심판대상

헌법재판소법 제68조 제2항에 의한 헌법소원심판청구의 대상으로서 법률은 형식적 의미의 법률 및 그와 동일한 효력을 가진 조약과 긴급명령 · 긴급재정경제명령이다. 따라서 법률의 하위법규인 대통령령(헌재 1992.10.31. 92헌바42), 대법원규칙(헌재 2001.2.22. 99헌바87 등)은 헌법재판소법 제68조 제2항의 헌법소원심판청구의 대상이 될 수 없다. 17. 국가직, 18. 서울시

> ### ⚖ 판례
>
> **대통령령의 위헌 여부가 헌법재판소법 제68조 제2항에 의한 헌법소원심판의 대상에 포함되는지 여부: 소극**
>
> 헌법재판소법 제68조 제2항에 의한 헌법소원의 대상은 형식적 의미의 법률이고, 법률의 위임에 따라 대통령령으로 규정한 내용이 헌법에 위반되더라도 그 대통령령이 위헌으로 되는 것은 별론으로 하고 그로 인하여 바로 수권법률까지 위헌으로 되는 것이 아니므로, 어떤 사항에 관하여 법률조항 자체에서 직접 규정하지 않고 그 구체적 내용을 대통령령에 위임한 경우, 그 법률조항의 위헌 여부는 그 위임을 받은 대통령령의 내용까지 포함한 규범상태의 위헌 여부와는 구별되어야 하므로 그 법률조항의 위헌 여부에 관하여는 그 위임이 합헌적인 것인지만 문제된다(헌재 2004.8.26. 2002헌바13). 18. 서울시

(2) 재판의 전제성

헌법재판소법 제68조 제2항의 헌법소원은 본질이 위헌법률심판이므로 법원에 계속된 구체적 사건에 적용할 법률이 헌법에 위반되는 여부가 재판의 전제로 되어 있어야 한다. 주의할 것은 헌법재판소법 제68조 제2항의 헌법소원의 경우에는 당해 소송사건이 헌법소원의 제기로 정지되지 않기 때문에 헌법소원심판의 종국결정 이전에 당해 소송사건이 먼저 확정되어 종료되는 경우가 있을 수 있으나 이때에도 재판의 전제성은 인정된다고 본다. 10. 사시, 17. 법원직 다만, 당해 소송사건이 소의 취하로 종료된 경우에는 원칙적으로 재판의 전제성은 인정되지 않는다.

(3) 위헌제청신청과 기각결정

① 위헌심사형 헌법소원은 위헌 여부 심판의 제청신청을 하여 그 신청이 기각된 때에만 청구할 수 있으므로 청구인이 위헌 여부 심판의 제청신청을 하지 않았고 따라서 법원의 기각결정도 없었던 부분에 대한 심판청구는 부적법하다(헌재 1997.11.27. 96헌바12).

② 그리고 헌법재판소법 제68조 제2항은 위헌 여부 심판의 제청신청이 '기각'된 때에 헌법소원심판을 청구할 수 있다고 규정하고 있으나, 법원이 기각결정을 하여야 함에도 불구하고 재판의 전제성이 없다는 이유로 각하결정이라는 재판형식으로 배척한 경우에도 헌법재판소법 제68조 제2항에 의한 헌법소원심판청구는 허용된다(헌재 1989.12.18. 89헌마32 등). 16. 변호사

③ 그런데 청구인이 위헌제청신청을 하지 않았고 그 결과 법원의 기각결정도 없었던 부분에 대해서 청구인은 위헌심사형 헌법소원을 청구할 수 없지만, 헌법재판소는 "예외적으로 위헌제청신청을 기각 또는 각하한 법원이 위 조항을 실질적으로 판단하였거나 위 조항이 명시적으로 위헌제청신청을 한 조항과 필연적 연관관계를 맺고 있어서 법원이 위 조항을 묵시적으로나마 위헌제청신청으로 판단하였을 경우에는 헌법재판소법 제68조 제2항의 헌법소원으로서 적법한 것이다."라고 판시하였다(헌재 2005.2.24. 2004헌바24).

④ 그리고 헌법재판소는 직권으로 기각결정이 없었던 부분으로 심판대상을 변경할 수 있다(헌재 2001.1.18. 2000헌바29).

✎ 판례

청구인이 당해 사건 법원에 위헌법률심판의 제청을 신청하지 않았고 법원의 기각결정도 없었던 부분에 대한 심판청구가 적법한지 여부: 소극

헌법재판소법 제68조 제2항의 헌법소원은 법률의 위헌 여부 심판의 제청을 신청하여 그 신청이 기각된 때에만 청구할 수 있는 것이므로, 청구인이 당해 사건 법원에 위헌법률심판의 제청을 신청하지 않았고, 따라서 법원의 기각결정도 없었던 부분에 대한 심판청구는 그 심판청구의 요건을 갖추지 못하여 부적법하다(헌재 2017.4.27. 2015헌바24).

---

(4) 청구기간

헌법재판소법 제68조 제2항에 의한 헌법소원심판청구는 법률에 대한 위헌 여부 심판의 제청신청을 기각하는 결정을 통지받은 날로부터 30일 이내에 제기하여야 한다.

(5) 청구인

헌법재판소법 제68조 제2항에 의한 헌법소원심판청구의 당사자에는 기본권의 주체가 될 수 있는 자뿐만 아니라 모든 재판의 당사자가 여기에 포함된다. 따라서 지방의회나 행정청도 헌법재판소법 제68조 제2항 헌법소원심판의 청구인이 될 수 있다.

> ✅ **주의** 헌법재판소법 제68조 제2항의 헌법소원심판청구인
> - 기본권주체만 청구가능 (×)
> - 기본권주체뿐만 아니라 모든 재판의 당사자 청구가능 (○)

⚖️ 판례

'행정청'이 헌법재판소법 제68조 제2항의 헌법소원심판을 청구할 수 있는지 여부: 적극

헌법재판소법 제68조 제1항의 헌법소원은 기본권의 주체가 될 수 있는 자만이 청구인이 될 수 있고, 국가나 국가기관 또는 지방자치단체나 공법인은 기본권의 주체가 아니라 국민의 기본권을 보호 내지 실현하여야 할 책임과 의무를 지니고 있는 지위에 있을 뿐이어서 그 청구인적격이 인정되지 아니한다. 그러나 헌법재판소법 제68조 제2항은 기본권의 침해가 있을 것을 그 요건으로 하고 있지 않을 뿐만 아니라 청구인적격에 관하여도 '법률의 위헌 여부 심판의 제청신청이 법원에 의하여 기각된 때에는 그 신청을 한 당사자'라고만 규정하고 있는바, 위 '당사자'는 행정소송을 포함한 모든 재판의 당사자를 의미하는 것으로 새겨야 할 것이고, 행정소송의 피고인 행정청만 위 '당사자'에서 제외하여야 할 합리적인 이유도 없다. 18. 법행 행정청이 행정처분 단계에서 당해 처분의 근거가 되는 법률이 위헌이라고 판단하여 그 적용을 거부하는 것은 권력분립의 원칙상 허용될 수 없지만, 행정처분에 대한 소송절차에서는 행정처분의 적법성·정당성뿐만 아니라 그 근거법률의 헌법적합성까지도 심판대상으로 되는 것이므로, 행정처분에 불복하는 당사자뿐만 아니라 행정처분의 주체인 행정청도 헌법의 최고규범력에 따른 구체적 규범통제를 위하여 근거법률의 위헌 여부에 대한 심판의 제청을 신청할 수 있고 헌법재판소법 제68조 제2항의 헌법소원을 제기할 수 있다고 봄이 상당하다(헌재 2008.4.24. 2004헌바44). 08. 법행, 10. 사시, 11. 경정승진, 16·19. 서울시

(6) 기타

그 밖에 지정재판부의 사전심사, 10. 사시 변호사강제주의, 국선대리인, 일사부재리 등은 헌법재판소법 제68조 제1항에 의한 헌법소원의 경우와 같다. 다만, 기본권침해의 직접성, 현재성 및 자기관련성의 유무는 심판청구의 적법성과는 직접 관계가 없다. 18. 국가직

2. 재심청구

법원이 법률의 위헌 여부 심판을 헌법재판소에 제청한 때에는 당해 소송사건의 재판은 헌법재판소의 위헌 여부의 결정이 있을 때까지 정지된다(헌법재판소법 제42조 제1항). 07. 법무사 그러나 법률의 위헌 여부 심판 제청신청이 기각된 때에는 그 신청을 한 당사자가 헌법소원심판을 청구하더라도 당해 소송사건의 재판은 정지되지 아니한다(헌법재판소법 제68조 제2항). 10. 사시 따라서 당해 소송사건은 헌법재판소의 위헌결정 이전에 확정될 수 있다. 따라서 헌법재판소법 제75조 제7항은 확정판결이 근거로 하고 있는 법률에 대한 헌법재판소의 위헌결정이 있을 때에는 이미 확정된 당해 소송사건에 관하여 재심을 청구할 수 있도록 하였다.

핵심기출 OX

01 헌법재판소법 제68조 제2항의 헌법소원심판의 경우, 당해 소송의 당사자가 적용법률에 대하여 헌법소원심판을 청구한 경우에는 법관은 구체적 규범통제의 성격상 헌법재판소의 위헌여부에 관한 결정이 있을 때까지 당해사건의 재판절차를 정지해야 한다.
10. 사시   (O, ×)
[답] × 법원의 제청에 의한 위헌법률심판의 경우에는 헌법재판소의 위헌 여부의 결정이 있을 때까지 당해 소송사건의 재판은 정지되지만, 헌법재판소법 제68조 제2항의 헌법소원의 경우에는 당해 소송사건의 재판이 정지되지 않는다. 따라서 헌법재판소의 종국결정이 있기 전에 당해 사건이 먼저 법원에서 확정될 수가 있다.

02 재심은 확정판결에 대한 특별한 불복방법이고 확정판결에 대한 법적 안정성의 요청은 미확정판결에 대한 그것보다 훨씬 크다고 할 것이므로, 재심을 청구할 권리가 헌법 제27조에서 규정한 재판을 받을 권리에 당연히 포함된다고 볼 수는 없다. 20. 법원직
            (O, ×)
[답] O

03 헌법재판소법 제68조 제2항의 규정에 의한 헌법소원이 인용된 경우에 당해 헌법소원과 관련된 소송사건이 이미 확정된 때에는 당사자는 재심을 청구할 수 있다. 15. 서울시 (O, ×)
[답] O

04 국제통화기금협정 제9조 제3항 및 제8항 등은 각 국회의 동의를 얻어 체결된 것으로서 헌법 제6조 제1항에 따라 국내법적·법률적 효력을 가지나, 가입국의 재판권 면제에 관한 것이므로 성질상 국내에 바로 적용될 수 없는 법규범으로서 위헌법률심판의 대상이 될 수 없다. 14. 법행   (O, ×)
[답] × 이 사건조항은 각 국회의 동의를 얻어 체결된 조약으로, 법률적 효력을 갖는바, 위헌법률심판의 대상이 되므로 헌법재판소법 제68조 제2항의 심사대상도 될 수 있다.

(1) 헌법재판소법 제75조 제7항의 재심청구권자의 범위

재심은 당해 헌법소원을 제기한 당사자만이 청구할 수 있는지 아니면 당사자가 아니더라도 재심을 청구할 수 있는지가 문제되는데, 헌법재판소는 "헌법재판소법 제68조 제2항에 의한 헌법소원을 청구하여 인용결정을 받지 않은 사람에게 재심의 기회를 부여하지 않는다고 하여 재판청구권이나 평등권 등을 침해하였다고는 볼 수 없다."라고 하여 재심청구권자를 당해 소송사건에서의 당사자로 한정하고 있다(헌재 2000.6.29. 99헌바66 등). 15. 서울시

> **판례**
>
> **헌법재판소법 제68조 제2항에 의한 헌법소원을 청구하여 인용결정을 받지 않은 사람에게는 재심의 기회를 부여하지 않는다고 하여 재판청구권을 침해하는지 여부: 소극**
>
> 헌법재판소법 제75조 제5항의 '당해 헌법소원과 관련된 소송사건'이란 문면상 당해 헌법소원의 전제가 된 당해 소송사건만을 가리키는 것이라고 볼 수밖에 없다. … 심판대상법조항에 의한 재심청구의 혜택은 일정한 적법요건하에 헌법재판소법 제68조 제2항에 의한 헌법소원을 청구하여 인용된 자에게는 누구에게나 일반적으로 인정되는 것이고, 헌법소원청구의 기회가 규범적으로 균등하게 보장되어 있기 때문에 심판대상법조항이 헌법재판소법 제68조 제2항에 의한 헌법소원을 청구하여 인용결정을 받지 않은 사람에게는 재심의 기회를 부여하지 않는다고 하여 청구인의 재판청구권이나 평등권·재산권과 행복추구권을 침해하였다고는 볼 수 없다(헌재 2000.6.29. 99헌바66 등).

(2) 재심사유

헌법재판소법 제75조 제7항은 재심사유로 '헌법소원이 인용된 경우'라고 규정하고 있는데, 대법원은 여기서의 '헌법소원이 인용된 경우'란 위헌결정이 선고된 경우를 말하는 것이지 헌법재판소의 한정위헌결정은 포함되지 않는다는 입장이나(대판 2001.4.27. 95재다14), 헌법재판소는 한정위헌결정의 경우도 포함된다고 본다(헌재 2003.4.24. 2001헌마386).

> **판례**
>
> **1 위헌심사형 헌법소원의 본질 – 위헌법률심판**
>
> 심판의 대상이 되는 법규는 심판 당시 유효한 것이어야 함이 원칙이지만 위헌제청신청 기각결정에 따른 헌법소원심판은 실질상 헌법소원심판이라기보다는 위헌법률심판이라 할 것이므로 폐지된 법률이라고 할지라도 그 위헌 여부가 재판의 전제가 된다면 심판청구의 이익이 인정된다(헌재 1996.4.25. 92헌바47).
>
> **2 조약이 헌법재판소법 제68조 제2항 헌법소원심판의 대상이 되는지 여부: 적극**
>
> 헌법재판소법 제68조 제2항은 심판대상을 '법률'로 규정하고 있으나, 여기서의 '법률'에는 '조약'이 포함된다고 볼 것이다. 헌법재판소는 국내법과 같은 효력을 가지는 조약이 헌법재판소의 위헌법률심판대상이 된다고 전제하여 그에 관한 본안판단을 한 바 있다(헌재 1999.4.29. 97헌가14). 이 사건조항은 각 국회의 동의를 얻어 체결된 것이므로 헌법 제6조 제1항에 따라 국내법적 효력을 가지며, 그 효력의 정도는 법률에 준하는 효력이라고 이해된다. 한편 이 사건조항은 재판권면제에 관한 것이므로 성질상 국내에 바로 적용될 수 있는 법규범으로서 위헌법률심판의 대상이 된다고 할 것이다(헌재 2001.9.27. 2000헌바20).

3 지방의회가 헌법재판소법 제68조 제2항에 의한 헌법소원심판(위헌소원)을 청구할 수 있는지 여부: 적극

제68조 제2항에 의한 헌법소원심판은 구체적 규범통제의 헌법소원으로서 제41조 제1항의 규정에 의한 법률의 위헌 여부 심판의 제청신청이 법원에 의하여 기각된 때에는 그 신청을 한 당사자는 헌법재판소에 제청신청이 기각된 법률의 위헌 여부를 가리기 위한 헌법소원심판을 청구할 수 있는 것이다. 그러므로 제68조 제1항과 같은 조 제2항에 규정된 각 헌법소원심판청구들은 그 심판청구의 요건과 그 대상이 서로 다르다고 할 것이다. 청구인의 이 심판청구는 제68조 제2항의 구체적 규범통제에 의한 헌법소원심판청구이므로, 기본권의 침해가 전제되어야 한다는 인천광역시장의 주장은 이유 없다(헌재 1998.4.30. 96헌바62).

4 행정청이 헌법재판소법 제68조 제2항의 헌법소원심판을 청구할 수 있는지 여부: 적극

헌법재판소법 제68조 제2항에 의한 헌법소원심판은 구체적 규범통제의 헌법소원으로서 기본권의 침해가 있을 것을 그 요건으로 하고 있지 않을 뿐만 아니라 행정처분에 대한 소송절차에서는 그 근거법률의 헌법적합성까지도 심판대상으로 되는 것이므로, 행정처분의 주체인 행정청도 헌법의 최고규범력에 따른 구체적 규범통제를 위하여 근거법률의 위헌 여부에 대한 심판의 제청을 신청할 수 있고, 헌법재판소법 제68조 제2항의 헌법소원을 제기할 수 있다(헌재 2008.4.24. 2004헌바44). 08. 법행, 10. 사시, 11. 경정승진

5 위헌소원에 있어서 재판의 전제성이 필요한지 여부: 적극

당해 사건이 부적법하여 법원에서 소각하판결이 선고되어 확정되었다면, 중재법 제4조 제3항에 대한 청구인의 위헌소원은 재판의 전제성을 결여하여 부적법하다(헌재 2000. 11.30. 98헌바83).

6 헌법재판소법 제68조 제2항의 헌법소원에서 기본권침해의 직접성·현재성 및 자기관련성이 요건인지 여부: 소극

기본권침해의 직접성·현재성 및 자기관련성을 갖추지 못하여 그 심판청구는 부적법하다고 주장하나, 위 각 심판청구는 헌법재판소법 제68조 제2항에 의한 심판청구로서 재판의 전제성 및 심판의 이익을 갖추고 있는 이상 **기본권침해의 직접성·현재성 및 자기관련성의 유무는 심판청구의 적법성과는 직접 관계가 없는 것**이므로 위 주장도 받아들이지 아니한다(헌재 1998.7.16. 95헌바19 등). 10. 사시

7 대통령령이 '위헌심사형' 헌법소원의 심판대상이 될 수 있는지 여부: 소극

헌법재판소법 제68조 제2항에 의한 헌법소원심판청구에서 심판의 대상은 재판의 전제가 되는 법률이므로 이 사건 시행령조항은 심판의 대상이 될 수 없다(헌재 2000.6.1. 99헌바73).

8 입법부작위를 다투는 '위헌소원'이 적법한지 여부: 소극

헌법재판소법 제68조 제2항의 헌법소원은 '법률'의 위헌성을 적극적으로 다투는 제도이므로 '법률의 부존재', 즉 입법부작위를 다투는 것은 그 자체로 허용되지 아니한다(헌재 2000.1.27. 98헌바12).

9 위헌제청신청 기각결정 등 법원의 결정이 위헌소원의 대상이 되는지 여부: 소극

헌법재판소법 제68조 제2항의 규정에 의한 헌법소원심판청구는 법률이 헌법에 위반되는 여부가 재판의 전제가 되는 때에 당사자가 위헌제청신청을 하였음에도 불구하고

법원이 이를 배척하였을 경우에 법원의 제청에 갈음하여 당사자가 직접 헌법재판소에 헌법소원의 형태로서 심판청구를 하는 것이므로, 그 심판의 대상은 재판의 전제가 되는 법률이며 법원의 위헌제청신청 기각결정 등의 재판 자체는 될 수 없다(헌재 2002.6.27. 2001헌바100). 06. 법무사, 06·11. 사시

10 헌법재판소법 제68조 제2항에 의한 위헌심사형 헌법소원의 주문형식

위헌심사형 헌법소원은 법률의 위헌 여부를 묻는 헌법재판소법 제68조 제2항에 의한 것이므로 청구인의 주장이 이유 없는 경우, 그 심판청구를 기각하는 대신 위 법률이 헌법에 위반되지 아니한다는 형식의 주문을 선언함이 옳다(헌재 1990.9.10. 89헌마82).

11 위헌제청신청이 기각된 후 동일 심급에서 동일한 사유로 다시 위헌제청신청을 하고 그 신청이 기각되자 청구한 위헌소원이 적법한지 여부: 소극

헌법소원심판의 전제가 된 당해 사건의 항소심절차에서 위헌 여부의 심판제청신청이 기각되었는데도 이에 대하여 헌법소원심판을 청구하지 아니하고 있다가 또다시 **같은 항소심절차**에서 같은 법률조항에 관하여 **동일한 사유를 이유로** 위헌 여부의 심판제청을 하고 그것이 기각되자 헌법소원심판청구를 한 경우, 이는 헌법재판소법 **제68조 제2항 후문의 규정에 위배되어 부적법**하다(헌재 1994.4.24. 91헌바14). 20. 법원직

12 헌법재판소법 제68조 제2항 후문의 '당해 사건의 소송절차'에 당해 사건의 상소심 소송절차가 포함되는지 여부: 적극 06. 사시·법행

[1] 헌법재판소법 제68조 제2항은 법률의 위헌 여부 심판의 제청신청이 기각된 때에 그 신청을 한 당사자는 헌법재판소에 헌법소원심판을 청구할 수 있으나, 다만 이 경우 그 당사자는 당해 사건의 소송절차에서 동일한 사유를 이유로 다시 위헌 여부 심판의 제청을 신청할 수 없다고 규정하고 있는바, 이때 당해 사건의 소송절차란 당해 사건의 상소심 소송절차를 포함한다 할 것이다. 16. 법무사

[2] 청구인들은 항고심 소송절차에서 위헌법률심판 제청신청을 하여 그 신청이 기각되었는데도 이에 대하여 헌법소원심판을 청구하지 아니하고 있다가 다시 그 재항고심 소송절차에서 대법원에 같은 이유를 들어 위 법조항이 위헌이라고 주장하면서 위헌법률심판 제청신청을 하였고, 그 신청이 기각되자 헌법소원심판청구를 한 이 사건은 헌법재판소법 제68조 제2항 후문의 규정에 위배된 것으로서 부적법하다고 할 것이다(헌재 2007.7.26. 2006헌바40).

13 당해 소송에서 청구인 승소판결이 확정된 경우에는 재판의 전제성이 인정되는지 여부: 소극

당해 소송에서 승소한 당사자인 청구인은 재심을 청구할 수 없고, 당해 사건에서 청구인에게 유리한 판결이 확정된 마당에 이 법률조항에 대하여 위헌결정을 한다 하더라도 당해 사건 재판의 결론이나 주문에 영향을 미치는 것도 아니므로, 결국 이 사건은 재판의 전제성이 부정되는 부적법한 심판청구이다(헌재 2000.7.20. 99헌바61).

14 헌법재판소법 제68조 제2항에 의한 헌법소원심판청구인이 당해 사건인 형사사건에서 무죄의 확정판결을 받은 경우 재판의 전제성이 존재하는지 여부: 소극

헌법재판소법 제68조 제2항에 의한 헌법소원심판 청구인이 당해 사건인 형사사건에서 무죄의 확정판결을 받은 때에는 처벌조항의 위헌확인을 구하는 헌법소원이 인용되더라도 재심을 청구할 수 없고, 청구인에 대한 무죄판결은 종국적으로 다툴 수 없게 되므로 법률의 위헌 여부에 따라 당해 사건 재판의 주문이 달라지거나 재판의 내용과 효력에 관한 법률적 의미가 달라지는 경우에 해당한다고 볼 수 없으므로 더이상 재판의 전제성이 인정되지 아니하는 것으로 보아야 한다(헌재 2009.5.28. 2006헌바109 등). 18. 국가직

15 당해사건에서 소송대리권 수여사실이 인정되지 않아 소 각하 판결이 확정된 일부 청구인들의 심판청구가 재판의 전제성이 인정되는지 여부: 소극

법무법인 ○○에게 소송대리권을 수여한 사실이 인정되지 않아 당해사건이 부적법하다는 이유로 소 각하 판결이 확정된 일부 청구인들의 심판청구는 법률의 위헌 여부를 따져 볼 필요 없이 각하를 면할 수 없으므로, 재판의 전제성이 인정되지 않아 부적법하다 (헌재 2020.3.26. 2016헌바55·65).

16 법률조항이 당해 사건의 재판에 간접 적용되더라도, 그 위헌여부에 따라 당해 사건의 재판에 직접 적용되는 법률조항의 위헌여부가 결정되거나, 당해 재판의 결과가 좌우되는 경우 등 양 규범 사이에 내적 관련이 인정된다면 재판의 전제성이 인정되는지 여부: 적극

제청 또는 청구된 법률조항이 법원의 당해사건의 재판에 직접 적용되지는 않더라도 그 위헌 여부에 따라 당해사건의 재판에 직접 적용되는 법률조항의 위헌 여부가 결정되거나, 당해사건 재판의 결과가 좌우되는 경우 등과 같이 양 규범 사이에 내적 관련이 있는 경우에는 간접 적용되는 법률규정에 대하여도 재판의 전제성을 인정할 수 있다(헌재 2005.2.24. 2004헌바24).

개념PLUS+ 위헌심사형 헌법소원과 위헌법률심판의 비교

구분	위헌심사형 헌법소원 (헌법재판소법 제68조 제2항)	위헌법률심판
본질	규범통제	규범통제
형식	헌법소원	위헌법률심판
청구인·제청권자	당사자	법원
심판대상	제청신청이 기각된 법률	제청법률
재판정지 여부	× 10. 사시	○
지정재판부 사전심사	○ 10. 사시	×
변호사강제주의	○	×
주문의 결정유형	동일(각하·합헌·위헌·변형결정) 16. 지방직	

개념PLUS+ 위헌심사형 헌법소원과 권리구제형 헌법소원의 비교

구분	위헌심사형 헌법소원 (헌법재판소법 제68조 제2항)	권리구제형 헌법소원 (헌법재판소법 제68조 제1항)
본질	규범통제	기본권구제 (예외적 규범통제 - 법령소원)
기본권침해 여부가 전제가 되는지	×	○
기본권주체만이 제기가 가능한지 여부	× (공법인도 가능) 08. 법행, 09. 법무사	○
심판대상	법률(조약·긴급명령 등)	공권력의 행사 또는 불행사
재판의 전제성	○	×
지정재판부 사전심사	○	○
변호사강제주의	○	○
청구기간	30일	90일, 1년
주문의 결정유형	각하·합헌·위헌·변형결정	각하·기각·인용결정 (규범통제시: 합헌·위헌·변형결정)

4 권리구제형 헌법소원의 적법요건

> 헌법재판소법 제68조 【청구사유】 ① 공권력의 행사 또는 불행사로 인하여 헌법상 보장된 기본권을 침해받은 자는 법원의 재판을 제외하고는 헌법재판소에 헌법소원심판을 청구할 수 있다. 다만, 다른 법률에 구제절차가 있는 경우에는 그 절차를 모두 거친 후에 청구할 수 있다.
>
> 제69조 【청구기간】 ① 제68조 제1항에 따른 헌법소원의 심판은 그 사유가 있음을 안 날부터 90일 이내에, 그 사유가 있는 날부터 1년 이내에 청구하여야 한다. 05. 입시 다만, 다른 법률에 따른 구제절차를 거친 헌법소원의 심판은 그 최종결정을 통지받은 날부터 30일 이내에 청구하여야 한다. 11. 법무사, 13. 국가직
>
> 제75조 【인용결정】 ① 헌법소원의 인용결정은 모든 국가기관과 지방자치단체를 기속한다.
> ② 제68조 제1항에 따른 헌법소원을 인용할 때에는 인용결정서의 주문에 침해된 기본권과 침해의 원인이 된 공권력의 행사 또는 불행사를 특정하여야 한다.
> ③ 제2항의 경우에 헌법재판소는 기본권침해의 원인이 된 공권력의 행사를 취소하거나 그 불행사가 위헌임을 확인할 수 있다. 11. 법무사
> ④ 헌법재판소가 공권력의 불행사에 대한 헌법소원을 인용하는 결정을 한 때에는 피청구인은 결정취지에 따라 새로운 처분을 하여야 한다. 11. 법무사
> ⑤ 제2항의 경우에 헌법재판소는 공권력의 행사 또는 불행사가 위헌인 법률 또는 법률의 조항에 기인한 것이라고 인정될 때에는 인용결정에서 해당 법률 또는 법률의 조항이 위헌임을 선고할 수 있다. 11. 법무사·지방직

1. 청구인능력(청구권자)

청구인능력이란 헌법소원을 청구할 수 있는 일반적인 능력을 말한다. 헌법소원심판은 헌법상 보장된 기본권을 침해받은 자가 침해된 권리의 구제를 위하여 청구하는 것이므로 기본권향유능력이 있으면 누구든지 헌법소원심판을 청구할 수 있다.

(1) 인정되는 경우

① **자연인:** 대한민국국적을 가진 모든 국민은 기본권향유능력(주체)이 있으므로 헌법소원을 청구할 수 있고, 외국인은 그 기본권주체가 될 수 있는 기본권에 대하여 헌법소원을 제기할 수 있다. 태아가 기본권주체가 될 수 있는지 문제되나, 헌법재판소는 태아의 생명권주체성을 인정하고 있다. 그러나 배아에 대해서는 부정하는 입장이다.

⚖️ 판례

1 태아가 생명권의 주체인지 여부: 적극

모든 인간은 헌법상 생명권의 주체가 되며, 형성 중의 생명인 태아에게도 생명에 대한 권리가 인정되어야 한다. 따라서 태아도 헌법상 생명권의 주체가 되며, 국가는 헌법 제10조에 따라 태아의 생명을 보호할 의무가 있다(헌재 2008.7.31. 2004헌바81). 11. 국가직, 18. 서울시

2 배아가 헌법소원을 청구할 수 있는지 여부: 소극

청구인이 수정이 된 배아라는 점에서 형성 중인 생명의 첫 걸음을 떼었다고 볼 여지가 있기는 하나 아직 모체에 착상되거나 원시선이 나타나지 않은 이상 현재의 자연과학적 인식수준에서 독립된 인간과 배아간의 개체적 연속성을 확정하기 어렵다고 봄이 일반적이라는 점, 배아의 경우 현재의 과학기술수준에서 모태 속에서 수용될 때 비로소 독립적인 인간으로의 성장가능성을 기대할 수 있다는 점, 수정 후 착상 전의 배아가 인간으로 인식된다거나 그와 같이 취급하여야 할 필요성이 있다는 사회적 승인이 존재한다고 보기 어려운 점 등을 종합적으로 고려할 때, 초기배아에 대한 국가의 보호필요성이 있음은 별론으로 하고, 청구인의 기본권주체성을 인정하기 어렵다. 그렇다면 청구인은 기본권의 주체가 될 수 없으므로 헌법소원을 제기할 수 있는 청구인적격이 없다(헌재 2010.5.27. 2005헌마346). 10·12. 국회직, 11. 사시·국가직, 13. 법원직, 19. 지방직

3 외국인이 헌법소원을 청구할 수 있는지 여부: 적극

우리 재판소는 헌법재판소법 제68조 제1항 소정의 헌법소원은 기본권을 침해받은 자만이 청구할 수 있고, 여기서 기본권을 침해받은 자만이 헌법소원을 청구할 수 있다는 것은 곧 기본권의 주체라야만 헌법소원을 청구할 수 있고 기본권의 주체가 아닌 자는 헌법소원을 청구할 수 없다고 한 다음, '국민' 또는 국민과 유사한 지위에 있는 '외국인'은 기본권의 주체가 될 수 있다 판시하여 원칙적으로 외국인의 기본권주체성을 인정하였다(헌재 1994.12.29. 93헌마120). 청구인들이 침해되었다고 주장하는 인간의 존엄과 가치, 행복추구권은 대체로 '인간의 권리'로서 외국인도 주체가 될 수 있다고 보아야 하고, 평등권도 인간의 권리로서 참정권 등에 대한 성질상의 제한 및 상호주의에 따른 제한이 있을 수 있을 뿐이다(헌재 2001.11.29. 99헌마494). 12. 법행

4 심판 도중에 당사자가 사망한 경우 청구인능력이 상실되어 심판절차가 종료하는지 여부: 적극

고용계약상의 노무공급의무는 일신전속적인 것이고(민법 제657조), 노무자가 사망하면 고용관계는 종료될 권리관계라고 할 것인바, 그렇다면 이 사건 검사의 불기소처분때문에 침해되었다 할 고용계약상의 지위는 노무자인 청구인의 사망에 의하여 종료되고 상속인에게 승계될 것이 아니다. 그러므로 그에 관련된 이 사건 심판절차 또한 수계될 성질이 못되고 이 사건은 청구인이 사망함과 동시에 당연히 그 심판절차가 종료되었다고 할 것이다(헌재 1992.11.12. 90헌마33).

5 사이버대학이 헌법소원심판에서 청구인능력이 인정되는지 여부: 소극

청구인 대학교(사이버대학)는 사립학교법 및 고등교육법을 근거로 설립된 교육을 위한 시설에 불과하여 민법상 권리능력이나 민사소송법상 당사자능력이 없고, 헌법소원심판을 제기할 청구인능력이 있다고 할 수도 없다. 따라서 청구인 대학교의 심판청구는 청구인능력이 없는 자가 제기한 것으로서 부적법하다(헌재 2016.10.27. 2014헌마1037).

② **법인(국내 사법인)**: 우리 헌법은 법인의 기본권향유능력을 인정하는 명문의 규정을 두고 있지 않지만, 본래 자연인에게 적용되는 기본권규정이라도 언론·출판의 자유, 재산권의 보장 등과 같이 성질상 법인이 누릴 수 있는 기본권은 당연히 법인에도 적용하여야 할 것으로 본다. 따라서 법인도 사단법인·재단법인 또는 영리법인·비영리법인을 가리지 아니하고 위 한계 내에서는 헌법상 보장된 기본권이 침해되었음을 이유로 헌법소원심판을 청구할 수 있다(헌재 1991.6.3. 90헌마56). 헌법재판소도 한국영화인협회와 축협중앙회의 청구인능력을 인정한 바 있다.

③ **권리능력 없는(법인 아닌) 사단·재단**: 법인 아닌 사단·재단이라고 하더라도 대표자의 정함이 있고 독립된 사회적 조직체로서 활동하는 때에는 성질상 법인이 누릴 수 있는 기본권을 침해당하게 되면 그의 이름으로 헌법소원심판을 청구할 수 있다(헌재 1991.6.3. 90헌마56). 11. 지방직, 13·17. 법원직, 19. 법행 헌법재판소 또한 정당이나 한국신문편집인협회의 청구인능력을 인정한 바 있다.

(2) 부정되는 경우

① **국가기관 또는 국가조직**: 원칙적으로 국가나 국가기관 또는 국가조직의 일부나 공법인은 기본권의 '수범자'이지 기본권의 주체로서 그 '소지자'가 아니고 오히려 국민의 기본권을 보호 내지 실현하여야 할 책임과 의무를 지니고 있는 지위에 있을 뿐이므로 헌법소원을 청구하지 못한다(헌재 1994.12.29. 93헌마120). 08. 법무사

② **농지개량조합**: 농지개량조합은 농지소유자의 조합가입이 강제되는 점, 조합원의 출자에 의하여 조합재산이 형성되는 것이 아니라 국가 등이 설치한 농업생산기반시설을 그대로 인수하는 점, 조합원은 그 자격을 상실하지 않는 한 조합에서 임의탈퇴할 수 없는 점, 탈퇴되는 경우에도 조합에 대한 지분반환청구는 허용되지 않는 점 등 농지개량조합의 조직, 재산의 형성·유지 및 그 목적과 활동 전반에 나타나는 매우 짙은 공적인 성격을 고려하건대, 이를 공법인이라고 봄이 상당하므로 헌법소원의 청구인적격을 인정할 수 없다(헌재 2000.11.30. 99헌마190).

③ **국회상임위원회**: 기본권의 보장에 관한 각 헌법 규정의 해석상 국민(또는 국민과 유사한 지위에 있는 외국인과 사법인)만이 기본권의 주체라 할 것이고, 국가나 국가기관 또는 국가조직의 일부나 공법인은 기본권의 '수범자'이지 기본권의 주체로서 그 '소지자'가 아니고 오히려 국민의 기본권을 보호 내지 실현하여야 할 '책임'과 '의무'를 지니고 있는 지위에 있을 뿐이므로, 국가기관인 국회의 일부조직인 국회의 노동위원회는 기본권의 주체가 될 수 없고 따라서 헌법소원을 제기할 수 있는 적격이 없다(헌재 1994.12.29. 93헌마120).

④ **국회의원**: 국회의 구성원인 지위에서 공권력 작용의 주체가 되어 오히려 국민의 기본권을 보호 내지 실현할 책임과 의무를 지는 국회의원이 국회의 의안처리과정에서 권한을 침해당하였다고 하더라도 이는 헌법재판소법 제68조 제1항의 '기본권의 침해'에는 해당하지 않으므로, 이러한 경우 국회의원은 개인의 권리구제수단인 헌법소원을 청구할 수 없다(헌재 1995. 2.23. 91헌마231). 11. 경정승진

⑤ **교육위원**: 교육위원인 청구인들은 기본권의 주체가 아니라 공법인인 지방자치단체의 합의체기관인 교육위원회의 구성원으로서 '공법상 권한'을 행사하는 공권력의 주체일 뿐이다(헌재 1995.9.28. 92헌마23·86).

⑥ **지방의회**: 공법인인 지방자치단체의 의결기관인 청구인 의회는 기본권의 주체가 될 수 없고 따라서 헌법소원을 제기할 수 있는 적격이 없다(헌재 1998.3.26. 96헌마345).

⑦ **지방자치단체의 장**: 지방자치단체나 그 기관인 지방자치단체의 장은 기본권의 주체가 아니며 이 사건 심판청구인인 제주도의 장인 청구인은 헌법소원청구인으로서의 적격이 없다고 할 것이므로 이 사건 심판청구는 부적법하다(헌재 1997.12.24. 96헌마365).

⑧ **경찰공무원**: 일반적으로 청구인과 같은 경찰공무원은 기본권의 주체가 아니라 국민 모두에 대한 봉사자로서 공공의 안전 및 질서유지라는 공익을 실현할 의무가 인정되는 기본권의 수범자라 할 것인바, 검사가 발부한 형집행장에 의하여 검거된 벌금미납자의 신병에 관한 업무는 국가조직영역 내에서 수행되는 공적 과제 내지 직무영역에 대한 것으로 이와 관련해서 청구인은 국가기관의 일부 또는 그 구성원으로서 공법상의 권한을 행사하는 공권력행사의 주체일 뿐, 기본권의 주체라 할 수 없으므로 이 사건에서 청구인에게 헌법소원을 제기할 청구인적격을 인정할 수 없다(헌재 2009.3.24. 2009헌마118). 11. 국가직, 16. 경정승진

⑨ **사립학교**: 청구인 남문중·상업고등학교는 교육을 위한 시설에 불과하여 우리 민법상 권리능력이나 민사소송법상 당사자능력이 없다고 할 것인바, 위 시설에 관한 권리·의무의 주체로서 당사자능력이 있는 청구인 남문학원이 헌법소원을 제기하여 권리구제를 받는 절차를 밟음으로써 족하다고 할 것이고, 위 학교에 대하여 별도로 헌법소원의 당사자능력을 인정하여야 할 필요는 없다고 할 것이므로 동 학교의 이 사건 헌법소원심판청구는 부적법하다(헌재 1993.7.29. 89헌마123). 11. 법무사, 19. 지방직

⚖ 판례

원주시를 혁신도시 최종입지로 선정하여 공표한 강원도지사의 행위에 대하여 춘천시(지방자치단체)가 헌법소원심판을 청구할 수 있는지 여부: 소극

지방자치단체는 기본권의 주체가 될 수 없다는 것이 헌법재판소의 입장이며, 17. 경정승진 이 사건에서 이를 변경하여야 할 만한 사정이나 필요성이 없으므로 지방자치단체인 춘천시의 이 사건 헌법소원청구는 부적법하다. 또한 이 사건 선정으로 인한 이익 내지 혜택은 공공정책의 실행으로 인하여 해당 주민들에게 주어지는 것으로서, 사실적·경제적인 것일 뿐 법적 이익에 해당한다고 볼 수 없다. 따라서 청구인들이 그러한 이익 내지 혜택에서 배제되었다 해서 기본권이 침해되었다 할 수 없다(헌재 2006.12.28. 2006헌마312).

2. 대상적격(심판대상) – 공권력의 행사 또는 불행사

헌법소원심판은 '공권력의 행사 또는 불행사로 인하여' 헌법상 보장된 기본권을 침해받은 경우에 청구할 수 있는 것이므로 그 취소를 구하는 공권력행사나 위헌확인을 구하는 공권력의 불행사가 존재하지 아니하면 헌법소원은 청구할 수 없다. 여기서 공권력의 행사 또는 불행사란 공권력을 행사할 수 있는 지위에 있는 기관, 즉 공권력주체에 의한 작위·부작위로서 그로 인하여 국민의 권리·의무 내지 법적 지위에 직접적인 영향을 가져오는 행위이어야 한다.

⚖ 판례

1 대선후보자 방송토론회 참석자결정행위가 헌법소원의 대상인지 여부: 적극

헌법소원의 대상이 되는 공권력은 입법·행정·사법 등의 모든 기관뿐만 아니라 간접적인 국가행정, 예를 들어 공법상의 사단·재단 등의 공법인, 국립대학교와 같은 영조물 등의 작용도 포함된다. 04. 법행·법무사 대통령선거방송위원회는 공직선거법 규정에 의하여 설립되고 동법에 따른 법적 업무를 수행하는 공권력의 주체이므로, 이 사건 결정 및 공표행위는 헌법소원의 대상이 되는 공권력의 행사이다(헌재 1998.8.27. 97헌마372).

2 국민감사청구에 대한 감사원장의 기각결정이 헌법소원의 대상이 되는 공권력 행사에 해당하는지 여부: 적극

[1] 부패방지법(제40조)상의 국민감사청구제도는 일정한 요건을 갖춘 국민들이 감사 청구를 한 경우에 감사원장으로 하여금 감사청구된 사항에 대하여 감사실시 여부 를 결정하고 그 결과를 감사청구인에게 통보하도록 의무를 지운 것이므로(동법 제 42조, 제43조), 이러한 국민감사청구에 대한 기각결정은 공권력주체의 고권적 처분 이라는 점에서 헌법소원의 대상이 될 수 있는 공권력행사라고 보아야 할 것이다. 12. 국회직 9급

[2] 감사원장의 국민감사청구 기각결정의 처분성 인정 여부에 대하여 대법원 판례는 물론 하급심 판례도 아직 없으며 부패방지법상 구체적인 구제절차가 마련되어 있 는 것도 아니므로, 청구인들이 행정소송을 거치지 않았다고 하여 보충성요건에 어 긋난다고 볼 수는 없다(헌재 2006.2.23. 2004헌마414).

3 한국증권거래소의 상장폐지확정결정이 헌법소원의 대상인지 여부: 소극

유가증권의 상장은 한국증권거래소와 상장신청법인 사이의 '상장계약'이라는 사법상의 계약에 의하여 이루어지는 것이고, 상장폐지결정 및 상장폐지확정결정 또한 그러한 사 법상의 계약관계를 해소하려는 한국증권거래소의 일방적인 의사표시라고 봄이 상당하 다고 할 것이다. 따라서 이 사건 상장폐지확정결정은 헌법소원의 대상이 되는 공권력의 행사에 해당하지 아니한다(헌재 2005.2.24. 2004헌마442). 12. 국회직·법원직, 16. 서울시

4 정당이 대통령선거후보경선과정에서 여론조사결과를 반영한 것이 헌법소원심 판의 대상이 되는지 여부: 소극

정당은 국민의 이익을 위하여 책임 있는 정치적 주장이나 정책을 추진하고 공직선거의 후보자를 추천 또는 지지함으로써 국민의 정치적 의사형성에 참여함을 목적으로 하는 국민의 자발적 조직으로(정당법 제2조), 그 법적 성격은 일반적으로 사적·정치적 결사 내지는 법인격 없는 사단으로 파악되고 있고, 이러한 정당의 법률관계에 대하여는 정당 법의 관계 조문 이외에 일반 사법규정이 적용되므로, 정당은 공권력행사의 주체가 될 수 없다. … 한나라당이 대통령선거후보경선과정에서 여론조사결과를 반영한 것을 일컬 어 헌법소원심판의 대상이 되는 공권력의 행사에 해당한다 할 수 없다(헌재 2007.10.30. 2007헌마128).❶ 12. 경정승진

5 외국의 공권력 작용이 헌법소원의 대상이 되는지 여부: 소극

헌법소원심판의 대상이 되는 공권력의 행사 또는 불행사는 헌법소원의 본질상 대한민 국 국가기관의 공권력 작용을 의미하고 외국이나 국제기관의 공권력 작용은 이에 포함 되지 아니한다 할 것이다(헌재 1997.9.26. 96헌마159).

6 공공용지의 취득 및 손실보상에 관한 특례법(이하 '공특법'이라 한다)에 따른 보상금 지급행위가 헌법소원의 대상인지 여부: 소극

공특법에 의한 토지 등의 협의취득의 법적 성질은 사법상의 매매계약과 다를 것이 없는 바, 그 협의취득에 따르는 보상금의 지급행위는 토지 등의 권리이전에 대한 반대급여의 교부행위에 지나지 아니하므로 그 역시 사법상의 행위라고 볼 수밖에 없으므로 헌법소 원심판의 대상이 되는 공권력의 행사라고 볼 수 없다(헌재 1992.11.12. 90헌마60).

---

7 한국감정평가협회가 제정한 토지보상평가지침이 헌법소원의 대상이 되는지 여부: 소극

토지보상평가지침을 만든 한국감정평가협회는 부동산 가격공시 및 감정평가에 관한 법률 제40조의 규정에 따라 감정평가업자와 감정평가법인 또는 감정평가사사무소의 소속 감정평가사들이 감정평가제도의 개선 및 업무의 효율적인 수행을 위하여 설립한 사적 임의단체로서 동 협회에 관하여는 원칙적으로 민법 중 사단법인에 관한 규정이 준용된다. 따라서 공권력행사의 주체가 아닌 한국감정평가협회가 제정한 토지보상평가지침은 헌법소원의 대상이 되는 공권력의 행사에 해당하지 아니한다(헌재 2006.7.27. 2005헌마307).

8 교도소 내 이발지도행위가 공권력의 행사에 해당하는지 여부: 소극

이 사건 이발지도행위는 피청구인이 두발 등을 단정하게 유지할 것을 지도·교육한 것에 불과하고 피청구인의 우월적 지위에서 일방적으로 청구인에게 이발을 강제한 것이 아니므로, 헌법소원심판의 대상인 공권력의 행사라고 보기 어렵다(헌재 2012.4.24. 2010헌마751).

9 한국방송공사의 '2006년도 예비사원 채용 공고'가 '공권력의 행사'에 해당하는지 여부: 소극

피청구인은 방송법에 따라 정부가 자본금을 전액 출자하여 설립한 법인으로(제43조 제2항·제5항), 공정하고 건전한 방송문화를 정착시키는 등 공익적 목적을 실현하기 위한(제43조 제1항, 제44조) 공법인이다. 공법인의 행위는 일반적으로 헌법소원의 대상이 될 수 있으나, 그중 대외적 구속력을 가지지 않는 단순한 내부적 행위나 사법적인 성질을 지니는 것은 헌법소원의 대상이 되는 공권력의 행사에 해당한다 할 수 없다. 방송법은 "한국방송공사 직원은 정관이 정하는 바에 따라 사장이 임면한다."고 규정하는 외에는(제52조) 직원의 채용관계에 관하여 달리 특별한 규정을 두고 있지 않으므로, 피청구인의 이 사건 공고 내지 직원 채용은 피청구인의 정관과 내부 인사규정 및 그 시행세칙에 근거하여 이루어질 수밖에 없다. 그렇다면 피청구인의 직원 채용관계는 특별한 공법적 규제 없이 피청구인의 자율에 맡겨진 셈이 되므로 이는 사법적인 관계에 해당한다고 봄이 상당하다. 또한 직원 채용관계가 사법적인 것이라면, 그러한 채용에 필수적으로 따르는 사전절차로서 채용시험의 응시자격을 정한 이 사건 공고 또한 사법적인 성격을 지닌다고 할 것이다. 그렇다면 이 사건 공고는 헌법소원으로 다툴 수 있는 '공권력의 행사'에 해당하지 않는다(헌재 2006.11.30. 2005헌마855).

10 법학전문대학원협의회의 법학적성시험 시행계획 공고가 헌법소원의 대상인지 여부: 적극

간접적인 국가행정, 예를 들어 공법상의 사단·재단 등의 공법인, 국립대학교와 같은 영조물 등의 작용도 헌법소원의 대상이 된다. 법학전문대학원협의회는 민법 제32조 및 '공익법인의 설립·운영에 관한 법률' 제4조에 따라 설립된 공익법인인바, 특히 법학적성시험의 주관 및 시행업무는 교육과학기술부장관으로부터 위임받은 업무로 적성시험의 실시에 관하여 일정한 권한을 가짐과 동시에 적성시험의 시행과 관련하여 국가의 관리·감독을 받고 있다. 이와 같은 점을 고려할 때 법학전문대학원협의회는 최소한 적성시험의 주관 및 시행에 관해서는 교육과학기술부장관의 지정 및 권한의 위탁에 의해 관련 업무를 수행하는 공권력행사의 주체라고 할 것이다(헌재 2010.4.29. 2009헌마399).

11 변호사 등록을 신청하는 자에게 등록료 1,000,000원을 납부하도록 정한 대한변호사협회의 '변호사 등록 등에 관한 규칙' 제12조 제1항 및 구 '변호사 등록 등에 관한 규정' 제9조 제1호가 헌법소원심판의 대상이 되는 '공권력의 행사'에 해당하는지 여부: 적극

변호사법의 관련 규정, 변호사 등록의 법적 성질, 변호사 등록을 하려는 자와 변협 사이의 법적 관계 등을 고려했을 때 변호사등록에 관한 한 공법인 성격을 가지는 변협이 등록사무의 수행과 관련하여 정립한 규범을 단순히 내부 기준이라거나 사법적인 성질을 지니는 것이라 볼 수는 없고, 변호사 등록을 하려는 자와의 관계에서 대외적 구속력을 가지는 공권력 행사에 해당한다고 할 것이다(헌재 2019.11.28. 2017헌마759).

(1) 입법작용

① **법률**: 헌법소원심판의 청구사유를 규정한 헌법재판소법 제68조 제1항 본문에 규정된 공권력 가운데에는 입법권도 당연히 포함되고 따라서 법률에 대한 헌법소원도 가능하다. 그러나 모든 법률이 다 헌법소원의 대상이 되는 것이 아니고 그 법률이 별도의 구체적 집행행위를 기다리지 않고 직접적·현재적으로 헌법상 보장된 기본권을 침해하는 경우에 한정됨을 원칙으로 한다. 같은 법률조항 단서는 다른 법률에 구제절차가 있는 경우에는 그 절차를 모두 거친 후가 아니면 헌법소원심판을 청구할 수 없도록 규정하고 있으나 법률 자체에 의한 직접적인 기본권침해 여부가 문제될 때에는 그 법률 자체의 효력을 직접 다투는 것을 소송물로 하여 일반법원에 소송을 제기하는 길이 없어 구제절차가 있는 경우가 아니므로 다른 구제절차를 거칠 것 없이 바로 헌법소원을 제기할 수 있다(헌재 1990.6.25. 89헌마220).

> ### 📚 판례
>
> #### 1 위헌결정이 선고된 법률에 대한 헌법소원심판청구의 적법 여부: 소극
>
> 위헌결정이 선고된 법률에 대한 헌법소원심판청구는 비록 위헌결정이 선고되기 이전에 심판청구된 것일지라도 더이상 심판의 대상이 될 수 없어 부적법하다(헌재 1994.4.28. 92헌마280).
>
> #### 2 입법절차의 하자를 일반 국민이 헌법소원으로 다툴 수 있는지 여부: 소극
>
> 야당 국회의원들에게는 개의시간을 알리지 아니한 채 여당 국회의원들만 출석한 가운데 법률안을 상정하여 가결·선포한 경우, 그와 같은 입법절차의 하자를 둘러싼 분쟁은 본질적으로 법률안의 심의·표결에 참여하지 못한 국회의원이 국회의장을 상대로 **권한쟁의에 관한 심판을 청구하여 해결**하여야 할 사항이다. 따라서 이 사건 법률의 입법절차의 하자로 인하여 기본권을 침해받았음을 전제로 한 청구인들(일반 국민)의 심판청구는 기본권침해의 현재성·직접성을 갖추지 못한 것으로서 부적법하다(헌재 1998.8.27. 97헌마8). 11. 사시
>
> #### 3 법률조문의 개정·폐지를 구하는 헌법소원심판청구가 적법한지 여부: 소극
>
> 이 부분 청구는 헌법재판소법 제75조 제7항을 "민사사법원에서의 재심판결에 판단유탈의 위법판결을 한 사실이 있을 때는 그 재심소송을 헌법재판소가 하여야 한다."로 개정하는 심판과 동법 동조 제4항을 폐지하는 심판을 구하는 청구이다. 이러한 법률의 개폐는 입법기관의 소관사항이므로 헌법소원심판청구의 대상이 될 수 없다. 청구인이 주장하는 헌법상의 청원권이나 청원법 제4조 제3호에 의한 법률개폐의 청원도 동법 제7조에 규정한 바, 그 청원사항을 주관하는 관서, 즉 입법부에 제출하는 것이지 입법기관이 아닌 헌법재판소에 헌법소원의 방법으로 청원할 수 있는 것도 아니다.

따라서 위 법률조문들을 개폐하는 심판을 구하는 헌법소원심판청구는 헌법소원심판청구의 대상이 될 수 없는 사항에 대한 헌법소원심판청구이어서 이 또한 부적법하다(헌재 1992.6.26. 89헌마132). 05. 국회직 8급

② 입법부작위
    ③ **단순입법부작위**: 단순입법부작위란 헌법상 입법의무를 전제로 하지 않는 것이므로, 국민이 국회에 대하여 입법을 청원하는 것은 별론으로 하고 법률의 제정을 소구하는 헌법소원은 원칙적으로 인정되지 아니한다(헌재 1992.12.24. 90헌마174).
    ⓒ **진정입법부작위와 부진정입법부작위**: 첫째는 입법자가 헌법상 입법의무가 있는 어떤 사항에 관하여 전혀 입법을 하지 아니함으로써 '입법행위의 흠결이 있는 경우'이고, 둘째는 입법자가 어떤 사항에 관하여 입법은 하였으나 그 입법의 내용·범위·절차 등이 당해 사항을 불완전·불충분 또는 불공정하게 규율함으로써 '입법행위에 결함이 있는 경우'이다. 일반적으로 전자를 진정입법부작위, 후자를 부진정입법부작위라고 한다(헌재 2007.5.31. 2006헌마1000).
        ⓐ **진정입법부작위(입법의 흠결)**: 진정입법부작위에 대한 헌법소원은 헌법에서 기본권보장을 위하여 법령에 명시적인 입법위임을 하였음에도 입법자가 이를 이행하지 아니한 경우이거나, 헌법해석상 특정인에게 구체적인 기본권이 생겨 이를 보장하기 위한 국가의 행위의무 내지 보호의무가 발생하였음이 명백함에도 불구하고 입법자가 아무런 입법조치를 취하지 아니한 경우에 한하여 허용된다(헌재 1989.3.17. 88헌마1 등). 06. 국가직, 18. 입시
        ⓑ **부진정입법부작위(입법의 결함)**: 부진정입법부작위란 입법은 하였으나 법규정이 불완전하여 그 보충을 요하는 경우를 말한다. 이 경우에는 그 불완전한 법규 자체를 대상으로 하여 그것이 헌법 위반이라는 적극적인 헌법소원을 제기하여야 하지 입법부작위로서는 헌법소원의 대상으로 삼을 수 없다(헌재 1989.7.28. 89헌마1). 이 경우 헌법재판소법 소정의 제소기간을 준수하여야 한다(헌재 1996.10.4. 94헌마108). 11. 법원직

        ☑ **주의** 부진정입법부작위도 입법부작위를 이유로 헌법소원을 제기할 수 있다. (×)

⚖ 판례

1 부진정입법부작위에 대한 헌법소원의 대상

기본권보장을 위한 법규정이 불완전하여 보충을 요하는 경우에는 그 **불완전한 법규 자체를 대상**으로 하여 그것이 헌법 위반이라는 적극적인 헌법소원을 청구함은 별론으로 하고, 입법부작위를 헌법소원의 대상으로 삼을 수는 없다(헌재 1999.1.28. 97헌마9). 18. 국회직

2 부진정입법부작위에 의한 기본권침해에 대한 헌법소원의 제기방법

부진정입법부작위를 대상으로 헌법소원을 제기하려면 그것이 평등의 원칙에 위배된다는 등 헌법 위반을 내세워 **적극적인 헌법소원**을 제기하여야 하며, 이 경우에는 헌법재판소법 소정의 **제소기간**을 준수하여야 한다(헌재 1996.10.31. 94헌마108). 11. 법원직, 18. 입시

3 국군포로 사건

> 국군포로의 송환 및 대우 등에 관한 법률(2015.3.27. 법률 제13237호로 개정된 것)
> **제15조의5 【국군포로에 대한 예우】**① 국방부장관은 등록포로, 제6조에 따른 등록을 하기 전에 사망한 귀환포로, 귀환하기 전에 사망한 국군포로에게 억류기간 중의 행적이나 공헌의 정도에 상응하는 예우를 할 수 있다.
> ② 제1항에 따른 예우의 신청, 기준, 방법 등에 필요한 사항은 대통령령으로 정한다.

[1] 대한민국에 귀환하여 등록한 포로에 대한 보수 기타 대우 및 지원만을 규정하고, 대한민국으로 귀환하기 전에 사망한 국군포로에 대하여는 이에 관한 입법조치를 하지 않은 입법부작위가 위헌인지 여부: 소극 [각하]

청구인은 대한민국으로 귀환하기 전에 사망한 국군포로의 보수 기타 대우와 지원에 관하여는 아무런 입법조치가 이루어지고 있지 않다고 주장한다. 그런데 국군포로법은 제9조 제1항, 제11조 제1항, 제15조 제1항 등을 통하여 등록포로에 대해서는 보수와 위로지원금을 지급하고, 귀환하기 전에 사망한 국군포로에 관해서는 그 억류지출신 포로가족에게 지원금을 지급하도록 하고 있으므로, 청구인의 주장은 결국 등록포로에 대한 보수·지원에 관한 규정이나 억류지출신 포로가족에 대한 지원을 규정하고 있는 규정이 불완전, 불충분한 입법이라는 부진정입법부작위를 다투는 것이다. 이처럼 부진정입법부작위를 다투기 위해서는 그 불완전한 법규 자체를 대상으로 한 헌법소원이 가능함은 별론으로 하고, 입법부작위로서 헌법소원의 대상으로 삼을 수는 없다. 설령 청구인의 취지가 국군포로법 제9조, 제11조, 제15조가 불완전, 불충분하다는 것으로 선해하더라도, 이 부분 심판청구는 청구기간을 도과하여 제기된 것으로 부적법하다.

[2] 국군포로 등에 대하여 억류기간 중 행적이나 공헌에 상응하는 예우를 할 수 있도록 대통령령을 제정하지 않은 행정입법부작위가 위헌인지 여부: 적극 [위헌확인]

국군포로법 제15조의5 제2항은 같은 조 제1항에 따른 예우의 신청·기준·방법 등에 필요한 사항은 대통령령으로 정한다고 규정하고 있으므로, 피청구인은 예우의 신청·기준·방법 등에 필요한 사항을 대통령령으로 제정할 의무가 있다. 국군포로법 제15조의5 제1항이 국방부장관으로 하여금 예우 여부를 재량으로 정할 수 있도록 하고 있으나, 이것은 예우 여부를 재량으로 한다는 의미이지, 대통령령 제정 여부를 재량으로 한다는 의미는 아니다. 이처럼 피청구인에게는 대통령령을 제정할 의무가 있음에도, 그 의무는 상당 기간 동안 불이행되고 있고, 이를 정당화할 이유도 찾아보기 어렵다. 따라서 피청구인이 대통령령을 제정하지 아니한 행위는 청구인의 명예권을 침해한다. 다만, 이러한 행정입법부작위가 청구인의 재산권을 침해하는 것은 아니다(헌재 2018.5.31. 2016헌마626). 18. 입시

개념PLUS+ **입법부작위에 대한 헌법재판의 방법**

진정입법부작위		'입법부작위' 자체를 대상으로 하는 헌법소원(헌법재판소법 제68조 제1항 본래 의미의 헌법소원)
부진정입법부작위	법률의 경우	• 헌법재판소법 제41조 위헌법률심판 • 헌법재판소법 제68조 제1항 법령소원 • 헌법재판소법 제68조 제2항 위헌소원
	법률 이외의 법령의 경우	헌법재판소법 제68조 제1항 법령소원

⚖ 판례

1 치과전문의시험제도를 실시할 수 있는 절차를 마련하지 아니한 입법부작위가 위헌인지 여부: 적극 [위헌확인]

치과전문의제도의 실시를 법률 및 대통령령이 규정하고 있고 그 실시를 위하여 시행규칙의 개정 등이 행해져야 함에도 불구하고 법률의 시행에 필요한 행정입법을 하지 아니하는 경우에는 행정권에 의하여 입법권이 침해되는 결과가 된다. 따라서 보건복지부장관에게는 헌법에서 유래하는 행정입법의 작위의무가 있다. … 보건복지부장관이 의료법과 위 규정의 위임에 따라 치과전문의자격시험제도를 실시할 수 있는 절차를 마련하지 아니하는 입법부작위는 헌법에 위반됨을 확인한다(헌재 1998.7.16. 96헌마246). 18. 법행·법무사, 19. 법원직

2 노동부장관이 평균임금을 정하여 고시하지 아니한 입법부작위가 위헌인지 여부: 적극 [위헌확인]

산업재해보상보험법 제4조 제2호 단서 및 근로기준법 시행령 제4조는 근로기준법과 같은 법 시행령에 의하여 근로자의 평균임금을 산정할 수 없는 경우에 노동부장관으로 하여금 평균임금을 정하여 고시하도록 규정하고 있으므로, 노동부장관으로서는 그 취지에 따라 평균임금을 정하여 고시하는 내용의 행정입법을 하여야 할 의무가 있다고 할 것인바, 노동부장관의 그러한 작위의무는 직접 헌법에 의하여 부여된 것은 아니나, **법률이 행정입법을 당연한 전제로 규정하고 있음에도 불구하고 행정권이 그 취지에 따라 행정입법을 하지 아니함으로써 법령의 공백상태를 방치하고 있는 경우에는 행정권에 의하여 입법권이 침해되는 결과가 되는 것이므로, 노동부장관의 그러한 행정입법작위의무는 헌법적 의무라고 보아야 한다.** … 피청구인이 산업재해보상보험법 제4조 제2호 단서 및 근로기준법 시행령 제4조의 위임에 의하여 평균임금을 정하여 고시하지 아니하는 행정입법부작위는 헌법에 위반됨을 확인하기로 하여 주문과 같이 결정한다(헌재 2002. 7.18. 2000헌마707).

3 군법무관의 보수에 관한 행정입법부작위가 위헌인지 여부: 적극 [위헌확인] 12. 지방직

[1] 행정입법의무의 성격

행정명령의 제정 또는 개정의 지체가 위법으로 되어 그에 대한 법적 통제가 가능하기 위하여는 첫째, 행정청에 시행명령을 제정(개정)할 법적 의무가 있어야 하고 둘째, 상당한 기간이 지났음에도 불구하고 셋째, 명령제정(개정)권이 행사되지 않아야 한다.

행정과 사법은 법률에 기속되므로, 국회가 특정한 사항에 대하여 행정부에 위임하였음에도 불구하고 행정부가 정당한 이유 없이 이를 이행하지 않는다면 권력분립의 원칙과 법치국가 내지 법치행정의 원칙에 위배되는 것이다. 따라서 이 사건과 같이 군법무관의 보수의 지급에 관하여 대통령령을 제정하여야 하는 것은 헌법에서 유래하는 작위의무를 구성한다.

[2] 행정입법 부작위의 정당성 유무

행정부가 위임입법에 따른 시행명령을 제정하지 않거나 개정하지 않은 것에 정당한 이유가 있었다면 그런 경우에는 헌법재판소가 위헌확인을 할 수는 없을 것이다. 그런데 그러한 정당한 이유가 인정되기 위해서는 그 위임입법 자체가 헌법에 위반된다는 것이 누가 보아도 명백하거나, 위임입법에 따른 행정입법의 제정이나 개정이 당시 실시되고 있는 전체적인 법질서 체계와 조화되지 아니하여 그 위임입법에 따른 행정입법 의무의 이행이 오히려 헌법질서를 파괴하는 결과를 가져옴이 명백할 정도는 되어야 할 것이다.

[3] 침해되는 기본권

① 직업의 자유

시행령이 제정되지 않아 법관·검사와 같은 보수를 받지 못하고 있다고 하더라도, 직업의 자유에 '해당 직업에 합당한 보수를 받을 권리'까지 포함되어 있다고 보기 어려우므로 청구인들의 직업선택이나 직업수행의 자유가 침해되었다고 할 수 없다. 08. 법행

② 평등권

이 사건 입법부작위가 평등권을 침해한다고 보기도 어렵다. 군법무관이 처음부터 법관·검사와 똑같은 보수를 받을 권리를 가진다고 전제하기 어렵고, 달리 시행령 제정상의 차별이라는 비교 관점도 성립하기 어려운 것이다.

③ 재산권

이 사건 입법부작위는 청구인들의 재산권을 침해하고 있는 것이라 할 것이다. 법 제6조 내지 구법 제5조 제3항은 군법무관의 보수를 법관·검사의 예에 의할 것이라고 규정하고, 다만 그 구체적 내용을 시행령에 위임하고 있다. 이러한 법 조항들은 군법무관의 보수의 내용을 법률로써 일차적으로 형성한 것이고, 이 법률들에 의하여 상당한 수준의 보수(급료)청구권이 인정되는 것이라 해석될 여지가 있다. 그렇다면 그러한 보수청구권은 단순한 기대이익을 넘어서는 것으로서 법률의 규정에 의하여 인정된 재산권의 한 내용으로 봄이 상당하다. 따라서 대통령이 정당한 이유 없이 해당 시행령을 만들지 않아 그러한 보수청구권이 보장되지 않고 있다면 이는 재산권의 침해에 해당된다고 볼 것이다.

④ 행복추구권

행복추구권은 일반조항적 성격을 지니며, 보충적 성격을 지닌 기본권이므로 같은 사항에 대하여 재산권침해를 판단한 이상 행복추구권의 침해 여부를 독자적으로 판단할 필요는 없는 것이다.

[4] 결론

이 사건에서 피청구인이 구법 제5조 제3항 및 법 제6조의 위임에도 불구하고 지금까지 해당 시행령을 제정하지 않고 있는 입법부작위는 정당한 이유 없이 청구인들의 재산권을 침해한 것으로서 헌법에 위반되므로 재판관 1인의 반대의견을 제외하고 나머지 관여 재판관들의 일치된 의견으로 주문과 같이 결정한다(헌재 2004.2.26. 2001헌마718).

4 근로3권이 허용되는 '사실상 노무에 종사하는 공무원의 범위'에 관한 조례제정을 하지 않은 입법부작위가 위헌인지 여부: 적극 [위헌확인]

지방공무원법 제58조 제2항은 '사실상 노무에 종사하는 공무원'의 구체적인 범위를 조례로 정하도록 하고 있기 때문에 그 범위를 정하는 조례가 제정되어야 비로소 지방공무원 중에서 단결권·단체교섭권 및 단체행동권을 보장받게 되는 공무원이 구체적으로 확정된다. 그러므로 지방자치단체는 소속 공무원 중에서 지방공무원법 제58조 제1항의 '사실상 노무에 종사하는 공무원'에 해당하는 지방공무원이 단결권·단체교섭권 및 단체행동권을 원만하게 행사할 수 있도록 보장하기 위하여 그 구체적인 범위를 조례로 제정할 헌법상 의무를 부담하며, 지방공무원법 제58조가 '사실상 노무에 종사하는 공무원'에 대하여 단체행동권을 포함한 근로3권을 인정하더라도 업무 수행에 큰 지장이 없고 국민에 대한 영향이 크지 아니하다는 입법자의 판단에 기초하여 제정된 이상, 해당 조례의 제정을 미루어야 할 정당한 사유가 존재한다고 볼 수도 없다. … 이 사건 입법부작위는 청구인들의 근로3권을 침해하므로 위헌임을 확인한다(헌재 2009.7.30. 2006헌마358). 16. 사시

5 지방자치단체장을 위한 별도의 퇴직급여제도를 마련하지 않은 입법부작위가 헌법소원의 대상에 해당하는지 여부: 소극 [각하]

지방자치단체장을 위한 별도의 퇴직급여제도를 마련하지 않은 것은 진정입법부작위에 해당하는데, 헌법상 지방자치단체장을 위한 퇴직급여제도에 관한 사항을 법률로 정하도록 위임하고 있는 조항은 존재하지 않는다. 나아가 지방자치단체장은 특정 정당을 정치적 기반으로 하여 선거에 입후보할 수 있고 선거에 의하여 선출되는 공무원이라는 점에서 헌법 제7조 제2항에 따라 신분보장이 필요하고 정치적 중립성이 요구되는 공무원에 해당한다고 보기 어려우므로 헌법 제7조의 해석상 지방자치단체장을 위한 퇴직급여제도를 마련하여야 할 입법적 의무가 도출된다고 볼 수 없고, 그 외에 헌법 제34조나 공무담임권 보장에 관한 헌법 제25조로부터 위와 같은 입법의무가 도출되지 않는다. 따라서 이 사건 입법부작위는 헌법소원의 대상이 될 수 없는 입법부작위를 그 심판대상으로 한 것으로 부적법하다(헌재 2014.6.26. 2012헌마459). 18. 국회직 8급·지방직

③ **명령·규칙**

㉠ **법규명령·규칙**

ⓐ **대법원의 입장**: 헌법상 법률의 위헌 여부는 헌법재판소가, 명령·규칙의 위헌 여부는 대법원이 각각 심사한다는 뜻으로 해석된다는 점, 명령·규칙이 국민의 권리를 직접 침해한 경우에는 그 자체가 행정소송의 대상이 된다는 점에서 명령·규칙은 헌법소원의 대상이 아니라고 한다.

ⓑ **헌법재판소의 입장**: 헌법 제107조 제2항의 명령·규칙에 대한 대법원의 최종심사권이란 구체적인 소송사건에서 명령·규칙의 위헌 여부가 재판의 전제가 되었을 경우 대법원이 이를 최종적으로 심사할 수 있다는 의미에 불과하다는 점, 법률의 위헌심사권이 헌법재판소에 부여되어 있는 이상 법률의 하위규범인 명령·규칙의 위헌 여부 심사권이 헌법재판소의 관할에 속함은 당연하다는 점, 헌법소원심판의 대상으로서의 공권력이란 입법·사법·행정 등 모든 공권력을 의미한다는 점에서 입법부에서 제정한 법률, 행정부에서 제정한 시행령·시행규칙, 사법부에서 제정한 규칙 등은 그것이 별도의 집행행위를 기다리지 않고 직접 기본권을 침해하는 것일 때에는 모두 헌법소원심판의 대상이 된다고 한다. 11. 법무사, 07·12. 국가직
이에 따라 헌법재판소는 대법원규칙인 사법서사법 시행규칙(헌재 1989.3.17. 88헌마1), 법무사법 시행규칙(헌재 1990.10.15. 89헌마178), 구 공탁금의 이자에 관한 규칙(헌재 1995.2.23. 90헌마214) 및 문화체육부령인 체육시설의 설치·이용에 관한 법률 시행규칙에 대하여 각각 헌법소원을 인정한 바 있다. 17. 국가직

㉡ **행정규칙**

ⓐ **원칙**: 행정규칙은 일반적으로 행정조직 내부에서만 효력을 가지는 것이고 대외적인 구속력을 가지는 것이 아니어서 원칙적으로 헌법소원의 대상이 아니다.

01 대법원은 헌법 제108조에 근거하여 사법권의 독립이나 사법권의 자율성을 위하여 규칙제정권을 가지기 때문에, 대법원규칙은 헌법재판소법 제68조 제1항에 의한 헌법소원심판의 대상이 될 수 없다. 17. 국가직 (O, ×)
답 × 대법원규칙도 그 자체에 의하여 직접 기본권이 침해되었음을 이유로 하는 때에는 헌법소원심판의 대상이 된다. 대법원규칙이나 시행규칙은 행정규칙이 아닌 법규명령에 해당한다.

02 고시·훈령·예규 등 행정규칙은 일반적으로 행정조직 내부에서만 효력을 가지므로 헌법소원의 대상이 되지 않지만, 대외적인 구속력을 갖는 법규명령으로 기능할 경우에는 헌법소원의 대상이 된다. 15. 국회직 8급 (O, ×)
답 O

03 국민의 권리의무에 직접 관계되지 않는 조례에 대하여도 달리 다툴 수 있는 절차가 없기 때문에 헌법소원의 대상이 된다. 13. 서울시 (O, ×)
답 × 조례가 별도의 구체적인 집행행위를 기다리지 않고, 직접 그리고 현재 자기의 기본권을 침해하는 경우에 헌법소원을 제기할 수 있다(헌재 1995.4.26. 92헌마264).

04 기존의 특정 지방자치단체를 폐지하고, 다른 지방자치단체에 편입시키는 내용의 법률조항은 기본권과 관련이 있어 헌법소원의 대상이 될 수 있다. 19. 법행 (O, ×)
답 O

05 공정한 선거관리 및 개표관리 등을 위한 공직선거관리규칙이나 공직선거에 관한 사무처리예규는 중앙선거관리위원회의 규칙제정권에 근거하여 만들어진 것으로서 모두 법규명령으로서의 성격을 갖는다. 20. 경정승진 (O, ×)
답 × 공직선거관리규칙은 법규명령이지만 공직선거에 관한 사무처리예규는 각급 선거관리위원회 직원 등에 대한 업무처리지침 내지 사무처리준칙에 불과하다.

ⓑ 예외
- **신뢰보호의 원칙 등에 따라 자기구속을 당하게 되는 경우**: 행정규칙이 법령의 규정에 의하여 행정관청에 법령의 구체적 내용을 보충할 권한을 부여한 경우나 재량준칙인 규칙이 되풀이 시행되어 행정관행이 이루어져 평등의 원칙이나 신뢰보호의 원칙에 따라 행정기관이 그 상대방에 대한 관계에서 그 규칙에 따라야 할 자기구속을 당하게 되는 경우에는 대외적인 구속력을 가지게 되는바, 이러한 경우에는 헌법소원의 대상이 될 수 있다(헌재 1990.9.3. 90헌마13).
- **상위법령과 결합하여 대외적인 구속력을 가지는 법규명령으로서 기능하는 경우(법령보충적 행정규칙)**: 법령의 직접적인 위임에 따라 수임행정기관이 그 법령을 시행하는 데 필요한 구체적 사항을 정한 것이라면 그 제정형식이 비록 법규명령이 아닌 고시·훈령·예규 등과 같은 행정규칙이라 하더라도 그것이 상위법령의 위임한계를 벗어나지 않는 한 상위법령과 결합하여 대외적인 구속력을 가지는 법규명령으로서 기능하게 된다고 보아야 할 것인바, 이러한 법령과 예규의 규정으로 말미암아 직접 기본권을 침해받은 경우에는 바로 헌법소원을 청구할 수 있다(헌재 1992.6.26. 91헌마25). 04. 법행, 15. 국회직 8급, 19. 지방직 법령보충적 행정규칙이라도 그 자체로서 직접적으로 대외적인 구속력을 가지는 것은 아니다. 즉, 상위법령과 결합하여 일체가 되는 한도 내에서 상위법령의 일부가 됨으로써 대외적 구속력이 발생되는 것일 뿐 그 행정규칙 자체는 대외적 구속력을 갖는 것은 아니라 할 것이다(헌재 2004.10.28. 99헌바91). 11. 법무사

④ **조례**: 헌법재판소는 조례는 지방자치단체가 그 자치입법권에 근거하여 자주적으로 지방의회의 의결을 거쳐 제정한 법규이기 때문에 조례 자체로 인하여 직접 기본권을 침해받은 자는 그 권리구제의 수단으로서 조례에 대한 헌법소원을 제기할 수 있다고 하였다(헌재 1994.12.29. 92헌마216). 13. 서울시 그러나 그 후 대법원은 조례가 집행행위의 개입 없이 그 자체로서 직접 국민의 구체적인 권리·의무나 법적 이익에 영향을 미치는 등의 법률상 효과를 발생하는 경우 그 조례는 항고소송의 대상이 되는 행정처분에 해당한다고 판시하고 있어[대판 1996.9.20. 95누8003(두밀분교폐지조례사건)] 헌법재판소와 대법원의 견해가 대립하고 있다.

✓ **주의** 조례는 그 자체로 인하여 직접 기본권이 침해되었다고 하여도 항고소송으로 다투어야 하고, 헌법소원을 제기할 수 없다. (×)

⑤ **헌법 규정**: 독일의 경우 헌법 규정에 대한 헌법소원을 인정하고 있다. 우리 헌법재판소는 헌법은 그 전체로서 주권자인 국민의 결단 내지 국민적 합의의 결과라고 보아야 할 것이고 헌법의 개별 규정은 헌법재판소법 제68조 제1항 소정의 공권력의 행사의 결과라고 할 수 없다고 하여 부정하는 입장이다(헌재 1995.12.28. 95헌바3).

1 법률 또는 법률조항 자체가 헌법소원의 대상이 되기 위한 요건

법률 또는 법률조항 자체가 헌법재판소법 제68조 제1항에 의한 헌법소원의 대상이 될 수 있으려면, 그 법률 또는 법률조항에 의하여 구체적인 집행행위를 기다리지 않고 직접·현재·자기의 기본권을 침해받아야 하는 것을 요건으로 하고, 기본권침해의 직접성이란 집행행위에 의하지 아니하고 법률 그 자체에 의하여 자유의 제한, 의무의 부과, 권리 또는 법적 지위의 박탈이 생긴 경우를 뜻한다(헌재 1999.5.27. 98헌마372).

▶ 법령소원의 인정근거는 법령도 입법작용으로서 공권력의 행사라는 점에 있다. 또 법령 자체에 대하여 곧바로 헌법소원이 가능한 것은 현재 법령 자체를 직접 대상으로 하여 행정소송 등에 의하여 다툴 수 있는 방법이 없기 때문이다.

2 법령에 대한 헌법소원의 경우 보충성원칙의 예외

법령 자체에 대한 헌법소원심판청구의 경우에 그 법령의 효력을 직접 다투는 것을 소송물로 하여 일반법원에 구제를 구할 수 있는 절차는 존재하지 아니하므로 이 경우에는 다른 구제절차를 거칠 것 없이 바로 헌법소원심판을 청구할 수 있다(헌재 1993.5.13. 91헌마190).

3 조약에 대한 헌법소원이 인정되는지 여부: 적극

이 사건 협정은 우리나라 정부가 일본정부와의 사이에서 어업에 관하여 체결·공포한 조약으로서 헌법 제6조 제1항에 의하여 국내법과 같은 효력을 가지므로, 그 체결행위는 고권적 행위로서 공권력의 행사에 해당한다(헌재 2001.3.21. 99헌마139).

4 대법원규칙이 헌법소원심판의 대상인지 여부: 적극

대법원규칙도 그 자체에 의하여 직접 기본권이 침해되었음을 이유로 하는 때에는 헌법소원심판의 대상이 된다(헌재 1995.2.23. 90헌마214).

5 행정규칙에 대한 헌법소원청구가 적법한지 여부: 소극

공직선거에 관한 사무처리예규는 선거사무의 처리에 관한 통일적 기준과 지침을 제공함으로써 공정하고 원활한 선거관리를 기함을 목적으로 하는 것이므로, 각급 선거관리위원회 직원 등에 대한 업무처리지침 내지 사무처리준칙에 불과할 뿐 국민이나 법원을 구속하는 효력이 없는 행정규칙이라고 할 것이어서, 이 예규 부분은 헌법소원심판대상이 되지 아니한다(헌재 2000.6.29. 2000헌마325). 19. 지방직, 20. 경정승진

6 조례가 헌법소원의 대상이 될 수 있는지 여부: 적극 08. 법원직

조례는 지방자치단체가 그 자치입법권에 근거하여 자주적으로 지방의회의 의결을 거쳐 제정한 법규이기 때문에 조례 자체로 인하여 직접 그리고 현재 자기의 기본권을 침해받은 자는 그 권리구제의 수단으로서 조례에 대한 헌법소원을 제기할 수 있다(헌재 1995.4.20. 92헌마264).

7 행정규칙이 법규명령으로서 기능하게 되는 경우에 헌법소원청구의 대상이 되는지 여부: 적극

법령의 직접적인 위임에 따라 위임행정기관이 그 법령을 시행하는 데 필요한 구체적 사항을 정한 것이면, 그 제정형식은 비록 법규명령이 아닌 고시·훈령·예규 등과 같은 행정규칙이더라도 그것이 상위법령의 위임한계를 벗어나지 아니하는 한, 상위법령과 결합하여 대외적인 구속력을 가지는 법규명령으로서 기능하게 된다고 보아야 할 것인바, 청구인이 법령과 예규의 관계규정으로 말미암아 직접 기본권침해를 받았다면 이에 대하여 바로 헌법소원심판을 청구할 수 있다(헌재 1992.6.26. 91헌마25). 04. 법행, 19. 국회직 8급

8 행정규칙형식의 법규명령에 대한 헌법소원청구가 적법한지 여부: 적극

이 사건 기준은 그 제정형식이 비록 보건복지부장관의 고시라는 **행정규칙**이지만, 식품위생법 제30조의 위임에 따라 식품접객업소의 영업행위에 대하여 제한대상 및 제한시간을 정한 것으로서 상위법령과 결합하여 **대외적인 구속력을 가지는 법규명령의 성격을** 가지고 있다. 이러한 경우 그 법령 자체의 효력을 직접 다투는 것을 소송물로 하여 일반법원에 소송을 제기하는 길이 없어 구제절차가 있는 경우가 아니므로 바로 헌법소원심판을 청구할 수 있다(헌재 2000.7.20. 99헌마455).

(2) 집행작용

① 적극적 행정행위

㉠ **행정처분:** 행정처분도 공권력의 행사로서 헌법소원심판청구의 대상이 되겠으나 헌법소원제도의 보충성원칙으로 인하여 먼저 행정소송을 제기하여야 하고, 이는 재판으로 끝날 수밖에 없으므로 재판소원금지의 원칙이 적용되어 행정처분에 대한 헌법소원은 현행제도하에서는 불가능하다.

> ⚖️ **판례**
>
> **공정거래위원회의 심사불개시결정이 헌법소원의 대상이 되는지 여부:** 적극
>
> 헌법재판소는 공정거래위원회의 무혐의조치가 헌법소원의 대상이 된다고 판단하였는바(헌재 2002.6.27. 2001헌마381), 동 위원회의 심사불개시결정 역시 공권력의 행사에 해당되며, 자의적일 경우 법(독점규제 및 공정거래에 관한 법률) 위반행위로 인한 피해자(신고인)의 평등권을 침해할 수 있으므로 헌법소원의 대상이 된다고 볼 것이다(헌재 2004.3.25. 2003헌마404). 04. 법행, 09. 사시, 18. 국회직

㉡ **원행정처분**

ⓐ **문제점:** 행정처분에 대하여 법률상 구제절차인 행정소송을 제기하였으나 받아들여지지 않은 경우 법원의 소송절차로는 더이상 다툴 수 없게 되자, 원행정처분 자체가 청구인의 기본권을 침해하였음을 주장하면서 원행정처분의 취소를 구하는 헌법소원심판을 청구할 수는 없는 것인지 문제된다.

ⓑ **학설**

• **부정설:** 행정처분에 대한 헌법소원을 인정하는 것은 행정처분의 최종관할을 대법원으로 하고 있는 헌법 제107조 제2항의 문언에 반한다는 점, 헌법재판소법 제68조 제1항이 헌법소원의 대상에서 법원의 재판을 제외시키는 것은 법원의 재판 자체뿐만 아니라 재판의 대상이 되었던 원행정처분까지도 제외시키는 취지로 해석된다는 점, 원행정처분에 대한 헌법소원을 인정하게 되면 행정처분에 대한 심사뿐 아니라 간접적으로 법원의 재판에 대한 헌법재판을 허용하는 결과가 된다는 점, 법원의 재판을 거친 원행정처분에 대하여 헌법소원을 인정한다면 이는 법원의 확정판결의 기판력의 취지와 모순된다는 점 등을 그 논거로 재판을 거친 후의 원행정처분에 대한 헌법소원은 제기할 수 없다는 견해이다.

- **긍정설**: 헌법재판소 결정례의 문언상 법원의 재판에 대한 헌법소원과 재판을 거친 후의 원행정처분에 대한 헌법소원은 명백히 구분된다는 점, 헌법 제107조 제2항은 처분이 헌법에 위반되는지 여부가 재판의 전제가 된 경우 대법원이 이를 최종적으로 심사한다는 의미이고 그 경우를 제외한 처분 자체에 의한 직접적인 기본권침해를 다투는 헌법소원은 가능하다는 점, 헌법 제107조 제2항은 법원 내부에서 대법원이 그 최종적 심판권을 행사한다는 의미이고 헌법재판소와의 관계에서도 대법원이 처분에 대한 배타적 관할권을 가진다는 것을 규정한 것은 아니라는 점, 아무리 대법원 판결이 있었다고 하더라도 위헌적 법률을 적용한 위헌적 처분에 대하여는 헌법소원을 허용할 필요가 있다는 점 등을 그 논거로 원행정처분에 대한 헌법소원을 제기할 수 있다는 견해이다.

ⓒ **헌법재판소의 입장**: 헌법재판소법 제68조 제1항의 헌법소원은 행정처분에 대하여도 청구할 수 있는 것이나 그것이 법원의 재판을 거쳐 확정된 행정처분인 경우에는 당해 행정처분을 심판의 대상으로 삼았던 법원의 재판이 헌법재판소가 위헌으로 결정한 법령을 적용하여 국민의 기본권을 침해한 결과 헌법소원심판에 의하여 그 재판 자체가 취소되는 경우에 한하여 당해 행정처분에 대한 심판청구가 가능한 것이고 09. 법무사 이와 달리 법원의 재판이 취소될 수 없는 경우에는 당해 행정처분에 대한 헌법소원심판청구도 허용되지 아니하며, 이와 같은 법리는 법원의 재판이 소를 각하하는 판결인 경우에도 마찬가지라 할 것이다(헌재 1998.8.27. 97헌마150). 12. 국가직 법원의 재판이 취소되지 아니하는 경우에는 확정판결의 기판력으로 인하여 원행정처분은 헌법소원심판의 대상이 되지 아니한다고 한다. 05. 법무사, 12. 국가직 즉, 원행정처분에 대하여 법원에 행정소송을 제기하여 패소판결을 받고 그 판결이 확정된 경우 당사자는 그 판결의 기판력에 의한 기속을 받게 되므로 별도의 절차에 의하여 **패소판결의 기판력이 제거되지 아니하는 한** 행정처분의 위법성을 주장하는 것은 확정판결의 기판력에 어긋나므로 원행정처분은 **헌법소원심판의 대상이 되지 아니한다고 할 것이며**, 뿐만 아니라 원행정처분에 대한 헌법소원심판청구를 인정하는 것은 헌법 제107조 제2항이나 헌법소원심판의 대상에서 법원의 재판을 제외하고 있는 헌법재판소법 제68조 제1항의 취지에도 어긋난다고 한다(헌재 1998.5.28. 91헌마98). 12. 법원직·국가직 이와는 달리 헌법재판소는 원행정처분을 심판의 대상으로 삼았던 법원의 재판이 예외적으로 헌법소원심판의 대상이 되어 그 재판 자체까지 **취소되는 경우에 한하여** 국민의 기본권을 신속하고 효율적으로 구제하기 위하여 원행정처분에 대한 헌법소원심판청구를 받아들여 이를 취소하는 것이 가능하다고 한다(헌재 1997.12.24. 96헌마172). 05. 입시, 12. 국가직, 14. 경정승진

ⓒ **검사의 처분**
ⓐ **불기소처분:** 불기소처분은 수사결과 검사가 공소를 제기하지 아니하는 처분을 말한다. 여기에는 종국처분으로서 소추요건흠결 등의 사유로 인하여 소추가 불가능하여 하는 처분인 '공소권 없음', '죄가 안 됨', '혐의 없음' 등이 있고, 소추가 가능하더라도 소추의 필요가 없어서 하는 '기소유예'가 있다. 그리고 중간처분인 기소중지, 공소보류 등도 광의의 불기소처분에 포함된다.
2007년 4월 형사소송법의 개정으로 고등법원에 재정신청을 할 수 있는 범죄를 모든 범죄로 확대하였고, 재정신청을 하기 위해서는 검찰청에 항고를 먼저 거치도록 하였다. 검사의 불기소처분에 대하여 헌법소원을 제기하려면 보충성의 원칙에 따라 법원의 재정신청을 먼저 거쳐야 한다. 그리고 고등법원의 재정신청에 대한 결정은 재판이고, 재판에 대한 헌법소원이 원칙적으로 금지되기 때문에 결국 검사의 불기소처분에 대해서는 헌법소원을 제기할 수 없게 되는 것이다. 17. 법행
결론적으로 검사의 불기소처분에 대한 형사피해자의 불복방법은 검찰청에 항고를 거친 후 고등법원에 재정신청을 제기하는 방법으로 단일화되었다고 할 수 있다. 다만, '**고소하지 아니한 형사피해자**'는 검찰청의 항고를 거쳐 법원에 재정신청을 할 수 없으므로 보충성의 예외가 적용되어 헌법재판소에 곧바로 헌법소원을 제기할 수 있다. 16. 사시 그리고 '**형사피의자**'도 검사의 자의적인 **기소유예처분** 등에 대하여 다툴 수 있는 사전구제절차가 없으므로 보충성의 예외에 해당하여 직접 헌법소원심판을 청구할 수 있다. 18. 국회직 9급

ⓑ **기소처분(공소제기):** 검사가 공소제기의 기소처분을 한 경우에는 법원에 의한 공판절차가 개시되며 통상적인 경우 이러한 후속의 형사소송절차에서 기소처분의 위헌성 여부와 위법성 여부에 대하여 충분히 심판받을 기회가 부여되게 되는바, 기소처분에 의한 형사소송절차에서 청구인이 주장하는 바에 관하여 심판을 받을 기회가 제공되지 않았거나 제공될 성질의 것이 아니었다는 특단의 사정을 찾을 수 없다면, 헌법재판소의 심판대상이 아닌 사항에 관한 심판청구로서 부적법한 청구라 할 것이다(헌재 1992.6.24. 92헌마104). 검사의 **약식명령청구**도 마찬가지이다. 12. 법원직

✅ **주의** 검사의 처분이 헌법소원대상에 해당하는지 여부
• 기소처분(공소제기) ×
• 약식명령청구 ×
• 고소하지 아니한 형사피해자의 불기소처분 ○
• 사전구제절차가 없는 불기소처분 ○

⚖️ 판례

1 기소유예처분을 받은 피의자가 그 처분의 취소를 구하는 헌법소원심판을 청구하는 경우 보충성원칙의 예외에 해당하여 적법한지 여부: 적극

검사의 불기소처분에 대한 검찰청법 소정의 항고 및 재항고는 그 피의사건의 고소인 또는 고발인만이 할 수 있을 뿐, 기소유예처분을 받은 피의자가 범죄혐의를 부인하면서 무고함을 주장하는 경우에는 검찰청법이나 다른 법률에 이에 대한 권리구제절차가 마련되어 있지 아니하므로, 검사의 기소유예처분의 취소를 구하는 헌법소원심판을 청구하는 경우에는 보충성원칙의 예외에 해당한다(헌재 2010.6.24. 2008헌마716). 05. 입시, 12. 법원직, 18. 국회직 9급

2 공소제기가 헌법소원의 대상인지 여부: 소극

법원에 공소가 제기된 이후 피고인의 구속에 관한 권한은 오직 법관에게 있을 뿐 검사에게는 피의자를 구속하기 위한 검사의 구속영장청구권과 유사한 권한마저도 없으며, 법원의 재판절차에 흡수되어 구속·불구속심리의 구체적인 사법적 심사를 받게 되므로, 검사의 불구속공소제기는 헌법소원심사의 대상이 될 수 없다(헌재 1996.11.28. 96헌마256). 12. 법원직

3 형사소송법상의 재정신청을 경유한 불기소처분에 대하여 헌법소원을 제기할 수 있는지 여부: 소극

원행정처분에 대한 헌법소원심판청구를 받아들여 이를 취소하는 것은 원행정처분을 심판대상으로 삼았던 법원의 재판이 예외적으로 헌법소원심판대상이 되어 그 재판 자체까지 취소되는 경우에 한하고, 법원의 재판이 취소되지 아니하는 경우에는 확정판결의 기판력으로 인하여 원행정처분 그 자체는 헌법소원심판의 대상이 되지 아니하며, 이와 같은 법리는 검사의 불기소처분에 대하여 법원의 재정신청절차를 거친 경우에도 마찬가지로 적용되어야 한다(헌재 2008.7.29. 2008헌마487).

4 피해자의 고소가 아닌 수사기관의 인지 등에 의하여 수사가 개시된 피의사건에서 검사의 불기소처분이 이루어진 경우, 피해자가 그 불기소처분에 대하여 곧바로 헌법소원심판을 청구할 수 있는지 여부: 적극

피해자의 고소가 아닌 수사기관의 인지 등에 의하여 수사가 개시된 피의사건에서 검사의 불기소처분이 이루어진 경우, 고소하지 아니한 피해자는 검사의 불기소처분을 다툴 수 있는 통상의 권리구제수단도 경유할 수 없으므로, 고소하지 아니한 피해자는 예외적으로 불기소처분의 취소를 구하는 헌법소원심판을 곧바로 청구할 수 있다(헌재 2010.6.24. 2008헌마716). 11. 법행, 18. 국회직 8급

5 자의적인 기소유예처분이 재판청구권을 침해하는지 여부: 적극

이 사건 기소유예처분에는 그 결정에 영향을 미친 현저한 수사미진과 중대한 이유모순 또는 이유불비의 잘못이 있어 그 처분은 극히 자의적인 검찰권의 행사라 아니할 수 없고, 그로 말미암아 다른 형사사건과 차별 없는 공정하고 성실한 수사를 받을 청구인의 기본권, 즉 평등권이 침해되었고 그 결과 헌법 제27조 제1항 소정의 법관에 의하여 재판을 받을 권리도 침해된 것임이 명백하다(헌재 1992.6.26. 92헌마7). 03. 법행

핵심기출 OX

01 검사의 기소중지처분에 대하여 그 사건의 피의자는 헌법소원을 제기할 수 없다. 05. 법무사 (○, ×)

📖 × 검사의 자의적인 기소중지로 범죄혐의자 상태가 유지되는 경우 사건의 피의자는 헌법소원을 제기할 수 있다.

02 검사가 기소중지처분을 한 사건에 관하여 피의자가 그 기소중지의 사유가 해소되었음을 이유로 수사재기신청을 하였는데도 검사가 재기불요처분(검찰사건 사무규칙 제43조 제6항)을 하였다면, 이 재기불요처분은 실질적으로는 그 결정시점에 있어서의 제반사정 내지 사정변경 등을 감안한 새로운 기소중지처분으로 볼 수 있으므로 이 재기불요처분도 헌법소원대상이 되는 공권력의 행사에 해당한다.
05. 국회직 8급 (○, ×)

📖 ○

03 수사기관의 진정처리에 대한 내사종결처리는 헌법재판소가 헌법소원의 대상성을 인정한 것이다.
12. 국회직 9급 변형 (○, ×)

📖 × 내사종결처분은 구속력이 없는 수사기관 내부의 사건처리에 불과하다.

04 검사의 기소처분, 구형, 약식명령, 내사종결처분, 수사재기결정, 형기종료일 지정처분은 헌법소원의 대상이 된다.
13. 서울시 (○, ×)

📖 × 검사의 기소처분, 구형, 약식명령, 내사종결처분, 수사재기결정, 형기종료일 지정처분은 헌법소원의 대상이 되지 않는다.

05 2008년 형사소송법의 개정으로 검사의 불기소처분은 헌법소원의 대상에서 완전히 제외되었다. 10. 국가직 (○, ×)

📖 × 불기소처분이 재정신청의 대상이 되지 아니하는 등 적절한 권리구제 수단이 없는 경우에는 헌법소원심판을 청구할 수 있다.

6 기소중지처분이 헌법소원의 대상인지 여부: 적극

검사가 기소중지처분을 한 경우 그 피의사건의 피의자에게는 검사가 다시 사건을 재기하여 수사를 한 후 종국처분을 하지 않는 한 '범죄의 혐의자'라는 법적인 불이익상태가 그대로 존속된다 할 것이므로, 만약 검사가 자의적으로 기소중지처분을 하였다면 그 사건의 피의자도 헌법상 보장된 자기의 평등권과 행복추구권 등이 침해되었음을 이유로 헌법소원을 제기할 수 있다고 보아야 할 것이다(헌재 1997.2.20. 95헌마362). 05. 법무사

7 재기불요(또는 불능)처분이 헌법소원의 대상인지 여부: 적극

검사가 기소중지처분을 한 사건에 관하여 그 고소인이나 피의자가 그 기소중지의 사유가 해소되었음을 이유로 수사재기신청을 하였는데도 검사가 재기불요(또는 불능)처분(검찰사건사무규칙 제60조 제6항)을 하였다면, 이 재기불요(또는 불능)처분은 실질적으로는 그 결정시점에 있어서의 제반사정 내지 사정변경 등을 감안한 새로운 기소중지처분으로 볼 수 있다. 따라서 검사의 기소중지처분이 헌법소원의 대상이 된다는 우리 재판소의 판례취지와 헌법재판소법 제68조 제1항의 취지에 비추어 이 재기불요(또는 불능)처분도 헌법소원의 대상이 되는 공권력의 행사에 해당한다고 할 것이다(헌재 1997. 2.20. 95헌마362). 05. 국회직 8급

8 내사종결처분이 헌법소원의 대상인지 여부: 소극

진정에 기하여 이루어진 내사사건의 종결처리는 구속력이 없는 진정사건에 대한 수사기관의 내부적 사건처리방식에 지나지 아니한 것이고, 이에 불만이 있으면 따로 고소나 고발을 할 수 있는 것이므로 내사종결처분은 헌법소원의 대상이 되는 공권력의 행사라고 할 수 없다(헌재 1990.12.26. 89헌마277). 12. 국가직 9급

9 수사재기결정이 헌법소원의 대상인지 여부: 소극

불기소처분에 대한 검사의 재기결정이란 수사를 종결한 사건에 대하여 수사를 다시 개시하는 수사기관 내부의 의사결정에 불과하며 피의자에게 어떠한 의무를 부과하거나 피의자의 기본권에 직접적이고 구체적인 침해를 가하는 것이 아니므로 재기결정은 헌법소원의 대상이 되는 공권력의 행사라고 할 수 없다(헌재 1996.2.29. 96헌마32 등).

10 검사의 구형이 헌법소원의 대상인지 여부: 소극

피청구인(검사)의 구형은 양형에 관한 의견진술에 불과하여 법원이 그 의견에 구속된다고 할 수 없으므로 피청구인의 구형 그 자체로는 청구인에게 직접적으로 어떠한 법률적 효과를 발생한다고 할 수 없으므로 검사의 구형 그 자체는 독립하여 헌법소원심판의 청구대상이 될 수 없다(헌재 2004.9.23. 2000헌마453).

ⓔ 행정계획 · 공고
ⓐ 인정한 경우
- **서울대학교 입시요강**: 사실상의 준비행위나 사전안내라도 그 내용이 국민의 기본권에 직접 영향을 끼치는 내용이고 앞으로 법령의 뒷받침에 의하여 그대로 실시될 것이 틀림없을 것으로 예상될 수 있는 것일 때에는 그로 인하여 직접적으로 기본권침해를 받게 되는 사람에게는 사실상의 규범작용으로 인한 위험성이 이미 발생하였다고 보아야 할 것이므로 이러한 것도 헌법소원의 대상은 될 수 있다고 보아야 하고 서울대학교의 94학년도 대학입학고사 주요요강은 교육법 시행령 제71조의2의 규정이 개정되어

그대로 시행될 수 있을 것이 틀림없을 것으로 예상되므로 이를 제정·발표한 행위는 헌법소원의 대상이 되는 헌법재판소법 제68조 제1항 소정의 공권력행사에 해당된다(헌재 1992.10.1. 92헌마68).

- **지방고등고시 시행계획공고**: 공고가 어떠한 법률효과를 가지는지에 대해서는 일률적으로 말할 수 없고 개별 공고의 내용과 관련 법령의 규정에 따라 개별적·구체적으로 판단하여야 하는바, 지방고등고시 시행계획공고는 당해 지방고등고시의 직렬 및 지역별 모집인원과 응시연령의 기준일 등을 구체적으로 결정하여 알리는 것으로 이에 따라 해당 시험의 모집인원과 응시자격의 상한연령 및 하한연령의 세부적인 범위 등이 확정되므로 이는 공권력의 행사에 해당한다(헌재 2000.1.27. 99헌마123).

ⓑ **부정한 경우 – 개발제한구역제도 개선방안 확정발표**: 1999년 7월 22일 발표한 개발제한구역제도 개선방안은 건설교통부장관이 개발제한구역의 해제 내지 조정을 위한 일반적인 기준을 제시하고, 개발제한구역의 운용에 대한 국가의 기본방침을 천명하는 정책계획안으로서 비구속적 행정계획안에 불과하므로 공권력행위가 될 수 없으며, 이 사건 개선방안을 발표한 행위도 대내외적 효력이 없는 단순한 사실행위에 불과하므로 공권력의 행사라고 할 수 없다(헌재 2000.6.1. 99헌마538). 비구속적 행정계획안이나 행정지침이라도 국민의 기본권에 직접적으로 영향을 끼치고, 앞으로 법령의 뒷받침에 의하여 그대로 실시될 것이 틀림없을 것으로 예상될 수 있을 때에는 공권력행위로서 예외적으로 헌법소원의 대상이 된다(헌재 2011.12.29. 2009헌마330).

☑ **주의** 비구속적 행정계획안은 헌법소원의 대상이 되는 경우가 없다. (×)

🔨 판례

기획재정부장관이 2008.8.11.부터 2009.3.31.까지 사이에 6차에 걸쳐 공공기관 선진화 추진계획을 확정·공표한 행위(선진화 계획)가 공권력행사에 해당하는지 여부: 소극

이 사건 선진화 계획은 그 법적 성격이 행정계획이라고 할 것인바, 국민의 기본권에 직접적인 영향을 미친다고 볼 수 없고, 장차 법령의 뒷받침에 의하여 그대로 실시될 것이 틀림없을 것으로 예상된다고 보기도 어려우므로, 헌법소원의 대상이 되는 공권력의 행사에 해당한다고 할 수 없다(헌재 2011.12.29. 2009헌마330 등). 18. 국회직 8급

ⓜ **권력적 사실행위**: 행정청의 사실행위는 경고·권고·시사와 같은 정보제공행위나 단순한 행정지도와 같이 대외적 구속력이 없는 '비권력적 사실행위'와 행정청이 우월적 지위에서 일방적으로 강제하는 '권력적 사실행위'로 나눌 수 있고, 이 중에서 권력적 사실행위만 헌법소원의 대상이 되는 공권력의 행사에 해당하고 비권력적 사실행위는 공권력의 행사에 해당하지 아니한다. 13. 서울시

🔖 **핵심기출 OX**

01 국립대학인 서울대학교의 "94학년도 대학입학고사주요강"은 사실상의 준비행위 내지 사전안내로서 헌법재판소법 제68조 제1항 소정의 공권력의 행사에 해당되지 않는다.
20. 법원직 (○, ×)

📖 × 서울대학교의 "94학년도 대학입학고사주요강"은 사실상의 준비행위 내지 사전안내로서 행정쟁송의 대상이 될 수는 없지만 그 내용이 국민의 기본권에 직접 영향을 끼치는 내용이고 앞으로 법령의 뒷받침에 의하여 그대로 실시될 것이 틀림없을 것으로 예상되어 그로 인하여 직접적으로 기본권침해를 받게 되는 사람에게는 사실상의 규범작용으로 인한 위험성이 이미 현실적으로 발생하였다고 보아야 할 것이므로 이는 헌법소원의 대상이 되는 공권력의 행사에 해당된다고 할 것이며, 이 경우 헌법소원 외에 달리 구제방법이 없다(헌재 1992.10.1. 92헌마68 등).

02 지방고시의 최종시험일을 예년과 달리 연도말로 정함으로써 전년도 공무원 채용을 위한 제1차 시험에 합격한 청구인의 연령이 응시상한연령을 5일 초과하게 하여 청구인이 2차 시험에 응시할 수 있는 자격을 박탈한 것은 청구인의 정당한 신뢰를 해한 것이다.
17. 국회직 9급 (○, ×)

📖 ○

03 기획재정부장관이 6차에 걸쳐 공공기관 선진화 추진계획을 확정·공표한 행위는 헌법소원심판의 대상에 해당하는 것이다. 18. 국회직 8급 (○, ×)

📖 × 헌법소원대상에 부적격하여 각하되었다.

04 권력적 사실행위는 법적 효력이 없는 사실상의 행위이기 때문에 헌법소원의 대상이 되지 않는다. 13. 서울시 (○, ×)

📖 × 행정상의 사실행위는 경고(警告), 권고(勸告), 시사(示唆)와 같은 정보제공행위나 단순한 지식표시행위인 행정지도와 같이 대외적 구속력이 없는 비권력적 사실행위와 행정청이 우월적 지위에서 일방적으로 강제하는 권력적 사실행위로 나눌 수 있고, 이 중에서 권력적 사실행위는 헌법소원의 대상이 되는 공권력의 행사에 해당한다는 것이 우리 재판소의 판례이다(헌재 2003.12.18. 2001헌마754).

그런데 일반적으로 어떤 행정청의 사실행위가 권력적 사실행위인지 또는 비권력적 사실행위인지 여부는 당해 행정주체와 상대방과의 관계, 그 사실행위에 대한 상대방의 의사·관여정도·태도, 그 사실행위의 목적·경위, 법령에 의한 명령·강제수단의 발동가부 등 그 행위가 행하여질 당시의 구체적 사정을 종합적으로 고려하여 개별적으로 판단하여야 한다(헌재 2012.10.25. 2011헌마429).

ⓐ **국제그룹의 해체준비착수지시**: 재무부장관이 제일은행장에 대하여 한 국제그룹의 해체준비착수지시와 언론발표지시는 상급관청의 하급관청에 대한 지시가 아님은 물론 동 은행에 대한 임의적 협력을 기대하여 행하는 비권력적 권고·조언 등의 단순한 행정지도로서의 한계를 넘어선 것이고, 이와 같은 공권력의 개입은 주거래은행으로 하여금 공권력에 순응하여 제3자 인수식의 국제그룹 해체라는 결과를 사실상 실현시키는 행위라고 할 것으로, 이와 같은 유형의 행위는 형식적으로는 사법인인 주거래 은행의 행위였다는 점에서 행정행위는 될 수 없더라도 그 실질이 공권력의 힘으로 재벌기업의 해체라는 사태변동을 일으키는 경우인 점에서 일종의 권력적 사실행위로서 헌법소원의 대상이 되는 공권력의 행사에 해당한다(헌재 1993.7.29. 89헌마31).

ⓑ **차폐시설이 불충분한 유치장 내 화장실을 사용하도록 강제한 행위**: 유치인으로 하여금 유치실 내 화장실을 사용하도록 강제한 피청구인의 행위는 피청구인이 우월적 지위에서 일방적으로 강제하는 성격을 가진 것으로서 권력적 사실행위라 할 것이며, 이는 헌법소원심판청구의 대상이 되는 헌법재판소법 제68조 제1항의 공권력의 행사에 포함된다(헌재 2001.7.19. 2000헌마546).

ⓒ **계구사용행위 및 동행계호행위**: 이 사건 수용자 처우는 이른바 권력적 사실행위로서 행정소송의 대상이 된다고 단정하기 어렵고, 가사 행정소송의 대상이 된다고 하더라도 권리보호이익의 소멸로 각하될 가능성이 많은바, 청구인에게 그에 의한 권리구제절차를 밟을 것을 기대하기는 곤란하므로 보충성원칙의 예외로서 헌법소원의 제기가 가능하다(헌재 2008.5.29. 2005헌마137 ; 헌재 2011.4.28. 2009헌마305). 12. 법무사

② **행정부작위**: 행정권력의 부작위에 대한 헌법소원은 공권력의 주체에게 헌법에서 유래하는 작위의무가 특별히 구체적으로 규정되어 있고, 이에 의거하여 기본권의 주체가 행정행위를 청구할 수 있음에도, 공권력의 주체가 그 의무를 게을리하는 경우에 한하여 허용되고, 이러한 작위의무가 인정되지 않는 경우 그 헌법소원은 부적법한 청구가 되므로, 공권력의 부작위 때문에 피해를 입었다는 단순하고 일반적인 주장만으로 헌법소원심판을 청구하는 것은 부적법하다(헌재 2007.7.26. 2005헌마501).

1 재정신청사건의 공소유지 담당변호사가 무죄판결에 대하여 항소를 제기하지 않은 것이 헌법소원의 대상이 되는지 여부: 소극

헌법이나 형사소송법 또는 공직선거법상 피청구인에게 무죄판결에 대하여 상소를 제기하여야 할 작위의무가 구체적으로 규정되어 있지 아니하고 청구인이 직접 그 상소의 제기를 청구할 수 있는 권리가 있다고 볼 근거도 없으므로, 이 사건 헌법소원심판청구는 피청구인의 단순한 공권력의 불행사를 대상으로 한 것으로서 부적법하다(헌재 2004.2.26. 2003헌마608).

2 국회의 탄핵소추의결의 부작위가 헌법소원의 대상인지 여부: 소극

헌법 제65조 제1항은 국회의 탄핵소추의결이 국회의 재량행위임을 명문으로 밝히고 있고 헌법해석상으로도 국정통제를 위하여 헌법상 국회에 인정된 다양한 권한 중 어떠한 것을 행사하는 것이 적절한 것인가에 대한 판단권은 오로지 국회에 있다고 보아야 할 것이며, 나아가 청구인에게 국회의 탄핵소추의결을 청구할 권리에 관하여도 아무런 규정이 없고 헌법해석상으로도 그와 같은 권리를 인정할 수 없으므로, 국회에 대통령의 헌법 등 위배행위가 있을 경우 탄핵소추의결을 하여야 할 헌법상 작위의무가 있다 할 수 없어 국회의 탄핵소추의결 부작위에 대한 위헌확인소원은 부적법하다(헌재 1996.2.29. 93헌마186).

3 일본국에 대하여 가지는 일본군 위안부로서의 배상청구권이 '대한민국과 일본국간의 재산 및 청구권에 관한 문제의 해결과 경제협력에 관한 협정'(이하 '이 사건 협정'이라 한다) 제2조 제1항에 의하여 소멸되었는지 여부에 관한 한·일 양국간 해석상 분쟁을 이 사건 협정 제3조가 정한 절차에 따라 해결하지 아니하고 있는 외교통상부의 부작위가 위헌인지 여부: 적극 [인용]

헌법 전문, 제2조 제2항, 제10조와 이 사건 협정 제3조의 문언에 비추어 볼 때, 피청구인이 이 사건 협정 제3조에 따라 분쟁해결의 절차로 나아갈 의무는 일본국에 의하여 자행된 조직적이고 지속적인 불법행위에 의하여 인간의 존엄과 가치를 심각하게 훼손당한 자국민들이 배상청구권을 실현하도록 협력하고 보호하여야 할 헌법적 요청에 의한 것으로서, 그 의무의 이행이 없으면 청구인들의 기본권이 중대하게 침해될 가능성이 있으므로, 피청구인의 작위의무는 헌법에서 유래하는 작위의무로서 그것이 법령에 구체적으로 규정되어 있는 경우라고 할 것이다. 특히 우리 정부가 직접 일본군 위안부 피해자들의 기본권을 침해하는 행위를 한 것은 아니지만, 일본에 대한 배상청구권의 실현 및 인간으로서의 존엄과 가치의 회복에 대한 장애상태가 초래된 것은 우리 정부가 청구권의 내용을 명확히 하지 않고 '모든 청구권'이라는 포괄적인 개념을 사용하여 이 사건 협정을 체결한 것에도 책임이 있다는 점에 주목한다면, 그 장애상태를 제거하는 행위로 나아가야할 구체적 의무가 있음을 부인하기 어렵다. 이러한 분쟁해결절차로 나아가지 않은 피청구인의 부작위가 청구인들의 기본권을 침해하여 위헌인지 여부는 침해되는 기본권의 중대성, 기본권침해 위험의 절박성, 기본권의 구제가능성, 작위로 나아갈 경우 진정한 국익에 반하는지 여부 등을 종합적으로 고려하여 국가기관의 기본권기속성에 합당한 재량권 행사 범위 내로 볼 수 있을 것인지 여부에 따라 결정된다.

결국 이 사건 협정 제3조에 의한 분쟁해결절차로 나아가는 것만이 국가기관의 기본권기속성에 합당한 재량권행사라 할 것이고, 피청구인의 부작위로 인하여 청구인들에게 중대한 기본권의 침해를 초래하였다 할 것이므로 이는 헌법에 위반된다(헌재 2011.8.30. 2006헌마788). 12. 국가직

4 독도에 대피시설이나 의무시설, 관리사무소, 방파제 등을 설치하지 아니한 피청구인의 부작위가 헌법소원 대상이 될 수 있는지 여부: 소극

헌법에는 명문으로 '독도에 대피시설 등을 설치할 작위의무'가 규정되어 있지 않고, 헌법 제10조나 제12조 제1항 등에 기하여 피청구인이 독도에 대피시설 등의 특정 시설을 설치할 구체적인 작위의무가 나온다고 해석하기도 어렵다. 한편, '독도의 지속가능한 이용에 관한 법률'이나 그 밖에 다른 법령들에도 독도에 특정 시설을 설치할 것을 구체적으로 의무지우는 규정들은 찾아볼 수 없으므로, 독도에 대피시설 등을 설치할 피청구인의 작위의무가 법령에 명시적으로 규정되어 있다고 보기도 어렵다. 결국, 헌법 제10조 및 제12조 제1항 전문의 해석상, 그리고 '독도의 지속가능한 이용에 관한 법률' 등의 법령에 기하여서는 피청구인에게 독도에 대피시설 등의 특정 시설을 설치하여야 할 구체적인 작위의무가 있다고 보기 어려우므로, 독도에 대피시설 등을 설치하지 아니한 피청구인의 부작위가 있다 하더라도 이는 헌법소원의 대상이 될 수 없다(헌재 2016.5.26. 2014헌마1002). 16. 법행

5 국회의장이 선거구획정위원회 위원을 선임·위촉하지 않은 부작위 및 선거구획정위원회가 선거구획정안을 국회의장에게 제출하지 않은 부작위가 헌법재판소법 제68조 제1항 소정의 공권력의 행사에 해당하는지 여부: 소극

헌법재판소법 제68조 제1항에 의하면, 공권력의 행사 또는 불행사로 인하여 헌법상 보장된 기본권을 침해받은 자는 법원의 재판을 제외하고는 헌법재판소에 헌법소원심판을 청구할 수 있고, 공권력의 행사에 대하여 헌법소원심판을 청구하기 위하여는 공권력의 주체에 의한 권력의 발동으로서 국민의 권리 의무에 대하여 직접적인 법률효과를 발생시키는 행위가 있어야 하는바, 헌법소원심판의 대상이 될 수 있는 이러한 공권력성 내지 기본권관련성은 헌법소원이 기본권침해에 대한 권리구제수단이라는 본질적 성격에서 도출되는 것이므로 공권력의 불행사에 대하여 헌법소원심판을 청구하기 위하여도 마찬가지로 요구된다. 따라서 헌법소원심판의 대상이 될 수 있는 공권력의 불행사는 국민의 권리 의무에 대하여 직접적인 법률효과를 발생시키는 공권력의 행사를 하여야할 헌법상 작위의무를 해태한 것이어야 한다.

그런데, 국회의 기관내부의 행위에 불과하여 국민의 권리 의무에 대하여 직접적인 법률효과를 발생시키는 행위가 아닌 선거구획정위원회 위원 선임 및 선거구획정위원회의 선거구획정안 제출행위를 하지 않은 부작위는 국가기관의 내부적 의사결정행위에 불과하여 그 자체로 국민에 대하여 직접적인 법률효과를 발생시키는 행위가 아니므로 헌법소원의 대상이 되는 헌법재판소법 제68조 제1항 소정의 공권력의 불행사에 해당되지 아니한다(헌재 2004.2.26. 2003헌마285). 16. 법행

6 한국인 BC급 전범들의 대일청구권이 '대한민국과 일본국간의 재산 및 청구권에 관한 문제의 해결과 경제협력에 관한 협정' 제2조 제1항에 의하여 소멸하였는지 여부에 관한 한·일 양국간 해석상 분쟁을 이 사건 협정 제3조가 정한 절차에 의하여 해결할 피청구인의 작위의무가 인정되는지 여부: 소극 [각하]

한국인 BC급 전범들이 국제전범재판에 따른 처벌로 입은 피해와 관련하여 피청구인에게 이 사건 협정 제3조에 따른 분쟁해결절차에 나아가야 할 구체적 작위의무가 인정된다고 보기 어렵다. 한국인 BC급 전범들이 일제의 강제동원으로 인하여 입은 피해의 경우에는 일본의 책임과 관련하여 이 사건 협정의 해석에 관한 한·일 양국간의 분쟁이 현실적으로 존재하는지 여부가 분명하지 않으므로, 피청구인에게 이 사건 협정 제3조에 따른 분쟁해결절차로 나아갈 작위의무가 인정된다고 보기 어렵다. 설령 한국과 일본 사이에 이 사건 협정의 해석상의 분쟁이 존재한다고 보더라도, 피청구인이 그동안 외교적 경로를 통하여 한국인 BC급 전범 문제에 관한 전반적인 해결 및 보상 등을 일본 측에 지속적으로 요구하여 온 이상, 피청구인은 이 사건 협정 제3조에 따른 자신의 작위의무를 불이행하였다고 보기 어렵다(헌재 2021.8.31. 2014헌마888).

7 경찰서 등 공공기관에 장애인용 승강기 내지 화장실 등 장애인 편의시설을 설치하지 아니한 부작위가 위헌인지 여부: 소극 [각하]

헌법상 명문 규정이나 헌법의 해석, 법령으로부터 보건복지부장관으로 하여금 위 공공기관들에게 장애인전용 주차구역 등을 설치하거나 시정조치를 하도록 요청할 구체적 작위의무를 도출하기 어렵다. 따라서 이 부분 심판청구는 작위의무 없는 공권력의 불행사에 대한 헌법소원이어서 부적법하다(헌재 2023.7.20. 2019헌마709).

(3) 사법작용

① 재판

　㉠ 법원재판 제외의 원칙

> **헌법재판소법 제68조【청구사유】** ① 공권력의 행사 또는 불행사로 인하여 헌법상 보장된 기본권을 침해받은 자는 법원의 재판을 제외하고는 헌법재판소에 헌법소원심판을 청구할 수 있다. 다만, 다른 법률에 구제절차가 있는 경우에는 그 절차를 모두 거친 후에 청구할 수 있다.

　㉡ **예외**: 헌법 제111조 제1항 제5호가 법률이 정하는 헌법소원에 관한 심판이라고 규정한 뜻은 헌법이 입법자에게 공권력 작용으로 인하여 헌법상의 권리를 침해받은 자가 그 권리를 구제받기 위한 주관적 권리구제절차를 우리의 사법체계, 헌법재판의 역사, 법률문화의 정치적·사회적 현황 등을 고려하여 헌법의 이념과 현실에 맞게 구체적인 입법을 통하여 구현하게끔 위임한 것으로 보아야 할 것이므로 헌법소원이 언제나 법원의 재판에 대한 소원을 그 심판의 대상에 포함하여야만 비로소 헌법소원제도의 본질에 부합한다고 단정할 수는 없고, 따라서 법원의 재판을 헌법소원의 대상에서 제외한 헌법재판소법 제68조 제1항이 원칙적으로는 헌법에 위반되지 아니한다고 하더라도 법원이 헌법재판소가 위헌으로 결정하여 그 효력을 전부 또는 일부 상실하거나 위헌으로 확인된 법률을 적용함으로써 국민의 기본권을 침해한 경우에도 법원의 재판에 대한 헌법소원이 허용되지 않는 것으로 해석한다면 위 법률조항은 그러한 한도 내에서 헌법에 위반된다(헌재 1997.12.24. 96헌마172). 06·17. 국가직, 18. 입시

② **재판부작위·소송지휘·재판진행**: 법원의 재판에는 재판 자체뿐만 아니라 재판절차에 관한 법원의 판단도 포함되는 것으로 보아야 할 것인바 재판의 부작위, 즉 재판의 지연은 결국 법원의 재판절차에 관한 것이므로 헌법소원의 대상이 될 수 없다(헌재 1998.5.28. 96헌마46). 또한 재판장의 소송(변론)지휘권의 부당한 행사 또는 재판진행을 그 대상으로 하는 헌법소원심판청구는 결국 법원의 재판을 직접 그 대상으로 한 경우에 해당하여 부적법하다(헌재 1992.6.26. 89헌마271).

⚖ 판례

1 소송지휘 또는 재판진행에 관한 재판장의 명령이나 사실행위를 대상으로 한 헌법소원이 적법한지 여부: 소극

소송지휘 또는 재판진행에 관한 재판장의 명령이나 사실행위는 종국판결을 위한 중간적·부수적 재판 또는 준비행위로서, 성질상 종국판결에 흡수·포함되어 일체를 이루는 것이고 그에 대한 불복은 종국판결에 대한 상소의 방법으로만 가능하므로, 소송지휘 또는 재판진행에 관한 헌법소원심판의 청구는 결국 법원의 재판을 대상으로 하는 심판청구에 해당한다고 볼 수밖에 없어 부적법하다(헌재 1993.6.2. 93헌마104). 04. 국가직

2 재판의 지연이 헌법소원의 대상인지 여부: 소극

원칙적으로 법원의 재판을 대상으로 하는 헌법소원심판청구는 허용되지 아니하고, '법원의 재판'에는 재판 자체뿐만 아니라 재판절차에 관한 법원의 판단도 포함되는 것으로 보아야 할 것이다. 그런데 청구인이 기본권침해사유로 주장하는 재판의 지연은 결국 법원의 재판절차에 관한 것이므로 헌법소원의 대상이 될 수 없다(헌재 1998.5.28. 96헌마46).

3 재판장의 변론제한에 대한 헌법소원이 적법한지 여부: 소극

재판장의 소송지휘권의 행사에 관한 사항은 그 자체가 재판장의 명령으로서 법원의 재판에 해당하거나, 또는 그것이 비록 사실행위로 행하여 졌다고 하더라도 법원의 종국판결에 흡수되어 그 불복방법은 판결에 대한 상소에 의하여만 가능하므로, 재판장의 변론지휘권의 부당한 행사를 그 대상으로 하는 헌법소원심판청구는 법원의 재판을 직접 대상으로 한 경우에 해당하여 부적법하다(헌재 1992.6.26. 89헌마271). 08. 법원직

4 헌법재판소의 결정이 헌법소원심판의 대상인지 여부: 소극

헌법재판소의 국선대리인 선임신청 기각결정에 대한 헌법소원심판청구는 헌법재판소의 결정을 대상으로 한 것이므로 부적법하다(헌재 1989.7.10. 89헌마44). 01. 법무사

5 법원이 '국민의 형사재판 참여에 관한 규칙' 제3조 제1항에 따른 피고인 의사의 확인을 위한 안내서를 송달하지 않은 부작위가 헌법소원의 대상인지 여부: 소극

이 사건 송달부작위에 대한 심판청구는 법원의 소송행위를 문제 삼는 것으로서 법원의 재판절차를 통하여 시정되어야 하고 법원에서 상소의 방법으로 그 판단을 구하여야 할 부분이므로 법원의 재판을 대상으로 한 심판청구에 해당하여 부적법하다(헌재 2012.11.29. 2012헌마53). 13. 국가직, 18. 법행

6 행정청이 법률을 단순히 잘못 해석·적용함으로써 결과적으로 국민의 기본권을 침해하였다고 하여 행정청의 그러한 행위가 모두 헌법소원의 대상이 되는지 여부: 소극

[1] 행정청이 법률을 단순히 잘못 해석·적용함으로써 결과적으로 국민의 기본권을 침해하였다고 하여 행정청의 그러한 행위가 모두 헌법소원의 대상이 되는 것은 아니다. 만일 그러한 경우도 헌법소원의 대상이 된다면 오늘날 다수의 법률이 국민의 기본권을 제한하는 법률이고, 침익적 법률을 청구인에게 불리하게 잘못 해석·적용하는 것은 필연적으로 청구인의 기본권침해를 결과로 가져온다는 점에서 결국 헌법재판소는 법률의 거의 모든 해석과 적용에 대하여 그 타당성을 심사하여야 할 것이다. 그러나 사실관계의 확정과 평가, 법률을 해석하고 개별 사건에 구체적으로 적용하는 것은 법원의 고유한 과제로서 헌법재판소에 의한 심사의 대상이 아니다. 09. 법행

[2] 행정청은 법률, 특히 사법상의 일반 조항, 불확정 법개념이나 행정청의 재량행사규정 등을 해석을 통하여 구체화하는 과정에서 기본권을 비롯한 헌법의 기본결정을 내용적 지침으로서 고려하여야 하는데, 법적용기관이 법률에 미치는 헌법의 영향을 간과하거나 또는 오인하여 소송 당사자에게 불리하게 판단함으로써 헌법의 정신을 고려하지 않은 법적용을 통하여 그의 기본권을 침해한다면, 바로 이러한 경우에 법률의 해석·적용은 헌법재판소의 심사대상이 되는 것이다. 그러나 행정청이 법률을 잘못 해석·적용하였는지의 여부가 헌법에 의해서가 아니라 적용된 법률에 근거하여 판단된다면, 즉 헌법이 아니라 법률이 행정청에 의한 해석·적용의 타당성을 심사하는 규범이 된다면, 이 경우 법률의 해석·적용에 대한 판단은 법원의 관할에 속하는 것이다(헌재 2003.2.27. 2002헌마106).

7 긴급조치 발령행위 등에 대한 국가배상책임을 부정한 대법원 판결이 헌법소원의 대상이 되는지 여부: 소극 [각하]

법원의 재판은 헌법재판소가 위헌으로 결정한 법령을 적용함으로써 국민의 기본권을 침해한 경우에 한하여 예외적으로 헌법소원심판의 대상이 된다. 이 사건 대법원 판결들이 헌법재판소의 위헌결정에 반하여 위 긴급조치들이 합헌이라고 하였거나, 합헌임을 전제로 위 긴급조치를 그대로 적용한 바가 없다.

이 사건 대법원 판결들에서 긴급조치 발령행위에 대한 국가배상책임이 인정되지 않은 것은 긴급조치가 합헌이기 때문이 아니라 긴급조치가 위헌임에도 국가배상책임이 성립하지 않는다는 대법원의 해석론에 따른 것이다. 따라서 이 사건 대법원 판결들은 예외적으로 헌법소원심판의 대상이 되는 경우에 해당하지 않으므로 그에 대한 심판청구는 부적법하다(헌재 2018.8.30. 2015헌마861 등).

(4) 대상적격을 부인한 경우

① 국가기관의 사법(私法)행위(사경제주체로서의 행위) 13. 서울시

㉠ 택지개발사업의 시행과 관련하여 생활대책의 일환으로 이루어진 상업용지 공급 공고행위: 택지개발사업의 시행과 관련하여 철거이주민에 대한 생활대책의 일환으로 이루어진 상업용지공급 공고행위는 공공용지의 취득 및 손실보상에 관한 특례법 소정의 이주대책을 시행한 이외에 법적 근거 없이 시혜적으로 내부규정을 정하여 청구인들에게 상가부지를 일정한 공급조건하에 수의계약으로 공급한다는 것을 통보하는 것이므로 이러한 사실관계는 사법상의 권리이전에 대한 반대급부의 조건 내지 내용에 관련된 사항에 불과하여 헌법소원의 대상이 되는 공권력행사로 보기 어렵다(헌재 1996.10.4. 95헌마34).

㉡ 공공용지의 협의취득에 따른 보상금의 지급행위: 공공용지의 취득 및 손실보상에 관한 특례법에 의한 토지 등의 협의취득은 공공사업에 필요한 토지 등을 공공용지의 절차에 의하지 아니하고 협의에 의하여 사업시행자가 취득하는 것으로서 그 법적 성질은 사법상의 매매계약과 다를 것이 없는바, 그 협의취득에 따르는 보상금의 지급행위는 토지 등의 권리이전에 대한 반대급여의 교부행위에 지나지 아니하며 그 역시 사법상의 행위라고 볼 수밖에 없으므로 이는 헌법소원심판의 대상이 되는 공권력의 행사라고 볼 수 없다(헌재 1992.11.12. 90헌마160).

핵심기출 OX

01 법률은 국민의 권리의무에 중대한 영향을 끼치는 입법형식이므로 대통령의 법률안제출행위는 국가기관간의 내부적 행위라고 하기는 어렵고, 국민에 대하여 직접적 법률효과를 발생시키는 행위라고 할 수 있다. 12. 법무사

(○, ×)

☞ × 공권력의 행사에 대하여 헌법소원심판을 청구하기 위하여는, 공권력의 주체에 의한 공권력의 발동으로서 국민의 권리의무에 대하여 직접적인 법률효과를 발생시키는 행위가 있어야 한다. 그런데 대통령의 법률안제출행위는 국가기관간의 내부적 행위에 불과하고 국민에 대하여 직접적인 법률효과를 발생시키는 행위가 아니므로 헌법재판소법 제68조에서 말하는 공권력의 행사에 해당되지 않는다(헌재 1994.8.31. 92헌마174).

02 2016년도 정부 예산안 편성행위 중 4·16세월호참사특별조사위원회에 대해 2016.7.1. 이후 예산을 편성하지 아니한 부작위는 헌법소원심판의 대상에 해당된다. 19. 경정승진 (○, ×)

☞ × 이 사건 예산편성행위는 국무회의의 심의, 대통령의 승인 및 국회의 예산안 심의·확정을 위한 전 단계의 행위로서 국가기관간의 내부적 행위에 불과하다. 따라서 이 사건 예산편성행위는 헌법소원의 대상이 되는 '공권력의 행사'에 해당하지 않는다.

03 청원에 대하여 국가기관이 수리·심사하여 그 결과를 청원인에게 통지하였다고 하더라도, 그 결과가 청원인의 기대에 미치지 못한다면 헌법소원의 대상이 되는 공권력의 불행사에 해당한다. 12. 법무사 (○, ×)

☞ × 청원권의 보호범위에는 청원사항의 처리결과에 심판서나 재결서에 준하여 이유를 명시할 것까지를 요구하는 것은 포함되지 아니한다고 할 것이다. … 청원소관서는 청원법이 정하는 절차와 범위 내에서 청원사항을 성실·공정·신속히 심사하고 청원인에게 그 청원을 어떻게 처리하였거나 처리하려 하는지를 알 수 있을 정도로 결과통지함으로써 충분하다고 할 것이다. … 비록 그 처리내용이 청원인 등이 기대한 바에 미치지 않는다고 하더라도 더이상 헌법소원의 대상이 되는 공권력의 행사 내지 불행사라고는 볼 수 없다(헌재 1994. 2.24. 93헌마213).

② **국가기관의 내부적 행위**

㉠ **수사기관의 진정사건에 대한 내사종결처리**: 진정에 기하여 이루어진 내사사건의 종결처리는 진정사건에 대한 구속력이 없는 수사기관의 내부적 사건처리방식에 지나지 아니하므로 진정인의 고소 또는 고발의 권리행사에 아무런 영향을 미치는 것이 아니어서 헌법소원심판의 대상이 되는 공권력의 행사라고 할 수 없다(헌재 1990.12.26. 89헌마277).

㉡ **경제기획원장관의 정부투자기관에 대한 예산편성공통지침 통보행위**: 경제기획원장관이 정부투자기관에 통보한 1993년도 정부투자기관 예산편성공통지침은 예산편성에 관한 일반적 기준을 제시하여 출자자로서의 의견을 개진하는 것에 지나지 아니한다고 할 것이므로 이러한 예산편성공통지침의 통보행위는 성질상 정부의 그 투자기관에 대한 내부적 감독작용에 해당할 뿐이고 국민에 대하여 구체적으로 어떠한 권리를 설정하거나 의무를 명하는 법률적 규제작용으로서의 공권력작용에 해당한다고 볼 수 없다(헌재 1993.11.25. 92헌마293).

㉢ **대통령의 법률안제출행위**: 대통령의 법률안제출행위는 국가기관간의 내부적 행위에 불과하고 국민에 대하여 직접적인 법률효과를 발생시키는 행위가 아니므로 헌법재판소법 제68조에서 말하는 공권력의 행사에 해당되지 않는다(헌재 1994.8.31. 92헌마174). 12. 법무사, 16. 지방직

📚 판례

예산편성행위가 헌법소원의 대상이 되는 '공권력의 행사'에 해당하는지 여부: 소극
[각하]

이 사건 예산편성행위는 헌법 제54조 제2항, 제89조 제4호, 국가재정법 제32조 및 제33조에 따른 것으로, 피청구인이 편성한 예산안은 국무회의의 심의, 대통령의 승인을 거친 후, 국회가 헌법 제54조 제1항에 따라 예산안을 심의·확정하여야 비로소 예산으로서 확정된다. 이 사건 예산편성행위는 국무회의의 심의, 대통령의 승인 및 국회의 예산안 심의·확정을 위한 전 단계의 행위로서 국가기관간의 내부적 행위에 불과하고, 국민에 대하여 직접적인 법률효과를 발생시키는 행위라고 볼 수 없다. 따라서 이 사건 예산편성행위는 헌법소원의 대상이 되는 '공권력의 행사'에 해당하지 않는다(헌재 2017.5.25. 2016헌마383). 18. 국회직

---

③ **각종 회신·통보**

㉠ **법원행정처장의 민원인에 대한 법령 질의회신**: 법원행정처장의 민원인에 대한 법령 질의회신이란 법규나 행정처분과 같은 법적 구속력을 갖는 것이라고는 보여지지 아니하므로 이에 대한 헌법소원심판청구는 부적법하다(헌재 1989.7.28. 89헌마1).

㉡ **청원에 대한 처리결과 통보**: 적법한 청원에 대하여 국가기관이 수리·심사하여 그 처리결과를 청원인 등에게 통지하였다면 이로써 당해 국가기관은 헌법 및 청원법상의 의무이행을 필한 것이라 할 것이고, 비록 그 처리내용이 청원인 등이 기대한 바에 미치지 않는다고 하더라도 더이상 헌법소원의 대상이 되는 공권력의 행사 내지 불행사라고는 볼 수 없다(헌재 1994.2.24. 93헌마213). 12. 법무사

⚖️ 판례

1 외부인으로부터 연예인 사진을 교부받을 수 있는지에 관한 청구인의 문의에 대하여 청구인이 '마약류수용자'로 분류되어 있고 연예인 사진은 처우상 필요한 것으로 인정하기 어려워 불허될 수 있다는 취지로 청구인에게 고지한 행위(이하 '이 사건 고지행위'라고 한다)가 헌법소원심판의 대상이 되는지 여부: **소극** [각하]

피청구인의 이 사건 고지행위는 청구인이 외부인으로부터 연예인 사진을 교부받을 수 있는지를 문의한 것에 대하여 피청구인의 담당직원이 형집행법 관련 법령과 행정규칙을 해석·적용한 결과를 청구인에게 알려준 것에 불과할 뿐, 이를 넘어 청구인에게 어떠한 새로운 법적 권리의무를 부과하거나 일정한 작위 또는 부작위를 구체적으로 지시하는 내용이라고 볼 수 없으므로, 헌법소원의 대상이 되는 '공권력의 행사'로 볼 수 없다(헌재 2016.10.27. 2014헌마626).

2 서울시민 인권헌장 초안의 발표계획에 대한 서울시장의 무산 선언이 헌법소원의 대상인 공권력의 행사인지: **소극**

피청구인(서울시장)이 선포하려던 서울시민 인권헌장은 피청구인이 서울시민의 의견을 수렴하여 서울시민에 대한 인권 보호 및 증진을 위한 기본방침을 밝히고자 한 정책계획안으로서 그 법적 성격은 국민의 권리·의무나 법적 지위에 직접 영향을 미치지 아니하는 비구속적 행정계획안이라 할 것이고, 이 사건 무산 선언은 당초 2014.12.10. 세계인권선언의 날에 맞춰 선포하려던 서울시민 인권헌장이 성소수자 차별금지 조항에 대한 이견으로 합의에 실패하여 예정된 날짜에 선포될 수 없었음을 알리는 행위로서 그 자체로는 직접적으로 청구인의 법적 지위에 영향을 미치지 아니하므로, 이 사건 무산 선언은 헌법소원심판의 대상이 되는 공권력행사에 해당되지 아니한다(헌재 2015.3.31. 2015헌마213). 18. 국회직 8급

3 대통령기록물 소관 기록관이 대통령기록물을 중앙기록물관리기관으로 이관하는 행위가 헌법소원의 대상이 되는 공권력의 행사인지 여부: **소극**

이 사건 이관행위는 '대통령기록물관리에 관한 법률'(이하 '대통령기록물법'이라 한다)에 따른 대통령기록물 관리업무 수행 기관의 변경행위로서, 법률이 정하는 권한분장에 따라 업무수행을 하기 위한 국가기관 사이의 내부적·절차적 행위에 불과하므로 헌법소원심판의 대상이 되는 공권력의 행사에 해당한다고 볼 수 없다(헌재 2019.12.27. 2017헌마359 등).

4 '2019년 적용 최저임금 고시'(고용노동부 고시 제2018-63호)의 1. 최저임금액 부분 중 "월 환산액 1,745,150원: 주 소정근로 40시간을 근무할 경우, 월 환산 기준시간 수 209시간(주당 유급주휴 8시간 포함) 기준" 부분(이하 '각 월 환산액 부분'이라 하고, 위 두 고시를 합하여 '이 사건 각 고시'라 한다)이 헌법소원의 대상이 되는 공권력의 행사에 해당하는지 여부: **소극**

각 월 환산액 부분은 시간을 단위로 정해진 각 해당 연도 최저임금액에 법정근로시간과 유급으로 처리되는 주휴시간을 합한 근로시간 수를 곱하여 산정한 것으로 최저임금위원회 및 피청구인의 행정해석 내지 행정지침에 불과할 뿐 국민이나 법원을 구속하는 법규적 효력을 가진 것으로 볼 수 없다. 따라서 이 사건 각 고시의 각 월 환산액 부분은 국민의 권리·의무에 직접 영향을 미치는 것이 아니므로 헌법소원의 대상이 되는 '공권력의 행사'에 해당하지 아니한다(헌재 2019.12.27. 2017헌마1366 등).

🏛️ **핵심기출 OX**

01 서울시민 인권헌장 초안의 발표계획에 대한 서울시장의 무산 선언은 헌법소원심판의 대상에 해당한다.
18. 국회직 8급　　　　(O, ×)

답 × 서울시민 인권헌장은 국민의 권리·의무나 법적 지위에 직접 영향을 미치지 아니하는 비구속적 행정계획안이라 할 것이고 이 사건 무산 선언은 헌법소원심판의 대상이 되는 공권력행사에 해당되지 아니한다.

02 대통령기록물 소관 기록관이 대통령기록물을 중앙기록물관리기관으로 이관하는 행위는 법률이 정하는 권한분장에 따라 업무수행을 하기 위한 국가기관 사이의 내부적·절차적 행위에 불과하므로 헌법소원심판의 대상이 되는 공권력의 행사에 해당한다고 볼 수 없다. 22. 국회직 8급　　　(O, ×)

답 O

이 사건 조치는, ① 수범자를 '금융회사등'으로 상정한 '특정 금융거래정보의 보고 및 이용 등에 관한 법률' 등에 따라 자금세탁 방지의무 등을 부담하고 있는 금융기관에 대하여 ② 종전의 가상계좌가 목적 외 용도로 남용되는 과정에서 자금세탁의 우려가 상당하다는 점을 주지시키면서, ③ 그러한 우려를 불식시킬 수 있는 감시·감독체계와 새로운 거래체계, 소위 '실명확인 가상계좌 시스템'이 정착되도록, 금융기관에 **방향을 제시**하고 **자발적 호응을 유도**하려는 일종의 '**단계적 가이드라인**'일 따름이다. 그러므로 이 사건 조치는 당국의 우월적인 지위에 따라 일방적으로 강제된 것으로 볼 수 없고, 나아가 헌법소원의 대상이 되는 공권력의 행사에 해당된다고 볼 수 없으므로, 이 사건 심판청구는 모두 부적법하다(헌재 2021.11.25. 2017헌마1384).

④ **비권력적 사실행위**

ⓒ **어린이헌장의 제정·선포행위**: 어린이헌장의 제정·선포행위는 헌법재판소법 제68조 제1항 소정의 공권력의 행사로 볼 수 없어 헌법소원심판 청구의 대상이 되지 아니한다(헌재 1989.9.2. 89헌마170).

ⓛ **학교당국이 미납공납금을 완납하지 아니할 경우에 졸업증의 교부와 증명서를 발급하지 않겠다고 한 통고**: 학교당국이 미납공납금을 완납하지 아니할 경우에 졸업증의 교부와 증명서를 발급하지 않겠다고 통고한 것은 일종의 비권력적 사실행위로서 헌법재판소법 제68조 제1항의 헌법소원심판의 청구대상으로서의 공권력에는 해당된다고 볼 수 없다(헌재 2001.10.25. 2001헌마113). 14. 법행

ⓒ **형사재판이 확정된 후 제1심 공판정심리의 녹음물을 폐기한 행위**: 피청구인이 청구인에 대한 형사재판이 확정된 후 그중 제1심 공판정심리의 녹음물을 폐기한 행위는 형사소송규칙 제39조에 따른 단순한 사무집행으로서 법원행정상의 구체적인 사실행위에 불과할 뿐이고, 청구인에 대한 형사판결이 확정된 후에는 녹음물의 내용과 공판조서의 내용이 서로 다르더라도 재심사유에 해당하지 아니하여 이를 이유로 재심을 통하여 구제받을 수 없는 이상 청구인이 처한 현재의 사실관계나 법률관계를 적극적으로 변경시키거나 특별한 부담이나 의무를 부여하는 것이 아니어서 청구인에 대한 구체적이고 직접적인 법적 불이익을 내포한다고 할 수 없으므로, 행정청이 우월적 지위에서 일방적으로 강제하는 권력적 사실행위로서 헌법소원의 대상이 되는 공권력의 행사에 해당한다고 볼 수 없다(헌재 2012.3.29. 2010헌마599).

12. 법무사

ㄹ 교육부장관의 대학총장들에 대한 학칙시정요구는 고등교육법 제6조
제2항, 동법 시행령 제4조 제3항에 따른 것으로서 그 법적 성격은 대
학총장의 임의적인 협력을 통하여 사실상의 효과를 발생시키는 행정
지도의 일종이지만, 그에 따르지 않을 경우 일정한 불이익조치를 예
정하고 있어 사실상 상대방에게 그에 따를 의무를 부과하는 것과 다
를 바 없으므로 단순한 행정지도로서의 한계를 넘어 규제적·구속적
성격을 상당히 강하게 가지는 것으로서 헌법소원의 대상이 되는 공권
력의 행사라고 볼 수 있다(헌재 2003.6.26. 2002헌마337 등). 19. 경정승진

✅ **주의** 행정지도는 규제적·구속적 성격을 가지는 것이라도 헌법소원의 대상이 될 수 없다. (×)

3. 헌법상 보장된 기본권

헌법소원심판은 헌법상 보장된 기본권의 침해를 받은 자가 그 침해를 구제받기
위하여 심판을 구하는 제도이므로 헌법소원심판을 청구하기 위해서는 침해되는
'기본권'이 있을 것을 요건으로 한다. 따라서 기본권이 아닌 객관적인 제도 침해
만을 이유로 헌법소원을 제기하거나 공권력행사가 헌법의 기본원리에 위반된다
는 주장만으로 헌법소원을 청구할 수는 없다.

(1) 헌법의 기본원리

헌법소원심판과정에서 공권력의 행사 또는 불행사가 위헌인지 여부를 판단
함에 있어서 국민주권주의, 법치주의, 적법절차의 원리 등 헌법의 기본원리
위배 여부를 그 기준으로 적용할 수는 있으나, 공권력의 행사 또는 불행사로
헌법의 기본원리가 훼손되었다고 하여 그 점만으로 국민의 기본권이 직접
현실적으로 침해된 것이라고 할 수는 없고 또한 공권력행사가 헌법의 기본
원리에 위반된다는 주장만으로 헌법상 보장된 기본권의 주체가 아닌 자가
헌법소원을 청구할 수도 없는 것이므로, 설사 피청구인의 불법적인 의안처
리행위로 헌법의 기본원리가 훼손되었다고 하더라도 그로 인하여 헌법상 보
장된 구체적 기본권을 침해당한 바 없는 국회의원인 청구인들에게 헌법소원
심판청구가 허용된다고 할 수는 없다(헌재 1995.2.23. 90헌마125). 12. 국회직

(2) 주민투표권

지방자치법은 주민에게 주민투표권(지방자치법 제18조), 조례의 제정 및 개
폐청구권(지방자치법 제19조), 감사청구권(지방자치법 제21조) 등을 부여함
으로써 주민이 지방자치사무에 직접 참여할 수 있는 길을 일부 열어 놓고
있지만 이러한 제도는 어디까지나 입법에 의하여 채택된 것일 뿐 헌법에 의
하여 이러한 제도의 도입이 보장되고 있는 것은 아니다. 그렇다면 주민투표
권은 법률이 보장하는 권리일 뿐이지 헌법이 보장하는 기본권 또는 헌법상
제도적으로 보장되는 주관적 공권으로 볼 수 없다(헌재 2001.6.28. 2000헌마
735). 따라서 이 사건 심판청구는 청구인의 주장 자체로 보아 기본권의 침해
가능성이 인정될 수 없는 경우이어서 부적법하다(헌재 2005.12.22. 2004헌마
530). 04·05·08·11. 법행, 04·05. 사시, 08. 법원직, 09. 국가직·국회직, 14. 법무사

(3) 국회구성권

대의제 민주주의하에서 국민의 국회의원선거권이란 국회의원을 보통·평등·직접·비밀선거에 의하여 국민의 대표자로 선출하는 권리에 그치며, 국민과 국회의원은 명령적 위임관계에 있는 것이 아니라 자유위임관계에 있으므로, 유권자가 설정한 국회의석분포에 국회의원들을 기속시키고자 하는 내용의 '국회구성권'이라는 기본권은 오늘날 이해되고 있는 대의제도의 본질에 반하는 것이어서 헌법상 인정될 여지가 없고, 청구인들의 주장과 같은 대통령에 의한 여야 의석분포의 인위적 조작행위로 국민주권주의라든지 복수정당제도가 훼손될 수 있는지의 여부는 별론으로 하고 그로 인하여 바로 헌법상 보장된 청구인들의 구체적 기본권이 침해당하는 것은 아니다(헌재 1998.10.29. 96헌마186). 05. 행시, 05·12. 사시

(4) 헌법전문

헌법전문에 기재된 '3·1정신'은 우리나라 헌법의 연혁적·이념적 기초로서 헌법이나 법률해석에서의 해석기준으로 작용한다고 할 수 있지만, 그에 기하여 곧바로 국민의 개별적 기본권성을 도출해낼 수는 없다고 할 것이므로, 헌법소원의 대상인 '헌법상 보장된 기본권'에 해당하지 아니한다(헌재 2001.3.21. 99헌마139 등). 06. 법행, 10. 지방직·경정승진, 17. 국가직

(5) 국회의원의 질의권·토론권·표결권

국회의원이 국회 내에서 행하는 질의권·토론권 및 표결권 등은 입법권 등 공권력을 행사하는 국가기관인 국회의 구성원의 지위에 있는 국회의원에게 부여된 권한이지 국회의원 개인에게 헌법이 보장하는 권리, 즉 기본권으로 인정된 것이라고 할 수 없으므로, 설사 국회의장의 불법적인 의안처리행위로 헌법의 기본원리가 훼손되었다고 하더라도 그로 인하여 헌법상 보장된 구체적 기본권을 침해당한 바 없는 국회의원인 청구인들에게 헌법소원심판청구가 허용된다고 할 수 없다(헌재 1995.2.23. 90헌마125). 03·08. 법행, 10. 법무사, 12. 사시·국가직

(6) 청문권

적법절차원칙에 의하여 해석상 도출되는 청문절차에 대한 요구에 의하여 헌법이 명문으로 인정한 국회의 입법권을 제약하는 것은 헌법체계적으로도 적절한 것으로 볼 수 없다. 따라서 국회입법에 대하여는 원칙적으로 일반 국민의 지위에서 적법절차에서 파생되는 청문권은 인정되지 아니하므로 청구인들의 경우, 이 사건 법률에 의하여 그러한 기본권을 침해받을 가능성은 없다(헌재 2005.11.24. 2005헌마579 등).

(7) 재정사용의 합법성과 타당성을 감시하는 납세자의 권리

재정지출에 대한 국민의 직접적 감시권을 기본권으로 인정하게 되면 재정지출을 수반하는 정부의 모든 행위를 개별 국민이 헌법소원으로 다툴 수 있게 되는 문제가 발생할 수 있다. 따라서 청구인이 주장하는 재정사용의 합법성과 타당성을 감시하는 납세자의 권리를 헌법에 열거되지 않은 기본권으로 볼 수 없으므로 그에 대한 침해의 가능성 역시 인정될 수 없다(헌재 2005.11.24. 2005헌마579 등). 08. 법원직

(8) 헌법재판소에 중간결정을 신청할 권리

헌법재판소가 종국결정을 하기에 앞서 쟁점사항에 대하여 미리 정리·판단을 하여 종국결정을 용이하게 하고 이를 준비하는 결정인 중간결정을 할 것인지 여부는 전적으로 헌법재판소의 재량에 달려 있는 것이어서 청구인에게는 헌법재판소에 중간결정을 신청할 권리가 인정되지 아니하므로 청구인이 결정에 앞서 중간결정을 헌법소원심판의 형식으로 구하는 것은 공권력의 행사 또는 불행사로 인하여 헌법상 보장된 기본권을 침해받은 경우에 해당하지 아니하여 부적법하다(헌재 2007.7.30. 2007헌마837). 17. 법행

(9) 입법권

이 사건 법률의 입법절차가 헌법이나 국회법에 위반된다고 하더라도 그와 같은 사유만으로는 이 사건 법률로 인하여 청구인들이 현재·직접적으로 기본권을 침해받은 것으로 볼 수는 없다. 청구인들이 주장하는 이 사건 법률의 입법절차의 하자로 인하여 직접 침해되는 것은 청구인들의 기본권이 아니라 이 사건 법률의 심의·표결에 참여하지 못한 국회의원의 법률안 심의·표결 등 권한이라고 할 것이다. … 청구인들은 국민으로서의 입법권을 본질적으로 침해받았다고 주장하나, 입법권은 국회의 권한이지 헌법상 보장된 국민의 기본권이라고 할 수도 없다. 따라서 청구인들은 이 사건 법률의 실체적 내용으로 인하여 현재·직접적으로 기본권을 침해받은 경우에 헌법소원심판을 청구하거나 이 사건 법률이 구체적 소송사건에서 재판의 전제가 된 경우에 위헌 여부 심판의 제청신청을 하여 그 심판절차에서 입법절차에 하자가 있음을 이유로 이 사건 법률이 위헌임을 주장하는 것은 별론으로 하고 단순히 입법절차의 하자로 인하여 기본권을 현재·직접적으로 침해받았다고 주장하여 헌법소원심판을 청구할 수는 없다고 할 것이다(헌재 1998.8.27. 97헌마8·39). 05. 행시, 10. 지방직, 15. 국회직 9급

(10) 통일에 대한 기본권

헌법상의 여러 통일 관련 조항들은 국가의 통일의무를 선언한 것이기는 하지만, 그로부터 국민 개개인의 통일에 대한 기본권, 특히 국가기관에 대하여 통일과 관련된 구체적인 행동을 요구하거나 일정한 행동을 할 수 있는 **권리가 도출된다고 볼 수 없다**(헌재 2000.7.20. 98헌바63). 08·12. 사시, 14. 국회직 9급

⚖ 판례

1 무소속 국회의원의 국회상임위원회 활동권이 기본권인지 여부: 소극

청구인이 침해당하였다고 주장하는 기본권은 청구인이 국회상임위원회에 소속하여 활동할 권리, 청구인이 무소속 국회의원으로서 교섭단체 소속 국회의원과 동등하게 대우받을 권리라는 것으로서 이는 국가기관인 국회를 구성하는 국회의원의 지위에서 향유할 수 있는 권한일 수는 있을지언정 헌법이 일반 국민에게 보장하고 있는 기본권이라고 할 수는 없다(헌재 2000.8.31. 2000헌마56). 13. 경정승진

2 주민투표권이 헌법상 기본권인지 여부: 소극

우리 헌법은 간접적인 참정권으로 선거권(제24조)·공무담임권(제25조)을, 직접적인 참정권으로 국민투표권(제72조, 제130조)을 규정하고 있을 뿐 주민투표권을 기본권으로 규정한 바가 없고 제117조, 제118조에서 제도적으로 보장하고 있는 지방자치단체의 자치의

내용도 자치단체의 설치와 존속 그리고 그 자치기능 및 자치사무로서 지방자치단체의 자치권의 본질적 사항에 관한 것이므로 주민투표권을 헌법상 보장되는 기본권이라고 하거나 헌법 제37조 제1항의 '헌법에 열거되지 아니한 권리'의 하나로 보기 어렵다. 지방자치법이 주민에게 주민투표권(제13조의2), 조례의 제정 및 개폐청구권(제13조의3), 감사청구권(제13조의4) 등을 부여함으로써 주민이 지방자치사무에 직접 참여할 수 있는 길을 일부 열어 놓고 있지만 이러한 제도는 어디까지나 입법에 의하여 채택된 것일 뿐 헌법에 의하여 보장되고 있는 것은 아니므로 주민투표권은 법률이 보장하는 권리일 뿐 헌법이 보장하는 기본권 또는 헌법상 제도적으로 보장되는 주관적 공권으로 볼 수 없다(헌재 2005.12.22. 2004헌마530). 05. 사시·법행, 08. 법원직

3 지방자치단체 주민으로서의 자치권 또는 주민권의 침해를 주장하며 국가사무에 속하는 고속철도역의 명칭결정에 대하여 헌법소원심판을 청구할 수 있는지 여부: 소극

지방자치단체 주민으로서의 자치권 또는 주민권은 '헌법에 의하여 직접 보장된 개인의 주관적 공권'이 아니어서, 그 침해만을 이유로 하여 국가사무인 고속철도역의 명칭결정의 취소를 구하는 헌법소원심판을 청구할 수 없다(헌재 2006.3.30. 2003헌마837). 09. 국가직·사시

4. 청구인적격

청구인적격이란 특정 헌법소원심판사건에 있어서 정당한 청구인으로서 본안결정을 받기에 적합한 자격을 말한다. 정당한 청구인이 되려면 기본권의 침해가 자기와 관련이 있고, 기본권을 직접 그리고 현재 침해당해야 한다.

(1) 자기관련성

① **의의**: 기본권의 침해는 심판청구인 자신의 기본권이 침해된 경우이어야 하고 제3자의 기본권침해에 대하여는 원칙적으로 헌법소원심판을 청구할 수 없는바, 이를 자기관련성이라 한다. 헌법재판소법 제68조 제1항에 규정된 '공권력의 행사 또는 불행사로 인하여 기본권의 침해를 받은 자'라는 것은 공권력의 행사 또는 불행사로 인하여 자기의 기본권이 현재 그리고 직접적으로 침해받은 경우를 의미하므로 원칙적으로 공권력의 행사 또는 불행사의 직접적인 상대방만이 이에 해당한다고 할 것이고, 공권력의 작용에 단순히 간접적·사실적 또는 경제적인 이해관계가 있을 뿐인 제3자는 이에 해당되지 않는다(헌재 1994.6.30. 92헌마61). 12. 법행, 15. 법무사

🔍 판례

1 단체가 그 구성원을 대신하여 제기한 헌법소원이 적법한지 여부: 소극

단체와 그 구성원을 서로 별개의 독립된 권리주체로 인정하고 있는 법제 아래에서는 원칙적으로 헌법상 기본권을 직접 침해당한 권리주체만이 헌법소원을 청구할 수 있는 것이고, 비록 단체의 구성원이 기본권의 침해를 당했다고 하더라도 단체가 구성원을 대신하여 헌법소원심판을 청구하는 것은 허용될 수 없다(헌재 1994.2.24. 93헌마33). 12. 경정승진, 18. 서울시

2 수혜적 법령의 경우 수혜범위에서 제외된 자가 자신이 평등원칙에 반하여 수혜대상에서 제외되었다는 주장을 하면 자기관련성이 인정될 수 있는지 여부: 적극

일반적으로 침해적 법령에 있어서는 법령의 수규자가 당사자로서 자신의 기본권침해를 주장하게 되지만, 예술·체육 분야 특기자들에게 병역 혜택을 주는 이 사건 법령조항과 같은 수혜적 법령의 경우에는 수혜범위에서 제외된 자가 자신이 평등원칙에 반하여 수혜대상에서 제외되었다는 주장을 하거나, 비교집단에 혜택을 부여하는 법령이 위헌이라고 선고되어 그러한 혜택이 제거된다면 비교집단과의 관계에서 청구인의 법적 지위가 상대적으로 향상된다고 볼 여지가 있는 때에 비로소 청구인이 그 법령의 직접적인 적용을 받는 자가 아니라고 할지라도 자기관련성을 인정할 수 있다(헌재 2010.4.29. 2009헌마340).
12. 법무사, 18. 국회직·서울시

3 정보통신망을 통하여 공개된 정보로 말미암아 사생활 등을 침해받은 자가 삭제요청을 하면 정보통신서비스 제공자는 해당 정보에 대한 접근을 임시적으로 차단하는 조치를 하여야 한다고 정한 법률조항에 대해 정보게재자의 자기관련성이 인정되는지 여부: 적극

이 사건 법률조항의 문언상 직접적인 수범자는 '정보통신서비스 제공자'이고, 정보게재자인 청구인은 제3자에 해당하나, 사생활이나 명예 등 자기의 권리가 침해되었다고 주장하는 자로부터 침해사실의 소명과 더불어 그 정보의 삭제등을 요청받으면 정보통신서비스 제공자는 지체 없이 임시조치를 하도록 규정하고 있는 이상, 위 임시조치로 청구인이 게재한 정보는 접근이 차단되는 불이익을 받게 되었으므로, 이 사건 법률조항의 입법목적, 실질적인 규율대상, 제한이나 금지가 제3자에게 미치는 효과나 진지성의 정도를 종합적으로 고려할 때, 이 사건 법률조항으로 인한 기본권침해와 관련하여 청구인의 자기관련성을 인정할 수 있다(헌재 2012.5.31. 2010헌마88).

② **불기소처분의 경우**

㉠ **형사피해자인 고소인:** 검사의 불기소처분에 대하여 헌법소원을 청구할 수 있는 자는 원칙적으로 헌법상 재판절차진술권의 주체인 형사피해자에 한하고 국민의 일원으로서 국가의 수사권발동을 촉구하는 의미에 그치는 일반 범죄의 고발사건에 있어서의 고발인은 기본권침해의 자기관련성이 없다는 것이 헌법재판소의 일관된 입장이다(헌재 1989.12.22. 89헌마145).

📋 판례

1 검사의 불기소처분에 대하여 고발인이 제기한 헌법소원이 적법한지 여부: 소극

범죄피해자가 아닌 고발인에게는 개인적·주관적인 권리나 재판절차진술권 따위의 기본권이 허용될 수 없으므로, 검사가 자의적으로 불기소처분을 하였다고 하여도 달리 특별한 사정이 없으면 헌법소원심판청구의 요건인 자기관련성이 없다(헌재 1989.12.22. 89헌마145).
04. 국회직 8급·법무사, 12. 법행

☑ **주의** 불기소처분에 대한 헌법소원청구
- 고소하지 않은 피해자, 피의자 ○
- 고소인, 고발인 ✕

2 주식회사의 주주인 고발인의 헌법소원청구인적격 인정 사례

고발인에 대하여 헌법소원심판청구적격을 인정하지 않는 이유는 고발인이 고발사건의 **직접적인 피해자**라고 할 수 없었기 때문이므로, 고발인일지라도 **고발사건의 피해자**라고 인정될 경우에는 검사의 불기소처분에 대하여 자기성·직접성·현재성을 가질 수 있으며, 그 불기소처분으로 인하여 평등권, 형사피해자 재판절차진술권 등을 침해당한 경우에는 그 주장 자격이 고소권자 또는 고발인의 차이에 관계없이 헌법소원심판을 청구할 수 있는 것이다(헌재 1991.4.1. 90헌마65). 05. 국회직, 06. 사시

✅ **주의** 고발인의 헌법소원청구인적격 인정 여부
- 단순 고발사건 ✕
- **예외:** 주식회사의 주주가 고발인으로서 제기한 기소유예처분에 대한 헌법소원에서는 비록 고발인이지만 인정하였다. 주식회사의 주주는 대표이사의 범죄행위 등에 대한 직접적인 피해자이기 때문이다.

ⓛ **형사피해자의 범위:** 재판절차진술권의 주체인 형사피해자의 개념은 넓게 해석하여야 할 것이므로 반드시 형사실체법상의 보호법익을 기준으로 한 피해자개념에 의존하여 결정할 필요는 없고 문제되는 범죄 때문에 법률상 불이익을 받게 되는 자라면 헌법상 형사피해자의 재판절차진술권의 주체가 될 수 있다(헌재 1992.2.25. 90헌마91). 10. 법행

ⓒ **형사피해자로 인정되는 경우**

ⓐ **위증으로 불이익한 재판을 받게 되는 당사자:** 위증죄나 위증교사죄에 있어서 그 보호법익은 원칙적으로 국가의 심판작용의 공정이라 하더라도, 위증으로 인하여 불이익한 재판을 받게 되는 소송사건의 당사자는 재판절차진술권의 주체인 형사피해자가 된다고 보아야 할 것이고, 한편 그러한 형사피해자가 비록 자기명의로 고소를 한 바 없어 위증에 대한 불기소처분에 대하여 헌법소원을 청구하는 수단 이외에 달리 검찰청법에 정한 항고·재항고에 의한 구제를 받을 방법이 없다면 그 피해자는 피의사건에 대하여 고소를 제기하거나 불기소처분에 대하여 곧바로 헌법소원심판을 청구할 수 있다(헌재 1995.5.25. 94헌마185). 05. 국회직

ⓑ **교통사고 사망자의 부모:** 교통사고로 사망한 사람의 부모는 형사소송법상 고소권자의 지위에 있을 뿐만 아니라, 비록 교통사고처리특례법의 보호법익인 생명의 주체는 아니라고 하더라도, 그 교통사고로 자녀가 사망함으로 인하여 극심한 정신적 고통을 받은 법률상 불이익을 입게 된 자임이 명백하므로, 헌법상 재판절차진술권이 보장되는 형사피해자의 범주에 속한다(헌재 1993.3.11. 92헌마48).

③ **기소유예·중지처분을 받은 피의자:** 기소유예처분을 받은 피의자와 기소중지처분을 받은 피의자는 헌법상 재판청구권 또는 행복추구권을 침해당한 자로서 자기관련성이 인정된다.

④ **자기관련성이 부정되는 경우**

ⓛ **선거에 관한 헌법소원에서 선거권도 없고 입후보사실도 없는 경우:** 동해시 재선거에 있어서 청구인의 동해시 지역구에 대한 선거인의 자격은 인정되지 아니하고 또 청구인 자신이 동 재선거에 입후보였다고 인정할 증거가 없으므로 동 재선거로 인하여 청구인 자신의 선거권이나 공무담임권이 침해되었다고 보기 어려워 심판청구요건인 자기관련성을 갖추었다고 인정하기 어렵다 할 것이다(헌재 1990.9.3. 89헌마90).

ⓛ **장차 검찰총장에 임명될 가능성만 있는 고등검사장**: 고등검사장이 장차 검찰총장에 임명될 가능성이 있다는 사정만으로는 검찰총장이었던 자의 기본권을 제한하고 있는 법률조항이 고등검사장의 직위에 있는 청구인들의 기본권을 직접·현재 침해하고 있다고 볼 수 없다(헌재 1997.7.16. 97헌마26).

ⓒ **영화인협회가 소속 회원의 기본권침해를 이유로 헌법소원을 청구한 경우**: 단체는 원칙적으로 단체 자신의 기본권을 직접 침해당한 경우에만 그의 이름으로 헌법소원심판을 청구할 수 있을 뿐이고 그 구성원을 위하여 또는 구성원을 대신하여 헌법소원심판을 청구할 수 없다 할 것인데, 청구인 사단법인 한국영화인협회는 그 자신의 기본권이 침해당하고 있음을 이유로 하여 이 사건 헌법소원심판을 청구한 것이 아니고, 그 단체에 소속된 회원인 영화인들의 헌법상 보장된 예술의 자유와 표현의 자유가 침해당하고 있음을 이유로 하여 이 사건 헌법소원심판을 청구하여 자기관련성의 요건을 갖추지 못하였다(헌재 1991.6.3. 90헌마56).

ⓔ **한국신문편집인협회가 회원인 언론인들의 언론·출판의 자유가 침해당하고 있다고 하여 여론조사결과 공표금지규정을 다투는 경우**: 단체는 원칙적으로 단체 자신의 기본권을 직접 침해당한 경우에만 그의 이름으로 헌법소원심판을 청구할 수 있을 뿐이고 16. 국회직 9급 그 구성원을 위하여 또는 구성원을 대신하여 헌법소원심판을 청구할 수 없다고 할 것인데, 청구인 한국신문편집인협회는 자신의 기본권이 직접 침해당하였다는 것이 아니고 청구인협회의 회원인 언론인들의 언론·출판의 자유가 침해당하고 있어 청구인협회도 간접적으로 기본권을 침해당하고 있음을 이유로 하여 이 사건 헌법소원심판을 청구하고 있는 것으로 보이므로 자기관련성을 갖추지 못하여 부적법하다고 할 것이다(헌재 1995.7.21. 92헌마177·199).

ⓜ **대학교의 교수나 교수협의회가 학교법인재산 횡령행위에 대해서 다투는 경우**: 대학교의 설립운영자가 저질렀다고 하는 횡령행위로 인한 피해자는 학교법인이고, 그 횡령행위로 인하여 위 학교법인이 설립·운영하는 대학교의 운영에 어려움이 생김으로써 동 대학교의 교수나 교수협의회에게 어떠한 불이익이 발생하였다고 하더라도 그것은 간접적인 사실상의 불이익에 불과할 뿐, 그 사실만으로 청구인들이 위 횡령행위로 인한 '형사피해자'에 해당한다고 할 수 없다(헌재 1997.2.20. 95헌마295). 17. 국회직 8급

ⓗ **이른바 '사북사태'의 가담자들을 '민주화운동 관련자'로 인정한 민주화운동 관련자 명예회복 및 보상심의위원회의 결정에 대하여 위 가담자들에 의하여 폭행 및 성폭행을 당하였다고 주장하는 경우**: 이 사건 결정에 관하여 청구인이 직접·법적으로 이해관계를 가지고 있다고 볼 수 없으므로 청구인에게 기본권침해의 자기관련성이 인정되지 않는다(헌재 2006.4.27. 2005헌마1097).

01 제주4·3사건 진상규명 및 희생자 명예회복에 관한 특별법(이하 '제주4·3특별법'이라 한다)에 근거한 희생자결정은, 제주4·3사건 진압작전에 참가하였던 군인이나 그 유족들의 명예를 훼손하지 않으므로, 명예권침해를 주장하는 이들의 헌법소원심판청구는 자기관련성이 없어 부적법하다.
13. 국가직 　　　　　　(○, ×)
🔒 ○

02 간접흡연으로 인한 폐해는 담배의 제조 및 판매와는 간접적이고 사실적인 이해관계를 형성할 뿐, 직접적 혹은 법적인 이해관계를 형성하지는 못하므로 비흡연자인 임산부가 담배의 제조 및 판매에 관하여 규율하는 담배사업법에 대해 청구한 헌법소원심판은 부적법하다. 18. 서울시 　(○, ×)
🔒 ○

03 2021학년도 대학입학전형기본사항 중 재외국민 특별전형 지원자격 가운데 학생의 부모가 해외근무자와 그 배우자가 학생과 함께 해외에 체류하여야 한다는 부분은 학부모에 대한 기본권 침해의 자기관련성이 인정된다.
22. 국회직 8급 　　　　(○, ×)
🔒 ×

04 학교급식의 운영방식을 원칙적으로 학교장의 직영방식으로 한 학교급식법에 대하여 사단법인 한국급식협회는 자기관련성이 인정된다. 12. 법원직
　　　　　　　　　(○, ×)
🔒 ×

05 사단법인 한국기자협회는 부정청탁 및 금품 등 수수의 금지에 관한 법률에 의하여 기본권을 직접 침해당할 가능성이 상당하기 때문에 그 구성원인 기자를 대신하여 헌법소원을 청구할 수 있다고 보아야 한다.
17. 서울시, 22. 국회직 8급 　(○, ×)
🔒 × 사단법인 한국기자협회가 그 구성원인 기자들을 대신하여 헌법소원을 청구할 수도 없으므로, 위 청구인의 심판청구는 기본권침해의 자기관련성을 인정할 수 없어 부적법하다(헌재 2016.7.28. 2015헌마236 등).

Ⓐ 제주4·3사건 진상규명 및 희생자 명예회복에 관한 특별법(이하 '제주4·3특별법'이라 한다)에 근거한 희생자결정에 대하여 제주4·3사건 진압작전에 참가하였던 군인이나 그 유족들이 명예권침해를 주장하는 경우: 헌법 제10조가 보호하는 명예는 사람이나 그 인격에 대한 사회적 평가, 즉 객관적·외부적 가치평가를 가리키며 단순한 주관적·내면적 명예감정은 헌법이 보호하는 명예에 포함되지 않는다. 그런데 제주4·3특별법은 제주4·3사건의 진상규명과 희생자 명예회복을 통하여 인권신장과 민주발전 및 국민화합에 이바지함을 목적으로 제정되었고, 위령사업의 시행과 의료지원금 및 생활지원금의 지급 등 희생자들에 대한 최소한의 시혜적 조치를 부여하는 내용을 가지고 있는바, 그에 근거한 이 사건 희생자결정이 청구인들의 사회적 평가에 부정적 영향을 미쳐 헌법이 보호하고자 하는 명예가 훼손되는 결과가 발생한다고 할 수는 없다. 따라서 이 사건 심판청구는 명예권 등 기본권침해의 자기관련성을 인정할 수 없어 부적법하다(헌재 2010.11.25. 2009헌마147). 13. 국가직

📖 판례

1 담배의 제조 및 판매에 관하여 규율하는 담배사업법에 대해 간접흡연의 피해를 주장하는 임신 중인 자의 기본권침해의 자기관련성을 인정할 수 있는지 여부: 소극 [각하]

청구인은 이 사건 심판청구 당시 임산부였던 자로서 간접흡연으로 인하여 자신들의 기본권이 침해되었다고 주장하나, 간접흡연으로 인한 폐해는 담배의 제조 및 판매와는 간접적이고 사실적인 이해관계를 형성할 뿐, 직접적 혹은 법적인 이해관계를 형성하지는 못한다. 또한, 청구인은 의료인으로서 담배로 인한 질병을 치료하면서 그 폐해의 심각성을 인지하게 되었다고만 할 뿐 구체적인 기본권침해 주장은 하지 않고 있고, 담배의 제조 및 판매가 허용되어 흡연이 가능하게 되었다는 것만으로 위 청구인들에게 어떠한 기본권침해가 있다고 보기도 어렵다. 따라서 청구인의 심판청구는 기본권침해의 자기관련성을 인정할 수 없다(헌재 2015.4.30. 2012헌마38). 18. 국가직·서울시

2 2021학년도 대학입학전형기본사항 중 재외국민 특별전형 지원자격 가운데 학생의 부모의 해외체류요건 부분(이하 '이 사건 전형사항'이라 한다)으로 인한 학부모의 기본권침해의 자기관련성 인정 여부: 소극

이 사건 전형사항으로 인해 재외국민 특별전형 지원을 제한받는 사람은 각 대학의 2021학년도 재외국민 특별전형 지원(예정)자이다. 학부모인 청구인의 부담은 간접적인 사실상의 불이익에 해당하므로, 이 사건 전형사항으로 인한 기본권침해의 자기관련성이 인정되지 않는다(헌재 2020.3.26. 2019헌마212).

3 언론인을 공직자등에 포함시켜 이들에 대한 부정청탁을 금지하는 부정청탁 및 금품 등 수수의 금지에 관한 법률에 대해 사단법인 한국기자협회가 기본권침해의 자기관련성 인정 여부: 소극

청구인 사단법인 한국기자협회는 전국의 신문·방송·통신사 소속 현직 기자들을 회원으로 두고 있는 민법상 비영리 사단법인으로서, '언론중재 및 피해구제에 관한 법률' 제2조 제12호에 따른 언론사에는 해당한다. 그런데 심판대상조항은 언론인 등 자연인을 수범자로 하고 있을 뿐이어서 청구인 사단법인 한국기자협회는 심판대상조항으로 인하여 자신의 기본권을 직접 침해당할 가능성이 없다. 또 사단법인 한국기자협회가 그 구성원인 기자들을 대신하여 헌법소원을 청구할 수도 없으므로, 위 청구인의 심판청구는 기본권 침해의 자기관련성을 인정할 수 없어 부적법하다(헌재 2016.7.28. 2015헌마236 등).

(2) 직접성

① **의의**: 헌법소원심판에서의 기본권을 침해받은 자란 현재 자신의 기본권을 직접 침해를 받은 자를 의미하는 것이고, 간접적·사실적으로 불이익을 받은 자는 이에 포함되지 아니한다. 10. 법원직 직접성의 요건은 특히 법령에 대한 헌법소원에서 중요한 의미를 가진다. 즉, 법령에 의한 기본권침해의 직접성이란 집행행위에 의하지 아니하고 법률 그 자체에 의하여 자유의 제한, 의무의 부과, 권리 또는 법적 지위의 박탈이 생긴 경우를 뜻하고 간접적으로 청구인의 기본권에 영향을 미치는 데 지나지 아니하는 경우에는 헌법소원을 제기할 수 없다. 위에서 말하는 집행행위에는 입법행위도 포함되므로 법률규정이 그 규정의 구체화를 위하여 하위규범의 시행을 예정하고 있는 경우에는 당해 법률규정의 직접성은 부인된다(헌재 1996.2.29. 94헌마213). 12·13. 법무사, 14. 경정승진

② **직접성요건의 예외**: 예외적으로 법령이 일의적이고 명백한 것이어서 집행기관이 심사와 재량의 여지 없이 그 법령에 따라 일정한 집행행위를 하여야 하는 때에는 당해 법령을 헌법소원의 직접대상으로 삼을 수 있다(헌재 1995.2.23. 90헌마214). 이러한 취지에서 헌법재판소는 생계보호기준에 대하여 일단 보호대상자로 지정이 되면 그 구분에 따른 각 그 보호기준에 따라 일정한 생계보호를 받게 된다는 점에서 직접 대외적 효력을 가지며 공무원의 생계보호급여지급이라는 집행행위는 위 생계보호기준에 따른 단순한 사실적 집행행위에 불과하므로 위 생계보호기준은 그 지급대상자인 청구인들에 대하여 직접적인 효력을 가지는 규정이라고 판시한 바 있다(헌재 1997.5.29. 94헌마33).

🔍 판례

1 법령에 근거한 집행행위가 재량행위인 경우에 직접성요건이 충족되는지 여부:
소극

법령에 근거한 구체적인 집행행위가 재량행위인 경우에 법령은 집행관청에게 기본권침해의 가능성만을 부여할 뿐 법령 스스로가 기본권의 침해행위를 규정하고 행정청이 이에 따르도록 구속하는 것이 아니고, 이때의 기본권의 침해는 집행기관의 의사에 따른 집행행위, 즉 재량권의 행사에 의하여 비로소 이루어지고 현실화되므로 이러한 경우에는 법령에 의한 기본권침해의 직접성이 인정될 여지가 없다(헌재 1998.4.30. 97헌마141).
18. 국회직, 20. 법행

2 집행기관의 재량의 여지가 없는 경우에 법령의 직접성이 인정되는지 여부: 적극

헌법소원심판의 대상이 되는 법령은 그 법령에 기한 다른 집행행위를 기다리지 않고 직접 기본권을 침해하는 법령이어야 하나, 예외적으로 법령이 일의적(一義的)이고 명백한 것이어서 집행기관이 심사와 재량의 여지 없이 그 법령에 따라 일정한 집행행위를 하여야 하는 때에는 당해 법령을 헌법소원의 직접대상으로 삼을 수 있다(헌재 1995.2.23. 90헌마214).
▶ 법령 자체에 의한 직접적인 기본권침해 여부가 문제되었을 경우 그 법령의 효력을 직접 다투는 것을 소송물로 하여 일반법원에 구제를 구할 수 있는 절차는 존재하지 않는다. 이 경우에는 보충성의 예외로서 다른 구제절차를 거칠 것이 없이 바로 헌법소원심판을 청구할 수 있다.

**3 법령에 따른 집행행위가 사실적 집행행위에 불과한 경우에 '침해의 직접성'이
인정되는지 여부: 적극**

이 사건 생계보호기준은 일단 보호대상자로 지정이 되면 그 구분에 따른 각 보호기준에 따라 일정한 생계보호를 받게 된다는 점에서 직접 대외적 효력을 가지며, 공무원의 생계보호급여지급이라는 집행행위는 위 생계보호기준에 따른 단순한 사실적 집행행위에 불과하므로, 위 생계보호기준은 그 지급대상자인 청구인들에 대하여 직접적인 효력을 가지는 규정이다(헌재 1997.5.29. 94헌마33).

**4 지방자치단체의 장이 대규모점포 등에 대하여 일정한 범위의 영업시간 제한 및
의무휴업을 명할 수 있도록 규정한 유통산업발전법 제12조의2가 기본권침해의
직접성을 충족하는지 여부: 소극 [각하]**

> 구 유통산업발전법(2012.1.17. 법률 제11175호) 제12조의2【대규모점포 등에 대한 영
> 업시간의 제한 등】① 시장·군수·구청장은 건전한 유통질서 확립, 근로자의 건강권
> 및 대규모점포 등과 중소유통업의 상생발전을 위하여 필요하다고 인정하는 경우 대규모점
> 포 중 대통령령으로 정하는 것과 준대규모점포에 대하여 다음 각 호의 영업시간제한을
> 명하거나 의무휴업일을 지정하여 의무휴업을 명할 수 있다.
> 1. 영업시간제한
> 2. 의무휴업일 지정
> ② 시장·군수·구청장은 제1항 제1호에 따라 오전 0시부터 오전 8시까지의 범위에서
> 영업시간을 제한할 수 있다.
> ③ 시장·군수·구청장은 제1항 제2호에 따라 매월 1일 이상 2일 이내의 범위에서 의무휴
> 업일을 지정할 수 있다.

법률 또는 법률조항 자체가 헌법소원의 대상이 될 수 있으려면 그 법률 또는 법률조항에 의하여 구체적인 집행행위를 기다리지 아니하고 직접·현재 자기의 기본권을 침해받아야 하고, 당해 법률에 근거한 구체적인 집행행위를 통하여 비로소 기본권침해의 법률효과가 발생하는 경우에는 직접성이 없다.

이 사건 법률조항은 시장 등은 필요하다고 인정하는 경우 대규모점포 등에 대하여 영업시간제한을 명하거나 의무휴업일을 지정하여 의무휴업을 명할 수 있다고 규정하면서 영업시간제한은 오전 0시부터 오전 8시까지, 의무휴업일 지정의 경우 월 1일 이상 2일 이내의 범위에서 할 수 있도록 하였다.

그러므로 청구인들이 주장하는 기본권침해의 법률효과는 지방자치단체장이 해당 지방자치단체의 실정에 따라 영업시간제한 및 의무휴업일 지정에 관한 구체적인 처분을 하였을 때 그 처분에 의하여 비로소 발생하는 것이지, 이 사건 법률조항에 의하여 곧바로 발생하는 것이 아니므로 기본권침해의 직접성을 인정할 수 없다. 따라서 이 사건 심판청구는 기본권침해의 직접성이 인정되지 않아 부적법하다(헌재 2013.12.26. 2012헌마62).
14. 법무사, 16. 사시

(3) 현재성

① **의의**: 헌법소원심판청구는 청구인의 기본권이 현재로서 침해되고 있음을 그 요건으로 하고 청구인이 언젠가는 기본권의 침해를 받을 우려가 있다 하더라도 그러한 침해의 우려만으로는 침해의 현재성을 구비하였다고 할 수 없다. 다만, 현재성의 요건은 장래의 불이익이 현재시점에서 충분히 예견가능한 경우에는 그 요건이 완화될 수 있다. 16. 국가직

⚖ 판례

1 공포 후 법률 시행 이전에 제기한 법령소원에서 기본권침해의 현재성이 인정되는지 여부: 적극

이 사건 법률은 1994.8.3. 공포되었고 1995.1.1.부터 시행된다. 이 사건 법률이 시행되면 즉시 중원군은 폐지되고 충주시에 흡수되므로, 이 사건 법률이 효력발생하기 이전에 이미 청구인들의 권리관계가 침해될 수도 있다고 보여지고 현재의 시점에서 청구인들이 불이익을 입게 될 수도 있다는 것을 충분히 예측할 수 있으므로 기본권침해의 현재성이 인정된다(헌재 1994.12.29. 94헌마201). 18. 국회직

2 공포 전 법률안에 대한 헌법소원이 인정되는지 여부: 적극

법률안은 대통령이 거부권을 행사하지 않는 한 정부에 이송된 후 15일 이내에 공포하여야 하고 만일 공포하지 않는다면 법률로서 확정되는바(헌법 제53조 제5항), 법률안이 거부권 행사에 의하여 최종적으로 폐기되었다면 모르되, 그렇지 아니하고 공포되었다면 **법률안은 그 동일성을 유지하여 법률로 확정되는 것이라고 보아야 한다.** 나아가 우리 재판소가 위헌제청 당시 존재하지 아니하였던 신법의 경과규정까지 심판대상을 확장하였던 선례(97헌가12)에 비추어 보면, 심판청구 후에 유효하게 공포·시행되었고 그 법률로 인하여 평등권 등 기본권을 침해받게 되었다고 주장하는 이상 청구 당시의 공포 여부를 문제 삼아 헌법소원의 대상성을 부인할 수는 없다(헌재 2001.11.29. 99헌마494). 15. 법무사

② 헌법재판소 결정례

ㄱ **1994학년도 신입생선발입시안에 대한 헌법소원**: 서울대학교의 1994학년도 대학입학고사 주요요강에 대하여 그 요강은 1994년도와 1995년도에도 적용될 가능성을 충분히 예측할 수 있고 따라서 1994학년도 또는 1995학년도에 서울대학교 입학을 지원할 경우 불이익을 입게 될 수도 있다는 것을 현재의 시점에서 충분히 예측할 수 있는 이상 기본권침해의 현재성을 인정할 수 있다(헌재 1992.10.1. 92헌마68).

ㄴ **가정의례에 관한 법률 제4조 제1항 제7호 위헌확인**: 청구인은 예비신랑으로서 비록 현재 기본권을 침해받고 있지는 않으나, 가정의례에 관한 법률 제4조 제1항 제7호의 규정으로 인하여 1998년 10월 17일 결혼식 때에는 하객들에게 주류 및 음식물을 접대할 수 없는 불이익을 받게 되는 것이 현재 시점에서 충분히 예측할 수 있으므로 이 사건 심판청구는 현재성의 예외인 경우로서 적법하다(헌재 1998.10.15. 98헌마168).

5. 보충성

(1) 원칙

① **의의**: 헌법소원은 다른 법률에 구제절차가 있는 경우에는 그 절차를 모두 거친 후가 아니면 청구할 수 없다(헌법재판소법 제68조 제1항 단서). 09. 국가직 헌법소원은 그 본질상 헌법에 보장된 기본권침해에 대한 예비적이고 보충적인 최후의 구제수단이다. 따라서 공권력 작용으로 말미암아 기본권의 침해가 있는 경우에는 먼저 다른 법률이 정한 절차에 따라 침해된 기본권의 구제를 받기 위한 모든 수단을 다하여야 하며 그럼에도 불구하고 그 구제를 받지 못한 경우에 비로소 헌법소원심판을 청구할 수 있다. 다만, 헌법소원이 헌법재판소에 계속 중 청구인들이 다른 법률에

정한 구제절차를 모두 거친 경우 청구 당시에 존재하였던 적법요건 흠결의 하자는 치유된다고 본다(헌재 1995.4.20. 91헌마52). 13. 국회직

② 다른 구제절차의 의미

　㉠ 다른 구제절차란 공권력의 행사 또는 불행사를 직접 불복대상으로 하여 그 효력을 다툴 수 있는 권리구제절차를 말하며 사후적·보충적 구제수단인 손해배상청구나 손실보상청구 또는 우회적인 소송절차를 의미하는 것이 아니다(헌재 1989.4.17. 88헌마3). 09. 국가직

　　✔ 주의 진정서나 탄원서 등의 제출
　　• 검사의 직권발동을 촉구 ○
　　• 헌법재판소법 제68조 제1항 단서 소정의 구제절차 ✕

　㉡ 다른 구제절차는 적법한 구제절차이어야 하므로 구제신청이나 행정심판청구가 신청기간 또는 행정심판기간의 도과로 부적법각하된 경우에는 그 구제절차는 적법한 구제절차라고 할 수 없어 다른 법률에 의한 적법한 구제절차를 거친 것으로 볼 수 없다(헌재 1993.2.19. 93헌마13). 12. 법원직

　　✔ 주의 다른 법률의 구제절차
　　• 적법한 구제절차임을 전제 ○
　　• 부적법한 구제절차 ✕

⚖ 판례

1 사후적·보충적 구제수단이 헌법재판소법 제68조 제1항 단서의 '다른 권리구제절차'의 의미에 해당하는지 여부: 소극

헌법재판소법 제68조 제1항 단서 소정의 '다른 권리구제절차'라 함은 공권력의 행사 또는 불행사를 직접 대상으로 하여 그 효력을 다툴 수 있는 권리구제절차를 의미하고, 사후적·보충적 구제수단을 뜻하는 것은 아니다(헌재 1989.4.17. 88헌마3 등). 09. 국가직, 15. 법무사

2 행정쟁송을 통한 구제의 길이 없더라도 국가를 상대로 한 부당이득청구가 가능한 경우, 보충성요건이 충족되는지 여부: 적극

세법상의 명문규정이 있는 외에는 조리상의 경정청구권을 인정할 수 없으며 개별 세법에 근거하지 아니한 납세의무자의 경정청구의 거부를 두고 항고소송의 대상이 되는 거부처분이라 할 수 없다는 것이 법원의 일관된 판례인 이상, 후발적 사유에 의한 조리상 경정청구권이 인정되는 경우라도 그 거부처분에 대하여는 달리 다른 법률에 구제절차가 있는 것도 아니며, 설사 국가를 상대로 부당이득반환청구소송을 제기할 수 있다 하더라도 그에 대하여 바로 헌법소원을 청구하였다고 하여 보충성의 요건에 반한다고 할 수 없다(헌재 2000.2.24. 97헌마13).

3 사전구제절차를 경유하지 아니한 흠결이 치유되는지 여부: 적극

청구인이 검찰청법에 따른 재항고를 제기하고 그 결정이 있기도 전에 이 사건 헌법소원심판을 청구하였으나, 그 후 대검찰청의 재항고기각결정이 있었으므로 심판청구 당시에 존재하던 사전구제절차 미경유의 흠결은 그로써 치유되었다(헌재 1996.3.28. 95헌마211). 08. 법행, 09. 국가직, 12. 법원직, 13. 국회직

---

(2) 예외 - 권리구제의 기대가능성이 없는 경우, 청구인의 착오에 정당한 이유가 있는 경우, 권리절차가 우회적인 경우, 구제절차의 허용 여부가 불확실한 경우에 할 수 있음

① **법령헌법소원**: 법령 자체에 대한 헌법소원심판청구의 경우에도 법령 자체에 의한 직접적인 기본권침해 여부가 문제되었을 경우 그 법령의 효력을 직접 다투는 것을 소송물로 하여 일반법원에 구제를 구할 수 있는 절차는 존재하지 아니하므로 이 경우에는 다른 구제절차를 거칠 것 없이 바로 헌법소원심판을 청구할 수 있다(헌재 1993.5.13. 91헌마190).

② **권력적 사실행위**

ㄱ **교도소장의 수형자의 서신 검열행위**: 수형자의 서신을 교도소장이 검열하는 행위는 이른바 권력적 사실행위로서 행정심판이나 행정소송의 대상이 되는 행정처분으로 볼 수 있으나, 위 검열행위가 이미 완료되어 행정심판이나 행정소송을 제기하더라도 소의 이익이 부정될 수밖에 없으므로 헌법소원심판을 청구하는 외에 다른 효과적인 구제방법이 있다고 보기 어렵기 때문에 보충성의 원칙에 대한 예외에 해당한다(헌재 1998.8.27. 96헌마398).

ㄴ **미결수용자에게 재소자용 의류를 입게 한 행위**: 형의 집행 및 수용자의 처우에 관한 법률 제6조의 청원제도는 그 처리기관이나 절차 및 효력 면에서 권리구제절차로서는 불충분하고 우회적인 제도이므로 헌법소원에 앞서 반드시 거쳐야 하는 사전구제절차라고 보기는 어렵고, 미결수용자에 대하여 재소자용 의류를 입게 한 행위는 이미 종료된 권력적 사실행위로서 행정심판이나 행정소송의 대상으로 인정되기 어려울 뿐만 아니라 소의 이익이 부정될 가능성이 많아 헌법소원심판을 청구하는 외에 달리 효과적인 구제방법이 없으므로 보충성의 원칙에 대한 예외에 해당한다(헌재 1999.5.27. 97헌마137).

ㄷ **계구사용행위 및 동행계호행위**: 이 사건 수용자 처우는 이른바 권력적 사실행위로서 행정소송의 대상이 된다고 단정하기 어렵고, 가사 행정소송의 대상이 된다고 하더라도 권리보호이익의 소멸로 각하될 가능성이 많은바, 청구인에게 그에 의한 권리구제절차를 밟을 것을 기대하기는 곤란하므로 보충성원칙의 예외로서 헌법소원의 제기가 가능하다(헌재 2008.5.29. 2005헌마137 ; 헌재 2011.4.28. 2009헌마305). 12. 법무사

③ **기소유예·중지처분을 받은 피의자**: 기소유예나 기소중지처분을 받은 '피의자'에게는 '피해자'와 달리 다른 구제절차가 없으므로 직접 헌법소원을 제기할 수 있다. 11. 법원직

📌 판례

1 대법원의 확립된 판례에 비추어 패소가 예상되는 경우에 보충성원칙이 충족되는지 여부: 소극

대법원의 확립된 판례에 비추어 패소할 것이 예견된다는 점만으로는 전심절차로 권리가 구제될 가능성이 거의 없어 전심절차이행의 기대가능성이 없는 경우에 해당한다고 볼 수 없으므로, 과세처분에 대하여 국세기본법에 따른 이의신청 등의 구제절차와 행정소송에 의한 구제절차를 거치지 아니하고 곧바로 헌법소원을 청구하는 것은 헌법소원의 보충성의 요건을 갖추지 못하여 부적법하다(헌재 1998.10.29. 97헌마285). 17. 법행

2 법관의 전보명령처분에 대해 소청심사나 행정소송을 제기하지 아니하고 헌법소원심판을 청구할 수 있는지 여부: 소극

법관은 경력직 공무원 중 특정직 공무원으로서 다른 법률에 특별한 규정이 없는 한, 국가공무원법의 적용을 받도록 규정하고 있고, 법관인 청구인은 인사처분에 대하여 소청심사위원회에 구제를 청구할 수 있고, 그 절차에서 구제를 받지 못한 때에는 다시 행정소송을 제기하여 그 구제를 청구할 수 있음에도 불구하고, 청구인이 위와 같은 구제절차를 거치지 아니한 채 제기한 헌법소원심판청구는 부적법하다(헌재 1993.12.23. 92헌마247). 18. 서울시

3 고소하지 아니한 범죄피해자가 검찰청법에 의한 구제절차를 거치지 아니하고 불기소처분에 대하여 바로 헌법소원심판을 청구할 수 있는지 여부: 적극

불기소처분에 대하여 인정되는 검찰청법에 의한 항고 및 재항고의 구제절차는 고소인 또는 고발인이 청구할 수 있도록 규정되어 있으므로, 범죄피해자로서 고소한 사실이 없는 청구인은 검찰청법에 의한 항고 및 재항고의 구제절차를 거칠 필요 없이 불기소처분에 대하여 바로 헌법소원심판을 청구할 수 있다(헌재 1998.8.27. 97헌마79). 18. 국회직

4 수용소에서의 신문기사 삭제처분에 대한 헌법소원에 있어서 보충성의 원칙에 대한 예외에 해당하는지 여부: 적극

수용소에서의 신문기사 삭제행위에 대해 행정심판이나 행정소송의 대상이 될 수 있을 것이라고 일반 국민이 쉽게 판단하기는 어렵고, 청구인이 구금자로서 활동의 제약을 받고 있었던 점을 아울러 고려할 때 이는 전심절차이행의 기대가능성이 없어 보충성의 예외인 경우로 인정된다. … 기사삭제행위에 대한 권리구제수단에 관하여 아무런 규정이 없으므로 그 삭제행위에 대하여 어떠한 구제수단이 있을 것인가가 청구인으로서는 명확히 알 수 없다. 물론 이러한 행위에 대해 형의 집행 및 수용자의 처우에 관한 법률(행형법)상(제6조)의 청원의 대상이 될 수 있음은 명백해 보이나, 그러한 청원제도를 헌법소원에 앞서 필요한 사전권리구제절차라고는 보기 어렵다(헌재 1998.10.29. 98헌마4).

5 미결수의 재소자용 의류착용처분에 대한 헌법소원에서 보충성의 원칙에 대한 예외를 인정할 것인지 여부: 적극

형의 집행 및 수용자의 처우에 관한 법률(행형법) 제6조의 청원제도는 권리구제절차로서는 불충분하고 우회적인 제도이므로 헌법소원에 앞서 반드시 거쳐야 하는 사전구제절차라고 보기는 어렵고, 미결수용자에 대하여 재소자용 의류를 입게 한 행위는 이미 종료된 권력적 사실행위로서 행정심판이나 행정소송의 대상으로 인정되기 어려울 뿐만 아니라 소의 이익이 부정될 가능성이 많아 헌법소원심판을 청구하는 외에 달리 효과적인 구제방법이 없으므로 보충성의 원칙에 대한 예외에 해당한다(헌재 1999.5.27. 97헌마37).

6 현행범인으로 체포되어 경찰서 유치장에 구금되었다가 체포된 때로부터 48시간이 경과하기 전에 석방된 자가 자신에 대한 구금은 불필요하게 장시간 계속된 것으로서 기본권을 침해하였다며 제기한 헌법소원에서 보충성원칙의 예외를 인정할 것인지 여부: 소극 [각하]

체포에 대하여는 헌법과 형사소송법이 정한 체포적부심사라는 구제절차가 존재함에도 불구하고, 체포적부심사절차를 거치지 않고 제기된 헌법소원심판청구는 법률이 정한 구제절차를 거치지 않고 제기된 것으로서 보충성의 원칙에 반하여 부적법하다. 한편 헌법과 형사소송법이 정하고 있는 체포적부심사절차의 존재를 몰랐다는 점은 보충성의 예외로 인정될 만큼 정당한 이유 있는 착오라고 볼 수 없으며, 헌법과 형사소송법이 규정하고 있는 체포적부심사의 입법목적, 청구권자의 범위, 처리기관, 처리절차 및 석방결정의

효력 등을 고려하여 볼 때, 자신이 부당하게 현행범인으로 체포되었다거나 더이상 구금의 필요가 없음에도 계속 구금되고 있다고 생각하는 피의자에게 있어서 체포적부심사절차는 가장 강력하고 실효성 있는 권리구제수단으로서 피의자에게 체포적부심사절차를 이행하도록 하는 것이 그 절차로 권리가 구제될 가능성이 거의 없거나 대단히 우회적인 절차를 요구하는 것밖에 되지 않는 경우에 해당한다고 볼 수 없다(헌재 2010.9.30. 2008헌마628). 13. 국회직 8급

7 '변호인이 되려는 자'의 피의자 접견신청을 허용하기 위한 조치를 취하지 않은 검사의 행위에 대하여 형사소송법 제417조에 따른 준항고절차를 거치지 아니하고 헌법소원심판을 청구한 경우 보충성원칙의 예외 인정 여부: 적극

사건 당일 종료된 검사의 접견불허행위에 대하여 청구인이 형사소송법 제417조에 따라 그 취소를 구하는 준항고를 제기할 경우 법원이 법률상 이익이 결여되었다고 볼 것인지 아니면 실체 판단에 나아갈 것인지가 객관적으로 불확실하여 청구인으로 하여금 전심절차를 이행할 것을 기대하기 어려우므로, 청구인의 위 접견불허행위에 대한 심판청구에 대해서는 보충성원칙의 예외가 인정된다(헌재 2019.2.28. 2015헌마1204). 19. 국회직 8급

8 "You are fucking crazy"사건 [인용(취소)]

청구인(당시 만 61세)과 고소인(당시 만 41세)은 같은 아파트에 거주하는 주민들이다. 청구인은 2016.5.29. 오후 무렵 아파트 앞 주차장 부근에서 고소인에게 영어로 "You are fucking crazy"라고 말하였다는 이유로 모욕죄로 고소되었다. 피청구인은 위 사건을 수사한 후 2016.11.24. 청구인에 대하여 기소유예처분을 하였고, 청구인은 위 기소유예처분이 자신의 평등권과 행복추구권을 침해하였다고 주장하면서 2017.1.2. 그 취소를 구하는 이 사건 헌법소원심판을 청구하였다.

[1] "You are fucking crazy"에서 "fucking"은 "crazy"를 강조하는 수식어로 '대단히', '지독히', '매우' 등의 의미로 해석될 수 있고, "crazy"는 '미친', '정상이 아닌', '말도 안 되는', '열광하는' 등의 다양한 의미를 가진다. 다만, 위 표현이 경멸적 표현인지 여부는 사전적인 의미뿐만 아니라, 청구인이 위 표현을 하게 된 경위 및 당시의 구체적인 상황을 종합하여 판단하여야 한다.

[2] 이 사건 당시 고소인은 20년이나 연상인 청구인에게 반말로 계속하여 시비를 걸며 따라오다가 멀리 쓰레기분리수거장에서 근무하고 있는 아파트 경비원을 발견하자 갑자기 청구인에게 존댓말을 하는 등 모순된 태도를 보였고, 이에 청구인은 고소인의 갑작스런 태도돌변에 어이가 없어 혼잣말로 위와 같이 말하였다는 것이 청구인의 수사 당시부터 이 사건 청구에 이르기까지의 일관된 주장이고, 기록에 첨부된 녹취록 등에 의하면 위와 같은 영어 표현을 하게 된 동기와 상황에 대한 청구인의 진술은 상당히 설득력이 있다.

[3] 청구인의 영어표현에 다의적인 해석가능성이 존재하고, 청구인이 당시 위 표현을 하게 된 구체적인 경위 및 상황 등을 종합할 때 그 의미는 '당신 정말 어처구니가 없다.', '당신 정말 말도 안 된다.' 정도의 의미로서, 청구인에게 고소인을 모욕할 의사가 있었다거나, 위 표현이 고소인의 사회적 평가를 저하시킬 만한 경멸적인 표현에 해당한다고 단정하기 어렵다.

청구인의 영어표현을 들었다는 아파트 경비원 정○엽의 사실확인서만으로는 정○엽이 당시 상황에 대하여 구체적으로 무엇을 듣고 보았다는 것인지를 정확히 판단하기에 부족하므로, 그 내용만으로 청구인의 행위에 공연성이 있었다고 인정하기도 어렵다.

[4] 따라서 피청구인의 기소유예처분은 법리오해에 기초하여 이루어진 자의적인 처분으로 그로 말미암아 청구인의 평등권과 행복추구권이 침해되었다(헌재 2017.5.25. 2017헌마).

9 코로나바이러스감염증-19(이하 '코로나19'라고 한다)의 예방을 위하여 음식점 및 PC방 운영자 등에게 영업시간을 제한하거나 이용자 간 거리를 둘 의무를 부여하는 서울특별시고시들에 대한 심판청구가 보충성 요건을 충족하는지 여부: 소극 [각하]

심판대상고시는 관내 음식점 및 PC방의 관리자·운영자들에게 일정한 방역수칙을 준수할 의무를 부과하는 것으로서, 피청구인 서울특별시장은 구 감염병예방법 제49조 제1항 제2호에 근거하여 행정처분을 발하려는 의도에서 심판대상고시를 발령한 것이다. 그러므로 **심판대상고시는 항고소송의 대상인 행정처분에 해당한다.** 심판대상고시의 효력기간이 경과하여 그 효력이 소멸하였으므로, 이를 취소하더라도 그 원상회복은 불가능하다. 그러나 피청구인은 심판대상고시의 효력이 소멸한 이후에도 2022.4.경 코로나19 방역조치가 종료될 때까지 심판대상고시와 동일·유사한 방역조치를 시행하여 왔고, 향후 다른 종류의 감염병이 발생할 경우 피청구인은 그 감염병의 확산을 방지하기 위하여 심판대상고시와 동일·유사한 방역조치를 취할 가능성도 있다. 그렇다면 심판대상고시와 동일·유사한 방역조치가 앞으로도 반복될 가능성이 있고 이에 대한 법률적 해명이 필요한 경우에 해당하므로 예외적으로 그 처분의 취소를 구할 소의 이익이 인정되는 경우에 해당한다. 그렇다면 심판대상고시는 항고소송의 대상이 되는 행정처분에 해당하고 그 취소를 구할 소의 이익이 인정된다. **따라서 이에 대한 다툼은 우선 행정심판이나 행정소송이라는 구제절차를 거쳤어야 함에도, 이 사건 심판청구는 이러한 구제절차를 거치지 아니하고 제기된 것이므로 보충성 요건을 충족하지 못하였다**(헌재 2023.5.25. 2021헌마21).

10 행정심판이나 행정소송 등의 사전구제절차를 거치지 아니하고 청구한 국가인권위원회의 진정에 대한 각하 또는 기각결정의 취소를 구하는 헌법소원심판이 보충성 요건을 충족하는지 여부: 소극

진정에 대한 국가인권위원회의 각하 및 기각결정은 피해자인 진정인의 권리행사에 중대한 지장을 초래하는 것으로서 항고소송의 대상이 되는 행정처분에 해당하므로, 그에 대한 다툼은 우선 행정심판이나 행정소송에 의하여야 할 것이다. 따라서 이 사건 심판청구는 행정심판이나 행정소송 등의 사전 구제절차를 모두 거친 후 청구된 것이 아니므로 보충성 요건을 충족하지 못하였다(헌재 2015.3.26. 2013헌마214 등).

11 고용노동부장관의 전국교직원노동조합에 대한 시정요구에 대한 헌법소원심판청구가 보충성 요건을 충족하는지 여부: 소극

고용노동부장관의 청구인 전국교직원노동조합에 대한 2013.9.23. 자 시정요구(이하 '이 사건 시정요구'라 한다)는 청구인 전국교직원노동조합(이하 '전교조'라 한다)의 권리·의무에 변동을 일으키는 행정행위에 해당하나, 청구인 전교조는 이 사건 시정요구에 대하여 다른 불복절차를 거치지 아니하고 곧바로 헌법소원심판을 청구하였으므로, 이에 대한 헌법소원은 보충성 요건을 결하였다(헌재 2015.5.28. 2013헌마671).

④ **행정소송의 대상이 되지 않는다는 대법원 판례가 있는 경우(교수재임용 추천거부에 대한 헌법소원)**: 세무대학장의 재임용 추천거부행위와 같은 총·학장의 임용제청이나 그 철회는 행정기관 상호간의 내부적인 의사결정과정일 뿐 행정소송의 대상이 되는 행정처분이라고 볼 수 없다는 것이 대법원의 일관된 판례이므로, 세무대학장이 청구인의 교수재임용 추천을 하지 아니한 공권력 불행사의 위헌 여부를 다투는 청구인이 행정소송을 거치지 아니하고 바로 헌법소원심판을 청구하였다고 하더라도 소원심판청구의 적법요건인 보충성의 원칙에 반하지 아니한다(헌재 1993.5.13. 91헌마190).

6. 권리보호이익(소의 이익) 16. 국가직

(1) 주관적 권리보호

헌법소원은 국민의 침해된 기본권을 구제하는 제도이므로 그 제도의 목적상 당연히 권리보호의 이익이 있는 경우에 헌법소원을 제기할 수 있다(헌재 1989.4.17. 88헌마3). 따라서 심판청구 당시 권리보호의 이익이 인정되더라도 심판 계속 중에 생긴 사정변경, 즉 사실관계 또는 법령제도의 변동으로 말미암아 권리보호의 이익이 소멸 또는 제거된 경우 심판청구는 원칙적으로 부적법하게 된다. 검사의 불기소처분의 취소를 구하는 헌법소원에 있어 대상이 되는 범죄의 공소시효가 이미 완성되었다면 그에 대한 헌법소원심판청구는 권리보호의 이익이 없으며(헌재 1989.4.17. 88헌마3), 피고소인이 이미 사망한 경우 검사의 불기소처분에 대한 헌법소원심판청구는 권리보호의 이익이 없다(헌재 1992.11.12. 91헌마176).

(2) 객관적 헌법수호(권리보호이익의 완화)

그러나 헌법소원의 본질은 개인의 주관적 권리구제뿐만 아니라 객관적인 헌법질서의 보장도 겸하고 있으므로 헌법소원에 있어서의 권리보호이익은 일반법원의 소송사건에서처럼 주관적 권리를 기준으로 엄격하게 하여서는 안 된다. 따라서 침해행위가 종료하여 이를 취소할 여지가 없기 때문에 헌법소원이 주관적 권리구제에 별 도움이 안 되는 경우라도 그러한 **위험행위가 앞으로도 반복될 위험**이 있거나 18. 입시 당해 분쟁의 해결이 헌법질서의 수호유지를 위하여 긴요한 사항이어서 **헌법적으로 그 해명이 중대한 의미를 지니고 있는 경우에는 심판청구의 이익을 인정**하여 이미 종료한 침해행위가 위헌이었음을 선언할 수 있다. 이러한 관점에서 헌법재판소는 변호인과의 접견시 수사관이 접견내용을 청취기록한 사건(헌재 1992.1.28. 91헌마111) 및 국제그룹의 해체지시사건(헌재 1993.7.29. 89헌마31) 등에 대하여 위헌을 선언한 바 있다. 권리보호이익의 완화는 이미 종료된 권력적 사실행위의 경우에 특히 그 필요성이 인정된다.

핵심기출 OX

주관적 권리보호의 이익이 소멸되었다고 하더라도 그러한 기본권침해행위가 반복될 위험이 있다면 심판청구의 이익이 인정된다. 18. 입시　(O, ×)

답 O

1 서신검열 등 위헌확인

헌법소원의 본질은 개인의 주관적 권리구제뿐만 아니라 객관적인 헌법질서의 보장도 겸하고 있다. 미결수용자의 서신에 대한 검열이나 지연발송·지연교부행위는 헌법상 보장된 통신의 자유나 비밀을 침해받지 아니할 권리 및 변호인의 조력을 받을 권리와의 관계에서 해명되어야 할 중요한 문제이고, 또 검열행위는 형의 집행 및 수용자의 처우에 관한 법률의 규정에 따라 앞으로도 계속될 것으로 보이므로, 이러한 **침해행위가 이미 종료되었다 하더라도 이 사건 심판청구는 헌법질서의 수호·유지를 위하여 긴요한 사항으로서 그 해명이 중대한 의미를 지니고 있고 동종행위의 반복위험성도 있어서 심판청구의 이익이 있다**(헌재 1995.7.21. 92헌마44). 11. 지방직

2 공직선거법 제15조 위헌확인

헌법소원은 심판청구 당시에 기본권의 침해가 있었다 할지라도 결정 당시 이미 그 침해상태가 종료되었다면 원칙적으로 심판청구는 권리보호의 이익이 없다.
그러나 이 사건은 선거권연령을 20세 이상의 국민으로 정한 것이 18 ~ 19세의 국민들에 대한 평등권과 선거권을 침해하는지 여부를 가리는 헌법적으로 해명할 필요가 있는 중요한 사안으로 우리 재판소로서는 국회의원선거일 이전에 결론을 내리기가 어려운 문제였고 앞으로도 계속 반복될 성질이 있는 것이므로 헌법판단의 적격을 갖춘 것으로 인정하여 본안판단을 하기로 한다(헌재 1997.6.26. 96헌마89).

3 주관적 권리보호이익이 소멸하였음에도 예외적으로 심판의 이익이 있음을 인정한 사례

청구인은 형기만료로 이미 석방되었으므로, 이 사건 심판청구가 인용되더라도 청구인의 권리구제는 불가능한 상태이다. 그러나 이 사건에서 문제되는 교정시설 내 과밀수용행위는 계속 반복될 우려가 있고, 수형자들에 대한 기본적 처우에 관한 중요한 문제로서 그에 대한 헌법적 해명의 필요성이 있으므로 예외적으로 심판의 이익을 인정할 수 있다(헌재 2016.12.29. 2013헌마142). 18. 국가직

4 검찰수사관이 피의자신문에 참여한 변호인에게 피의자 후방에 앉으라고 요구한 행위(후방착석요구행위)가 이미 종료된 경우에 권리보호이익이 소멸하는지 여부: 소극

이 사건 후방착석요구행위는 2016.4.21. 종료되었으므로, 이에 대한 심판청구가 인용된다고 하더라도 청구인의 권리구제에는 도움이 되지 아니한다. 그러나 기본권침해행위가 장차 반복될 위험이 있거나 당해 분쟁의 해결이 헌법질서의 유지·수호를 위하여 긴요한 사항이어서 헌법적으로 그 해명이 중대한 의미를 지니고 있는 때에는 예외적으로 심판이익을 인정할 수 있다(헌재 2017.11.30. 2016헌마503). 19. 지방직·경정승진

7. 청구기간

헌법재판소법 제69조【청구기간】 ① 제68조 제1항에 따른 헌법소원의 심판은 그 사유가 있음을 안 날부터 90일 이내에, 그 사유가 있는 날부터 1년 이내에 청구하여야 한다. 다만, 다른 법률에 따른 구제절차를 거친 헌법소원의 심판은 그 최종결정을 통지받은 날부터 30일 이내에 청구하여야 한다. 07. 국회직, 18. 법행
② 제68조 제2항에 따른 헌법소원심판은 위헌 여부 심판의 제청신청을 기각하는 결정을 통지받은 날부터 30일 이내에 청구하여야 한다.

(1) 권리구제형 헌법소원

권리구제형 헌법소원에서의 심판청구기간은 사유가 있음을 안 날부터 60일, 그 사유가 있은 날부터 180일 이내로 규정되어 있었으나, 2003년 3월 12일에 심판 청구시의 국민의 기본권구제 등을 강화하기 위하여 헌법소원심판의 청구기간을 사유가 있음을 안 날부터 90일, 그 사유가 있은 날부터 1년으로 개정하였다.

(2) 위헌심사형 헌법소원

위헌심사형 헌법소원에서의 심판청구기간은 위헌 여부 심판의 제청신청이 기각된 날부터 14일 이내로 규정되어 있었으나, 2003년 3월 12일에 국민의 기본권구제 등을 강화하기 위하여 제청신청을 기각하는 결정을 통지받은 날부터 30일 이내로 개정하였다.

⚖ 판례

1 주관적 청구기간의 기산점 – 사유가 있음을 '안 날'의 의미

청구기간의 기산점인 '안 날'이라 함은 법령의 제정 등 공권력의 행사에 의한 기본권침해의 사실관계를 안 날을 뜻하는 것이지, 법률적으로 평가하여 그 위헌성 때문에 헌법소원의 대상이 됨을 안 날을 뜻하는 것은 아니다(헌재 1993.11.25. 89헌마36).

2 법령소원의 청구기간 기산점에 관한 '상황성숙성이론'의 폐기

법령에 대한 헌법소원의 청구기간도 기본권을 침해받은 때로부터 기산하여야 할 것이지 기본권을 침해받기도 전에 그 침해가 확실히 예상되는 등 실체적 제 요건이 성숙하여 헌법판단에 적합하게 된 때로부터 기산할 것이 아니므로, 종전에 이와 견해를 달리하여 법령에 대한 헌법소원의 청구기간의 기산점에 관하여 기본권의 침해가 확실히 예상되는 때로부터도 청구기간을 기산한다는 취지로 판시한 우리 재판소의 의견은 이를 변경하기로 한다(헌재 1996.3.28. 93헌마198). 16. 변호사

3 공권력의 불행사에 대한 헌법소원을 그 불행사가 계속되는 한 기간의 제약 없이 청구할 수 있는지 여부: 적극

공권력의 불행사로 인한 기본권침해는 그 불행사가 계속되는 한 기본권침해의 부작위가 계속된다 할 것이므로, 공권력의 불행사에 대한 헌법소원심판은 그 불행사가 계속되는 한 기간의 제약이 없이 적법하게 청구할 수 있다(헌재 1994.12.29. 89헌마2). 07. 국회직, 15. 법무사

4 부진정입법부작위에 대한 헌법소원에서 청구기간의 제한 없이 청구할 수 있는지 여부: 소극

형의 실효 등에 관한 법률 제8조 제1항은 이른바 부진정입법부작위에 해당하고 이는 헌법재판소법 제68조 제1항에 의한 **법령소원**으로 해석할 것이지 입법부작위에 대한 헌법소원이라고 할 수 없다. 따라서 이 경우에도 헌법재판소법 제68조 제1항 소정의 청구기간의 제한이 있다(헌재 1996.6.13. 95헌마115).

5 부진정입법부작위에 의한 기본권침해에 대한 헌법소원의 제기방법(적극적인 헌법소원)

부진정입법부작위를 대상으로 헌법소원을 제기하려면 그것이 평등의 원칙에 위배된다는 등 헌법 위반을 내세워 **적극적인 헌법소원**을 제기하여야 하며, 이 경우에는 헌법재판소법 소정의 **제소기간을 준수**하여야 한다(헌재 1996.10.31. 94헌마108).

6 유예기간을 두고 있는 법령의 경우, 헌법소원심판의 청구기간 기산점: 시행일이 아니라 유예기간 경과일

유예기간을 경과하기 전까지 청구인들은 이 사건 보호자동승조항에 의한 보호자동승의 의무를 부담하지 않는다. 이 사건 보호자동승조항이 구체적이고 현실적으로 청구인들에게 적용된 것은 유예기간을 경과한 때부터라 할 것이므로, 이때부터 청구기간을 기산함이 상당하다. 종래 이와 견해를 달리하여, 법령의 시행일 이후 일정한 유예기간을 둔 경우 이에 대한 헌법소원심판 청구기간의 기산점을 법령의 시행일이라고 판시한 우리 재판소 결정들은, 이 결정의 취지와 저촉되는 범위 안에서 변경한다(헌재 2020.4.23. 2017헌마479).

7 공판정에서 청구인이 출석한 가운데 재판서에 의하여 위헌법률심판제청신청을 기각하는 취지의 주문을 낭독하는 방법으로 재판의 선고를 한 경우, 그로부터 30일이 경과한 후 제기된 헌법소원 심판청구가 청구기간을 경과한 것으로서 부적법한지 여부: 적극

형사사건에 관하여 위헌제청의 신청이 있는 때에는 형사신청사건으로 접수하여 처리하여야 하므로, 그 절차 또한 형사소송에 관한 법령에 의하여야 할 것이다. 그런데 결정의 형식으로 하여야 할 재판을 '판결'로 선고하였다고 하여 위법하다고 할 수 없고, 형사소송법 제42조 전문은 "재판의 선고 또는 고지는 공판정에서는 재판서에 의하여야" 한다고 규정하고 있으므로, 공판정에서 위헌법률심판제청신청에 대한 기각 결정을 형사사건에 대한 판결과 동시에 선고하는 경우 이를 별도의 재판서에 의하지 아니하고 하나의 판결문에 의하여 하는 것도 가능하다. 이 경우 그 통지는 형사사건에 대한 판결과 마찬가지로 위헌법률심판제청신청에 대한 기각 취지의 주문을 낭독하는 방법으로 하여야 한다(형사소송법 제43조). 당해사건 법원은 2019.2.1. 공판정에서 청구인이 출석한 가운데 재판서에 의하여 위헌법률심판제청신청을 기각하는 취지의 주문을 낭독하는 방법으로 재판을 선고하였으므로, 청구인은 이를 통하여 위헌법률심판제청신청에 대한 기각 결정을 통지받았다고 보아야 할 것이다. 그런데 헌법재판소법 제68조 제2항에 따른 헌법소원심판은 위헌 여부 심판의 제청신청을 기각하는 결정을 통지받은 날부터 30일 이내에 청구하여야 하는바(헌법재판소법 제69조 제2항), 청구인은 위헌법률심판제청신청을 기각하는 결정을 통지받은 날인 2019.2.1.로부터 30일이 경과한 후인 2019.3.7. 이 사건 헌법소원심판을 청구하였으므로, 이 사건 심판청구는 청구기간을 도과한 것으로서 부적법하다(헌재 2019.3.26. 2019헌바89).

8 헌법소원심판청구가 비록 청구기간을 경과하여서 한 것이라 하더라도, 일반적 주의를 다하여도 그 기간을 준수할 수 없는 사유가 있는 경우에는 이를 허용해야 하는지 여부: 적극

이 사건 심판청구가 비록 청구기간을 경과하여서 한 것이라 하더라도 정당한 사유가 있는 경우에는 이를 허용하는 것이 헌법소원제도의 취지와 헌법재판소법 제40조에 의하여 준용되는 행정소송법 제20조 제2항 단서에 부합하는 해석이라 할 것이다. 여기서 정당한 사유라 함은 청구기간 도과의 원인 등 여러 가지 사정을 종합하여 지연된 심판청구를 허용하는 것이 사회통념상으로 보아 상당한 경우를 뜻하는 것으로, 일반적으로 천재 기타 피할 수 없는 사정과 같은 객관적 불능의 사유와 이에 준할 수 있는 사유뿐만 아니라 일반적 주의를 다하여도 그 기간을 준수할 수 없는 사유를 포함한다고 할 것이다(헌재 2020.12.23. 2017헌마416).

8. 변호사강제주의

> **헌법재판소법 제25조【대표자·대리인】** ③ 각종 심판절차에서 **당사자인 사인**은 변호사를 대리인으로 선임하지 아니하면 심판청구를 하거나 심판수행을 하지 못한다. 다만, 그가 변호사의 자격이 있는 경우에는 그러하지 아니하다.
>
> **제70조【국선대리인】** ① 헌법소원심판을 청구하려는 자가 변호사를 대리인으로 선임할 자력이 없는 경우에는 헌법재판소에 국선대리인을 선임하여 줄 것을 신청할 수 있다. 12.변호사, 13.국회직 이 경우 제69조에 따른 청구기간은 국선대리인의 선임신청이 있는 날을 기준으로 정한다. 13.국회직, 18.서울시
>
> ② 제1항에도 불구하고 헌법재판소가 공익상 필요하다고 인정할 때에는 국선대리인을 선임할 수 있다.
>
> ③ 헌법재판소는 제1항의 신청이 있는 경우 또는 제2항의 경우에는 헌법재판소규칙으로 정하는 바에 따라 변호사 중에서 국선대리인을 선정한다. 다만, 그 심판청구가 명백히 부적법하거나 이유 없는 경우 또는 권리의 남용이라고 인정되는 경우에는 국선대리인을 선정하지 아니할 수 있다. 12.변호사
>
> ☑ **주의 변호사강제주의의 적용 여부**
> - 모든 헌법재판의 심판절차 ×
> - 사인이 당사자인 심판절차 ○

⚖ 판례

1 헌법재판에 있어서 변호사강제주의가 위헌인지 여부: 소극

변호사강제주의는 재판업무에 분업화원리의 도입이라는 긍정적 측면 외에도, 재판을 통한 기본권의 실질적 보장, 사법의 원활한 운영과 헌법재판의 질적 개선, 재판심리의 부담 경감 및 효율화, 사법운영의 민주화 등 공공복리에 그 기여도가 크고, 그 이익은 변호사 선임비용지출을 하지 않는 이익보다는 크다고 할 것이며, 더욱이 무자력자에 대한 국선대리인제도라는 대상조치가 별도로 마련되어 있는 이상 헌법에 위배된다고 할 수 없다(헌재 1990.9.3. 89헌마120·212).

2 국선대리인 선임신청이 있는 경우, 청구기간 준수 판단시점 – 선임신청일

헌법재판소법 제70조 제1항에 따르면 국선대리인 선임신청이 인용되어 헌법소원심판청구가 제기된 경우에는 국선대리인 선임신청일을 헌법소원심판청구시로 보고 있으므로, 국선대리인의 헌법소원심판청구서가 그 선임통지를 받은 날로부터 60일이 경과한 후에 제출되었다고 하더라도 헌법소원심판청구는 국선대리인 선임신청일에 제기된 것으로 보아야 한다(헌재 1998.8.27. 96헌마398). 13.국회직

3 심판 도중 대리인의 사임이 기왕의 소송행위를 무효로 하는지 여부: 소극

변호사인 대리인에 의한 헌법소원심판청구가 있었다면, 그 후 심리과정에서 대리인이 사임하고 다른 대리인을 선임하지 않았더라도 청구인이 그 후 자기에게 유리한 진술을 할 기회를 스스로 포기한 것에 불과할 뿐, 대리인의 소송행위가 무효로 되는 것은 아니다(헌재 1992.4.14. 91헌마156).

4 헌법소원심판 계속 중의 대리인이 사임한 경우 새로 선임을 요하는지 여부: 소극

피청구인의 답변서 제출 전에 청구인의 대리인이 사임한 경우, 그 상태로 종국결정을 한다고 하더라도 청구인의 재판을 통한 기본권의 실질적 보장에 조금도 소홀함이 없는 것이므로, 그 대리인의 사임 후 새로이 청구인의 대리인을 선임하지 아니하였다고 하더라도 이 사건 심판청구가 부적법하게 되는 것은 아니다(헌재 1996.10.4. 95헌마70).

📌 **핵심기출 OX**

01 헌법소원심판을 청구하고자 하는 자가 변호사를 대리인으로 선임할 자력이 없는 경우에는 헌법재판소가 국선대리인을 직권으로 선임하여야 한다. 13.국회직 (○, ×)

🔑 × 헌법소원심판을 청구하려는 자가 변호사를 대리인으로 선임할 자력(資力)이 없는 경우에는 헌법재판소에 국선대리인을 선임하여 줄 것을 신청할 수 있다. 이 경우 제69조에 따른 청구기간은 국선대리인의 선임신청이 있는 날을 기준으로 정한다. 제1항에도 불구하고 헌법재판소가 공익상 필요하다고 인정할 때에는 국선대리인을 선임할 수 있다(헌법재판소법 제70조 제1항·제2항).

02 헌법소원심판을 청구하려는 자가 변호사를 대리인으로 선임할 자력이 없는 경우에는 헌법재판소에 국선대리인을 선임하여 줄 것을 신청할 수 있는데, 이 경우 헌법재판소법 제69조에 따른 청구기간은 소송 지연을 방지하기 위하여 국선대리인이 심판청구서를 제출한 날을 기준으로 정한다. 18.서울시 (○, ×)

🔑 × 헌법소원심판을 청구하려는 자가 변호사를 대리인으로 선임할 자력(資力)이 없는 경우에는 헌법재판소에 국선대리인을 선임하여 줄 것을 신청할 수 있다. 이 경우 제69조에 따른 청구기간은 국선대리인의 선임신청이 있는 날을 기준으로 정한다(헌법재판소법 제70조 제1항).

03 헌법소원심판의 청구가 청구기간 내에 청구되지 않았다면 그 청구기간 내에 국선변호인 선임신청이 있었다 하더라도 청구기간을 도과한 것이다. 13.국회직 (○, ×)

🔑 × 헌법재판소법 제70조 제1항에 따르면 국선대리인 선임신청이 인용되어 헌법소원심판청구가 제기된 경우에는 국선대리인 선임신청일을 헌법소원심판청구시로 보고 있으므로, 국선대리인의 헌법소원심판청구서가 그 선임통지를 받은 날로부터 60일이 경과한 후에 제출되었다고 하더라도 헌법소원심판청구는 국선대리인 선임신청일에 제기된 것으로 보아야 한다(헌재 1998.8.27. 96헌마398).

헌법재판론

제4편

해커스공무원 신동욱 헌법 기본서

5 심판

1. 지정재판부의 사전심사

(1) 의의

지정재판부에 의한 사전심사제는 헌법소원의 남소로 인한 헌법재판소의 업무량 과다를 조절하기 위한 제도이다. 헌법재판소장은 헌법재판소에 재판관 3명으로 구성되는 지정재판부를 두어 헌법소원심판의 사전심사를 담당하게 할 수 있다(헌법재판소법 제72조 제3항).

(2) 결정유형

지정재판부는 각하결정이나 심판회부결정을 할 수 있을 뿐 본안판단(기각·인용결정)은 하지 못한다.

① 각하결정

> **헌법재판소법 제72조【사전심사】③** 지정재판부는 다음 각 호의 어느 하나에 해당되는 경우에는 지정재판부 재판관 전원의 일치된 의견에 의한 결정으로 헌법소원의 심판청구를 각하한다. 09. 법행, 11. 사시, 12. 변호사, 17. 지방직
> 1. 다른 법률에 따른 구제절차가 있는 경우 그 절차를 모두 거치지 아니하거나 또는 법원의 재판에 대하여 헌법소원의 심판이 청구된 경우
> 2. 제69조의 청구기간이 지난 후 헌법소원심판이 청구된 경우
> 3. 제25조에 따른 대리인의 선임 없이 청구된 경우
> 4. 그 밖에 헌법소원심판의 청구가 부적법하고 그 흠결을 보정할 수 없는 경우

② 심판회부결정

> **헌법재판소법 제72조【사전심사】④** 지정재판부는 전원의 일치된 의견으로 제3항의 각하결정을 하지 아니하는 경우에는 결정으로 헌법소원을 재판부의 심판에 회부하여야 한다. 05. 입시, 12. 변호사 헌법소원심판의 청구 후 30일이 지날 때까지 각하결정이 없는 때에는 심판에 회부하는 결정(이하 "심판회부결정"이라 한다)이 있는 것으로 본다. 17. 지방직

2. 전원재판부의 심판

(1) 내용

헌법재판소는 청구의 적법성 심사(요건심리)를 한 후 청구의 타당성 심사(본안판단)를 한다. 이때 헌법재판소는 심판청구서에 기재된 청구취지에 구애됨이 없이 청구인의 주장요지를 종합적으로 판단하여야 하며, 청구인이 주장하는 침해된 기본권과 침해의 원인이 되는 공권력을 직권으로 조사하여 피청구인과 심판대상을 확정하여 판단하여야 한다(헌재 1998.3.26. 93헌바12). 18. 서울시

(2) 헌법소원심판청구의 취하로 헌법소원심판절차가 종료되는지 여부

헌법재판소법과 행정소송법에는 헌법소원심판청구의 취하와 이에 대한 피청구인의 동의나 그 효력에 관하여 특별한 규정이 없으므로, 소의 취하에 관한 민사소송법 제239조는 검사가 한 불기소처분의 취소를 구하는 헌법소원심판절차에 준용된다고 보아야 한다. 17. 법원직 9급

따라서 청구인들이 헌법소원심판청구를 취하하면 헌법소원심판절차는 종료되며, 헌법재판소로서는 헌법소원심판청구가 적법한 것인지 여부와 이유가 있는 것인지 여부에 대하여 판단할 수 없게 된다(헌재 1995.12.15. 95헌마 221 등).

⚖️ 판례

1 청구인이 사망한 경우 심판절차가 종료되는지 여부: 적극

청구인이 제기한 단순 해고무효확인의 민사소송에서 증인인 피고소인이 위증하였다는 고소사건에 대하여 검사가 불기소처분을 하자 이에 대하여 청구인이 헌법소원심판을 청구하였는데 헌법소원심판절차의 계속 중에 청구인이 사망한 경우에, 원래 고용계약상의 노무공급의무는 일신전속적인 것이고(민법 제657조), 노무자가 사망하면 고용관계는 종료될 권리관계라고 할 것이어서 검사의 불기소처분때문에 침해되었다 할 고용계약상의 지위는 노무자인 청구인의 사망에 의하여 종료되고 상속인에게 승계될 것이 아니므로 이에 관련된 심판절차 또한 수계될 성질이 못되어 청구인이 사망함과 동시에 당연히 그 심판절차가 종료되었다고 할 것이다(헌재 1992.11.12. 90헌마33).

2 헌법소원심판청구의 취하가 허용되는지 여부: 적극

헌법재판소법이나 행정소송법이나 헌법소원심판청구의 취하와 이에 대한 피청구인의 동의나 그 효력에 관하여 특별한 규정이 없으므로, 소의 취하에 관한 민사소송법 제239조는 검사가 한 불기소처분의 취소를 구하는 헌법소원심판절차에 준용된다고 보아야 한다. 따라서 청구인들이 헌법소원심판청구를 취하하면 헌법소원심판절차는 종료되며, 헌법재판소는 헌법소원심판청구가 적법한 것인지 여부와 이유가 있는 것인지 여부에 대하여 판단할 수 없게 된다(헌재 1995.12.15. 95헌마221).

6 종국결정

1. 각하결정

각하결정은 헌법소원의 적법성 심사, 즉 요건심리의 결과 요건에 흠결이 있는 경우에 하게 되는 결정형식이다.

2. 기각결정

기각결정은 공권력의 행사 또는 불행사로 인하여 헌법상 보장된 청구인의 기본권이 침해되었음이 인정되지 아니하여 헌법소원심판청구가 이유 없는 경우에 하게 되는 결정형식이다.

3. 인용결정

(1) 의의

인용결정은 공권력의 행사 또는 불행사로 인하여 헌법상 보장된 기본권이 침해되었음이 인정되는 경우에 재판관 6인 이상의 찬성으로 하는 결정형식이다.

(2) 내용

> **헌법재판소법 제75조【인용결정】** ② 제68조 제1항에 따른 헌법소원을 인용할 때에는 인용결정서의 주문에 침해된 기본권과 침해의 원인이 된 공권력의 행사 또는 불행사를 특정하여야 한다.

(3) 효과

① 기속력

> **헌법재판소법 제75조【인용결정】** ① 헌법소원의 인용결정은 모든 국가기관과 지방자치단체를 기속한다. 11. 법무사

② 공권력행사의 취소와 재처분의무

> **헌법재판소법 제75조【인용결정】** ③ 제2항의 경우에 헌법재판소는 기본권침해의 원인이 된 공권력의 행사를 취소하거나 그 불행사가 위헌임을 확인할 수 있다. 11. 법무사·지방직
> ④ 헌법재판소가 공권력의 불행사에 대한 헌법소원을 인용하는 결정을 한 때에는 피청구인은 결정취지에 따라 새로운 처분을 하여야 한다. 11. 법무사

검사의 불기소처분에 대한 헌법재판소의 취소결정이 기소강제를 의미하는지, 재수사명령을 의미하는지 아니면 사건별로 개별적으로 판단할 것인지 문제된다. 헌법재판소는 이에 대하여 재수사명령으로 보며, 헌법재판소의 취소결정의 주문과 이유에서 설시한 취지에 맞도록 성실히 수사하라는 의미로 이해한다.

③ 근거법률의 위헌선언

> **헌법재판소법 제75조【인용결정】** ⑤ 제2항의 경우에 헌법재판소는 공권력의 행사 또는 불행사가 위헌인 법률 또는 법률의 조항에 기인한 것이라고 인정될 때에는 인용결정에서 해당 법률 또는 법률의 조항이 위헌임을 선고할 수 있다. 11. 법무사·지방직

7 재심

1. 문제의 소재

헌법재판소법은 헌법재판소의 결정에 대한 재심의 허용 여부에 관하여 명문의 규정을 두고 있지 않다. 따라서 헌법재판소결정 자체에 대한 재심이 허용될 수 있는지, 허용된다면 어떠한 헌법재판유형에서 허용되며, 어떠한 경우가 재심사유가 될 수 있을 것인지 문제된다. 헌법재판은 그 심판의 종류에 따라 그 절차의 내용과 결정의 효과가 한결같지 아니하기 때문에 재심의 허용 여부 내지 허용 정도 등은 심판절차의 종류에 따라서 개별적으로 판단될 수밖에 없다.

☑ 주의 헌법재판소의 결정 자체에 대한 재심 허용 여부
- 헌법재판소법에서 제한적으로 허용 ✕
- 민사소송법을 준용하여 제한적으로 허용(명문규정 없음) ○

2. 위헌심사형 헌법소원의 경우

"헌법재판소법은 헌법재판소의 심판절차에 대한 재심의 허용 여부에 관하여 별도의 명문규정을 두고 있지 않으나, 일반적으로 위헌법률심판을 구하는 헌법소원에 대한 헌법재판소의 결정에 대하여는 재심을 허용하지 아니함으로써 얻을 수 있는 법적 안정성의 이익이 재심을 허용함으로써 얻을 수 있는 구체적 타당성의 이익보다 훨씬 높을 것으로 쉽사리 예상할 수 있으므로, 헌법재판소의 이러한 결정에 대하여는 재심에 의한 불복방법이 성질상 허용될 수 없다고 보는 것이 상당하다."라는 것이 헌법재판소의 태도이다(헌재 1992.6.26. 90헌아1). 한편 위헌법률심판의 경우에도 재심이 허락되는지에 관하여 아직까지 헌법재판소의 결정은 없으나, 지금까지 헌법재판소의 입장을 종합해보면 허용되지 않는다고 할 것이다. 09. 법행

3. 헌법재판소법 제68조 제1항 헌법소원의 경우

(1) 법령헌법소원

법령에 대한 헌법소원은 그 결정의 효력이 당사자에게만 미치는 것이 아니므로, 재심을 허용함으로써 얻을 수 있는 구체적 타당성의 이익보다 재심을 허용하지 아니함으로써 얻을 수 있는 법적 안정성의 이익이 훨씬 높을 것으로 쉽사리 예상할 수 있다. 따라서 헌법재판소의 이러한 결정에 대하여는 재심이 허용되지 않는다고 본다. 09. 법행

(2) 행정작용에 대한 권리구제형 헌법소원

① **재심의 허용 여부**: 헌법재판소법 제68조 제1항에 의한 헌법소원 중 행정작용에 속하는 공권력 작용을 대상으로 하는 권리구제형 헌법소원절차에 있어서는 그 결정의 효력이 원칙적으로 당사자에게만 미치기 때문에 법령에 대한 헌법소원과는 달리 일반법원의 재판과 같이 민사소송법의 재심에 관한 규정을 준용하여 재심을 허용함이 상당하다. 다만, 헌법재판소의 결정에 대한 재심은 재판부의 구성이 위법한 경우 등 절차상 중대하고도 명백한 위법이 있어서 재심을 허용하지 아니하면 현저히 정의에 반하는 경우에 한하여 제한적으로 허용될 수 있을 뿐이다(헌재 1995.1.20. 93헌아1 등).

② **재심의 허용 정도(판단유탈이 재심사유가 되는지 여부)**: 헌법재판소는 행정작용에 속하는 공권력 작용을 대상으로 한 권리구제형 헌법소원에 있어서 판단유탈은 재심사유가 되지 아니한다는 입장이었으나(헌재 1998.3.26. 98헌아2), 견해를 변경하여 공권력의 작용에 대한 권리구제형 헌법소원심판절차에 있어서 '헌법재판소의 결정에 영향을 미칠 중대한 사항에 관하여 판단을 유탈한 때'를 재심사유로 허용하는 것이 헌법재판의 성질에 반한다고 볼 수는 없으므로, 민사소송법 제422조 제1항 제9호를 준용하여 '판단유탈'도 재심사유로 허용되어야 한다고 판시하였다(헌재 2001.9.27. 2001헌아3). 06. 국가직, 09. 법행, 11. 법무사, 20. 지방직

1 '위헌소원'(헌법재판소법 제68조 제2항 헌법소원)의 헌재결정에 대한 재심이 허용되는지 여부: 소극

헌법재판소법은 헌법재판소의 심판절차에 대한 재심의 허용 여부에 관하여 별도의 명문규정을 두고 있지 않으나, 일반적으로 위헌법률심판을 구하는 헌법소원에 대한 헌법재판소의 결정에 대하여는 재심을 허용하지 아니함으로써 얻을 수 있는 법적 안정성의 이익이 재심을 허용함으로써 얻을 수 있는 구체적 타당성의 이익보다 훨씬 높을 것으로 쉽사리 예상할 수 있으므로, 헌법재판소의 이러한 결정에 대하여는 재심에 의한 불복방법이 성질상 허용될 수 없다(헌재 1992.6.26. 90헌아1). 09. 법행, 18. 입시

2 '권리구제형' 헌법소원심판(헌법재판소법 제68조 제1항 헌법소원)에 대한 재심이 허용되는지 여부: 적극

헌법재판은 그 심판의 종류에 따라 그 절차의 내용과 결정의 효과가 한결같지 아니하기 때문에 재심의 허용 여부 내지 허용 정도는 심판절차의 종류에 따라 개별적으로 판단되어야 한다. 헌법재판소법 제68조 제1항에 의한 헌법소원 중 행정작용에 속하는 공권력 작용을 대상으로 하는 권리구제형 헌법소원에 있어서는 재판부의 구성이 위법한 경우 등 절차상 중대·명백한 위법이 있어서 재심을 허용하지 아니하면 현저히 정의에 반하는 경우에 한하여 제한적으로 허용될 수 있을 뿐이다(헌재 1995.1.20. 93헌아1). 09. 법행

3 '판단유탈'이 재심사유가 되는지 여부: 적극

[1] 헌법재판소법 제68조 제1항에 의한 헌법소원 중 공권력의 작용을 대상으로 하는 '권리구제형' 헌법소원절차에 있어서는 그 결정의 효력이 원칙적으로 당사자에게만 미치기 때문에 법령에 대한 헌법소원과는 달리 민사소송법의 재심에 관한 규정을 준용하여 재심을 허용함이 상당하다고 할 것이다.
비록 헌법소원심판절차에서 직권주의가 적용되고 있는 것은 사실이지만, 직권주의가 적용된다는 의미는 당사자가 주장하지 아니한 적법요건 및 기본권침해 여부에 관하여도 직권으로 판단할 수 있다는 것이지 당사자가 주장한 사항에 대하여 판단하지 않아도 된다는 의미는 아닐 뿐만 아니라, 직권주의가 적용된다고 하여 당사자의 주장에 대한 판단유탈이 원천적으로 방지되는 것도 아니므로 헌법소원심판절차에 직권주의가 적용된다고 하더라도 이는 '판단유탈'을 재심사유에서 배제할 만한 합당한 이유가 되지 못한다.

[2] 또한 공권력의 작용을 대상으로 하는 권리구제형 헌법소원의 경우에는 법령에 대한 헌법소원과는 달리 사실의 판단이나 그에 대한 법령의 적용을 바탕으로 하여 헌법해석을 하게 되는 것이고, 사전구제절차를 거친다 하여 헌법재판시의 판단유탈을 예방할 수 있는 것도 아니므로 헌법의 해석을 주된 임무로 하고 있는 헌법재판의 특성이나 사전구제절차를 거친 뒤에야 비로소 헌법소원을 제기할 수 있다고 하는 사정도 '판단유탈'을 재심사유에서 배제할 합당한 이유가 되지 못한다고 하겠다.

[3] 결국 민사소송법 제422조 제1항 제9호 소정의 '판단유탈'을 재심사유로 허용하는 것은 공권력의 작용을 대상으로 하는 권리구제형 헌법소원의 성질에 반한다고 할 수 없으므로 민사소송법 제422조 제1항 제9호를 준용하여 '판단유탈'도 재심사유로 허용되어야 한다고 하겠다.

[4] 따라서 종전에 이와 견해를 달리하여 헌법재판소법 제68조 제1항에 의한 헌법소원 중 행정작용에 속하는 공권력 작용을 대상으로 한 권리구제형 헌법소원에 있어서 민사소송법 제422조 제1항 제9호 소정의 판단유탈은 재심사유가 되지 아니한다는 취지로 판시한 우리 재판소의 의견(93헌아1, 98헌아2)은 이를 변경하기로 한다(헌재 2001.9.27. 2001헌아3). 06. 국가직, 09. 법행, 11. 법무사, 20. 지방직

4 법령소원이나 위헌소원에 대한 재심의 허용 여부: 소극

헌법재판소법 제68조 제1항에 따른 법률에 대한 헌법소원심판(**법령소원**) 및 제68조 제2항의 헌법소원심판(**위헌소원**)에 대한 재심이 허용되는지 여부에 대하여 보면, 만약 이러한 경우 재심에 의한 불복방법이 허용된다면 종전에 헌법재판소의 위헌결정으로 효력이 상실된 법률 또는 법률조항이 재심절차에 의하여 그 결정이 취소되고 새로이 합헌결정이 선고되어 그 효력이 되살아날 수 있다거나, 종래의 합헌결정이 후일 재심절차에 의하여 취소되고 새로이 위헌결정이 선고될 수 있는바, 이러한 결과는 그 문제된 법률 또는 법률조항과 관련되는 모든 국민의 법률관계에 이루 말할 수 없는 커다란 혼란을 초래하거나 그 법적 생활에 대한 불안을 가져오게 할 수도 있다. 결국 위헌법률심판을 구하는 헌법소원에 대한 헌법재판소의 결정에 대하여는 재심을 허용하지 아니함으로써 얻을 수 있는 법적 안정성의 이익이 재심을 허용함으로써 얻을 수 있는 구체적 타당성의 이익보다 훨씬 높을 것으로 쉽사리 예상할 수 있고, 따라서 헌법재판소의 이러한 결정에는 재심에 의한 불복방법이 그 성질상 허용될 수 없다고 보는 것이 상당하다(헌재 2001.11.29. 2001헌아2). 09. 법행

5 불기소처분취소사건에 있어서 헌법소원청구기간의 계산을 잘못하여 각하한 경우 재심사유에 해당되는지 여부: 적극

헌법재판소법 제70조 제4항에 의하여 헌법소원심판의 청구기간을 산정함에 있어서 청구인이 국선대리인 선임신청을 한 날로부터 위 선임신청 기각결정의 통지를 받은 날까지의 기간은 청구기간에 산입하지 아니함에도 불구하고 이를 간과한 채 청구기간을 잘못 계산하여 심판청구가 청구기간을 도과하여 부적법하다는 이유로 각하하는 결정을 한 경우, 재심대상사건에는 헌법재판소법 제40조 제1항에 의하여 준용되는 민사소송법 제451조 제1항 제9호의 '판결에 영향을 미칠 중요한 사항에 관하여 판단을 누락한 때'에 해당하는 재심사유가 있다고 할 것이다. … 청구인은 재심대상사건의 헌법소원청구기간을 준수하였고, 재심대상결정은 청구기간을 잘못 계산하였다. 따라서 재심대상사건에는 헌법재판소법 제40조 제1항에 의하여 준용되는 민사소송법 제451조 제1항 제9호의 '판결에 영향을 미칠 중요한 사항에 관하여 판단을 누락한 때'에 준하는 재심사유가 있다고 할 것이므로(헌재 2001.9.27. 2001헌아3), 재심대상결정을 취소한다(헌재 2007.10.4. 2006헌아53).

▶ 헌법재판소 스스로 헌재결정에 재심사유가 있다고 보아 헌법재판소결정 자체를 취소한 예이다.

---

8 헌법재판소의 규칙제정권

> **헌법 제113조** ② 헌법재판소는 법률에 저촉되지 아니하는 범위 안에서 심판에 관한 절차, 내부규율과 사무처리에 관한 규칙을 제정할 수 있다. 08. 선관위

헌법재판소의 규칙제정권은 헌법재판소의 자주성과 독립성을 유지하기 위하여 인정된 것이다. 헌법재판소규칙의 제정과 개정은 재판관회의의 의결을 거쳐야 하는바, 재판관회의는 재판관 전원의 3분의 2를 초과하는 인원의 출석과 출석인원 과반수의 찬성으로 의결한다. 헌법재판소규칙의 효력은 법률보다는 하위에 있다는 것이 다수설이다.

헌법소원심판 관련 판례	
적극	소극
• '행정청'이 헌법재판소법 제68조 제2항의 헌법소원심판을 청구할 수 있는지 여부(헌재 2008.4.24. 2004헌바44) • 법률적 효력을 가지는 조약이 제68조 제2항 헌법소원심판의 대상이 되는지 여부(헌재 2001.9.27. 2000헌바20) • 지방의회가 헌법재판소법 제68조 제2항에 의한 헌법소원심판(위헌소원)을 청구할 수 있는지 여부(헌재 1998.4.30. 96헌바62) • 위헌소원(헌법재판소법 제68조 제2항 헌법소원)에 있어서 재판의 전제성이 필요한지 여부(헌재 2000.11.30. 98헌바83) • 심판 도중에 당사자가 사망한 경우 청구인능력이 상실되어 심판절차가 종료하는지 여부(헌재 1992.11.12. 90헌마33) • 국민감사청구에 대한 감사원장의 기각결정이 헌법소원의 대상이 되는 공권력행사에 해당하는지 여부(헌재 2006.2.23. 2004헌마414) • 행정규칙형식의 법규명령에 대한 헌법소원청구가 적법한지 여부(헌재 2000.7.20. 99헌마455) • 공정거래위원회의 심사불개시결정이 헌법소원의 대상이 되는지 여부(헌재 2004.3.25. 2003헌마404) • 기소유예처분을 받은 피의자가 그 처분의 취소를 구하는 헌법소원심판을 청구하는 경우 보충성원칙의 예외에 해당하여 적법한지 여부(헌재 2010.6.24. 2008헌마716) • 일본국에 대하여 가지는 일본군 위안부로서의 배상청구권이 '대한민국과 일본국간의 재산 및 청구권에 관한 문제의 해결과 경제협력에 관한 협정' 제2조 제1항에 의하여 소멸되었는지 여부에 관한 한·일 양국간 해석상 분쟁을 이 사건 협정 제3조가 정한 절차에 따라 해결하지 아니하고 있는 외교통상부의 부작위가 위헌인지 여부(헌재 2011.8.30. 2006헌마788) • 수혜적 법령의 경우 수혜범위에서 제외된 자가 자신이 평등원칙에 반하여 수혜대상에서 제외되었다는 주장을 하면 자기관련성이 인정될 수 있는지 여부(헌재 2010.4.29. 2009헌마340) • 공권력의 불행사에 대한 헌법소원은 그 불행사가 계속되는 한 기간의 제약 없이 청구할 수 있는지 여부(헌재 1994.12.29. 89헌마2)	• 대통령령의 위헌 여부가 헌법재판소법 제68조 제2항에 의한 헌법소원심판의 대상에 포함되는지 여부(헌재 2004.8.26. 2002헌바13) • 제68조 제2항의 헌법소원에서 기본권침해의 직접성·현재성 및 자기관련성이 요건인지 여부(헌재 1998.7.16. 95헌바19 등) • 입법부작위를 다투는 '위헌소원'이 적법한지 여부(헌재 2000.1.27. 98헌바12) • 위헌제청신청 기각결정 등 법원의 결정이 위헌소원의 대상이 되는지 여부(헌재 2002.6.27. 2001헌바100) • 위헌제청신청이 기각된 후 동일심급에서 동일한 사유로 다시 위헌제청신청을 하고 그 신청이 기각되자 청구한 위헌소원이 적법한지 여부(헌재 1994.4.24. 91헌바14) • 한국증권거래소의 상장폐지확정결정이 헌법소원의 대상인지 여부(헌재 2005.2.24. 2004헌마442) • 검사의 공소제기가 헌법소원의 대상인지 여부(헌재 1996.11.28. 96헌마256) • 국회의 탄핵소추의결의 부작위가 헌법소원의 대상인지 여부(헌재 1996.2.29. 93헌마186) • 소송지휘 또는 재판진행에 관한 재판장의 명령이나 사실행위를 대상으로 한 헌법소원이 적법한지 여부(헌재 1993.6.2. 93헌마104) • 재판의 지연이 헌법소원의 대상인지 여부(헌재 1998.5.28. 96헌마46) • 재판장의 변론의 제한에 대한 헌법소원이 적법한지 여부(헌재 1992.6.26. 89헌마271) • 헌법재판소의 결정이 헌법소원심판의 대상인지 여부(헌재 1989.7.10. 89헌마144) • 무소속 국회의원의 국회상임위원회 활동권이 기본권인지 여부(헌재 2000.8.31. 2000헌마156) • 주민투표권이 헌법상 기본권인지 여부(헌재 2005.12.22. 2004헌마530) • 지방자치단체 주민으로서의 자치권 또는 주민권의 침해를 주장하며 국가사무에 속하는 고속철도역의 명칭결정에 대하여 헌법소원심판을 청구할 수 있는지 여부(헌재 2006.3.30. 2003헌마837)

- 헌법소원심판청구의 취하가 허용되는지 여부(헌재 1995.12.15. 95헌마221 등)
- '권리구제형' 헌법소원심판(헌법재판소법 제68조 제1항 헌법소원)에 대한 재심이 허용되는지 여부(헌재 1995.1.20. 93헌아1)
- '판단유탈'이 재심사유가 되는지 여부(헌재 2001.9.27. 2001헌아3)
- 단체가 그 구성원을 대신하여 제기한 헌법소원이 적법한지 여부(헌재 1994.2.24. 93헌마33)
- 검사의 불기소처분에 대하여 고발인이 제기한 헌법소원이 적법한지 여부(헌재 1989.12.22. 89헌마145)
- 사후적·보충적 구제수단이 헌법재판소법 제68조 제1항 단서의 '다른 권리구제절차'의 의미에 해당하는지 여부(헌재 1989.4.17. 88헌마3 등)
- 부진정입법부작위에 대한 헌법소원에서의 청구기간의 제한 없이 청구할 수 있는지 여부(헌재 1996.6.13. 95헌마115)
- 헌법재판에 있어서의 변호사강제주의가 위헌인지 여부(헌재 1990.9.3. 89헌마120)
- '위헌소원'(헌법재판소법 제68조 제2항 헌법소원)의 헌법재판소 결정에 대한 재심이 허용되는지 여부(헌재 1992.6.26. 90헌아1)

판례색인

헌법재판소
대법원 판례
대법원 결정
기타

판례색인

헌법재판소

1980

헌재 1989.1.25. 88헌가7 ········· 81, 229, 293
헌재 1989.3.17. 88헌마1 ········· 1351, 1355
헌재 1989.4.17. 88헌마3
··························· 1383, 1384, 1389, 1401
헌재 1989.7.10. 89헌마144 ······ 1368, 1400
헌재 1989.7.14. 88헌가5 ························· 305
헌재 1989.7.14. 89헌마10 ························· 709
헌재 1989.7.28. 89헌마1 ········· 1351, 1370
헌재 1989.9.2. 89헌마170 ························· 1372
헌재 1989.9.8. 88헌가6 ···83, 340, 906, 928
헌재 1989.11.20. 89헌가102
··························· 230, 293, 839, 842
헌재 1989.12.18. 89헌마32 · 33
··························· 948, 950, 1003
헌재 1989.12.18. 89헌마32
········· 685, 1005, 1269, 1273, 1338
헌재 1989.12.22. 88헌가13 ··· 105, 158, 546
헌재 1989.12.22. 89헌마145 ····· 1377, 1401

1990

헌재 1990.4.2. 89헌가113
··················· 23, 44, 80, 85, 101, 897, 1280
헌재 1990.6.25. 89헌마107 ········· 217, 747
헌재 1990.6.25. 89헌마220 ················ 1350
헌재 1990.6.25. 90헌가11 ··············· 20, 492
헌재 1990.9.3. 89헌가95 ··········· 159, 1279
헌재 1990.9.3. 89헌마120 · 212 ········· 1393
헌재 1990.9.3. 89헌마120
··························· 1252, 1253, 1401
헌재 1990.9.3. 89헌마90 ················ 1378

헌재 1990.9.3. 90헌마13 ················ 1356
헌재 1990.9.10. 89헌마82 ········· 155, 1342
헌재 1990.10.8. 89헌마89 ············ 229, 293
헌재 1990.10.15. 89헌마178
·· 598, 655, 1157, 1225, 1231, 1232, 1355
헌재 1990.11.19. 90헌가48
··························· 341, 356, 528, 529, 599, 655
헌재 1990.12.26. 89헌마277 ····· 1362, 1370
헌재 1991.2.11. 90헌가27 ············ 217, 782
헌재 1991.3.11. 91헌마21
··························· 140, 173, 890, 906, 955
헌재 1991.4.1. 89헌마160 ··········· 137, 140,
173, 180, 290, 426, 429, 436, 437, 534
헌재 1991.4.1. 89헌마17 ························· 334
헌재 1991.4.1. 90헌마65 ························· 1378
헌재 1991.5.13. 89헌가97 ····· 142, 229, 293
헌재 1991.5.13. 90헌마133
··························· 131, 467, 468, 470, 472, 536
헌재 1991.6.3. 89헌마204 ················ 195
헌재 1991.6.3. 90헌마56
··············· 136, 141, 173, 1345, 1346, 1379
헌재 1991.7.8. 91헌가4 ················ 92, 1148
헌재 1991.7.22. 89헌가106 ··· 115, 988, 989
헌재 1991.9.16. 89헌마165 ················ 151
헌재 1991.9.16. 89헌마231 ················ 412
헌재 1991.11.25. 91헌가6 ················ 1060
헌재 1992. 2.24. 92헌가8 ················ 528
헌재 1992.1.28. 91헌마111
··························· 357, 367, 368, 1389
헌재 1992.2.5. 89헌가104 ················ 1281
헌재 1992.2.24. 92헌가15 ················ 540
헌재 1992.2.25. 90헌마91 ··········· 709, 1378
헌재 1992.3.13. 92헌마37 · 39 ················ 82
헌재 1992.4.14. 91헌마156 ················ 1393

헌재 1992.4.28. 90헌바24 ················ 216
헌재 1992.4.28. 90헌바27 ············ 161, 812
헌재 1992.6.24. 92헌마104 ················ 1360
헌재 1992.6.26. 89헌마132 ······ 1350, 1351
헌재 1992.6.26. 89헌마271
··························· 1367, 1368, 1400
헌재 1992.6.26. 90헌가23 ············ 481, 537
헌재 1992.6.26. 90헌바26 ····· 488, 538, 540
헌재 1992.6.26. 90헌아1
··························· 1397, 1398, 1401
헌재 1992.6.26. 91헌마25 ······ 1356, 1357
헌재 1992.6.26. 92헌마7 ················ 1361
헌재 1992.10.1. 92헌가6 · 7 ················ 229
헌재 1992.10.1. 92헌마68 · 76 ················ 139
헌재 1992.10.1. 92헌마68 ················ 1363
헌재 1992.10.31. 92헌바42 ················ 1337
헌재 1992.11.12. 89헌마88 ········· 456, 487,
519, 520, 521, 536, 538, 788, 789, 834
헌재 1992.11.12. 90헌마160 ····· 1348, 1369
헌재 1992.11.12. 90헌마33
··························· 1345, 1395, 1400
헌재 1992.11.12. 91헌가2 ················ 1208
헌재 1992.11.12. 91헌마176 ················ 1389
헌재 1992.12.24. 90헌마158 ················ 1361
헌재 1992.12.24. 90헌마174 ················ 1351
헌재 1992.12.24. 90헌바21 ······ 1063, 1064
헌재 1992.12.24. 92헌가8
··························· 303, 340, 341, 349, 1267
헌재 1993.2.19. 93헌마13 ················ 1384
헌재 1993.3.11. 89헌마79 ················ 1351
헌재 1993.3.11. 90헌가70 ········ 1267, 1288
헌재 1993.3.11. 92헌마48 ··········· 709, 1378
헌재 1993.3.11. 92헌바33 ················ 822, 835

헌재 1993.5.13. 91헌마190
················· 1357, 1385, 1389
헌재 1993.5.13. 91헌바17 ····· 454, 523, 524
헌재 1993.5.13. 92헌가10
················ 1227, 1284, 1285, 1287, 1288
헌재 1993.5.13. 92헌마80
················· 92, 196, 590, 594, 595, 656
헌재 1993.6.2. 93헌마104 ········ 1368, 1400
헌재 1993.7.29. 89헌마123 ················ 1347
헌재 1993.7.29. 89헌마31
················ 105, 108, 121, 1364, 1389
헌재 1993.7.29. 90헌바35 ····· 702, 717, 760
헌재 1993.7.29. 92헌마262 ················ 890
헌재 1993.7.29. 92헌바20 ················ 541
헌재 1993.7.29. 92헌바48 ················ 78
헌재 1993.11.25. 89헌마36 ················ 1391
헌재 1993.11.25. 92헌마293 ················ 1370
헌재 1993.12.23. 89헌마189
················· 217, 409, 533
헌재 1993.12.23. 92헌마247
················ 1208, 1232, 1385, 1386
헌재 1993.12.23. 93헌가2
·· 349, 528, 1266, 1267, 1268, 1269, 1288
헌재 1994.2.24. 91헌가3 ········ 1267, 1288
헌재 1994.2.24. 92헌가15 ················ 542
헌재 1994.2.24. 92헌바43 ················ 88
헌재 1994.2.24. 93헌마192 ··· 777, 834, 988
헌재 1994.2.24. 93헌마213
················· 687, 692, 1370
헌재 1994.2.24. 93헌마33 ········ 1376, 1401
헌재 1994.2.24. 93헌바10 ················ 724
헌재 1994.4.24. 91헌바14 ········ 1342, 1400
헌재 1994.4.28. 89헌마221
················ 1169, 1174, 1185
헌재 1994.4.28. 89헌마86 ········ 1173, 1192
헌재 1994.4.28. 91헌바14 ················ 511
헌재 1994.4.28. 91헌바15·19 ······· 685, 950
헌재 1994.4.28. 92헌마153
················· 873, 1001, 1103
헌재 1994.4.28. 92헌마280 ················ 1350

헌재 1994.6.30. 92헌가18 ········ 1227, 1271
헌재 1994.6.30. 92헌가9 ········ 543, 544
헌재 1994.6.30. 92헌마61 ················ 1376
헌재 1994.7.29. 92헌바49·52 ····· 108, 1278
헌재 1994.7.29. 92헌바49 ················ 1278
헌재 1994.7.29. 93헌가3·7 ··· 529, 599, 655
헌재 1994.7.29. 93헌가3 ················ 358
헌재 1994.8.31. 92헌마174 ················ 1370
헌재 1994.12.29. 89헌마2
················· 550, 1391, 1400
헌재 1994.12.29. 92헌마216 ················ 1356
헌재 1994.12.29. 93헌마120
················ 139, 141, 173, 1345, 1346
헌재 1994.12.29. 93헌바21 ········ 544, 742
헌재 1994.12.29. 94헌마201 ······· 983, 1383
헌재 1995.1.20. 93헌아1
················ 1397, 1398, 1401
헌재 1995.1.20. 94헌마246 ················ 1168
헌재 1995.2.23. 90헌마125
················· 80, 1104, 1118, 1373, 1374
헌재 1995.2.23. 90헌마214
················· 1355, 1357, 1381
헌재 1995.2.23. 91헌마204 ··· 411, 533, 785
헌재 1995.2.23. 91헌마231 ······· 1346, 1375
헌재 1995.2.23. 92헌바18 ········ 1266, 1288
헌재 1995.2.23. 93헌가1 ················ 600
헌재 1995.2.23. 93헌바43 ········ 224, 334
헌재 1995.3.23. 92헌마1 ············· 471, 536
헌재 1995.3.23. 93헌바59 ················ 334
헌재 1995.3.23. 94헌마175 ·········· 956, 983
헌재 1995.4.20. 91헌마52 ········ 1383, 1384
헌재 1995.4.20. 92헌마264·279 ·········· 972
헌재 1995.4.20. 92헌마264·92헌마279
················· 551
헌재 1995.4.20. 92헌마264
················· 967, 968, 970, 1357
헌재 1995.4.20. 93헌바20 ················ 552
헌재 1995.4.20. 93헌바40 ················ 1204
헌재 1995.4.26. 92헌마264 ················ 1356
헌재 1995.5.23. 90헌라1 ················ 1321

헌재 1995.5.23. 94헌마2218 ················ 835
헌재 1995.5.25. 91헌가7 ········ 714, 759
헌재 1995.5.25. 91헌마44 ················ 906
헌재 1995.5.25. 91헌마67 ················ 685
헌재 1995.5.25. 92헌마269 ················ 906
헌재 1995.5.25. 94헌마185 ················ 1378
헌재 1995.6.29. 93헌바45 ················ 128
헌재 1995.6.29. 94헌바39 ················ 93
헌재 1995.7.21. 92헌마114 ················ 1364
헌재 1995.7.21. 92헌마144
················ 332, 371, 419, 526, 529, 1390
헌재 1995.7.21. 92헌마177·199
················· 141, 173, 1379
헌재 1995.7.21. 92헌마177 ········ 471, 536
헌재 1995.7.21. 93헌가14
················ 131, 544, 763, 765, 766
헌재 1995.7.21. 94헌마125
················ 106, 212, 597, 655
헌재 1995.7.21. 94헌바27 ················ 544
헌재 1995.9.28. 92헌가11·93헌가8·9·10
················· 696, 759
헌재 1995.9.28. 92헌가11 ················ 702
헌재 1995.9.28. 92헌마23·86 ····· 138, 1346
헌재 1995.10.26. 94헌마242 ····· 1066, 1118
헌재 1995.10.26. 94헌바12 ················ 548
헌재 1995.10.26. 95헌바22 ················ 544
헌재 1995.11.30. 93헌바32 ················ 1066
헌재 1995.12.15. 95헌마221
················ 1254, 1264, 1395, 1401
헌재 1995.12.27. 95헌마224 ················ 907
헌재 1995.12.28. 91헌마80
················ 162, 438, 534, 838, 1384
헌재 1995.12.28. 95헌마196 ················ 306
헌재 1995.12.28. 95헌바3
················ 31, 1272, 1273, 1288, 1356
헌재 1996.1.25. 93헌바5 ············· 717, 760
헌재 1996.1.25. 95헌가5
········ 338, 344, 527, 881, 1001, 1278
헌재 1996.2.16. 96헌가2
················· 96, 157, 228, 1006

헌재 1996.2.29. 93헌마186
　　　…… 1018, 1023, 1075, 1095, 1118, 1133,
　　　　　1134, 1135, 1166, 1168, 1365, 1400
헌재 1996.2.29. 94헌마13 …… 212, 600, 656
헌재 1996.2.29. 94헌마213
　　　……………………… 1152, 1154, 1381
헌재 1996.2.29. 96헌마32 ……………… 1362
헌재 1996.3.28. 93헌마198 ……………… 1391
헌재 1996.3.28. 93헌바27 ……………… 1271
헌재 1996.3.28. 94헌바42 ………… 138, 256
헌재 1996.3.28. 95헌마211 ……………… 1384
헌재 1996.4.25. 92헌바47
　　　………………… 79, 1277, 1288, 1340
헌재 1996.4.25. 95헌마331 ……………… 232
헌재 1996.4.25. 95헌바25 ………… 478, 537
헌재 1996.6.13. 94헌마118 ……………… 741
헌재 1996.6.13. 94헌바20 ……………… 741
헌재 1996.6.13. 95헌마115 …… 1391, 1401
헌재 1996.6.26. 93헌바2
　　　…… 1065, 1066, 1118, 1150, 1155, 1168
헌재 1996.6.26. 96헌마200 … 410, 533, 955
헌재 1996.6.29. 94헌마213 ……………… 304
헌재 1996.8.29. 93헌바57 ……………… 724
헌재 1996.8.29. 94헌마113 ……………… 128
헌재 1996.8.29. 95헌바36 ……………… 542
헌재 1996.8.29. 95헌바41 ……………… 1065
헌재 1996.10.4. 93헌가13
　　　………… 484, 536, 1269, 1288
헌재 1996.10.4. 94헌마108 ……………… 1351
헌재 1996.10.4. 95헌마34 ……………… 1369
헌재 1996.10.4. 95헌마70 ……………… 1393
헌재 1996.10.4. 96헌가6
　　　………………… 1268, 1273, 1288
헌재 1996.10.31. 93헌바14 …… 597, 655
헌재 1996.10.31. 93헌바25 ……………… 1215
헌재 1996.10.31. 94헌가6 … 483, 484, 536
헌재 1996.10.31. 94헌마108 …… 1351, 1391
헌재 1996.11.28. 95헌바1
　　　……………… 130, 132, 159, 173, 298
헌재 1996.11.28. 96헌가13 ……………… 1279

헌재 1996.11.28. 96헌마256 …… 1361, 1400
헌재 1996.12.26. 93헌바65 ……………… 304
헌재 1996.12.26. 94헌바1
　　　………… 695, 1266, 1278, 1288
헌재 1996.12.26. 96헌가18
　　　……… 106, 121, 192, 291, 598, 655, 1279
헌재 1997.1.16. 90헌바110·136
　　　……… 162, 163, 218, 1285, 1288
헌재 1997.1.16. 92헌바6·26·93헌바34·35·36
　　　………………………………… 78
헌재 1997.1.16. 92헌바6 …… 79, 471, 536
헌재 1997.2.20. 95헌마295 ……………… 1379
헌재 1997.2.20. 95헌마362 ……………… 1362
헌재 1997.2.20. 96헌바24 ………… 735, 743
헌재 1997.3.27. 92헌바273 ……………… 129
헌재 1997.3.27. 94헌마196 ……………… 656
헌재 1997.3.27. 94헌마24 ……………… 108
헌재 1997.3.27. 95헌가14·96헌가7 …… 994
헌재 1997.3.27. 95헌가14 … 190, 291, 1000
헌재 1997.3.27. 96헌가11
　　… 197, 291, 348, 349, 362, 363, 427, 528
헌재 1997.3.27. 96헌바28 ……………… 349
헌재 1997.3.27. 96헌바86 ………… 257, 950
헌재 1997.3.27. 97헌가1 ……………… 483
헌재 1997.4.24. 95헌마90 ………… 600, 656
헌재 1997.4.24. 95헌바48 ……………… 119
헌재 1997.4.24. 96헌바48 ……………… 949
헌재 1997.5.29. 94헌마33
　　　………………… 769, 1381, 1382
헌재 1997.5.29. 96헌가17 ………… 341, 528
헌재 1997.6.26. 94헌마52 ………… 226, 293
헌재 1997.6.26. 96헌가8 …… 1259, 1264
헌재 1997.6.26. 96헌마89
　　　………………… 677, 683, 906, 1390
헌재 1997.7.16. 95헌가6
　　　…… 89, 190, 212, 291, 993, 994, 1000
헌재 1997.7.16. 96헌라2
　　　…… 1094, 1095, 1096, 1115, 1118, 1321
헌재 1997.7.16. 97헌마26
　　　………………… 599, 667, 683, 1379

헌재 1997.7.16. 97헌마38 ……………… 94
헌재 1997.8.21. 93헌바60 ……………… 266
헌재 1997.8.21. 94헌바19 ……………… 795
헌재 1997.9.25. 96헌가16 ……………… 1155
헌재 1997.9.25. 97헌가4 ……… 38, 42, 1268
헌재 1997.9.26. 96헌마159 ……………… 1348
헌재 1997.10.30. 96헌바14 …… 1000, 1062
헌재 1997.10.30. 97헌바37 ………… 703, 717
헌재 1997.11.27. 92헌바28 … 339, 440, 534
헌재 1997.11.27. 94헌마60 ……………… 370
헌재 1997.11.27. 96헌바12
　　　…………………… 597, 655, 1338
헌재 1997.11.27. 97헌바10 … 543, 544
헌재 1997.12.24. 95헌마390 ……………… 1154
헌재 1997.12.24. 96헌마172·173
　　　…… 22, 24, 713, 1245, 1281, 1282, 1283
헌재 1997.12.24. 96헌마172
　　　…… 1098, 1245, 1264, 1359, 1367
헌재 1997.12.24. 96헌마365 …………… 1346
헌재 1998.2.27. 94헌바13 ……………… 807
헌재 1998.2.27. 96헌바2 …… 454, 481, 537
헌재 1998.2.27. 97헌바79 … 407, 411, 533
헌재 1998.3.26. 93헌바12 ……………… 1394
헌재 1998.3.26. 96헌가20 ………… 304, 305
헌재 1998.3.26. 96헌마345 …… 139, 1346
헌재 1998.3.26. 98헌아2 ……………… 1397
헌재 1998.4.30. 95헌가16
　　　…………… 147, 470, 490, 536
헌재 1998.4.30. 96헌바62
　　　…………… 955, 970, 1341, 1400
헌재 1998.4.30. 97헌마141 ……………… 1381
헌재 1998.5.28. 91헌마98 ……………… 1359
헌재 1998.5.28. 96헌가12
　　　…………… 358, 529, 685, 951, 1003
헌재 1998.5.28. 96헌가4 ………… 106, 338
헌재 1998.5.28. 96헌가5 ………… 213, 543
헌재 1998.5.28. 96헌바44 …… 115, 543, 544
헌재 1998.5.28. 96헌마46
　　　…………… 1367, 1368, 1400
헌재 1998.5.28. 96헌바4 ……………… 701

헌재 1998.5.28. 96헌바83 ···················· 307
헌재 1998.6.25. 96헌바27 ···················· 544
헌재 1998.7.14. 98헌라1 ······················ 1173
헌재 1998.7.16. 95헌바19 ·········· 1341, 1400
헌재 1998.7.16. 96헌마246 ················· 1353
헌재 1998.7.16. 96헌바35
···· 131, 173, 364, 436, 438, 443, 528, 534
헌재 1998.7.16. 97헌바23 ·············· 111, 116
헌재 1998.8.27. 96헌가22 ·········· 544, 1000
헌재 1998.8.27. 96헌마398
··············· 365, 371, 419, 528, 1385, 1393
헌재 1998.8.27. 97헌마150 ················· 1359
헌재 1998.8.27. 97헌마372
···························· 471, 536, 924, 1347
헌재 1998.8.27. 97헌마79 ··················· 1386
헌재 1998.8.27. 97헌마8 · 39 ··············· 1375
헌재 1998.8.27. 97헌마8 ···················· 1350
헌재 1998.9.30. 97헌마404
···························· 1160, 1161, 1168
헌재 1998.9.30. 97헌바38 ············· 93, 548
헌재 1998.10.15. 96헌바77
··························· 1268, 1274, 1288
헌재 1998.10.15. 98헌마168
························· 196, 214, 291, 1383
헌재 1998.10.29. 96헌마186
······························ 874, 1002, 1374
헌재 1998.10.29. 97헌마285 ··············· 1385
헌재 1998.10.29. 98헌마4 ··· 470, 536, 1386
헌재 1998.11.26. 97헌바65 ············ 111, 116
헌재 1998.12.24. 89헌마214 ········· 544, 547
헌재 1998.12.24. 94헌바46 ·················· 361
헌재 1998.12.24. 97헌마87 ·················· 544
헌재 1998.12.24. 98헌가1 ··· 211, 212, 1060
헌재 1999.1.28. 97헌마9 ············· 167, 1351
헌재 1999.1.28. 97헌바90 ·········· 1273, 1288
헌재 1999.1.28. 98헌가17 ··········· 1151, 1168
헌재 1999.1.28. 98헌마172 ················· 919
헌재 1999.1.28. 98헌바64 ··················· 924
헌재 1999.2.25. 96헌바64 ·················· 1062
헌재 1999.2.25. 97헌바3 ············· 839, 842

헌재 1999.3.25. 97헌마130 ·········· 786, 987
헌재 1999.3.25. 98헌가11 ········· 1064, 1151
헌재 1999.3.25. 98헌사98 ·················· 1261
헌재 1999.4.29. 94헌바37 ·········· 545, 1278
헌재 1999.4.29. 96헌바55 ··················· 544
헌재 1999.4.29. 97헌가14 ··············· 111, 115
헌재 1999.4.29. 97헌마333 ·········· 569, 652
헌재 1999.5.27. 97헌마137 ·· 179, 214, 290,
291, 332, 358, 526, 529, 1364, 1385, 1386
헌재 1999.5.27. 98헌마372 ················· 1357
헌재 1999.5.27. 98헌바26 ··················· 217
헌재 1999.5.27. 98헌바70 ··················· 157
헌재 1999.6.24. 97헌마265 ················· 382
헌재 1999.6.24. 97헌마315 ·················· 544
헌재 1999.6.24. 98헌마153 ··················· 911
헌재 1999.6.24. 98헌마472 ················· 1037
헌재 1999.6.24. 98헌바42 ················· 1268
헌재 1999.7.22. 97헌바76 ·········· 544, 552
헌재 1999.7.22. 98헌가5
··············· 107, 192, 291, 598, 655
헌재 1999.7.22. 98헌라4 ··· 986, 1326, 1334
헌재 1999.7.22. 98헌마480 · 486 ·· 602, 656
헌재 1999.9.16. 97헌바73 ··················· 491
헌재 1999.9.16. 98헌마310 ·········· 217, 799
헌재 1999.9.16. 98헌마75 ·········· 686, 705
헌재 1999.9.16. 99헌가1 ······· 483, 484, 536
헌재 1999.9.16. 99헌바5 ···················· 918
헌재 1999.11.25. 95헌마154 ········· 188, 802
헌재 1999.11.25. 97헌마54 ··· 691, 759, 982
헌재 1999.11.25. 98헌마141 ················· 805
헌재 1999.11.25. 98헌마55 ··· 106, 1062
헌재 1999.12.23. 98헌마363
······· 218, 219, 220, 221, 230, 292, 838
헌재 1999.12.23. 99헌마135
················· 44, 893, 895, 897, 1002

2000

헌재 2000.1.27. 98헌바12 ········· 1341, 1400
헌재 2000.1.27. 99헌마123 ················· 1363

헌재 2000.2.24. 97헌마13 ················· 1384
헌재 2000.2.24. 99헌가17 ···· 483, 484, 537
헌재 2000.2.24. 99헌라1 ·········· 1115, 1321
헌재 2000.2.24. 99헌바17 ·················· 740
헌재 2000.3.30. 97헌마108 ··· 454, 461, 536
헌재 2000.3.30. 99헌마143
··············· 455, 525, 536, 537, 544
헌재 2000.3.30. 99헌바14 ············ 445, 535
헌재 2000.4.27. 98헌가16 · 98헌마429
····························· 787, 834
헌재 2000.4.27. 98헌가16
····························· 88, 90, 121, 786
헌재 2000.6.1. 97헌마190 ················· 770
헌재 2000.6.1. 97헌바74 ·········· 1160, 1168
헌재 2000.6.1. 98헌마216 ·········· 188, 771
헌재 2000.6.1. 98헌바8 ··················· 1215
헌재 2000.6.1. 99헌마553 ····· 138, 140, 514
헌재 2000.6.1. 99헌마576 ················· 902
헌재 2000.6.1. 99헌바73 ·················· 1341
헌재 2000.6.29. 2000헌마325 ············· 1357
헌재 2000.6.29. 98헌마443 · 99헌마583
····························· 1052
헌재 2000.6.29. 98헌마443
····················· 1051, 1052, 1118
헌재 2000.6.29. 99헌가16 ·········· 307, 725
헌재 2000.6.29. 99헌가9
····················· 232, 293, 716, 760
헌재 2000.6.29. 99헌마289 ················· 88,
139, 232, 293, 518, 541, 542, 544, 767
헌재 2000.6.29. 99헌바66 ·········· 718, 1340
헌재 2000.7.20. 98헌바63
····················· 77, 117, 118, 1375
헌재 2000.7.20. 99헌가7 ·················· 1269
헌재 2000.7.20. 99헌마452 ················· 544
헌재 2000.7.20. 99헌마455 ······· 1358, 1400
헌재 2000.7.20. 99헌바61 ·················· 1342
헌재 2000.8.31. 2000헌마156 ··· 1375, 1400
헌재 2000.8.31. 97헌가12 ········· 58, 66, 79
헌재 2000.11.30. 98헌바83 ······· 1341, 1400

헌재 2000.11.30. 99헌마190
.... 138, 515, 544, 1346
헌재 2000.12.8. 2000헌사471
.... 1260, 1261, 1262, 1264
헌재 2000.12.14. 99헌마112 · 137
.... 146, 293, 990
헌재 2000.12.14. 99헌마112
.... 212, 544, 685, 950
헌재 2001.1.18. 2000헌바29 1338
헌재 2001.1.18. 99헌바112 305
헌재 2001.1.18. 99헌바63 .... 204, 522
헌재 2001.2.22. 2000헌마25 .... 222, 949
헌재 2001.2.22. 2000헌바38 741
헌재 2001.2.22. 98헌바19 549
헌재 2001.2.22. 99헌마365 ... 107, 197, 291
헌재 2001.2.22. 99헌마613
.... 140, 344, 1006
헌재 2001.2.22. 99헌바74 .... 717, 760
헌재 2001.2.22. 99헌바87 1337
헌재 2001.3.21. 2000헌바25 .... 419, 533
헌재 2001.3.21. 2000헌바27 544
헌재 2001.3.21. 99헌마139 · 142 · 156 · 160
.... 76, 77
헌재 2001.3.21. 99헌마139
.... 82, 111, 116, 118, 1357, 1374
헌재 2001.4.26. 2000헌마122
.... 1149, 1150, 1168
헌재 2001.4.26. 2000헌마390 770
헌재 2001.4.26. 98헌바79 ..... 342, 344, 528
헌재 2001.4.26. 99헌가13 117
헌재 2001.5.8. 2000헌라1
.... 1254, 1326, 1334
헌재 2001.5.31. 2000헌바43 .... 481, 537
헌재 2001.5.31. 2000헌바91 1205
헌재 2001.5.31. 98헌가9 1000
헌재 2001.5.31. 99헌가18 337
헌재 2001.6.28. 2000헌라1 1264
헌재 2001.6.28. 2000헌마111 907
헌재 2001.6.28. 2000헌마735
.... 978, 979, 1373

헌재 2001.6.28. 2000헌바30 701
헌재 2001.6.28. 2000헌바44 544
헌재 2001.6.28. 2001헌마132 .... 600, 656
헌재 2001.6.28. 98헌마485 ..... 1259, 1264
헌재 2001.6.28. 99헌마516
.... 227, 257, 293, 800
헌재 2001.6.28. 99헌바31 307
헌재 2001.7.19. 2000헌마546
.... 177, 178, 290, 1364
헌재 2001.7.19. 2000헌마91
.... 908, 910, 933, 1002
헌재 2001.7.19. 99헌바9 등 998
헌재 2001.7.19. 99헌바9 1000
헌재 2001.8.30. 2000헌가9
.... 454, 482, 486, 537
헌재 2001.8.30. 2000헌마668 .... 197, 291
헌재 2001.8.30. 2000헌바36
.... 482, 484, 537
헌재 2001.8.30. 99헌마496 ... 705, 707, 759
헌재 2001.8.30. 99헌바92 378
헌재 2001.9.27. 2000헌마152 ..... 94, 121
헌재 2001.9.27. 2000헌마159
.... 211, 446, 450, 535
헌재 2001.9.27. 2000헌마208
.... 94, 121, 592
헌재 2001.9.27. 2000헌바20
.. 114, 115, 1228, 1271, 1273, 1340, 1400
헌재 2001.9.27. 2001헌아3
.... 1397, 1398, 1399, 1401
헌재 2001.10.25. 2000헌마92 .... 907, 908
헌재 2001.10.25. 2000헌바5 1268
헌재 2001.10.25. 2001헌마113 1372
헌재 2001.11.29. 2000헌마278 786
헌재 2001.11.29. 2000헌바49 ... 1270, 1288
헌재 2001.11.29. 2001헌아2 1399
헌재 2001.11.29. 99헌마494 · 72, 121, 130,
133, 134, 135, 173, 292, 1345, 1382, 1383
헌재 2001.11.29. 99헌마713
.... 420, 533, 692, 759

헌재 2002.1.31. 2001헌바43
.... 196, 291, 357, 364, 428, 438, 529, 534
헌재 2002.2.28. 99헌가8 321
헌재 2002.2.28. 99헌바117 .... 481, 537
헌재 2002.3.28. 2000헌바53 .... 225, 292
헌재 2002.3.28. 2001헌바24 1153
헌재 2002.3.28. 2001헌바32 1153
헌재 2002.4.25. 2001헌가27
.... 322, 455, 536, 1270, 1288
헌재 2002.4.25. 2001헌마200 .... 525, 544
헌재 2002.4.25. 2001헌마614
.... 148, 591, 596, 655
헌재 2002.4.25. 2002헌사129 1261
헌재 2002.4.25. 98헌마425 · 99헌마170 · 498
.... 437, 534
헌재 2002.4.25. 98헌마425 218
헌재 2002.6.27. 2000헌마642 · 2001헌바12
.... 620, 656
헌재 2002.6.27. 2000헌마642 107
헌재 2002.6.27. 2001헌가30 193
헌재 2002.6.27. 2001헌마381 1358
헌재 2002.6.27. 2001헌바100 ... 1342, 1400
헌재 2002.6.27. 99헌마480 .... 490, 537
헌재 2002.7.18. 2000헌마327 .... 179, 290
헌재 2002.7.18. 2000헌마707 1353
헌재 2002.7.18. 2001헌마605 105
헌재 2002.8.29. 2000헌가5 433
헌재 2002.8.29. 2001헌마788 · 2002헌마173
.... 951, 1003
헌재 2002.8.29. 2001헌바82 .... 230, 995
헌재 2002.9.19. 2000헌바84
.... 218, 292, 515, 539, 599, 656
헌재 2002.10.31. 2000헌가12
.... 342, 351, 528
헌재 2002.10.31. 2001헌마557
.... 1206, 1232
헌재 2002.10.31. 99헌바76 ... 146, 192, 291
헌재 2002.11.28. 2001헌가28 .... 726, 759
헌재 2002.11.28. 2001헌바50
.... 165, 173, 593

헌재 2002.11.28. 2002헌바45 ················· 93
헌재 2002.12.18. 2000헌마764
··················· 454, 461, 536
헌재 2002.12.18. 2001헌마370 ····· 198, 291
헌재 2002.12.18. 2001헌바52 ·············· 1151
헌재 2002.12.18. 2001헌바55 ··············· 544
헌재 2002.12.18. 2002헌가4 ················ 551
헌재 2002.12.18. 2002헌마52 ········· 86, 770
헌재 2003.1.30. 2001헌가4
··················· 923, 928, 1003
헌재 2003.1.30. 2001헌바64 ················· 91
헌재 2003.1.30. 2001헌바95 ······ 718, 760
헌재 2003.2.27. 2000헌바26 ··············· 990
헌재 2003.2.27. 2002헌마106
··················· 1196, 1198, 1369
헌재 2003.2.27. 2002헌바23 ················ 329
헌재 2003.3.27. 2000헌마474
··················· 373, 374, 470, 530, 536
헌재 2003.3.27. 2002헌마573 ··············· 685
헌재 2003.4.24. 2001헌마386 ············· 1340
헌재 2003.4.24. 2002헌가15 ·············· 1152
헌재 2003.5.15. 2000헌마192 ··············· 167
헌재 2003.5.15. 2001헌가31 ······· 822, 835
헌재 2003.5.15. 2002헌마90 ······· 771, 1394
헌재 2003.6.26. 2001헌가17 ·············· 1006
헌재 2003.6.26. 2002헌가14
····· 180, 290, 335, 341, 383, 386, 527, 530
헌재 2003.6.26. 2002헌마337 ·············· 1373
헌재 2003.6.26. 2002헌바3 ········· 601, 656
헌재 2003.7.24. 2001헌가25
··················· 107, 334, 360
헌재 2003.7.24. 2001헌바96 ········ 224, 291
헌재 2003.7.24. 2002헌바51 ················ 767
헌재 2003.8.21. 2001헌마687 ·············· 928
헌재 2003.9.25. 2001헌마194 ················ 93
헌재 2003.9.25. 2001헌마447 ················ 95
헌재 2003.9.25. 2001헌마814 ··············· 520
헌재 2003.9.25. 2002헌마519 ··············· 590
헌재 2003.9.25. 2003헌마106 ····· 918, 1002
헌재 2003.9.25. 2003헌마293 ··············· 685

헌재 2003.9.25. 2003헌마30
··················· 220, 230, 292
헌재 2003.10.30. 2000헌마801 ··············· 514
헌재 2003.10.30. 2000헌바67 · 83
··················· 500, 501
헌재 2003.10.30. 2000헌바67
··················· 494, 496, 539
헌재 2003.10.30. 2001헌마700 ············· 544
헌재 2003.10.30. 2002헌라1
··················· 1046, 1095, 1118
헌재 2003.10.30. 2002헌마518
··················· 195, 197, 291, 378, 428
헌재 2003.10.30. 2002헌마684
··················· 668, 683, 1003
헌재 2003.11.27. 2001헌바35 ··············· 105
헌재 2003.11.27. 2002헌마193 ····· 202, 256
헌재 2003.11.27. 2002헌바24 ··············· 256
헌재 2003.11.27. 2003헌마694
··················· 662, 663, 1140, 1168
헌재 2003.11.27. 2003헌바2 ················ 108
헌재 2003.12. 18. 2003헌마409 ··········· 950
헌재 2003.12.18. 2001헌마163
··················· 176, 290, 307, 527
헌재 2003.12.18. 2001헌마754 ··········· 1363
헌재 2003.12.18. 2001헌마826 ············· 414
헌재 2003.12.18. 2001헌바91 ··············· 544
헌재 2003.12.18. 2002헌바16 ············· 1152
헌재 2003.12.18. 2002헌바1 ················ 768
헌재 2003.12.18. 2002헌바49 ··············· 453
헌재 2003.12.18. 2003헌마225
··················· 1181, 1192
헌재 2003.12.18. 2003헌마409
··················· 667, 683, 951
헌재 2004.1.29. 2001헌마894
··················· 461, 472, 536, 538
헌재 2004.1.29. 2002헌마788
··················· 171, 173, 292, 669, 683
헌재 2004.2.26. 2001헌마718
··················· 593, 1353, 1354
헌재 2004.2.26. 2001헌바80 ··············· 335

헌재 2004.2.26. 2003헌마285 ············· 1366
헌재 2004.2.26. 2003헌마608 ············· 1365
헌재 2004.3.25. 2001헌마710
··················· 129, 660, 892
헌재 2004.3.25. 2002헌바104
··················· 354, 355, 686
헌재 2004.3.25. 2003헌마404 ··· 1358, 1400
헌재 2004.3.25. 2003헌바22 ················ 544
헌재 2004.4.29. 2002헌바58 ······· 553, 652
헌재 2004.4.29. 2003헌마783 ············· 1252
헌재 2004.4.29. 2003헌마814
········· 110, 1023, 1166, 1168, 1182, 1192
헌재 2004.4.29. 2003헌바118 ············· 1205
헌재 2004.5.14. 2004헌나1
········· 341, 527, 662, 920,
1073, 1074, 1075, 1077, 1078, 1088, 1118,
1119, 1120, 1121, 1140, 1141, 1168, 1257,
1290, 1291, 1293, 1294, 1301, 1304, 1310
헌재 2004.5.27. 2003헌가1 · 2004헌가4
··················· 89, 90, 121, 148, 524
헌재 2004.5.27. 2003헌가1 ················ 656
헌재 2004.5.27. 2003헌마851 ············· 694
헌재 2004.6.24. 2002헌가27 ··············· 189
헌재 2004.7.15. 2002헌바42 ············· 1061
헌재 2004.7.15. 2002헌바63 ······· 837, 1065
헌재 2004.8.26. 2002헌가1
··················· 149, 427, 437, 439, 534
헌재 2004.8.26. 2002헌마302 ······· 171, 173
헌재 2004.8.26. 2002헌바13 ····· 1337, 1400
헌재 2004.8.26. 2003헌마457 ··············· 151
헌재 2004.8.26. 2003헌바28 ················ 807
헌재 2004.9.23. 2000헌라2
··················· 973, 1327, 1334
헌재 2004.9.23. 2000헌마138
··················· 365, 367, 371, 372, 529
헌재 2004.9.23. 2000헌마453 ············· 1362
헌재 2004.9.23. 2002헌가17
··················· 342, 348, 350, 528
헌재 2004.9.23. 2004헌가12 ··············· 1003
헌재 2004.10.21. 2004헌마554 · 556 ·· 1277

헌재 2004.10.21. 2004헌마554
························· 15, 1166, 1168
헌재 2004.10.28. 2002헌마328
························· 219, 292, 769
헌재 2004.10.28. 2003헌가18
··············· 334, 408, 410, 532
헌재 2004.10.28. 2003헌마898 ·············· 692
헌재 2004.10.28. 99헌바91
··········· 158, 173, 1147, 1148, 1168, 1356
헌재 2004.11.25. 2002헌바8 ········· 685, 952
헌재 2004.11.25. 2003헌바104 ············ 525
헌재 2004.12.16. 2002헌마333 ············ 685
헌재 2004.12.16. 2002헌마478
··············· 308, 332, 367, 526, 527, 528
헌재 2004.12.16. 2002헌마579 ············ 544
헌재 2004.12.16. 2003헌가12 ············· 245
헌재 2004.12.16. 2004헌마376 ····· 683, 927
헌재 2004.12.16. 2004헌마456 ····· 890, 893
헌재 2005.2.3. 2001헌가9 ····· 89, 994, 1000
헌재 2005.2.3. 2003헌마544 ··········· 544
헌재 2005.2.3. 2003헌바1 ···················· 342
헌재 2005.2.3. 2004헌가5 ·················· 1278
헌재 2005.2.3. 2004헌가8 ············· 487, 537
헌재 2005.2.24. 2003헌마289
··············· 308, 332, 455, 526, 527, 536
헌재 2005.2.24. 2003헌마31 · 2004헌마695
································· 232, 293
헌재 2005.2.24. 2003헌마31
··············· 358, 528, 769
헌재 2005.2.24. 2004헌마442 ··· 1348, 1400
헌재 2005.2.24. 2004헌바24 ····· 1338, 1343
헌재 2005.3.31. 2003헌가20 ······· 784, 834
헌재 2005.3.31. 2003헌바12 ················ 319
헌재 2005.3.31. 2003헌바92 ······· 705, 759
헌재 2005.3.31. 2004헌가27
····················· 1203, 1204, 1232
헌재 2005.3.31. 2004헌마911 ··· 1254, 1264
헌재 2005.5.26. 2003헌가7 ··············· 697
헌재 2005.5.26. 2004헌마49 ········· 350, 528

헌재 2005.5.26. 99헌마513 · 2004헌마190
································· 380
헌재 2005.5.26. 99헌마513
··············· 383, 427, 439, 530
헌재 2005.6.30. 2003헌마841 ····· 228, 1005
헌재 2005.6.30. 2003헌바114 ················ 79
헌재 2005.6.30. 2004헌마859 ··············· 82
헌재 2005.6.30. 2004헌바4 ··············· 1204
헌재 2005.7.21. 2003헌마282 · 425 ······· 386
헌재 2005.7.21. 2003헌마282 ····· 379, 531
헌재 2005.7.21. 2004헌가30 ······· 192, 291
헌재 2005.9.29. 2004헌바53 ················ 257
헌재 2005.10.27. 2003헌가3
··············· 108, 121, 454, 455, 536
헌재 2005.10.27. 2003헌바50 ······ 116, 306
헌재 2005.10.27. 2004헌바41 ············· 685
헌재 2005.11.24. 2002헌바95
··············· 151, 152, 805, 834
헌재 2005.11.24. 2003헌바108
··············· 688, 693, 759
헌재 2005.11.24. 2004헌가17 ············· 539
헌재 2005.11.24. 2005헌마112 ····· 383, 531
헌재 2005.11.24. 2005헌마579 · 763 ······· 16
헌재 2005.11.24. 2005헌마579
··············· 663, 837, 842, 1140, 1168, 1374
헌재 2005.11.24. 2005헌바46 ····· 196, 291
헌재 2005.12.22. 2003헌가5 · 6
··············· 178, 179, 995
헌재 2005.12.22. 2003헌가5 ······· 290, 1000
헌재 2005.12.22. 2004헌가12 ······· 669, 683
헌재 2005.12.22. 2004헌라3
··············· 975, 1327, 1334
헌재 2005.12.22. 2004헌마530
··············· 975, 1373, 1376, 1400
헌재 2005.12.22. 2004헌마947
··············· 667, 683, 1003
헌재 2005.12.22. 2004헌바25
··············· 362, 363, 528
헌재 2005.12.22. 2004헌바45 ··············· 491
헌재 2005.12.22. 2005헌마19 ··············· 339

헌재 2005.12.22. 2005헌마330 ············ 726
헌재 2005.12.22. 2005헌바50 ············· 612
헌재 2006. 5.25. 2004헌바12 ············· 685
헌재 2006.1.26. 2005헌바18 ··············· 552
헌재 2006.2.23. 2004헌마414
··············· 1190, 1192, 1348, 1400
헌재 2006.2.23. 2004헌마675 · 981 · 1022
································· 222
헌재 2006.2.23. 2004헌마675 ······· 227, 292
헌재 2006.2.23. 2004헌바50 ·············· 541
헌재 2006.2.23. 2005헌가7 · 헌마1163 ·· 702
헌재 2006.2.23. 2005헌가7 ··· 256, 714, 759
헌재 2006.2.23. 2005헌마268 ············· 214
헌재 2006.2.23. 2005헌마403
··············· 218, 963, 983
헌재 2006.3.30. 2003헌라2 ········· 973, 984
헌재 2006.3.30. 2003헌마806 ················ 62
헌재 2006.3.30. 2003헌마837 ··· 1376, 1400
헌재 2006.3.30. 2004헌마246
··············· 890, 892, 895, 896
헌재 2006.3.30. 2005헌바110 ······· 581, 654
헌재 2006.4.25. 2006헌마409
··············· 1067, 1068, 1118
헌재 2006.4.27. 2005헌가2 ··················· 244
헌재 2006.4.27. 2005헌마1047 · 1048
··············· 989, 991
헌재 2006.4.27. 2005헌마1097 ············ 1379
헌재 2006.4.27. 2005헌마1190 ············ 955
헌재 2006.4.27. 2005헌마997 ····· 599, 656
헌재 2006.4.27. 2006헌가5 ·········· 253, 1204
헌재 2006.5.16. 2006헌마500 ··· 1166, 1168
헌재 2006.5.25. 2003헌마715 · 2006헌마368
··············· 596
헌재 2006.5.25. 2003헌바115 ············ 1258
헌재 2006.5.25. 2004헌가1 ··· 141, 173, 544
헌재 2006.5.25. 2004헌바12 ·········· 358, 952
헌재 2006.5.25. 2005헌라4 ······· 1327, 1334
헌재 2006.5.25. 2005헌마11 ········· 672, 683
헌재 2006.5.25. 2005헌바4 ··················· 322
헌재 2006.5.25. 2005헌바91 ········· 620, 656

헌재 2006.6.29. 2004헌마826 ·············· 181
헌재 2006.6.29. 2005헌가13
·························· 220, 231, 293
헌재 2006.6.29. 2005헌마1167 ····· 553, 652
헌재 2006.6.29. 2005헌마165
···················· 477, 478, 479, 536, 537
헌재 2006.6.29. 2005헌마44
···················· 221, 230, 292, 670, 683
헌재 2006.6.29. 2005헌마604 ····· 691, 759
헌재 2006.7.18. 2000헌마327
························· 290, 333, 526
헌재 2006.7.27. 2003헌바18 ················ 547
헌재 2006.7.27. 2004헌마655 ······· 904, 905
헌재 2006.7.27. 2004헌마924 ·············· 257
헌재 2006.7.27. 2005헌마277
··················· 197, 291, 350, 528
헌재 2006.7.27. 2005헌마307 ············ 1349
헌재 2006.7.27. 2005헌마72 ··············· 918
헌재 2006.8.29. 2006헌마896 ·············· 713
헌재 2006.8.31. 2003헌라1 ················· 984
헌재 2006.10.26. 2005헌가14 ······· 487, 537
헌재 2006.11.30. 2003헌가14·15 ········· 553
헌재 2006.11.30. 2003헌가14·2003헌가15
···································· 652
헌재 2006.11.30. 2004헌바86 ·············· 685
헌재 2006.11.30. 2005헌마855 ··········· 1349
헌재 2006.11.30. 2005헌바55 ··· 1267, 1268
헌재 2006.11.30. 2006헌마679 ·············· 78
헌재 2006.12.28. 2004헌바67 ······· 137, 188
헌재 2006.12.28. 2005헌바35 ············· 1205
헌재 2006.12.28. 2006헌마312
·················· 141, 173, 1347
헌재 2007.1.17. 2005헌마1111·2006헌마18
························· 196, 291
헌재 2007.1.17. 2005헌바86 ········ 715, 760
헌재 2007.3.29. 2005헌마1144 ············· 591
헌재 2007.3.29. 2005헌바33
···················· 234, 294, 561, 652
헌재 2007.4.26. 2003헌마947 ······· 621, 656
헌재 2007.5.31. 2005헌마1139 ····· 384, 530

헌재 2007.5.31. 2006헌마1000 ··········· 1351
헌재 2007.5.31. 2006헌마1169 ············ 338
헌재 2007.6.28. 2004헌마643
················· 74, 121, 975, 1255, 1264
헌재 2007.6.28. 2004헌마644·2005헌마360
································ 73, 683
헌재 2007.6.28. 2004헌마644
···················· 121, 926, 927, 1255
헌재 2007.6.28. 2005헌마1179 ····· 680, 683
헌재 2007.6.28. 2005헌마553 ······· 231, 685
헌재 2007.6.28. 2005헌마772 ········· 74, 121
헌재 2007.6.28. 2006헌마1482 ············ 1259
헌재 2007.6.28. 2006헌마207
························ 231, 293, 685
헌재 2007.6.28. 2007헌가3
························ 668, 683, 1003
헌재 2007.7.26. 2003헌마377 ······· 90, 1006
헌재 2007.7.26. 2005헌라8
························ 1325, 1326, 1334
헌재 2007.7.26. 2005헌마501 ············ 1364
헌재 2007.7.26. 2006헌바40 ··············· 1342
헌재 2007.7.30. 2007헌마837 ············· 1375
헌재 2007.8.30. 2003헌바51 ········ 812, 835
헌재 2007.8.30. 2004헌마670
························ 231, 293, 792
헌재 2007.8.30. 2005헌마975 ·············· 440
헌재 2007.10.4. 2004헌바36 ········ 487, 538
헌재 2007.10.4. 2006헌아53 ·············· 1399
헌재 2007.10.25. 2005헌바68 ············· 1255
헌재 2007.10.30. 2007헌마1128
························ 890, 1348
헌재 2007.11.29. 2005헌가10 ······· 191, 291
헌재 2007.11.29. 2005헌마977 ·············· 678
헌재 2007.11.29. 2006헌가13 ·············· 121
헌재 2007.12.27. 2004헌마1021 ··· 601, 656
헌재 2007.12.27. 2005헌바95 ·············· 600
헌재 2008.1.10. 2007헌마1468 ·········· 351,
528, 707, 759, 882, 1002, 1005, 1006
헌재 2008.1.17. 2005헌마1215 ····· 620, 656
헌재 2008.1.17. 2006헌마1075 ····· 676, 684

헌재 2008.1.17. 2007헌마700
····· 140, 345, 921, 1119, 1195, 1196, 1198
헌재 2008.1.30. 2006헌가15 ················ 518
헌재 2008.3.27. 2004헌마654
························· 228, 293, 1047, 1118
헌재 2008.3.27. 2006헌라1 ················· 974
헌재 2008.3.27. 2006헌라4 ··· 111, 112, 113
헌재 2008.3.27. 2006헌바82 ················ 544
헌재 2008.4.24. 2004헌바44
························· 1339, 1341, 1400
헌재 2008.4.24. 2004헌바92 ······· 602, 656
헌재 2008.4.24. 2005헌마857 ·············· 522
헌재 2008.4.24. 2006헌마402·531
························· 384, 531
헌재 2008.4.24. 2007헌마1456 ····· 778, 834
헌재 2008.5.29. 2005헌라3 ·············· 956
헌재 2008.5.29. 2005헌마137·247·376·
2007헌마187·1274 ·············· 384, 531
헌재 2008.5.29. 2005헌마137
···················· 333, 526, 1364, 1385
헌재 2008.5.29. 2006헌마1096 ··········· 1003
헌재 2008.5.29. 2006헌바5 ······· 232, 293
헌재 2008.5.29. 2006헌바99 ·············· 1338
헌재 2008.5.29. 2007헌마1105 ····· 672, 683
헌재 2008.5.29. 2007헌마712 ······· 504, 539
헌재 2008.6.26. 2005헌라7
························ 974, 1322, 1334
헌재 2008.6.26. 2005헌마506 ······· 488, 537
헌재 2008.6.26. 2007헌마1366
························· 410, 447, 532, 535
헌재 2008.6.26. 2007헌마917 ·············· 600
헌재 2008.7.1. 2008헌마428 ················ 373
헌재 2008.7.3. 2004헌마1010 ·············· 290
헌재 2008.7.8. 2008헌마479 ·············· 1360
헌재 2008.7.29. 2008헌마487 ············· 1361
헌재 2008.7.31. 2004헌마1010·2005헌바90
························· 602, 656
헌재 2008.7.31. 2004헌마1010 ············· 180
헌재 2008.7.31. 2004헌바81
······················ 132, 163, 173, 297, 1344

헌재 2008.7.31. 2004헌바9 ·················· 804
헌재 2008.7.31. 2006헌마666 ·············· 519
헌재 2008.7.31. 2006헌마711
································ 173, 826, 827
헌재 2008.7.31. 2007헌가4
····················· 488, 537, 1149, 1168
헌재 2008.7.31. 2007헌바85 ·················· 336
헌재 2008.9.25. 2006헌바108 ·············· 1286
헌재 2008.9.25. 2007헌가1 ·········· 784, 834
헌재 2008.9.25. 2007헌마1126 ····· 373, 528
헌재 2008.9.25. 2007헌마419 ······· 621, 656
헌재 2008.10.30. 2003헌바10 ······· 583, 653
헌재 2008.10.30. 2004헌가18 ······· 486, 537
헌재 2008.10.30. 2005헌마1156 ··· 242, 997
헌재 2008.10.30. 2006헌마1098 · 1116 · 1117
································ 596, 655
헌재 2008.10.30. 2006헌마1401 · 1409
································ 441, 534
헌재 2008.10.30. 2006헌마1401 ·········· 393
헌재 2008.10.30. 2006헌마547 ·············· 927
헌재 2008.10.30. 2007헌마1281 ·········· 620
헌재 2008.11.13. 2006헌바112 ····· 220, 570
헌재 2008.11.27. 2005헌가21 ·············· 522
헌재 2008.11.27. 2006헌가1 ················ 219
헌재 2008.11.27. 2007헌가24 ·············· 256
헌재 2008.11.27. 2007헌마1024
································ 916, 1002
헌재 2008.11.27. 2007헌바36 ·············· 796
헌재 2008.12.26. 2005헌마971 ····· 811, 816
헌재 2008.12.26. 2006헌마462 ····· 815, 835
헌재 2008.12.26. 2006헌마518 ····· 815, 835
헌재 2008.12.26. 2008헌마419 · 423 · 436
································ 164, 173
헌재 2008.12.26. 2008헌마419 ·········· 141
헌재 2009.2.26. 2005헌마764
····················· 164, 173, 711, 759
헌재 2009.2.26. 2007헌마1262 ·········· 593
헌재 2009.2.26. 2007헌바27 ········· 791, 817
헌재 2009.2.26. 2007헌바8 ········· 718, 760
헌재 2009.2.26. 2008헌마370 ·············· 521

헌재 2009.3.24. 2009헌마118 ············· 1347
헌재 2009.3.26. 2007헌가22 ······· 922, 1002
헌재 2009.3.26. 2007헌가5 ····· 1273, 1288
헌재 2009.3.26. 2007헌마843 ······· 956, 966
헌재 2009.3.26. 2008헌바52 ················ 335
헌재 2009.5.28. 2006헌라6
····················· 984, 987, 1003
헌재 2009.5.28. 2006헌마618 ······· 788, 834
헌재 2009.5.28. 2006헌바109
····················· 155, 455, 536, 1342
헌재 2009.5.28. 2007헌마369
············· 214, 1021, 1023, 1167, 1168
헌재 2009.5.28. 2007헌바22 ········· 505, 539
헌재 2009.6.25. 2007헌마40 ················ 914
헌재 2009.6.25. 2007헌바25 ······· 359, 529
헌재 2009.6.25. 2008헌마413 ····· 914, 1002
헌재 2009.7.30. 2006헌마358
················· 306, 813, 834, 1003, 1354
헌재 2009.7.30. 2007헌마732 ··· 1257, 1264
헌재 2009.7.30. 2007헌마991 ······· 672, 683
헌재 2009.7.30. 2008헌가1 · 2009헌바21
································ 235, 561, 652
헌재 2009.7.30. 2008헌가24 ·············· 191
헌재 2009.7.30. 2008헌가2
··················· 447, 535, 601, 656
헌재 2009.7.30. 2008헌바162 ······· 719, 760
헌재 2009.9.24. 2007헌마1092 ·········· 544
헌재 2009.9.24. 2007헌마114 ·············· 552
헌재 2009.9.24. 2007헌바17 ····· 1045, 1051
헌재 2009.9.24. 2008헌가25 ········· 506, 539
헌재 2009.9.24. 2008헌바75 ········· 636, 658
헌재 2009.10.29. 2007헌마1359 ··· 819, 835
헌재 2009.10.29. 2007헌마667
················· 259, 386, 531, 603, 656
헌재 2009.10.29. 2008헌마257 ·············· 394
헌재 2009.10.29. 2008헌마635 ····· 788, 834
헌재 2009.10.29. 2009헌라8 · 9 · 10
············· 1055, 1098, 1100, 1115, 1118
헌재 2009.10.29. 2009헌라8 ····· 1118, 1323
헌재 2009.10.29. 2009헌마350 ··· 914, 1002

헌재 2009.11.26. 2007헌마734 ············· 236
헌재 2009.11.26. 2008헌라4 ··············· 974
헌재 2009.11.26. 2008헌마385 ··· 193, 302
헌재 2009.11.26. 2008헌바12
····················· 700, 720, 760
헌재 2009.11.26. 2008헌바58 · 2009헌바191
································ 190, 385
헌재 2009.11.26. 2008헌바58 ··· 291, 531
헌재 2009.12.29. 2006헌바20 ·············· 539
헌재 2009.12.29. 2007헌마1412 ··· 258, 293
헌재 2009.12.29. 2008헌가13 · 2009헌가5
································ 359, 529

2010

헌재 2010.2.25. 2007헌마956 ······· 619, 655
헌재 2010.2.25. 2007헌바131 · 2009헌가1
································ 554
헌재 2010.2.25. 2007헌바34 ··· 1270, 1288
헌재 2010.2.25. 2008헌가23 ················ 298
헌재 2010.2.25. 2008헌마324 ······· 428, 536
헌재 2010.2.25. 2008헌바83 ········· 213, 292
헌재 2010.2.25. 2009헌바70 ········· 554, 652
헌재 2010.2.29. 2009헌마399 ······· 447, 535
헌재 2010.3.25. 2007헌마933 ··· 1255, 1264
헌재 2010.3.25. 2009헌마538 ················ 679
헌재 2010.3.25. 2009헌바121 ·············· 307
헌재 2010.3.25. 2009헌바83 ················ 335
헌재 2010.4.29. 2007헌마910
····················· 603, 656, 1152
헌재 2010.4.29. 2008헌마622 ······· 715, 760
헌재 2010.4.29. 2009헌라11 ····· 1322, 1334
헌재 2010.4.29. 2009헌마340 ··· 1377, 1400
헌재 2010.4.29. 2009헌마399 ············· 1349
헌재 2010.5.27. 2005헌마346
········· 133, 173, 183, 191, 291, 297, 1345
헌재 2010.5.27. 2007헌바53 ················ 555
헌재 2010.5.27. 2008헌마663 ······· 385, 531
헌재 2010.5.27. 2008헌바110 ············· 1337
헌재 2010.6.24. 2007헌바101 ················ 96

헌재 2010.6.24. 2008헌마716 … 1361, 1400
헌재 2010.6.24. 2008헌바128 ……… 258, 293
헌재 2010.6.24. 2009헌마257 ……… 370, 529
헌재 2010.6.24. 2010헌마41 ……… 447, 535
헌재 2010.7.29. 2006헌바75 ……………… 485
헌재 2010.7.29. 2008헌가15 ……… 233, 293
헌재 2010.7.29. 2008헌가19 ……………… 598
헌재 2010.7.29. 2008헌가28 ……… 258, 294
헌재 2010.7.29. 2008헌가4 ……… 751, 760
헌재 2010.7.29. 2009헌가13 … 75, 236, 294
헌재 2010.7.29. 2009헌가8
………………… 219, 236, 292, 1000
헌재 2010.7.29. 2009헌마51 ………… 1381
헌재 2010.7.29. 2010헌라1 …………… 1329
헌재 2010.9.2. 2010헌마418
……………… 359, 529, 670, 683, 965, 1002
헌재 2010.9.30. 2008헌마628 ………… 1387
헌재 2010.9.30. 2008헌바132 ……… 394, 531
헌재 2010.10.28. 2007헌라4 …… 1327, 1334
헌재 2010.10.28. 2007헌마890 …… 420, 533
헌재 2010.10.28. 2008헌마514
……………………………… 752, 753, 760
헌재 2010.10.28. 2008헌마638
……………………………… 323, 472, 537
헌재 2010.10.28. 2009헌라6 …… 1322, 1334
헌재 2010.10.28. 2009헌마544 …… 386, 531
헌재 2010.10.28. 2010헌마111 …………… 501
헌재 2010.11.25. 2006헌마328 …… 219, 292
헌재 2010.11.25. 2009헌라12
………………… 1101, 1102, 1332, 1334
헌재 2010.11.25. 2009헌마147 ………… 1380
헌재 2010.11.25. 2009헌바57 ……… 715, 760
헌재 2010.11.25. 2010헌마144 ………… 259
헌재 2010.11.25. 2010헌바253 …………… 998
헌재 2010.11.25. 2010헌바93 ……… 235, 293
헌재 2010.12.28. 2008헌라7
……… 1025, 1050, 1056, 1101, 1118, 1324
헌재 2010.12.28. 2008헌바157
……………………… 308, 491, 527, 537
헌재 2010.12.28. 2008헌바57 ………… 652

헌재 2010.12.28. 2009헌가30 ……… 420, 533
헌재 2010.12.28. 2009헌바20 …………… 652
헌재 2010.12.28. 2009헌바258 …… 153, 537
헌재 2010.12.28. 2009헌바400 ………… 259
헌재 2010.12.28. 2010헌마79 ………… 258
헌재 2011.2.24. 2008헌바40 ……… 237, 294
헌재 2011.2.24. 2008헌바56 ……… 237, 293
헌재 2011.2.24. 2009헌마209
………………… 181, 290, 332, 526
헌재 2011.2.24. 2009헌마94 …………… 164
헌재 2011.2.24. 2009헌바89
………………………… 993, 997, 1000
헌재 2011.2.24. 2010헌바199 ……… 714, 759
헌재 2011.3.31. 2008헌가21 …………… 260
헌재 2011.3.31. 2008헌마355
……………………………… 671, 683, 982
헌재 2011.3.31. 2008헌바141
…………… 95, 280, 339, 549, 556, 1006
헌재 2011.3.31. 2009헌가12 …………… 323
헌재 2011.3.31. 2009헌마286 ……… 678, 683
헌재 2011.3.31. 2009헌마617 …………… 769
헌재 2011.3.31. 2010헌마314 …………… 260
헌재 2011.3.31. 2010헌바291 ……… 471, 537
헌재 2011.4.28. 2009헌마305 …… 1364, 1385
헌재 2011.4.28. 2010헌마474
………………… 360, 528, 670, 683, 965
헌재 2011.4.28. 2010헌바232 ……… 571, 652
헌재 2011.5.26. 2009헌마341
………………………… 368, 369, 528
헌재 2011.5.26. 2009헌바63 …………… 260
헌재 2011.5.26. 2010헌마451 …………… 260
헌재 2011.5.26. 2010헌마499 …………… 760
헌재 2011.5.26. 2010헌마775
………………… 181, 290, 333, 526
헌재 2011.5.26. 2010헌바204 …………… 726
헌재 2011.6.30. 2008헌마715 ……… 261, 294
헌재 2011.6.30. 2009헌마406
………………… 198, 215, 292, 411
헌재 2011.6.30. 2009헌바59 ……… 413, 533
헌재 2011.6.30. 2009헌바354 ………… 1205

헌재 2011.6.30. 2010헌마460 ……… 233, 293
헌재 2011.6.30. 2010헌마542 …………… 916
헌재 2011.6.30. 2010헌바395 ……… 727, 760
헌재 2011.7.28. 2009헌마27 …………… 772
헌재 2011.7.28. 2009헌마408
………………… 237, 294, 794, 796, 834
헌재 2011.7.28. 2009헌바244 ……… 558, 653
헌재 2011.8.30. 2006헌마788
……… 176, 290, 559, 652, 1365, 1400
헌재 2011.8.30. 2007헌가12 ……… 440, 534
헌재 2011.8.30. 2008헌가22
………………………… 433, 434, 439
헌재 2011.8.30. 2008헌마648
……………………… 176, 290, 558, 652
헌재 2011.8.30. 2011헌라2 …………… 1324
헌재 2011.9.29. 2007헌마1083
………………………… 591, 603, 657
헌재 2011.9.29. 2009헌마351 ……… 604, 657
헌재 2011.9.29. 2010헌마413
………………… 333, 387, 526, 531
헌재 2011.10.25. 2009헌마691 …… 333, 526
헌재 2011.10.25. 2010헌바307 ………… 192
헌재 2011.11.24. 2009헌바146
………………………… 993, 994, 1002
헌재 2011.11.24. 2010헌마746 …… 261, 294
헌재 2011.11.24. 2011헌바51 ……… 621, 657
헌재 2011.12.29. 2007헌마1001
………………… 457, 536, 921, 1003
헌재 2011.12.29. 2009헌마330 ………… 1363
헌재 2011.12.29. 2009헌마354 ………… 757
헌재 2011.12.29. 2009헌마527
………………… 332, 448, 526, 535
헌재 2011.12.29. 2009헌바282 ………… 675
헌재 2011.12.29. 2010헌마293 …… 473, 537
헌재 2011.12.29. 2010헌바54 ………… 650
헌재 2012. 8.23. 2009헌가27 …………… 290
헌재 2012.2.23. 2009헌마333 ……… 421, 533
헌재 2012.2.23. 2009헌바34 …………… 462
헌재 2012.2.23. 2010헌마601 ………… 1002
헌재 2012.2.23. 2010헌마750 ……… 238, 294

헌재 2012.2.23. 2011헌가13 ·············· 1349
헌재 2012.2.23. 2011헌바14 ·············· 991
헌재 2012.2.23. 2011헌바154 ·············· 922
헌재 2012.3.29. 2010헌마443 ············ 544
헌재 2012.3.29. 2010헌마475 ······ 719, 760
헌재 2012.3.29. 2010헌마599 ············ 1372
헌재 2012.3.29. 2010헌바100 ······ 323, 527
헌재 2012.3.29. 2010헌바432 ············ 622
헌재 2012.3.29. 2011헌바53 ·············· 803
헌재 2012.4.24. 2009헌마608 ······ 622, 657
헌재 2012.4.24. 2010헌마605
    ·············· 240, 294, 623, 962
헌재 2012.4.24. 2010헌마751 ············ 1349
헌재 2012.4.24. 2010헌바164 ······ 783, 834
헌재 2012.4.24. 2010헌바379 ······ 727, 760
헌재 2012.4.24. 2011헌마338 ······ 806, 835
헌재 2012.4.24. 2011헌바109 ······ 571, 653
헌재 2012.4.24. 2011헌바40 ······ 693, 759
헌재 2012.5.31. 2009헌바123 ··· 1064, 1118
헌재 2012.5.31. 2010헌마139 ·············· 834
헌재 2012.5.31. 2010헌마278
    ·············· 673, 683, 954
헌재 2012.5.31. 2010헌마625 ············ 731
헌재 2012.5.31. 2010헌마88 ·············· 1377
헌재 2012.5.31. 2010헌바403 ······ 728, 761
헌재 2012.5.31. 2010헌바87 ·············· 995
헌재 2012.6.27. 2010헌마716 ······ 238, 294
헌재 2012.6.27. 2011헌가36 ······ 352, 528
헌재 2012.6.27. 2011헌바34 ······ 572, 653
헌재 2012.7.26. 2009헌바298 ·············· 919
헌재 2012.7.26. 2010헌라3
    ·············· 974, 1328, 1334
헌재 2012.7.26. 2010헌마264 ······ 678, 684
헌재 2012.7.26. 2010헌마446 ·············· 394
헌재 2012.7.26. 2011헌마332
    ·············· 184, 290, 333, 526
헌재 2012.7.26. 2011헌마426 ······ 321, 527
헌재 2012.8.23. 2008헌마430
    ·············· 135, 172, 366, 404, 405
헌재 2012.8.23. 2009헌가27 ······ 178, 181

헌재 2012.8.23. 2010헌가65 ······ 339, 1117
헌재 2012.8.23. 2010헌마47 · 252 ········ 457
헌재 2012.8.23. 2010헌마47 ·············· 536
헌재 2012.8.23. 2010헌마740 ······ 604, 657
헌재 2012.8.23. 2010헌바220 ······ 783, 834
헌재 2012.8.23. 2010헌바28 ·············· 97
헌재 2012.8.23. 2011헌바169 ············ 306
헌재 2012.10.25. 2011헌마307 ············ 799
헌재 2012.10.25. 2011헌마429 ··· 322, 1364
헌재 2012.10.25. 2011헌마598
    ·············· 204, 292, 374
헌재 2012.11.29. 2010헌바454 ············ 324
헌재 2012.11.29. 2011헌마318
    ·············· 321, 333, 526, 527
헌재 2012.11.29. 2011헌마693 ····· 473, 537
헌재 2012.11.29. 2011헌마786 · 2012헌마188
    ·············· 97
헌재 2012.11.29. 2011헌마786 ····· 679, 684
헌재 2012.11.29. 2011헌마801
    ·············· 239, 294, 604, 657
헌재 2012.11.29. 2012헌마330 ····· 236, 294
헌재 2012.11.29. 2012헌마53 ············ 1368
헌재 2012.11.29. 2012헌바180 ····· 728, 761
헌재 2012.12.27. 2010헌가82 ······ 309, 527
헌재 2012.12.27. 2010헌마153 ····· 387, 532
헌재 2012.12.27. 2010헌마187 ····· 394, 531
헌재 2012.12.27. 2011헌가5 ········ 353, 528
헌재 2012.12.27. 2011헌마276 ····· 324, 527
헌재 2012.12.27. 2011헌마351
    ·············· 342, 528, 706, 759
헌재 2012.12.27. 2011헌바117
    ·············· 309, 527, 1272, 1276, 1288
헌재 2013.2.28. 2009헌바129
    ·············· 1272, 1277, 1288
헌재 2013.2.28. 2011헌마398 ······ 605, 657
헌재 2013.2.28. 2012헌마131
    ·············· 239, 294, 673, 684
헌재 2013.2.28. 2012헌바62 ······ 623, 657
헌재 2013.2.28. 2012헌바94 ········ 572, 653

헌재 2013.3.21. 2010헌바132
    ·············· 1272, 1276, 1288
헌재 2013.3.21. 2010헌바70 · 132 · 170
    ·············· 1228
헌재 2013.5.30. 2011헌마131 ·············· 280
헌재 2013.5.30. 2012헌마19 ······ 184, 290
헌재 2013.5.30. 2012헌바335 ·············· 653
헌재 2013.5.30. 2012헌바387 ······ 572, 653
헌재 2013.6.27. 2011헌마315 ······ 624, 658
헌재 2013.6.27. 2011헌마475
    ·············· 408, 413, 533
헌재 2013.6.27. 2011헌바247 ··· 1270, 1288
헌재 2013.6.27. 2011헌바278 ·············· 107
헌재 2013.6.27. 2011헌바8 ······ 623, 658
헌재 2013.6.27. 2012헌마426 ············ 544
헌재 2013.6.27. 2012헌바102 ············ 612
헌재 2013.6.27. 2012헌바169 ············ 819
헌재 2013.6.27. 2012헌바345 ············ 337
헌재 2013.6.27. 2012헌바37 ·············· 462
헌재 2013.7.25. 2011헌가32 ········ 785, 834
헌재 2013.7.25. 2011헌마364 ············ 395
헌재 2013.7.25. 2011헌바267 ····· 225, 293
헌재 2013.7.25. 2012헌가1 ······ 557, 652
헌재 2013.7.25. 2012헌마656 ······ 727, 761
헌재 2013.7.25. 2012헌바112 ·············· 922
헌재 2013.7.25. 2012헌바116 ·············· 804
헌재 2013.7.25. 2012헌바409
    ·············· 668, 684, 951
헌재 2013.8.29. 2010헌마562 ······ 624, 656
헌재 2013.8.29. 2010헌바241 ············ 1269
헌재 2013.8.29. 2010헌바354 ····· 563, 653
헌재 2013.8.29. 2011헌가27 ········ 573, 653
헌재 2013.8.29. 2011헌마122
    ·············· 631, 720, 760
헌재 2013.8.29. 2011헌마408 ···· 95, 325
헌재 2013.8.29. 2011헌바176 ·············· 395
헌재 2013.8.29. 2011헌바364 ·············· 262
헌재 2013.8.29. 2011헌바391 · 2012헌바49
    ·············· 98
헌재 2013.8.29. 2012헌마288 ······ 678, 684

헌재 2013.9.26. 2010헌가89 ········· 234, 293
헌재 2013.9.26. 2011헌가42 ············· 996
헌재 2013.9.26. 2011헌마398
············· 631, 720, 760
헌재 2013.9.26. 2011헌마782 ······· 261, 294
헌재 2013.9.26. 2012헌마271 ············· 142
헌재 2013.9.26. 2012헌마365 ······· 262, 294
헌재 2013.9.26. 2013헌바170 ············· 543
헌재 2013.10.24. 2010헌마219 ····· 793, 834
헌재 2013.10.24. 2011헌마724 ····· 239, 294
헌재 2013.10.24. 2011헌바106 · 107 ····· 262
헌재 2013.10.24. 2011헌바106 ············· 294
헌재 2013.10.24. 2012헌마480 ····· 624, 658
헌재 2013.10.24. 2012헌마906 ····· 564, 654
헌재 2013.10.24. 2012헌바428 ············· 707
헌재 2013.10.24. 2012헌바431 ····· 563, 653
헌재 2013.11.28. 2011헌마267 ············· 240
헌재 2013.11.28. 2011헌바136
············· 1269, 1288
헌재 2013.11.28. 2012헌가10 ······· 704, 759
헌재 2013.12.26. 2011헌마499 ············· 1259
헌재 2013.12.26. 2011헌바108 ····· 706, 759
헌재 2013.12.26. 2011헌바162
············· 552, 573, 654
헌재 2013.12.26. 2011헌바234 ····· 564, 652
헌재 2013.12.26. 2012헌라3 ············· 1330
헌재 2013.12.26. 2012헌마162 ············· 1382
헌재 2013.12.26. 2012헌마308 ············· 1382
헌재 2013.12.26. 2012헌바35 ············· 658
헌재 2013.12.26. 2012헌바375 ············· 795
헌재 2014.1.28. 2011헌바174 ············· 494
헌재 2014.1.28. 2012헌마409
······· 332, 526, 666, 683, 927, 928, 1002
헌재 2014.1.28. 2012헌마431
············· 895, 896, 1002
헌재 2014.1.28. 2012헌바216 ············· 965
헌재 2014.2.27. 2010헌바483 ············· 566
헌재 2014.2.27. 2014헌마7 ········· 898, 1313
헌재 2014.3.27. 2010헌가2 · 2012헌가13
············· 507

헌재 2014.3.27. 2010헌가2 ················· 495
헌재 2014.3.27. 2012헌마652 ······· 182, 290
헌재 2014.3.27. 2012헌바55 ············· 491
헌재 2014.4.24. 2010헌마747 ············· 675
헌재 2014.4.24. 2011헌가29 ············· 507
헌재 2014.4.24. 2011헌마659 · 683 ······ 198
헌재 2014.4.24. 2012헌마2 ············· 1366
헌재 2014.4.24. 2013헌바25 ············· 612
헌재 2014.5.29. 2010헌마606 ············· 823
헌재 2014.5.29. 2011헌마552 ············· 263
헌재 2014.5.29. 2012헌마555 ············· 280
헌재 2014.5.29. 2013헌마127 · 199
············· 673, 684
헌재 2014.6.26. 2011헌마502 ············· 65
헌재 2014.6.26. 2012헌마459 ············· 1355
헌재 2014.6.26. 2012헌마782 ············· 448
헌재 2014.7.24. 2009헌마256 · 2010헌마394
············· 74
헌재 2014.7.24. 2009헌마256
············· 663, 929, 941
헌재 2014.7.24. 2011헌바275 ······· 185, 290
헌재 2014.7.24. 2012헌바105 ············· 97
헌재 2014.7.24. 2012헌바188 ············· 266
헌재 2014.7.24. 2012헌바408 ············· 626
헌재 2014.8.28. 2011헌마28
············· 309, 352, 388
헌재 2014.8.28. 2011헌바32 ······· 241, 458
헌재 2014.8.28. 2011헌바50 ······· 240, 952
헌재 2014.8.28. 2012헌마623 ······· 421, 456
헌재 2014.8.28. 2012헌바433 ············· 343
헌재 2014.8.28. 2013헌마359 ············· 592
헌재 2014.8.28. 2013헌마553 ············· 239
헌재 2014.8.28. 2013헌바119
············· 241, 565, 993
헌재 2014.8.28. 2013헌바172 ············· 799
헌재 2014.8.28. 2013헌바76 ············· 565
헌재 2014.9.25. 2011헌마414 ············· 673
헌재 2014.9.25. 2013헌바28 ············· 460
헌재 2014.10.30. 2011헌바129 · 172 ····· 565
헌재 2014.10.30. 2012헌마190 ····· 907, 908

헌재 2014.11.27. 2014헌가11 · 2014헌바224
············· 241
헌재 2014.12.19. 2013헌다1
············· 897, 899, 1314, 1317
헌재 2015.1.29. 2013헌바173 ············· 1151
헌재 2015.2.26. 2009헌바17 ········· 190, 291
헌재 2015.2.26. 2012헌마581 ······· 566, 674
헌재 2015.2.26. 2012헌바435 ······ 336, 360
헌재 2015.2.26. 2014헌가16 ········· 241, 266
헌재 2015.2.26. 2014헌바181 ············· 721
헌재 2015.3.26. 2012헌바357 ············· 996
헌재 2015.3.26. 2013헌마131 ············· 242
헌재 2015.3.26. 2013헌바214
············· 171, 173, 1388
헌재 2015.3.26. 2013헌바186 ············· 709
헌재 2015.3.26. 2014헌가5 ········· 37, 38
헌재 2015.3.31. 2015헌마213 ············· 1371
헌재 2015.4.30. 2012헌마38
············· 116, 164, 1380
헌재 2015.4.30. 2013헌마623 ············· 997
헌재 2015.4.30. 2013헌바395 ············· 738
헌재 2015.4.30. 2014헌마621 ······· 250, 674
헌재 2015.5.28. 2013헌가6 ············· 605
헌재 2015.5.28. 2013헌마619 ············· 795
헌재 2015.5.28. 2013헌마671 ····· 817, 1388
헌재 2015.5.28. 2013헌마799 ············· 605
헌재 2015.5.28. 2013헌바129 ······ 310, 335
헌재 2015.6.25. 2011헌마769 ············· 472
헌재 2015.6.25. 2013헌가17 ············· 310
헌재 2015.7.30. 2010헌라2 ············· 1328
헌재 2015.7.30. 2013헌가8 ············· 182
헌재 2015.7.30. 2013헌바204 ············· 1153
헌재 2015.7.30. 2014헌가7 ············· 142
헌재 2015.7.30. 2014헌마340 ············· 388
헌재 2015.7.30. 2014헌바257 ············· 199
헌재 2015.9.24. 2012헌바302
············· 352, 360, 412, 721
헌재 2015.9.24. 2012헌바410 ····· 364, 1083
헌재 2015.9.24. 2013헌가21 ············· 721
헌재 2015.9.24. 2013헌마197 ············· 244

헌재 2015.9.24. 2013헌마384 ·············· 165
헌재 2015.9.24. 2014헌가1 ················· 244
헌재 2015.9.24. 2014헌바222 ·············· 343
헌재 2015.9.24. 2014헌바291 ·············· 199
헌재 2015.9.24. 2014헌바453 ·············· 311
헌재 2015.9.24. 2015헌가3 ················· 245
헌재 2015.9.24. 2015헌바26 ··········· 68, 412
헌재 2015.9.24. 2015헌바35 ·············· 311
헌재 2015.9.24. 2015헌바48 ·············· 243
헌재 2015.10.21. 2013헌가20 ·············· 458
헌재 2015.10.21. 2013헌마757 ·············· 213
헌재 2015.10.21. 2013헌바248 ··············· 95
헌재 2015.11.26. 2012헌마858 ····· 631, 721
헌재 2015.11.26. 2012헌마940 ·············· 193
헌재 2015.11.26. 2013헌라3 ················ 1326
헌재 2015.11.26. 2014헌마145 ·············· 242
헌재 2015.11.26. 2014헌바211 ··············· 67
헌재 2015.12.23. 2009헌바317 ·············· 566
헌재 2015.12.23. 2011헌바139 ····· 245, 543
헌재 2015.12.23. 2011헌바55 ·············· 544
헌재 2015.12.23. 2013헌가9 ················ 312
헌재 2015.12.23. 2013헌마575 · 2014헌바446
··· 606
헌재 2015.12.23. 2013헌마712 ············· 722
헌재 2015.12.23. 2013헌바11 ················ 82
헌재 2015.12.23. 2013헌바168 ············· 902
헌재 2015.12.23. 2013헌바68 · 2014헌마449
··· 388
헌재 2015.12.23. 2014헌마1149 ············ 991
헌재 2015.12.23. 2014헌바3 ················ 794
헌재 2015.12.23. 2015헌바75 ·············· 489
헌재 2016.2.25. 2013헌마626 ·············· 607
헌재 2016.2.25. 2013헌마830 ·············· 389
헌재 2016.2.25. 2013헌마838 ·············· 788
헌재 2016.2.25. 2013헌바111 ·············· 459
헌재 2016.2.25. 2013헌바435 ·············· 952
헌재 2016.2.25. 2015헌가15 ·············· 243
헌재 2016.2.25. 2015헌바257 ·············· 567
헌재 2016.3.31. 2013헌가2 ········· 194, 608
헌재 2016.3.31. 2013헌가22 ·············· 893

헌재 2016.3.31. 2013헌마585 ·············· 608
헌재 2016.3.31. 2013헌바190 ·············· 343
헌재 2016.3.31. 2013헌바26 ·············· 930
헌재 2016.3.31. 2014헌마1046 ············· 608
헌재 2016.3.31. 2014헌마367 ······ 245, 793
헌재 2016.3.31. 2014헌바457 ·············· 390
헌재 2016.3.31. 2014헌바397 ·············· 313
헌재 2016.3.31. 2015헌마688 ·············· 389
헌재 2016.4.28. 2012헌마549 ·············· 474
헌재 2016.4.28. 2012헌마630 ·············· 391
헌재 2016.4.28. 2015헌라5 ················ 1331
헌재 2016.4.28. 2015헌마1177 ············· 1390
헌재 2016.4.28. 2015헌마243 ·············· 369
헌재 2016.4.28. 2015헌마98 ·············· 609
헌재 2016.4.28. 2015헌바216 ············· 1284
헌재 2016.5.26. 2012헌마374 ······ 910, 930
헌재 2016.5.26. 2014헌마1002 ············ 1366
헌재 2016.5.26. 2014헌마374 ·············· 787
헌재 2016.5.26. 2014헌마427 ·············· 676
헌재 2016.5.26. 2014헌마45 ·············· 313
헌재 2016.5.26. 2014헌마795 ············· 1098
헌재 2016.5.26. 2014헌바68 · 164 ········· 183
헌재 2016.5.26. 2015헌라1 ······ 1097, 1323
헌재 2016.5.26. 2015헌마248 ·············· 609
헌재 2016.5.26. 2015헌바212 ······ 183, 336
헌재 2016.5.26. 2015헌아20 ············· 1317
헌재 2016.6.30. 2013헌가1 ················ 930
헌재 2016.6.30. 2013헌바370 ····· 723, 1149
헌재 2016.6.30. 2014헌라1 ················ 1323
헌재 2016.6.30. 2014헌마192 ·············· 246
헌재 2016.6.30. 2015헌마36 ·············· 199
헌재 2016.6.30. 2015헌마813 ·············· 609
헌재 2016.6.30. 2015헌마828 ·············· 391
헌재 2016.6.30. 2015헌마894 ·············· 200
헌재 2016.6.30. 2015헌마924 ·············· 390
헌재 2016.6.30. 2015헌바46 ·············· 449
헌재 2016.7.28. 2013헌마436 ·············· 607
헌재 2016.7.28. 2013헌바389 ·············· 607
헌재 2016.7.28. 2014헌바421 ··············· 59
헌재 2016.7.28. 2014헌바437 ·············· 951

헌재 2016.7.28. 2015헌마236
·························· 201, 246, 1380
헌재 2016.7.28. 2015헌마359 ·············· 606
헌재 2016.7.28. 2015헌마914 ·············· 607
헌재 2016.7.28. 2015헌마915 ·············· 607
헌재 2016.7.28. 2015헌마964 ·············· 195
헌재 2016.7.28. 2015헌바20 ·············· 247
헌재 2016.9.29. 2012헌마1002 ············· 625
헌재 2016.9.29. 2014헌가3 · 12 ··········· 508
헌재 2016.9.29. 2014헌가9 ················ 316
헌재 2016.9.29. 2014헌바183 ·············· 265
헌재 2016.9.29. 2014헌바254 ·············· 263
헌재 2016.9.29. 2014헌바492 ·············· 508
헌재 2016.9.29. 2015헌바121 · 2016헌바221
··· 624
헌재 2016.9.29. 2015헌바228 ·············· 902
헌재 2016.9.29. 2015헌바309 · 332 ······· 509
헌재 2016.9.29. 2015헌바331 ············· 1205
헌재 2016.9.29. 2015헌바65 ·············· 625
헌재 2016.9.29. 2016헌마47 ·············· 625
헌재 2016.10.27. 2013헌마576 ············ 1379
헌재 2016.10.27. 2014헌마1037
·· 248, 1345
헌재 2016.10.27. 2014헌마626 ············ 1371
헌재 2016.10.27. 2014헌마709 ····· 391, 610
헌재 2016.10.27. 2014헌마797 ····· 931, 932
헌재 2016.10.27. 2015헌마1206 ·········· 479
헌재 2016.10.27. 2015헌바358 ············ 166
헌재 2016.10.27. 2016헌가10 ············· 194
헌재 2016.10.27. 2016헌마252 ············ 930
헌재 2016.11.24. 2014헌가6 ············· 1150
헌재 2016.11.24. 2014헌마977 ············ 778
헌재 2016.11.24. 2014헌바401 ············ 396
헌재 2016.11.24. 2015헌가23 ············· 314
헌재 2016.11.24. 2015헌가29 ············· 315
헌재 2016.11.24. 2015헌바136 ····· 278, 295
헌재 2016.11.24. 2015헌바413 ············ 1271
헌재 2016.11.24. 2015헌바62 ············· 516
헌재 2016.11.24. 2016헌가3 ············· 314
헌재 2016.12.29. 2013헌마142 ··· 177, 1390

헌재 2016.12.29. 2014헌바434 ············· 460
헌재 2016.12.29. 2015헌마509·1160 ·· 931
헌재 2016.12.29. 2015헌마509 ········· 906
헌재 2016.12.29. 2015헌바182 ········· 567
헌재 2016.12.29. 2015헌바199 ········· 248
헌재 2016.12.29. 2015헌바208 ········· 247
헌재 2016.12.29. 2015헌바221 ········· 723
헌재 2016.12.29. 2015헌바225 ········· 249
헌재 2016.12.29. 2015헌바327 ········· 202
헌재 2016.12.29. 2015헌바63 ·········· 248
헌재 2016.12.29. 2016헌마548 ········· 923
헌재 2016.12.29. 2016헌마550 ········· 610
헌재 2017.3.10. 2016헌나1
················· 1291, 1307, 1310
헌재 2017.4.27. 2015헌마989 ········· 249
헌재 2017.4.27. 2015헌바24 ······ 723, 1338
헌재 2017.4.27. 2016헌바452 ········· 316
헌재 2017.5.25. 2014헌마844 ········· 202
헌재 2017.5.25. 2014헌바360 ········· 194
헌재 2017.5.25. 2014헌바459 ········· 316
헌재 2017.5.25. 2015헌마1110 ········ 250
헌재 2017.5.25. 2015헌마869 ········· 610
헌재 2017.5.25. 2015헌마933 ········· 250
헌재 2017.5.25. 2015헌바260 ········· 516
헌재 2017.5.25. 2015헌바373·382 ······ 611
헌재 2017.5.25. 2016헌가6 ··········· 612
헌재 2017.5.25. 2016헌마292 ········· 946
헌재 2017.5.25. 2016헌마383 ········· 1370
헌재 2017.5.25. 2016헌마516 ········· 202
헌재 2017.5.25. 2016헌마640 ········· 794
헌재 2017.5.25. 2016헌마786 ········· 390
헌재 2017.5.25. 2016헌바408 ········· 611
헌재 2017.5.25. 2017헌마1 ··········· 1388
헌재 2017.5.25. 2017헌바57 ········ 249, 611
헌재 2017.6.29. 2015헌마654 ····· 203, 724
헌재 2017.6.29. 2015헌바243 ········· 203
헌재 2017.6.29. 2016헌가1 ··········· 517
헌재 2017.6.29. 2016헌마110 ········· 250
헌재 2017.6.29. 2016헌바394 ········· 612
헌재 2017.7.27. 2012헌바323 ········· 337

헌재 2017.7.27. 2016헌바372 ········· 517
헌재 2017.7.27. 2016헌바374 ········· 785
헌재 2017.7.27. 2017헌마599 ········· 251
헌재 2017.8.31. 2015헌가22 ·········· 71
헌재 2017.8.31. 2015헌가30 ·········· 251
헌재 2017.8.31. 2015헌바388 ········· 613
헌재 2017.8.31. 2016헌가11 ········· 460
헌재 2017.8.31. 2016헌마404 ········· 255
헌재 2017.8.31. 2016헌바386 ········· 613
헌재 2017.8.31. 2016헌바447 ········· 724
헌재 2017.8.31. 2016헌바45 ·········· 905
헌재 2017.9.28. 2015헌마653 ······ 815, 834
헌재 2017.9.28. 2016헌마964 ········· 389
헌재 2017.9.28. 2016헌바339 ········· 613
헌재 2017.9.28. 2016헌바376 ········· 317
헌재 2017.10.26. 2015헌바239 ········ 318
헌재 2017.10.26. 2016헌마656 ········ 391
헌재 2017.10.26. 2017헌바166 ········ 317
헌재 2017.11.30. 2015헌바300 ········ 319
헌재 2017.11.30. 2015헌바336 ········ 251
헌재 2017.11.30. 2016헌마448 ········ 771
헌재 2017.11.30. 2016헌마503
················· 376, 1372, 1390
헌재 2017.11.30. 2016헌바157 ········ 252
헌재 2017.11.30. 2016헌바38 ········· 568
헌재 2017.12.28. 2015헌마1000 ······ 518
헌재 2017.12.28. 2015헌마632 ········ 370
헌재 2017.12.28. 2015헌마994 ········ 393
헌재 2017.12.28. 2015헌마997 ········ 204
헌재 2017.12.28. 2016헌마1124 ······ 392
헌재 2017.12.28. 2016헌마311 ········ 518
헌재 2017.12.28. 2016헌마45 ········· 827
헌재 2017.12.28. 2016헌마649 ········ 780
헌재 2017.12.28. 2016헌바249 ········ 615
헌재 2017.12.28. 2016헌바254 ········ 614
헌재 2017.12.28. 2016헌바281 ········ 252
헌재 2017.12.28. 2016헌바346 ········ 614
헌재 2017.12.28. 2016헌바368 ········ 252
헌재 2017.12.28. 2017헌라2 ········· 1328
헌재 2017.12.28. 2017헌바193 ········ 253

헌재 2018.1.25. 2014헌마274 ········· 677
헌재 2018.1.25. 2015헌마1047 ········ 253
헌재 2018.1.25. 2015헌마821·834·917
··························· 676
헌재 2018.1.25. 2016헌마319 ········· 243
헌재 2018.1.25. 2016헌마541 ········· 568
헌재 2018.1.25. 2016헌바201·2017헌바205
··························· 615
헌재 2018.1.25. 2016헌바208 ········· 725
헌재 2018.1.25. 2017헌가26 ········· 615
헌재 2018.1.25. 2017헌가7 ·········· 254
헌재 2018.2.22. 2015헌마552 ········· 569
헌재 2018.2.22. 2015헌바124 ········· 922
헌재 2018.2.22. 2016헌마713 ········· 616
헌재 2018.2.22. 2016헌마780 ········· 184
헌재 2018.2.22. 2016헌바100 ········· 616
헌재 2018.2.22. 2016헌바364 ········· 462
헌재 2018.2.22. 2016헌바470 ········· 254
헌재 2018.2.22. 2017헌마438 ········· 617
헌재 2018.2.22. 2017헌마691 ········· 211
헌재 2018.2.22. 2017헌바59 ········· 569
헌재 2018.3.29. 2016헌바270 ········· 254
헌재 2018.3.29. 2016헌바468 ········· 626
헌재 2018.3.29. 2017헌가10 ········· 320
헌재 2018.3.29. 2017헌마396 ····· 401, 532
헌재 2018.4.6. 2018헌사242 ········· 1261
헌재 2018.4.26. 2015헌가19 ········· 618
헌재 2018.4.26. 2015헌바370 ······ 352, 406
헌재 2018.4.26. 2016헌마1043 ······· 729
헌재 2018.4.26. 2016헌마46 ········· 1372
헌재 2018.5.31. 2012헌바90 ········· 808
헌재 2018.5.31. 2013헌바322 ········· 503
헌재 2018.5.31. 2014헌마346 ····· 365, 366
헌재 2018.5.31. 2015헌마476 ········· 510
헌재 2018.5.31. 2016헌마626 ········ 1352
헌재 2018.6.28. 2011헌바379·2015헌가5
··························· 435
헌재 2018.6.28. 2011헌바379 ····· 439, 534
헌재 2018.6.28. 2012헌마191 ········· 423
헌재 2018.6.28. 2012헌마538 ········· 424

헌재 2018.6.28. 2014헌마166 ············· 908
헌재 2018.6.28. 2014헌마189 ············· 908
헌재 2018.6.28. 2015헌가28 · 2016헌가5
·························· 510
헌재 2018.6.28. 2015헌마304 ············· 240
헌재 2018.6.28. 2016헌가14 ············· 255
헌재 2018.6.28. 2016헌가8 · 2017헌바476
·························· 485
헌재 2018.6.28. 2016헌가8 ············· 537
헌재 2018.6.28. 2016헌마1153 ············· 619
헌재 2018.6.28. 2016헌마473 ············· 619
헌재 2018.6.28. 2016헌바77 · 78 · 79 ···· 255
헌재 2018.6.28. 2016헌바77 ············· 619
헌재 2018.6.28. 2017헌마130 ············· 618
헌재 2018.6.28. 2017헌바66 ············· 729
헌재 2018.7.26. 2015헌라4 ············· 1331
헌재 2018.7.26. 2016헌마524 ············· 680
헌재 2018.7.26. 2018헌라1 ············· 1328
헌재 2018.7.26. 2018헌바137 ············· 502
헌재 2018.8.30. 2014헌마368 ············· 392
헌재 2018.8.30. 2014헌마843 ············· 511
헌재 2018.8.30. 2014헌바148 · 162 ······ 744
헌재 2018.8.30. 2014헌바180 · 2014헌가10
·························· 743
헌재 2018.8.30. 2015헌가38 ············· 818
헌재 2018.8.30. 2015헌마861 ············· 1369
헌재 2018.8.30. 2016헌마263 ············· 425
헌재 2018.8.30. 2016헌마344 ············· 725
헌재 2018.8.30. 2016헌마483 ············· 399
헌재 2018.8.30. 2017헌마440 ············· 177
헌재 2018.8.30. 2017헌바258 ············· 730
헌재 2018.8.30. 2018헌마46 ············· 220
헌재 2018.11.29. 2017헌바252 ············· 267
헌재 2018.11.29. 2017헌바465 ············· 204
헌재 2018.12.27. 2015헌바77 ············· 716
헌재 2018.12.27. 2016헌바217 ············· 789
헌재 2018.12.27. 2017헌바231 ············· 772
헌재 2018.12.27. 2017헌바472 ············· 728
헌재 2018.12.27. 2017헌바519 ············· 325

헌재 2019.2.28. 2015헌마1204
·················· 370, 374, 1387
헌재 2019.2.28. 2016헌가13 ············· 267
헌재 2019.2.28. 2016헌바382 ············· 267
헌재 2019.2.28. 2017헌가33 ············· 268
헌재 2019.2.28. 2017헌마1065 ············· 1246
헌재 2019.2.28. 2017헌마374 · 976 · 2018헌
마821 ············· 269
헌재 2019.2.28. 2017헌바196 ············· 345
헌재 2019.3.26. 2019헌바89 ············· 1392
헌재 2019.4.11. 2013헌바112 ············· 1152
헌재 2019.4.11. 2016헌마418 ············· 270
헌재 2019.4.11. 2016헌바458 ············· 946
헌재 2019.4.11. 2017헌가28 ········· 207, 292
헌재 2019.4.11. 2017헌가30 ········· 330, 530
헌재 2019.4.11. 2017헌마820 ············· 797
헌재 2019.4.11. 2017헌바127 ········· 292, 301
헌재 2019.4.11. 2017헌바140 ······ 781, 835
헌재 2019.4.11. 2018헌가14 ············· 205
헌재 2019.4.11. 2018헌마221 ············· 269
헌재 2019.5.30. 2018헌가12 ············· 325
헌재 2019.7.25. 2017헌마1038 ············· 992
헌재 2019.7.25. 2017헌마1329 ············· 474
헌재 2019.7.25. 2017헌마323 ············· 271
헌재 2019.8.29. 2014헌바212 · 2014헌가15
·························· 627
헌재 2019.8.29. 2014헌바212 ············· 271
헌재 2019.8.29. 2018헌마129 ············· 959
헌재 2019.8.29. 2018헌마297 · 306 ······ 271
헌재 2019.8.29. 2018헌바265 · 266 ······ 264
헌재 2019.8.29. 2018헌바4 ············· 627
헌재 2019.9.26. 2016헌바381 ············· 1196
헌재 2019.9.26. 2017헌마1209 ············· 395
헌재 2019.9.26. 2018헌마1015 ············· 711
헌재 2019.9.26. 2018헌바128 ············· 932
헌재 2019.9.26. 2018헌바218 ············· 264
헌재 2019.11.28. 2016헌마1115 ············· 573
헌재 2019.11.28. 2016헌마90 ············· 934
헌재 2019.11.28. 2017헌마1356 ············· 158
헌재 2019.11.28. 2017헌마759 ············· 1350

헌재 2019.11.28. 2018헌마222
·················· 681, 685, 934
헌재 2019.12.27. 2012헌마939 ············· 560
헌재 2019.12.27. 2014헌바381 ············· 574
헌재 2019.12.27. 2016헌마253 ············· 112
헌재 2019.12.27. 2016헌바96
·················· 464, 538, 654
헌재 2019.12.27. 2017헌가21 ············· 264
헌재 2019.12.27. 2017헌마1366 ········ 1371
헌재 2019.12.27. 2017헌마359 ············· 1371
헌재 2019.12.27. 2018헌마301 ············· 903
헌재 2019.12.27. 2018헌마730
·················· 165, 826, 834
헌재 2019.12.27. 2018헌바236 ············· 773

2020

헌재 2020.2.27. 2015헌가4 ········· 345, 574
헌재 2020.2.27. 2016헌마945 ············· 413
헌재 2020.2.27. 2017헌마1339 ············· 205
헌재 2020.2.27. 2017헌바434 ············· 69
헌재 2020.2.27. 2018헌가11 ············· 574
헌재 2020.3.26. 2016헌가17 ········· 270, 575
헌재 2020.3.26. 2016헌바55 · 65 ········ 1343
헌재 2020.3.26. 2017헌마1281 ············· 828
헌재 2020.3.26. 2017헌바129 ············· 270
헌재 2020.3.26. 2017헌바363 ············· 1063
헌재 2020.3.26. 2018헌마77 ············· 395
헌재 2020.3.26. 2018헌바3 ············· 935
헌재 2020.3.26. 2018헌바90 ············· 935
헌재 2020.3.26. 2019헌마212 ···· 779, 1380
헌재 2020.4.23. 2015헌마1149 ············· 299
헌재 2020.4.23. 2017헌마103 ············· 330
헌재 2020.4.23. 2017헌마321 ············· 265
헌재 2020.4.23. 2017헌마479 ···· 626, 1392
헌재 2020.4.23. 2017헌바244 ············· 772
헌재 2020.4.23. 2018헌가17 ············· 576
헌재 2020.4.23. 2018헌마551 ············· 953
헌재 2020.4.23. 2018헌바402 ············· 575
헌재 2020.5.27. 2017헌마867 ············· 936

헌재 2020.5.27. 2017헌바464 ·············· 575
헌재 2020.5.27. 2018헌마362 ·············· 575
헌재 2020.5.27. 2018헌바129 ·············· 773
헌재 2020.5.27. 2018헌바264 ·············· 627
헌재 2020.5.27. 2019헌라3 ·············· 1053
헌재 2020.5.27. 2019헌라4 ·············· 1324
헌재 2020.5.27. 2020헌라1 ·············· 1324
헌재 2020.6.25. 2017헌마1178 ·············· 679
헌재 2020.6.25. 2018헌마865 ······ 581, 654
헌재 2020.6.25. 2018헌바278 ·············· 326
헌재 2020.6.25. 2019헌가9 ·············· 628
헌재 2020.6.25. 2019헌마15 ········ 639, 659
헌재 2020.7.16. 2018헌마566 ·············· 628
헌재 2020.7.16. 2018헌바195 ·············· 628
헌재 2020.7.16. 2018헌바242 ·············· 576
헌재 2020.8.28. 2017헌가35 ·············· 489
헌재 2020.8.28. 2018헌마927 ·············· 396
헌재 2020.9.24. 2016헌마889 ·············· 62
헌재 2020.9.24. 2017헌마643 ·············· 272
헌재 2020.9.24. 2017헌바157 ·············· 344
헌재 2020.9.24. 2018헌바171 ·············· 272
헌재 2020.9.24. 2019헌마472 ·············· 272
헌재 2020.9.24. 2019헌바130 ·············· 731
헌재 2020.10.29. 2017헌바208 ····· 583, 655
헌재 2020.10.29. 2019헌바249 ·············· 629
헌재 2020.11.26. 2019헌바131 ····· 543, 652
헌재 2020.12.23. 2017헌가22 · 2019헌가8
·············· 272
헌재 2020.12.23. 2017헌마416
·············· 396, 463, 1392
헌재 2020.12.23. 2018헌바382 ·············· 629
헌재 2020.12.23. 2018헌바458 ····· 636, 659
헌재 2020.12.23. 2019헌바129 ·············· 576
헌재 2020.12.23. 2019헌바25 ·············· 629
헌재 2020.12.23. 2019헌바353 ·············· 730
헌재 2021.1.28. 2018헌마456 ·············· 456
헌재 2021.1.28. 2018헌바88 ·············· 98
헌재 2021.1.28. 2020헌마264 ····· 353, 1174
헌재 2021.2.25. 2015헌라7 ·············· 1330
헌재 2021.2.25. 2016헌바84 ·············· 463

헌재 2021.2.25. 2017헌마1113 ·············· 463
헌재 2021.2.25. 2019헌바64 ·············· 730
헌재 2021.3.25. 2018헌바212 ·············· 353
헌재 2021.4.29. 2017헌가25 ·············· 1154
헌재 2021.4.29. 2018헌바100 ·············· 326
헌재 2021.4.29. 2018헌바113 ·············· 273
헌재 2021.4.29. 2019헌가11 ·············· 937
헌재 2021.4.29. 2019헌마202 ·············· 273
헌재 2021.4.29. 2019헌바412 ·············· 773
헌재 2021.4.29. 2020헌마999 ····· 681, 685
헌재 2021.4.29. 2020헌마328 ····· 638, 659
헌재 2021.5.27. 2018헌마1168 ····· 472, 537
헌재 2021.5.27. 2018헌바127 ·············· 274
헌재 2021.5.27. 2018헌바497 ·············· 326
헌재 2021.5.27. 2019헌가17 ·············· 744
헌재 2021.5.27. 2019헌가19 ·············· 700
헌재 2021.5.27. 2019헌마177 · 201 ····· 274
헌재 2021.5.27. 2019헌마321 ·············· 206
헌재 2021.6.24. 2017헌가31 ·············· 633
헌재 2021.6.24. 2017헌바479 ·············· 397
헌재 2021.6.24. 2018헌가2 ·············· 397
헌재 2021.6.24. 2018헌마526 ·············· 206
헌재 2021.6.24. 2019헌바133 · 170 ····· 729
헌재 2021.6.24. 2019헌바342 ·············· 633
헌재 2021.6.24. 2019헌바5 ·············· 207
헌재 2021.6.24. 2020헌마1421 ·············· 700
헌재 2021.6.24. 2020헌마651 ·············· 630
헌재 2021.6.24. 2020헌바527 ·············· 275
헌재 2021.7.15. 2018헌마279 ·············· 632
헌재 2021.7.15. 2019헌바230 ·············· 633
헌재 2021.7.15. 2020헌바201 ·············· 275
헌재 2021.8.31. 2014헌마888 ····· 560, 1366
헌재 2021.8.31. 2018헌마563 ·············· 797
헌재 2021.8.31. 2018헌바149 ······ 938, 940
헌재 2021.8.31. 2019헌바439 ·············· 463
헌재 2021.8.31. 2019헌바453 ·············· 632
헌재 2021.8.31. 2020헌마12 · 589 ········ 206
헌재 2021.8.31. 2020헌마12 ········· 441, 534
헌재 2021.8.31. 2020헌바100 ·············· 328
헌재 2021.9.6. 2021헌가24 ·············· 938

헌재 2021.9.30. 2018헌바456 ······ 636, 658
헌재 2021.9.30. 2019헌가28 ·············· 745
헌재 2021.9.30. 2019헌가3 ·············· 274
헌재 2021.9.30. 2019헌마919 ·············· 425
헌재 2021.10.28. 2018헌마60 ·············· 631
헌재 2021.10.28. 2019헌마1091 ··· 511, 539
헌재 2021.10.28. 2019헌마288 ····· 637, 658
헌재 2021.10.28. 2020헌바221 ····· 637, 658
헌재 2021.10.28. 2021헌나1 ·············· 1308
헌재 2021.11.25. 2015헌바334 ·············· 796
헌재 2021.11.25. 2017헌마1384 ········· 1372
헌재 2021.11.25. 2018헌마598 ·············· 223
헌재 2021.11.25. 2019헌마542 ·············· 631
헌재 2021.11.25. 2019헌마555 ·············· 631
헌재 2021.11.25. 2019헌바446 · 2020헌가17 ·
2021헌바77 ·············· 327
헌재 2021.12.23. 2018헌마49 ······ 638, 659
헌재 2021.12.23. 2018헌마629 ····· 797, 808
헌재 2021.12.23. 2018헌바152 ·············· 936
헌재 2021.12.23. 2018헌바524 ·············· 708
헌재 2021.12.23. 2019헌마825 ·············· 577
헌재 2022.1.27. 2016헌마364 ····· 578, 1021
헌재 2022.1.27. 2018헌마1162 ··· 474, 1052
헌재 2022.1.27. 2019헌마583 ······· 185, 290
헌재 2022.1.27. 2019헌바161 ·············· 578
헌재 2022.1.27. 2020헌마594 ·············· 240
헌재 2022.1.27. 2020헌마895 ·············· 937
헌재 2022.2.24. 2018헌가8 ········· 519, 539
헌재 2022.2.24. 2018헌마1010 ·············· 634
헌재 2022.2.24. 2018헌마998 ······ 295, 749
헌재 2022.2.24. 2018헌바146 ·············· 938
헌재 2022.2.24. 2019헌바883 ······· 277, 295
헌재 2022.2.24. 2020헌가12 ······· 270, 295
헌재 2022.2.24. 2020헌가5 ·············· 205
헌재 2022.2.24. 2020헌마177 ······ 280, 295
헌재 2022.3.31. 2017헌마1343 ·············· 634
헌재 2022.3.31. 2019헌가26 ·············· 579
헌재 2022.3.31. 2019헌마986 ······ 674, 939
헌재 2022.3.31. 2019헌바107 ·············· 578
헌재 2022.3.31. 2019헌바242 ·············· 275

헌재 2022.3.31. 2019헌바520 …… 401, 532
헌재 2022.3.31. 2020헌마1729 ………… 893
헌재 2022.3.31. 2020헌마211 …… 579, 680
헌재 2022.3.31. 2021헌마1230 ………… 780
헌재 2022.3.31. 2021헌바62 · 194 ……… 275
헌재 2022.5.26. 2012헌바66 …………… 820
헌재 2022.5.26. 2016헌마95 …………… 580
헌재 2022.5.26. 2018헌바153 …… 584, 655
헌재 2022.5.26. 2019헌가12 …………… 328
헌재 2022.5.26. 2019헌바530 …… 329, 529
헌재 2022.5.26. 2020헌마1219 …… 581, 654
헌재 2022.5.26. 2020헌마1512 …… 781, 834
헌재 2022.5.26. 2020헌마670 · 705 …… 638
헌재 2022.5.26. 2020헌마670 ………… 659
헌재 2022.5.26. 2021헌가30 …………… 328
헌재 2022.5.26. 2021헌마619 ………… 635
헌재 2022.6.30. 2019헌가14 …………… 207
헌재 2022.6.30. 2019헌마150 ………… 276
헌재 2022.6.30. 2019헌마356 ………… 367
헌재 2022.6.30. 2019헌마579 ………… 580
헌재 2022.6.30. 2019헌바440 …… 276, 580
헌재 2022.7.21. 2016헌마388 ………… 346
헌재 2022.7.21. 2017헌가1 …………… 939
헌재 2022.7.21. 2018헌바164 ………… 940
헌재 2022.8.31. 2018헌바440 …… 278, 295
헌재 2022.8.31. 2019헌가31 …… 582, 654
헌재 2022.8.31. 2020헌마1025 …… 278, 295
헌재 2022.8.31. 2022헌가10 …… 329, 530
헌재 2022.8.31. 2022헌가14 …… 330, 530
헌재 2022.9.29. 2016헌마773 …… 278, 295
헌재 2022.9.29. 2019헌마813 …… 639, 656
헌재 2022.9.29. 2019헌마938 …… 639, 659
헌재 2022.9.29. 2021헌마929 …… 780, 834
헌재 2022.10.27. 2018헌바115 ………… 998
헌재 2022.10.27. 2019헌바117 …… 731, 761
헌재 2022.10.27. 2019헌바324 ………… 208
헌재 2022.10.27. 2019헌바44 …… 583, 655
헌재 2022.10.27. 2019헌바454 …… 279, 295
헌재 2022.10.27. 2020헌바368 …… 582, 654
헌재 2022.10.27. 2021헌가4 ……… 474, 538

헌재 2022.11.24. 2019헌마445 ………… 894
헌재 2022.11.24. 2019헌마528 …… 279, 295
헌재 2022.11.24. 2019헌마941 …… 451, 535
헌재 2022.11.24. 2019헌바167 ………… 582
헌재 2022.11.24. 2020헌마1181 … 680, 685
헌재 2022.11.24. 2021헌마130 …… 401, 532
헌재 2022.11.24. 2021헌마426 ………… 208
헌재 2022.12.22. 2018헌바48 등 ……… 512
헌재 2022.12.22. 2019헌마654 …… 475, 538
헌재 2022.12.22. 2020헌가8 …… 669, 685
헌재 2022.12.22. 2020헌바39 …… 279, 295
헌재 2022.12.22. 2021헌가36 ………… 940
헌재 2022.12.22. 2022헌라5 …………… 1324
헌재 2023.2.23 2019헌바43 …………… 295
헌재 2023.2.23. 2018헌바240 ………… 774
헌재 2023.2.23. 2019헌마1404 …… 400, 532
헌재 2023.2.23. 2019헌바196 ………… 640
헌재 2023.2.23. 2019헌바244 ………… 732
헌재 2023.2.23. 2019헌바305 ………… 464
헌재 2023.2.23. 2019헌바43 ………… 277
헌재 2023.2.23. 2019헌바462 …………… 68
헌재 2023.2.23. 2019헌바93 ……… 441, 534
헌재 2023.2.23. 2020헌마1736 …… 636, 656
헌재 2023.2.23. 2020헌마1739 …… 215, 292
헌재 2023.2.23. 2020헌바11 …… 277, 295
헌재 2023.2.23. 2020헌바603 …………… 69
헌재 2023.2.23. 2021헌가9 …… 329, 530
헌재 2023.2.23. 2021헌마374 …… 400, 532
헌재 2023.2.23. 2022헌바22 …… 207, 292
헌재 2023.3.23. 2018헌마460 ………… 694
헌재 2023.3.23. 2018헌바433 ………… 586
헌재 2023.3.23. 2019헌마1399 ………… 586
헌재 2023.3.23. 2019헌마937 ………… 821
헌재 2023.3.23. 2019헌바141 ………… 331
헌재 2023.3.23. 2019헌바482 ………… 585
헌재 2023.3.23. 2020헌가1 …………… 319
헌재 2023.3.23. 2020헌가19 ………… 643
헌재 2023.3.23. 2020헌바149 ………… 732
헌재 2023.3.23. 2020헌바471 ………… 284
헌재 2023.3.23. 2021헌가1 …………… 512

헌재 2023.3.23. 2021헌마50 ………… 642
헌재 2023.3.23. 2021헌마975 …… 186, 281
헌재 2023.3.23. 2021헌바424 ………… 284
헌재 2023.3.23. 2022헌바108 ………… 284
헌재 2023.3.23. 2023헌가4 …………… 943
헌재 2023.5.25. 2019헌가13 …………… 942
헌재 2023.5.25. 2019헌마1234 ………… 281
헌재 2023.5.25. 2020헌바309 …… 99, 283
헌재 2023.5.25. 2020헌바45 …………… 99
헌재 2023.5.25. 2020헌바604 ………… 641
헌재 2023.5.25. 2021헌마21 ………… 1388
헌재 2023.5.25. 2021헌바136 ………… 283
헌재 2023.5.25. 2021헌바234 ………… 642
헌재 2023.6.29. 2018헌마1215 ……… 331
헌재 2023.6.29. 2019헌가27 ………… 281
헌재 2023.6.29. 2019헌마227 ………… 641
헌재 2023.6.29. 2020헌마1605 ……… 681
헌재 2023.6.29. 2020헌마1669 ……… 585
헌재 2023.6.29. 2020헌마356 ………… 942
헌재 2023.6.29. 2020헌바182 ………… 282
헌재 2023.6.29. 2020헌바519 ………… 732
헌재 2023.6.29. 2021헌마157 ………… 640
헌재 2023.6.29. 2021헌마171 ………… 449
헌재 2023.6.29. 2021헌마199 ………… 641
헌재 2023.6.29. 2021헌바264 ………… 585
헌재 2023.6.29. 2022헌바178 ………… 282
헌재 2023.6.29. 2023헌가12 ………… 942
헌재 2023.7.20. 2019헌마1443 ……… 941
헌재 2023.7.20. 2019헌마709 ……… 1367
헌재 2023.7.20. 2019헌바417 ………… 475
헌재 2023.7.20. 2020헌마104 ………… 640
헌재 2023.7.20. 2020헌바131 ………… 513
헌재 2023.7.20. 2020헌바497 ………… 584
헌재 2023.7.25. 2023헌나1 ………… 1309
헌재 2023.8.31. 2020헌바252 ………… 733
헌재 2023.8.31. 2020헌바594 ………… 285
헌재 2023.8.31. 2021헌바180 ………… 790
헌재 2023.9.26. 2017헌가27 등 ……… 465
헌재 2023.9.26. 2019헌마1165 ……… 286
헌재 2023.9.26. 2019헌마1417 ……… 513

헌재 2023.9.26. 2020헌마1724 ············ 466
헌재 2023.9.26. 2020헌마553 ············· 287
헌재 2023.9.26. 2020헌바481 ············· 734
헌재 2023.9.26. 2020헌바552 ············· 209
헌재 2023.9.26. 2022헌마912 등 ········· 285
헌재 2023.9.26. 2022헌마926 ············· 403
헌재 2023.10.26. 2017헌가16 ············· 402
헌재 2023.10.26. 2018헌마357 ············ 287
헌재 2023.10.26. 2018헌마872 ············ 523
헌재 2023.10.26. 2019헌가30 ············· 402
헌재 2023.10.26. 2019헌마158 ············ 426
헌재 2023.10.26. 2019헌마392 ············ 209
헌재 2023.10.26. 2019헌바91 ············· 209
헌재 2023.10.26. 2020헌마1476 ·········· 403
헌재 2023.10.26. 2020헌바186 ············ 643
헌재 2023.10.26. 2020헌바402 ············ 287
헌재 2023.10.26. 2021헌마839 ············ 210
헌재 2023.12.21. 2020헌바189 ············ 643
헌재 2023.12.21. 2020헌바374 ············ 644
헌재 2023.12.21. 2023헌라1 ·············· 1324
헌재 2024.1.25. 2020헌바475 ············· 754
헌재 2024.1.25. 2020헌바479 ············ 1063
헌재 2024.1.25. 2020헌바65 ·············· 404
헌재 2024.1.25. 2021헌가14 ·············· 943
헌재 2024.1.25. 2021헌마703 ············· 755
헌재 2024.1.25. 2021헌바233 ············· 943
헌재 2024.2.28. 2019헌마500 ············· 210
헌재 2024.2.28. 2020헌마1343 ······· 98, 588
헌재 2024.2.28. 2020헌마139 ············· 644
헌재 2024.2.28. 2020헌마1482 ············ 645
헌재 2024.2.28. 2020헌마1587 ············ 775
헌재 2024.2.28. 2022헌마356 ············· 187
헌재 2024.3.28. 2017헌마372 ············· 829
헌재 2024.3.28. 2020헌가10 ·············· 645
헌재 2024.3.28. 2020헌마1079 ············ 288
헌재 2024.3.28. 2020헌마1527 ············ 645
헌재 2024.3.28. 2020헌바494 ············· 288
헌재 2024.4.25. 2020헌가4 등 ············ 589
헌재 2024.4.25. 2020헌마1028 ············ 403
헌재 2024.4.25. 2020헌마107 ············· 828

헌재 2024.4.25. 2021헌마1258 ············ 466
헌재 2024.4.25. 2021헌마473 ············· 775
헌재 2024.4.25. 2021헌바21 ············· 289
헌재 2024.4.25. 2022헌바163 ············· 210
헌재 2024.5.30. 2019헌가29 ············· 289
헌재 2024.5.30. 2021헌가3 ·············· 589
헌재 2024.5.30. 2021헌마117 등 ·········· 442
헌재 2024.5.30. 2022헌마1146 ············ 894
헌재 2024.5.30. 2022헌마707 등 ·········· 402
헌재 2024.5.30. 2023헌나2 ·············· 1309
헌재 2024.5.30. 2023헌마820 ············· 467
헌재 2024.6.27. 2020헌마237 등 ·········· 821
헌재 2024.6.27. 2020헌마468 등 ·········· 712
헌재 2024.6.27. 2021헌가19 ············· 588
헌재 2024.6.27. 2021헌마1588 ············ 999
헌재 2024.6.27. 2022헌마106 등 ·········· 195
헌재 2024.6.27. 2023헌바449 ············· 288
헌재 2024.6.27. 2023헌바78 ············· 944
헌재 2024.7.18. 2021헌마460 ············· 682
헌재 2024.7.18. 2021헌마533 ············· 646
헌재 2024.7.18. 2022헌가6 ·············· 332
헌재 2024.7.18. 2022헌바4 ·············· 734

대법원 판례

1950

대판 1955.6.21. 4288형상95 ············· 1012

1960

대판 1961.12.28. 4294민상218 ············ 736
대판 1966.6.28. 66다781 ················ 737
대판 1966.10.11. 66다1456 ··············· 736
대판 1967.2.28. 67도1 ················· 255

1970

대판 1970.7.21. 70누76 ················ 1012

대판 1971.6.4. 70다2955 ················ 736
대판 1971.6.22. 70다1010 ··············· 741
대판 1975.4.8. 74도3323 ················· 41
대판 1975.11.25. 73다1896 ·············· 736
대판 1976.4.27. 75누249 ················ 438
대판 1977.3.22. 74도3510 전합 ·········· 1165
대판 1979.1.30. 77다2389 ··············· 742

1980

대판 1980.5.20. 80도306 ················· 41
대판 1981.9.22. 81다276 ················ 446
대판 1981.9.22. 81도1833 ·············· 1139
대판 1981.10.13. 80다2435 ··············· 67
대판 1982.7.27. 80누86 ··········· 162, 1022
대판 1983.10.25. 83도2366 ·············· 333
대판 1984.1.24. 82누163 ················ 443
대판 1985.5.28. 81도1045 ·············· 1139
대판 1987.9.8. 87도1458 ················ 298
대판 1989.1.18. 88수177 ················ 925

1990

대판 1990.5.15. 90도357 ················ 810
대판 1990.5.22. 89누7191 ·············· 1065
대판 1990.10.12. 90도1431 ·············· 811
대판 1991.3.27. 90도2930 ··············· 736
대판 1991.7.9. 91다5570 ················ 736
대판 1992.3.27. 91다36307 ·············· 798
대판 1992.3.31. 91다14413 ·············· 802
대판 1992.6.23. 92도682 ················ 363
대판 1992.7.28. 92추31 ················· 968
대판 1992.9.22. 91도3317
················· 1110, 1111, 1112, 1118
대판 1993.1.15. 92다12377 ············· 1286
대판 1993.9.28. 91다30620 ·············· 806
대판 1993.11.26. 93누7341 ·············· 962
대판 1993.11.26. 93다18389 ············· 382
대판 1994.8.26. 93누8993 ·············· 807
대판 1994.10.25. 93다42740 ············ 1286
대판 1994.10.28. 92누9463 ············· 1287

대판 1995.1.12. 94누2602 ····················· 961
대판 1995.5.12. 94추28 ························· 967
대판 1995.6.30. 93추83 ········· 351, 528, 967
대판 1995.7.28. 93도1977 ····················· 304
대판 1995.9.15. 94누12067 ··················· 792
대판 1995.12.21. 94다26721 ················· 798
대판 1996.2.15. 95다38677 전합 ········· 739
대판 1996.4.9. 95누11405 ·· 24, 1282, 1283
대판 1996.7.12. 96누3333 ····················· 949
대판 1996.9.20. 95누8003 ········· 971, 1356
대판 1996.11.8. 96도1742 ··················· 1110
대판 1996.11.12. 96누1221 ···················· 70
대판 1997.4.11. 96도3451 ····················· 338
대판 1997.4.17. 96도3376
 ································· 1023, 1164, 1168
대판 1997.4.25. 96추244 ······················ 969
대판 1998.7.24. 96다42789 ·· 382, 393, 531
대판 1998.9.4. 96다11327 ····················· 383
대판 1998.11.10. 96다37268 ········· 444, 535
대판 1999.7.27. 98다47528 ··················· 824
대판 1999.9.17. 97도3349 ····················· 307
대판 1999.9.17. 99추30 ························· 987

2000

대판 2001.1.5. 98다39060 ···· 736, 737, 738
대판 2001.2.15. 96다42420 전합 ········· 743
대판 2001.4.27. 95재다14 ··················· 1340
대판 2001.7.27. 99두2970 ····················· 831
대판 2002.5.10. 2001도300 ··················· 347
대판 2002.6.25. 2002도45 ··················· 1261
대판 2002.11.8. 2001두3181 ··············· 1287
대판 2003.5.30. 2002두9797 ··················· 67
대판 2003.7.24. 2001다48781 ············· 1277
대판 2003.11.13. 2003도687 ················· 807
대판 2004.2.27. 2001두8568 ················· 803
대판 2004.3.26. 2003도7878
 ······················· 1021, 1023, 1164, 1168
대판 2004.7.15. 2004도2965 전합 ········· 436
대판 2004.9.24. 2003도4781 ··············· 1203

대판 2005.9.9. 2004추10 ······ 116, 121, 971
대판 2006.3.16. 2006두330 ··················· 831
대판 2006.6.30. 2004두4802 ········· 839, 842
대판 2006.10.13. 2004다16280
 ························· 178, 179, 290, 385, 530
대판 2007.1.12. 2005다57752 ·· 1111, 1118
대판 2007.1.25. 2005다26284 ············· 1276
대판 2007.4.26. 2006다87903 ······ 450, 535
대판 2008.1.24. 2007두10846 ······ 409, 532
대판 2009.5.21. 2009다17417 ··············· 301
대판 2009.5.28. 2008두16933 ······ 451, 535

2010

대판 2010.1.14. 2009두6605 ········· 439, 534
대판 2010.4.22. 2008다38288 전합
 ······················· 145, 153, 173, 446, 535
대판 2010.10.28. 2010두6496 ················· 67
대판 2010.12.16. 2010도5986
 ················· 1165, 1168, 1272, 1275, 1288
대판 2011.3.17. 2007도482 전합 ··········· 820
대판 2011.5.13. 2009도14442 ············· 1111
대판 2011.9.2. 2008다42430 전합
 ··· 185, 291
대판 2012.5.24. 2010도11381 ··············· 495
대판 2013.3.28. 2012재두299 ············· 1244
대판 2013.12.18. 2012다89399 ············· 799
대판 2015.3.26. 2012다48824 ··············· 745
대판 2015.6.25. 2007두4995 전합 ········· 803
대판 2016.1.28. 2011두24675 ················· 71
대판 2017.3.9. 2013도16162 ················· 374
대판 2018.3.22. 2012두26401 ··············· 730
대판 2018.9.13. 2017두62549 ··············· 153
대판 2018.11.1. 2016도10912 전합 ········· 432

2020

대판 2020.6.8. 2020스575 ··················· 131
대판 2020.9.3. 2016두32992 전합 ········· 821
대판 2021.1.28. 2018도4708 ················· 441

대판 2022.8.30. 2018다212610 전합
 ·································· 745, 760
대판 2024.7.18. 2022두43528 ············· 449
대판 2024.7.18. 2023두36800 ············· 289

대법원 결정

1970

대결 1976.4.23. 73마1051 ····················· 67
대결 1979.12.7. 79초70 ···················· 1023

1990

대결 1990.6.22. 90마310 ····················· 410
대결 1995.5.23. 94마2218 ··········· 132, 824
대결 1996.6.3. 96모18 ························· 365
대결 1997.8.27. 97모21 ······················ 355
대결 1997.10.13. 96모33 ········· 1160, 1168

2000

대결 2000.4.11. 98카기137 ················· 1265
대결 2005.11.16. 2005스26 ··············· 178
대결 2006.6.2. 2004마1148·1149 ········ 825
대결 2009.5.28. 2007카기134 ·· 1277, 1288

기타

서울고법 1974.10.2. 73나1434 ············· 736
서울고법 1993.11.26. 93구16774 ·· 791, 834

MEMO

MEMO

2025 대비 최신개정판

해커스공무원
신동욱
헌법 기본서 | 2권 통치구조론·헌법재판론

개정 11판 1쇄 발행 2024년 9월 4일

지은이	신동욱, 해커스 공무원시험연구소 공편저
펴낸곳	해커스패스
펴낸이	해커스공무원 출판팀

주소	서울특별시 강남구 강남대로 428 해커스공무원
고객센터	1588-4055
교재 관련 문의	gosi@hackerspass.com
	해커스공무원 사이트(gosi.Hackers.com) 교재 Q&A 게시판
	카카오톡 플러스 친구 [해커스공무원 노량진캠퍼스]
학원 강의 및 동영상강의	gosi.Hackers.com

ISBN	2권: 979-11-7244-330-6 (14360)
	세트: 979-11-7244-328-3 (14360)
Serial Number	11-01-01

공무원 교육 1위,
해커스공무원 gosi.Hackers.com

 해커스공무원

· **해커스공무원 학원 및 인강**(교재 내 인강 할인쿠폰 수록)
· 해커스 스타강사의 **공무원 헌법 무료 특강**
· 정확한 성적 분석으로 약점 극복이 가능한 **합격예측 온라인 모의고사**(교재 내 응시권 및 해설강의 수강권 수록)